C0-AJX-359

URBANUS RHEGIUS UND DIE ANFÄNGE DER REFORMATION

Beiträge
zu seinem Leben, seiner Lehre und seinem Wirken
bis zum Augsburger Reichstag von 1530
mit einer Bibliographie seiner Schriften

von

MAXIMILIAN LIEBMANN

ASCHENDORFFSCHE VERLAGSBUCHHANDLUNG
MÜNSTER WESTFALEN

REFORMATIONSGESCHICHTLICHE STUDIEN UND TEXTE
In Verbindung mit Remigius Bäumer, Theobald Freudenberger, Klaus Ganzer, Konrad Repgen und Ernst-Walter Zeeden herausgegeben von
Erwin Iserloh
HEFT 117

Als Habilitationsschrift auf Empfehlung der Theologischen Fakultät der Universität Graz gedruckt mit Unterstützung der Deutschen Forschungsgemeinschaft

Aschendorffsche Buchdruckerei, Münster Westfalen, 1980

ISSN 0171-3469
ISBN 3-402-03764-5

Vorwort

Die vorliegende Arbeit wurde im Wintersemester 1970/71 mit bibliographischen Vorarbeiten begonnen und im Sommersemester 1977 als Habilitationsschrift abgeschlossen. Die Untersuchung erwuchs aus der Beschäftigung mit der Reformationsgeschichte der Steiermark und geht in ihrer vorliegenden Themenstellung auf die Anregung von Herrn Univ.-Prof. Dr. Karl Amon zurück. Nicht nur für diese Anregung, sondern auch für die vielen richtungsweisenden Fingerzeige, vor allem auch für das großherzige Entgegenkommen, das ich bei der Erstellung der Arbeit als Assistent jederzeit erfahren durfte, sei besonderer Dank gesagt.

Zu ganz speziellem Dank weiß sich der Autor dem Vorsitzenden der Gesellschaft zur Herausgabe des Corpus Catholicorum, Herrn Univ.-Prof. Dr. Erwin Iserloh, für die Aufnahme der vorliegenden Abhandlung in die „Reformationsgeschichtlichen Studien und Texte" und für die vielfältige Hilfe bei der Drucklegung verpflichtet.

Für die Gewährung von Druckkostenzuschüssen sei besonders der Deutschen Forschungsgemeinschaft, ferner der Gesellschaft zur Herausgabe des Corpus Catholicorum und der Diözese Graz-Seckau Dank gesagt.

Zu danken habe ich schließlich meiner Frau, Prof. Elfriede Liebmann geb. *Deutsch,* für die Hilfe bei der Textrevision und beim Kollationieren.

Die Damen und Herren, die die Erstellung der Bibliographie gefördert bzw. ermöglicht haben, sind dankend erwähnt in der Einleitung zum II. Teil dieser Arbeit.

Graz, den 22. April 1979

Inhaltsverzeichnis

C Im Dienste der alten Kirche

D Reformatorisches Wirken in Augsburg

E Augsburger Reichstag 1530 und Urbanus Rhegius

Abkürzungsverzeichnis

Allgemeine Abkürzungen

Ad.	Adressat
Aut.	Autograph
azw.	auszugsweise
Bearb.	Bearbeiter
Bg.	Bibliographie- und Literaturangabe
D.	Druck(e)
Dt.	Datum
E.	Edition
Ex.	Exemplar
F.	Fundort(e)
gem.	gemeint
gez.	gezählt(e)
GU.	Größe und Umfang
H.	Heft
HS.	Holzschnitt
HsAbt.	Handschriftenabteilung
K.	Kolophon
LBl.	Laubblatt
Ms.	Manuskript
Mss.	Manuskripte
s.a.e.l.	sine anno et loco
s.typr.	sine typographo
Sb.	Sammelbände
Str.	Strophe
T.	Titel
TE.	Titeleinfassung
Tl.	Teil
Tle.	Teile
Tom.	Tomus
Ü.	Überschrift
V.	Vers
W.	Widmung
Z.	Zeile(n)

Abkürzungen der Zeitschriften, Reihen und Lexika,

die mehrmals verwendet wurden (Die Abkürzung erfolgt prinzipiell nach Schwertner, Abkürzungsverzeichnis, wo auch nähere Daten über die zitierten Schriften zu finden sind).

ADB	=	Allgemeine Deutsche Biographie. Leipzig 1, 1875—76, 1912.
AfGB	=	Archiv für Geschichte des Buchwesens.
AGHA	=	Archiv für die Geschichte des Hochstifts Augsburg.
AGWG. PH	=	Abhandlungen der (k.) Gesellschaft der Wissenschaften zu Göttingen. Philologisch-historische Klasse.
AKuG	=	Archiv für Kulturgeschichte.
AKZ	=	Allgemeine Kirchenzeitung, zugleich ein Archiv für die neueste Geschichte und Statistik der christlichen Kirche nebst einer kirchenhistorischen und kirchenrechtlichen Urkundensammlung.
AÖG	=	Archiv für österreichische Geschichte.
ARG	=	Archiv für Reformationsgeschichte.
BBAur	=	Bibliotheca bibliographica Aureliana.
BBKG	=	Beiträge zur bayerischen Kirchengeschichte.
BBKL	=	Biographisch-bibliographisches Kirchenlexikon.
BFWUG	=	Beiträge zur Freiburger Wissenschafts- und Universitätsgeschichte.
BlbKG	=	Blätter für bayerische Kirchengeschichte.
BWKG	=	Blätter für württembergische Kirchengeschichte.
Cath(M)	=	Catholica. Jahrbuch (1, 1932 — 8, 1939: Vierteljahresschrift) für Kontroverstheologie.
CCath	=	Corpus catholicorum.
CiG	=	Christ in der Gegenwart.
CR	=	Corpus reformatorum.
DASchw	=	Diözesanarchiv von Schwaben.
dtv	=	Deutscher Taschenbuch Verlag.
EKGB	=	Einzelarbeiten aus der Kirchengeschichte Bayerns.
EKL	=	Evangelisches Kirchenlexikon. Göttingen 1, 1956 — 3, 1956 + Reg. 1961.
EKL²	=	Evangelisches Kirchenlexikon. Göttingen 1, 1961 — 3, 1962.
FDA	=	Freiburger Diözesan-Archiv.
GutJb	=	Gutenberg-Jahrbuch.
HerBü	=	Herder-Bücherei.
HJ	=	Historisches Jahrbuch der Görres-Gesellschaft.

HPBl	=	Historisch-politische Blätter für das katholische Deutschland.
IkZ	=	Internationale katholische Zeitschrift. Communio-Verlag Frankfurt.
JDTh	=	Jahrbücher für deutsche Theologie.
JGNKG	=	Jahrbuch der Gesellschaft für niedersächsische Kirchengeschichte.
JhVD	=	Jahresbericht (Jahrbuch) des historischen Vereins Dillingen/D.
JHVMF	=	Jahrbuch des historischen Vereins für Mittelfranken.
KHL	=	Kirchliches Handlexikon. Hg. v. Michael Buchberger. Freiburg i. Br. 1, 1907 — 2, 1912.
KKTS	=	Konfessionskundliche und kontroverstheologische Studien.
KL	=	Kirchenlexikon oder Encyklopädie der katholischen Theologie und ihrer Hilfswissenschaften. Hgg. v. Heinrich Joseph Wetzer/Benedikt Welte. Freiburg i. Br. 1, 1847 — 12, 1860 + Reg. Bd.
KL^2	=	Kirchenlexikon oder Encyklopädie der katholischen Theologie und ihrer Hilfswissenschaften. Hgg. v. Heinrich Joseph Wetzer/Benedikt Welte. Freiburg i. Br. 1, 1882 — 12, 1903 + Reg. Bd.
KLK	=	Katholisches Leben und Kämpfen (25/26, 1967ff:) Kirchenreform im Zeitalter der Glaubensspaltung.
KlProt	=	Klassiker des Protestantismus.
KuD	=	Kerygma und Dogma.
LASLK	=	Leben und ausgewählte Schriften der Väter und Begründer der lutherischen Kirche. Elberfeld 1, 1861 — 8, 1862.
Leit	=	Leiturgia. Handbuch des evangelischen Gottesdienstes.
LThK	=	Lexikon für Theologie und Kirche. Hgg. v. Michael Buchberger u. a. Freiburg i. Br. 1, 1930 — 10, 1938.
$LThK^2$	=	Lexikon für Theologie und Kirche. Hgg. v. Josef Höfer und Karl Rahner. Freiburg i. Br. 1, 1957 — 10, 1965 + Reg. Bd. 1965.
LuJ	=	Luther-Jahrbuch.
Luther	=	Luther. Mitteilungen der Luthergesellschaft.
MennEnc	=	Mennonite encyclopedia. Hillsboro, Kan. 1, 1955 — 4, 1959.
MennLex	=	Mennonitisches Lexikon. Frankfurt u. a. 1, 1913 — 4, 1967.
MVG	=	Mitteilungen zur vaterländischen Geschichte.
MVGSN	=	Mitteilungen des Vereins für Geschichte der Stadt Nürnberg.
NAKG	=	Nederlands(ch) archief voor kerk geschiedenis.
ÖR	=	Ökumenische Rundschau.
QFIAB	=	Quellen und Forschungen aus italienischen Archiven und Bibliotheken.
QFRG	=	Quellen und Forschungen zur Reformationsgeschichte.
QGP	=	Quellenschriften zur Geschichte des Protestantismus.

QGT	=	Quellen zur Geschichte der Täufer.
QGT Schweiz	=	Quellen zur Geschichte der Täufer in der Schweiz.
RE	=	Realencyklopädie für protestantische Theologie und Kirche. 3. Aufl., Leipzig 1, 1896 — 24, 1913.
RGG	=	Die Religion in Geschichte und Gegenwart. Tübingen 1, 1909 — 5, 1913.
RGG²	=	Die Religion in Geschichte und Gegenwart. Tübingen 1, 1927 — 5, 1931 + Reg. Bd. 1932.
RGG³	=	Die Religion in Geschichte und Gegenwart. Tübingen 1, 1956 — 6, 1962 + Reg. Bd. 1965.
RGST	=	Reformationsgeschichtliche Studien und Texte.
RGST. S	=	Reformationsgeschichtliche Studien und Texte. Supplementband.
RQ	=	Römische Quartalschrift für christliche Altertumskunde.
RTA	=	Deutsche Reichstagsakten. Historische Kommission bei der Bayer. Akademie der Wissenschaften (Hg.). Jüngere Reihe. 1519—24 = I.—VI. Bd., Gotha 1882ff. 1527—29 = VII. Bd., Stuttgart 1935; Reprint: Göttingen 1956ff. 1529—30 = VIII. Bd., Göttingen 1970/71.
SAWW	=	Sitzungsberichte der Akademie der Wissenschaften in Wien.
SAWW. PH	=	Sitzungsberichte der Akademie der Wissenschaften in Wien. Philosophisch-historische Klasse.
SBAW. PPH	=	Sitzungsberichte der bayerischen Akademie der Wissenschaften in München. Philosophisch-philologisch und historische Klasse.
SchlSchr	=	Schlern-Schriften. Veröffentlichungen zur Landeskunde von Südtirol.
SGTK	=	Studien zur Geschichte der Theologie und Kirche.
SHAW	=	Sitzungsberichte der Heidelberger Akademie der Wissenschaften.
SHAW. PH	=	Sitzungsbericht der Heidelberger Akademie der Wissenschaften. Philosophisch-historische Klasse.
SHKBA	=	Schriftenreihe der historischen Kommission bei der bayerischen Akademie der Wissenschaften.
SKRG	=	Schriften zur Kirchen- und Rechtsgeschichte.
SÖR	=	Studien des ökumenischen Rates.
SThZ	=	Schweizerische Theologische-Zeitschrift.
SVRG	=	Schriften des Vereins für Reformationsgeschichte.
ThJb (T)	=	Theologische Jahrbücher. Tübingen.
ThQ	=	Theologische Quartalschrift.
ThStKr	=	Theologische Studien und Kritiken. Zeitschrift für das gesamte Gebiet der Theologie.
TKTG	=	Texte zur Kirchen- und Theologiegeschichte.
VIEG	=	Veröffentlichungen des Instituts für europäische Geschichte.
VRF	=	Vorreformationsgeschichtliche Forschungen.
WA	=	Luther Martin: Werke. Kritische Gesamtausgabe („Weimarer Ausgabe").

WABr	=	Luther Martin: Werke. Briefwechsel.
WADB	=	Luther Martin: Werke. Deutsche Bibel.
WATr	=	Luther Martin: Werke. Tischreden.
Westfalen	=	Westfalen. Hefte für Geschichte und Volkskunde.
ZBKG	=	Zeitschrift für bayerische Kirchengeschichte.
ZDP	=	Zeitschrift für deutsche Philologie.
ZfB	=	Zentralblatt für Bibliothekswesen.
ZfBB	=	Zeitschrift für Bibliothekswesen und Bibliographie.
ZGNKG	=	Zeitschrift der Gesellschaft für niedersächsische Kirchengeschichte.
ZGO	=	Zeitschrift für die Geschichte des Oberrheins.
ZHVNS	=	Zeitschrift des historischen Vereins für Niedersachsen (Diese Zeitschrift hat keine Band- oder Jahrgangzählung).
ZHVS	=	Zeitschrift des historischen Vereins für Schwaben und Neuburg.
ZHVSt	=	Zeitschrift des historischen Vereins für Steiermark.
ZKG	=	Zeitschrift für Kirchengeschichte.
ZKTh	=	Zeitschrift für katholische Theologie.
ZSRG. K	=	Zeitschrift der Savigny-Stiftung für Rechtsgeschichte. Kanonische Abteilung.
ZSTh	=	Zeitschrift für systematische Theologie.
ZVHG	=	Zeitschrift des Vereins für hamburgische Geschichte.
ZwingBü	=	Zwingli-Bücherei.

Die Abkürzungen BSLK, CA, CT, Na, NB, Spal sind im Literaturverzeichnis aufgelöst.

Einleitung

Wer sich mit der frühen Reformationsepoche befaßt, stößt sehr bald auf Schriften des Urbanus Rhegius. Er gehörte zu den erfolgreichsten Literaten und am meisten gelesenen Reformatoren der damaligen Zeit überhaupt. Seine Trostschrift, die „Seelenarznei", z. B. erlebte nicht weniger als 121 Auflagen und erschien in zehn Sprachen, darunter in Isländisch. Der einflußreiche Ratgeber *Ferdinands I.*, Johann *Fabri*, Bischof von Wien, ein mindestens ebenso guter Kenner der gesamten theologischen und kirchlichen Szenerie wie eifriger Widerpart der Reformation, maß den Rhegius-Schriften eine derartige Bedeutung bei, daß er nicht weniger als dreizehn davon in der Liste der Bücher, die er der päpstlichen Kurie übersandte, aufführte, damit sie von den Vätern zur Vorbereitung für ihre kommenden Konzilsentscheidungen studiert werden sollten. (Übrigens gleich viele Titel wie von *Oekolampad* und bloß um zwei weniger als von *Melanchthon*. Der Abstand zu *Luther*, der mit unzähligen Titeln an der Spitze steht, gefolgt von *Zwingli* mit 42, ist weiter nicht verwunderlich.) Für den an der Spitze der kämpferischen Phalanx der altgläubigen Theologen stehenden Johann *Eck* war Urbanus Rhegius der größte „Ketzer", der am Augsburger Reichstag anwesend war. Umso unerklärlicher wird es, daß Rhegius, je mehr die Reformationstheorie voranschreitet, umso weniger beachtet wird, entschwindet und vergessen zu werden droht. So stammt seine letzte eingehende wissenschaftliche monographische Behandlung aus dem Jahre 1861. Von einer bibliographischen Erfassung seiner Werke im wissenschaftlichen Sinne von heute ist abgesehen von seiner „Seelenarznei" weit und breit nichts zu sehen. Zugleich aber erfahren *Luther* und diverse „Kampfgefährten" eine wissenschaftliche literarische Bearbeitung, die uferlos und unüberschaubar geworden ist. Wieso konnte sich der nur zum Teil vorhandene Bedeutungsunterschied zwischen diesen und Rhegius zu einem derartig krassen Mißverhältnis in der reformationshistorischen Forschung vervielfachen? Es kann und will nicht Aufgabe dieser Untersuchung sein, den Ursachen dieses Phänomens nachzugehen. Wahrscheinlich sind sie auf Einflüsse der systematischen Theologie zurückzuführen. Hier soll versucht werden, eine Lücke in der Reformationsgeschichte zu schließen, eine Lücke übrigens, die fraglos mit einem Brand zu klaffen begann: mit dem Brand, dem die Bibliothek des Urbanus Rhegius bald nach seinem Tode zum Opfer fiel und der den Sammler der Luther-Briefe *Aurifaber* schon sehr schmerzte[1].

Nicht zuletzt diese Tatsache gab den Ansporn, die Rhegius-Schriften mit besonderer Sorgfalt und möglichst umfassend zu erforschen. Der Verfasser glaubt, diesem Bemühen mit der Erstellung der Bibliographie der Rhegius-Schriften, wie sie im II. Teil vorgelegt wird, nachgekommen zu sein und damit nicht nur ein vollständigeres Bild über die literarische Tätigkeit des Rhegius bieten zu können, als es bisher geschah, sondern auch für die Erarbeitung und Darstellung seiner Biographie, seines Wirkens und seiner Lehre die nötigen Voraussetzungen geschaffen zu haben.

Die Beschränkung auf die *Anfänge* der Reformation, was das Leben, das Wirken und die Lehre des Rhegius betrifft, ergibt sich aus zwei Gründen von selbst:

1. Das Jahr 1530 mit seinem Reichstag zu Augsburg mit der öffentlichen Verlesung der Confessio Augustana bedeutet nicht bloß einen wichtigen Meilenstein in der Reformationsgeschichte, sondern den Abschluß, den Höhepunkt und die Krönung der Anfänge der Reformation. Für Rhegius ergab das Predigtverbot, im Zuge dieses Reichstages vom Kaiser verfügt, eine völlig geänderte Situation.

2. Der Weggang des Rhegius aus Augsburg 1530 und seine Übersiedlung nach Norddeutschland bilden eine derart natürliche Zäsur sowohl in seinem Leben und Wirken wie auch zum Teil in seiner Lehre — man denke an seine völlige und endgültige Hinwendung zu *Luther* anläßlich seines Zusammentreffens mit diesem auf der Koburg bei der Übersiedlung von Augsburg nach Celle — daß diese Begrenzung sich direkt aufdrängte.

Mit der weiteren Beschränkung auf *Beiträge* soll das Bemühen, Neues beizubringen, neue Aspekte aufzuzeigen und Ungereimtes zu korrigieren, seinen zwingenden Ausdruck finden.

Diese Beschränkung ergibt sich einerseits, weil schon gut Erarbeitetes vorliegt (vgl. den Literaturbericht) und weil andererseits neue Quellen zutage traten oder durch Spezialuntersuchungen neue Aspekte sichtbar wurden und drittens, weil Wichtiges übersehen wurde. Diese Fakten sollen in das bereits vorhandene Rhegius-Bild eingearbeitet werden. Wo aber nichts Neues beigebracht werden kann, wird auf die vorhandene Literatur verwiesen, ohne ihren Inhalt in extenso zu wiederholen.

[1] Vgl. Schottenloher, Widmungsvorreden, S. 63.

Das ZIEL dieser Arbeit besteht darin, einerseits die literarische Behandlung des Urbanus Rhegius bis heute, sowie sein Leben, sein Wirken, seine theologische Entwicklung und seine Rolle am geschichtsmächtigen Augsburger Reichstag 1530 bis zu seinem Weggang aus dem süddeutschen Raum beitragsmäßig zu untersuchen und darzustellen. Andererseits hat sich diese Untersuchung zum Ziel gesetzt, Rhegius' Schriften, d. h. die Erstdrucke und die Manuskripte, vollständig zu erfassen und nach den heute üblichen Usancen zu beschreiben und zu verzeichnen.

Dieses global formulierte Ziel läßt sich detaillierter aufschlüsseln:

1. Einen Bericht über die literarische Behandlung des Rhegius in den vergangenen 450 Jahren zu liefern. Dieser Bericht will einen vollständigen Überblick über das Bild des Rhegius in der Literatur nach seinem biographischen Aspekt, seiner theologischen Position bzw. Entwicklung wie auch seiner Wertung und Beurteilung durch die Jahrhunderte bieten. Er ist chronologisch geordnet und referiert prinzipiell nur Veröffentlichungen, die eine prägende Wirkung gehabt und Rhegius' Leben und Wirken in den Anfängen der Reformation, sprich im süddeutschen Raum, zum Inhalt haben, ohne sich sklavisch daran zu halten, geht aber über die Erfassung von monographischen Abhandlungen des Rhegius hinaus und will auch solche nach Maßgabe ihrer Bedeutung erfassen, in denen Rhegius unter anderen beschrieben wird. Abhandlungen über Rhegius, die keinerlei neue Aspekte bringen, aber ein gewisses Ausmaß erreicht haben, werden nur genannt und bibliographisch ausgewiesen.

2. In der Biographie, die sich wie ein roter Faden durch den ganzen ersten Teil zieht, liegt der Schwerpunkt im Bemühen, auf offene Fragen eine Antwort zu geben und die in der Literatur umstrittenen Daten im Lebenslauf des Rhegius einer Klärung näherzuführen. Aber nicht der Ablauf der äußeren Lebensumstände allein ist das Ziel der Klärung, sondern ebenso, die geistigen — theologischen Entwicklungslinien zu verfolgen.

3. Von seinem Wirken sollen vor allem die Zeit und die Aktivitäten erforscht werden, die er im Dienste der alten Kirche verbrachte bzw. setzte.

4. Das Hauptaugenmerk bei der Erforschung seines reformatorischen Wirkens soll auf das umstrittene Problem von Rhegius' theologischem Standort gelegt werden, um so seine diesbezügliche Entwicklung, seine zeitgenössische Abhängigkeit und Bedingtheit besser aufzeigen zu können. Damit soll aber auch klar gesagt sein, daß es diese Arbeit weder als ihr Ziel ansieht, eine Systematik der Theologie des Rhegius zu liefern, noch allen seinen theologischen Aus-

sagen womöglich bis auf die Kirchenväter nachzuspüren und sie durch sie aufzuschlüsseln.

5. Rhegius' Rolle beim geschichtsmächtigen Augsburger Reichstag 1530 in der Religionsfrage, speziell bei der Entstehung der Confessio Augustana, und in den Religionsunterhandlungen mit den Altgläubigen, wie auch bei den beginnenden Konkordienverhandlungen zwischen den reformatorischen Parteien nachzuspüren und sie aufzuhellen, ist ein *vornehmliche*s Ziel dieser Arbeit.

6. Die nähere Erforschung seiner Berufung nach Ansbach und ihrer Ablehnung sowie seiner schließlichen Wahl von Lüneburg als neuer Wirkungsstätte mit der Übersiedlung nach Celle will des Rhegius Leben und Wirken im süddeutschen Raum abrunden.

7. Auf dem literarischen Sektor der Wirksamkeit des Rhegius gilt es, größere Klarheit in die anonymen und pseudonymen Rhegius-Schriften zu bringen.

8. Das Hauptziel des bibliographischen Teiles meiner Arbeit ist, seine Schriften, ob Manuskripte (Autographen) oder Drucke (Erstdrucke), ohne Eingrenzung ihrer Entstehungszeit vollständig zu erfassen, ihre Fundorte in den Archiven und Bibliotheken von Leningrad bis in die USA aufzuzeigen und in einer den heutigen Anforderungen standhaltenden Bibliographie zu verzeichnen.

Die Gliederung der vorliegenden Arbeit ist von diesen dargelegten Zielen determiniert und besteht in ihrer Grundeinteilung aus zwei Teilen. Die Teile werden mit römischen Ziffern markiert, die Abschnitte mit Großbuchstaben und die jeweiligen Kapitel durch arabische Ziffern. Die weitere Untergliederung erfolgt je nach Notwendigkeit ebenso durch arabische Ziffern. Wobei zu bemerken ist, daß die Arbeit vom Bemühen getragen ist, sie durch Unterteilungen übersichtlicher, les- und benützbarer zu gestalten.

Der erste Teil hat sechs Abschnitte und befaßt sich im ersten mit dem Bericht über die literarische Behandlung des Rhegius bis in das Jahr 1976, der zweite mit seiner Herkunft und Bildung, der dritte mit seinem vornehmlich vorreformatorischen Wirken, der vierte mit seiner reformatorisch-theologischen Position und mit Aspekten seines reformatorischen Wirkens in Augsburg, der fünfte ist seiner Rolle am Augsburger Reichstag gewidmet. Gleichsam wie ein Appendix schließt sich der sechste Abschnitt über des Rhegius Berufung nach Ansbach bzw. Lüneburg an und rundet mit der Beschreibung seines Abschiedes von Augsburg und seiner Reise nach Celle den I. Teil ab.

Der II. Teil ist dem literarischen Lebenswerk des Rhegius gewidmet und ist analog gegliedert. Der erste Abschnitt behandelt sein literarisches Schaffen als solches, der zweite den historischen Überblick über die bibliographische Behandlung seiner Schriften, der dritte bringt chronologisch gereiht seine Manuskripte, der vierte seine Erstdrucke. Um die Bibliographie zu vervollkommnen, werden dann abschließend die nötigen Verzeichnisse angeführt.

Vom Fachgebiet her war die historisch-genetisch-kritische Methode vorgegeben. Diese Methode bringt es mit sich, ja bewirkt es, daß die einzelnen Abschnitte in der Darstellungsweise nicht fein säuberlich voneinander trennbar sind. So finden sich überall Elemente des Lebenslaufes und des Wirkens des Urbanus Rhegius. Diese streng voneinander zu trennen würde unorganisch wirken und die historische Bedingtheit der Aussagen und Handlungsweisen außer acht lassen.

Die Zitationsweise der Literatur ist von Schottenloher[2] inspiriert, sie erfolgt in den Anmerkungen nur durch Angabe des Autors oder des Autors mit Kurztitel der in Frage kommenden Abhandlung. Im Literaturverzeichnis ist der Autor und die entsprechende Abhandlung bibliographisch vollständig wiedergegeben. Die Schreibweise, speziell der älteren Literatur, ist der Schottenlohers angeglichen, die Erscheinungsorte werden in der heute üblichen Benennung wiedergegeben.

Darüber hinaus sei vermerkt, daß die nach einem Beistrich folgende Zahl die Nummer in dem betreffenden Band (Buch) ist, was speziell für Bibliographien gilt. Ist die Seitenzahl gemeint, steht davor ein „S.“, bei foliierten Schriften ein „fol.“. Bei den Flugschriften wird nach der vorhandenen und damals üblichen Lagenzählung, also Buchstaben-Zahlenkombination, zitiert und davor ein „Bl.“ gesetzt; die Rückseite wird wie bei den Folien durch ein hochgestelltes Strichlein gekennzeichnet.

Erschien eine Veröffentlichung in einer Reihe, wird diese in Klammer angeführt, findet sie sich in einer Zeitschrift oder in einem Sammelband, erfolgt nach der Zitation des Autors und der Wiedergabe des Titels (der Überschrift) der betreffenden Abhandlung ein „In:“ mit entsprechenden Angaben über Zeitschrift bzw. Sammelband.

Die Schriften des Rhegius werden mit Kurztitel und Bibliographienummer angegeben; wenn ein Druck gemeint ist, steht ein „D.“ davor, bei Handschriften ein „Ms.“. Für Zitate aus Rhegius' Schriften werden grundsätzlich die Sammelbände (Opera, Werke) verwendet. Bei Schriften, die dort keine Aufnahme gefunden haben, oder bei substantiellen Unterschieden wird aus der Flugschrift zitiert bzw. ihre Variante geboten.

[2] Vgl. Schottenloher, Bibliographie.

Die Biblischen Bücher werden nach den Loccumer Richtlinien zitiert. Um den Literaturbericht übersichtlicher und benützbarer zu gestalten, werden die dort vorkommenden Personennamen — Rhegius ausgenommen — außer in Zitaten kursiv geschrieben. Ansonst verwende ich kursiv nur in Ausnahmefällen, um etwas besonders zu betonen.

A Bericht über die literarische Behandlung und bildliche Darstellung des Urbanus Rhegius seit der Mitte des 16. Jahrhunderts

1. IM 16. JAHRHUNDERT

1.1. Biographien

Die erste zusammenfassende Biographie des Urbanus Rhegius stammt von seinem Sohn Ernestus. Dieser stellte dem Sammelband der lateinischen Traktate eine längere und umfassendere Vita[1], dem Sammelband der deutschen Schriften eine kürzere Biographie[2] voran. Inhaltlich bietet letztere kaum neue Aspekte. Ernestus faßte zu Beginn seiner Vita den höchst löblichen Vorsatz: „De patre meo Urbano Regio dicturus, operam adprime mihi dandam prospicio: ut etiam posteritati originem eius, patriam, educationem, studia, praecipua vitae officia, etiam quicquid est eiusmodi, quanta fieri potest perspicuitate atque perfectione aperiam[3]."

Wäre Ernestus seinem löblichen Vorsatz treu geblieben, wäre das Urteil der Nachwelt über seine Vita wohl weit besser ausgefallen als es die Kritik von *Wolfs* Quellenkunde zur Reformationsgeschichte mit vollem Recht ausdrückt: „Zwar die von seinem Sohne Ernst verfaßte vita ist wissenschaftlich unbedeutend, da er den Vater mit 5 Jahren verlor und dessen Nachlaß nur mangelhaft ausbeutete[4]." So erfahren wir aus der Vita des Ernestus nichts über das Geburtsdatum seines Vaters Urbanus. Über die Eltern des Urbanus Rhegius teilt er sehr wenig mit, dessen Vater findet kaum Erwähnung, von etwaigen Geschwistern ist nicht die Rede. Weder in der Vita noch in der Biographie wird ein einziges Datum angeführt, auch das Todesjahr wird nicht genannt. Ansonst führt die Vita, die man besser „laudatio" nennen könnte[5], den Lebensablauf mit sehr unterschiedlicher Genauigkeit auf. Des berühmten Rechtsgelehrten *Zasius* häusliche Lebensgewohnheiten, wie sie in der Zu-

[1] Regius Ernestus, Vita. Der Sohn schrieb sich ohne „h".

[2] Regius Ernestus, Biographie.

[3] Einleitungssatz der Vita, ebd.

[4] Wolf, Quellenkunde, 2. Bd./2. Tl., S. 156.

[5] Uhlhorn II, urteilt S. 343, Anm. 3 darüber: „Sie ist mehr eine Lobrede auf den Vater, als eine Biographie, in schwülstigem Latein geschrieben."

neigung zu Urbanus Rhegius ihren signifikanten Ausdruck fanden, schildert Ernestus übergenau. Das Zasiusbild, wie es uns in der Geschichte entgegenleuchtet, ist von dieser Schilderung wesentlich mitgeprägt[6].

Besonderes Augenmerk schenkte Ernestus auch dem ursprünglichen Freundschaftsverhältnis zwischen Johann *Eck*, dem Hauptwiderpart *Luthers*, und Rhegius. Vor unseren Augen wird ein Bild *Ecks* gezeichnet, das ganz aus dem üblichen Rahmen fällt. *Eck* springt für den in bittere Not geratenen Urbanus Rhegius selbstlos in die Bresche und löst ihn wieder aus der Söldnergruppe frei, der sich Rhegius wegen finanzieller Nöte verdungen hatte.

So ist des Urbanus Rhegius Vita trotz ihrer wissenschaftlichen Dürftigkeit wegen ihrer vielen Details unersetzlich. Einiges wissen wir nur aus dieser Vita, wie etwa die beiden gerade angeführten Begebenheiten und manches andere aus der Zeit der Kindheit und Jugend unseres Reformators. Einiges in der Vita ist allerdings auch historisch falsch, prägte aber sehr nachhaltig ein falsches Bild; wir werden uns im Laufe dieser Untersuchung noch damit auseinandersetzen.

Was den Namen betrifft, hieß unser Rhegius nach der Vita ursprünglich König, aus Bescheidenheit und um den Spötteleien zu entgehen habe der „Habenichts“ Urbanus König seinen stolzen Namen in Regius (Rhegius) verniedlicht[7].

Neun Jahre bevor die genannten Sammelbände erschienen, gab *Gesner/Lycosthenes*[8] nach Aufzählung der von Rhegius erschienenen Werke dessen Todesjahr mit 1534 an. Vier Jahre später, im Jahre 1555, erschien von *Gesner/Lycosthenes/Simler*[9] eine erweiterte Bibliographie des Rhegius mit der Angabe, er sei 1540 gestorben.

Friedrich *Mykonius*, der 1541/42 seine Geschichte der Reformation schrieb, aber selber nicht veröffentlichte, gibt als erster richtig das Todesjahr mit 1541 an[10]. Was *Mykonius* sonst noch über Rhegius berichtet, verrät zwar seine große Wertschätzung dieses Mannes, ist aber biographisch dürftig: „Er hätte die Sache“, schreibt *Mykonius* über Rhegius, „allein in einem Concilio führen können

[6] Vgl. Stintzing, Zasius, S. 53.

[7] Da ich mich im Abhandlungsteil sehr ausgiebig mit der Vita auseinandersetze, möchte ich hier auf weitere Ausführungen verzichten.

[8] Gesner/Lycosthenes, Elenchus, Sp. 1082.

[9] Gesner/Lycosthenes/Simler, Epitome, S. 180.

[10] Mykonius, Geschichte der Reformation, S. 43. Diese Reformationsgeschichte gab 1718 Ernst Salomon Cyprian in Leipzig erstmals im Druck heraus. Otto Clemen gab sie sprachlich modernisiert (1915) neuerdings in Leipzig heraus. Ich zitiere nach letzter Ausgabe.

wider alle Papisten. War Hebräisch, Griechisch, Lateinisch gelehrt[11]."

Vier Jahre nach Erscheinen der beiden Sammelbände von Rhegius-Werken finden wir eine lateinische, vom Sohn unbeeinflußte, Biographie von Rhegius. Der Verfasser *Pantaleon* gibt in seinem biographischen Lexikon, so könnte man das Werk nennen[12], über Rhegius eine recht wertvolle Zeitangabe; 1520, schreibt er, habe Rhegius in Basel Theologie studiert und sei von dort nach der Promotion als Prediger nach Augsburg gegangen[13]. Vier Jahre später, 1570, erschien dieses biographische Lexikon in deutscher Sprache[14]. In beiden Ausgaben findet sich auch ein Konterfei des Rhegius[15], beide sind aber Phantasiebilder und stellen keinen historischen Wert dar. Beide Bildnisse, man beachte — siehe unten — die Unterschiede, werden in den Lexika mehrmals für ganz verschiedene Persönlichkeiten verwendet. Auch Sebastian *Münster*, der sich einer Biographie des Rhegius enthält und nur dessen Tätigkeit als Domprediger von Augsburg erwähnt, bringt ein Bildnis des Rhegius[16]. Dieses Konterfei ähnelt am meisten dem Bildnis, das ein unbekannter Monogrammist 1524 von Urbanus Rhegius herstellte und das sich im Augsburger Kupferstichkabinett befindet.

Achilles Pirmin *Gasser*, „der Geschichtsschreiber Augsburgs"[17], befaßt sich in seinen Augsburger Annalen, die zwar in den siebziger Jahren des 16. Jh. entstanden, aber erst 1595/96 erstmals in Deutsch erschienen, ebenfalls mit Urbanus Rhegius und bietet dessen Kurzbiographie. *Gasser* nennt teilweise auch ganz präzis Daten, wie etwa den 25. Dezember 1525, an dem Rhegius zusammen mit Johann Frosch, dem ehemaligen Karmeliterprior, in der Karmeliterkirche begann, das Abendmahl unter beiderlei Gestalten auszuteilen[18]. Geburts- und Todesjahr gibt aber auch *Gasser* nicht an. Ob sich *Gasser*, der 1505 in Lindau, und Rhegius, der im nahe-

[11] Ebd., S. 42f.
[12] Pantaleon, Prosopographiae.
[13] Ebd., S. 178.
[14] Pantaleon, Heldenbuch.
[15] Pantaleon, Prosopographiae, S. 178; Heldenbuch, S. 190.
[16] Münster, Kosmographie, S. 871.
[17] Frensdorff, Die Chroniken der Stadt Augsburg, S. XLIV.
[18] Gasser, Annales, Sp. 1776ff. und Hartmann, Chronika, S. 10. Eine Kurzbiographie, jedoch ohne präzise Datumsangaben, bietet auch Hartmann, Andertheil der Chronika, S. 278. Zur Geschichte der Annales und ihrer ins Deutsche übersetzten und von Hartmann in Basel (Frankfurt) 1595 und 1596 herausgebrachten „Andertheil der Chronika" und „Chronika" siehe: Frensdorff, Die Chroniken der Stadt Augsburg, S. XLIVf., vor allem aber Burmeister, Gasser, 1. Bd., S. 161ff. und 2. Bd., S. 59ff.

gelegenen Langenargen sechzehn Jahre früher geboren wurde, auch persönlich gekannt haben, kann, bedingt durch die schlechte Quellenlage, nicht eindeutig geklärt werden[19]. In der gedruckten deutschen Ausgabe von *Gassers* Annalen *Hartmanns* scheint erstmals die Behauptung auf, Rhegius sei „in der Carmeliter Kutten gesteckt“[20]. Eine Behauptung übrigens, die auf einen Übersetzungsfehler zurückgeführt werden kann. *Crusius,* dessen Annalen[21] 1596 erschienen, kannte und schöpfte aus *Gassers* Annalen. In gewisser Hinsicht könnten sie sogar Exzerpte aus diesen genannt werden. Als Todestag des Rhegius nennt *Crusius* den 25. Mai 1541[22].

Neben diesen drei Biographien: Ernestus *Regius* und den von diesem literarisch unabhängigen *Pantaleon* und *Gasser* gibt es zahlreiche Äußerungen über Urbanus Rhegius von Zeitgenossen, die ihn persönlich kannten oder bloß zugleich lebten. Diese Äußerungen können schwerlich als Biographien bezeichnet werden, sie sind oft aphoristische, sehr situationsbedingte Charakterisierungen und werden deshalb in der Abhandlung im entsprechenden Zusammenhang einfließen und behandelt. Das gleiche gilt auch für den Reformationshistoriker des 16. Jh. *Sleidan*us [23].

Hierher rechnen möchte ich auch den Chronisten Clemens *Sender,* dessen „Historica relatio“ erst 1654 im Druck erschien. Tagebuchartig verzeichnet er ihm wichtig erscheinende Ereignisse in Augsburg, ohne eine Biographie, schon gar nicht die des Rhegius, schreiben zu wollen. Seine höchst wertvollen Mitteilungen und Aufzeichnungen[24] werden uns im Laufe der Arbeit immer wieder begegnen und als unersetzbare Quelle für vieles dienen.

Im Heldenbuch *Pantaleons,* das die gleichen Konterfeis wie dessen Prosopographie und *Münsters* Kosmographie zur Illustration

[19] Einer alten Tradition zufolge soll Gasser 1522 sogar „drei Monate lang bei Urbanus Rhegius in Langenargen Physik studiert haben“, wie neuerdings Burmeister, Gasser, 1. Bd., S. 16 wieder meint. Nach Fleischmann, Gasser, S. 261 unterrichtete Rhegius den jungen Achilles Pirmin Gasser „hauptsächlich in Physik“. Burmeister beruft sich bei seinen Äußerungen auf Brucker, Vita Gasseri, S. 994 und Veith, Bibliotheca, 8. Bd., S. 109. Wenngleich der Physikunterricht für Gasser durch Rhegius durchaus möglich erscheint, ist anderseits denn doch anzumerken, daß weder Gasser noch eine zeitgenössische Quelle hierüber berichtet. Fleischmann, der zwölf Jahre vor Burmeister über Gasser handelte, konnte auch keine zeitgenössische Quelle angeben.

[20] Hartmann, Chronika, S. 10.

[21] Crusius, Annalium Svevicorum.

[22] Ebd., S. 647.

[23] Sleidanus, De Statu religionis.

[24] Sender, Chronik, und: Historica relatio; zum Verhältnis beider untereinander siehe: Einleitung zu Sender, Chronik, S. III—XXXIV von Friedrich Roth, speziell S. XIVf.

1.2. Bildliche Darstellungen des Urbanus Rhegius in:

1. 2. 3.

Pantaleon, Prosopographiae, S. 178. — Pantaleon, Heldenbuch, S. 160. — Münster Kosmographie, S. 870.

verwendet, werden außer Rhegius u. a. noch nachstehende Persönlichkeiten mit demselben Bild dargestellt:

Mit dem 1.: „Johannes Murmelius Philosoph", S. 45.
„Laurentius Friseus ein Franck", S. 219.
„Petrus Cholinus proffessor zu Zürich", S. 231.
„Casparus Aquila Prediger zu Salfeld", S. 317.

Mit dem 2.: „Conradt Sum̄erhart", S. 41.
„Franciscus Kold prediger zu Bern", S. 116.
„Matthias Zellius prediger zu Straßburg", S. 154.
„Theodorus Bibliander Theologus", S. 263.

Mit dem 3.: „Vincentius Obsopeus ein Poet", S. 181.
„Ambrosius Blarer Theologus", S. 210.
„Martinus Frechtus Theologus", S. 250.
„Caspar Creutziger Theologus", S. 274.

Uhlhorn kennt nur das 3. Bild als Rhegius-Darstellung und schließt daraus über ihn: „Darnach war er nicht groß, mager und schmal gebaut, das Gesicht eher lang als rund mit vollem, aber nicht dichtem Bart, die Stirn hoch, geistig, der Mund etwas scharf, wie geneigt, rasch mit dem Wort herauszufahren, der ganze Eindruck offen[25]." Auch *Stupperich* verwendete, um Rhegius darzustellen, diesen Holzschnitt[26].

[25] Uhlhorn II, S. 335.
[26] Stupperich, Urbanus Rhegius, S. 23. Als Fundort gibt Stupperich an: Westfälisches Landesmuseum in Münster.

Anonymer Monogrammist 1524
Städtische Kunstsammlungen Augsburg

2. VOM 17. BIS IN DIE MITTE DES 19. JAHRHUNDERTS

2.1. Die biographische Entwicklung

2. 1. 1. Kleinere Biographien und biographische Notizen

Lassen sich für das 16. Jahrhundert drei voneinander unabhängige Biographien konstatieren, so läuft nun die Entwicklung eindeutig auf eine Redaktion einer einzigen hinaus. Das biographische Bild, das sein Sohn Ernestus in der Vita zeichnete, dominiert alles. Man kann oft sogar eine bloße Nacherzählung feststellen.

Das Todesdatum des Rhegius terminisierte 1602 Lukas *Osiander* genauer mit dem Monat Mai 1541[27], ohne sonstige biographische Daten anzugeben. Eine relativ ausführliche biographische Behandlung erfuhr Rhegius hingegen 1618—1620 durch Melchior *Adam*[28]. Allerdings ist seine Biographie zum allergrößten Teil eine fast sklavische Wiedergabe weiter Passagen der Vita. Neu bei *Adam* ist, daß Rhegius um 1516 *Erasmus* von Rotterdam im Namen seines Fürsten nach Ingolstadt einlud. *Erasmus* lehnte zwar ab, aber Rhegius, hebt *Adam* hervor, bekam das Lob zu hören, indem er ihn als einen ehrlichen, klugen, redegewandten und gebildeten Mann preist, kurzum einen, der mit allen Gaben aller Grazien und Musen ausgezeichnet ist[29]. *Adam* setzt diese Begebenheit allerdings historisch falsch nach Rhegius' Krönung zum Dichter und Redner an[30]. Relativ breiten Raum nimmt des Rhegius Verhalten im Abendmahlsstreit ein. Gegenüber der Vita ist diese Passage neu. Der Streit mit *Eck* um die hl. Messe wird von *Adam* nicht referiert, bzw. die einschlägigen Briefe werden nicht einfach nacherzählt, wie bei Ernestus *Regius,* sondern in die Biographie eingeschoben abgedruckt. Neu ist auch der Bericht von Rhegius' Besuch bei *Luther* auf der Koburg, als er von Augsburg zu seiner neuen Wirkungsstätte nach Norden ritt[31]. Als Todestag bietet *Adam* zwei Varianten, den 23. Mai als den wahrscheinlicheren und den 5. Mai, wie andere sagten; über das Jahr besteht für ihn kein Zweifel, es ist 1541[32].

Das Evangelisch-Lutherische Dekanat Augsburg bewahrt eine Handschrift[33] aus dem Jahre 1628 auf, die zwar nicht gedruckt

[27] Osiander, Epitomes. S. 337.
[28] Adam, Decades duae; und: Vitae Germanorum.
[29] Adam, Vitae Germanorum, S. 72.
[30] Ebd.
[31] Ebd., S. 78.
[32] Ebd., S. 79.
[33] Gründtlicher Bericht.

wurde, trotzdem aber die Rhegius-Biographie nachhaltig beeinflußte. Dies deshalb, weil *Rein* sie 120 Jahre später für seine gedruckte historische Abhandlung[34] ausgiebig benutzt haben muß, nur so läßt sich nämlich deren vielseitige Ähnlichkeit befriedigend erklären. Nach dieser Handschrift wohnte und predigte Rhegius bereits im Karmeliterkloster St. Anna in Augsburg, noch bevor er Domprediger wurde. Von dort folgte er dem Johannes *Oekolampad* als Domprediger. Ob seiner kritischen Predigten sei es mit den Prälaten zum Streit gekommen. Ein Domherr sei schließlich über Rhegius' Predigten derart erzürnt gewesen, daß er Rhegius im Laufe eines Streites mit einem Schlüsselbund ins Gesicht schlug. Rhegius sei daraufhin weggezogen und habe sich eine Zeitlang in Hall im Inntal aufgehalten[35]. 1529, heißt es in dieser Handschrift weiter, habe der Rat der Stadt das Stift und Karmeliterkloster gekauft und Rhegius sei „etlicher Ursachen halber, in das Prediger Closter verordnet worden . . ."[36]. Dort hätten nun beide Parteien nebeneinander gepredigt. Rhegius zieht dieser Handschrift zufolge 1530 auch nicht aus Augsburg für immer weg, sondern kommt nach Ende des Reichstages mit den anderen Predigern wieder in die Stadt zurück[37]. Diese handschriftliche Biographie, die sich mit Rhegius erst ab dessen Ankunft in Augsburg 1520 befaßt, ist historisch höchst unzuverlässig.

Hier möchte ich auch kurz *Zincgref*[38] nennen, der, obwohl er keine Biographie von Rhegius verfaßte, zwei Aussprüche über ihn überlieferte, die alsbald zum fixen Bestandteil diverser Biographien werden sollten. Der eine wird Herzog *Ernst* zugeschrieben, der ihn 1535 von sich gegeben haben soll, als die Augsburger Rhegius wieder in ihrer Stadt haben wollten. *Zincgref* referiert den doppelbödigen Ausspruch, den *Ernst* vor den Augsburger Abgesandten und anschließend an Rhegius gewandt, gemacht haben soll: „Ich zweiffele, ob ich euch nicht schier lieber ein Aug auß meinem Kopff, als diesen Mann geben wolte? Zu ihm aber sagte er: Lieber Urbane, bleibt bey uns, ihr könt woll jemand finden der euch mehr Gelt gebe, als ich, aber ihr könt keinen zuhörer finden, der ewre Predigten lieber höre als ich[39]."
Der andere noch bekanntere Ausspruch stammt laut *Zincgref* von *Luther*, der diesen zwei Jahre später 1537 in Schmalkalden gemacht

[34] Rein, Das Evangelische Ministerium. [35] Gründtlicher Bericht, S. 3.
[36] Ebd., S. 12.
[37] Ebd., S. 13f.
[38] Zincgref, Apophthegmata. Vgl. die verschiedenen Auflagen bei Goedeke, Grundriß, 3. Bd., S. 35ff. Ich zitiere nach der Auflage: Amsterdam 1653; siehe Literaturverzeichnis.
[39] Ebd., S. 113.

haben soll. *Zincgref* schreibt: „Zu Schmalkalden auff der Fürsten zusammenkunfft predigte Vrbanus Rhegius, da er aber die Predig zu lang machte, sprach D. Luther: Hoc neque Vrbanum neque regium esse[40]."
Goebel beruft sich in seinen 1634 erschienenen „Augsburgischen Confessions Predigten" ausdrücklich auf die Chronika *Hartmanns* und auf *Sleidanus*[41].

Darin liegt auch die Erklärung für *Goebels* Behauptung, Rhegius sei ein Karmelitermönch zu St. Anna in Augsburg gewesen[42].

Stengel lehnte sich mit seinem Kommentar[43] 1647 stark an *Crusius* an[44], kannte und schöpfte aber auch aus den Arbeiten des Augsburger Chronisten Clemens *Sender*. Da aber der Auszug aus *Senders* Chronographia[45], nämlich das Werk: Historica relatio[46], erstmals 1654 und dessen deutsche Tagebücher gar erst 1894 im Druck erschienen, mußte *Stengel* diese Chronographia benutzt haben.

Von der 1654 gedruckten Historica relatio ist eine biographische Notiz (S. 8) besonders erwähnenswert, da sie völlig aus dem üblichen biographischen Schema fällt, nämlich, daß Urbanus Rhegius der Sohn eines Geistlichen und damit unehelicher Herkunft war.
Der ehemalige Pfarrer bei St. Anna in Augsburg, der schon oben genannte *Goebel*, gab 1654 seine Predigten[47] über „Die XXI. Artickel der ungeänderten Augspurgischen Confession"[48] heraus. Hier finden wir Rhegius wieder als Karmelitermönch bei St. Anna, der dann evangelisch wird[49].

[40] Ebd., S. 184.

[41] Sleidanus, De Statu religionis.

[42] Goebel, Augspurgische Confessions Predigen, Bl. b'.

[43] Stengel, Commentarius.

[44] Vgl. z. B. den Bericht über die Austeilung beider Spezies beim Abendmahl am 25. Dezember 1525. Bei Stengel ist Rhegius wie Frosch allerdings auch ein Karmelit, bei Crusius wird von beiden nur gesagt, sie seien Doktoren der Theologie. Crusius, Annalium Svevicorum, S. 595; Stengel, Commentarius, S 265.

[45] Zwölfbändige Handschrift, zwischen 1523 und 1536 in Augsburg verfaßt. Sie wird in Augsburg in der Bibliothek des bischöflichen Ordinariats aufbewahrt. Vgl. dazu Roth, in: Sender, Chronik, S. XIf. und S. XXXVff.

[46] Sender, Historica relatio. Roth schreibt in: Sender, Chronik, S. XV: „Eine eingehende Vergleichung des Textes der Chronographie mit der Relatio ergab Folgendes: Der Herausgeber der letzteren gab sich die Mühe, fünf Bände (Bd. 7—11) der Chronographia ... genau durchzusehen, um für seine Zwecke brauchbare Stellen zu finden ... Diese wurden dann wörtlich abgeschrieben ... und daraus entstand dann die 118 Seiten umfassende Relatio."

[47] Goebel, Augustana Fidei confessio.

[48] Ebd., Titelseite.

[49] Ebd., S. 483.

Hottinger[50] behandelt für die damalige Zeit (1665) ziemlich eingehend den Sakramentsstreit der zweiten Hälfte der zwanziger Jahre in Augsburg und gibt dabei teilweise falsche Daten an. So ist der von ihm edierte Brief des Rhegius an *Zwingli* nicht 1529 geschrieben worden[51], sondern am 1. April 1527[52]. Des Rhegius freundschaftliche Kontakte und Hinneigung zu *Zwingli* werden überbetont; Rhegius' private Schwierigkeiten in Augsburg herausgestrichen.

Grabe stellt 1672 seinem Nachdruck des Rhegius-Werkes, Formulae quaedam[53], eine Biographie[54] seines Autors voran. Zu einem sehr großen Teil folgt *Grabe* einfach der Vita des Ernestus *Regius*, bisweilen wörtlich. In den zahlreichen Anmerkungen verarbeitet er anderseits wieder sehr eigenständig und kritisch andere Autoren. Erstmals ist bei *Grabe* auch der Versuch zu finden, zu erklären, warum sich Regius auch Rhegius schrieb, also mit „h". Zunächst referiert er die Namensverwandlung von König zu Regius nach der Vita des Ernestus. Das „h" habe Urbanus Rhegius deshalb eingefügt, fährt *Grabe* fort: „Ut ... magis coram lectore occultaret pristini nominis splendorem ...[55]." Rhegius kommt nach *Grabe* erst 1526 in Augsburg an, wo er auf Bitten des Senates und der Bürger die Leitung der reformatorischen Kirche übernimmt[56].

Grabe bezweifelt als erster, daß Rhegius einmal ein Karmelitermönch war. Seinen Zweifel begründet er mit dem Faktum, daß weder Ernestus etwas davon erwähnt habe noch andere Biographen[57]. Beeinflußt von *Hottinger*, nimmt bei *Grabe* die Schilderung des Standortes des Rhegius während des Abendmahlsstreites in Augsburg einen breiten Raum ein[58]. Die „Vertreibung" des Rhegius aus Augsburg durch „Pontificia crudelitas" wird erst nach dieser ausführlichen Standortschilderung erwähnt. Rhegius irrt hierbei im „Etschland", „Hall in Innthal" und in „Inspruck" umher, bis er von den Augsburger Bürgern nach Augsburg zurückgerufen wird. Des Rhegius Besuch bei *Luther* auf der Koburg wird berichtet. Besonderes Augenmerk wendet *Grabe* dem historischen

[50] Hottinger, Historiae ecclesiasticae.
[51] Ebd., S. 427.
[52] Siehe: Ms. 36.
[53] D. 101.
[54] Grabe, Vita Regii. Dieses Werk erschien erstmals 1672, die von Uhlhorn II, S. 343, Anm. 3 zitierte Ausgabe ist ein Nachdruck.
[55] Grabe, Vita Regii, S. 1, Anm. a.
[56] Ebd., S. 8.
[57] Ebd., Anm. Grabe kannte offensichtlich nicht die deutsche Übersetzung von Gassers Annales durch Hartmann. Siehe: Hartmann, Chronika.
[58] Ebd., S. 9f.

Wirken Rhegius' in Norddeutschland zu. Als Todesdatum gibt er Mai 1541 an, ohne sich auf einen Tag festzulegen. In der Anmerkung zählt er die Autoren auf, die den 23. Mai als solchen angeben, und erwähnt bei *Crusius*[59], daß dieser der einzige sei, der den 25. Mai als Todestag führe[60].

Elf Jahre nach *Grabe* verfaßte *Veiel* 1683 seine Abhandlung[61] über Rhegius. *Veiel* baut seine Rhegius-Vita ganz auf Ernestus *Regius* auf, zitiert u. a. die oben schon genannten Martin *Crusius*, Melchior *Adam* und Silvester *Grabe* und setzt sich mit ihnen wie auch mit Johann *Hottinger* auseinander. Nach der Darlegung der Biographie, die, wie gesagt, in enger Anlehnung an die Vita des Ernestus *Regius* in den ersten 11 Seiten dargeboten wird, versucht *Veiel* recht interessant auf 87 Seiten so etwas wie die theologische Entwicklung des Urbanus Rhegius zu skizzieren. Wenngleich sich *Veiels* eigene Überlegungen oft nur wie verbindende Worte zu den überlangen Zitaten aus den Sammelbänden der Rhegius-Werke ausnehmen, verraten sie doch eine kritische Auseinandersetzung mit den Positionen des Rhegius. So liest man etwa: „Sciendum igitur, 1. Regium fuisse in Philosophia & Theologia scholastica versatissimum, insignem Papistam, & Lutheri hostem[62]."

Das Lob, das Rhegius von *Erasmus* 1516 anläßlich der Werbung um ihn erntete und das von Melchior *Adam* erstmals betont hervorgehoben wurde, streicht auch *Veiel* heraus[63].

Seckendorf[64], der keine zusammenhängende Biographie bietet, kann mit einigen recht interessanten Details aufwarten. So weiß er z.B., daß Rhegius beim Augsburger Reichstag 1530 am Pfingsttag im Beisein des sächsischen Kurfürsten bei den Dominikanerinnen im St. Katharinakloster gepredigt[65] und 1537 die Schmalkaldischen Artikel unterschrieben habe[66].

Im Telegrammstil bietet Georg *Serpilius*[67] das Leben des Rhegius[68]. Er bietet zwar für die Biographie keinerlei neue Aspekte, ist aber wegen der reichhaltigen Literaturangabe erwähnenswert.

[59] Vgl. oben S. 10, Anm. 21.
[60] Grabe, ebd., S. 24, Anm. k.
[61] Veiel, Urbani Regii memoria. Uhlhorn II, S. 343, Anm. 2, bedauert es, dieses Werk nicht gefunden zu haben.
[62] Ebd., S. 11.
[63] Ebd., S. 6.
[64] Seckendorf, Commentarius. Dieses Werk kam 1714 in Deutsch heraus; siehe Seckendorf, Luthertum.
[65] Ebd., Commentarius, 2. Bd., S. 153.
[66] Ebd., 3. Bd., S. 153.
[67] Serpilius, Epitaphia, S. (82)—(86).
[68] Ebd., S. (82).

Einen sehr gestrafften Auszug aus Ernestus' Vita in deutscher Sprache, ergänzt durch einige Autoren, wie Melchior *Adam* und Veit *Seckendorf,* liefert *Uhsen*[69] 1710 über Rhegius. *Uhsen* befaßt sich wieder mit dem Sterbedatum des Urbanus Rhegius und nennt neben dem 23. auch den 25. Mai als mögliches Datum[70]. Die literarische Form der biographischen Behandlung ist hier wie vorhin bei *Serpilius* die eines Lexikonartikels.

Wenn auch keine Biographie, so doch sehr viele wichtige und interessante Fakten über das Wirken des Rhegius im Norden bieten *Rehtmeyer*[71] 1710 und *Hamelmann* 1711[72].

Wagner gab 1711 die Gedichte des Rhegius heraus[73] und stellte eine Vita voran. Er machte es sich hierbei aber sehr leicht, indem er einfach die Vita, wie sie Ernestus *Regius* verfaßt hatte, abdruckte.

Georg *Bertram* behandelte 1719 sehr gediegen das reformatorische Wirken des Rhegius in Nordeutschland, speziell in Lüneburg. Seine Untersuchung schließt er mit der Ankündigung: „Was sonst von unserem Rhegio zu erzehlen, da er anzusehen 1.) als ein eyfriger Papist 2.) als ein Evangelischer Christ, in denen Kirch-Bedienungen (a) zu Augspurg (b) auf der Flucht (c) in Lüneb. (d) und andern Landen etc. item in seinem Ehe-Stande und Lebens-Schlusse, das hat der gelehrte Leser unter göttlichem Beystande in der völligen Historie der Zellischen General-Super, zu erwarten, dabey denn viele singularia vorkommen werden, die weder sein Sohn, noch sonst einer der Biographorum berühret hat[74]."

Leider dürfte diese hier angekündigte, vielversprechende Biographie nie das Licht der Welt erblickt haben, d. h. im Druck erschienen sein. Jedenfalls war sie trotz langen und intensiven Suchens nirgends aufzutreiben[75].

Bytemeister wartet 1726[76] mit einigen sehr interessanten biographischen Bemerkungen auf. So soll des Urbanus Rhegius Vater ein gewisser „Paul Regius"[77] gewesen sein. Die Frau des Urbanus, Anna *Weisbrucker,* sei 1569 in Celle, der Sohn Ernestus *Regius* am

[69] Uhsen, Leben der Berühmtesten Kirchen-Lehrer, S. (342)—(343).

[70] Ebd., S. (344)f.

[71] Rehtmeyer, Historiae ecclesiasticae.

[72] Hamelmann, Opera.

[73] Siehe: D. 144.

[74] Bertram, Das Evangelische Lüneburg, S. 134.

[75] Schlichthaber, Andenken, S. 24, Anm. c, scheint hierfür die Erklärung zu liefern, wenn er über Bertram konstatiert: „Zu bedauern ists, daß den seeligen Mann der den 3. Aug. 1728 erfolgete frühzeitige Tod verhindert hat, sonst hätten wir seinen Versprechen nach nähere Nachricht von Regii Eheliebsten ihren Kindern und jetzt lebenden Geschlechte."

[76] Bytemeister, Commentarius.

[77] Ebd., S. 5.

19. Juli 1581[78] und Urbanus Rhegius selbst am 23. Mai 1541[79] gestorben.

Heinrich *Guden* behandelte in seiner Untersuchung[80] über Herzog *Ernst* von Lüneburg auch das Wirken des Rhegius und untermauert sie mit vielen Details über dessen reformatorische Tätigkeit in Norddeutschland. S. 54f. druckt er den Text des Epitaphs ab, das Rhegius in Celle erhielt, ohne allerdings den Standort anzugeben. Daraus geht hervor, daß Rhegius am 23. Mai 1541 starb, womit diese wohl sichere Notiz Eingang in die Literatur findet.

Im selben Jahr erschien in Gotha eine Lebensbeschreibung[81] der bedeutendsten Theologen, die 1530 am Augsburger Reichstag teilnahmen, von *Liebe*. In bemerkenswerter ökumenischer Gesinnung werden hierin sowohl die „Evangelischen als Paebstischen Gottesgelahrten, welche allda zugegen gewesen“[82] behandelt. Rhegius rangiert in dieser Abhandlung als neunter und letzter der lutherischen Reichstagstheologen. Obwohl Luther am Reichstag zu Augsburg gar nicht anwesend war, wird er gleich an erster Stelle behandelt. „Denn“, so lautet die Begründung, „die Sache giebt es klar, daß selbiger gleich wie sonst überall, also auch hier insonderheit die erste Stelle verdiene ...[83].“ *Liebe* versucht das Geburtsjahr des Rhegius — den Namen schreibt er ohne „h“ — zu eruieren und meint sehr vorsichtig, es mag „ungefehr das 1491 Jahr nach Christi Geburt seyn, in welchem auch Martinus Bucerus das Licht der Welt erblicket“[84]. Nach diesem Versuch, das Geburtsjahr festzustellen, wird eine geraffte, auf das Wesentliche beschränkte Biographie geboten. Die weiteren Jahreszahlen sind durchweg korrekt.

Am Schema: Studium in Freiburg, wo er den „Magister Philosophiae“ macht, darauf Studium in Basel und anschließend in Ingolstadt, hält auch *Liebe* fest. Kein Wort, daß Rhegius ein Karmeliter war; Wirken in Hall in Tirol, nachdem er die Domprädikatur zurückgelegt hatte, also zwischen 1521 und 1523; kein Wort über Kontakte und Briefwechsel mit *Erasmus;* die Hinneigung zu *Zwinli* wird mit einer Zeile abgetan. Rhegius' Urteil über *Luther,* den er auf der Reise von Augsburg nach Celle 1530 besuchte, wird breit wiedergegeben. Todestag 23. Mai 1541. Keine Literaturangaben für die Biographie, nur bibliographische Hinweise durch Nennung von *Gesner*[85] und *Bytemeister*[86].

[78] Ebd., S. 11.
[79] Ebd., S. 9.
[80] Guden, Dissertatio.
[81] (Liebe), Lebensbeschreibungen.
[82] Ebd., Titelseite. Liebe dürfte bei seiner parallelen Würdigung von Coelestin angeregt worden sein. Vgl. Coelestin, Historia comitiorum, 4. Bd., fol. 134'.
[83] Ebd., S. 1.
[84] Ebd., S. 47.
[85] Siehe: Gesner, Bibliotheca universalis.
[86] Siehe: Bytemeister, Commentarius.

In der 1732 von *Schelhorn* sowohl deutsch wie lateinisch herausgegebenen Reformationsgeschichte[87] von den Salzburgischen Landen wird auch des Rhegius gedacht, die Beschreibung seines Wirkens beschränkt sich aber praktisch nur auf den Bereich Hall in Tirol. Seine Ausstrahlungskraft sei aber so groß gewesen, „daß allem Ansehen nach den Einwohnern der nah gelegenen Thäler Dux und Teffereck nicht geringer Vortheil daraus erwachsen seyn mag“[88]. *Schelhorn* fügt noch an, daß die Seelenarznei[89] des Rhegius bei einigen trefferegischen Exulanten als Trostbuch im besonderen Ansehen stand[90]. *Christel*[91] und *Stetten*[92] brachten fast zur gleichen Zeit eine Geschichte von Augsburg heraus. *Christel* 1736 eine Kirchengeschichte und *Stetten* 1743 eine Profangeschichte mit besonderer Berücksichtigung der kirchlichen Ereignisse. Bei beiden kommt Rhegius immer wieder vor; in der Kirchengeschichte naturgemäß bedeutend häufiger. Beide bauen, ohne Archivalien heranzuziehen, auf Veröffentlichungen auf und fassen diese zu einer gelungenen Historie zusammen. Keiner von beiden widmete sich aber direkt dem Urbanus Rhegius im Sinne einer biographischen Befassung.

Das von Johann *Gottsche*d 1744 in deutscher Sprache herausgebrachte Historisch-kritische Wörterbuch *Bayles*[93] widmete zweieinhalb Seiten Rhegius. Der Artikel ist im wesentlichen eine Wiedergabe von Melchior *Adam*[94] und bringt auch die gleichen Unkorrektheiten. Bemerkenswert an dieser Biographie ist die anklingende Kritik an Rhegius' Verhalten den Wiedertäufern gegenüber, im speziellen der Frau, die in Ketten vor ihm kauert, während er auf dem weichen Polstersessel des Rathauses über sie urteilt, so wie es in der Vita des Ernestus *Regius* beschrieben wird[95].

In der Augsburger Stadtbibliothek wird eine Handschrift[96] aus dem Jahre 1749 aufbewahrt, die auf S. 53f. eine Kurzbiographie des Rhegius bis 1522 enthält. Demnach wurde Rhegius am 24. Mai, „an S. Urbani Abend“ geboren — Jahreszahl wird keine genannt. Sein Studium betreffend, findet sich eine neue Variante, nämlich ein zweimaliger Aufenthalt in Basel. Rhegius studierte nach dieser

[87] Schelhorn, Historische Nachricht; und: Schelhorn, De religionis evangelicae ortu.
[88] Schelhorn, Historische Nachricht, S. 105.
[89] D. 76.
[90] Schelhorn, ebd., S. 108.
[91] Christel, Augsburgische Kirchen-Historie.
[92] Stetten, Geschichte Augsburgs.
[93] Bayle, Historisch-kritisches Wörterbuch.
[94] Vgl. Adam, Vitae Germanorum, S. 70—80.
[95] A.a.O., Bl. b 2'.
[96] Chronica ecclesiastica Augustana.

Handschrift in Freiburg, dann zog er nach Basel, von dort nach Ingolstadt, daraufhin wieder nach Basel, wo er „doctorirte". Nach der Promotion erfolgte dieser Kurzbiographie zufolge der Eintritt in den Karmeliterorden. 1518 kommt er nach Augsburg ins Karmeliterkloster St. Anna zu den „Frauen Brüdern". Wird alsbald Domprediger von Augsburg und Subprior des Klosters. 1521 zieht er nach Hall und kehrt 1522 wieder nach Augsburg zu St. Anna zurück, wo er nun „unter Obrigkeitlicher Protection gantz Evangelisch" predigt. Die Heirat erfolgte, nach dieser Erzählung, 1526[97]. Eine Biographie also, die neben manchem Richtigen von Fehlern nur so strotzt.

Fast alle diese Fehler finden wir auch bei einer gedruckten Biographie, die im gleichen Jahr in Augsburg von Joseph Friedrich *Rein*[98] herausgebracht wurde.

Aus dieser Zeit, etwa um 1750, stammt eine sehr ausführliche und für die damalige Zeit recht präzis historisch-genetisch erarbeitete, aber ungedruckt gebliebene Biographie[99], die sich in Hannover befindet. Nach einleitender Literaturübersicht stellt der Autor dieser anonymen Biographie sehr kritisch, aber zu recht fest: „Urb. Rhegii Lebens Lauf hat niemand umständlich beschrieben[100]." Besonders negativ vermerkt er: „So findet man bey keinem annum: Nativitatis[101]." Der Verfasser dieser Lebensgeschichte versucht nun von sich aus, Monat und Tag der Geburt des Rhegius zu eruieren. Aus der Tatsache, daß Rhegius bei der Taufe den Namen des kalendarisch nahe gelegenen Urbanus (25. Mai) erhielt, schließt der Autor, daß Rhegius etwa um die Mitte des Monats Mai geboren worden sein muß[102]. Ein Geburtsjahr zu nennen, unterläßt er. In der Namensfrage: König-Regius-Rhegius schließt sich der Anonymus dieser Handschrift Silvester *Grabe* an[103]. Das Doktorat der Theologie erreicht Rhegius in Basel nach den Studienaufenthalten in Freiburg und Ingolstadt. Erstmals wird erwähnt, daß Rhegius

[97] Ebd., S. 64.

[98] Rein, Das Evangelische Ministerium; vgl. dazu oben S. 14 und Roth, Augsburg, 1. Bd., S. Vf. Die vom selben Autor 1736 verfaßte handschriftliche Biographie bewegt sich auch in diesem Rahmen. Der Eintritt Rhegius' in den Karmeliterorden erfolgt alsbald nach der Dichterkrönung durch Kaiser Maximilian I. Weiter heißt es: „Anna (!) 15.22. hat Dotter Urbanus Regius, in der Kirchen zu S. Anna auch das Evangelium gebredigt, und das Erstemahl, ohne vorgegangene Pabstische ohren beicht, das Heylichge Abendmahl unter beyder gestalt, der einsetzung Christi gemeß, gereichet ..." Augsburg STA, Handschrift: HP68, Bl. 13.

[99] Rhegius' Lebensgeschichte.

[100] Ebd., fol. 142'.

[101] Ebd., fol. 143.

[102] Ebd., fol. 145.

[103] Siehe oben S. 16.

auch in Tübingen studierte[104]. Die Lebensgeschichte setzt sich auch mit der Frage auseinander, ob Rhegius ein Karmelitermönch war oder nicht, um es schließlich zu bejahen[105]. Das Abendmahl unter beiderlei Gestalt „administriert“ Rhegius im St.-Anna-Kloster zu Augsburg bereits 1520[106]. Die „Vertreibung“ des Rhegius aus Augsburg und sein Gang ins Exil findet bald nachher statt, wozu die Lebensbeschreibung anmerkt: „Wie oft und Lang Urb. Rh.: ein Exulant gewesen, weiß man nicht[107].“ 1530 verläßt Rhegius Augsburg und reist über Koburg nach Celle. Gestorben ist er nach dieser handschriftlichen Lebensbeschreibung im Jahre 1542 am 23. Mai, und zwar an „einem Fluß ... welcher durch verlorene Gänge vom Haupte herab fiel, und sich an das rechte Schienbein setzte ...“[108]. Am Ende der Lebensbeschreibung teilt der anonyme Autor den Text der Epitaphien mit, die dem Rhegius zu Ehren zu Celle und in Hannover errichtet wurden. Daß das Epitaph von Celle als Todesdatum 23. Mai 1541 enthält, gibt er kommentarlos wieder[109]. Im Anhang an diese Lebensbeschreibung werden verschiedene Schriften des Rhegius abschriftlich mitgeteilt.

2.1.2. Von Pastor Schlichthaber, Mitte des 18. Jh., bis Ignaz Döllinger

Pastor Anton *Schlichthaber* befaßte sich in der Mitte des 18. Jahrhunderts sehr ausführlich mit Rhegius, seinem Leben und seinen Schriften. 1745 und nochmals 1747[110] kam die lateinische Biographie, 1749 und 1753[111] die deutsche heraus. Da seine Biographie sehr umfangreich ist und für ein volles Jahrhundert tonangebend war, wollen wir ausführlich darüber referieren. Wie ein roter Faden zieht sich bei *Schlichthaber* die von Ernestus *Regius* verfaßte Vita durch seine Abhandlung. Er bemüht sich gekonnt, in diese die bis dahin vorliegenden Forschungsergebnisse einzuarbeiten. Urbanus Rhegius führte früher den Namen König, referiert *Schlichthaber*, „welchen unser Urbanus nicht aus Hochmuth, sondern dem Spott einiger verwegener Menschen ... zu entgehen, in

104 Rhegius' Lebensgeschichte, fol. 156'.
105 Ebd., fol. 158f.
106 Ebd., fol. 163.
107 Ebd., fol. 173.
108 Ebd., fol. 259'—260.
109 Ebd., fol. 260'—261'.
110 Schlichthaber, Biographia.
111 Schlichthaber, Andenken. 1749 kam das Werk in Rinteln, die 2. Aufl. 1753 in Minden heraus. Alle Zitate in dieser Abhandlung aus Schlichthaber stammen von der 2. Aufl. der deutschen Ausgabe.

den Namen Regius verwandelte ..."[112]. Das „h" fügte er ein, „um desto mehr dieses vornehmen Namens sich unwürdig zu bezeugen"[113]. Des weiteren läuft das Schema wie in der Vita ab; kein Geburtsdatum, Schulbesuch in Lindau, Studium in Freiburg i. Br. mit Wohnung bei *Zasius*, darauf in Basel und von dort nach Ingolstadt. In Ingolstadt befreit ihn Johann *Eck* aus einer mißlichen Lage. Der Krönung zum „Orator" und „Poeta" durch Kaiser Maximilian I. folgt auftragsgemäß sein Bemühen, *Erasmus* nach Ingolstadt zu verpflichten; das Bemühen mißlingt. (S. 7—12) Rhegius wendet sich von der Philosophie ab und der Theologie zu. Mit dem Beginn der Reformation 1517 zerbricht die intime Freundschaft mit *Eck*. Rhegius entscheidet sich nach dem Studium der Schriften, die die beiden Kontrahenten *Eck* und *Luther* herausgaben, für Letzteren, indem „ihme Gott die Augen öffnete ..."[114]. Er kommt nach *Schlichthaber* des weiteren von Ingolstadt direkt nach Augsburg (ohne in Basel zu doktorieren)[115] und nimmt daselbst „auf inständiges Begehren des Magistrats und der Bürger die Gubernation und Reformation dasiger Kirchen auf sich ..."[116]. Er predigt in ganz Schwaben und nicht nur in Augsburg „die wahre Lehre des Evangelii ..."[117]. Daß Rhegius ein Karmelit war, bezweifelt *Schlichthaber* deshalb, weil der Sohn Ernestus nichts davon weiß und andere Autoren auch nichts berichten. Jetzt erst läßt *Schlichthaber* einfließen, daß Rhegius Domprediger war; er nennt und umschreibt diese Funktion, indem er (S. 14f.) formuliert, daß Bischof Christoph *Stadion* „Urbanum Regium zum Prediger gehabt ... woraus nicht undeutlich erhellet: daß Regius Anfangs zu Augsburg noch ein Papistischer Lehrer gewesen". 1526 schwenkte Rhegius, berichtet *Schlichthaber* weiter, nach anfänglicher Kontroverse mit *Zwingli* in puncto Erbsünden- und Abendmahlslehre zu diesem über, wodurch er *Luther* kränkte. „Als Regius", fährt er (S. 18) fort, „die Lehre von dem Heil. AbendMahl (!) recht nachdachte, und Zwinglii Lehre mit denen Worten der Heil. Schrift zusammen hielte, verließ er bald des Zwinglii erdichtete Meinung ...". Darauf folgt die Erzählung, wie Rhegius gegen die Wiedertäufer kämpft, speziell die Unterhandlung mit jener Wiedertäuferin, die in Ketten

[112] Ebd., S. 2.
[113] Ebd. Daß Bytemeister behauptete, der Vater des Urbanus Rhegius habe Paul Regius (siehe oben S. 18) geheißen, zitiert Schlichthaber ebd. Der Frage, warum dann Urbanus Rhegius König und nicht wie sein Vater Regius hieß, stellt er sich nicht.
[114] Ebd., S. 12.
[115] Vgl. Chronica ecclesiastica Augustana, S. 54.
[116] Schlichthaber, Andenken, S. 13.
[117] Ebd.

(*Schlichthaber* spricht nur von „Harten Banden") vorgeführt wird und dem Rhegius seine erhobene Richterposition „auf einen weichen Kissen, denen Raths Verwandten zur Seite"[118] vorwirft. Zum Unterschied von *Bayles* Historisch-kritischem Wörterbuch wagt *Schlichthaber* keine Kritik am Verhalten des Rhegius. Nach dieser Erzählung folgt bei *Schlichthaber* die Vertreibung des Rhegius aus Augsburg, so daß er „in Etschlandhall(!) im Innthal und Inspruck im Exilio herum schweiffen muste" (S. 20). Die Bürger von Augsburg rufen ihn wieder zurück, in Augsburg gerät er mit seinem ehemaligen Lehrer, Freund und Gönner *Eck* in Streit. Rhegius diskutiert mit *Ecks* „Helfers-Helfern" Johann *Fabri* und Johann *Cochläus,* bis diese „zu ihrem eigenen Schimpff vergebens abziehen mußten..." (S. 21). *Schlichthaber* vergißt auch nicht, der Gutachten für Memmingen zu gedenken, die Rhegius schrieb[119]. Darauf folgt der Bericht von einem Brief, den Rhegius an *Zwingli* schrieb, in dem Rhegius diesem Mitteilung über seine zwielichtige Lage macht, in die er durch eine Intrige von Augsburger Bürgern, die eine Dirne anheuerten, um ihn in Mißkredit zu bringen, geraten war. Die Erzählung von Rhegius' Hochzeit mit Anna „Weisprucker-inn", die „der Ebräischen und Chaldäischen Sprache kundig, weshalb einige, wiewohl falsch auf die Gedancken gerathen, ob sey sie eine gebohrne Jüdin gewesen", wird an diesen Bericht etwas unpassend unmittelbar angefügt (S. 24). Sie gebar 13 Kinder, von denen Schlichthaber nur Ernestus namentlich erwähnt. Von diesen Berichten über die privaten und persönlichen Verhältnisse des Rhegius geht *Schlichthaber* direkt zum Augsburger Reichstag über und weiß zu referieren, daß Rhegius sich beim Reichstag 1530 besonders eifrig erwies. Zusammen mit Melanchthon und anderen Theologen habe er sich derart engagiert, „daß ihme von einigen die Oberstelle unter denen daselbst 15. gegenwärtig gewesenen Theologis beygelegt worden von anderen aber die zweyte Stelle ihm zu erkandt"[120]

[118] Ebd., S. 19. Diese Erzählung stammt aus der Vita, wie oben S. 20 vermerkt ist.

[119] Ebd., S. 22. Schlichthabers dortige Bemerkung, Rhegius' Gutachten an den Rat von Memmingen sei „wegen eines daselbst in Gegenwart des Magistrats 1575... gehaltenen Colloquii" erfolgt, wird wohl ein Druckfehler sein und müßte korrekter 1525 heißen. Schlichthaber bezieht sich auf Schreiben des Rhegius, die Schelhorn ediert hat. Siehe: Ms. 29. und 31.

[120] Ebd. S. 26. Schlichthaber bezieht sich mit dieser Bemerkung auf entsprechende Aufzählungen von Selneccerus, Oratio historica de initiis, Bl. 39 und Coelestin, Historia comitiorum, 4. Bd., fol. 134'. Hier dürfte aber ein Mißverständnis von Schlichthaber vorliegen, denn Selneccerus hat seine Aufzählung sicherlich nicht wertend gemeint. Selneccerus zählt nämlich auf, welche reformatorische Theologen lutherischer Provenienz am Reichstag anwesend waren, und nennt zuerst die Theologen der Gastgeberstadt Augsburg, unter

worden sei. Die Position, die Rhegius einnahm, um zu einer Konkordia mit den Altgläubigen zu gelangen[121], war nach *Schlichthaber* „gewiß ein guter Vorschlag zur Vereinigung“[122].

Hier am Reichstag lernt Herzog *Ernst* von Braunschweig Rhegius kennen und verpflichtet ihn für seine Lande als Reformator. Rhegius besucht auf der Reise nach Celle *Luther* auf der Koburg, darauf folgt eine ziemlich detaillierte Schilderung des reformatorischen Wirkens des Rhegius im Norden. Davon sei herausgegriffen die Erzählung, daß Rhegius 1537 auch in Schmalkalden war und die Schmalkaldischen Artikel unterschrieb; vor allem aber die Erzählung, die in keiner größeren Biographie mehr fehlen sollte, nämlich *Luthers* Scherzwort an Rhegius, als dieser nach seiner langen Predigt von der Kanzel stieg: „Hoc neque Urbanum neque Regium est[123].“ *Schlichthaber* gibt als Quelle für dieses Lutherwort korrekt *Zincgref* an[124]. Als Todesdatum nennt *Schlichthaber* den 23. Mai 1541 (S. 60), das Begräbnis war drei Tage später „in der Parochial-Kirche zu Zelle“ (S. 61). Nun findet sich in der Kirche zu Zelle, fährt *Schlichthaber* fort, „nec vola nec vestigium“ vom „Begräbniß“ des Rhegius. Was das Epitaph dort betreffe, „so müste selbiges verlohren gegangen seyn bey der vor 50. und mehren Jahren geschehenen Reparation der Zellischen Kirchen dadurch dieselbe eine andere Gestalt gewonnen, auch die vorhandene Epitaphia, ausser den Fürstlichen ... weggethan worden, auch niemand zu selbiger Zeit sich gefunden, der diese Monumenta zu conserviren, sich die Mühe gegeben hat ...“[125]. Das Epitaph, das die Hannoverischen ihm zu Ehren errichtet haben, befinde sich „in der Marcht-Kirche zu Hannover gleich am hohen Altar zur rechten Hand ohnweit D. Erici Begräbniß auf einer schwartzen höltzernen Tafel mit güldenen Buchstaben ...“[126].

diesen Rhegius als ersten, gefolgt von Johann Frosch, der auch Rana, und Stephan Kastenbauer, der auch Agricola genannt wurde. Dann nennt er die Theologen, die der sächsische Kurfürst mitgebracht hatte, in der Reihenfolge: Jonas, Spalatin, Melanchthon etc. Die Aufzählung bei Coelestin wertend verstehen zu wollen, scheint mir auch eine Überinterpretation der Reihenfolge zu sein. Hier wird aufgezählt: Justus Jonas, Urbanus Rhegius, Stephan Agricola, Johannes Rana, Philipp Melanchthon, Georg Spalatin, Johannes Agricola, Andreas Osiander, Johannes Brenz etc. Es war Coelestin mehr um eine vollständige Erfassung der lutherischen Reichstagstheologen zu tun, als sie wertend in eine Reihenfolge zu pressen.

121 Vgl. unten den Abschnitt: E. Augsburger Reichstag 1530 und Urbanus Rhegius, speziell das Kapitel 4: Rhegius' Standort im Ringen um die Ökumene mit den Altgläubigen.

122 Schlichthaber, Andenken, S. 26.

123 Ebd., S. 54.

124 Ebd., vgl. dazu oben S. 14f.

125 Ebd., S. 61f.

126 Ebd., S. 62.

Nach dieser ausführlichen Wiedergabe der Biographie, verfaßt von *Schlichthaber,* die die nachkommenden Historiographen sehr nachhaltig beeinflußte, ein rascher Überblick über die weitere Behandlung und Ausformung der Lebensbeschreibung des Rhegius in der übrigen Literatur dieser Epoche. Das Lexikon *Jöchers*[127], das seinen Artikel über Rhegius auf *Schlichthaber*[128]und *Grabe*[129] vor allem aufbaut, bringt Urbanus Rhegius unter „Regius", also ohne das „h". Die Namensherleitung von König wie üblich; neu ist, daß Rhegius bereits aus Ingolstadt vertrieben wurde, weil er *Luthers* Schriften las. Von dort weg durchzog er das Etschtal und gab 1522/23 in Hall im Inntal „einen evangelischen Lehrer ab"[130]. Von Hall kam er „als Prediger nach Augspurg, allwo er sowohl als in gantz Schwaben die Reformation beförderte"[131]. Nach dieser völlig neuen Lebenslaufvariante des Rhegius überspringt der Artikel alle weiteren Ereignisse in Augsburg und kommt gleich zum dortigen Reichstag 1530, von wo Rhegius vom Herzog *Ernst* weg nach Lüneburg berufen wird. Das Lutherische Bonmot von Schmalkalden ob Rhegius' langer Predigt: „Hoc neque urbanum neque regium est", vergißt auch der Artikel nicht zu bringen[132]. Das Sterbedatum mit 23. Mai 1541 anzugeben, setzt sich immer mehr durch und findet sich auch hier.

Eine Notiz in einer Abhandlung über Freiburger Literatur[133] aus dem Jahre 1775 verdient unsere besondere Aufmerksamkeit, weil sie einerseits die Namensfrage aufrollt und andererseits auf handschriftliche Quellen zurückgreift. In dieser Abhandlung steht in einer Anmerkung[134] die beiläufig hingeworfene Notiz, daß in einer Eintragung der Freiburger Universität ein gewisser „Urbanus Rieger de Argent" genannt werde, bei dem am Rande hinzugefügt worden sei: „Lutheri sectator Regius". Indem die Anmerkung den Kommentar anfügte, der Schreiber der Randglosse habe sich schwer getäuscht, weil er im Begriffe war, „Urbanum Regium (König)" mit „nostro Urbano Rieger" zu verwechseln, warf er erst recht die Frage nach Herkunft und Namen des Rhegius auf, die nun nicht mehr verstummen sollte.

Bereits drei Jahre später stößt ein anonymer Literaturkritiker in dieser Frage nach. In einem zusammenfassenden Bericht über

[127] Jöcher, Lexikon, 3. Bd., Sp. 1965—1968.
[128] Schlichthaber, Andenken.
[129] Grabe, Vita Regii, siehe oben S. 16.
[140] Jöcher, ebd., Sp. 1965.
[131] Ebd.
[132] Ebd., Sp. 1966.
[133] Riegger, Amoenitates.
[134] Ebd., S. 81.

erschienene Abhandlungen schreibt er recht unvermittelt und lapidar: „Nur eine Bemerkung: es ist falsch, das Urbanus Regius eigentlich König geheissen. Sein wahrer Geschlechtsname ist Rieger[135]."

Mederer, der 1782 eine Geschichte[136] der Ingolstädter Universität herausbrachte, bringt für die Namensfrage einen weiteren Fortschritt, indem er für 1516 beide Namen identisch setzt durch: „Urbanum Riegerum siue Rhegium Lindauiensen[137]." Die schon des öfteren erwähnte Verhandlung, die Rhegius als ausführendes Organ des Baiernherzogs *Ernst* 1516 führte, wird in einer Fußnote ausführlich dargelegt[138].

Von *Mederer* übernahm *Veith,* acht Jahre darnach diesen zitierend, die Identifizierung von Rhegius = Rieger[139]. *Zapf* behandelte 1799 in seiner Studie über Bischof *Stadion* auch kurz Rhegius[140]. Fußend auf *Veiel*[141] und *Schlichthaber*[142], wird Urbanus Rhegius abgehandelt. Die Namensfrage übergeht *Zapf* vollkommen, berichtet von der Heirat des Rhegius, die er ins Jahr 1527 verlagert, und übergeht dessen erste öffentliche Abendmahlsfeier unter beiderlei Gestalten vom Jahre 1525.

Bei *Jöcher/Rotermund* finden wir 1819 wieder Rhegius mit dem ursprünglichen Namen König, sein Vater wird mit „Paul König, der kein wohlhabender, aber rechtschaffener Mann war"[143] angegeben. Die Geburt in Langenargen am Bodensee wird auf 1490 oder 1491 datiert. Neu ist in dieser Biographie, daß Rhegius „durch Eck's Vermittlung zum Doctor der Theologie ernennt" wird, und das etwa um 1516. Von Ingolstadt zieht er zuerst nach Konstanz zu Johann *Faber,* und „1520 ward er evangel. Domprediger in Augsburg". Weiters weiß dieser Lexikonartikel zu berichten: „Sehr tätig war Regius während des Reichstages in Augsburg im Jahre 1530, und die meisten Geschichtsschreiber stimmen darin überein, daß ihm der nächste Rang nach dem Melanchthon gebühre." Als Todestag hat sich, wie schon erwähnt, der 23. Mai 1541 eingebürgert; die Todesursache wird hier angegeben mit „Verstopfung im Gehirn" (Sp. 1568). Rhegius' Hochzeit hat *Jöcher/Rotermund* für die Abhandlung über Rhegius' Frau, die als „Regia (Anna)"[144] angeführt

135 Göttingische Anzeigen, 68. Stück, S. 552.
136 Mederer, Annales.
137 Ebd., S. 100.
138 Ebd., S. 102f.
139 Veith, Bibliotheca, 6. Bd., S. 197.
140 Zapf, Bischof Stadion, S. 17.
141 Siehe: Veiel, Urbani Regii memoria.
142 Siehe Schlichthaber, Andenken. Zapf verwendete die 1. Aufl. von 1749.
143 Jöcher/Rotermund, Fortsetzung, 6. Bd., Sp. 1566. Die weiteren Zitate dieses Lexikonartikels stehen auf Sp. 1567 und 1568.
144 Ebd., Sp. 1576.

wird, aufgespart. Die Heirat wird auf das Jahr 1529 verlegt und unter Hinweis auf einen Brief *Melanchthons*, der ihre Gelehrsamkeit rühmte[145], wird die Ehegattin Rhegius' gebührend herausgestrichen. Auch hier die Bemerkung, daß sie 13 Kinder gebar und 1569 in Celle starb.

Vom Dompastor *Rotermund* haben wir vom selben Jahr 1819 eine längere Abhandlung[146] über Rhegius, die 1820 im Druck erschien. Diese Abhandlung hat ihren Schwerpunkt im reformatorischen Wirken des Rhegius in Norddeutschland; soweit sie Rhegius' Leben in Oberdeutschland betrifft, geht sie mit dem vorhin behandelten Artikel in *Jöcher/Rotermund* konform. Neu ist die Hervorkehrung des „Himmlischen Ablaßbriefes" des Rhegius, der in seiner Leipziger Variante[147] voll abgedruckt wird[148] und hier in der Biographie wie ein Fremdkörper wirkt. Rhegius' öffentliche Abendmahlfeier unter beiderlei Gestalten am Weihnachtstag 1525 wird erwähnt, für seine Hochzeit aber keine Zeit angegeben. Die beiden Bonmots, die uns *Zincgref*[149] übermittelte, finden sich hier[150] wieder. Aber zum Unterschied von *Zincgref*, der es offen ließ, ob *Luther* seine berühmt gewordene Kritik an Rhegius ob seiner langen Predigt: „Hoc neque Vrbanum neque Regium esse", lächelnd, polemisch, oder sarkastisch meinte, ist *Rotermund* mit *Schlichthaber*[151] einig, daß es „Luther lächelnd zu ihm" sprach[152].

Rotermunds Abhandlung[153] über Rhegius von 1829, in der die Reichstagstheologen von 1530 ihre Würdigung finden, kann man übergehen, weil sie gegenüber 1819/20 nichts Neues zutage fördert.

Übergehen kann man aus demselben Grund auch *Walchners* kurze biographische Notizen mit der Ausnahme, daß nach *Walchner* Rhegius 1517 in Konstanz beim Domherrn Johann von *Botzheim* war und Bande der Freundschaft zwischen diesem und *Erasmus* knüpfen half[154]. Hier liest man auch das erasmische Grußwort des Humanistenfürsten an *Botzheim:* „Optimo Patrono, urbanissimo Urbano, plurimam ex me salutem dicito[155]." Das

[145] Melanchthon an Rhegius, 1. November 1537: „... et tuam coniugem propter excellentes ingeniii dotes καὶ πνευματικὰ χαρίσματα saepe illis vetustissimis heroidibus Sarae, Rebeccae, Elisabeth annumero." CR, 3. Bd., Sp. 446.

[146] Rotermund, Erneuertes Andenken.

[147] Vgl. Liebmann, Himmlischer Ablaßbrief.

[148] Rotermund, Erneuertes Andenken, Sp. 729—731.

[149] Vgl. oben S. 14.

[150] Rotermund, Erneuertes Andenken, Sp. 741 und 749.

[151] Siehe Schlichthaber, Andenken, S. 54.

[152] Rotermund, Sp. 749.

[153] Rotermund, Lebensnachrichten.

[154] Walchner, Botzheim, S. 168.

[155] Erasmus an Botzheim, 16. Mai 1517. In: Walchner, Botzheim, S. 121 und

gleiche wie bei *Rotermunds* letzter genannter Abhandlung kann man auch bei *Geffckens* biographischen Enunziationen[156] 1847 anwenden. Aus dem üblichen Schema fällt allerdings seine Kritik an der Behandlung der Wiedertäuferin durch Rhegius, wie sie der Sohn Ernestus *Regius* uns überliefert hat[157]. *Geffcken* fühlt sich verpflichtet, dazu anzumerken: „Wir werden diese Art der Disputation und dies Verfahren nicht rechtfertigen, aber es erklärlich finden, wenn wir an die sittliche Ungebundenheit der Wiedertäufer uns erinnern[158]."

1845 stellte *Kranold*[159] einem ausführlichen Bericht über Rhegius' größeres Erstlingswerk: Opusculum de dignitate sacerdotum[160] eine biographische Skizze bis zu dessen Anschluß an die Reformation (1520) voran. Sie fällt zwar nicht aus dem üblichen Rahmen, hat aber doch einige Feinheiten als Sondergut. Sie ist stilistisch stark beeinflußt von *Ranke*[161] und wirkt an einigen Stellen poetisch-lyrisch. Neu ist die Hereinnahme von sehr vielen zeitgenössischen Persönlichkeiten, wodurch das Zeitkolorit wie auch Rhegius' Verankerung in den aufgeführten Humanistenkreisen gut zum Tragen kommt. Nach *Kranold* ist Rhegius „fast 10 Jahre lang ... in seiner bildsamsten Jünglingszeit zu Ingolstadt gewesen (1510—20)"[162]. Zur Theologie fand demnach Rhegius vor allem durch *Luthers* Flugschriften, von denen *Kranold* romantisierend schreibt: „Wie der Frühlingswind von einem Baume weithin mit Blüthenblättern das Feld bestreut und die Wege, so finden sich plötzlich überall Luthers fliegende Schriftblätter[163]." Eingangs stellt *Kranold* mit großem Bedauern fest, daß keine Monographie sich mit Rhegius befaßt. „Urbanus Rhegius", schreibt er, „scheint vergessen. Er ist gleichsam abhanden gekommen ... Er gehört", urteilt er, „zu den Sternen erster Größe am theologischen Himmel des 16. Jahrhunderts ...[164]."

Döllinger befaßte sich 1848 mit Rhegius; sein biographischer Beitrag[165] beschäftigt sich weniger mit den äußeren Lebensumstän-

Erasmus, Opera, III./1. Bd., Sp. 239. Allen setzt den Brief mit 16. Mai 1520 an; siehe: Allen, 4. Bd., S. 261f.

156 Geffcken, Urban Regius.
157 Regius Ernestus, Vita, Bl. b 2'.
158 Geffcken, ebd., S. 349.
159 Kranold, Urbanus Rhegius.
160 Siehe: D. 18.
161 Vgl. Ranke, Deutsche Geschichte.
162 Kranold, ebd., S. 182.
163 Ebd.
164 Ebd., S. 175.
165 Döllinger, Reformation, 2. Bd., S. 58—63.

den der üblichen Biographie, er versucht vielmehr, ein Charakterbild des Rhegius zu zeichnen. Wenngleich man *Döllinger* den Vorwurf der Einseitigkeit nicht ersparen kann, hat sein Beitrag durch sein Zurückgreifen auf Primärquellen einen nicht geringen Wert. Er zitiert aus Schriften des Rhegius oder läßt Zeitgenossen, die Rhegius persönlich kannten und erlebten, über ihn zu Wort zu kommen. Nach *Döllinger* war Rhegius — auf die Namensfrage geht *Döllinger* nicht ein, er schreibt ihn immer ohne „h", also Regius — „schon 1510 Professor in Ingolstadt und 1519 bischöflicher Vikar in Constanz"[166]. Rhegius' Schwanken im Abendmahlsstreit wird von *Döllinger* auf seinen unausgewogenen Charakter zurückgeführt. *Zwinglis* harte Worte in diesem Zusammenhang, Rhegius habe eine Chamäleonsnatur, sowie *Oekolampads* Bericht, die Augsburger klagten, bei Rhegius keine Beständigkeit zu finden, und *Hätzers* Urteil, nach dem „dessen ganzer Charakter nur Ehrsucht und Wohldienerei sei" (S. 60), führt *Döllinger* als Zeugen für seine Feststellung an. Des Rhegius Charakter, schreibt *Döllinger*, „erschien überhaupt in ungünstigem Lichte..."[167]. In dieser Charakterskizze fehlt auch nicht des Rhegius abschätziges Urteil über seine Mitstreiter in Oberdeutschland aus dem Jahre 1528, von Rhegius so verfaßt, wohl auch um sich selber in glänzenderem Lichte erscheinen zu lassen: „Sonst wais ich ietz zu mal keinen in Oberteutschland", schreibt er wörtlich über seine Kollegen, „domit v.f.g. ratlich versechen were, dann es will oberall fälen an rechten hirten, findt man schon etlich gelert, so seind sy aintweders schwermer oder aber zum Seelen Regiment vnerfahren vnd zu jung, vnd ie vnerfarner, ie frecher zu weylen auch leichtfertig vnd böser gewissen[168]." Auch vergißt *Döllinger* nicht, das Urteil des Propstes *Schomaker* über Rhegius aus dem Jahre 1534 anzuführen: „Doctor Urbanus Rhegius verlosz syne gunst na der geholdenen disputation; derhalven wort ok de hant vast vn ehm afgetagen; denn er war ein hastisch und unlidsam man, dar man nicht wol mede kunde ummegan[169]." Auch Lazarus *Spenglers* Meinung über Rhegius, geschrieben im gleichen Jahre 1534, zieht *Döllinger* zur Charakterisierung des Rhegius heran: „... dann wir kennen ine" (gemeint Rhegius)

[166] Ebd., S. 58.

[167] Ebd., S. 60, vgl. dazu: Zwingli an Vadian, 23. Dezember (1525). CR, 95. Bd., S. 471; Oekolampad an Zwingli 13. Oktober (1526). CR, ebd., S. 734; Hätzer an Zwingli, 14. September 1525. Ebd., S. 361f.

[168] Rhegius an Markgraf Georg von Brandenburg, 11. Oktober 1528. Ms. 39, fol. 33. Ich zitierte nach dem Autograph; vgl. dazu: Döllinger, ebd., S. 60. Die ganze damit zusammenhängende Angelegenheit wird unten unter: F.1.1. „Rhegius ist unentschlossen", ausführlich behandelt.

[169] Schomaker, Chronik, S. 145; vgl. dazu Döllinger, ebd., S. 61.

„alhie zu wol, wissen auch wie vnbestenndig vnd factiosus er ist, darumb meine herrn nach ime nit trachten werden[170]."

2.1.3. Archidiakon von Celle, Heimbürger

Im Jahre 1851 gab *Heimbürger* eine — mit der Bibliographie und den Beilagen 294 Seiten starke — Monographie über Rhegius heraus. *Heimbürgers* Bemerkung im Vorwort klingt an *Kranolds* Äußerungen an, wenn er seinem Werk den Zweck geben will: „... einen lange vergessenen Glaubenshelden unserer Zeit vorzuführen ...[171]."

Die Biographie faßt den Stand der literarischen Diskussion kritisch selektierend, ohne viel zu zitieren, zusammen: Geburt im Mai 1490 in Langenargen; der Vater ist „ein schlichter und rechtschaffener Bürgersmann, Namens Paul König" (S. 19); die These, Rhegius habe früher Rieger geheißen, findet *Heimbürger* unbegründet (S. 20); Rhegius sei der Schreibweise Regius vorzuziehen; er „scheint ... der ältere von zwei Söhnen gewesen zu sein ..." (ebd.); der Vater Paul *König* wird „von einem unwissenden Augsburger Benedictiner Mönche irrthümlich als Priester bezeichnet" (S. 21). Dem Schulbesuch in Langenargen folgt der in Lindau, wo er Johann *Rhagius,* genannt *Aesticampianus,* zum Lehrer hatte (S. 23). Das Studium in Freiburg i. Br. beginnt er mit 1507 (S. 24). Dort findet er Aufnahme im Haus des *Zasius,* wo Rhegius schließlich auch Johann *Mayer* aus Eck kennenlernt (S. 28). Weil er in ein Zerwürfnis dieses Mannes mit der Universität in Freiburg verwikkelt ist, verläßt Rhegius noch vor *Eck* Freiburg, um nach Basel zu gehen, während *Eck* nach Ingolstadt zieht (S. 31). Rhegius' Bemühen, *Erasmus* im Auftrag von Herzog *Ernst* und Leonhard *Eck* nach Ingolstadt zu verpflichten, wird ins Jahr 1514 verlegt (S. 37); die Krönung zum Redner und Dichter durch Kaiser *Maximilian I.* wird anschließend, aber ohne Jahresnennung, gebracht (S. 40); darauf läßt *Heimbürger* die Episode einfließen, in der sich Rhegius zum Kriegsdienst verpflichtet und Johann *Eck* ihn aus der mißlichen Lage befreit (S. 40f.). „Aus Mangel an Quellen", stellt *Heimbürger* anschließend resignierend fest, „läßt sich das Jahr, in welchem er Magister geworden und sich zum Studium der Theologie gewandt, nicht genau bestimmen ..." (S. 41f.). 1518 weilt Rhegius

[170] Spengler an Veit Dietrich, 13. April 1534. Mayer, Spengleriana, S. 151; vgl. dazu Döllinger, ebd., S. 60.

[171] Heimbürger, Urbanus Rhegius, S. III. Die folgenden Zitate stammen — sofern nichts anderes angegeben — aus diesem Werk; die Seitenzahl wird im Text, wie schon des öfteren, durch den Klammerausdruck ausgewiesen.

„die ganze Ferienzeit" (S. 44) bei Johann *Fabri* in Konstanz und schreibt dort sein erstes theologisches Buch, kehrt dann kurz nach Ingolstadt zurück und wird durch *Fabris* Vermittlung „bereits im Frühjahr 1519 zum bischöflichen Vicar in spiritualibus nach Constanz von Hugo von Landenberg berufen..." (S. 49). Mitte 1520 wird Rhegius, „nachdem er vorher nämlich die theologische Doktorwürde erlangt hatte..., vom Bischofe Christoph von Stadion zum Prädikanten an der Domkirche zu Augsburg" als Nachfolger *Oekolampads* bestellt (S. 51).

Heimbürgers Biographie ist bemerkenswert richtig, so scheidet er die in der Literatur bis dahin aufgetretenen verwirrenden Behauptungen, Rhegius sei vor der Ernennung zum Domprediger Prediger bei St. Anna und einige Jahre Karmeliter-Mönch gewesen, als historisch unbegründet aus. Allerdings mindert das weitgehende Fehlen von Belegen und Quellenangaben wieder ihren Wert.

Rhegius' Aufenthalt und Wirken in Hall in Tirol für 1522/23 wird im Prinzip richtig angesetzt, in der Frage der Rückkehr nach Augsburg und des Weiterverbleibens dort weiß er sich ganz unsicher (S. 59ff.). Nun folgen seitenweise Zitate aus Rhegius-Schriften mit wenigen verbindenden Worten, so wie wir es oben bei *Veiel* festgestellt haben. Die weitere biographische Behandlung ist verwirrend und zwischen diesen seitenlangen Rhegius-Texten schwer faßbar[172]. Die Auseinandersetzung des Rhegius mit *Karlstadts* Abendmahlslehre (S. 95ff.) wird ebenso mit seitenlangen Zitaten aus Rhegius-Schriften behandelt. Rhegius' Hinneigung zur zwinglischen Abendmahlslehre fegt *Heimbürger* — nicht zu unrecht — mit der Bemerkung vom Tisch: „... daß Zwingli die Äußerung des Urbanus über die Gebühr ausgebeutet habe..." (S. 108). In puncto Bauernkrieg, der anschließend kurz behandelt wird, resümiert *Heimbürger* Rhegius' Verhalten und Äußerungen: „... in Bezug auf größere Ruhe und streng biblische Grundlage stehet jedoch Urbanus mit Melanchthon über Luther und der Erfolg zeigte sattsam, daß er namentlich für seine nächste Umgebung ein gutes Wort zur rechten Zeit gesprochen habe" (S. 113). Der Schilderung von Rhegius' Verhalten zur Unterdrückung der Wiedertäufer, wieder durch überlange Zitate aus Rhegius-Schriften gekennzeichnet, folgt die seiner Auseinandersetzung mit seinem ehemaligen Lehrer, Freund und Gönner Johann

172 S. 73f. wird Rein, Das Evangelische Ministerium, zitiert. In diesem Zitat steht u. a. daß Rhegius 1520 in Basel „doctorierte", daß ihm von einem Domherrn mit einem Schlüsselbund ins Gesicht geschlagen wurde und er nach Hall in Tirol ging. Dieses ganze Zitat steht aber in keinem Konnex zu dem bereits S. 59f. beschriebenen Wirken in Augsburg, Hall in Tirol und der Rückkehr nach Augsburg.

Eck. Dem Verdammungsurteil dieses „bis in die Hölle u. s. w.“ antwortete Rhegius „mit der ihm eigenen Höflichkeit und Würde“ (S. 119). Wann Rhegius sich verehelichte, weiß *Heimbürger* nicht zu berichten, wohl aber, daß Rhegius „dem Vorschlage seines Amtsgenossen“ (gemeint ist der ehemalige Karmeliterprior Johann *Frosch,* den Rhegius am 23. März 1525 getraut hatte), „der seine Aufmerksamkeit auf eine geborene Augsburgerin, Anna Weißbrück, gelenkt hatte“, Folge leistete (S. 120).

Ganz kurz memoriert unser Autor das Gutachten des Rhegius für Memmingen und den abschlägigen Bescheid auf die Werbung des Markgrafen *Georg* von Brandenburg vom Jahre 1528. Über Rhegius' Tätigkeit während des Augsburger Reichstages findet *Heimbürger* berichtenswert: „Von mehreren Schriftstellern wird sein Name zuerst oder als der zweite unter den auf jenem Reichstage versammelten protestantischen Theologen genannt“ und: „Rhegius predigte vor der Ankunft des Kaisers mehrmals und namentlich am Pfingstfeste vor dem Churfürsten von Sachsen, Philipp von Hessen, Ernst und Franz von Lüneburg und andern evangelischen Ständen mit großem Beifall“[173] (S. 126). Von der Unterredung am 21. Mai 1530 zwischen Rhegius und *Philipp* von Hessen berichtet *Heimbürger* völlig verkehrt, die falsche Edition des entsprechenden Briefes in CR wiedergebend[174], „daß Philipp auf Zwingli's Seite stehe“ (S. 127). Rhegius unterstützte *Melanchthon* bei der Abfassung der Confessio Augustana und bei den Vergleichsverhandlungen, saß aber in keinem Religionsausschuß, das „hatte seinen Grund lediglich in seiner Stellung zu Eck...“ (S. 130).

Rhegius nimmt die Einladung *Ernsts* von Lüneburg an, „ihm in seine Lande zu folgen... und auch die Augsburger hatten nach längeren Verhandlungen ihre Zustimmung dazu gegeben, daß er dem ihnen liebgewordenen Welfenfürsten auf die nächsten 5 Jahre überlassen würde...“ (S. 132).

Über Koburg, wo zuvor — laut *Heimbürger* — auch Martin *Bucer* mit *Luther* über das Abendmahl konferierte und Rhegius im Gespräch mit diesem von *Luther* „einen überaus vorteilhaften und wohlthuenden Eindruck“ (S. 133) erhielt, ging es nach Celle,

[173] Heimbürger weiß ebd., Anm. 36, leider ohne jedweden Quellenhinweis, ergänzend zu berichten: „Namentlich erklärte Ernst der Bekenner auf die an ihn gerichtete Frage: Wie ihm Rhegius gefallen habe: ‚Urbane et regie fecit‘ “. Ein offensichtliches Pendant zu Luthers Bonmot: „Hoc neque Vrbanum neque regium esse“, wie es Zincgref zu berichten weiß. Vgl. oben S. 15.

[174] Rhegius an Luther, 21. Mai 1530. CR, 2. Bd., Sp. 59: „Nam sentit cum Zwinglio, ut ipse mihi est fassus...“ WABr, 5. Bd., S. 334 gibt das Autograph korrekt wieder mit: „Non sentit cum Zwinglio...“

wo Rhegius „schon nach elf kurzen, aber folgenreichen Jahren in seinem 51. Lebensjahre zur ewigen Heimath einging" (S. 134).

Das Todesdatum gibt *Heimbürger* mit 23. Mai 1541 an, das Begräbnis war drei Tage danach, die Beisetzung in der Stadt- und Hauptkirche zu Celle (S. 214). Den Text des dortigen Epitaphs und den desjenigen von der „St.-Georgs-Kirche" in Hannover bringt unser Autor S. 214f.

Anschließend versucht *Heimbürger* das Äußere und die Persönlichkeit des Rhegius als solche zu skizzieren.

Von seinem Äußeren schreibt er: „... so war er nach der von uns vorliegenden, obwohl sehr unvollkommen ausgeführten Abbildung[175] von mittlerer Gestalt, hager und zart gebaut, von ungezwungener, fester Haltung, ein einfaches offenes Gesicht, nicht ohne entschiedenen, geistigen Ausdruck, Tiefe und Ernst auf der Stirn, Verstand in den Augen, etwas Heroisches um den Mund. Urbanus trägt einen mäßigen Bart, gescheiteltes Haupthaar und höchst einfache Kleidung, die ganz seinem schlichten Wesen entspricht" (S. 216).

Seine Persönlichkeit war nach *Heimbürger* eine „gesunde, sittlich ernste ... lautere, milde und trostvolle ... Daher denn auch seine gänzliche Hingabe an seinen treuen Vater ... seine aufrichtige Demuth ... seine Ergebung ... sein offener Wahrheitssinn ... seine rastlose, unermüdete Thätigkeit ... seine Gewissenhaftigkeit ... ein Mann aus einem Gusse und Stücke"[176] (S. 221f.).

Ohne eine zusammenhängende Biographie zu bieten, läßt *Keim* in seinen Untersuchungen[177] Urbanus Rhegius in den Stürmen und Auseinandersetzungen der Reformationsjahre bis 1530 handelnd und agitierend auftreten und weiß dabei manche Details anzugeben. Analoges gilt auch für *Havemann*, der sich eingehend mit der Geschichte Braunschweigs und Lüneburgs befaßte[178]. Bei *Havemann* war Urbanus Rhegius ein Magister, als ihn Herzog *Ernst* 1530 nach Augsburg berief, und gehörte „früher dem Orden der Carmeliter" an[179]. Daß *Havemann* als Todestag den 23. März 1541 angibt[180], wird wohl auf einen Druckfehler zurückzuführen sein; allerdings findet er sich auch schon bei *Stapf* (siehe unten S. 37).

[175] Heimbürger schweigt sich leider über den Fundort, Schöpfer etc. dieser Abbildung aus.

[176] Auch für diese an den Predigtton gemahnende Schilderung der Charaktereigenschaften des Rhegius unterläßt es Heimbürger, irgendwelche Quellen anzugeben.

[177] Vor allem: Keim, Die Stellung der schwäbischen Kirchen und: Schwäbische Reformationsgeschichte.

[178] Havemann, Geschichte.

[179] Ebd., S. 115.

[180] Ebd., S. 145.

Kurz erwähnt sei *Schreibers* wichtige biographische Notiz, der auf Grund einer Eintragung in die Universitätsmatrikel von Freiburg i. Br. zum Ergebnis kommt, Rhegius hieß nicht König, wie Rhegius gewöhnlich übersetzt wird, sondern Rieger[181].

In der Biographie von *Fick*[182], 1860, hieß Rhegius ursprünglich wieder König[183]; sie ist ohne jeden neuen Gesichtspunkt.

181 Schreiber, Universität Freiburg i. Br., 2. Bd., S. 3, Anm.
182 Fick, Dr. Urban Rhegius.
183 Ebd., S. VII.

Augsburger Schule 17. Jh.
Städtische Kunstsammlungen Augsburg

und Predigte bey St Anna hernach
Kam er an Herr Vögeli statt an, zu unser
Frauen Ao. 1531 Kam er von hier wegg
nach Lüneburg als General Superintendens und starb dorten Ao. 1541 den 23 Marti.

Von Johann Konrad *Stapf* (1642—1702)
Städtische Kunstsammlungen Augsburg

3. VON 1860 BIS ZUR GEGENWART

3.1 Der Loccumer Abt Gerhard Uhlhorn prägt 1861 unser Rhegius-Bild

3.1.1. Rhegius bei seinem unübertroffenen Biographen Uhlhorn

Der bis heute unübertroffene Hauptbiograph des Urbanus Rhegius ist Gerhard *Uhlhorn*. 1860 befaßte *Uhlhorn* sich mit Rhegius' Rolle im Abendmahlsstreit; diese Studie[184] bringt keine Biographie, weshalb wir sie hier weitgehend ausklammern wollen. Die Monographie, um die es hier primär geht, ist die Abhandlung *Uhlhorns* über Urbanus Rhegius, die 1861 in Elberfeld erschien und 1968 einen photomechanischen Nachdruck in Nieuwkoop erfuhr[185]. Die zweite biographische Behandlung durch *Uhlhorn* erfuhr Rhegius im profunden achteinhalb Seiten umfassenden Artikel[186] der 2. Auflage der Real-Encyklopädie 1884. Der Artikel über Rhegius in der 3. Auflage dieses Lexikons weist *Uhlhorn* (1905) zum letztenmal als Autor einer Rhegius-Biographie[187], besser gesagt, als bereits verstorbenen Mitautor von Paul *Tschackert,* aus. Hier in diesem Abschnitt werden alle drei biographischen Studien, die *Uhlhorns* Namen tragen, untereinander verglichen und so zusammenschauend unter einem behandelt. Wenn auch der Zeitraum dieser Abhandlungen einen Bogen von vierzig Jahren spannt, fordert derselbe Name *Uhlhorn* diese zusammenhängende Schau. Weil *Uhlhorns* Biographie — vielleicht besser: Biographien — bahnbrechend war und bis auf den heutigen Tag keine adäquate Nachfolge noch eine umfassende Weiterführung gefunden hat, ist es nötig, auf sie sehr breit einzugehen und speziell das erste Buch seiner Monographie, das Urbanus Rhegius in Süddeutschland behandelt[188], ausgiebig zu referieren.

Die Frage, warum *Uhlhorn* so knapp nach *Heimbürgers* Biographie des Rhegius (1851) eine neue schreibt, beantwortet er: „Bei aller Ausführlichkeit läßt sie Manches vermissen, ein wirkliches Bild des Rhegius gewinnt man aus ihr nicht. Dabei hat *Heimbürger* kritiklos vieles Irrige seinen Vorgängern nachgeschrieben, nicht selten noch neue Irrtümer hinzugebracht[189]."

[184] Zitiert wird diese Studie mit: Uhlhorn I.
[185] In unserer Abhandlung stets: Uhlhorn II.
[186] Die Zitation erfolgt mit: Uhlhorn III.
[187] Diesen Artikel bringe ich unter: Uhlhorn/Tschackert, Rhegius. Der Band, in dem dieser Artikel erschien, kam 1905 heraus. Uhlhorn starb am 15. Dezember 1901.
[188] Uhlhorn II, S. 1—160.
[189] Uhlhorn II, S. 343.

(80)

VRBANVS RHEGIVS,

S. Theol. Doctor, primum Auguſtæ Vindelicorum Paſtor, deinceps Ducatus Luneburgenſis Cellæ Superintendens, Obiit a. 1540.

VRbano tantum debet Brunſuigica tellus,
Quantum Luthero tunc Viteberga ſuo,
Cui fidus fuit ille comes, ſanctumq; ſecutus
Doctorem toto clarus in orbe fuit.

I. G. Z.

BEA-

Münsters Kosmographie als Vorlage.
Staatliche Kunstsammlungen Dresden, Kupferstich-Kabinett.

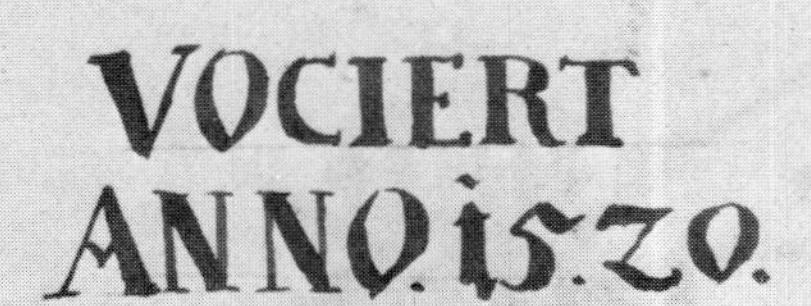

KAM VON HIER
HIN WEG.
ANNO. 15.30.

Unbekannter Künstler, 1736
Augsburg StA: HP 68; Ms. von J. F. Rein

Unbekannter Künstler, 1749

Aus: Rein, Das Evangelische Ministerium. Dieses Bild diente offensichtlich als Vorlage für das umseitige Ölbild.

Künstler unbekannt

Das Ölbild wurde um 1900 der evangelischen Pfarrgemeinde von Langenargen gestiftet und befindet sich in der Sakristei der dortigen Pfarrkirche.
Die Kenntnis dieser Daten verdanke ich Berthold *Luick* vom Heimatmuseum Langenargen.

Rhegius wurde im Mai 1489 in Langenargen am Bodensee geboren (so Uhlhorn II, S. 1; bei Uhlhorn III, S. 147 und Uhlhorn/Tschackert, Rhegius, S. 734 wird der Geburtstag auf die zweite Hälfte des Monats Mai desselben Jahres eingeengt). Für das Geburtsjahr kann *Uhlhorn* einen Brief des Rhegius zitieren, in dem dieser sein Alter angibt[190].

Rhegius' ursprünglicher Name war demnach Rieger, die Angabe des Sohnes Ernestus, nach der König der ursprüngliche Name gewesen sei, ist irrig[191].

Die Umbenennung erfolgte „in der letzten Zeit seines Freiburger Aufenthaltes oder wahrscheinlicher erst in Ingolstadt"[192] (S. 2). Rhegius sei der Schreibweise „Regius" deshalb vorzuziehen, weil „er selbst, in Allem, was mir", konstatiert *Uhlhorn* (S. 2), „Handschriftliches zu Gesicht gekommen ist, immer" sich so schrieb. Von den Eltern sei weiter nichts bekannt, daß der Vater ein Priester gewesen sei, sei „eine allerdings nur bei seinen Gegnern vorkommende Angabe" (S. 2). Bei Uhlhorn III (S. 147) sowie bei Uhlhorn/Tschackert, Rhegius (S. 734), ist diese Passage gleichlautend abgeändert in: „Von seinen Eltern wissen wir nichts; daß er der Sohn eines Priesters war, wie seine Gegner ihm nachsagten, ist nicht unwahrscheinlich." Wenn man bedenke, meint *Uhlhorn* (S. 2) weiter, „daß im Bisthum Constanz, wohin Argen gehörte, verheiratete Priester nicht selten erwähnt werden", so könne diese „Nachricht nicht ganz abzuweisen sein, obwohl eine Entscheidung nicht mehr möglich ist". Die erste Bildung empfing er in Lindau, von dort geht er auf die Universität nach Freiburg i. Br., „wo er 1508 inscribiert wurde" und Wohnung bei seinem Landsmann, dem berühmten Rechtsgelehrten *Zasius,* nimmt (S. 2). Rhegius studiert in Freiburg zunächst „Rechtswissenschaft, womit er weitere classische Studien, Rhetorik und Poesie" verbindet (S. 5). Als seine weiteren dortigen Lehrer nennt *Uhlhorn:* „Wolfgang Capito, seit 1511 Decan der artistischen Facultät, und den Johannes Rhagius" (S. 5). Die humanistischen Studien beginnen alsbald zu überwiegen, und Rhegius versucht sich als Dichter in lateinischer Sprache. Daß aber Rhegius, urteilt *Uhlhorn* (S. 9), „kein wirklicher Dichter ist, dazu bedarf es nur eines Blickes in diese Carmina. Wäre Rhegius wirklich Dichter gewesen, seine spätere Entwicklung hätte ihn erst recht zu Liedern begeistern müssen, wir müßten seinen

[190] Uhlhorn II, S. 343, Anm. 1, siehe: Ms. 64.

[191] Uhlhorn II, S. 1. Als Beweis für diese dedizierte Feststellung gibt Uhlhorn II, S. 343f. Universitätsmatrikel und entsprechende Apostrophierungen bei Rhegius' Zeitgenossen Johann Eck, Johann Oekolampad und Ludwig Hätzer an.

[192] Die in Klammer gesetzten Seitenangaben beziehen sich im Folgenden, sofern nichts anderes vermerkt wird, auf Uhlhorn II.

Namen unter den Liederdichtern unserer Kirche finden". In Freiburg bereits schließt sich Rhegius an „Johann Mayr von Eck" an, der „weder originell noch gründlich gelehrt" ist (S. 7.) 1510 wird Rhegius „nach den Acten der Freiburger Universität, in denen er noch den Namen Rieger führt, Baccalaureus" (S. 7). Daß Rhegius von Freiburg i. Br. weg nach Basel zieht, wie sein Sohn erzählt, „ist höchst unwahrscheinlich und beruht wohl auf einer Verwechslung mit dem späteren Aufenthalt in Basel im Jahre 1520, der urkundlich feststeht, den aber sein Sohn gar nicht erwähnt" (S. 8). „Im Juni 1512 scheint" nach *Uhlhorn* (S. 8) Rhegius „noch in Freiburg gewesen zu sein". Die Übersiedlung nach Ingolstadt müsse aber noch im selben Jahr erfolgt sein, wie sich „aus einer Notiz in einem späteren Gedichte" ergäbe (S. 8). Er kam „mittellos nach Ingolstadt" und suchte „dadurch seinen Unterhalt zu gewinnen, daß er junge Adelige in sein Haus(!) aufnahm und deren Studien leitete" (S. 8). Weil er für die Ausgaben dieser adeligen Studenten gutsteht, gerät er in arge Schwierigkeiten, so daß er sich als Landsknecht anwerben läßt. Aus dieser ausweglosen Situation wird Rhegius von Johann *Eck* befreit. Später erhält Rhegius durch dessen Vermittlung „eine Professur der Rhetorik und Poesie und damit wenigstens ein wenn auch nicht überreichliches Auskommen" (S. 9). „Die Eitelkeit, welche bei den meisten Humanisten oft so widerlich hervortritt, fehlt auch bei Rhegius nicht" (S. 9). Dem Rhegius wird die Ehre zuteil, „mit Erasmus zu verhandeln, als der Herzog Ernst von Baiern diesen für Ingolstadt zu gewinnen trachtete" (S. 10). Diese Verhandlungen verlegt *Uhlhorn* „in das Jahr 1514. Allerdings sind die beiden Briefe", schreibt *Uhlhorn* weiter (S. 345, Anm. 13), „von Erasmus an Rhegius in des Erasmus Epp. VI Cal. Mart. und Non. Mart. 1516 datirt, allein das Datum muß falsch sein..." (Bei Uhlhorn III und Uhlhorn/Tschackert, Rhegius, fehlt diese Passage). Eine weitere Ehre wurde Rhegius, „nachdem er kurz zuvor Magister geworden ist", zuteil, als Kaiser *Maximilian I.* „ihn auf einer Durchreise im Herbste des Jahres 1517 in Gegenwart vieler vornehmer und gelehrter Männer zum Dichter" krönte (S. 10). Des Rhegius Verehrung für *Eck* läßt jenen von diesem „ganz gefesselt" erscheinen. „Man möchte sagen, Rhegius erscheint als der Knappe des Ritters Eck auf seinen Disputationsabenteuern" (S. 11).

Rhegius steht auch „in freundschaftlichen Verhältnissen" mit *Hubmaier,* der „später ein hervorragendes Haupt der Wiedertäufer" wurde und mit „Matthias Kretz ... später als Prediger in Augsburg, eine Hauptstütze der Römisch Gesinnten" (S. 12). Der 1516 auf Anregung des bayrischen Kanzlers Leonhard *Eck* „von dem berühmten Historiker Aventinus" gegründeten Humanistengesellschaft „sodalitas literaria Boiorum" gehörte Rhegius auch an (S. 12). Spätestens mit seiner Übersiedlung nach Ingolstadt, also 1512, läßt *Uhlhorn* Rhegius mit den theologischen Studien beginnen (S. 12). Während eines Ferienaufenthaltes bei Johann *Fabri* im September 1518 schreibt Rhegius seine erste theologische Schrift, in der er über die Würde des Priesters handelt. „Noch ehe die Schrift in Augsburg gedruckt war, trat Urbanus Rhegius in den Priesterstand, er empfing in Constanz die Weihen und nahm zu Anfang des Jahres 1519 dort seinen bleibenden Aufenthalt" (S. 14). Während sich Uhlhorn II in seiner Monographie über das Jahr der Priesterweihe noch nicht festlegt, heißt es bei Uhlhorn III, S. 148 und Uhlhorn/Tschackert, Rhegius, S. 735 dezidiert, daß Rhegius in Konstanz „1519 die Weihen empfing". Von Konstanz aus vermittelt Rhegius die Freundschaft zwischen *Erasmus* und dem Domherrn Johannes *Botzheim* (S. 16). Rhegius selbst tritt „jetzt zum ersten Male mit Zwingli in brieflichen Verkehr" und steht Anfang 1520 noch ganz auf der Seite *Ecks* und *Fabris* gegen Luther. Mit März desselben Jahres beginnt der Umschwung, wie sich aus dem Brief *Botzheims* an *Luther* vom 3. März 1520 ersehen ließe, wo Rhegius Grüße an *Luther* aufgäbe (S. 19f.). Von Konstanz geht Rhegius nach Basel, um „die theologische Doctorwürde zu erwerben" (S. 21). „Nachdem er sich den Sommer über dort aufgehalten hatte, wurde er am Donnerstag vor Michaelis 1520 nach gehaltener Disputation ehrenvoll promoviert"[193] (S. 21). In Basel währte der Aufenthalt nur kurz, von dort folgte er dem im Sommer 1520 an ihn ergangenen Ruf nach Augsburg, wo der Domherr Bernhard *Adelmann* des Rhegius Wahl zum Domprediger im Domkapitel durchzusetzen vermocht hatte. Des Rhegius Bestellung „konnte als ein Sieg der Evangelischen angesehen werden und wurde in weiteren Kreisen so angesehen"[194] (S. 27).

Die „Verdammungsbulle" *Luthers,* die *Eck* 1520 in Rom „auszuwirken" gelang, wurde in Augsburg am „8. November ... angeschlagen" (S. 28). Rhegius wurde so gezwungen, unter falschem Namen Schriften „ausgehen" zu lassen, „während er sonst offen

[193] Als Beleg für die Promotion führt Uhlhorn II, S .348, Anm. 26 die Universitätsmatrikel von Basel an. Uhlhorn III, S. 148 und Uhlhorn/Tschackert, Rhegius, S. 735 schreiben gleichlautend: „Die Doktorwürde hatte Rhegius 1520 in Basel erlangt ..."

[194] Nach Uhlhorn III, S. 148 und Uhlhorn/Tschackert, Rhegius, S. 735 wird Rhegius von Johann Fabri als Domprediger empfohlen, und Bernhard Adelmann „befördert" dessen Erwählung. Fabris Empfehlung wird hier gewertet als „Beweis genug, daß es nicht die Absicht war, einen Anhänger Luthers zu berufen."

als Vertheidiger des Evangeliums auftrat, Predigten und erbauliche Schriften unter seinem Namen drucken ließ, ließ er zugleich andere satyrischen und polemischen Inhalts unter angenommenem Namen ausgehen"[195] (S. 29). Andere Humanisten lenkten nach Erscheinen dieser Bannbulle[196] ein und wichen scheu zurück oder unterwarfen sich sofort wie Bernhard *Adelmann* oder wurden gar „zu fanatischen Gegnern der Reformation ... wie Faber". Rhegius aber, behauptet *Uhlhorn* weiter, trat „immer entschiedener auf Luthers Seite und galt bald als sein Hauptvertreter in Augsburg"[197].

Rhegius bricht nun mit *Eck*, und *Faber* war erzürnt über das Auftreten des Rhegius in Augsburg, der Bruch mit *Eck* hatte auch ihn beleidigt, das Gerücht, Rhegius sei der Verfasser des Dialogs zwischen Fritz und Kunz[198], trug noch mehr dazu bei, sie einander zu entfremden (S. 38).

Auf Grund seiner diversen Schriften, die er teils namentlich zeichnet, teils anonym herausgibt, ist Rhegius der „Verfolgung" ausgesetzt, die ihm den Aufenthalt in Augsburg verleidet. Schließlich kommt es im Dom nach einer seiner Predigten zu einer tätlichen Auseinandersetzung, bei der ein Domherr dem Rhegius „mit einem Schlüssel ... in's Gesicht schlug ... und dieser Vorfall wurde die Veranlassung, daß Rhegius seinen Abschied bekam. Unter dem Volke sprengte man allerlei Lügen aus über sein unsittliches Leben, daß er's mit den Weibern halte und dgl. mehr"[199] (S. 45). Augsburg verließ Rhegius nach dieser Biographie „noch im Dezember 1521" (S. 45). Rhegius begibt sich über Ulm in seine Heimat nach Langenargen und Tettnang und verbringt dort die erste Hälfte des Jahres

[195] Vgl. dazu das Kapitel: Pseudonyme und anonyme Rhegius-Schriften im II. Tl. dieser Abhandlung.

[196] Richtiger müßte Uhlhorn die gemeinte Bulle „Bannandrohungsbulle" nennen.

[197] Uhlhorn III, S. 149 und Uhlhorn/Tschackert, Rhegius, S. 735.

[198] Vgl. unten im II. Tl. das Kapitel: Ist Rhegius der Autor der weit verbreiteten Flugschrift „Ain schőner dialogus. Cuntz und Fritz?"

[199] Als Beleg für diese Tumultszene führt Uhlhorn II, S. 350, Anm. 17 an: „Handschriftliche Chronik der Stadt Augsburg" und als Fundort hierfür: Wolfenbütteler Bibliothek. In Uhlhorn III, S. 149 und Uhlhorn/Tschackert, Rhegius, S. 736 ist diese Tumultszene fallengelassen und es wird im gewissen Sinne sogar das Gegenteil behauptet, wenn es heißt: „Dennoch wagten sie" (gemeint die Domherren) „nicht, sich zu regen vor dem Handwerksvolk' ..." Als Beleg für diese Variante wird ebd. zitiert: „... wie eine gleichzeitige Chronik sagt." Auch wird Rhegius hier nicht von Augsburg vertrieben, sondern es wird ein Urlaub, den Rhegius erbeten hatte, Ende 1521 dazu benützt, um „ihn zu verdrängen". Während seiner Abwesenheit setzen die Domherrn „zuerst Vögelin, dann einen entschiedenen Anhänger der alten Lehre, Dr. Krätz, an seine Stelle."

1522, wo er „still und einsam seinen Studien" lebte (S. 46). „Namentlich las er hier noch einmal die Bücher Luthers und vertiefte sich in die heilige Schrift" (S. 46).

Von Lindau aus knüpft Rhegius wieder Verbindung mit *Zwingli* an, der „gerade damals seinen Kampf gegen den Bischof von Constanz und dessen Vicar Faber" begann (S. 47). Ebenso nimmt er von dort wieder die Kontakte mit *Erasmus* und *Vadian* auf. In der zweiten Sommerhälfte wird er nach Hall im Inntal als Prediger berufen (S. 47). Und wer beruft Rhegius nach *Uhlhorns* Feststellung? „Jetzt", schreibt *Uhlhorn* (S. 48), „berief die Gemeinde[200] den Urbanus Rhegius." Sehr kritisch steht *Uhlhorn* der Erzählung des Sohnes Ernestus gegenüber, wonach Rhegius auch in anderen Gegenden Tirols, außer in Hall, nämlich in Innsbruck und im Etschtal, gewirkt haben soll, und fährt dann fort: „... diese Wirksamkeit mochte sich deshalb wohl auf gelegentlich gehaltene Predigten beschränkt haben" (S. 48). Rhegius' Mutter begleitete ihn und führte seinen Haushalt. Bis zum Frühjahr 1523 stößt Rhegius dort auf keinen ernsthaften Widerstand. Doch dann gelingt es dem Brixener Bischof, Erzherzog *Ferdinand* gegen Rhegius einzunehmen, und so beschließt Rhegius, „um den Zorn Ferdinands sich beruhigen zu lassen ... sich eine Zeit lang zurückzuziehen. Im April 1523 ging er auf einige Wochen nach Augsburg, wo er bei Bernhard Adelmann verweilte" (S. 52). Die Zwischenzeit nützte der Bischof von Brixen, um ihn beim Landesherrn Erzherzog *Ferdinand* anzuschwärzen, so daß sich der Rat von Hall gezwungen sah, Rhegius brieflich zu bitten, „nicht zu kommen, da Ferdinand gegen die Prediger des Evangeliums so erzürnt sei, daß er nicht sicher sein werde" (S. 52). In Augsburg predigte Rhegius „auch einige Male auf Bitten des Augsburger Rathes" (S. 52). Im Laufe des Sommers 1523 kehrt Rhegius demnach nach Hall zurück; Ende dieses Jahres und Anfang 1524 ist er jedoch wieder in seiner unmittelbaren Heimat Langenargen und Tettnang zu finden. In Hall läßt er seine Mutter zurück, die dort das Hauswesen versieht. Er selbst ist nach Hall gar nicht mehr zurückgekehrt, sondern ging Anfang des Sommers direkt und „ganz" nach Augsburg[201], wo inzwischen die Domprädikatur mit *Vögelin*, „bisher Lehrer an der Schule zu St. Marien, mehr Mathematiker als Theolog", besetzt worden war (S. 52f.). Rhegius predigte

[200] Diese These der Berufung nach Hall durch die Gemeinde von Hall halten auch Uhlhorn III, S. 149 und Uhlhorn/Tschackert, Rhegius, S. 736 aufrecht.

[201] In der dazugehörenden Miszelle stellt Uhlhorn II, S. 350 fest: „Die Erlebnisse des Rhegius während der Jahre 1522—1524 sind vielfach dunkel", dieses Dunkel aufzuhellen habe er, „trotz aller Mühe", nicht zustandebringen können.

in Augsburg „nur als Gast" und war daneben „als Schriftsteller thätig" (S. 55).

Im Gefolge von Unruhen, die mit der Entfernung des Predigers Johann *Schilling*, eines Barfüßermönches, zusammenhingen, sollte Rhegius dessen Stelle als Prediger in der Barfüßerkirche übernehmen. „Als Urbanus die Kanzel bestieg", referiert *Uhlhorn* (S. 61), „ließ ihn das Volk nicht zu Worte kommen, schon bei der Verlesung des Textes unterbrachen sie ihn mit großem Geschrei, so daß er den Versuch zu predigen aufgeben und die Kanzel verlassen mußte". Der vertriebene Mönch *Schilling* kehrt zurück und übernimmt wieder die Predigerstelle. „Urbanus Rhegius, den der Rath angenommen, blieb ebenfalls im Amte, jetzt nicht wie früher im Dom, sondern bei den Carmelitern zu St. Annen" (S. 62). Diese Unruhen, die in Augsburg ausgebrochen und Vorboten des Bauernkrieges waren, hatten auch alsbald andere Städte, so etwa Memmingen, wo *Schappeler* predigte, erfaßt. Des Rhegius Wünsche gingen dahin, „die Obrigkeiten möchten sich der Sache annehmen, nicht plötzlich, sondern in ruhiger, allmäliger Entwicklung das Alte abthun und eine neue Ordnung einführen. In dem Sinne gab er Anfang 1525 dem Rath von Memmingen ein Gutachten" (S. 70).

„Am Weihnachtstage 1524[202] theilten Rhegius und Frosch zuerst das heilige Abendmahl unter beiderlei Gestalten aus ... Am 20. März 1526 traute Urbanus Rhegius seinen Collegen Frosch" (S. 71). Alsbald, fährt *Uhlhorn* fort, „folgte Rhegius seinem Collegen Frosch ... nach", und gibt dann unlogisch und widersprüchlich als Rhegius' Hochzeitsdatum den Freitag „nach Corporis Christi (16. Juni) 1525" an (S. 72). Dieses Durcheinander der Daten in puncto Hochzeit des Rhegius ist auch bei Uhlhorn III wie bei Uhlhorn/Tschackert, Rhegius, zu finden. Heißt es in jenem Artikel, S. 150: „... am 20. März 1526 traute Rhegius seinen Kollegen Frosch und bald nachher trat er selbst in die Ehe. Am 16. Juni verheiratete er sich mit Anna Weisbrucker", so steht in letzterem Artikel S. 737 zunächst derselbe Text zu lesen, dann aber heißt es: „Sechzehn Jahre hat er mit ihr in glücklicher Ehe gelebt ..." Da im selben Artikel als Todesdatum der 27. Mai 1541 (S. 741) angegeben wird, käme auch nach dieser Version doch wieder 1525 als Hochzeitsjahr in Frage.

Nun leitet *Uhlhorn* auf die „Zeiten der größten Verwirrung" über, die bis zum Weggang des Rhegius von Augsburg (1530) dort geherrscht haben, und konstatiert: „Römische, Lutheraner, Zwinglianer, Täufer lagen miteinander im Kampfe, ein Kampf, in dem

[202] Dieses Datum steht auch bei Uhlhorn III, S. 150 und Uhlhorn/Tschackert, Rhegius, S. 737.

Rhegius eine besondere Stelle einnahm, nicht ohne selbst mehr als einmal zu schwanken[203]."

Betreffs des Bauernkrieges weiß *Uhlhorn* zu schreiben, daß laut Rhegius selbst dieser den Thomas *Müntzer* „im Jahre 1522 in Augsburg gesprochen habe" (S. 74), und resümiert nach längeren Zitaten aus entsprechenden Rhegius-Schriften dessen Position: „Urbanus Rhegius war kein Mann des Volkes wie damals viele, aber auch kein Herrendiener, sondern bewieß sich auch hier als christlicher Prediger, der Herren und Knechten das Wort Gottes predigt und die Aufgabe begriffen hat... wahrhaft in der Mitte zu stehen zwischen den streitenden Parteien und Frieden zu predigen" (S. 80).

Der Behandlung von Rhegius' Verhalten in den Wirren des Bauernkrieges folgt die des Abendmahlstreites, wobei Uhlhorn II auf seinen diesbezüglichen Aufsatz verweist[204]. Rhegius folgte demnach „zunächst durchaus Luther" (S. 86).

Als *Karlstadt* seine Abendmahlsthesen zu verbreiten begann, schwankte zunächst Urbanus Rhegius „einen Augenblick" (S. 88). „Die erste Gegenschrift gegen Karlstadt überhaupt" kommt von Rhegius[205] (S. 89). *Zwinglis* Abendmahlslehre zu widerstehen, fühlte er sich nicht stark genug, bis er schließlich zur Zwinglischen Abendmahlslehre übertritt (S. 102f.). Des Rhegius „theologische Richtung blieb in ihren Grundanschauungen auch in der Periode seiner Hinneigung zu Zwingli wesentlich Lutherisch. Die Zwinglische Abendmahlslehre ist gleichsam nur ein eingesprengtes fremdes Stück[206], und wenn es nicht fehlen konnte, daß diese Wendung zu Zwingli sich auch sonst, daß sie sich besonders auch in seiner Auffassung der Taufe kund geben mußte, so ist anderseits... selbst seine Abendmahlslehre nie ausgeprägt Zwinglisch geworden" (S. 103f.). Das Motiv des Überganges des Rhegius von *Luther* zu *Zwingli* „ist mehr kirchenpolitischer als dogmatischer Art... Rhegius ist überhaupt in seinem dogmatischen Denken zu wenig selbständig... Der Zwinglianismus war volkstümlich, und Rhegius ertrug es schwer, als

[203] Uhlhorn/Tschackert, Rhegius, S. 737 und Uhlhorn III, S. 150. Vgl. dazu Uhlhorn II, S. 73, wo derselbe Text zu lesen ist, jedoch die Charakterisierung, daß Rhegius „mehr als einmal" schwankte, fehlt.

[204] Gemeint Uhlhorn I nach unser Denomination.

[205] Bei Uhlhorn III, S. 151 und bei Uhlhorn/Tschackert, Rhegius, S. 738 ist zu Rhegius' diesbezüglichem Eingreifen zu lesen: „Um so bedenklicher war es, daß er sich so rasch, wohl durch seine nicht wegzuleugnende Eitelkeit getrieben, in den Kampf wagte. Kaum hatte Karlstadt seine neue Sakramentenlehre entwickelt, so gab Rhegius im September 1524 gegen ihn seine Schrift... heraus."

[206] Diese Thesen vertrat Uhlhorn wörtlich gleich in seinem Aufsatz Uhlhorn I, S. 33.

Lutherisch gesinnt die Gunst des Volkes, die er nie eigentlich besessen hatte, noch mehr einzubüßen. Seine Eitelkeit... kam mit in's Spiel..." (S. 104).

„Die Periode seines Zwinglianismus hat bei Rhegius nicht lange gewährt, schon 1527 nimmt er eine vermittelnde Stellung ein, um bald wieder ganz auf Luthers Seite zu treten" (Uhlhorn III, S. 152 und Uhlhorn/Tschackert, Rhegius, S. 738).

Im nächsten Kapitel[207] untersucht *Uhlhorn* die Wiedertäuferfrage und Rhegius' Verhalten, besonders dessen Schriften hierüber.

Als am Ostertag 1528 (12. April) 95 Wiedertäufer gefangen genommen wurden, „ließ der Rath sie durch die Prediger Rhegius, Frosch, Agricola, Keller ermahnen"[208] (S. 133). Uhlhorn II berichtet, daß Rhegius die gefangenen Wiedertäufer besuchte und sich fleißig mit ihnen unterredete, „obwohl meist erfolglos" (S. 134). Danach kommt die Erzählung der Episode, wie eine Wiedertäuferin — „Auf Rhegius Betreiben wurde ihr diese Gelegenheit" (S. 134) — dem Rat von Augsburg vorgeführt wird. Rhegius, der zugegen war, disputierte mit ihr, ihm fiel es auch nicht schwer, „ihre Gründe zu widerlegen". Als sie nicht mehr weiter wußte, „rief sie aus: ‚Es ist freilich ein großer Unterschied zwischen dir und mir, lieber Urbanus. Du sitzst auf weichem Polster zur Seite der Bürgermeister und redest wie vom Dreifuß des Apollo herab, ich muß auf der Erde liegend mit Ketten gebunden disputieren.' Worauf Urbanus erwiderte: ‚Nicht mit Unrecht, Schwester, denn einmal aus Knechtschaft des Teufels durch Christum errettet, hast du dich freiwillig wieder unter sein Joch begeben und nun hat er dich mit diesem Schmucke angethan Andern zum Beispiel.' Die hartnäckige Frau wurde aus der Stadt verwiesen"[209] (S. 134). Des Rhegius so entschiedenes Auftreten gegen die Wiedertäufer erklärt *Uhlhorn:* „Seine innerste Natur ist dem in ihnen vertretenen Radicalismus diametral entgegengesetzt", und damit, daß die Wiedertäufer „ein radicales Bibelchristenthum an die Stelle der Kirche setzen wollten... Der Kampf gegen den Radicalismus machte ihn noch conservativer..." (S. 137).

Rhegius' Wirken im süddeutschen Raum (*Uhlhorn* schreibt einfach: Süddeutschland) schließt *Uhlhorn* mit dem Kapitel ab: „Die letzten Jahre des Rhegius in Augsburg" (S. 137—160).

[207] Uhlhorn II, S. 105—137.

[208] Bei Uhlhorn III, S. 153 und Uhlhorn/Tschackert, Rhegius, S. 739 war deren Aufgabe: „... um die Täufer zu bekehren", die dann „meist vergeblich" blieb.

[209] Diese Erzählung ist der vom Sohn Ernestus Regius verfaßten Vita entnommen; Uhlhorn III und Uhlhorn/Tschackert, Rhegius, haben sie nicht.

Hier schildert *Uhlhorn* kurz des Rhegius Auseinandersetzung mit *Eck* über die Meßopferfrage (S. 139ff.) und dessen private Schwierigkeiten in puncto Ehestörung, worüber es gerüchteweise hieß, Rhegius „sei von einem Bürger im Ehebruche mit einer Frau aus vornehmen Geschlechte ertappt und mit drei Wunden niedergestochen" worden. Ein andermal sei von Rhegius' Gegnern „eine liederliche Dirne" auf ihn gehetzt worden, um ihn „der Unzucht anzuklagen" (S. 140).

Rhegius bemühte sich, in der Abendmahlsfrage unter den Predigern eine Konkordie herzustellen. Zu dem Zwecke legte er am Palmsonntag 1527 (14. April) „eine Vereinigungsformel" vor, „in der über das Wesen des Abendmahls nichts gesagt, sondern nur die Frucht desselben und die rechte Bereitung dazu ausgesprochen war. Der Einigungsversuch scheiterte völlig ..."[210] (S. 143f.).

Dem Marburger Religionsgespräch, zu dem *Philipp* von Hessen Rhegius im September 1529 eingeladen und Rhegius sein Kommen bereits zugesagt hatte, mußte er fernbleiben, „seine Kränklichkeit gestattete ihm nicht, an dem Gespräch Theil zu nehmen" (S. 145f.). Rhegius lehnt nach *Uhlhorn* das Amt eines Superintendenten in Ansbach, das Markgraf *Georg* ihm 1528 antrug, aus „Anhänglichkeit ... an seine Gemeinde" in Augsburg ab (S. 146).

Darauf berichtet *Uhlhorn* Rhegius' weiteres literarisches Wirken und leitet zugleich zum Augsburger Reichstag 1530 über. *Uhlhorn* hebt als Tätigkeit des Rhegius während dieses Reichstages hervor: Rhegius' Predigt am Pfingsttage (5. Juni) „in St. Katharina vor dem Kurfürsten, besonders gern hörte ihn Herzog Ernst von Lüneburg" (S. 153). Rhegius' Umgang mit den Sächsischen Theologen: „Melanthon (!), Jonas, Agricola" (S. 153), und daß *Melanchthon* besonders Rhegius und *Brenz* gerne zu Rate zog, wird erwähnt. Rhegius' Aussprache mit Landgraf *Philipp*, bei der Rhegius diesen „allerdings ... Zwinglisch gesinnt" fand[211]; Rhegius predigte auf Grund des Predigtverbotes am 18. Juni 1530 zum letztenmal in Augsburg, bei den Vergleichsverhandlungen mit den Altgläubigen stand Rhegius ganz auf seiten *Melanchthons* und „wollte mit Melanthon die bischöfliche Gerichtsbarkeit, ja selbst die Privatmessen zugestehen" (S. 158f.). Rhegius vermittelt ein Gespräch zwischen *Butzer* und

[210] Uhlhorn III, S. 153 und Uhlhorn/Tschackert, Rhegius, S. 739 qualifizieren diese Einigungsformel als „... eine allerdings schwache Vereinigungsformel ..."

[211] Bei Uhlhorn III und bei Uhlhorn/Tschackert, Rhegius, finden sich dazu keine Äußerungen. Daß Rhegius Philipp von Hessen zwinglisch gesinnt fand, geht auf einen entsprechenden Editionsfehler des Rhegius-Briefes vom 21. Mai 1530 an Luther zurück. Wir haben das bereits bei Heimbürger festgestellt; siehe oben S. 33, Anm. 174.

Melanchthon und sagt jenem zu, bei *Luther* „nach Kräften das Vereinigungswerk zu empfehlen“ (S. 159). Herzog *Ernst* gewinnt Rhegius für Lüneburg, dieser reist am 26. August 1530 von Augsburg ab und bleibt einen Tag in Koburg bei *Luther*. Dieser „Tag in Koburg war wie eine Weihe, die Rhegius in seinen neuen Wirkungskreis mitnahm“ (S. 160).

Im zweiten Buch seiner Monographie behandelt *Uhlhorn* „Urbanus Rhegius in Norddeutschland“[212]. Da Rhegius' Leben und Wirken in Norddeutschland nicht zu unserem Untersuchungsbereich gehört, möchte ich nur Weniges herausgreifen.

Die beiden Apophthegmata, die *Zincgref* überlieferte[213], fehlen auch hier nicht. Herzog *Ernsts* Ausspruch an Rhegius 1535 auf den Versuch der Augsburger, diesen wieder zurückzurufen: „Lieber Prediger, bleibet bei uns! ihr mögt wohl Leute finden, die euch mehr Geld geben, aber nicht Leute, die euch lieber haben“ (S. 210), und *Luthers* Bonmot auf Rhegius' lange Predigt in Schmalkalden bringt *Uhlhorn* (S. 327), ohne allerdings jeweils die Quelle anzugeben.

Gestorben ist Rhegius nach Uhlhorn II, S. 33 am Montag, dem 23. Mai 1541, nach Uhlhorn III, S. 155 und Uhlhorn/Tschackert, Rhegius, S. 741 am 27. Mai 1541. Seine älteste Tochter heiratete bereits 1537; seine Frau blieb zunächst „in Celle, später verließ sie ... das Lüneburgische; die Visitatoren des Herzogs Julius fanden sei bei der Generalvisitation von 1588, damals hoch betagt ...“ (S. 337).

Das einzige Konterfei, das *Uhlhorn* kennt, ist „ein Holzschnitt, den Sebastian Münster in der Kosmographie zur Beschreibung der Stadt Augsburg gibt ...“[214] (S. 335). Was Rhegius' Persönlichkeit betrifft, meint *Uhlhorn* durch einen recht polemischen Vergleich richtig darzustellen: „Wäre er die Wege gegangen, die Eck und Faber gingen, er hätte es gewiß zu einer nicht minder glänzenden Stellung in der Römischen Kirche gebracht als jene; aber er erwählte lieber, für die Wahrheit zu leiden“ (Ebd.). In gewisser Hinsicht nehme er „einen der ersten Plätze unter den Reformatoren“ ein (Ebd.). Demgegenüber urteilte Uhlhorn III über Rhegius weit kritischer, wenn nicht gar abwertend, wenn es S. 155 heißt: „Eigentlich produktiv ist Rhegius nicht, neue Gedanken muß man bei ihm nicht suchen ... So nimmt er unter den Reformatoren zweiten Ranges doch eine ehrenvolle Stellung ein.“ Dem schloß sich auch Uhlhorn/Tschackert, Rhegius S. 741 verbal gleich an.

[212] Uhlhorn II, S. 161—339.
[213] Siehe oben S. 14f.
[214] Vgl. oben S. 11.

3.1.2. Uhlhorn wird von der Literatur rezipiert

Der erste Autor, der sich seit *Uhlhorns* Monographie 1861 wieder mit Urbanus Rhegius befaßte, ist *Ecks* Hauptbiograph Theodor *Wiedemann*[215]. Er widmete in seiner Untersuchung vom Jahre 1865 ein eigenes Kapitel dem Verhältnis: „Eck und Urban Rhegius"[216]. Für *Wiedemann*, der *Uhlhorn* offensichtlich nicht kannte, zumindest nicht benützte, besteht kein Zweifel, daß Rhegius „der Sohn eines Geistlichen" war (S. 345). Denn so steht es bei *Wiedemanns* Gewährsmann *Eck* zu lesen[217]. Ansonst ist *Wiedemann* über die Abhandlung *Heimbürgers*[218], auf die er sich stützt, nicht hinausgekommen. *Prantl*[219], der in seiner Universitätsgeschichte von Ingolstadt im Telegrammstil eine Biographie des Rhegius bringt, kennt *Uhlhorn* auch nicht und zitiert als seinen Gewährsmann auch noch *Heimbürger*, über den er jedoch kritisch anmerkt: „einseitig lutherisch"[220]. Er ist für unsere Untersuchung bedeutungslos.

Bedeutungsvoll wird die Forschung von *Roth* über Augsburgs Reformationsgeschichte. Schon in der ersten Auflage, die 1881 erschien[221], läßt er manches Archivalische aus Augsburgs Archiven einfließen. In der zweiten Auflage, die er 1901 herausbrachte[222] und die wir weiter unten eigens behandeln wollen, ist *Roth* diesen Weg konsequent weitergegangen.

Soweit *Roth* aber nicht selber Archivalisches beibringt, ist *Uhlhorn* der Gewährsmann für Rhegius' Leben und Wirken[223]. Das währt naturgemäß bis zur Ankunft des Rhegius in Augsburg als Domprediger, die *Roth* mit 21. November 1520 ansetzt und hinzufügt: „Die Berufung war eine glänzende. Rhegius erhielt einen Gehalt von 200 Goldgulden" (S. 64). Verlassen hat Rhegius Augsburg aus Furcht vor der Pest; während seiner Abwesenheit wird er als Domprediger verdrängt. In der Anmerkung korrigiert dann *Roth Uhlhorn:* „Die gewöhnliche Erzählung, daß ein Domherr dem Rhegius den Schlüsselbund in's Gesicht geschlagen, die auch Uhlhorn aufgenommen hat, findet sich nirgends verbürgt" (S. 75).

Rhegius' Hochzeit setzt *Roth* mit dem 16. Juni 1525 an. „Das Abendmahl", schreibt er, ohne jedoch Rhegius direkt als Spender zu nennen, „welches schon früher sicher unter beiderlei Gestalt

[215] Wiedemann, Eck.
[216] Ebd., S. 345—350.
[217] Ebd., S. 345, Anm. 2.
[218] Heimbürger, Urbanus Rhegius.
[219] Prantl, Geschichte.
[220] Ebd., S. 486.
[221] Roth, Augsburg I.
[222] Roth, Augsburg.
[223] Vgl. Roth, Augsburg I, S. 61ff.; weitere Seitenangaben in Klammer direkt im Text.

gespendet worden, hielt man am Weihnachtsabend 1524 zum ersten Mal unter Sang und Klang nach dem Wittenberger Rituale, und zwar ohne vorausgegangene Ohrenbeichte" (S. 243). Daß Rhegius für *Roth* ein Karmelit war, wie einige behauptet haben — siehe oben — geht aus der Formulierung hervor: „In Augsburg z. B. waren Frosch, Keller, Agricola, mit Rhegius die Hauptprediger, ehemalige Kuttenträger ..." (S. 250).

Becks Rhegius-Biographie[224] sei hier nur genannt, des weiteren aber übergangen, weil sie nur einen kurzen Extrakt aus *Uhlhorn* liefert.

3.1.3. Die katholische Stimme Wittmann als Anti-Uhlhorn

Der nächste Autor, den es zu referieren gilt, Patricius *Wittmann*, schloß seine Untersuchung, die dann 1884 im Druck erschien, „... am Jubelfest des glorreich regierenden Papstes, Pius IX., den 3. Juni 1877"[225] ab.

Wittmann ist bis heute der einzige Autor auf katholischer Seite, der sich intensiv und in extenso mit Urbanus Rhegius beschäftigt hat. So handelt die erste Hälfte seiner Untersuchung „Augsburger Reformatoren" beinahe ausschließlich von Rhegius bzw. dessen Wirken in Augsburg[226]. Wir wollen hier aber trotzdem nicht die Biographie des Rhegius nach *Wittmann* als solche referieren, dies würde nämlich auf weiten Strecken eine Wiederholung des schon Gesagten bedeuten. Wohl sind wir es dem Autor *Wittmann* und der Redlichkeit historischer Forschung schuldig, auf dieses Werk soweit einzugehen, als es vom bisherigen Rhegius-Bild abweicht und soweit es etwas Neues bringt. Der bisweilen allzu polemische Stil *Wittmanns* kann uns von dieser Verpflichtung genausowenig entbinden wie die Schwierigkeit, an dieses Buch heranzukommen[227].

[224] Beck, Erbauungsliteratur, S. 71f. Daß Beck ebd. Rhegius 1849 in Langenargen geboren sein läßt, kann nur ein Druckfehler des gemeinten Jahres „1489" sein.

[225] Wittmann, Augsburger Reformatoren, S. 398.

[226] Das Buch hat 398 Seiten; bis Seite 213 steht Rhegius im Mittelpunkt der Abhandlung.

[227] Roth, Augsburg, 1. Bd., S. 80 klagte sein Leid: „Ich konnte weder an der Augsburger Stadtbibliothek noch an der Münchener Staatsbibliothek ein Exemplar dieses Buches erlangen und verdanke die Übermittlung eines solchen aus der Bibliothek des k. Reichs-Archives in München der Güte des Reichsarchivrates Dr. P. Wittmann." Wolf, Quellenkunde, 2. Bd., 2. Tl., S. 156, Anm. 3 geht noch einen Schritt weiter und schreibt resignierend von diesem Werk: „... welches aber anscheinend ganz selten und der Wissenschaft deshalb nur durch die Benutzung in Roths Augsburgischer Reformationsgeschichte zugute gekommen ist."

Roth urteilt über *Wittmann* bzw. dessen Untersuchung: „Als ein Anti-Uhlhorn charakterisiert sich das Buch Dr. Patricius Wittmanns ‚Augsburger Reformatoren'...[228]." Für *Wittmann,* dessen Abhandlung übrigens schwer zu benützen ist, weil sie weder eine Inhaltsangabe noch ein Register kennt, ist Rhegius „im Mai des Jahres 1490" geboren. Auf dieses Geburtsjahr kommt *Wittmann* durch eine andere Interpretation der Stelle im Brief, in dem Rhegius schrieb, er sei ‚46 Jahre alt'. Rhegius wollte, so *Wittmann,* damit sagen, „er stehe im 46. Lebensjahr"[229]. Die Frage, ob König oder Rieger des Rhegius ursprünglicher Name war, löst *Wittmann,* indem er den gordischen Knoten auf seine Weise zerhaut: „Beides verträgt sich aber wohl miteinander, wenn Urbanus unehlich geboren war, wie Uhlhorn zugibt, und zuerst den Namen seiner Mutter, dann seines Vaters, oder seines Pflegevaters führte...[230]." Daß Rhegius ein Priestersohn war, ist für *Wittmann* klar, denn *Wiedemann*[231] habe dies eindeutig nachgewiesen (S. 33f., Anm. 89).

Rhegius besuchte nach *Wittmann* zweimal die Universität Basel, einmal kurz zwischen seinen Aufenthalten in Freiburg i. Br. und Ingolstadt und das zweite Mal nach Ingolstadt 1520, um das theologische Doktorat zu erwerben, wofür Rhegius' Werk „Opusculum de dignitate sacerdotum" als Dissertation gedient haben könnte (S. 37 und 41). Warum Rhegius in Basel und nicht in Ingolstadt promovierte, mutmaßt *Wittmann*: „Vielleicht wurde ihm dort das theologische Doktordiplom verweigert..." (S. 41).

Priesterweihe wie Primizfeier setzt *Wittmann* „in der ersten Hälfte des Februars 1519" an und gebraucht für Rhegius in diesem Zusammenhang die Bezeichnung „Neophyt" (S. 41f.).

Nach der Priesterweihe wirkt Rhegius in Konstanz als Domvikar (S. 45) und wird 1520 Domprediger von Augsburg, wofür ihn *Erasmus* selber empfohlen haben könnte (S. 48). Lutherisch gesinnt kann er um diese Zeit nicht gewesen sein, denn sonst „hätte er mit gutem Gewissen aus der Hand eines katholischen Bischofs das Amt eines Dompredigers gar nicht annehmen können" (S. 48). Auch den Doktoreid hätte er ansonsten in Basel, wo er „von entschieden

[228] Roth, Augsburg, 1. Bd., S. 80.

[229] Wittmann, Augsburger Reformatoren, S. 33f. und Anm. 89, ebd. Auf die Frage als solche, wann Rhegius' Geburtsdatum anzusetzen ist, werden wir unten eingehen. Was den apostrophierten Rhegius-Brief betrifft, vgl. oben S. 39, Anm. 190.

[230] Ebd., S. 5, Anm. 2; Wittmann nennt ihn mitunter auch direkt König, z. B. S. 197. Rhegius schreibt Wittmann aber konsequent ohne „h", also Regius. In der weiteren Behandlung Wittmanns wird auch er einfach nur mit der entsprechenden Seitenangabe zitiert.

[231] Wiedemann, Eck; siehe oben S. 49.

katholischen Professoren ‚nach Ableistung der üblichen Eide' ehrenvoll promoviert wurde", nicht leisten können (S. 49). Daß „der katholische Priester" Rhegius sich „in einen widerkirchlichen Prediger" wandelte, erklärt *Wittmann* (S. 50) folgend: „Nicht berufen für das Priestertum, nicht in der rechten Weise für dasselbe herangebildet, ein eitles Weltkind, glich er einem Schilfrohr, das der Wind bald so, bald anders biegt." Die „einträgliche Predigerstelle" verscherzt Rhegius, der „Schöngeist und Redekünstler", aus „Übermut" (S. 50 und 53). Als er 1521 seine anonymen Schriften herausbrachte, war er laut *Wittmann* noch kein „Lutheraner", ob er „in Wahrheit noch ein Christ" gewesen sei, wie er sich dessen rühmte, bleibe fraglich (S. 63). Nach seinem Weggang aus Augsburg habe Rhegius 1522 „jenem jungen Lindauer, A. P. Gasser, der nachmals Augsburger Stadtarzt und Chronist wurde, drei Monate lang Unterricht in der Physik erteilt" (S. 66). Im „Nachsommer" 1522 wird Rhegius Prediger in Hall in Tirol. Daß der „neuerungsliebende Rat" von Hall Rhegius dort einsetzen konnte, findet *Wittmann* „wohlerklärlich", daß „aber das b. Ordinariat der Diözese Brixen, zu welcher Hall gehörte, dazu kam, die Aufstellung eines Regius als Prediger für eine katholische Kirche zu gestatten, ist rätselhaft" (S. 67). „Am 23. April 1523" begibt er sich „unbedenklich nach Augsburg". Dort erlangt er zunächst keine „ihm zusagende Stelle", und die Prädikatur von Hall erhält er auch nicht mehr wieder, so daß er eine Zeitlang „ein unstätes Leben" führt, sich „vom Herbst des Jahres 1523 bis zum Juni 1524" am Bodensee aufhält und „erst vom Sommer letzteren Jahres" wird „Augsburg für längere Zeit sein Aufenthaltsort" (S. 72). Über die Schriften, die Rhegius nun herausgibt, hat *Wittmanns* katholische Stimme ein sehr wegwerfendes Urteil parat: „Ach! es war die Sprache eines abtrünnigen Priesters, die Sprache finstern Mißmuts, grollender Leidenschaft, verbrämt mit frommen Redensarten" (S. 116f.)!

Im Kampf gegen *Karlstadts* Abendmahlslehre kommt Rhegius „genau betrachtet, über die bloß sinnbildliche Bedeutung des Abendmahls" nicht hinaus und erkennt *Karlstadts* „eigentlichen Grundirrtum" — hier gehen *Wittmann* und *Uhlhorn* völlig konform — nicht (S. 121f.).

In den Wirren des Bauernkrieges ist Rhegius „doch mehr der ‚Herren-Partei' zugetan" (S. 124). Das Abendmahl teilt Rhegius zusammen mit dem ehemaligen Karmeliterprior Johannes *Frosch* öffentlich erstmals Weihnachten 1525 aus (S. 131). Karmelit war Rhegius nicht, daß er überhaupt in diesen Ruf kam, einmal Karmelit gewesen zu sein, läßt sich nach *Wittmann* damit erklären, daß er im „Kloster gastlich aufgenommen und ihm ... die Kanzel" in der Karmeliterkirche St. Anna eingeräumt wurde (S. 134).

Am 20. März 1525 traute Rhegius den ehemaligen Prior dieses Klosters Johannes *Frosch* in der Klosterkirche (S. 131). Er selber feierte Hochzeit, wobei der von ihm getraute *Frosch* nun sein Traupriester war, „in der Fronleichnamsoktav des J. 1526" (S. 135). „Ein unlösbares Rätsel" ist es für *Wittmann*, wie eines der Kinder des Rhegius, „eine Tochter, bereits 1537 verlobt oder gar verheiratet werden konnte ... es müßte denn nur sein, daß das Mädchen von ‚Anna' in die Ehe mitgebracht worden war" (S. 137, Anm. 322).

Den Irrtum *Uhlhorns*, daß die Witwe des Rhegius 1588 noch lebte, übernimmt *Wittmann* von *Uhlhorn* und vergißt nicht anzufügen, ihr mußte es „doch ein wenig zweifelhaft erscheinen, ob ihre Verehelichung mit einem Geistlichen gar so ‚gut' gewesen sei" (S. 139).

Im Kampf gegen die Wiedertäufer spricht *Wittmann* dem Rhegius einen „bedeutenden Erfolg" ab (S. 186). Des weiteren kritisiert *Wittmann*, daß Rhegius keinen Zweifel daran hegte, „daß die weltliche Obrigkeit befugt und verpflichtet sei", die Wiedertäufer „mit der Schärfe des Schwertes zurechtzuweisen und unschädlich zu machen" (S. 187). „Gerade damals, als Regius die Wiedertäufer in Augsburg auf das eifrigste mit Wort und Schrift bekämpfte, war sein Einfluß nicht bloß in dieser Stadt selbst, sondern weit über ihr Gebiet hinaus ein sehr bedeutender" (S. 188).

Beim Sakramentenstreit „glich" Rhegius 1525—1528 nach *Wittmann* „einem Schiff, das vom Winde bald auf die andere Seite (!) hin- und hergetrieben wird" (S. 190). Des Rhegius „Grundanschauungen" waren aber „trotz seiner Wendung zu Zwingli im Grunde immer lutherisch geblieben"[232] (S. 196).

In den sechs Wochen vor dem Beginn des Reichstages 1530, also vom 2. Mai bis zum 15. Juni, war der Zeitpunkt, „wo der Weizen des Regius und seinesgleichen üppig blühte" (S. 203). Ob Rhegius zur Abfassung des Augsburger Bekenntnisses Wesentliches beitrug, ist zweifelhaft, denn „der Hauptsache nach war es ja fertig aus Sachsen eingeführt worden" (S. 203). Rhegius' Berufung durch Herzog *Ernst* 1530 „mußte dem dienstlosen Regius am Ende noch als besonderes Glück erscheinen" (S. 209). Daß er sich erst auf der Koburg „völlig Luther zugewendet ... ist irrig" (S. 210, Anm. 523).

Über Rhegius' Wirken schreibt *Wittmann* zusammenfassend (den Tod gibt er auch mit 23. Mai 1541 an und behandelt dessen Leben in Norddeutschland weiter nicht): „Uhlhorn preist ihn nicht nur als

[232] Auch hier sind der Katholik Wittmann und der lutherische Abt Uhlhorn ganz einer Meinung. Vgl. dazu oben S. 52.

‚Hirten und Bischof des Lüneburger Landes', sondern nebenbei auch *als ‚den eigentlichen Bischof Augsburgs'"* (S. 213). „Weit entfernt, über die Person des von Gott längst gerichteten und, wie wir hoffen, begnadigten ‚Reformators' richten zu wollen, müssen wir ihm die Würde eines ‚Bischofs und Hirten' entschieden absprechen. So lange es eine von Gott gestiftete, wunderbar erhaltene, vom heil. Geist geleitete katholische Kirche giebt, kann der von ihr abgefallene, unglückliche Priester unmöglich als ‚Hirt' oder ‚Bischof' gelten. In Augsburg von einem abtrünnigen Stadtrat, in Lüneburg von einem abgefallenen Landesfürsten zum Aufseher und Lehrer einer oder vieler irregeführten Gemeinden bestellt, konnte er unmöglich ihr rechtmäßiger ‚Hirt' oder gar ihr wahrer ‚Bischof' sein" (S. 213).

3.1.4. Notizen, Zusammenfassungen, Ergänzungen zu Uhlhorn und Abhandlungen über Rhegius' Theologie

Für *Goedeke* ist 1886 Rhegius' ursprünglicher Name: König[233].

Wilhelm *Vogt,* der sich in Ergänzung zu *Uhlhorn* vor allem mit einigen Schriften des Rhegius beschäftigte und den Brief des Rhegius an den Augsburger Rat 1535 edierte[234], äußerte sich zum Todesdatum ohne Quellenangabe mit: 27. Mai 1541[235].

Zwar nennen, aber übergehen darf ich eine anonyme Abhandlung über Urbanus Rhegius[236], die 1888 erschien und allen Berichten zufolge von demselben Wilhelm *Vogt* stammen soll; sie ähnelt aber mehr einer erbaulichen Volkserzählung denn einer wissenschaftlichen Untersuchung.

Wredes[237] und *Bahrdts*[238] biographische Skizzen des Rhegius sind, zumindest was dessen Leben und Wirken im süddeutschen Raum betrifft, *Uhlhorn* entnommen, *Jürgens*[239] behandelt speziell den Wirkungsbereich Lüneburg.

Den Stand der Diskussion über das Leben des Rhegius faßte 1889 knapp, aber sehr gut *Wagenmann* in der ADB zusammen. Zunächst schreibt er: Über Rhegius' „Familienverhältnisse ist nichts Sicheres bekannt; wahrscheinlich war er, wie seine Gegner ihm vorwarfen, er selbst nirgends bestreitet, der Sohn eines katholischen Priesters[240]". Der Familienname sei strittig! König, wie sein Sohn be-

[233] Goedeke, Grundriß, S. 177.
[234] Siehe: Ms. 63.
[235] Vogt, Urbanus Rhegius, S. 173.
[236] (Vogt), Urbanus Rhegius.
[237] Wrede, Die Einführung, S. 132ff.
[238] Bahrdt, Geschichte, S. 85ff.
[239] Jürgens, Geschichte der Stadt Lüneburg, S. 88ff.
[240] Wagenmann, Rhegius, S. 374.

haupte, oder doch wahrscheinlich Rieger, wie *Eck* angebe. Rhegius selber schreibe sich latinisiert, „Rhegius, nicht, wie später üblich wurde, Regius". Neu bei *Wagenmann* ist, daß Rhegius nach seiner Priesterweihe, die *Wagenmann*, wie üblich, Anfang 1519 in Konstanz ansetzt, nach Tübingen ging und sich dort immatrikulieren ließ[241]. Dessen erste öffentliche Abendmahlsfeier unter beiderlei Gestalten setzt *Wagenmann* mit dem Weihnachtstag 1524, die Hochzeit mit 16. Juni 1525 an. „Im Abendmahlsstreit hielt er sich, wenn auch nicht ohne einige Schwankungen und Schwenkungen, auf seiten Luthers gegen Carlstadt und gegen seine früheren Freunde Zwingli und Oekolampad ..." (S. 375) Schließlich weiß *Wagenmann* zu berichten: „Der Reichstag des Jahres 1530 bildet den Höhepunkt, aber auch das Ende von Rhegius' Augsburger Wirksamkeit." Rhegius' Eintreffen in Celle setzt er mit dem 30. September 1530 an. Als Todestag werden gleich zwei angegeben, im Eingang des Artikels steht der 23. März 1541 und gegen Ende der 27. Mai desselben Jahres (S. 374 bzw. 378).

Rhegius' Charakteristik fällt bei *Wagenmann* folgendermaßen aus: „... mehr ein receptives und reproductives Talent, mehr humanistisch als eigentlich theologisch gerichtet, mehr ein Mann der Vermittlung als des Kämpfens und Stürmens ... weder ein großer Poet, noch ein großer Theolog: aber unter den Reformatoren zweiten Ranges, unter den Mitarbeitern am Bau der evangelischen Kirche in Nord- und Süddeutschland einer der ehrenwerthesten und der liebenswürdigsten." (S. 378) Mehrmals beschäftigte sich auch Nikolaus *Paulus* mit Rhegius, weniger um eine Biographie zu schreiben, sondern um Beiträge hierfür zu liefern. So meldet sich *Paulus* 1892: „Da des Letzteren" (gemeint Rhegius) „grundsätzliche Unduldsamkeit katholischerseits bis jetzt noch keine Beachtung gefunden hat, so dürfte es nicht unnütz sein, einmal darüber etwas Näheres mitzutheilen[242]." *Paulus* bespricht in seinem Aufsatz mehrere Schriften des Rhegius und kommt zum Schluß: „Ist es schon merkwürdig genug, daß Rhegius, der doch im Namen der Gewissensfreiheit gegen die Autorität der katholischen Kirche sich aufgelehnt hatte, bald nach seinem Abfalle die unduldsamsten Grundsätze aufstellt ...[243]."

Zu ähnlichen Ergebnissen kommt er ein Jahr später in einer Untersuchung über die Glaubenstreue von Klosterfrauen und meint,

[241] Ebd., S. 375. Neu im Sinne, daß es erstmals in einer gedruckten Abhandlung vorkommt; in einer ungedruckten findet es sich erstmals um 1750. Vgl. oben S. 22.

[242] Paulus, Rhegius über Glaubenszwang, S. 817.

[243] Ebd., S. 830.

Rhegius „war vielleicht noch unduldsamer, als der Lüneburger Fürst". (Gemeint Herzog Ernst)[244].

In gewisser Hinsicht eine Zusammenfassung wie auch Weiterführung seiner diversen einschlägigen Einzeluntersuchungen ist *Paulus'* Werk[245] über den Toleranzgedanken im Protestantismus des 16. Jahrhunderts, das 1911 im Druck erschien. Den Zweck des Buches gibt *Paulus* im Vorwort an: „Das vorliegende Werk will aber keine vergleichende Darstellung der intoleranten Theorien der protestantischen und katholischen Vorkämpfer bieten; es will bloß quellenmäßig dartun, welche Stellung die Väter und Begründer des Protestantismus zur Toleranz eingenommen haben[246]." In diesem Werk geht nun *Paulus* weit über das hinaus, was er bis dahin über Rhegius in puncto Toleranz festzustellen wußte, indem er formuliert: „Unter den Predigern, die in Norddeutschland die lutherischen Grundsätze von der religiösen Unduldsamkeit einzubürgern suchten, nimmt Urban Rhegius eine der ersten Stellen ein[247]." Diese gravierende Feststellung versucht *Paulus* einerseits durch zahlreiche Zitate aus Rhegius-Schriften sowie durch Aufzählung von dessen diesbezüglichen Maßnahmen[248] und anderseits durch die Wiedergabe von Stellungnahmen namhafter Theologen[249], die sich auf Rhegius berufen, zu untermauern.

Den Aufenthalt des Rhegius in Konstanz versuchte *Hartfelder* zu durchleuchten[250]. Die dargebotene Kurzbiographie schöpft primär aus *Uhlhorn.* Ins Auge springend ist aber die nicht belegte und falsche Behauptung, daß Rhegius erst im Jahre 1521 nach Augsburg zog, „wo er die Predigerstelle erhielt..."[251].

Otto *Seitz* beschäftigte sich ausschließlich mit der Theologie des Urbanus Rhegius, dessen Lebenslauf spielt in Seitz' Untersuchung eine völlig untergeordnete, man kann sagen, keine Rolle. In drei Veröffentlichungen behandelte er Rhegius' Theologie. 1898 erschien seine Dissertation: „Die theologische Entwicklung des Urbanus

[244] Paulus, Glaubenstreue, S. 633.

[245] Paulus, Protestantismus und Toleranz.

[246] Ebd., S. Vf.

[247] Ebd., S. 100.

[248] Vgl. ebd., S. 100—115.

[249] Ebd., S. 221 bringt Paulus eine Stelle aus einem Brief von Heinrich Bullinger an Johannes Calvin, 12. Juni 1554: „Schon vor geraumer Zeit hat Urban Rhegius samt allen Predigern der Lüneburger Kirche in einer deutschen Schrift gezeigt, daß nach göttlichem und menschlichem Gesetze die Ketzer mit Recht bestraft werden..." S. 257 ebd. zitiert Paulus Theodor Beza, der sich für seine These: „Die Ketzer können bisweilen auch mit dem Tode bestraft werden", u. a. auf Rhegius stütze.

[250] Hartfelder, Der humanistische Freundeskreis, S. 21ff.

[251] Ebd., S. 24.

Rhegius, speziell sein Verhältnis zu Luther und Zwingli, in den Jahren 1521—1523[252]." Ein Jahr danach erschien in der Zeitschrift für Kirchengeschichte die Untersuchung: „Die Stellung des Urbanus Rhegius im Abendmahlsstreite[253]." Beide Veröffentlichungen ließ *Seitz* 1898 auch quasi als Monographie mit dem Titel ausgehen: „Die Theologie des Urbanus Rhegius, speziell sein Verhältnis zu Luther und Zwingli. Ein Beitrag zur Geschichte des Abendmahlsstreites im Reformationszeitalter[254]." *Seitz* hier zu referieren erscheint mir aus denselben Gründen, wie den oben bei Uhlhorn I genannten, nicht sinnvoll. Dazu kommt, daß ich mich unten eingehend mit seinen Thesen befassen werde. Hier sei auf *Seitz* nur hingewiesen und gesagt, daß er sich sehr gründlich mit Uhlhorn I auseinandersetzt und zu einem ganz anderen Ergebnis über die theologische Entwicklung des Rhegius kommt als *Uhlhorn,* was schließlich in seiner These gipfelt: „Ferner hat sich ergeben, daß überall nicht ein zweimaliger Umschwung, ein ‚Übertritt' zu Zwingli und ein ‚Rücktritt' zu Luther, zu konstatieren ist, sondern daß sein Anschluß an Zwingli das Resultat einer gewissermaßen geradlinigen Entwickelung und nur seine Hinwendung zu Luther als ‚Übertritt' zu beurteilen ist[255]."

3.1.5. Roth ergänzt und berichtigt Uhlhorn

In der Untersuchung *Roths* über die Reformation in Augsburg[256] spielt im ersten Band der 2. Auflage Rhegius eine sehr wichtige Rolle. Gegenüber der ersten Auflage ist diese Untersuchung „eine vollständige Umarbeitung ... und eine Weiterführung"[257], was auch die eigene kurze Besprechung hier rechtfertigt. Für das Leben und Wirken des Rhegius in Augsburg wartet hier *Roth* mit manchen neuen Details auf, die auf seinen intensiven archivalischen Forschungen beruhen; im einzelnen werden wir unten noch darauf zurückkommen. In den biographischen Notizen, mit denen *Roth* Rhegius' Leben und Werdegang zeichnet, soweit es die Zeit vor dessen Wirken in Augsburg betrifft, liest man, daß Rhegius „eigentlich Rieger" hieß, daß er, bevor er nach Freiburg ging, in Basel studiert habe, und daß der Augsburger Bischof ihn „am 21. November 1520" zum Domprediger berief[258]. Im Frühling desselben Jahres

[252] Von mir mit Seitz I abgekürzt. [253] Wird als Seitz II zitiert.

[254] Ist mit der Denomination Seitz III versehen. Das Verhältnis der drei untereinander ist: Seitz I = Seitz III, S. 1—74; Seitz II = Seitz III, S. 75—108.

[255] Seitz III, S. 107.

[256] Roth, Augsburg.

[257] Ebd., 1. Bd., S. V.

[258] Ebd., S. 57.

„bereits erscheint“ Rhegius dem Autor *Roth* „auf Seiten Luthers“. (S. 58) Die „näheren Umstände, unter denen sich sein Rücktritt vollzog“ (gemeint Rhegius’ Rücktritt als Domprediger), sind nach *Roth* „unbekannt“. Rhegius’ direkter Nachfolger wurde Matthias *Kretz* (S. 72). Mit August 1524 wird er nach seiner endgültigen Rückkunft in Augsburg vom Rat „als Prediger bei St. Anna und den Barfüßern verwendet, ... er war somit“, laut *Roth,* „der erste der evangelischen Prädikanten in Augsburg, der von der Stadt angenommen wurde“. (S. 127) „Sein Ansehen“, fährt *Roth* (ebd.) fort, „seine geistige Befähigung und seine Gelehrsamkeit verschafften ihm in der Folge ganz von selbst die Führung unter den neugläubigen Prädikanten Augsburgs ... Die polemische Thätigkeit tritt ... in wohlthuender Weise zurück.“ Mit dem Abendmahlsstreit befaßt sich Roth nur, soweit es den äußeren Verlauf betrifft. Zu den grundsätzlichen und sehr konträren Positionen über des Rhegius Verhalten in diesem Streit, wie sie von *Uhlhorn* und *Seitz* geboten werden, meint *Roth* (S. 216, Anm. 45): „... daß Rhegius von Anfang an in den wichtigsten theologischen Fragen, also auch im Sakramentsstreite ... in Zwinglischen Anschauungen befangen war, also einen ‚Übertritt‘ erst machte als er sich schließlich zum Lutherischen Dogma bekannte“, wie *Seitz* schreibe, oder „daß Rhegius, zuerst ‚Lutherisch‘ im Abendmahlsstreite, allmählich auf Zwinglis Seite hinübergezogen wurde und dann wieder zu Luther zurückkehrte“, wie *Uhlhorn* meine, habe für die ihm „obliegende Darstellung des äußeren Verlaufes des Abendmahlstreites in Augsburg“ keine Bedeutung. Was die Heirat betrifft, stellt *Roth Uhlhorn* richtig (S. 295): „Rhegius vermählte sich am 16. Juni 1525, drei Tage nach Luther“, und die erste öffentliche Eucharistiefeier unter beiderlei Gestalten war nach *Roth* am Weihnachtstag desselben Jahres (S. 299).

Von Augsburg reiste Rhegius am 26. August 1530 ab und verließ somit die „Stätte seiner mühevollen, nicht besonders dankbaren Wirksamkeit“. (S. 340)

3.1.6. Untersuchungen über Spezialprobleme und Extrakte aus Uhlhorn

Koldes Primäranliegen seiner Edition des Briefwechsels zwischen *Luther* und Rhegius[259], den *Haussleiter* allerdings als den zwischen Johannes *Piscatoris* und Rhegius glaubhaft zu verifizieren weiß[260], ist es: „... die persönlichen Beziehungen zwischen Luther und Rhe-

[259] Kolde, Briefwechsel Luthers.

[260] Siehe: Haussleiter, Zum Briefwechsel Luthers.

gius festzustellen[261]." Was *Kolde* hier über die Edition hinaus noch bietet, fußt auf *Uhlhorn*. Bei *Grisar* ist im zweiten Band Urbanus Rhegius namentlich unter denen genannt, die als „vorsichtigere und maßvollere Beförderer des Luthertums"[262] apostrophiert werden. Im dritten Band äußert sich *Grisar*, ganz offensichtlich beeinflußt von der inzwischen erschienenen Untersuchung *Paulus*' über die Toleranz des Protestantismus[263], Rhegius „verteidigte als solcher nicht bloß in Schriften eine rücksichtlose Zwangspraxis, wonach selbst zu Hause katholische Eltern ihre Kinder nicht mehr im katholischen Glauben unterrichten durften... Sein unrühmlicher Kampf gegen die trotz aller Verfolgungen im Glauben männlich standhaften Klosterfrauen von Lüneburg... ist eines der schwärzesten Blätter aus der Geschichte der Intoleranz im Bannkreise des Luthertums[264]."

Die Kurzbiographie, wie sie in der Beschreibung des Oberamtes Tettnang[265] zu finden ist, gibt *Uhlhorn/Tschackert*[266] und *Wagenmann*[267] wieder. *Studer* läßt in seiner Untersuchung 1915 mit einer ziemlich drolligen Schreibweise Rhegius 1490 zu Langenargen geboren werden und weiß, daß dessen Vater Paul *Riege*r hieß[268]. Den „poetischen Lorbeerkranz" erhielt Rhegius (poeta laureatus) nach *Studer* „weniger um seiner Verdienste als Dichter, sondern mehr um seiner geistigen ethischen Eigenschaften willen; denn Rhegius war begabt, klug, gelehrt, beredt und vor allem sittenrein"[269]. Den „Römling" Rhegius regen später die „Wittenberger Theologen... zu ernstem Nachdenken und gründlicher Erforschung des neuen Testamentes und der Kirchengeschichte" an[270]. Geheiratet hat Rhegius laut *Studer* (S. 37) am 15. Juni 1525, und vom Augsburger Reichstag 1530 weiß *Studer* zu erzählen: „Als am 25. Juni Kaiser Karl V. feierlich zum Reichstag in die Stadt einzog, wurde ihm dies Bekenntnis" (gemeint die CA) „untertänigst überreicht. Aber wie eine Bombe fiel der ‚Schutzvogt der römischen Kirche' in die Versammlung, verweigerte den protestantischen Fürsten die Anerkennung ihrer Konfession, verurteilte die Evangelischen noch ehe sie gehört waren, stellte die evangelische Predigt ein und verabschiedete ihre Diener, unter ihnen natürlich auch Urban Rhegius." (S. 37f.)

[261] Kolde, ebd. S. 115.
[262] Grisar, Luther, 2. Bd., S. 768.
[263] Vgl. Paulus, Protestantismus und Toleranz.
[264] Grisar, Luther, 3. Bd., S. 755.
[265] Tettnang, S. 491 und 615.
[266] Uhlhorn/Tschackert, Rhegius.
[267] Wagenmann, Rhegius.
[268] Studer, Urbanus Rhegius, S. 32.
[269] Ebd., S. 34.
[270] Ebd., S. 35.

Die Biographie, die *Steinmetz* 1915 bietet[271], ist einfach ein Auszug aus Uhlhorn II, ergänzt durch Uhlhorn/Tschackert, Rhegius.

Die biographischen Notizen von *Crome* fußen im Prinzip auch auf *Uhlhorn,* geben aber, zum Unterschied von diesem, Rhegius' ursprünglichen Namen mit König an[272].

Ähnliches kann man auch von *Randlinger* sagen, er korrigiert allerdings in einem Punkt *Uhlhorn* und stellt richtig, daß sich Rhegius (damals noch Rieger) bereits am 10. Mai 1510 in Ingolstadt immatrikuliert findet und somit nicht erst Ende desselben Jahres dorthin kam[273].

Eine sehr gute kritische Zusammenfassung wichtiger Literatur über Rhegius wie eine ebenso hervorragende kurze Besprechung wichtiger Schriften des Rhegius bietet *Wolf*[274]. Neues bietet *Wolf* aber nicht, mit Rhegius' Biographie als solcher beschäftigt er sich nur am Rande. In seiner Charakterisierung vergleicht *Wolf* Rhegius mit *Osiander* und meint, Rhegius sei ein ebenso „tüchtiger Organisator wie Dogmatiker" wie jener gewesen[275].

Rothert[276] befaßte sich 1926 kurz mit dem Lebenslauf des Rhegius. Nach ihm irrt *Schlichthaber,* wenn er meint, Rhegius habe sich aus Demut von König in Rieger umbenannt und, um die Spur seines König-Namens noch mehr zu verwischen, „das ‚h' in den Namen aufgenommen ... denn der deutsche Name ist nicht König, sondern Rieger"[277]. Als Domprediger von Augsburg stellt er „seine ganze Kraft in den Dienst der Reformation, und zwar der deutschen", formuliert *Rothert* ganz national betont[278].

Kichler/Eggart wissen im selben Jahr 1926 zu schreiben, daß Rhegius zusammen mit Ulrich *Zasius* von Freiburg nach Ingolstadt zog und daß Rhegius, nachdem er „zur Lehre Luthers übergetreten" war, vom Augsburger Bischof Christoph *Stadion,* der „wegen vorgenommener Religionsänderungen mit seiner Geistlichkeit nach Dillingen floh, mit Johann Oecolampadius als Prediger an die dortige Stiftskirche berufen" wurde[279].

Bei *Cassel* wurde „Rhegius, nach seinem Geschlechtsnamen Rieger ... ums Jahr 1490 in Langenargen am Bodensee geboren"[280]. Da

271 Steinmetz, Urbanus Rhegius.
272 Crome, Urbanus Rhegius, S. 23.
273 Randlinger, Vorlesungsankündigungen, S. 353f., Anm. 27.
274 Wolf, Quellenkunde, 2. Bd./2. Tl., S. 156—164.
275 Ebd., S. 156.
276 Rothert, Drei Predigten.
277 Ebd., S. 8.
278 Ebd., S. 9.
279 Kichler/Eggart, Langenargen, S. 245.
280 Cassel, Geschichte der Stadt Celle, S. 426.

die Eltern ihn „zum Prediger" machen wollten, schickten sie ihn „auf die damals blühende Lateinschule nach Lindau". 1508 zieht er nach Freiburg i. Br., „nicht um Theologie, sondern Rechtswissenschaft zu studieren", und um 1510 verläßt er Lindau und übersiedelt nach Basel, „um hier Rechtswissenschaft zu studieren". In Basel latinisiert er, „einer Gelehrtensitte nachkommend, seinen Familiennamen Rieger in Rhegius"[281]. Interessanter als all diese Ungereimtheiten ist die Mitteilung *Cassels* betreffend die Witwe des Rhegius, der nach *Cassel* am 23. Mai 1541 starb. „Die Witwe des Rhegius, Anna, geb. Weißbrück", schreibt er, „kaufte 1553 ein ‚in der Ecke vor der Burg' (nämlich Stechbahn Nr. 10) belegenes (!) Haus. Sie hat dasselbe bewohnt und ist auch darin 1566 gestorben[282]."

Weber stellte in seiner Untersuchung über Reformation, Orthodoxie und Rationalismus 1937 Urbanus Rhegius an die Seite *Melanchthons* und meint: „Melanchthon hat als Hüter und Vermittler des reformatorischen Erbes manchen selbständigen Genossen neben sich. Ein viel zu wenig beachteter Zeuge ist Urbanus Rhegius[283]." *Weber* setzt sich dann kurz mit der Theologie des Rhegius auseinander.

Bei *Schiller* wird Rhegius „im Jahre 1525 vom Rat der Stadt" (gemeint Augsburg) „förmlich als evangelischer Prediger" angestellt; am 16. Juni desselben Jahres heiratet er, und zu Weihnachten 1525 hält er zusammen mit *Frosch* „zum erstenmal öffentlich in der St. Annakirche die Abendmahlsfeier ‚nach Wittenberger Art'"[284]. Bei *Schiller* hatte bis zu seiner Abreise von Augsburg 1530 Rhegius, „dessen überragende Persönlichkeit in Verbindung mit seiner versöhnlichen Haltung ihm großes Ansehen verschaffte, noch die führende Rolle im Augsburger evangelischen Kirchenwesen inne"[285].

In *Schottenlohers* Zeittafel 1939 ist Rhegius völlig falsch von 1520—1530 Domprediger in Augsburg[286].

Ein hohes Lied auf Rhegius als Katechismusautor weiß *Reu* zu singen: „Wir stehen nicht an, diese Catechesis des Rhegius für eine der besten lateinischen Auslegungen des Katechismusstoffes zu erklären, die wir aus dem 16. Jahrhundert haben[287]."

In *Rösslers* Biographischem Wörterbuch zur Deutschen Geschichte wird Rhegius beschrieben: „Während des Bauernkrieges

[281] Ebd., S. 426f.
[282] Ebd., S. 430, Anm. 1.
[283] Weber, Reformation, S. 193.
[284] Schiller, Die St. Annakirche, S. 54f.
[285] Ebd., S. 58.
[286] Schottenloher, Zeittafel, 807, S. 38.
[287] Reu, Quellen, 1./2., S. 836. Reu bezieht sich hierbei speziell auf das unter D. 138 bibliographierte Werk des Rhegius; vgl. dazu auch: D. 42 und 103.

ebenso wie gegenüber den Wiedertäufern, suchte er zu vermitteln. In der Abendmahlslehre folgte er Luther[288]."

Nach *Schubert* 1955 ist Rhegius 1490 in Langenargen geboren, entschied sich „nach 1520 verhältnismäßig rasch für die neue Lehre und vertrat sie in immer weiter gehender Weise"[289]. Als Bischof *Stadion* „im Dezember 1520 auf Ecks Drängen hin die päpstliche Bannbulle" ausführte, wurde „Rhegius zum Widerruf aller für das Luthertum getanen Äußerungen aufgefordert. Rhegius lehnte dieses Ansinnen ab und verließ noch vor Ende des Jahres 1521 die Stadt" (S. 289). „... 1524 reichte Frosch zum erstenmal das Abendmahl in beiderlei Gestalt", heißt es weiter (S. 290) bei *Schubert,* der des Rhegius Mitwirkung hierbei überhaupt nicht gedenkt und sie damit zu negieren scheint. In der Abendmahlsfrage, behauptet *Schubert,* „bekannten" sich „Urbanus Rhegius und Johann Frosch... entschieden zu der Ansicht Luthers gegenüber der symbolischen Auffassung, wie sie von Huldreich Zwingli in Zürich vertreten wurde" (S. 291). Und Augsburg verließ Rhegius 1530 demnach „verärgert durch die Streitigkeiten mit den Zwinglianern und den Umstand, daß ihm die Ratsherren, die ‚klugen Krämerseelen', die nichts riskieren wollten, gegen die katholischen Restitutsanordnungen des Kaisers zu geringen Schutz gewährt hatten..."[290].

Krumwiede, der sich 1955 mit Urbanus Rhegius' theologischer Position auseinandersetzte, wie sie in dessen Schrift Formulae caute loquendi[291] zum Tragen kommt, hat Biographisches weiter nicht berührt[292].

Hans *Winterberg* äußerte sich 1961 zweimal zum Thema: Die Schüler von Ulrich *Zasius*[293]. *Winterberg* weiß zu schreiben: „Unter dem Einfluß Ecks gab Urbanus Rhegius jedoch 1510 das Jurastudium auf und wurde Theologe[294]." Im selben Jahr folgte demnach Rhegius Johann *Eck* nach Ingolstadt. Die Domprädikatur von Augsburg mußte er aufgeben, „als die altkirchliche Richtung in Augsburg wieder Oberhand gewann..." Gestorben ist Rhegius laut *Winterberg* — hier fällt *Winterberg* völlig aus dem Rahmen — „am 25. Mai 1528 in Celle"[295].

[288] Rössler, Biographisches Wörterbuch, S. 706f.
[289] Schubert, Die Reformation in Augsburg, S. 288.
[290] Ebd., S. 293.
[291] Siehe: D. 101.
[292] Krumwiede, Vom reformatorischen Glauben Luthers zur Orthodoxie.
[293] Siehe: Winterberg, Die Schüler von Ulrich Zasius I und II.
[294] Winterberg, Die Schüler von Ulrich Zasius II, S. 43.
[295] Winterberg, Die Schüler von Ulrich Zasius I, S. 60. Da Winterberg Rhegius nach 1530 als Superintendent in Norddeutschland weiß, kann dieses Todesdatum wohl nur ein Druckfehler sein.

Das Augsburger Pfarrbuch wartet 1962 mit ganz präzisen Daten, die meistenteils stimmen, über Rhegius auf: Geburt in Langenargen im Mai 1489, gestorben in Celle am 23. Mai 1541, Inskription in Freiburg i. Br. am 19. Juni 1508, in Ingolstadt am 11. Mai 1512, Magister und poeta laureatus in Ingolstadt im Jahre 1517, Inskription in Tübingen am 20. August 1519 und Promotion in Basel am 27. September 1520, zum Priester geweiht im März 1519, vom 21. November 1520 bis 18. September 1521 Domprediger in Augsburg, nach dem 1. August 1522 bis Frühjahr 1523 in Hall in Tirol, ab 9. August 1524 wieder in Augsburg, dort Prediger in der Barfüsser- und St.-Anna-Kirche, Heirat am 16. Juni 1525 mit Anna Weisbruckerin, die nach 1588 stirbt. Rhegius wird im September 1530 Pfarrer in Celle[296].

In den evangelischen Kirchenordnungen gilt Rhegius zwischen 1521 und 1524 als „freier evangelischer Prediger u. a. in Hall in Tirol"; von 1524 bis 1530 als „Städtischer Prediger" von Augsburg[297].

Stupperich befaßte sich auch mehrmals mit Rhegius, am ausführlichsten 1967[298]. Bei *Stupperich* beginnt Rhegius in Hall in Tirol „evangelisch zu predigen" und wird „später... Domprediger in Augsburg"[299]; daß er der Sohn eines Priesters war, ist für *Stupperich* eine ausgemachte Sache[300], Zwinglianer wurde er nicht. „Er stand in der Mitte zwischen Luther und Zwingli." Rhegius' „Lehre war bei aller Vorsicht bestimmt und mutig"; bei seiner vermittelnden Stellung „blieb er doch auf Luthers Seite". Er war „nie ein Mann des Volkes... er war nüchtern und zurückhaltend... Mit Melanchthon und Bucer war er gleichen Sinnes"[301]. Gestorben ist Rhegius nach *Stupperich*, der immer wieder dessen vermittelnde Haltung herausstreicht, am 23. Mai 1541[302].

Von *Stupperich* ist überhaupt zu sagen: So unsicher und teilweise unkorrekt seine biographischen Angaben über Rhegius' Wirken im

[296] Wiedemann, Augsburger Pfarrbuch, S. 34.

[297] Sehling, XII. Bd./2. Tl., S. 20, Anm. 6. Vgl. auch die Bde. VI/1—2 vor allem S. 626ff. und S. 633, Anm. 1. Neue Gesichtspunkte werden hier für unsere Untersuchung allerdings nicht angeführt.

[298] Siehe: Stupperich, Urbanus Rhegius. Vgl. dazu noch: Stupperich, Die Frau in der Publizistik; Urbanus Rhegius II. Die Schriften Bernhard Rothmanns; Die Reformation, hier speziell S. 240.

[299] Stupperich, Urbanus Rhegius, S. 22. Stupperich, Reformation, S. 240: „... 1519 zum Priester geweiht, begann er in Hall in Tirol, ging dann als Domprediger nach Augsburg, wo er literarisch tätig wurde."

[300] Stupperich, Reformation, S. 240 heißt es: Urbanus Rhegius geboren „1489 in Langenargen bei Lindau als Priestersohn".

[301] Ebd., S. 23f.

[302] Ebd., S. 33.

süddeutschen Raum sind, so richtig und treffend wie kein anderer vermochte er Rhegius' theologische Position zu skizzieren.

Von der Abhandlung *Schaars*[303] und den kurzen Bemerkungen *Ricklefs'*[304] gilt lediglich anzumerken, daß sie sich, mit einer Ausnahme, nämlich das Sterbedatum der Witwe des Urbanus Rhegius betreffend[305], in den Bahnen *Uhlhorns* bewegen.

Alex *Frick* meinte 1970: „Urbanus Rhegius ... begeisterte sich für die Schriften Luthers, und das war hauptsächlich der Grund, daß er Ende 1520 einen Ruf als Domprediger nach Augsburg annahm[306]."

Fligge 1972 hielt sich, was Rhegius' Biographie[307] betrifft, weitgehendst an *Uhlhorn*. Bei ihm ist es Rhegius, der „in Hall eine evangelische Gemeinde begründete"[308]. Gestorben sei Rhegius am 27. Mai 1541[309].

Die Rolle, die Rhegius während des Augsburger Reichstages nach *Fligge* spielte, wird unten beim entsprechenden Abschnitt behandelt.

3.1.7. Rhegius in den konfessionellen Lexika

Der literarische Rückblick wäre unvollständig, blieben die konfessionellen Lexika unberücksichtigt. Bedingt durch den Autor, wurde die Abhandlung über Rhegius in der Realencyklopädie für protestantische Theologie und Kirche (RE) schon oben, unter *Uhlhorn* behandelt. Hier geht es darum, kurz das LThK (kath.) mit seinen Vorgängern[310], das RGG[311] (evang.) in den drei Auflagen, sowie das Kirchliche Hand-Lexikon (kath.)[312], das Evangelische Kirchenlexikon[313], und das Mennonitische Lexikon[314] zu referieren.

Während das (kath.) Kirchenlexikon 1854 Urbanus Rhegius nur einmal beiläufig nennt[315], ohne ihm einen Artikel zu widmen, ist er in der zweiten Auflage dieses Lexikons 1897 unter „Rhegius"[316] eineinhalbspaltig vertreten. Er wird hier unter die „sogen. Refor-

[303] Schaar, Urbanus Rhegius.
[304] Ricklefs, Celle als kirchlicher Mittelpunkt, S. 75f.
[305] Schaar, Urbanus Rhegius, gibt S. 73 als Sterbejahr 1566 an, während Rhegius' Witwe bei Uhlhorn II, S. 337 noch „bei der Generalvisitation von 1588" gefunden wird.
[306] Frick, Dr. Urbanus Rhegius, S. 89.
[307] Vgl. Fligge, Herzog Albrecht, S. 31f.
[308] Ebd., S. 32.
[309] Ebd.
[310] KL und KL².
[311] RGG, RGG², RGG³.
[312] KHL.
[313] EKL und EKL².
[314] MennLex und MennEnc.
[315] KL, 11. Bd., S. 585.
[316] KL², 10. Bd., Sp. 1160f.

matoren des 16. Jahrhunderts" gezählt und gilt als „eitler und unbeständiger Mann", der zu Anfang des Abendmahlstreites auf seiten *Luthers* „eifrig gegen Karlstadt und Zwingli" kämpfte, bis es letzterem 1526 gelang, ihn auf seine Seite zu ziehen, und 1528 wechselte er wieder das Lager hin zu Luther. Geheiratet hat er am 16. Juni 1525, die Todesdaten sind mit Celle, 23. Mai 1541 angegeben[317].

Im LThK, sowohl in der ersten wie in der zweiten Auflage, ist unter „Rhegius" auf das Stichwort Rieger verwiesen. Friedrich *Zoepfl,* der beide Artikel[318] zeichnete, beraubt damit Urbanus Rhegius seines Namens und sieht in „R(h)egius" nur die Latinisierung von Rieger. Im „Abendmahlsstreit", schreibt *Zoepfl* in der ersten Auflage, „nahm er eine schwankende Haltung ein", und charakterisiert ihn bei dieser Gelegenheit, daß „seinem Wesen das Feste und Eindeutige abging". Weiters behauptet *Zoepfl* in diesem Artikel, daß er „1530 auf Verlangen des Kaisers aus Augsburg vertrieben" wurde, im Jahre 1526 geheiratet habe und am 27. Mai 1541 gestorben sei.

In der zweiten Auflage dieses Lexikons urteilt er 1963 über Rhegius' Haltung im Abendmahlstreit weit vorsichtiger und milder: „Im Augsburger Abendmahlsstreit nahm R. eine nicht ganz eindeutige Stellung ein, wie er überhaupt mehr zum Ausgleich als zur Unbedingtheit neigte." Kein Wort mehr über seine Hochzeit, nichts mehr über seine Vertreibung durch den Kaiser aus Augsburg. Das Todesdatum ist gleichgeblieben.

Im RGG der ersten Auflage[319] 1913 wird Rhegius' eigentliche Bedeutung bei seinem Wirken im Norden angesiedelt, wenn es eingangs heißt: „Rhegius (Rieger), Urbanus (1489—1541), bedeutender Reformator Niedersachsens." Rhegius findet sich hier unter diesem Stichwort und nicht unter „Rieger siehe Rhegius", wie in den beiden Auflagen des LThK. Daß er ursprünglich vielleicht doch König geheißen haben könnte, wie es der Sohn in der Vita angibt, findet keine Erwähnung. *Uhlhorn* hat sich in den konfessionellen Lexika zumindest in dieser Frage voll durchgesetzt. Von Rhegius' Augsburger Wirken wird hervorgehoben: „In dem Kampfe gegen die revolutionären Wiedertäufer in Augsburg stand er mit an erster Stelle." Seine Haltung im Abendmahlstreit betreffend, wird referiert, daß „er eine Zeitlang zu Zwingli hinüber" neigte, aber „schon 1527 eine vermittelnde Stellung" einnahm. Als Sterbejahr wird 1541 angegeben, ohne auf ein näheres Datum einzugehen.

317 Ebd.
318 LThK, 8. Bd., Sp. 888f. und LThK², 8. Bd., Sp. 1305.
319 RGG, 4. Bd., Sp. 2287f.

In der zweiten Auflage[320] 1930 wird Rhegius auffallend kurz behandelt. Daß Rhegius 1519 „die Weihen" empfing, wird wie in der ersten Auflage erwähnt, und analog zur ersten Auflage findet sich hier kein Wort über seine Promotion zum Doktor der Theologie 1520 in Basel und ebensowenig ein Wort über seine Heirat. Gegenüber der ersten Auflage sticht aber besonders ins Auge, daß kein Wort verloren wird über Rhegius' Haltung im Abendmahlstreit und in der Wiedertäuferfrage. Die Bedeutung seines Wirkens wird auf die organisatorische Ebene (Kirchenordnungen) verlagert und, damit zusammenhängend, ganz nach Norden verschoben.

In der dritten Auflage erfährt Rhegius wieder eine eingehendere Behandlung[321]. Seine Krönung zum „poeta laureatus", die Promotion zum „Dr. theol." — allerdings ohne Zeit- und Ortsangabe — wird in die biographische Beschreibung aufgenommen, es wird auch eigens erwähnt, daß er „1519 zum Priester geweiht" wurde. Seine Haltung im Abendmahlsstreit wird vom Autor des Artikels Philipp *Meyer* gekonnt mit der Formulierung überspielt: „Als Prädikant in Augsburg ... wurde er in Predigt und Flugschriften — auch Zwingli gegenüber — immer mehr zum überzeugten Anhänger Luthers." In der Namens- und Todesdatumsfrage findet sich die ganz gleiche Behandlung wie in den vorangegangenen Auflagen. Seine Hochzeit wird hier auch nicht erwähnt, keine Erwähnung findet auch die erstmalige Austeilung des Abendmahls unter beiderlei Gestalten. Rhegius' eigentliche Bedeutung wird nach Norden verlagert, wie es bei der Aufzählung seines Mitwirkens „an wichtigen allgemeinen Entscheidungen der deutschen Reformationsgeschichte" sehr gut zutage tritt, es wird nämlich nur die „Wittenberger Konkordie 1536" und der „Tag von Schmalkalden 1537" namentlich erwähnt, der Augsburger Reichstag 1530 mit allen seinen Verhandlungen und geschichtsmächtigen Ergebnissen auf dem religiösen Sektor, an denen Rhegius sehr maßgeblich mitgewirkt hat, wird völlig verschwiegen.

Das katholische „Kirchliche Hand-Lexikon" verwehrt Rhegius wieder seinen eigentlichen Namen und verweist unter diesem Stichwort auf Rieger. Dort ist er gar nur zu finden unter: „2) R. (Rhegius), Urban"[322]. Der Titel „Reformator" wird hier allerdings nicht durch ein davorgesetztes „sogenannter" relativiert. Die Geburt wird mit Mai 1489 und der Todestag mit 27. Mai 1541 angegeben, Priesterweihe mit 1519, Promotion zum Dr. theol. in Basel mit 1520, Heirat

[320] RGG², 4. Bd., Sp. 2009f.
[321] RGG³, 5. Bd., Sp. 1081f.
[322] KHL, 2. Bd., Sp. 1774. Gezeichnet ist der Artikel mit: „F. Z." was wohl mit Friedrich Zoepfl aufzulösen sein wird. Die Stelle: „1)" unter den Riegers wurde dem: „Joh. Adam, Bischof von Fulda", eingeräumt.

mit 1525 terminisiert. „In dem in Augsburg heftig tobenden Abendmahlsstreit schwankte er zw. Luther u. Karlstadt-Zwingli hin und her", steht zu lesen, und mit 1530 wird er von Augsburg vertrieben. Weitere Aspekte seines Wirkens im Süden (Hall in Tirol, Kampf gegen die Wiedertäufer etc.) fehlen.

Das Evangelische Kirchenlexikon behandelt Rhegius unter diesem Stichwort[323]. Zum Unterschied vom RGG wird hier Geburts- und Todesdatum präziser und analog zum LThK und KHL angegeben. Die Krönung des Rhegius 1517 zum poeta laureatus, seine Priesterweihe 1519 schien dem Autor dieses Artikels, *Krumwiede,* wichtig genug, um sie aufzunehmen, nicht aber die Promotion zum Doktor der Theologie und die Hochzeit des katholischen Priesters Rhegius. Die bisherige Überbetonung der Bedeutung und des reformatorischen Wirkens des Rhegius für und in Norddeutschland in den protestantischen Lexika findet eine wichtige Korrektur in der Formulierung, daß „er einer der maßgeblichen Leiter der ev. Kirche in Augsburg" wurde, „bis er nach dem Reichstag von 1530 mit Herzog Ernst dem Bekenner nach Braunschweig-Lüneburg ging". Eine nähere Spezifizierung der apostrophierten Leitertätigkeit fehlt. *Krumwiede* charakterisiert Rhegius grundlegend mit dem Satz: „R. war weniger Organisator als Theologe und Seelsorger, dem es neben der rechten Lehre vor allem um das rechte Leben der Christen ging, das er durch einen unbedachten ev. Radikalismus gefährdet sah."

Das Mennonitische Lexikon schenkt naturgemäß der Haltung des Rhegius in der Täuferfrage besondere Aufmerksamkeit. Von seinem Wirken in Augsburg heißt es, er sei „aufs eifrigste für das Luthertum tätig" gewesen und gleich anschließend: „Die Täufer bekämpfte er rücksichtslos[324]." Geburts- und Todesdatum sind wie im LThK und KHL vermerkt. Die ins Auge springende Bezeichnung findet sich aber in der Titulierung: *„Reformator Augsburgs"*[325], womit der Hauptschwerpunkt von Rhegius' Tätigkeit und Wirken im Süden angesiedelt wird.

Leider gelangte erst nach Abschluß meiner Untersuchung die im Dezember 1976 fertiggestellte Dissertation von Richard *Gerecke* in meine Hände: *Urbanus Rhegius. Studien zu seiner kirchenregimentlichen Tätigkeit in Norddeutschland.* Thematisch bedingt, geht die mit viel Akribie erarbeitete ungedruckte Abhandlung auf Rhegius' Leben und Wirken im süddeutschen Raum kaum ein.

[323] EKL, 3. Bd., Sp. 648. EKL² ist ein unveränderter Nachdruck von EKL. Verfaßt wurde der „Rhegius-Artikel" von H. W. Krumwiede.
[324] MennLex. 3. Bd., S. 486.
[325] Ebd., in der MennEnc., 4. Bd., S. 314 findet sich: „... Lutheran theologian, reformer of Augsburg". Auch sonst stimmen die beiden Artikel, die vom selben Autor, nämlich Neff, verfaßt wurden, weitgehendst überein.

B Herkunft und Bildung

1. HERKUNFT

1.1 Ort und Zeit der Geburt

Der Ort der Geburt ist mit Langenargen am Bodensee gesichert belegt und in der Literatur, wie aus dem obigen Bericht klar zu ersehen war, unbestritten[1].

Schwieriger ist es, den Zeitpunkt der Geburt des Rhegius zu fixieren. In der Literatur hat sich seit Uhlhorn[2] das Geburtsjahr mit 1489 ziemlich allgemein durchgesetzt; Wittmanns Zweifel daran und seine These, Rhegius sei 1490 geboren[3], blieb in der Literatur unbeachtet. Interessant hierbei ist aber, daß beide Kontrahenten dieselbe Quelle, nämlich einen Brief des Rhegius, in dem er sein Alter mit 46 Jahren angibt, heranziehen. Der Brief ist am 14. Juli 1535 geschrieben und an die Prediger von Augsburg gerichtet[4]. Am selben Tag schrieb Rhegius auch an den Bürgermeister und an den Rat der Stadt Augsburg einen Brief[5]. In beiden macht er eine Altersangabe; im ersten Brief, der lateinisch abgefaßt ist, sagt er von sich: „...hominem nunc annos 46 natum...[6]"; im zweiten, deutsch geschriebenen, lautet der Passus: „... und ich bin nun ain man von 46 Jaren...[7]."

Mir scheint dieser Text, sowohl der lateinische wie auch der deutsche, eindeutig zu sagen: Er weiß sich 46 Jahre alt, ob der Geburtstag bald bevorsteht oder nicht allzulange vergangen ist, ist für diese Frage unerheblich, denn in beiden Fällen käme man in das

[1] Die Eintragung in die Universitätsmatrikel von Freiburg i. Br. lautet unter dem 19. Juni 1508: „... de Argow". Siehe: Mayer, Die Matrikel, S. 183. Der Editor der Matrikel Mayer meint dazu, daß „Argow verschrieben für Argen" sei und Argen die damals übliche Bezeichnung für Langenargen gewesen sei. Vgl. Mayer, ebd., Anm. 18. Für den 22. Mai 1510 ist Rhegius unter denen, die das Bakkalaureat erworben haben, vermerkt mit „... de argen". Siehe: Freiburg Univ.A: Matrikel der Philosophischen Fakultät, I, S. 69. Die Wiedergabe bei Uhlhorn II, S. 343, Anm. 4: „... de Argent." ist inkorrekt.

[2] Vgl. Uhlhorn II, S. 1.

[3] Vgl. Wittmann, Augsburger Reformatoren, S. 33.

[4] Siehe: Ms. 68.

[5] Ms. 67.

[6] Ms. 68, fol. 820'.

[7] Ms. 67.

Jahr 1489. Die These Wittmanns, Rhegius wollte am 14. Juli 1535 damit sagen, „er stehe im 46. Lebensjahr (seit Mai 1535)“[8], läßt sich bei der Formulierung im Rhegius-Brief — er ist ein Autograph —: „Ich bin ein Mann von 46 Jahren“, meines Erachtens nicht aufrechterhalten.

Damit sind wir aber auch auf die Frage nach dem näheren Geburtsdatum (Monat, Tag) gestoßen. Um das näher einzugrenzen, sind wir auf die vom Sohn Ernestus verfaßte Vita angewiesen. Seine Erzählung, daß Urbanus Rhegius nur deshalb diesen seinen Taufnamen bekam, weil der Tag des hl. Urban zum Zeitpunkt der Taufe knapp bevorstand[9], läßt das Geburtsdatum bei der damals üblichen Praxis, den Säugling alsbald nach der Geburt taufen zu lassen, etwa um den 20. Mai mit großer Wahrscheinlichkeit annehmen. (Der Tag des hl. Bischofs Urban ist am 25. Mai.) Somit kämen wir auf das Geburtsdatum (20.—23.) Mai 1489.

1.2 Eltern und Geschwister

Ernestus Regius weiß über die Eltern seines Vaters, also von seinen eigenen Großeltern, nicht viel mehr zu berichten, als daß Urbanus Rhegius „von schlechten, aber dennoch frommen und ehrlichen Eltern am Bodensee geboren“[10] wurde. Auf dem Epitaph, das dem Urbanus Rhegius in der St.-Jakobs- und Georgs-Kirche von Hannover gesetzt wurde, steht über ihn zu lesen: „... genitore colono editus ...“[11], was wohl frei übersetzt heißen soll, daß sein Vater ein Bauer war. Dem steht die Behauptung gegenüber, daß sein Vater ein Priester war. Diese Behauptung finden wir mehrfach, man kann sie deshalb nicht so leicht vom Tisch wischen wie Heimbürger mit seiner Bemerkung, Rhegius' Vater werde „von einem unwissenden Augsburger Benedictiner Mönche irrthümlich als Priester bezeichnet“[12]. Wenn Uhlhorn formuliert, die Angabe, sein Vater sei ein Priester gewesen, komme nur bei seinen Gegnern vor[13], so hat er im Prinzip zwar recht, nur ist diese Feststellung sehr ergänzungsbedürftig. Nämlich darin, daß diese Gegner Männer sind, die einst seine besten Freunde und Gönner waren, anders ausgedrückt Männer, die ihn von Jugend auf kannten und so über seine Familienverhältnisse am besten Bescheid wußten. Einen davon zitiert Uhlhorn[14],

[8] Wittmann, Augsburger Reformatoren, S. 34, Anm. 89.
[9] „... Urbani diem non longe abesse ...“ Regius Ernestus, Vita, Bl. a 6'.
[10] Regius Ernestus, Biographie, Bl. a 7; in der Vita schrieb er: „... parentibus pijs ac honestis ... “ Bl. a 6.
[11] Siehe: Hannoversche Geschichtsblätter, 8. Bd., Hannover 1905, S. 447.
[12] Heimbürger, Urbanus Rhegius, S. 21.
[13] Uhlhorn II, S. 2.
[14] Ebd., S. 344, Anm. 5.

nämlich Eck. Mag auch Ecks Formulierung noch so geschmacklos und deplaziert sein, wenn er Rhegius (1529) ein pfäffisches Hurenkind nennt[15], so fällt aber doch schwer ins Gewicht, daß kein anderer uns bekannter Zeitgenosse Rhegius' Verhältnisse besser kannte als besagter Johann Eck[16]. Bereits zwei Jahre zuvor spielte Eck in einem Spottvers auf Rhegius' geistliche Abkunft an, als er dichtete:

„Aaronis virga satus
Et de tribu levi natus
Adsit nobis regius[17]."

Kilian Leib vermerkte über Rhegius nüchtern: „... Urbanus regius sacerdotali stirpe progenitus ...[18]."

Der Augsburger Chronist und Zeitgenosse des Rhegius, der Benediktinermönch Clemens Sender, nennt diesen in seiner Chronik, bar jeder Polemik: „Urbanus Rhegius, aines priesters sun aus Costenser bistumb ...[19]." Außen diesen gewichtigen zeitgenössischen Hinweisen, die in der Literatur zum Teil bereits angeführt wurden[20], gibt es noch weitere nicht minder gewichtige. So schreibt kein Geringerer als Nuntius Aleander: „Io cognosco ben quello Urbano Regio di Augusta. Fu figlio di un prete ...[21]."

Johann Fabri, der zweite intime Freund des Rhegius aus besseren Tagen, charakterisierte diesen in seinem Bücherkatalog 1536 einleitend: „Vrbanus regius coniugatus sacerdos et sacerdotis filius[22]." Diese Belege sind hinreichend, um die These vom Priestersohn Urbanus Rhegius als sehr gut untermauert anzusehen[23].

[15] Johann Eck an den Rat von Memmingen, 11. Februar 1529. In: Schelhorn, Amoenitates, S. 418: „... dann vrban Rieger ain pfäfisch hurenkind ..." Über die Namensfrage: Rieger = Rhegius wird unten gehandelt. Diese despektierliche und unqualifizierte Beschimpfung der Eltern des Rhegius findet sich auch in einem Gedichte Ecks, wo es von ihm heißt: „Ex parente meretrice ..." Siehe: Eck, Epithalamia, Bl. D 3.

[16] Auch Uhlhorn kennt dieses Faktum und schreibt: „Eck, mit dem Rhegius sehr befreundet war ..." Uhlhorn II, S. 343, Anm. 4.

[17] Eck, Epithalamia, Bl. D 8.

[18] Leib, Annales bis 1523, S. 1021. Zu Kilian Leib, Prior von Rebdorf, siehe: Deutsch, Kilian Leib.

[19] Sender, Chronik, S. 176; in Senders Historica relatio findet sich S. 8 die Formulierung: „Vrbanus Regius ... laureatus poeta et Doctor, filiusque sacerdotis ..."

[20] Siehe Uhlhorn II, S. 344, Anm. 5. Allerdings kannte Uhlhorn nur Senders Historica relatio, nicht aber die eben zitierte Chronik, und von Eck vermerkt er nur die erstere Bemerkung, nicht jedoch dessen Spottvers.

[21] Aleander an Sanga, 10. Juli 1532. In: NB I, 2. EB., S. 362.

[22] Vatican A: Cod. Vat. lat. 3919, fol. 262'. Vgl. dazu Freudenberger, Reformatorisches Schrifttum, S. 580.

[23] Für Stupperich ist dies übrigens eine ausgemachte Sache; vgl. Stupperich,

Da heute dieses Faktum kaum noch als belastend angesehen wird, erübrigt sich jedes weitere Kommentieren dieser These, und wir können zur nächsten Frage übergehen, nämlich: Wer war wohl dieser Priester, der als Vater in Betracht kommt? Gibt es einen Geistlichen, der Rieger hieß und sich zur fraglichen Zeit in Langenargen nachweisen läßt? Das ist nun tatsächlich der Fall, für den 28. April 1492 ist die Investitur eines gewissen Conrad(us) Rieger auf den St.-Fridolins-Altar der Spitalskirche von Langenargen verzeichnet[24].

Diese Tatsache dürfte hinreichend genügen, um in diesem Geistlichen Konrad Rieger, der am besagten Datum auf die Meßstiftung der St.-Fridolins-Kaplanei von Langenargen investiert wurde[25], den wahrscheinlichen Vater des Urbanus Rhegius (Rieger) zu sehen. Zu den Pflichten dieses St.-Fridolins-Kaplans, dessen Einkommen durch die Frühmeßstiftung 1491 vergrößert wurde, gehörte es, „... wöchentlich vier Frühmessen zu lesen, den Pfarrer an den Sonn- und Feiertagen in der Pfarrkirche zu unterstützen, an den Prozessionen teilzunehmen ...“[26].

Reformation, S. 240. Wittmann, Augsburger Reformatoren, spricht S. 34 in diesem Zusammenhang vom „Makel der Geburt des Regius“.

24 Krebs, Investiturprotokolle, S. 484. Für etwa dieselbe Zeit, also um die Jahrhundertwende (1490—1510), hat die „Regista subsidii charitative“ für dieselbe Meßstelle von Langenargen ein gewisser „Conradus Rayer“ eingetragen. Siehe: FDA, 27. Bd., 1899, S. 77. Zur Frage des Zeitpunktes der Subsidieneinhebung vgl. Baier, Konstanzer Subsidium. Ob diese beiden Namen eine Identität der Personen zum Hintergrund haben — derselbe Vorname, dieselbe Stelle, die in Frage kommende gleiche Zeit, deuten darauf hin; der Familienname mag depraviert sein — sei hier nicht weiter untersucht.

25 Zum Datum 28. April 1492 und zur zitierten Investitur sei vermerkt, daß das in Frage stehende Spital von Langenargen mit seiner Fridolinskapelle 1442 erstmals genannt wird und die 2. Stiftung 1491 erfolgte. Siehe: Seigel, Spital und Stadt, S. 20, Anm. 120 und S. 23. Die Kapelle zum hl. Fridolin wurde unter Graf Wilhelm von Montfort (1309—1354) erbaut, 1442 wurde dazu eine Kaplanei, die sogenannte St. Fridolinskaplanei gestiftet. Schilling, Langenargen, führt S. 134 weiter aus: „Der Vergrößerung des in ihrer Nähe erbauten Spitals zu Argen mußte die bisherige Kapelle z. hl. Fridolin weichen, und die an ihrer Stelle neu aufgeführte wurde im Jahre 1479 eingeweiht; zugleich wurde der Sitz des Kaplans in das dieser Kapelle zunächst gelegene Haus verlegt und seine Einkünfte vergrößert. Im Jahre 1491 wurde in der Kapelle z. hl. Fridolin (auch die Spitalskapelle genannt) durch Hugo eine ewige Frühmesse gestiftet.“ Wir könnten dem ergänzend anfügen: 1492 wurde Konrad Rieger, der Vater des Urbanus Rieger (Rhegius), mit dieser Frühmeßstiftung betraut (investiert), nachdem er schon einige Zeit Inhaber der St. Fridolinskaplanei gewesen war.

26 Kichler/Eggart, Langenargen, S. 144. Ergänzend sei über diese St. Fridolinskapelle noch angefügt, daß sie 1717 abgebrochen wurde, „um der neuen Pfarrkirche Platz zu machen“. Im Jahre 1827 schließlich wurde „die St. Frido-

Die seit Bytemeister immer wieder in Varianten tradierte Behauptung, Rhegius' Vater habe Paul Regius geheißen, läßt sich von den Quellen her nicht belegen[27]. Über das Schicksal des Geistlichen und wahrscheinlichen Vaters unseres Urbanus Rhegius, Konrad Rieger, ließ sich weiter nichts in Erfahrung bringen. Rhegius schweigt ihn praktisch tot zum Unterschied von seiner Mutter, die er sehr wohl erwähnt.

Zwar kennen wir nicht den Namen der Mutter, weder ihren Tauf- noch ihren Familiennamen — letzteren zu führen war um diese Zeit schon weitgehend üblich. Wohl finden wir sie in den Briefen ihres Sohnes angeführt. Am 29. Dezember 1523 schreibt er von Tettnang aus Wolfgang Rychard, daß in seiner Abwesenheit von Hall in Tirol seine Mutter den Haushalt (rem domesticam) führt[28].

In einem Brief an Zwingli vom 1. April 1527 erwähnt er wieder seine Mutter, die „moerens" zu ihm kam[29]. Urbanus Rhegius wohnte damals in Augsburg nahe dem Dominikanerkloster[30]. Im Steuerbuch des nächsten Jahres, also Hersbt 1528, ist er wohnhaft zusammen mit seiner Mutter im Wunderhaus (heute St.-Anna-Straße 20) verzeichnet[31]. Nicht allzuviel früher als diese Eintragung ins Augsburger Steuerbuch erwähnt Rhegius seine Mutter in einem Brief zum dritten- und letztenmal mit der Bemerkung, er habe eine „Mutter vast allt"[32]. Diese seine sehr alte Mutter scheint dann im Laufe des einen Jahres 1528/29 verstorben zu sein, denn im Steuerbuch 1529, in welches die Eintragungen jeweils im Herbst (ab Mitte

linskaplanei aufgehoben und zur Ausstattung der neuen Pfarrei Oberdorf verwendet". Schilling, Langenargen, S. 134, vgl. dazu Kichler/Eggart, ebd.

[27] Siehe: Bytemeister, Commentarius, S. 5. In einer handgeschriebenen „Genealogia D. Vrbani Regij", auf fol. 323 von Ms. 72, findet sich die Bemerkung über Rhegius' Vater, er habe Paul Rieger geheißen und habe zu Langenargen und Lindau am Bodensee gewohnt. Die in Frage stehende Handschrift Ms. 72 ist von Rhegius 1536 verfaßt und ein Autograph. Diese Bemerkung aber ist ein bedeutend späterer Eintrag von unbekannter Hand.

[28] Ms. 25, fol. 287'. Vgl. Uhlhorn II, S. 48.

[29] Ms. 36, fol. 136.

[30] „Am Zitzenberg", heißt es im Augsburger Steuerbuch 1527 Sp. 30c, Augsburg StA.

[31] Augsburger Steuerbuch 1528, Sp. 2d, ebd. Roths Bemerkung, Augsburg, 1. Bd., S. 321, Anm. 31: „Rhegius und seine Mutter ist im Steuerbuch eingetragen seit 1528 (seit 1529 wohnt er im ‚Wunderhaus')", ist nur sehr bedingt richtig. Rhegius zusammen mit seiner Mutter ist nämlich nur 1528 im Steuerbuch eingetragen, und zwar als wohnhaft im „Wunderhaus", also nicht erst für 1529, wo die Mutter gar nicht mehr genannt wird.

[32] Rhegius an Markgraf Georg von Brandenburg, 11. Oktober 1528. Ms. 39, fol. 33.

Oktober) vorgenommen wurden, scheint sie nicht mehr auf, während Urbanus Rhegius gleich wie 1528 eingetragen ist[33].

Am wenigsten wissen wir von Rhegius' Geschwistern. Heimbürgers Annahme, daß Urbanus der ältere von zwei Söhnen war[34], kann durchaus stimmen. Jedenfalls fungierte sein Bruder für ihn im Februar 1516 als Briefbote zu Johann Fabri[35]. Die Worte, die Urbanus für seinen Bruder verwendet („ein puer rudis"[36]), deuten auf einen jüngeren hin.

Weiteres über Rhegius' Bruder hören wir dann leider nicht mehr.

1.3 Name

1.3.1. König — Rieger — R(h)egius

Um es gleich vorwegzunehmen, hier geht es nicht um die Pseudonyme des Rhegius wie Phoeniceus von Ro(r)schach oder Symon Hessus, diese Frage wird im II. Teil bei der Abhandlung über Rhegius' Autorschaft von diversen Schriften untersucht[37]. Hier wollen wir versuchen, seine Namen, wie er sich offen nannte und genannt wurde, zu klären. Geht man von der Vita seines Sohnes aus, gibt es keine Frage, geschweige denn ein Problem: „Maiores eius familiaeque consortes Regum cognomine appellati fuerunt, inde usque à prima eiusce domus memoria. Sed cum et obnoxium invidiae et lusibus aptum hoc tenui rerum statu nomen Urbanus fastidiret, leni deflexu superbae vocalae et iocantium sales declinavit, et levis se invidorum subtraxit oculis: ex Rege (quod non iniucundo multorum risu persaepe exposui) factus est Regius[38]."

Daß dem nicht so war, haben einige Autoren — siehe oben Literaturbericht — schon lange erkannt. Seit Uhlhorns Untersuchung hat sich praktisch ganz allgemein die Ansicht durchgesetzt, daß Rhegius ursprünglich Rieger hieß und er dann diesen eher niedlichen Namen latinisierte und verköniglichte (regius).

Nun besteht gar kein Zweifel, daß Rhegius sich früher Rieger nannte und von anderen so genannt wurde. Uhlhorn hat hierfür einige Belege zusammengetragen, auf die hinzuweisen[39], ohne sie zu

[33] Vgl. Augsburger Steuerbuch 1529, Sp. 2c. Heimbürgers These, daß Rhegius' Mutter „früh gestorben" sei, ist damit nicht aufrechtzuerhalten. Heimbürger, Urbanus Rhegius, S. 21.

[34] Heimbürger, Urbanus Rhegius, S. 20; vgl. dazu Uhlhorn II, S. 2.

[35] Siehe: D. 6; Allen, 2. Bd., S. 189.

[36] Ebd.

[37] Siehe unten II. Teil: Pseudonyme und anonyme Rhegius-Schriften, S. 2ff.

[38] Regius Ernestus, Vita, Bl. a 6.

[39] Uhlhorn II, S. 1f. und vor allem Anm. 4, S. 343f.

wiederholen, mir hier ausreichend erscheint. Wohl möchte ich diesen Belegen zwei weitere, noch beweiskräftigere, hinzufügen. Uhlhorn irrte nämlich mit seiner Behauptung: „Eck, mit dem Rhegius sehr befreundet war, nennt ihn immer Rieger“[40], was für die Identitätsfrage schließlich nicht unbedeutend ist. In seinem autobiographischen Rückblick „Replica“, wo Eck seinen Abgang aus Freiburg i. Br. vom Oktober 1510 beschreibt, zählt er namentlich seine Schüler und Freunde auf, die ihm Gedichte überreichten, hier nennt und schreibt er expressis verbis Urbanus Regius und nicht Rieger[41].

Vadian, mit dem Rhegius schon sehr früh im Briefkontakt stand[42], vermerkte für 1523 zu dessen Himmlischen Ablaßbrief[43]: „Zu Ougsburg doctor Urban Rieger, den man nant Regius ...[44].“

An der Identität Urban(us) Rieger = Urban(us) R(h)egius gibt es somit wirklich keinen Zweifel mehr.

Trotz dieser einwandfrei nachweisbaren Identität kann ich mich Uhlhorns apodiktischen Formulierungen nicht anschließen, wenn er schreibt: „Darnach, glaube ich, kann es keinem Zweifel unterliegen, daß der Familienname *Rieger* ... ist und nicht *König*, ein Name, der außer in der Biographie seines Sohnes[45] nirgends vorkommt[46].“ Hätte Uhlhorn recht und käme der Name König tatsächlich nur in der Biographie seines Sohnes vor, wäre das schon Grund genug, um ihn nicht einfach so zu übergehen und beiseite zu schieben. Uhlhorns Versuch, diesen Fehler des Ernestus Regius durch die Schlußfolgerung zu erklären, daß er seinen „Vater kaum noch gekannt hat“ und so wie andere auch „aus dem lateinischen Namen ... auf den ursprünglichen Familiennamen einen falschen Rückschluß“[47] gezogen habe, hat ohne Zweifel sehr viel für sich, ist aber nicht völlig stringent. Eben deshalb, weil der Biograph Ernestus seinen Vater

[40] Ebd., S. 343.

[41] Eck, Replica, fol. 55. Angemerkt sei auch, daß R(h)egius bereits unter diesem Namen Gedichte in Ecks Werken veröffentlichte und nicht nur unter Rieger. Siehe: D. 9, 10, 11, 12, 13, 15.

[42] Vgl. Ms. 12 und 13. Im ersteren Brief erwähnt Rhegius sogar einen Brief, den er Vadian 1514 geschrieben habe. Siehe auch: Bonorand, Vadians Freundeskreis, S. 20f.

[43] D. 39.

[44] Vadian, Epitome, S. 215. Daß diese Identifikation Rieger = Regius ganz bewußt und voll beabsichtigt von Vadian vorgenommen wurde, wird noch deutlicher, wenn man das Manuskript zu Rate zieht. Dort steht nämlich: „Zu Ougsburg Doctor Urban Regius“ wobei „Regius“ durchgestrichen und „Rieger“ hingeschrieben ist. Dann fährt Vadian wie oben zitiert durch Einfügung des Relativsatzes fort: „... den man nant Regius ...“ Ms. in: St. Gallen StB: Ms. 42, fol. 137.

[45] Uhlhorn meint die vorhin zitierte Stelle aus der Vita des Ernestus Regius.

[46] Uhlhorn II, S. 344.

[47] Ebd., S. 1f.

kaum gekannt hat und bei dessen Tod erst fünf Jahre alt war[48], somit seinem Vater nicht bewußt befragen konnte, war er um so mehr auf die Erzählungen derjenigen angewiesen, die Genaueres und Näheres über ihn wußten. Wer war das wohl eher und mehr als seine Mutter, die aus einem Augsburger Bürgergeschlecht stammende Anna Weißbrucker[49]. In der Erinnerung dieser Frau wird aber der Vater ihres Gatten, also ihr Schwiegervater, kaum, wenn überhaupt, eine Rolle gespielt haben. Ob sie ihn, den Priester mit dem wahrscheinlichen Namen Konrad Rieger, überhaupt gekannt hat, ist höchst fraglich. Ganz anders verhält es sich, was die Mutter ihres Mannes, also ihre Schwiegermutter, betrifft. Diese wohnte nicht nur in Augsburg, sie wohnte nachweislich im selben Haus[50]. Zwischen diesen beiden Frauen bestand also eine Zeitlang ein sehr enger Kontakt. Da aber die Mutter unseres Rhegius mit dessen Vater nicht verheiratet war, denn dieser war ja katholischer Geistlicher, hatte sie auch nicht dessen Namen (Frau des Rieger). Vielleicht hieß sie wirklich König bzw. Kunig oder in sonst einer Schreibweise dieses Namens und war als solche in Augsburg bekannt. Jedenfalls ist es höchst bemerkenswert und sehr auffallend, daß 1547, wo also die Erinnerung an Urbanus Rhegius noch nicht völlig verblaßt sein konnte, dieser im Augsburger Steuerbuch unter „Kunig" aufscheint bzw. dessen Witwe folgend eingetragen ist: „Auff 3 tag Apprilis 1548 hat Anna wißbruggerin weylendt herren doctor vrban Kunigs predicanten zu Zell in Sachsen seligen verlassne wittib ... vernachsteuert, hat ir ain Erber rathe den halben tail ... widerumb vereeren lassen, vmb dess willen, das benanter her doctor ettliche Jar predicannt alhie gewesen ist[51]."

Kann Ecks Spottvers auf Rhegius: „Stirpe natus Regia"[52], vielleicht doch so interpretiert werden, daß Rhegius ursprünglich König hieß, worauf nun Eck spöttelnd anspielt. Hat also der Sohn des Urbanus Rhegius, Ernestus Regius, doch nicht so unrecht mit der Behauptung, daß sein Vater ob seines Königs-Namens diversen Spötteleien ausgesetzt war und ihn deshalb änderte?

Jedenfalls hat die in der Literatur völlig unbeachtet gebliebene These Wittmanns, daß sich beides, also der Name König wie auch der Name Rieger als frühere Namen des Rhegius gut miteinander vertragen, „wenn Urbanus unehelich geboren war ... und zuerst

[48] Regius Ernestus, Vita, Bl. b 6.

[49] Zur Familie der Weisbrucker vgl. Roth, Augsburg, 1. Bd., S. 150, Anm. 109.

[50] 1528 ist sie, wie oben dargelegt, im Augsburger Steuerbuch als wohnhaft, zusammen mit ihrem Sohn Urbanus Rhegius, im „Wunderhaus" eingetragen.

[51] Augsburg StA: Steuerbuch 1547, Sp. 72a; vgl. Roth, Augsburg, 1. Bd., S. 321, Anm. 30.

[52] Eck, Epithalamia, Bl. D 3.

den Namen seiner Mutter, dann seines Vaters, oder seines Pflegevaters führte"[53], einiges für sich.

Wittmann konnte seine in den Raum gestellte These nicht untermauern; die hier beigebrachten Argumente reichen zwar auch nicht aus, um sie als gesichert, wohl aber als durchaus möglich anzusehen. Diese Sicherheit wird erst dann gegeben sein, wenn sich nachweisen läßt, daß sich Rhegius so genannt hat oder Zeitgenossen seiner Jugendjahre ihn eindeutig so nannten. Trotz eifrigen Suchens und Forschens nach solchen Belegen war mir die Beibringung nicht möglich.

1.3.2. Namensänderung

1.3.2.1. Vom „König" zum Rieger

Sollte er tatsächlich ursprünglich König geheißen haben, müßte die Namensänderung bereits auf der Lateinschule in Lindau, spätestens vor der Immatrikulation in Freiburg i. Br. erfolgt sein. Dort ist er nämlich bereits, wie wir gesehen haben, unter „Rieger" eingetragen. Demnach müßten sich die Hänseleien und Spötteleien, von denen sein Sohn spricht, in Lindau zugetragen haben. Als er in Freiburg i. Br. immatrikulierte, war Rieger (Rhegius) immerhin schon 19 Jahre alt, was für Derartiges genügend zeitlichen Spielraum bietet.

Diese Namensänderung wäre aber zu „Rieger" und nicht zu R(h)egius erfolgt, also ein Namenswechsel, der sich an den Elternteilen orientierte. Wie lange nannte er sich nun Rieger und wann erfolgte die Latinisierung in Regius?

In den Universitätsmatrikeln von Freiburg i. Br. finden wir ihn zweimal[54] und beide Male unter Rieger eingetragen; in Ingolstadt wird er am 11. Mai 1512 immatrikuliert, ebenfalls unter: „Urbanus Rieger"[55]. Seine Gedichte, Lieder, Hymnen und Vorlesungsankündigungen tragen bis einschließlich 1515 den Namen „Urbanus Rieger"[56].

1.3.2.2. Vom Rieger zum R(h)egius

Die Namensänderung in R(h)egius erfolgte im Jahre 1516, und ab diesem Jahr haben wir kein einziges literarisches Zeugnis mehr von ihm, wo er sich Rieger nennt[57]. Die erste Nennung als Regius

[53] Wittmann, Augsburger Reformatoren, S. 5, Anm. 2.

[54] Siehe oben S. 68, Anm. 1.

[55] Pölnitz, Die Matrikel, Sp. 352.

[56] Siehe: Ms. 1—10 und D. 1—5.

[57] Die Umbenennung von Rieger in Rhegius erfolgte nicht in Freiburg i. Br., sondern eindeutig erst in Ingolstadt; Uhlhorn läßt diese Frage offen; vgl. Uhlhorn II, S. 2.

findet sich im Briefwechsel mit Erasmus und Johann Fabri, der im Februar/März 1516 stattfand[58] und den Zweck verfolgte, Erasmus für die Universität von Ingolstadt zu gewinnen. In diesen Briefen nennt er sich übrigens bereits Magister; in den Vorlesungsankündigungen davor „noch bescheiden Urbanus Rieger ... artium candidatus"[59]. Seine Namensänderung von Rieger zu R(h)egius fällt somit zeitlich ziemlich genau zusammen mit seiner Erwerbung des Magistergrades.

1.3.2.3. Regius oder Rhegius?

In der Literatur tauchte immer wieder die Behauptung auf, — erstmals 1672 bei Grabe — R(h)egius habe, damit er vor dem Leser noch mehr den Glanz seines früheren Namens König verberge, das „h" in den Namen Regius eingefügt und sich schließlich Rhegius geschrieben[60].

Ernestus Regius schreibt sich und seinen Vater konsequent ohne dieses „h". Uhlhorn schreibt ebenso konsequent „Rhegius" und begründet seine Schreibweise damit, daß Rhegius „selbst in allem, was mir" (gemeint Uhlhorn) „Handschriftliches zu Gesicht gekommen ist, immer" sich so geschrieben hat[61]. Abgesehen davon, daß sich durch diese Behauptung mit Sicherheit feststellen läßt, was Uhlhorn alles nicht gesehen hat, ist sie unrichtig. Rhegius hat sich nämlich bis einschließlich 1524 mit einer einzigen Ausnahme „Regius" geschrieben[62]. Seit dem Jahr 1525 jedoch immer, wiederum nur mit einer einzigen Ausnahme, „Rhegius"[63]. Welches Motiv immer Rhegius bewogen haben mag (vielleicht nur einfache Gräzisierung, vielleicht um einen weiteren Wendepunkt in seinem

[58] Siehe: Allen, 2. Bd., 386, S. 188—192; 392, S. 204f. und 394, S. 208—209. Die Datumsfrage ist in der Literatur an sich umstritten; Uhlhorn z. B. setzt diesen Briefwechsel für 1514 fest. Vgl. Uhlhorn III, S. 345, Anm. 13. Die sehr gründliche Edition von Allen, der ich mich anschließe, setzt sie für das Jahr 1516 fest.

[59] Randlinger, Vorlesungsankündigungen, S. 354. Vgl. dazu Ms. 4, 6, 9, 10 und 11.

[60] Grabe, Vita Regii, S. 1, Anm. a; vgl. oben S. 16.

[61] Uhlhorn II, S. 2.

[62] Da in dieser Frage einzig und allein Autographen letzte und exakte Auskunft geben können, habe ich nur diese zur Klärung dieses Problems herangezogen. Wobei ergänzend zu bemerken ist, daß Schriften, die nur den Anfangsbuchstaben R des Familiennamens als Unterschrift tragen, wie etwa Ms. 29, selbstredend für diese spezielle Untersuchung ausfallen. Die oben genannte Ausnahme ist Ms. 13, ein Schreiben des Rhegius an Vadian vom 8. November 1517, in dem er diesem seine Krönung zum Dichter und Redner durch Kaiser Maximilian I. anzeigt. Der Brief im Mai desselben Jahres an denselben Adressaten hat Regius als Schreibweise.

[63] Es ist dies ein Brief an Martin Bucer vom 20. April 1531; Ms. 49.

Leben — 1525 war wahrlich einer — zu markieren), seinen Namen so zu schreiben, so ist *Rhegius* seine von ihm gewählte „endgültige" Schreibweise, die hier auch respektiert werden soll, wenngleich sich nicht einmal sein Sohn und Editor seiner Werke Ernestus Regius daran hielt und die frühere Schreibweise nicht nur für sich, sondern auch für seinen Vater gewählt hat[64].

2. BILDUNG

2.1. Lateinschule in Lindau

In der Vita heißt es, daß Urbanus Rhegius von den Eltern nach Lindau geschickt wurde, wo er die Literaturschule besuchte[65]. In der Biographie schreibt der Sohn, daß Urbanus in „Lindaw auff-erzogen, vnd zu der schulen gangen" sei[66], was auf ein ständiges Wohnen oder gar völlige Übersiedlung vom Geburtsort Langenargen nach Lindau im sehr frühen Stadium hindeutet. Nicht ganz in Einklang zu bringen ist damit die Bemerkung in der Vita, daß Urbanus die ersten Kindheitsjahre bei den Eltern verbrachte und von ihnen erzogen wurde und dann von ihnen nach Lindau auf die Schule geschickt wurde[67].

Der Knabe Urbanus Rhegius scheint diesen Schulbesuch in Lindau erst im Pubertätsalter begonnen zu haben. Wenn wir vier Jahre für diesen Schulbesuch veranschlagen, kommen wir auf das 14. bzw. 15. Lebensjahr als Schulbeginn. Als er in Freiburg i. Br. immatrikuliert wurde (1508), war er jedenfalls neunzehn Jahre alt. Auf diesen etwas verspäteten Schulbeginn deutet auch die Stelle in der Vita hin: „Quam primum uero et capax literarum animus se ostendit, et ingenium dotatum indole, puer Lindouiam a parentibus ablegatus est ...[68]." Wann zeigte sich dieser zitierte Geist und die Eignung für die Wissenschaft? Mit sechs oder sieben Jahren, von welchem Alter an man die Lateinschule von Lindau besuchen durfte[69], wohl noch kaum[70].

[64] Siehe: D. 142 und 143.

[65] „... puer Lindoviam á parentibus ablegatus est, ubi ludum literarium frequentauit ..." Regius Ernestus, Vita, Bl. a 6'.

[66] Regius Ernestus, Biographie, Bl. a 7.

[67] Regius Ernestus, Vita, Bl. a 6': „Apud parentes annos infantiae primos exegit, quorum et honestate et pietatis studio in ampliorem fortunae spem educabatur."

[68] Ebd.

[69] Eine Schulordnung von Lindau aus dem Jahre 1528 schärfte ein: „Item man soll auch gar junge kinder under VI oder VII jaren nit in die schul befehlen, die selber noch nicht lernen mugend und die andern hindern." Wolfart, Geschichte Lindaus, 2. Bd., S. 331.

[70] Die Altersunterschiede in einer solchen Lateinschule waren mitunter ganz

Allzugroß scheint die Schule Anfang des 16. Jahrhunderts, also zu der Zeit, in der sie Rhegius besuchte, nicht gewesen zu sein, denn erst in der Lindauer Schulordnung von 1536 heißt es: „Erstlich haben meine herren die schoul zuo Lindaw in vier classes oder ordnungen zertailt[71]."

Sie scheint aber zu der Zeit, zu der sie Rhegius besuchte, einen sehr guten Ruf gehabt zu haben, jedenfalls weiß sein Sohn in der Vita über sie zu schreiben: „... qui tum ibi et Praeceptorum doctrinis et optimae pubis[72] celebratur[73]."

Damals scheint nur Latein als Sprache gelehrt worden zu sein, 1528 erfährt diese Ordnung eine Lockerung durch die Anordnung: „Auch haben wir geordnet, das anfenglich in diser schul nur latein gelert soll werden... So aber ain kind latin lesen kann, soll ain schulmaister auch dasselbig zu etlichen stunden teutsch lassen lässen...[74]." Am Samstag war nur circa eine Stunde Vormittagsunterricht, damit „die eltern am selben tag auch ire kinder brauchen künden am markt"[75]. An Sonn- und Feiertagen hatten sich die Schüler in der Schule zu „versamlen und ordenlich mit irem schulmaister an die bredig gangen und die teutschen psalmen singen"[76].

Wer dürfte der Schulmeister des Rhegius gewesen sein? Daß es der ruhelose Johann Rhagius aus Sommerfeld — deshalb auch Aesticampianus genannt — nicht war, wie noch Heimbürger[77] aus-

außerordentlich und bewegten sich zwischen 7 und 21 Jahren. „Vielfach nicht zum Vorteil der Schulzucht", kommentiert diesen großen Altersunterschied Diehl, Die Zeit der Scholastik, S. 119.

[71] Wolfart, ebd., S. 333. Zur Frage: Größen einer Schule und Klasseneinteilung, ihre Benennung und Klassenanzahl, siehe: Diehl, die Zeit der Scholastik, S. 147ff.

[72] Dieser Ausdruck für die Schüler von Lindau im Zusammenhang mit Rhegius' Schulbesuch scheint mir ebenfalls auf dessen Pubertätsalter hinzuweisen.

[73] Bl. a 6'.

[74] Wolfart, Geschichte Lindaus, 2. Bd., S. 331. Im Vertrag, den der Schulmeister Johannes Boeck aus Leutkirch mit dem Rat von Lindau 1480 schloß, hieß es noch: „... welche Knaben Deutsch lernen wollten, sollten das tun, ‚was sie wollen'." Eckert, Geschichte der Lateinschule, S. 6. Vgl. dazu: Müller, Quellenschriften. Daß in dieser Lateinschule zu Lindau zu Zeiten, in denen Rhegius sie besuchte, auch schon Griechisch gelehrt wurde, wie Heimbürger, Urbanus Rhegius, S. 23 annimmt, läßt sich nicht nachweisen. Vgl. dazu auch Kantzenbach, Der junge Brenz, S. 60. Nachweisbar unterrichtet wurde Griechisch in Lindau erst ab 1536. Siehe die Schulordnung dieses Jahres, abgedruckt in: Wolfart, Geschichte Lindaus, 2. Bd., S. 333f.

[75] Ebd., S. 332.

[76] Ebd. Hier dürfte sich schon der Einfluß der Reformation auf das Schulgeschehen deutlich bemerkbar machen. Vgl. dazu Eckert, Geschichte der Lateinschule, S. 8.

[77] Heimbürger, Urbanus Rhegius, S. 23.

zumalen wußte, hat bereits Uhlhorn[78] festgestellt. Wittmann hat diese These wieder aufgewärmt und, ohne irgendeinen Beweis zu erbringen, hinzugefügt, daß dieser Rhagius „um das Jahr 1505 bis 1506 auch in Lindau Schüler im Lateinischen und Griechischen unterwies“[79].

Derjenige Schulmeister, der als Lehrer des Rhegius in Frage kommt, über den wir aber kaum mehr als den Namen wissen, ist der 1498 vom Lindauer Rat angestellte Conrad Puschmann[80]. Die Schule von Lindau verließ Rhegius, um auf die Universität nach Freiburg zu übersiedeln: „Pubertatis adeptus annos, cum iam lanugo succresceret...“ schreibt sein Sohn[81].

2.2. Studium in Freiburg i. Br.

2.2.1. Begabter Student

Die Immatrikulation auf der Universität in Freiburg i. Br. läßt sich, wie schon betont, für 1508, und zwar Freitag, den 19. Juni, nachweisen[82]. Bakkalaureus der Artistenfakultät dieser Universität wurde er am 22. Mai 1510[83].

Da die Studienzeit für das Bakkalaureat „mindestens 1½ Jahre“, in Wien sogar „im Durchschnitt 3 Jahre“ betrug[84], muß Rhegius mit seinen nicht ganz zwei Jahren, die er hierfür brauchte, ein sehr begabter Student gewesen sein.

2.2.2. Im Hause Zasius'

Gewohnt hat Rhegius in seiner Freiburger Zeit beim berühmten Rechtsgelehrten Ulrich Zasius. „Dessen Haus ‚Zum Wolfseck‘ an der heutigen Herrenstraße“, schreibt Thieme, „... war ein Brennpunkt geistigen Lebens. Die reiche Bildung, die Begeisterungsfähigkeit und die Gastfreundschaft des Hausherrn bildeten einen Anreiz für jung und alt. Studenten... wohnten bei Zasius als Pensionäre... Studenten begleiteten ihn zur Vorlesung und wieder nach Hause,

[78] Uhlhorn II, S. 344, Anm. 6.
[79] Wittmann, Augsburger Reformatoren, S. 34. Bauch, Johannes Rhagius, S. 332, Anm. 2 bestreitet Rhagius' Anwesenheit in Lindau ganz entschieden.
[80] Eckert, Geschichte der Lateinschule, S. 6.
[81] Regius Ernestus, Vita, Bl. a 6'. Daß Rhegius andere Lateinschulen als Lindau besuchte, was in der damaligen Zeit nichts Ungewöhnliches war und z. B. bei Johannes Brenz, dem engen „Kampfgefährten“ des Rhegius am Augsburger Reichstag 1530, zutrifft, läßt sich nicht nachweisen. Vgl. zu Brenz: Kantzenbach, Der junge Brenz, S. 58ff.
[82] Mayer, Die Matrikel, S. 183.
[83] Freiburg Univ. A: Matrikel der Philosophischen Fakultät, I, S. 69.
[84] Kaufmann, Universitäten, 2. Bd., S. 304.

disputierten und scherzten mit ihm[85]." Einer von diesen Studenten, auf den dies zutreffen mag, war Urbanus Rhegius. Rhegius wohnte und lebte nicht nur im Haus des Zasius[86], er durfte auch dessen reichhaltige Bibliothek benützen. Rhegius' Sohn weiß auch zu berichten, daß sein Vater des Zasius „bonorum scriptorum margines studiose observavit, atque in his utiles optimarum rerum commentarios sagaciter venatus est, quos noctu multoties ad candelas descripsit"[87]. Zasius soll ihn demnach auch wie einen Sohn geliebt haben[88].

Diese Erzählung in der Vita dürfte manche Autoren veranlaßt haben, in Rhegius zunächst einen Studenten der „Rechtswissenschaft" zu sehen, bei dem dann aber schließlich „die humanistischen Studien ... die juristischen" überwogen[89].

In der Biographie des Ernestus Regius kommt es aber deutlich zum Ausdruck, daß Rhegius kein Schüler des Zasius im Sinne eines Hörers von dessen juridischen Vorlesungen war. Der Sohn formulierte dort kurz und bündig, daß sein Vater nach Freiburg auf die Universität gezogen sei und „alda bey dem fürnemen vnnd hochberümbten Juristen Udalrico Zasio heußlich gewesen, sich priuatim legendo geübet" habe[90]. Es muß festgehalten werden, daß sich ein juridisches Studium bei Rhegius nirgends nachweisen läßt. Die Zeit zwischen seiner Immatrikulation und seinem Bakkalaureat bietet für ein solches übrigens keinen Platz. Die Bücher, die Rhegius in Zasius' Bibliothek exzerpierte, müssen außerdem keineswegs juridische gewesen sein, man darf doch nicht vergessen, daß Zasius auch Professor der Artistenfakultät war und dort zeitweise auch entsprechende Vorlesungen hielt[91]; so z. B. „Rhetorik und Poesie, die damals mit der Jurisprudenz noch weit näher verwandt waren als heute"[92]. Rhegius' Bezeichnung des Zasius als „... iuris consul-

[85] Thieme, Zasius, S. 15.

[86] „In Zasii jurisconsulti, viri et omni doctrinae genere, et virtutum ornamentis excultissimi, familiam susceptus est", Regius Ernestus, Vita, Bl. a 6'.

[87] Ebd., vgl. dazu Burmeister, Das Studium der Rechte, S. 233. Ein direkter Bericht des Urbanus Rhegius über sein oben zitiertes Verhalten liegt nicht vor, sondern nur der seines Sohnes. Was dieser über Lebensgewohnheiten im Hause Zasius' schreibt, wie Zasius den jungen Urbanus beim Studium seiner Bücher erwischt, bzw. wie dieser eingeschlafen über des Zasius Bücher geneigt dasitzt und der große Rechtsgelehrte Folianten auf die Schultern des allzueifrigen Studenten legt etc. etc., wollen wir hier nicht weiter wiederholen. Diese an sich schöne Episode findet sich in jeder größeren Zasius- wie Rhegius-Biographie. Vgl. Uhlhorn II, S. 2ff., Stintzing, Zasius, S. 53f. u. a.

[88] Vita, Bl. b.

[89] Uhlhorn II, S. 5f.; Uhlhorn III, S. 147; Uhlhorn/Tschackert, Rhegius, S. 734.

[90] Regius Ernestus, Biographie, Bl. a 7.

[91] Vgl. Schreiber, Universität Freiburg i. Br., 1. Bd., S. 70, 82, 190ff.

[92] Thieme Zasius, S. 13; vgl. dazu Burmeister, Das Studium der Rechte, S. 26ff.

tissimus, praeceptor noster"[93] oder „Meyn leve her und getruwe preceptor Ulricus Zasius, d. keyserlyken rechten doctor tho Freygborch ..."[94] fordert keineswegs ein juridisches Studium des Rhegius. Praeceptor ist ein ziemlich weiter Begriff und kann sehr viel bedeuten, nicht bloß im engen Sinne als Professor in Beziehung zu einem Hörer.

Zasius scheint Rhegius in sein Haus „unentgeltlich aufgenommen zu haben"[95], was aber nicht heißt, daß er keinerlei Leistung für jenen erbringen mußte. So lesen wir in einem Brief des Rhegius an Capito, daß er im Jahre 1510, dem Todesjahr des Johann Geiler von Kaisersberg, des berühmten Predigers von Straßburg, „in Zasii negotio" in Straßburg war[96]. Leider teilt uns Rhegius hierüber nichts Näheres mit, sicherlich dürfte es sich hierbei um einen Botengang für Zasius gehandelt haben, ob in Angelegenheit eines Buchdruckers oder um die Verbindung zur gelehrten Gesellschaft von Straßburg aufrechtzuerhalten[97], wir wissen es nicht. Für uns nicht uninteressant, daß Rhegius damals in Straßburg mit Symphorianus zusammentraf und von diesem aufgenommen wurde[98], das heißt wohl, daß er bei ihm wohnte. Bei Symphorianus handelte es sich um „Symphoriam Pollio (deutsch, Altbießer)"[99], dem das Domkapitel von Straßburg 1522 die Prädikatur in der dortigen Kirche St. Martin übergab und der zuvor Prediger bei der Stiftskirche St. Stephan war[100].

2.2.3. Zell und Eck Rhegius' Philosophieprofessoren der „via moderna"

Wichtiger als diese Bemerkung Rhegius' im besagten Brief ist eine andere, die einigen Aufschluß über seinen Studiengang in Freiburg i. Br. zu geben vermag. Er läßt über Capito Matthäus Zell grüßen und bemerkt über ihn: „... meum olim ... Artistotelem preceptorem Ethicum ...[101]."

[93] Rhegius, Opusculum de dignitate, D. 18, Bl. fiiii'.
[94] Rhegius, Christlyke Ordenynnghe, Ms. 50. Vgl. dazu: Ubbelohde, Urbanus Rhegius, S. 48.
[95] Schreiber, Universität Freiburg i. Br., 1. Bd., S. 209.
[96] Rhegius an Capito, 16. September 1524. Ms. 27, fol. 709.
[97] Vgl. Schreiber, Universität Freiburg i. Br., 1. Bd., S. 194.
[98] Rhegius an Capito, ebd., fol. 711.
[99] Vgl. Jung, Geschichte der Reformation, 1. Bd., S. 38.
[100] Pollio war auch eine Zeitlang Münsterprediger; er war Kampfgefährte Capitos, Zells u. a. bei der Einführung der Reformation in Straßburg. Vgl. dazu ADB, 26. Bd., S. 395 und LThK, 8. Bd., Sp. 352f.
[101] Rhegius an Capito, ebd. Wittmanns Behauptung, „daß M. Zell in Freiburg sein Lehrer in der Philosophie gewesen", stimme nicht, weil Rhegius davon

Matthäus Zell, als Reformator Straßburgs[102] in die Geschichte eingegangen, war also Rhegius' aristotelischer Philosophie- (Ethik-) Professor. Wer war nun dieser Professor Zell, welcher philosophischen Richtung gehörte er an? Zell wurde 1503 Bakkalaureus und 1505 Magister an der Artistenfakultät der Universität Freiburg i. Br., und „im Winterhalbjahr 1517/1518 stand er als Rector an der Spitze der Universität"[103]. Er gehörte der Richtung „des Nominalismus, oder bestimmter der vermittelnden Lehre Wilhelms von Occam"[104] an. Als Vertreter der „via Neotericorum", auch „via moderna" genannt, gehörte er übrigens derselben Richtung wie Johann Eck an und las die „parva Naturalia et libros Ethicorum quinque" nach Aristoteles[105].

Einen zweiten Lehrer, weit berühmter als Zell, hatte Rhegius in dem schon genannten Johann Eck, mit dem er im Hause des Zasius näher bekannt wurde, wo Eck „ein wohlgelittener Gast" war[106]. Als Eck am 31. Oktober 1510 im Zwist mit der Universität Freiburg verließ, überreichte ihm Rhegius zusammen mit anderen Schülern und Freunden „zum größten Verdrusse und Aerger der älteren Professoren Gedichte"[107].

Rhegius blieb aber zunächst noch auf der Universität in Freiburg. Nur so läßt sich des Rhegius Brief an Johannes Rhagius Aesticampianus erklären und einordnen[108]. Wahrscheinlich blieb er sogar bis in das Jahr 1512 in Freiburg, wie es Uhlhorn vertritt[109].

nichts erwähne, beruht auf seiner Unkenntnis dieses unedierten Briefes Ms. 27. Vgl. Wittmann, Augsburger Reformatoren, S. 39, Anm. 118.

102 Siehe RGG³, 6. Bd., Sp. 1891. ADB, 45. Bd., S. 17: „... der eigentliche Begründer der evangelischen Kirche in Straßburg." Röhrich, Matthäus Zell, S. 91: Zell begann „im Jahre 1521 das Evangelium zu predigen. Er war der Erste nicht bloß in Straßburg, sondern im Elsaß und weit umher, der dieses wagte ..."

103 Schreiber, Universität Freiburg i. Br., 1. Bd., S. 96.

104 Ebd., S. 61.

105 Ebd., S. 62. In der ADB, 45. Bd., S. 17 wird Zells diesbezügliche Tätigkeit kommentiert: „Noch ganz umstrickt von der mittelalterlichen Scholastik hielt er dort Vorlesungen über den Altmeister derselben Aristoteles ..." Rhegius wurde somit in Freiburg i. Br. in derselben philosophischen Richtung herangebildet wie Luther in Erfurt. Iserloh, Luthers Stellung, schreibt S. 18 bezüglich des Letzteren: „... die Professoren, die Luther während seines Artistenstudiums gehört hat, Jodokus Trutfetter von Eisenach und Bartholomäus Arnoldi von Usingen, gehörten der via moderna an."

106 Wiedemann, Eck, S. 330 und 345.

107 Ebd., S. 30, vgl. dazu: Stierle, Capito, S. 32 und vor allem Eck, Replica, fol. 55.

108 Rhegius an Johannes Aesticampianus (Johannes Rhagius bzw. Sommerfeld), 4. April 1518. D. 14.

109 Uhlhorn II, S. 8.

2.2.4. Rhagius Aesticampianus weist auf Hieronymus

Rhegius knüpft im besagten Brief an die Zeit in Freiburg an, in der er Aesticampianus' Vorlesungen hörte, „cum", schreibt Rhegius, „Friburgi Caesaris aulam sequereris"[110]. Wann war nun der Kaiser bzw. sein Hof in Freiburg? Kraus verzeichnet eine solche Anwesenheit in Freiburg i. Br. oder in unmittelbarer Nähe vom 31. Oktober 1510 bis zum 3. März 1511[111]. In dieser Zeit also muß Rhegius besagten Aesticampianus, der aus Leipzig kam, wo er „wegen seiner Angriffe auf die Scholastik aus dem Lehrkörper ausgeschlossen" wurde[112] und nach Rom weiterzog[113], gehört haben. Voll Begeisterung schwärmt Rhegius noch sieben Jahre darnach von Aesticampianus und seinen Vorlesungen: „Dii boni, quanta alacritate, quanto amore ... me adolescentem ... senex et literatissimus confouisti, qua exornasti eruditione, personat adhuc in auribus meis extemporaria tua ...[114]."

Da Rhagius sehr vom hl. Hieronymus, der als „Urahn der Humanisten"[115] gilt, angetan war und wie dieser „die profanen Wissenschaften mit den heiligen verknüpfen" wollte, liegt es nahe, Rhagius' Vorlesungen in Freiburg als von diesem Geiste getragen anzusehen. „Mit der Ausgabe von sieben ausgewählten Briefen des hl. Hieronymus" im Jahre 1508 wollte der christliche Humanist Rhagius „einen christlich-moralischen, erzieherischen Inhalt mit der philologischen Discussion der Form" vereinigen[116].

Rhegius' Hinneigung und Begeisterung für Hieronymus, die erst nach und nach im Laufe der Reformation von der für Augustinus abgelöst wurde, dürfte somit hier in Freiburg durch Rhagius Aesticampianus grundgelegt worden sein. Eine Tatsache, die man bei einer etwaigen Frage nach den Denkstrukturen des Rhegius nicht übersehen dürfte.

2.2.5. Wegen zu großer Anhänglichkeit an Johann Eck zusammen mit Capito von den Scholastikern aus Freiburg vertrieben

In Freiburg traf Rhegius noch einen Mann, der für ihn schicksalsbestimmend werden sollte und mit dem er sich eng anfreundete. Die Freundschaft beider geriet erst durch die innerreformatorischen Strömungen ins Wanken. Es ist dies der schon kurz erwähnte Wolf-

[110] Rhegius an Aesticampianus, 4. April 1518. D. 14; Wilisch, S. 110.

[111] Kraus, Itinerarium, S. 284f.; vgl. dazu auch Schodl, Kaiser Maximilian I., S. 304—306 und Strasser, Kaiser Maximilian I., S. 302—304.

[112] Schottenloher Karl über Rhagius Aesticampianus in: LThK², 8. Bd., Sp. 1274.

[113] Bauch, Die Vertreibung Aesticampianus', S. 27.

[114] Wilisch, S. 110.

[115] Ebert, Geschichte, S. 176.

[116] Bauch, ebd. S. 7.

gang Köpfel = Fabritius Capito oder einfach: Capito[117]. Als dieser Wolfgang Köpfel Capito am 9. Februar 1505 auf der Universität Freiburg immatrikuliert wurde, war er bereits Bakkalaureus von Ingolstadt[118]. „Im Winter 1506/07 promovierte er unter dem Dekan Johann Eck zum Magister... Am 11. November 1511 wurde er selbst zum Dekan der Artisten gewählt[119].“ Als Johann Eck 1510 im Unfrieden mit der Universität aus Freiburg schied, um nach Ingolstadt zu gehen, war auch Capito neben Rhegius bei der Studentengruppe, die ihrem geschätzten Lehrer ein Gedicht verehrte[120]. „Der Fall wurde zwei Jahre später — während Capitos Dekanat — hochgespielt... Er selbst mußte...eine Karzerstrafe abbüßen... Kurze Zeit nach dem Vorfall jedenfalls, am 17. Mai 1512, bat Capito um Dispens von der Universität und verließ Freiburg[121].“

Zugleich mit Capito scheint Rhegius ein ähnliches Schicksal erlitten zu haben. Sein Bericht hierüber zeigt derartige Parallelen auf, daß die Annahme, Rhegius ist zugleich mit Capito in Ungnade gefallen und die beiden haben zugleich gebüßt, sehr nahe liegt. Hören wir, was Rhegius hierüber Eck mitteilte: „...testatur Gymnasium Friburgense, vbi quondam impacientissimo amore erga Eccium praeceptorem, patres ac moderatores tam praeclare Achademiae aculeato carmine in me sic concitaui, ut excommunicatus multis diebus propter Eccium, etiam meo iudicio Diaboli mancipium fuerim. Mox Ingolstadium veni solo tui amore illectus[122].“ Wenn Capito seine eigene Vertreibung aus Freiburg 1512 den Scholastikern zu-

[117] Vgl. Stierle, Capito, S. 11.
[118] Mayer, Die Matrikel, S. 161.
[119] Stierle, Capito, S. 26.
[120] Eck, Replica, fol. 55: „Autores carminum fuerunt, Vuolfgangus Capito, Vrbanus Regius...“ Das Gedicht Capitos ist abgedruckt in: Wiedemann, Eck, S. 30f. Das in der Bibliographie unter D. 3 verzeichnete Gedicht dürfte das sein, das Rhegius zum bewußten Anlaß dichtete, und das ihm zum Verhängnis wurde. Es sei hier in der Normalisierung der Schreibweise von Wiedemann, Eck, S. 452 wiedergegeben.

Verborum candor: gravitas simul ardua rerum
  Si facit ad stomachum lector amice tuum
Haec lege si sophiam, si fortia Rhetoris arma
  Juncta petis, nexu consociata gravi
Eckius ingenio polyhistor prompsit amoeno
  Illa suo foelix dictio fonte fluit
Eloquium tersum: lectissima sthemmata fondi
  Artificemque suum, fertile laudat opus
Ne brevis abvertat moles te parva libelli
  Commoda multiplici foenore mira feret
Saepe solent precis magnis praestare minora
  Sic lapidi magno parvula gemma praeit.
Vale et salve.

[121] Stierle, ebd., S. 32.
[122] Rhegius an Eck, 4. März 1528. Opera II, fol. XLII'.

schreibt, „d. h. es waren wohl solche Männer, die die humanistischen Bestrebungen der Jüngeren nicht dulden wollten“[123], so ist dies auch für den Schicksalsgefährten Rhegius zutreffend und sehr aussagekräftig. Capito und Rhegius und vor diesen bereits Eck wurden von der Universität Freiburg i. Br. von ein und derselben Partei, den sogenannten Scholastikern, vertrieben. Dieses historische Faktum mahnt zur Vorsicht in der Taxierung von Rhegius' Lehrer Eck und relativiert das übliche Klischeedenken, wie es auch in Uhlhorns Äußerung anzutreffen ist: „In die scholastische Bildung sollte ihn“ (gemeint Rhegius) „ein Anderer einführen, der darin ein Meister war, dem dagegen freilich die Frömmigkeit eines Zell[124] ganz abging ... wir meinen Johann Mayr von Eck, gewöhnlich nur Eck genannt[125].“

2.3. Auf der Universität von Ingolstadt

2.3.1. Übersiedlung und Immatrikulation

Nach Ernestus Regius ist sein Vater von Freiburg nach Basel auf die Universität gezogen und von dort nach Ingolstadt[126]. Die Richtigkeit dieser Erzählung bezweifelt Uhlhorn: Sie „beruht wohl auf einer Verwechslung“, meint er zu Recht, „mit dem späteren Aufenthalte in Basel im Jahre 1520, der urkundlich feststeht, den aber der Sohn gar nicht erwähnt“[127]. Uhlhorns Vermutung, daß Rhegius bereits 1512 nach Ingolstadt übersiedelte[128], findet ihre Bestätigung in der dortigen Matrikel, wo er am 11. Mai 1512 eingetragen ist[129]. Rektor der Universität war „Johann Maier (Eck) von Egg“[130], also sein Lehrer und Gönner, der Stein des Anstoßes, der zu seiner Übersiedlung geführt hatte.

[123] Stierle, ebd., S. 32.

[124] Gemeint ist der vorhin behandelte Matthäus Zell, bei dem Rhegius Aristoteles gehört hatte.

[125] Uhlhorn II, S. 6f.

[126] Regius Ernestus, Vita, Bl. b; Biographie, Bl. a 7.

[127] Uhlhorn II, S. 8. Wittmann, Augsburger Reformatoren, S. 37 bezweifelt auch die Richtigkeit von Rhegius' Aufenthalt in Basel zwischen Freiburg und Ingolstadt, aber nicht so dezidiert und bestimmt wie Uhlhorn.

[128] Uhlhorn II, S. 8; die Übersiedlung erfolgte allerdings schon Ende April/Anfang Mai, so daß Uhlhorns Annahme, Rhegius sei im Juni noch in Freiburg gewesen, hinfällig ist. Wittmann kann seine These von Rhegius' Übersiedlung „wahrscheinlich im Herbst 1512“ nicht belegen. Wittmann, ebd., S. 37.

[129] Pölnitz, Die Matrikel, Sp. 352. Prantl, Geschichte, 1. Bd., S. 136 meint über Rhegius, daß er „nach einem kürzeren Aufenthalt in Basel ungefähr um d. J. 1510 sich in Ingolstadt immatriculirte und über Rhetorik und Poesie las.“

[130] Pölnitz, ebd.

Wenn wir die „Exkommunikation“ der Universität Freiburg, von der Rhegius im Brief an Eck oben sprach, mit Mitte April, analog zu Capito[131], annehmen, so stimmt die Übersiedlung nach Ingolstadt damit datumsmäßig sehr gut überein. Rhegius' vorhin zitierte Bemerkung an Eck: „Mox Ingolstadium veni ...“, beweist die Richtigkeit dieser Annahme. In der zitierten Universitätsmatrikel von Ingolstadt ist Rhegius übrigens eingetragen mit „... de Lindaw“. Diese Tatsache und sein Beiname „Philiranus“ (Lindauer)[132], den er sich in Gedichten dieser Zeit beigelegt hatte[133], lassen den Schluß auch einer Übersiedlung in puncto Heimatort zu (von Langenargen nach Lindau).

Als er in Ingolstadt ankam und immatrikuliert wurde, war Rhegius keineswegs schon „Magister artium“, auch wurde er es nicht bald darnach, wie Uhlhorn annimmt[134].

2.3.2. Mit den Kleidervorschriften im Konflikt und mit dem Studium im Verzug

Auf der Universität in Ingolstadt begegnen wir Rhegius nun mehrfach. Im Protokoll der Artistenfakultät[135] scheint Rhegius am 17. Juli 1515 unter Urbanus Rieger zum erstenmal auf[136]. Rhegius war mit den Kleidervorschriften[137] der Artistenfakultät in Konflikt geraten, da er sich der „häufig als lästig empfundenen Tracht“[138] entzogen hatte. Die von ihm erbetene Dispens über „habitu suo, quem non ut artista hactenus gessit“ gewährte man ihm. Er versprach, „se in futurum conformare nostris scolasticis“, und den längst fälligen Magistergrad zu erwerben[139].

[131] Laut Verhandlungsprotokoll der Universität Freiburg wurde die Causa Capito am 15. April 1512 beigelegt. Stierle, Capito, S. 32, Anm. 70.

[132] Philiranus von φιλύρα die Linde. Vgl. Uhlhorn II, S. 2. Uhlhorns Hinweis ebd. über Rhegius: „... in der Baseler Matrikel ist er als aus Lindau stammend verzeichnet“, übersieht, daß Rhegius bereits in der Universitätsmatrikel von Ingolstadt 1512 so eingetragen ist.

[133] Siehe D. 1—3. Die Schreibweise bei D. 3 „Philerani“ dürfte auf einen Fehler des Druckers zurückzuführen sein.

[134] Uhlhorn II, S. 7.

[135] Diese Protokolle edierte Seifert, Die Universität Ingolstadt.

[136] Seifert, Die Universität Ingolstadt, S. 80.

[137] Vgl. dazu Loew, Die Geschichte des Studententums, S. 112ff.

[138] Seifert, Statuten, S. 164.

[139] Ebd. Nach Kink, Universität Wien, 1. Tl., S. 91 war der Studiengang in Wien: „Die Zulassung zum Bachalariate erforderte ein zweijähriges, die zum Magistergrade im Ganzen ein dreijähriges Studium ...“ Rhegius, der bereits im Mai 1510 das Bakkalaureat erwarb, war somit höchst überfällig, wenn man bedenkt, daß die Statuten der Ingolstadter Artisten-Fakultät „sich in den meisten wesentlichen Bestimmungen als einen oft wörtlichen Auszug aus den Wiener Statuten ... erwiesen.“ Prantl, Geschichte, 1. Bd., S. 52.

In etwaigen anderen „excessibus" dispensierte man ihn nicht. Da traf von keinem Geringeren als vom einflußreichen bayerischen Rat Leonhard von Eck[140] für Rhegius eine Intervention ein: „... quod facultas eundem de omnibus inpune admittat", was auch geschah[141].

Dem Versprechen, den Magistergrad durch Ablegen entsprechender Prüfungen und Eide[142] zu erwerben, wird er um Neujahr 1516 nachgekommen sein[143]. Bei der Eidesleistung mußten sich übrigens die Magisterkandidaten u. a. verpflichten, „noch zwei Jahre lang in Ingolstadt lesen zu wollen"[144].

2.3.3. Rhegius' Lern- und Lehrtätigkeit im Bannkreis des Humanismus

Einige Vorlesungsankündigungen Rhegius' sind uns in den Archiven erhalten geblieben[145], darunter befindet sich eine, in der er sich als „Artium Candidatus" bezeichnet[146], was wohl soviel wie Magisterkandidat heißen soll. Unter derselben Bezeichnung findet sich ein Gedicht von ihm „an die Jünglinge, die vor der Würde des Magistergrades der freien Künste standen"[147]. Der ganze Stolz, der ihn in Anbetracht der nahen Würde überkommt, drückt sich am Ende des Gedichtes aus, wenn er als Kandidat seinen Kollegen zuruft: „Ite igitur docti merita cum Laude magistri. Ad patrias leti praeconia tanta penates Certe decus vestrum cunctos durabit In annos[148]."

[140] Leonhard von Eck wurde 1519 bayerischer Kanzler. In der NDB, 4. Bd., S. 277ff. heißt es über ihn: „... Politiker, Diplomat, Verwalter und Organisator im großen Stil ... nahm sich der Universität Ingolstadt an (Protektor der Sodalitas litteraria Angliostadensis) ... Klug und gewandt, verschlagen, doch auch verbindlich und liebenswürdig, tatkräftig, nie verlegen in der Wahl seiner Mittel, milde und hart, ja rücksichtslos, wie es der Augenblick erforderte, ein unübertroffener Meister der Diplomatie ..."

[141] Seifert, Die Universität Ingolstadt, S. 80.

[142] Vgl. dazu Prantl, Geschichte, S. 58ff.

[143] Die großen Lizentiaten-Examen waren jeweils um Neujahr. Ebd., S. 55. Vgl. unten S. 91f.

[144] Ebd., S. 61

[145] Siehe: Ms. 1, 2, 4, 8.

[146] Ms. 4.

[147] Schlecht, Lob und Spottgedichte, S. 217. Schlecht ebd. setzt die Entstehung dieses Gedichtes „nach 1512 ... und vor 1517, wo Rhegius Magister wurde" an. Da Rhegius wohl um Neujahr 1516 den Magistergrad erwarb, spricht vieles dafür, es mit 1515 anzusetzen. Beim bewußten Gedicht handelt es sich um Ms. 6.

[148] Ms. 6, S. 146. Schlecht qualifiziert dieses Rhegius-Gedicht als „eine Nachdichtung, um nicht zu sagen ein Plagiat der Begrüßung und Beglückwünschung der neuen Magister, die Thomas Aucuparius im Jahre 1512 an sie richtete." Schlecht, ebd., S. 218, Anm. 2.

In seinen Vorlesungen um diese Zeit behandelte er laut Ankündigung die Briefe des italienischen Humanisten Franciscus Philelphus[149], der 1481 gestorben und Lehrer des Aeneas Silvius Piccolomini gewesen war[150]. Philelphus habe er deshalb für seine Vorlesungen, besser wäre vielleicht Übungen zu sagen, erwählt, schreibt Rhegius, weil bei ihm „nulla sunt uerborum portenta ab exterminatis abolitisque iam longe seculis euocata..."[151]. Offensichtlich um sich modern zu geben und so die Hörer zu animieren, in seine Übungen zu kommen, schreibt er eingangs etwas abschätzig (oder es steht dahinter zu geringe Lateinkenntnis seiner Hörer): „Non commentarios pontificum et vetustissima foedera, exoletosque scrutabimur authores...[152]."

Bei Hess haben Rhegius' Philelphus-Übungen die Interpretation gefunden: „Urbanus Rhegius versuchte sogar während seines Lehramtes für Rhetorik und Poesie an der Universität Ingolstadt die modernen Stilqualitäten des ‚Philelphus noster', die ‚perspicuitas' und ‚casta latinitas' seiner Schriften, gegen Jakob Locher, den Vertreter der alten klassischen Latinität auszuspielen[153]."

Auch Martin Luther ist der italienische Humanist Philelphus bekannt, „anscheinend aus eigener Lektüre"[154]. Eine Randbemerkung Luthers zu „Augustini opuscula"[155] weist deutlich in diese Richtung[156].

Johann Eck und Erasmus von Rotterdam lagen sich über die Autorität und Bedeutung dieses Philelphus im Zusammenhang,

[149] Siehe: Ms. 8.

[150] Zu Philelphus, auch Filelfus geschrieben, vgl. Rosmini, Filelfus; Ellinger, Italien, S. 37ff.; Messer, Franciscus Philelphus und Garin, Humanismus.

[151] Ms. 8. S. 151. Bei der angekündigten Vorlesung (Stilübung) über die Philelphus-Briefe dürfte es sich um die 1514 in Straßburg bei Mathias Schürer herausgekommene Briefsammlung Philelphus' oder um die 1513 in Straßburg bei Prüß Hans d. J. erschienene handeln. Als aus zeitlichen Gründen eher unwahrscheinliche, aber doch nicht völlig unmögliche Briefsammlung kommt auch die vom Johann Lang im Juni 1515 in Wittenberg herausgegebene in Frage. Vgl. dazu: Burgdorf, Johann Lange, S. 5, Nr. 2. Das Urteil, das die Literaturgeschichte über Philelphus gefällt hat, ist nicht gerade günstig, wenn es heißt: „Wenn Filelfo einen ungeschminkten Ausschnitt aus seiner Daseinssphäre gäbe, wie er es in den Satiren gelegentlich tut, so wäre der Eindruck gewiß nicht erfreulich, aber es würde dann wenigstens nichts Falsches vorgetäuscht werden. Anstatt dessen bläht er sich auf und sucht eine Rolle zu spielen, die ihm durchaus nicht zu Gesichte steht." Ellinger. Italien, S. 40.

[152] Ebd., S. 150.

[153] Hess, Narrenzunft, S. 69.

[154] Scheel, Luther, 2. Bd., S. 419.

[155] Vgl. dazu ebd., S. 405.

[156] WA, 9. Bd., S. 5.

wem von den Kirchenvätern der Vorzug einzuräumen sei, Hieronymus oder Augustinus, in den Haaren. Eck hat mit Berufung auf Philelphus die höhere Autorität des Augustinus dem Erasmus nahebringen wollen. Erasmus erwiderte Eck gekonnt hintergründig: „Ego doctissime Ecki, non tantum tribuo Philelpho, praesertim in censura rerum sacrarum, ut illius auctoritate me patiar opprimi[157]."

In einer anderen Vorlesungsankündigung[158] lädt Rhegius die Studenten „ad edes nostras" ein. Dort will er „priuatim ... hisce feriis" eine Einführung geben „in politicorum libros a Jacobo Fabri Stapulensi" und sie interpretieren[159].

Etwa zur gleichen Zeit befaßte sich in Wittenberg Martin Luther in seinen Vorlesungen ebenfalls mit Faber Stapulensis, allerdings nicht mit dessen Schriften zur Politik von Aristoteles, sondern mit dessen Psalmenkommentar[160].

Hahn vermerkt hierzu mit Recht: „Die Glossen, die Luther zu seinem Exemplar des Faberschen Psalmenkommentars von 1509 macht, legen Zeugnis ab, wie gründlich er sich mit Faber beschäftigte[161]." Iserloh bezeichnet Faber Stapulensis als das Haupt „des biblischen Reformhumanismus" von Paris[162]. Für Bonet Maury ist in der protestantischen Realencyklopädie Faber Stapulensis der Mann, der „die Grundsätze der Reformation, fünf Jahre vor Luthers Wittenbergischen Thesen darlegte. Er behauptet die Autorität der hl. Schrift und die unverdiente Gnade der Erlösung, bekämpft das Verdienst der guten Werke, das Opus operatum, die Wirklichkeit des Meßopfers, das Priesterzölibat etc. ... Seinem Cha-

[157] Erasmus an Eck, 15. Mai 1518, Allen, 3. Bd., S. 334.

[158] Siehe: Ms. 4.

[159] Ebd. Panzer, Annales verzeichnet vier Auflagen der in Frage kommenden Bücher. Da die vierte Auflage im November 1516 erschien (siehe: Panzer, Annales, 8. Vol., S. 33; Nr. 876), scheidet sie als die von Rhegius benützte Vorlage wohl aus, denn zu dieser Zeit war er schon Magister. Hier nennt er sich noch schlicht: Urbanus Rieger Artium Candidatus ... Ms. 4. Am ehesten in Frage kommt eine der beiden Auflagen von 1511 oder 1512, die den gleichlautenden Titel haben: Introductio Jacobi Fabri in Politica Aristotelis und in Paris bei Henricus Stephanus herauskamen. Siehe: Panzer, Annales, 7. Vol., S. 565, Nr. 554 und ebd., 10. Vol., S. 6, Nr. 474 b. Möglich wäre natürlich auch, die erste Auflage vom Jahre 1508, vom selben Drucker herausgegeben, als die von Rhegius benützte anzusehen. Panzer, ebd., 7. Vol., S. 532, Nr. 275: Ioanni (!) Fabri Stapulensis introductiuncula in Politica Aristotelis. Es sei vermerkt, daß Zwingli diese Ausgabe besaß und annotierte. Siehe CR, 99. Bd., S. 275f., vgl. Farner, Zwingli, 2. Bd., S. 120.

[160] Dieser Psalmenkommentar mit Luthers Randbemerkung ist ediert: WA, 4. Bd., S. 466—526. Vgl. dazu Boehmer, Luthers erste Vorlesung, S. 10ff.

[161] Hahn, Faber Stapulensis, S. 424.

[162] Iserloh, Die protestantische Reformation, S. 379.

rakter nach könnte man ihn am besten mit Melanchthon vergleichen[163]."

Ähnlich wie Luther befaßte sich auch der Schweizer Reformator Zwingli mit diesem bis heute viel zu wenig beachteten Reformer Faber. Daß er seine Schriften über die politischen Bücher des Aristoteles annotierte, habe ich vorhin in der Anmerkung bereits erwähnt[164]. Die Befassung mit diesen Schriften von Faber Stapulensis teilt Zwingli mit Rhegius; das Studium von „Psalterium quincuplex" mit Luther[165]. Usteri, der die „Initia Zwingli" untersuchte, meinte über Zwinglis Beschäftigung mit dem Psalmenkommentar: „... schon im Psalterium quincuplex fand Zwingli die schlicht-evangelische Heilslehre (‚vivifica sententia') des Paulus ohne pelagianische Verklausulierungen ausgesprochen[166]."

Diese hier dargelegten Fakten, den Bildungsgang und das Studium gewisser Autoren betreffend, sollen uns davor bewahren, einen allzu verschiedenen Ausbildungsgang unter den Reformatoren konstruieren zu wollen. Noch mehr aber davor beschützen, aus derartigen Konstruktionen weitreichende Schlüsse über andersgelagerte Denkstrukturen zu entwickeln und so die innerreformatorischen Strömungen und Positionen erklären zu wollen. Dieser Versuchung, alles systematisieren und schematisieren zu wollen, ist auch Seitz, der der theologischen Entwicklung des Rhegius nachspürte[167], unterlegen. Er mußte so unweigerlich zu Ergebnissen kommen, die mit der Historie nicht zur Deckung zu bringen sind. — Aber darüber unten Näheres. —

2.3.4. Magister

2.3.4.1. Graduierung

Als der Briefwechsel Rhegius-Fabri-Erasmus im Frühjahr 1516 stattfand, nennt Rhegius sich bereits Magister[168]. Im Protokoll der Artistenfakultät, wo wir ihn am 1. September 1516 wieder auffinden, ist er mit dem Magistertitel versehen[169]. In seinem uns erhalten gebliebenen Vorlesungskonzept[169a], das mit 10. Juni 1516 datiert ist, nennt er sich ebenfalls Magister. Diese Beispiele untermauern hinlänglich die These, daß Rhegius (zu Beginn des Jahres)

[163] Maury, Faber, S. 715f.
[164] Siehe oben S. 90, Anm. 159.
[165] Zwinglis Randglossen zu den genannten Werken von Jakob Faber Stapulensis sind ediert: CR, 99. Bd., S. 275—291. Vgl. dazu Gäbler, Zwingli, S. 40f.
[166] Usteri, Initia, S. 116.
[167] Siehe: Seitz I—III.
[168] Siehe D. 6.
[169] Seifert, Die Universität Ingolstadt, S. 84.
[169a] Ms. 11.

1516 in Ingolstadt Magister artium wurde[170]; nähere Umstände über seine Graduierung sind leider nicht bekannt.

Auf die für Rhegius sehr ehrenvolle Vermittlertätigkeit einzugehen, die er im Auftrage und „unter dem Rektorate des Bayernherzogs Ernst" unternahm, „freilich ohne Erfolg"[171], erübrigt sich hier, sie ist in der Literatur hinlänglich ausgeschrieben. Für Rhegius war diese Unterhandlung, darauf sei allerdings hingewiesen, von nicht geringer Bedeutung, trug sie ihm doch Briefe des Humanistenfürsten ein[172] und anderseits wurde er „in der bekannten Humanistenmanier mit eitlen Lobsprüchen bedacht"[173].

2.3.4.2. Vorlesungen

Als Magister nahm Rhegius — wie oben bereits erwähnt[174] — durch Eidesleistung die statutarische Verpflichtung auf sich, „noch zwei Jahre lang in Ingolstadt lesen zu wollen"[175]. Ein besonderer Glücksfall wollte es, daß die Magistervorlesungen Rhegius', d. h. seine Vorlesungen, die er für die hielt, die das Magister-Examen abzulegen hatten, erhalten geblieben sind[176]. Im Vorwort oder Grußwort an „Discipulos suos" steht das Datum 10. Juni 1516, und der Ort ist ebenso präzis angegeben mit: „Ex ruinoso liliorum contubernio"[177]; die Lilienburse, wo Rhegius wohnte und las, scheint also im schäbigen Zustand gewesen zu sein.

Über „ens; ens reale; ens mobile" handelt er gleich am Anfang seiner Vorlesung, die die Überschrift trägt: „Philosophia est rerum humanarum divinarumque Cognitio[178]."

Dem sind in der „Topika-Vorlesung" die Begriffe angeschlossen: Cognitio, veritas, forma, natura, etc.

Der „Topica" folgten die großen Kapitel: „De coelo et mundo" ab fol. 41; „De generatione et corruptione" ab fol. 57'; „Metheorology" ab fol. 75'; „De anima" ab fol. 91'[179].

In buntem Durcheinander werden alte Autoritäten wie Aristoteles, Augustinus, mittelalterliche wie Thomas von Aquin, Avicenna und Anselm und zeitgenössische Größen wie der Humanisten-

[170] Uhlhorn verlegte die Erwerbung des Magisteriums in das Jahr 1517. Uhlhorn II, S. 10.

[171] Randlinger, Vorlesungsankündigungen, S. 354.

[172] Siehe: Allen, 2. Bd., 392, S. 204f.; 394, S. 208f.

[173] Randlinger, ebd.

[174] Siehe oben S. 88ff.

[175] Prantl, Geschichte, 1. Bd., S. 61.

[176] Siehe: Ms. 11.

[177] Ms. 11, fol., 1'.

[178] Ebd., fol. 2.

[179] Vgl. dazu die vorgeschriebenen Pflichtvorlesungen, die der Magisterkandidat in Ingolstadt gehört haben muß: Prantl, Geschichte, 1. Bd., S. 58 und Mederer, Annales, S. 40.

fürst Erasmus von Rotterdam oder der schon erwähnte Faber Stapulensis und dessen Schüler und Mitarbeiter Jodocus Clichtoveus zitiert. Die Vorlesungen sind durchzogen von den Positionen der Scotisten und Ockhamisten, deren Meinungen Rhegius mehr referierend als wertend wiedergibt.

Man könnte über Rhegius dasselbe sagen, was Scheel über Luther schreibt: Wir sehen „ihn mit erstaunlicher Sicherheit sich in den allgemeinen wissenschaftlichen aristotelischen Gedanken bewegen. Wir hören ihn ... die erkenntnistheoretischen Probleme des ... Aristotelismus mit solcher Selbstverständlichkeit vortragen, daß die beiden Antipoden Augustinus und der Aritstoteles der ‚Modernen' in ungestörter Eintracht nebeneinander stehen[180]." Besondere Berücksichtigung in den Vorlesungsankündigungen findet Johann Eck, den er mehrmals als Autorität auftreten läßt[181].

2.3.5. Lobeshymnen auf seinen Lehrer, den Disputator Johann Eck — von Luther verbrannt

Johann Eck, dem zuliebe Rhegius 1512, wie wir gehört haben, nach Ingolstadt übersiedelte[182], als er von der Universität Freiburg praktisch relegiert wurde, verdankte er viel. Einmal hatte Eck unseren Rhegius aus einer sehr beißenden sozialen Notlage befreit, nachdem er sich deswegen bereits einer Söldnertruppe verdingt hatte[183].

Aus dieser Zeit stammen auch viele Gedichte des Rhegius, in denen er Eck besingt, um nicht zu sagen anhimmelt. Stellvertretend für viele[184] möchte ich zwei hier bringen. Das erste ist ein Loblied auf Eck, den großen Disputator, der auf der Universität in Bologna

[180] Scheel, Luther, 1. Bd., S. 175.

[181] Z. B. fol. 15 u. a. Hier in dieser Untersuchung würde ein näheres Eingehen auf Rhegius' Vorlesungen für die Magister-artium-Kandidaten den Rahmen sprengen. Eine kritische Edition dieser höchst interessanten „Philosophie-Vorlesung" unmittelbar am Vorabend der Reformation sollte ins Auge gefaßt werden. Dem Sohn Ernestus dürften übrigens noch andere Vorlesungsmanuskripte zur Verfügung gestanden sein, die er leider genauso übergeht wie dieses hier. Er tut die ganze Vorlesungstätigkeit seines Vaters in Ingolstadt mit dem Bemerken ab: „Et quia in tanta optimorum adolescentium affluentia praeter publicas lectiones etiam privatim habentur scholae, Vrbanus aliorum exemplo domi docuit frequenti auditorum concursu, cuius rei ego multa monumenta inter reliqua manuscripta quotidie reperio." Regius Ernestus, Vita, Bl. b.

[182] Vgl. oben S. 84ff.

[183] Regius Ernestus, Vita, Bl. b f. Vgl. dazu: Heimbürger, Urbanus Rhegius, S. 40f., Uhlhorn II, S. 8; Wiedemann, Eck, S. 346f. Wittmann, Augsburger Reformatoren, S. 37f., Rischar, Professor Eck, S. 197.

[184] Siehe: Ms. 10; D. 3, 5, 7, 9, 11, 12, 13, 15, 20, 144/XLIV.

1515 das Zinsnehmen verteidigt hat[185] und 1516 über diverse theologische Fragen in Wien disputierte, die erst nach längerem, für Eck wenig ruhmreichen, Hin und Her präzisiert wurden[186]. Rhegius zimmerte daraufhin Ende 1516 ein Gedicht zusammen, in dem er meint, nicht Eck profitierte vom Ruhm der Universität Ingolstadt, sondern umgekehrt, und diese müsse doch für ihn ein „Siegesdenkmal“ setzen. Aber hören wir ihn selber:

„Ecki pro meritis tua nomina pangere nemo
  Sat valet: in toto splendidus orbe volas
Laudatus calido venisti doctor ab Austro
  Est annus, titulos Itala terra dedit
Te duce nunc oriens clarum vidisse triumphum
  Clamat: et ingenium docta Vienna stupet
Quem tantis igitur peregrinae laudibus ore
  Ornant: Anglypolis carpere jure nequis
Sic tibi crescit honor, tanto doctore perennis
  Participem decoris te Eckius ille facit
Iccirco ni sola tuam contemnere famam
  Lenta velis: tanto pone trophea duci
Deo duce[187].“

Mit dem zweiten Gedicht hat es eine besondere Bewandtnis, genauer genommen nicht mit dem Gedicht, sondern mit dem Buch, für das es gemacht ist und in dem es auch zu finden ist. Es handelt sich um Ecks großes Werk: *Chrysopassus*. Es ist den bayrischen Herzögen Wilhelm Ludwig und Ernst dediziert und im November 1514 in Augsburg in der Offizin Miller erschienen[188]. Es ist das Buch Ecks, mit dem Rhegius jenem 1527 (1529 — siehe: D. 73 —) beweisen will, daß er selber, also Eck, bereits 1514 die in der reformatorischen Theologie so wichtigen und tragenden Prinzipien „Sola gratia, solus Christus“ gelehrt habe. Rhegius schreibt 1529 an Eck: „... predestinatio itaque est gratia, vocatio est gratia, iustificatio item, denique glorificatio et tota Christiani vita, gratiae per Chri-

[185] Siehe: Wiedemann, Eck, S. 53.

[186] Ebd. S. 63ff. Laut Eck selber schickte ihm der Dekan der Theologischen Fakultät sogar folgendes Schreiben: „Herr Doktor! Ihr habt unsern Beschluß vernommen, namentlich, daß im Augenblick die Aula für Disputationen nicht offen ist, und ein anderer Ort für theologische Disputationen sich nicht eignet. Daher seid fernerhin weder mir noch der Fakultät lästig.“ Ebd., S. 66. Zu dieser Disputation Ecks in Wien siehe vor allem: Virnich, Johannes Eck.

[187] D. 10. Hat dieses Gedicht den Spott auf Rhegius auf der Universität in Ingolstadt hervorgerufen, über den sich Eck im akademischen Senat Ende 1517 beschwerte? Vgl. Schlecht, Lob und Spottgedichte, S. 225f.

[188] Vgl. D. 4; Wiedemann, Eck, S. 453ff.; vor allem Greving, Johann Eck.

stum tribuenda est, non praeviis operibus nostris. Atque ita tu publice docuisti anno 1514...[189]." Ist es diese Lehre Ecks, die Rhegius in seinem Gedicht, das dem Chrysopassus vorangestellt ist, ausrufen läßt: „Los, Deutscher, erhebe Dich... bitte hebe Deinen Kopf aus der dichten Finsternis! ...Eck mit innerem Licht nach dem Höchsten strebend eröffnet die himmlischen Mysterien... unter diesem Führer haben wir allen Ruhm der Vorgänger übertroffen."[190]?

[189] Rhegius in: Responsio Urbani Rhegii ad duos libros. Opera II, fol. XXXVI'; D. 73. Daß es sich bei der von Rhegius apostrophierten öffentlichen Lehre des Eck um dessen Werk Chrysopassus handelt, dafür sprechen vor allem zwei Gründe: 1) Im von Rhegius angegebenen Jahr 1514 erschien von Eck nur dieses aus seinen Vorlesungen entstandene Werk 2) Chrysopassus handelt über die Prädestination und all die damit zusammenhängenden Probleme, wie sie sich in dem Rhegius-Zitat finden.
Es sei hier auch auf das interessante zu Rhegius' Sicht konträre Ergebnis über Ecks diesbezügliche theologische Position hingewiesen, zu dem Greving in seiner Untersuchung: Johann Eck, kam. Vgl. ebd., S. 115f.

[190] Im lateinischen Original lautet das Gedicht — D. 4 in der Bibliographie — auszugsweise wiedergegeben:

„Heus Germane bonis avibus consurge: tenebris
E densis nitidum porrige queso caput
Spes non vana datur, jam saecula vincere prisca.
Artibus omniugis: Moribus, ingenio.
Non effoeta viget nobis natura beatis.
Eckius hoc foetu quod probat ecce novo
Nostrates falso frigentia sydera carpunt
Sydera foelici quae non luce micant

Eckius interno lumine summa petens
Aetherei pandit mysteria coelica regis
Humano captu scribere quanta licet
Hoc duce priscorum laudes superavimus omnis.
Quas studium doctis contulit acre viris
Fertilis ut tantum absolvit natura: videtur
Ubertim vires exeruisse suas.

Doctorum decus est, celebri cognomine clarum.
Et quo nil majus tempora nostra vident.
Quid si tanta dedit florens juvenilibus annis
Aetas quid gravior? maxima quaeque dabit
Inspice lector opus, thesaurum volve latentem
Aere perexiguo candide lector eme.
Dispeream, ni mox hilaro sic ore sonabis
Unus mille fovet pectora, mille sapit
Vivat Joannes Cervis vivacior ipsis
Ne tellus tanto sole sit orba: Vale."

Vgl. dazu Uhlhorn II, S. 346, Anm. 15. Zur Ehre Rhegius' muß vermerkt werden, daß Eck tatsächlich eine außergewöhnliche intellektuelle Erscheinung gewesen sein muß; Rischar meint sogar: „Man kann Eck mit Recht als Wunderkind bezeichnen." Rischar, Professor Eck, S. 194.

Als der 25jährige Rhegius 1514 Johann Eck als die Zierde der Gelehrten feierte und meinte, seine Zeiten werden keinen größeren Namen mehr sehen, konnte er noch nicht ahnen, daß er als 45jähriger von einem ganz anderen schreiben werde: „Semper mihi magnus fuit... At jam mihi maximus est[191].“

Luther aber, von dem Rhegius das 1534 schrieb, ließ sein Gedicht in Rauch aufgehen, als er der Bannandrohungsbulle Ecks Chrysopassus am 10. Dezember 1520 zur neunten Stunde am Elstertor zu Wittenberg ins Feuer nachwarf[192]. Wieviele Rhegius-Gedichte Luther noch verbrannte, wissen wir nicht, weil er keine detaillierten Angaben über die anderen Bücher „eiusdem autoris“ Eck machte, die er noch verbrannte. Da aber Rhegius in nicht wenigen Büchern Ecks Lobgedichte auf das jeweilige Buch und seinen Verfasser Eck stehen hat[193], dürften damals auch einige andere das Schicksal der Einäscherung am Elstertor erlebt haben.

Ob Rhegius es jemals erfahren hat, daß nicht nur die Bannandrohungsbulle die demonstrative Verbrennung durch Luther erlebte, sondern auch Ecks Bücher mit seinen eigenen Lobgedichten auf diese und ihren Autor? Zu Beginn des Jahres 1521 dürfte dies wohl kaum der Fall gewesen sein, denn damals besang Rhegius mit überschwenglichen Worten diesen „solennem actum“ in einem Hymnus, den er selber „Carmen victoriale“ nannte[194]. Daß übrigens Luther dieses Lied des Rhegius kannte, beweist nichts besser, als daß ein „Exemplar dieses Einblattdruckes“ ihm „als Schreibunterlage und Löschblatt gedient“ hat[195].

2.3.6. Von Leonhard Eck und Johann Aventinus protegiert

Eck zeigte sich Rhegius gegenüber erkenntlich und dankbar, er bewirkte, als Rhegius „cum tristi pauperie aliquandiu“ zu kämpfen

[191] Rhegius an einen Freund über Luther 1534, Opera II, fol. LXXX. D. 99.

[192] Luther an Spalatin, 10. Dezember 1520. WABr, 2. Bd., S. 234. „Anno MDXX, decima Decembris, hora nona, exusti sunt Wittembergae ad orientalem portam, iuxta S. Crucem, omnes libri Papae... et Bulla novissima Leonis X. item... Chrysopassus Eccii, et alia eiusdem autoris...“ Weit respektvoller ging der nochmalige Schweizer Reformator Huldrych Zwingli mit Ecks Chrysopassus um: Er studierte das Werk sehr genau und annotierte es. Siehe: CR, 99. Bd., S. 246—253.

[193] Vgl. D. 3—20.

[194] Siehe: D. 23.

[195] Kawerau, Verbrennung der Bulle, S. 233. Luther war überhaupt von Gedichten sehr angetan, wie aus einem Brief von ihm ersichtlich: „Nam ego me unum ex illis esse fateor, quos poëmata fortius movent, vehementius delectant tenaciusque in eis haereant, quam soluta oratio, sit sane vel ipse Cicero et Demosthenes.“ Luther an Eobanus Hessus, 1. August 1537. WABr., 8. Bd., S. 107.

hatte, beim einflußreichen bayerischen Rat und späteren Kanzler Leonhard Eck von Wolfseck, „... ut Oratoriae publicatus docendae praefectus, aliquo etiam numero haberer ...“, wie Rhegius selbst an Eck schrieb[196]. Rhegius wiederum bedankt sich bei Leonhard Eck von Wolfseck mit Lobgedichten[197].

Rhegius war somit um diese Zeit kein Unbekannter mehr. So nimmt es nicht mehr weiter wunder, wenn Johannes Turmair, besser bekannt unter seinem humanistischen Namen „Aventinus“, in die Geschichte als „Vater der bayerischen Geschichtsschreibung“[198] eingegangen, im September 1516 Urbanus Rhegius als Vorsteher — übrigens zusammen mit Matthias Kretz[199] — für die „novam bursam errigendam“[200] wünscht. Mederer und Seifert stimmen überein, daß Aventin in der Fakultätssitzung persönlich erschien, um diese Wünsche vorzutragen, und das „nomine illustrissimi principis Arionisti“[201].

Trotz seiner Berufung auf Herzog Ernst erhielt Aventin vom Fakultätskollegium vorerst eine Absage. Die Fakultät begründete ihre negative Haltung damit, daß zur Errichtung einer neuen Burse keine Notwendigkeit bestehe, da die anderen Bursen „non sint tam referte scolasticis“, außerdem „id vergere in destructionem bursarum“[202]. Zwei Wochen später revidierte die Fakultät jedoch ihre negative Haltung und beschloß „bursam novam approbandam“[203].

Verknotet und fest verknüpft, wenn nicht gar identisch, mit der Errichtung dieser neuen Burse, ist die Errichtung der „unter Aven-

[196] Rhegius an Eck, 24. März 1528. Opera II, fol. XLII'. D. 68. Diese hier apostrophierte Professur für Rhetorik, die Rhegius den beiden Ecks verdankte, ist übrigens die einzige Lehrtätigkeit, von der Uhlhorn Kenntnis hat. Siehe: Uhlhorn II, S. 9; auch Wittmann, Augsburger Reformatoren, S. 38 weiß über eine andere Lehrtätigkeit nichts zu berichten.

[197] Siehe: D. 16, bzw. 144/XXIV und 144/XVIII.

[198] BBKL, 1. Bd., Sp. 307. Aventin hatte unter anderem auch in Paris studiert „und hörte daselbst Jacobum Fabrum Stapulensem, und Jodocum Clichtoveum“. Lippert, Nachricht, S. 19.

[199] Es ist derselbe Kretz, der 1521 Urbanus Rhegius' unmittelbarer Nachfolger als Augsburger Domprediger werden sollte. 1530 war er der „Herbergsvater“ für die altgläubigen Reichstagstheologen. In Wien erwarb er sich das Bakkalaureat und in Tübingen den Magister artium. Vgl. Paulus, Matthias Kretz.

[200] Seifert, Die Universität Ingolstadt, S. 84.

[201] Mederer, Annales, S. 100 und Seifert ebd. Dieser „Arionistus“ ist derselbe Herzog Ernst, in dessen Namen Rhegius mit Erasmus Kontakt aufnahm, um diesen für Ingolstadt zu gewinnen. Ernst wurde 1517 Administrator von Passau und 1540 des Erzbistums Salzburg. 1518 widmete Rhegius diesem einen kurzen Hymnus auf die hl. Katharina. Siehe: Ms. 14.

[202] Seifert, ebd., S. 85.

[203] Ebd., S. 86. Nach Prantl, Geschichte, 1. Bd., S. 134 genehmigte die Fakultät am 13. Oktober die Gründung.

tins Leitung stehenden Ingolstädter humanistischen ‚Sodalitas litteraria'"[204]. Ihre Sitzungen und Zusammenkünfte scheinen sie in der „Lilienburse" abgehalten zu haben[205], zu deren Leiter am 13. Oktober 1516 Matthias Kretz auf eigenes Ersuchen von der Fakultät bestellt werde[206]. Von Rhegius ist jetzt in puncto Bursenleitung nicht mehr die Rede, doch dürfte seine Position mit der des Kretz ziemlich gleich gewesen sein, denn er äußerte sich nicht allzu lang darnach über Kretz mit der Bemerkung: „Mathias Cressus ... contubernalis noster ...[207]."

2.3.7. Mitglied von Aventins ‚Sodalitas litteraria'

Weit wichtiger als die Frage der „Lilienburse" erscheint mir für diese Untersuchung die Tatsache, daß Rhegius Mitglied dieser „Sodalitas litteraria" war, und hierüber gibt es keinen Zweifel[208]. Den Aventin, das geistige Haupt und den Leiter dieser Sodalitas, tituliert Rhegius in einem Brief an diesen deshalb auch mit „praeceptori optimo[209]". Den schon genannten Herzog Ernst bezeichnet Rhegius als „Maecenatum meum et dominum clementissimum"[210]. In dem Werk, das diese „Sodalitas litteraria" 1518 herausgab, finden sich auch zwei Gedichte des Mitarbeiters und Mitgliedes Rhegius[211], was sein Ansehen in dieser Gesellschaft gut unterstreicht[212]. In einem preist er eben dieses Werk an, und im anderen besingt er

[204] Seifert, ebd., Anm. 31.

[205] Daß mit der neuen Burse die Errichtung der ‚Lilienburse' gemeint sei, wie Seifert ebd. ventiliert, finde ich völlig ausgeschlossen. Wenn ihre Errichtung erst Mitte September 1516 beschlossen wird, wie könnte dann Rhegius am 10. Juni 1516 schreiben: „Ex Ruinoso Liliorum Contubernio?" Siehe oben S. 92. Viel plausibler erscheint mir die Erklärung, die bei Mederer zu finden ist, daß die Mitglieder dieser Gelehrten Gesellschaft „... videntur itaque in Bursa seu contubernio Liliorum suos quasi conuentus celebrasse, atque ex illo tanquam Musaeo partus ingenii sui in lucem emisisse." Mederer, Annales, S. 100.

[206] Mederer, ebd.

[207] Opusculum de dignitate sacerdotum, Opera I, fol. X. D. 18. Vgl. dazu auch: Clemen, Zieglers Leichenrede, S. 111.

[208] Siehe: Lippert, Nachricht, S. 21f.; Mederer, Annales, S. 99ff.; Wiedemann, Turmair, S. 28; Uhlhorn II, S. 12; Wittmann, Augsburger Reformatoren, S. 39.

[209] Rhegius an Aventin, 28. Oktober 1516. D. 8. Siehe auch: Strauss, Aventinus, S. 67f.

[210] Ebd.

[211] D. 16 und 17.

[212] Wittmann sieht das so: Rhegius war „auch in Ingolstadt ‚vorwiegend Humanist' mit Aventin ... Mitglied der 1516 entstandenen ‚bayerischen litterarischen Gesellschaft', die sich mit Poesie und Geschichte befaßte. Ein Band ihrer Arbeiten, der 1518 zu Augsburg erschien, beweist, daß Rhegius ein Bewunderer aventinischer, d. i. widerkirchlicher Geschichtsschreibung war."

Leonhard Eck von Wolfseck und führt zugleich Klage über die „miseria Poetarum". Dieses Lobgedicht auf Leonhard Eck endet mit dem Vers: „Urbani memor es, dulce decus meum[213]." Geradezu wie eine tröstende und aufmunternde Antwort auf dieses „Lob- und Klagelied" des Rhegius nimmt sich ein Gedicht aus, das ein gewisser Augustinus Merbolt[214] an Rhegius richtet. Da er Rhegius als „preceptorem philosophum et poetam clarissimum" bezeichnet, ist anzunehmen, daß dieser ein Hörer von Rhegius' Vorlesungen war. Er grüßt ihn auch am Schluß mit „praeceptor selectissime"[215].

Aus diesem Gedicht schließt Lippert nicht zu Unrecht, „daß Urbanus Rhegius damals schon bey den Gelehrten in großem Ansehen gestanden sey"[216].

2.3.8. Vom Kaiser zum Dichter gekrönt

Wenn wir die Bezeichnung des Rhegius, die er nun sich selber gibt, ansehen, finden wir: „Poeta et orator laureatus[217]." In seinen Gedichten scheint diese Titulierung erstmals in einem Werk Ecks auf, das 1517 erschien und dessen Vorwort die Datierung 23. September 1517 trägt[218]. Diesen Titel durfte Rhegius legitim führen, seit ihn Kaiser Maximilian I. dazu gekrönt bzw. ihm den Lorbeerkranz eines Redners und Dichters aufs Haupt gesetzt hatte. Der Sohn berichtet uns hierüber: „Ehe er aber den gradum in Theologia erlanget, ist Maximilianus hochlöblicher gedechtniß durch Ingolstadt gezogen, vnd haben alda Key. Mai. ihn zu einem Poeten vnd Orator gemacht, jm auch mit eygener hand das laureum sertium, wie die Ceremonien gebreuchlich, auffgesetzt[219]."

Wann diese Krönung nun genauer stattgefunden hat, verrät uns der Sohn, der bekanntlich jeder Datumsangabe ausweicht, nicht. Nach Uhlhorn und Wittmann war es „im Herbst des Jahres 1517"[220]. Ein Blick in das Itinerarium des Kaisers gibt uns näher Aufschluß, wann dieses für Rhegius höchst ehren- und bedeutungsvolle Ereignis stattgefunden haben muß. Da der Aufenthalt des

[213] D. 16. Uhlhorn II hat richtig beobachtet, wenn er S. 8 schreibt: „... und die Lobgedichte auf den Kanzler Leonhard von Eck sind zugleich Bittbriefe um Unterstützung."

[214] Vgl. Lippert, Nachricht, S. 24.

[215] Auf der letzten Seite des unter D. 16 bibliographierten Werkes.

[216] Lippert, ebd., S. 24.

[217] D. 17.

[218] D. 12.

[219] Regius Ernestus, Biographie, Bl. a 7. Vgl. dazu dessen Vita, Bl. b 1, wo noch steht, daß das entsprechende Dekret vom Kaiser selbst unterschrieben ist. Leider ist uns dieses Dekret nicht mehr erhalten.

[220] Uhlhorn II, S. 10; Wittmann, Augsburger Reformatoren, S. 38.

Kaisers in Ingolstadt sich für die Zeit vom 20.—22. August (Donnerstag bis Samstag) 1517 nachweisen läßt[221], ist das Krönungsdatum für diese Tage anzusetzen.

Angesichts der vielen Gedichte, die von Rhegius damals bereits im Druck erschienen waren — siehe die obigen Ausführungen — und seiner Bekanntheit in Ingolstadt und vor allem auch am bayrischen Hofe scheint mir Schottenlohers Überraschung, Rhegius' Namen „unter den gekrönten Dichtern“ zu finden[222], unverständlich. Es mag sein, daß Rhegius' Gedichte keine Meisterwerke der Dichtkunst[223] sind, aber sind denn die der anderen gekrönten Dichter und Redner solche[224]?

In einem Brief an einen ebenfalls vom Kaiser persönlich gekrönten Redner und Dichter, den aus seiner näheren Heimat stammenden Joachim von Watt, besser als Vadian oder Vadianus[225] bekannt, teilt Rhegius voll Stolz einige Einzelheiten über seine Krönung mit. Demnach scheint die Initiative von Rhegius selbst ausgegangen zu sein. „Nuper enim, nescio quo Apolline excitatus“, schreibt Rhegius, „aulam Caesaream ingressus lauream Poetice

221 Vgl. Stälin, Aufenthaltsorte, S. 382; Le Glay, Correspondance, S. 351, Nr. 645 und vor allem Kraus, Itinerarium, S. 316.

222 Schottenloher, Kaiserliche Dichterkrönungen, S. 662. Baltl begnügt sich in ihrer Dissertation über Maximilian I. bei der Behandlung dieser Dichterkrönung gar nur mit der bloßen Nennung des Namens Rhegius. Siehe: Baltl, Maximilian I., S. 38. Viel berechtigter, sich überrascht zu gebärden, wäre es bei den weitgehend Unbekannten, sowohl was ihre Werke wie auch ihr Leben betrifft: Richard Sbrulius oder Johannes Hadus Hadelius, über die Schottenloher nichts Mitteilenswertes gefunden hat. Vgl. Schottenloher, ebd., S. 661f., ebenso Baltl, ebd.

223 Uhlhorn urteilte: „Seine Gedichte aus der Ingolstädter Periode sind lateinische Stylübungen, conventionelle Verse ohne eigentliche Wahrheit, wie sie von Humanisten in großer Zahl angefertigt wurden, um sich dann gegenseitig als neue Horaze und Virgile in neuen Gedichten zu preisen. Die Form ist glatt und schon die vielen extemporierten Gedichte zeigen, daß Rhegius nach dieser Seite hin eine große Gewandtheit besaß. Aber die Form ist alles; der Inhalt sehr dürftig. Nach Art der Restaurationszeit sind sie voll classischer Reminiszenzen. Die alten Götter, die griechische Mythologie spielen eine große Rolle, Anspielungen auf die alte Geschichte begegnen uns überall. Selbst in die Gedichte religiösen Inhalts drängen sich diese classischen Reminiscencen ein, und der christliche Gott wird zum ‚Beherrscher des hohen Olymps‘, zum ‚donnernden Zeus‘.“ Uhlhorn II, S. 9. Wittmann meint, Rhegius' „Gedichten fehlt aber die religiöse Innigkeit, wie der wahrhaft dichterische Geist.“ Wittmann, Augsburger Reformatoren, S. 39. Schlecht dagegen resümiert: „Der Humanist Urban Regius verfaßte zahlreiche, tief empfundene Dichtungen religiösen Inhalts.“ Schlecht, Lob und Spottgedichte, S. 222.

224 Vgl.: Schottenloher, Kaiserliche Dichterkrönungen, und Baltl, Maximilian I.

225 Vadian wurde „am 12. März 1514 zu Linz vom Kaiser mit dem Lorbeerkranz geschmückt“. Schottenloher, ebd., S. 661.

atque oratorie ab Invictissimo Imperatore petii votique compos et perhumaniter tractatus abij[226].“ Von den „praestantissimi viri“ und den „non pauci Maecenates“, die rundherum anwesend waren, nennt Rhegius namentlich nur den Jakob Spiegel, den „plane amicum et Musarum patronum“[227]. Womit ziemlich eindeutig klar wird, daß Jakob Spiegel, der Sekretär des Kaisers, Rhegius' Protegé hierbei war[228]. Gustav Knod meint sogar ganz dezidiert, daß Spiegel dem Rhegius diese „kaiserliche Huld erwirkte“[229]. Wesentlich bedeutender als diese Mitteilung an Vadian ist wohl die, die Rhegius seinem — oben schon genannten — geschätzten Lehrer, dem christlichen Humanisten und Hieronymus-Verehrer Johannes Rhagius Aesticampianus am 4. April 1518 über seine Dichterkrönung machte. Sein so verehrter[230] Kaiser Maximilian I., der übrigens seit dem Jänner 1514 seinen eigenen Sarg „stets mit sich führte“, was „zu den verschiedensten Gerüchten über den Zweck der geheimnisvollen Truhe Anlaß“[231] gab, machte demnach dem Rhegius bei seiner Krönung eine Auflage. Diese Auflage scheint mir zu wichtig, als daß sie nicht wörtlich zitiert werden müßte: „... ea lege“, schreibt Rhegius, habe der Kaiser ihn gekrönt, „ut Christianus Poeta sim, ad diuorum laudes decantandas, quam Cacodaemonum deliramenta accinctior“. Rhegius war mit dieser Auflage sehr einverstanden, wie sein Zusatz „quod equidem mihi in primis placuit“ verrät[232]. Ja mehr noch, Rhegius teilt sogar mit, daß er sich bereits umgestellt habe und nun Gott dem Herrn, der Mutter Maria und nicht mehr „Apollini aut Mercurio“ seine Hymnen singe. Daß es soweit kam und er nun immer christlicher und frömmer werde, verdanke er weiters nicht zuletzt seinen, also des Rhagius Aesticampianus, Ermahnungen, wofür er nun herzlichsten Dank (gratias maximas) sage[233].

Leider gibt es keine Bilder etwa analog zu Ulrich von Hutten, der im gleichen Jahr, knapp zuvor, in Augsburg gekrönt worden

[226] Rhegius an Vadian, 8. November 1517. Ms. 13.
[227] Ebd.
[228] Im selben Brief schreibt er auch über Spiegel: „... praeceptore usus sum.“
[229] Knod, Spiegel, 1. Tl., S. 30. Burger erwähnt in seiner 1973 abgefaßten Dissertation über Spiegel dessen Beziehungen zu Rhegius überhaupt nicht. Spiegels Bibliothek weist übrigens auch ein Rhegius-Werk aus, nämlich: Opusculum de dignitate sacerdotum. Vgl. dazu: Semler, Die Bibliothek Spiegels, S. 94.
[230] Siehe das Gedicht Rhegius' auf den Kaiser: D. 144/VI.
[231] Srbik/Lhotsky, Maximilian I., S. 37.
[232] Rhegius an Johannes Rhagius Aesticampianus, 4. April 1518. Wilisch, S. 112. D. 14.
[233] Ebd.

war und „der mit Stolz den Lorbeer trägt“[234]. Stolz war nicht nur Ulrich von Hutten auf diesen Titel, stolz war besonders auch Jakob Locher, Philomusus genannt, zu dessen Hochzeit Rhegius ein Lied[235] verfaßt hatte. Jener meinte sogar, ob seiner Krönung den Vortritt vor dem Dekan der Artistenfakultät verlangen zu können[236]. Von Rhegius wird zwar Ähnliches nicht berichtet, daß er aber auf diesen Titel, der „fast wie der Magister- und Doktortitel eine Art akademischer Würde darstellt“[237], stolz war, beweisen seine Selbsttitulierungen in den diversen Schriften[238].

2.3.9. Hinwendung zur Theologie und Abschied von Ingolstadt und Johann Eck

Rhegius, der sich auch in der griechischen Sprache Kenntnisse erworben hat, wie verschiedene Worteinstreuungen in seinen Schriften es beweisen[239], wandte sich nun immer mehr der Theologie zu.

Gleichsam wie ein Stammbuchvers für diese Übergangszeit geschrieben mutet an, was höchst ehrenvoll bei Periander über Rhegius zu lesen ist: „Rege inter summos potuisses esse poetas.

[234] Schottenloher, Kaiserliche Dichterkrönungen, S. 662.

[235] Ms. 9.

[236] Schottenloher, ebd., S. 654.

[237] Husung, Dichter, S. 40.

[238] Sein vorhin zitierter Brief an Rhagius Aesticampianus ist unterzeichnet mit: „Mgr. Urbanus Rhegius Poeta et Caesareus laureatus Orator.“ Siehe dazu auch: Ms. 14; D. 12, 13, 15, 16, 17, 19, 20.
Die leider nicht mehr erhaltene „Dichterurkunde“ für Rhegius wird gleich gelautet haben wie die knapp zuvor für Hutten ausgestellte. Huttens Urkunde ist abgedruckt: Hutten Opera, 1. Bd., S. 143f. Dort heißt es: „Te ... exornatum annuloque aureo decoratum Poetam et Vatem et Oratorem facundum dicimus et pronunciamus. Dantes et concedentes tibi et hoc Caesareo nostro statuentes edicto, quod de cetero in quibuscunque studiis et generalibus precipue tam in arte poetica quam in oratoria legere, docere, profiteri et interpretari, ac insuper omnibus privilegiis, Immunitatibus, Indultis, honoribus, pręeminentiis gratiis, et libertatibus libere uti, frui, et gaudere debeas et possis, quibus cęteri Poetę a nobis Laureati ac Oratores fructi sunt et usi fuere seu quomodolibet gaudent consuetudine vel de iure.“

[239] Vgl. seinen schon mehrmals zitierten Brief an Johannes Rhagius Aesticampianus oder sein erstes größeres Werk: Opusculum de dignitate, oder Gedichte, die um diese Zeit entstanden: D. 144/XII, D. 144/XX.
Ob Rhegius bereits in Freiburg Griechisch lernte oder erst in Ingolstadt, ist ungewiß. Es könnte durchaus sein, daß Eck ihn zu diesem Sprachstudium wie auch zum Hebräischen animierte. Auffallend ist, daß im frühesten handschriftlichen Zeugnis, das wir von Rhegius haben, sein Name — damals noch Rieger — bereits dreimal in hebräischen Buchstaben und mit der entsprechenden Interpunktion geschrieben aufscheint. Siehe: Ms. 1 und 2. Zu Ecks Studien der griechischen und hebräischen Sprache vgl. Schlecht, Eck, S. 5f. und vor allem: Rischar, Professor Eck, S. 201. Von Rhegius ist sogar ein Mahngedicht,

Sed maior populum cura docere fuit[240]."

In den Septemberferien 1518 schrieb Rhegius bei Johannes Fabri in *Konstanz* seine erste theologische Schrift, das schon mehrmals zitierte Opusculum de dignitate sacerdotum. (Wir werden unten noch ausführlich darauf zurückkommen.)

Hier wollen wir seinen Bildungsgang auf den Universitäten weiter verfolgen.

Am 2. November 1518 finden wir Rhegius wieder in *Ingolstadt*[241], am 18. Jänner 1519 ist er wieder zurück in Konstanz[242].

In dieser Zeit etwa wird sein Abschiedsgedicht auf Ingolstadt, seine Universität und seinen Lehrer Eck entstanden sein. Während Ingolstadt, die Universitätsstadt, sehr schlecht wegkommt: „... quod nil, nisi caules et cerevisiam, habeat"[243], heißt es in einem anderen Gedicht in der letzten Strophe:

„Eckius longos valeat annos,
Causa, quod Boios peterem vetustos
Hunc edax nostro minime revellet
Pectore tempus[244]."

Er schied also von seinem verehrten Lehrer Eck, von dem er noch 1527 mitten in den ärgsten Reformationsfehden bekannte: „... tu ... me olim in Philosophia Aristotelis et Theologia scholastica praeceptor erudijsti[245]."

Griechisch bei Andreas Osiander zu hören, erhalten. D. 144/VIII. Liess, der über die „Einführung des Griechischen in Ingolstadt" handelte, ist dieses interessante Gedicht offensichtlich entgangen.

240 Periander, Germania, S. 840 zu Periander, vgl. Goedeke, Grundriß, S. 105.

241 Siehe: Ms. 15. Vgl. dazu auch das zitierte Opusculum, Opera I, fol. XVI.

242 Ms. 16.

243 D. 144/XLV. Diese „Ingolstadt-Beschimpfung" Rhegius', wo er sich doch in dieser Stadt sechs Jahre aufhielt, studierte, lehrte und vor allem durch die Dichterkrönung gefeiert und auf den Leuchter erhoben wurde, ist befremdend. Sie ist in der Literatur auch auf herbe Kritik gestoßen. So schreibt Randlinger über Rhegius: „Es wirft kein günstiges Licht auf seinen Charakter, daß er — wie früher Celtis bei seinem Weggang nach Wien — bei seinem Abschied von der bayerischen Universität, der er viel zu danken hatte, spottet über die Stadt des ‚Sauerkrautes, der Rüben und des Bieres'. Randlinger, Vorlesungsankündigungen, S. 355. Rhegius scheint zum Unterschied von seinem verehrten Lehrer Eck den Wein dem Bier vorgezogen zu haben. In diesem hier in Rede stehenden Gedicht besingt er z. B. die rebenumkränzten Ufer des Bodensees. Vgl. dazu auch: D. 144/XXII. Von Eck heißt es: „Abends fand er sich gerne im fröhlichen Kreise beim Becher ein und trank seine Kanne Bier, für das er größere Vorliebe hatte als für den Wein." Schlecht, Eck, S. 14.

244 D. 144/XLVI.

245 Rhegius an Eck, Widmungsvorrede von D. 73 datiert mit: 22. April 1527. Opera II, fol. VI'.

Wieweit die Freundschaft zwischen den beiden trotz aller Beteuerungen jedoch schon abgekühlt war, läßt sich sehr schwer sagen. Sehr auffallend ist jedenfalls, daß Rhegius in Ingolstadt nicht Theologie studierte, vielleicht besser gesagt, nicht weiterstudierte. Die Formulierung Rischars: „Unter seinem“ (gemeint Ecks) „Einfluß studierte der Jurist Rhegius in Ingolstadt Theologie und promovierte sogar darin“[246], ist im höchsten Grad mißverständlich. Zunächst kann man so nicht vom Juristen Rhegius sprechen, wie oben dargetan, und zweitens hat Rhegius in Ingolstadt bei Eck das Theologiestudium abgebrochen, wenn überhaupt jemals regulär betrieben. Es ist wirklich sehr merkwürdig, bei Rhegius im Opusculum de dignitate sacerdotum, datiert mit 16. September 1518, zu lesen, er müsse eilends nach Ingolstadt zurück, um seinen Vorlesungsverpflichtungen nachzukommen[247], und am 2. November desselben Jahres bereits hören zu müssen, daß er bald Ingolstadt verlasse, weil er nicht wisse, welche lästigen Geschäfte ihn noch länger bei den Bayern aufhalten könnten[248]. Von einem weiteren Aufenthalt oder gar Theologiestudium in Ingolstadt hören wir nun überhaupt nichts mehr.

2.4. Auf den Universitäten in Tübingen und Basel

2.4.1. Immatrikulation in Tübingen

Am 20. August 1519 finden wir Urbanus Rhegius auf der Universität Tübingen immatrikuliert[249]. Über irgendeine Studien- oder Lehrtätigkeit an der dortigen Hochschule hören wir gar nichts[250]. Rhegius war „nur ganz kurz in Tübingen“[251], weshalb man davon

[246] Rischar, Professor Eck, S. 202.

[247] Opera I, fol. XVI.

[248] Ms. 15.

[249] Hermelink, Matrikel Tübingen, S. 226: „Vrbanus Rogius ex Lindaw Mag. universitatis Ingolstadiensis.“ Nach Überprüfung der handschriftlichen Unterlagen im Tübinger Universitätsarchiv scheint mir die Lesart ‚Regius‘ statt Rogius durchaus möglich. Vgl. Ms. in Tübingen Univ. A.: Matrikel 5/24, S. 210. An der Identität mit Urbanus Rhegius ist aber auch bei der Lesart ‚Rogius‘ nicht zu zweifeln.

[250] Urbanus Rhegius als den anzusehen, dem Prof. Lemp von Tübingen es verboten hätte, „paulum ... nach des Erasmus schreibung“ zu lesen, hat Hermelink zwar vermutet, dann doch wieder sehr stichhaltig verneint. Bei dem Zitat handelt es sich um die Flugschrift: Cuntz und Fritz. Vgl. Berger, Sturmtruppen, S. 162; dazu auch meine Abhandlung über diese Flugschrift im II. Teil. Zu Hermelink siehe: Hermelink, Die theologische Fakultät, S. 43, Anm. 1. Regius Ernestus erwähnt übrigens kein Wort von einem Studienaufenthalt seines Vaters in Tübingen; Uhlhorn und Wittmann übergehen ihn auch.

[251] Hermelink, Die theologische Fakultät, S. 172.

Abstand nehmen soll, ihn einen „Tübinger Humanisten“[252] zu nennen und daraus noch weitreichende Schlüsse zu ziehen[253].

2.4.2. Promotion in Basel

2.4.2.1. Immatrikulation

Etwas klarer, wenngleich nicht völlig aufhellbar ist Rhegius' Studium in Basel und die dortige Promotion zum Doktor der Theologie. Uhlhorn und Wittmann stimmen darin überein, daß sich Rhegius in Basel das theologische Doktorat erwarb[254].

Sehen wir die Quellen einmal näher an. Unter dem Rektorat von Ludwig Bär, das vom 1. Mai bis 17. Oktober 1520 währte[255], ist Rhegius als 19. immatrikuliert, und zwar auf der theologischen Fakultät. Die Eintragung lautet: „... dominus Urbanus Regius, artium liberalium magister, orator et poeta laureatus ex Lindaw dioc. Const[256].“ Daß hier Rhegius erstmals als „dominus“ aufscheint, was übrigens bei der Tübinger Universitätsmatrikel noch nicht der Fall ist — siehe obiges Zitat —, heißt, daß er zu diesem Zeitpunkt Priester war.

Diesen Zeitpunkt, zu dem die Immatrikulation erfolgte (leider steht kein Datum dabei), wollen wir nun näher ins Auge fassen. Zu diesem Zweck ist ein kurzes Vorgreifen auf den nächsten Abschnitt — auf Rhegius' Berufung zum Domprediger von Augs-

[252] Schmauch, Christoph von Stadion, S. 61. Schon Hermelink ebd. hat davor gewarnt, als er S. 172 schrieb: „Urban Rhegius, Oekolampad ferner Konrad Sam ... und Schradin sind nur ganz kurz in Tübingen gewesen; sie können auch deshalb nicht als eigentliche Glieder des Tübinger Humanistenkreises gelten.“ Offenbar war es schon damals modern, in Tübingen immatrikuliert zu sein?

[253] Schmauch, ebd. und S. 4 meint, Bischof Christoph von Stadion habe von Rhegius „ein gemeinsames Kämpfen gegen die Mißstände erwartet“, und führt diese Erwartung auf die Tatsache, daß Rhegius ein Tübinger Humanist gewesen sei, zurück. Wie Schmauch ebd. S. 4 überhaupt auf die Idee kommen konnte, Bischof Stadion, der 1494 bereits Tübingen verlassen hatte, um in Freiburg i. Br. zu immatrikulieren (Mayer, Die Matrikel, S. 118), könnte Urbanus Rhegius „hier in Tübingen kennengelernt“ haben, ist unverständlich.

[254] Uhlhorn II, S. 21 und S. 348, Anm. 26 Wittmann, Augsburger Reformatoren, S. 46. Wittmann hat sich mit den näheren Umständen der Promotion nicht beschäftigt, sondern nur das Faktum als solches kurz mitgeteilt. Uhlhorn II, S. 21: „Die Absicht, in der Rhegius nach Basel ging, war wohl nur die, die theologische Doktorwürde zu erwerben. Diese Absicht erreichte er. Nachdem er sich den Sommer über dort aufgehalten, wurde er am Donnerstag vor Michaelis 1520 nach gehaltener Disputation ehrenvoll promoviert.“ Hier hat Uhlhorn wieder einmal übers Ziel geschossen und mehr behauptet, als sich quellenmäßig beweisen läßt.

[255] Wackernagel, Matrikel Basel, S. 343.

[256] Ebd., S. 344.

burg — notwendig. Das Augsburger Domkapitel beschloß am Freitag, dem 27. April 1520, die „predicatur auszuschreiben“[257]. Nachdem verschiedene Bewerber, u. a. auch Rhegius, wie wir unten noch näherhin sehen werden, ihre Probepredigten gehalten hatten, beschloß das Domkapitel am Dienstag, dem 9. Juli, Urbanus Rhegius zum Domprediger zu bestellen, „so fern er in geburender Zeit doctorieren wolle“[258]. (Bei Doktor [doctorieren] war, wie bei derartigen Prädikaturen allgemein üblich, natürlich der Doktor in *Theologie* gemeint. Siehe dazu unten S. 134.) Damit, glaube ich, kann man Rhegius' Immatrikulationsdatum in Basel im Spatium: 1. Mai bis 17. Oktober 1520, wie es Bärs Rektorat offenläßt, wesentlich einengen, nämlich auf die Zeit nach dem 9. Juli. Das fügt sich auch gut mit der 19. Stelle, an der Rhegius unter 22 Immatrikulationen im genannten Zeitraum verzeichnet ist, zusammen.

2.4.2.2. Sententiarius bzw. Bakkalaureus und nicht Doktor

Die nächste Eintragung in die Matrikel der theologischen Fakultät lautet: „Feria quinta ante sancti archangelj michaelis festum ad theologicam facultatem receptus est venerabilis artium liberalium magister dominus vrbanus Regius sicque ad sententias admissus promissa responsione prestitisque juramentis solitis et sic omnia juxta iniuncta a theologiae doctoribus laudabiliter et honorifice perfecit[259].“

Im Klartext heißt diese Eintragung nichts anderes, als daß Urbanus Rhegius am Donnerstag, dem 27. September, zu Basel „Sententarius“ oder, wie Vischer, der die Geschichte der Universität Basel verfaßte, sich ausdrückt, „zum Lesen der Sentenzen zugelassen“ wurde[260]. Nach Kaufmann mußte nun der „Sententiarius“ durch zwei Jahre die „vier Bücher der Sentenzen“ lesen und sich durch weitere zwei Jahre durch Besuche von Vorlesungen, Disputationen und „durch Studium theologischer Schriften für die Lizenz vorbereiten“[261]. Die Lizenz war als wissenschaftliche Stufe identisch mit dem Magister[262]. Die Statuten an den verschiedenen Universitäten waren diesbezüglich ziemlich gleich, überall lag

[257] Kapitelprotokoll, fol. 121. Vgl. dazu auch Hablitzel, Urban Rhegius.

[258] Ebd., fol. 127'. Gleich am 11. Juli teilte der einflußreiche Augsburger Domherr Bernhard Adelmann dem berühmten Nürnberger Humanisten Willibald Pirckheimer dieses Ereignis mit. Heumann, Documenta, S. 202.

[259] Ms. in Basel UB: Theologiae facultatis matricula I (MFTHI), fol. 41; vgl. dazu Uhlhorn II, S. 348, Anm. 26.

[260] Vischer, Universität Basel, S. 202.

[261] Kaufmann, Universitäten, 2. Bd., S. 278.

[262] Ebd., S. 282.

ein gehöriger Zeitraum zwischen den Graden Sententiarius und Lizentiat[263], letzteres war aber in der Stufenfolge der akademischen theologischen Grade nichts anderes als die vom Kanzler auszusprechende Erlaubnis, sich den Doktorhut durch die Fakultät verleihen zu lassen[264].

Rhegius aber muß, nachdem er Sententiarius geworden war, ohne das Lizentiat — geschweige denn das Doktorat — erworben zu haben, Basel wieder verlassen haben, denn am 11. November 1520 trifft er in Konstanz ein, wo er Michael Hummelberg begegnet, der ihn zur „theologicam abollam a Basiliensibus nuper adeo adsecutam“ herzlich (candide) gratuliert[265]. Hummelberg gratuliert Rhegius somit nur zum „Theologenmantel“, kein Wort von einem

[263] Universität Tübingen: „Der *sententiarius* hatte im ersten Jahr die beiden ersten Bücher, im zweiten das dritte und vierte Buch der Sentenzen des Petrus Lombardus, welches das einzige dogmatische Lehrbuch im Mittelalter war, zu lesen. Jedes Buch begann er mit einem ‚principium‘, d. h. mit einer Eröffnungsvorlesung über den Gesamtinhalt des Buchs, zu der alle Fakultätsmitglieder feierlich geladen waren. Zwischen diese Vorlesungstätigkeit hinein hatte der einzelne (!) noch seine Regenzpflicht in der Artistenfakultät zu erfüllen und außerdem die Vorlesungen und Disputationen der Doktoren der Theologie zu besuchen und jährlich eine Kollation zu halten. Der also zwischen zwei Stufen sich emporarbeitende theologische Student hieß während dieser vier Jahre baccalaureus in theologia; näher konnte der cursor in Tübingen auch als baccalaureus biblicus bezeichnet werden, und der sententiarius hieß im letzten Jahr, d. h. nach Eröffnung des dritten Buchs, ‚baccalaureus in theologia formatus‘. Er war nun wirklich ein gemachter Mann und fertiger Theologe; nach Beendigung des vierten Buches konnte er sich zur *Lizenz* melden, über welche in eigens einberufener Versammlung aller theologischen Doktoren entschieden wurde.“ Hermelink, Die theologische Fakultät, S. 33f. Wie sehr die mittelalterlichen Universitäten in ihren Ordnungen übereinstimmten, ist bei Brieger, Die theologischen Promotionen, S. XIff. sehr einprägsam zu sehen. Für die deutschen Universitäten waren wiederum „die Pariser Gebräuche ... vorbildlich und wurden direkt nachgeahmt“. Steinlein, Luthers Doktorat, S. 8, Anm. 1. Zu diesen Fragen, speziell zur Stufenfolge der akademischen Grade vgl. auch: Thurot, De L'Organisation, S. 137ff.; Prantl, Geschichte, 1. Bd., S. 42ff.; Aschbach, Wiener Universität, 1. Bd., S. 71ff. und 294f.; Wappler, Theologische Fakultät Wien, S. 29ff. KL^2, 12. Bd., Sp. 339ff.; Gall, Alma Mater Rudolphina, S. 101ff.

[264] Hermelink, Die theologische Fakultät, S. 35. Hermelink fährt dann noch fort: „Der Grad des Magister oder *Doktor der Theologie* erforderte nicht mehr neues Studium, sondern seine Erwerbung war nur lediglich mit einer Reihe von Förmlichkeiten und mit erheblichen Kosten verknüpft. Die Promotion zum Doktor konnte sofort oder erst später, je nach dem Belieben des Kandidaten vor sich gehen.“

[265] Michael Hummelberg an Beatus Rhenanus, 12. November 1520. Horawitz/Hartfelder, Rhenanus' Briefwechsel, S. 253. Daß Rhegius nur kurz in Basel war, weiß übrigens auch Uhlhorn: „Des Rhegius Aufenthalt in Basel währte auch zu kurze Zeit, als daß er von besonderer Entscheidung für ihn sein könnte.“ Uhlhorn II, S. 21.

Doktorat[266]. Der Mantel aber war ja gerade nicht das spezifische Kleidungsstück des Doktors, denn „die Bakkalaurien durften bereits den Doktorhabit, aber noch kein Birett tragen“[267]. Der sogenannte *Doktorhut* und allenfalls der *Ring* waren die spezifischen Doktorinsignien[268].

2.4.2.3. Wurde Rhegius überhaupt zum Doktor der Theologie promoviert?

Wurde Urbanus Rhegius überhaupt zum Doktor der Theologie promoviert? Diese Frage läßt sich berechtigt stellen. In Basel auf der Universitätsbibliothek gibt es eine gebundene Sammlung der gedruckten Promotionsanzeigen mit handschriftlichen Ergänzungen, kurz Theatrum genannt. Dieses Theatrum verzeichnet handschriftlich für das Jahr 1520: *„M. Casparus Hedio. M. Vrbanus Regius.* Doctores fuerunt renuntiati, sed Promotio, collabescente Ordine Theologico non est inscripta[269].“ Diese Eintragung, die die Promotion des Rhegius zum Doktor der Theologie quellenmäßig eindeutig beweisen könnte, hat aber einen ganz entscheidenden Schönheitsfehler. Sie stammt erst vom 3. Juli 1668[270].

Somit hat Vischers These sehr viel für sich: „1519 erhielt Caspar Hedio ... denselben Grad, 1520 aber Urbanus Regius den eines Sententiarius. Ein späterer Beisatz behauptet beide seien Doctoren geworden, was aber kaum richtig ist, da sie sehr bald abgiengen[271].“ Auf Grund der Quellenlage der Universität Basel läßt sich somit, das kann mit voller Sicherheit gesagt werden, für Rhegius weder

266 Staub, Fabri, distinguiert mit seiner Feststellung zu wenig, wenn er S. 84 formuliert: „Als er“ (gemeint Rhegius) „am 11. Nov. in Konstanz wieder zukehrte, traf er beim Generalvikar auf den Freund Hummelberg; natürlich ward der mit dem ‚Theologenmantel‘ geschmückte Doktor aufs herzlichste willkommen geheißen“.

267 Gall, Alma Mater Rudolphina, S. 102.

268 Wappler, Theologische Fakultät Wien, S. 35: „... die Insignien der Doktorwürde ... nämlich ein Buch als Zeichen des Studiums und das Birett als Zeichen der Freiheit und Würde.“ Walther, Tractatus, S. 441 über die Doktorinsignien: „Substantialia sunt, quae citra Doctoratus perfectionem omitti non possunt, et sunt cathedra, Liber et Pileus ... Accidentalia autem sunt Annulus, Osculum ...“

269 Theatrum, Bl. 63.

270 Ebd. Der Schreiber dieser Eintragung hat sich leider selber zwar nicht genannt, dafür aber genau datiert. (Ein und dieselbe Schrift.)

271 Vischer, Universität Basel, S. 230. Wackernagel, Geschichte Basels, 3. Bd., S. 196 konstatiert ohne irgendeinen Beleg: „Urban Rhegius ... besucht Basel 1519. Er bringt seinen Ingolstädter Ruhm mit und die guten Empfehlungen des Zasius. Hier in Basel vollendet er sein theologisches Studium. Dann geht er nach Augsburg und wird dort Domprediger.“

die Erwerbung des Lizentiats, noch die ehrenvolle Promotion nach gehaltener Disputation (Uhlhorn — siehe oben S. 105, Anm. 254) zum Doktor der Theologie nachweisen[272].

Was hat also Urbanus Rhegius den Augsburger Domherrn, als er am 21. November 1520 seine Dompredigerstelle antrat, vorgelegt, wenn es im Protokoll des Domkapitels heißt: „...auf die Briefliche vrkund, des newen Predigers, das er doctor sey, ist bewiligt ...“[273]?

Das Rätsel von Rhegius' Promotion zum Doktor der Theologie wird perfekt und schier unlösbar, wenn er im Investiturprotokoll am 13. September 1522 für die Predigerstelle in Hall in Tirol nicht als Doktor der Theologie, sondern des Rechtes (Kirchenrechtes) aufscheint, indem es heißt, das Predigtamt ergeht nun an: „Vrbanum Regium de Argau Decretorum Doctorem presbyterum Constantien. Diocesis[274].“

Knapp eine Woche nach der Investitur am 19. September 1522 wird eine Urkunde ausgefertigt, in der Rhegius dem Rat der Stadt Hall feierlich erklärt, die Pflichten der Waldenstein'schen Stiftung einzuhalten[275]. Hier heißt es: „Ich Vrbanus Regius von Argaw Doctor in der heiligen schrifft Costnitzer Bistumbs ...[276].“

Was war Rhegius nun wirklich? War er Doktor oder nicht, wenn ja, in welcher Disziplin?

Hier fühlt man sich wie weiland Dr. Georg von Boyneburg aus Hessen und der sächsische Vizekanzler Franz Burkhardt, als sie am 20. Oktober 1538 in London „eine eigentümliche Wette über Luthers Doktorat abgeschlossen“[277]. „Für den Fall, daß Luther zur

[272] Auf entsprechende Rückfragen in Basel erhielt ich schriftliche Antworten, die diese hier gebrachte These mehr als untermauern. Ich möchte mich an dieser Stelle bei den nachstehenden Herren dafür bestens bedanken und das Ergebnis ihrer Nachforschungen kurz zitieren. Pius *Marrer*, Matrikel-Edition Basel UB, 28. Mai 1973: „In Wirklichkeit ist es höchst unwahrscheinlich, ja sogar unmöglich, daß Rhegius an einem Tag (1520 27. IX.) den baccalaureus sententiarius erhält, die nächsten Stufen des bacc. formatus und des licentiatus theologiae überspringt und dazu noch zum Doktor promoviert wird.“ Dr. Wolfgang *Wackernagel*, Staatsarchiv Basel, 6. Juni 1973: „Es kann daher mit Bestimmtheit gesagt werden, daß Rhegius in Basel den Doktor-Grad *nicht* erworben hat.“ Derselbe am 19. April 1974: „...daß eine Dr.-Promotion des Rhegius in Basel sich quellenmäßig *nicht* nachweisen läßt.“

[273] Kapitelprotokoll, fol. 138. Vgl. dazu Roth, Augsburg, 1. Bd., S. 57.

[274] Ms. in Brixen DA: Lib. Inv. I, fol. 307, Nr. 594.

[275] Auf diese Stiftung bzw. ihre Verpflichtungen kommen wir im nächsten Abschnitt ausführlich zu sprechen.

[276] Innsbruck StA: Urkunde Nr. 705; Original Pergament mit angehängtem, sehr beschädigtem Siegel.

[277] Steinlein, Luthers Doktorat, S. 2.

Zeit seines ersten Auftretens gegen Tetzel noch nicht zum Doktor promoviert gehabt hätte", schreibt Steinlein, der dieser eigentümlichen Wette näher nachging[278], „versprach Burkhardt, seinem Widerpart 122 Goldgulden zusamt einem Papagei zuschicken. Im umgekehrten Fall verpflichtete sich Boyneburg zur Zahlung von 112 Goldgulden, ‚dorunder eyn alder uberwichtiger gulden sein sol'[279]."

Die Wettenden hatten es sehr leicht, sie wandten sich an die Universität von Wittenberg und baten um eine klärende Antwort[280]. „Diese stellte eine amtliche Bescheinigung über Luthers Doktorat aus... Wir erfahren hier, daß Luthers Promotion zum Doktor am 18. und 19. Oktober zu Wittenberg in der herkömmlichen Form stattfand... Die Ausfertigung erfolgte durch Luther selber, der von 1535 an ununterbrochen Dekan der theol. Fakultät zu Wittenberg war[281]."

Bei Rhegius brachten entsprechende Nachforschungen im Basler Universitätsarchiv leider ein negatives Ergebnis, und was die schriftlichen Auskünfte von dort betrifft, war das Ergebnis (siehe oben S. 109, Anm. 272) um nichts besser. Es bleibt nur noch, nach Zeugnissen zu forschen, in denen Rhegius selber sich äußert.

Am 7. Jänner 1533 schreibt er rückblickend: „Ego non affectu praecipiti sed iuditio in hanc docendi viam ingressus sum, idque tum, quando aliquot annorum Doctor, Theologiam Scholasticam et patres forte non somniculose legissem[282]." Das heißt also, daß Rhegius — laut eigenen Angaben — sich ganz der reformatorischen Theologie verschrieb, nachdem er schon einige Jahre Doktor war. Aber welcher? Die deutsche Wiedergabe dieses Textes durch Wittmann scheint mir unkorrekt: „... ‚er habe", gemeint Rhegius, verdeutscht Wittmann „jene Lehrweise zu der Zeit begonnen, wo er bereits mehrere Jahre Doctor der scholastischen Theologie gewesen"'[283].

Diese Unkorrektheit hervorzuheben scheint mir deshalb wichtig, weil unter „Doktor" allein, ohne Spezifizierung rein vom Terminus

[278] Diese Wette wurde übrigens in Celle, wo Rhegius wohnte, am 20. Oktober 1538 „durch Mykonius schriftlich formuliert". Kawerau, Luthers Doktorat, S. 343.

[279] Steinlein, ebd.

[280] Siehe: WABr., 8. Bd., S. 302f.

[281] Steinlein, Luthers Doktorat, S. 2f., und Anm. 3 der S. 2.

[282] Opera III, fol. LXXXV'. D. 94.

[283] Wittmann, Augsburger Reformatoren, S. 65. Die Übersetzung, die Uhlhorn II, S. 20 gibt, ist korrekter: „‚Ich habe nicht in plötzlichem Affect, sondern nach reiflicher Erwägung diesen Weg der Lehre betreten, und das damals, als ich schon einige Jahre Doctor, die scholastische Theologie und die Väter eben nicht im Traum gelesen habe'."

her, auch sein Magister artium, den Rhegius 1516 in Ingolstadt erwarb, verstanden werden kann. Denn bis in die Reformation „waren die Titel des Magister und Doktor miteinander identisch; beide bezeichneten die höchsten Grade in allen Fakultäten“[284]. Diese Selbstbezeichnung „Doktor“ vom Jänner 1533 fällt somit als stichhaltiger Beweis für sein Doktorat in Theologie aus. Dafür gibt es aber andere Titulierungen, die Rhegius' Doktorat in Theologie doch untermauern können. Es sind dies seine Flugschriften. Wenn auch die meisten ihn „nur“ mit Doktor oder abgekürzt mit D. titulieren[285], so gibt es doch zwei, die dieses Doktorat nun *eindeutig* spezifizieren bzw. identifizieren. Eine stammt aus dem Jahre 1521 und ist die Übersetzung der Erklärung des Vater Unser von Cyprian ins Deutsche[286], die andere, vom Jahre 1522, ist die Übersetzung der Titusbriefinterpretation durch Erasmus[287]. Bei der ersten Schrift nennt sich Rhegius außer auf dem Titelblatt auch im Vorwort Doktor der Theologie bzw. „der hayligen schrifft Doctor“[288]. Diese Bezeichnung für Doktor der Theologie war damals durchaus üblich. Der synonyme Gebrauch beider Bezeichnungen ging sogar soweit, daß die Theologische Fakultät auch, wie in Leipzig, als „Fakultät der Heiligen Schrift“[289] tituliert wurde.

Wenn sich auch nicht nachweisen läßt, wann, wo und durch welche Umstände Rhegius das Doktorat der Theologie, das zur Übernahme der Domprädikatur von Augsburg Voraussetzung war, sich erworben hat, scheint die Hauptfrage — in gewisser Analogie zu Luther — doch entschieden.

[284] Hermelink, Die theologische Fakultät, S. 35, Anm. 1. Kaufmann, Akademische Grade, S. 206: „... so stand auch der Wechsel zwischen doctor und magister schlechtweg in der Willkür jedes Schreibers.“ Siehe auch Knapp, Doktor und Magister.

[285] Siehe: D. 26, 28, 29, 31, 33, 34, 35, 37, 38, 41, 42 u. a.

[286] D. 30.

[287] D. 32.

[288] So heißt es beim D. 32. Im D. 30 steht beide Male (am Titelblatt wie im Vorwort): „... der hayligen geschrift Doctor“.

[289] Steinlein, Luthers Doktorat, S. 26.

C Im Dienste der alten Kirche

1. IN KONSTANZ

1.1. Im Trubel der Wechselfälle

Im September 1518 treffen wir Rhegius im Haus des im selben Jahr zum Generalvikar von Konstanz ernannten Johann Fabri[1]. Rhegius verfaßte dort sein Werk über die Würde des Priestertums, datiert mit 16. September desselben Jahren, und eilte alsbald nach Ingolstadt, um seine Vorlesungen zu halten, wie oben bereits beschrieben.

Am 30. Oktober 1518 wird Rhegius „die Kaplaneipfründe des St.-Georg-Altars in St. Stephan zu Konstanz" verliehen[2]. Da in der entsprechenden Eintragung Rhegius immer „nur" mit „Magister" angeführt wird, ist anzunehmen, daß er zum Zeitpunkt der Verleihung noch nicht Priester war; sein Partner Matthaeus Senfft nämlich, mit dem er im Formular immer zugleich genannt wird, trägt konsequent den für Priester üblichen Titel „Dm" (Dominus)[3]. Aus dieser Eintragung übrigens schließen zu wollen, daß Rhegius am bewußten Tag (30. Oktober) in Konstanz weilte, und zu meinen: „... dann eilte er nach Ingolstadt, um seine Vorlesungen über Rhetorik wiederaufzunehmen"[4], ist kaum haltbar. Erinnern wir uns an das oben Ausgeführte: Am 16. September sagt Rhegius, er müsse sofort nach Ingolstadt, um seinen Vorlesungsverpflichtungen nachzukommen, und am 2. November desselben Jahres schreibt er dem bekannten Ravensburger Humanisten Michael Hummelberg aus Ingolstadt, daß er bald zu ihm komme[5]. Diese Pfründenverleihung geschah somit, während Regius abwesend von Konstanz in Ingolstadt weilte und seinen Vorlesungsverpflichtungen nachkam.

[1] Vgl. Staub, Fabri, S. 83. Zum Generalvikar wurde Fabri am 26. März 1518 ernannt. Baier, Domkapitelprotokolle, S. 206. Krebs, Protokolle, Nr. 5904.

[2] Staub, ebd., S. 83.

[3] Ms. in Freiburg: Ha 322, Liber Conceptorum P, fol. 171'—174. Rhegius scheint nur als Marginalie am Rande auf unter: „mgri vrbani regij; mgro vrbano; mgrm vrbanum", analog zum genannten Senfft. Vgl. dazu auch Staub, Fabri, S. 104, Anm. 86.

[4] Staub, ebd., S. 83.

[5] „... donec ipse ueniam, quod fiet breui." Horawitz, Analekten, S. 114. Ms. 15.

Sehr geheimnisvoll tut übrigens in diesem Schreiben Rhegius über ein Buch, das er dem Hummelberg mit dem Briefboten überbringen läßt: Hummelberg möge es in seinem Haus aufbewahren und hüten[6]. Bis zum 7. Jänner 1519 hat Rhegius, so scheint es, noch keine Zeit und Gelegenheit gefunden, bei Hummelberg in Ravensburg vorbeizukommen, obwohl es direkt auf dem Weg zwischen Ingolstadt und Konstanz liegt. Hummelbergs Bemerkung im Brief vom 7. Jänner an Rhegius, daß Rhegius' Bücher („libelli tui") ihn, Hummelberg, in seinem eigenen Haus grüßen, während er selbst nicht da sei[7], legt diese Annahme nahe. Am 10. Jänner 1519 vermutet in Basel Beatus Rhenanus den Urbanus Rhegius in Konstanz, zumindest aber, daß er bald dorthin komme, denn Rhenanus trägt Johann Fabri auf, Rhegius, „decus Musarum", grüßen zu lassen[8]. Das erste sichere Zeichen, daß Rhegius wieder in Konstanz bei seinen Freunden ist, haben wir am 18. Jänner 1519. Von diesem Tag datiert nämlich ein Brief aus Konstanz von ihm[9]. Einen knappen Monat danach, am 14. Februar, erbittet derselbe Hummelberg von Rhegius, dem von Kaiser Maximilian I. gekrönten Dichter und Redner, präzise Daten über den verstorbenen Kaiser für ein Denkmal, denn ihm, Hummelberg, seien sie entfallen[10]. Ende Februar ist Rhegius von Konstanz wieder abwesend, wie wir einem Brief des Generalvikars entnehmen können[11]. Am 2. März

[6] Horawitz, ebd.

[7] Horawitz, S. 115. Hatte Rhegius ein ganzes Bücherdepot bei Hummelberg, weil dieser von Büchern spricht, die bei ihm liegen? Wohnte Rhegius zeitweise bei Hummelberg in Ravensburg, oder waren andere Gründe für eine derartige Deponierung maßgebend? Leider erfahren wir gar nichts über diese Bücher, ihre Autoren und ihren Inhalt. Daß Rhegius bei Hummelberg Bücher verstecken wollte, etwa lutherische, so daß man ihrer nicht habhaft werden konnte, wird für diese Zeit 1518/19 vollkommen auszuschließen sein, denn zu der Zeit gab es noch keinerlei derartiges Bücherverbot, und Luther war weder gebannt noch geächtet. Vielleicht wollte Rhegius seinen Freund Hummelberg auf diese Bücher nur aufmerksam machen und sie ihm zum Lesen zusenden, da er sie in Ingolstadt leichter und früher erhalten konnte als Hummelberg in Ravensburg.

[8] Horawitz/Hartfelder, Rhenanus' Briefwechsel, S. 132, Nr. 85. Staub, Fabri, S. 105, Anm. 88 datiert diesen Brief entgegen der vorhin angeführten Edition mit 20. Jänner 1519, was aber für unsere Untersuchung unerheblich ist. Staub weiß ebd. auch zu berichten, daß Rhegius am 22. Dezember 1518 „mit Johann (Ulrich) Schulther als Zeuge im bischöflichen Consistorialgericht" fungierte.

[9] Urbanus Rhegius an Michael Hummelberg, 18. Jänner 1519. Siehe: Ms. 16.

[10] Michael Hummelberg an Urbanus Rhegius, 14. Februar 1519. Horawitz, Analekten, S. 120: „... sed certus uerusque annorum, mensium dierumque uitae et imperii eius numerus me fugit ..."

[11] Johann Fabri an Beatus Rhenanus, 28. Februar 1519. Horawitz/Hartfelder, Rhenanus' Briefwechsel, S. 139: „Regius nunc abest ..."

finden wir Rhegius wieder in Konstanz, wie sein Brief an Zwingli es zeigt[12]. Hieraus ist auch zu erfahren, daß er sich unlängst in Lindau aufgehalten hatte[13]. Mit 11. März 1519 beschließt das Konstanzer Domkapitel „per maiora vota", Magister Urbanus Rhegius für die „disputation ... in Sanct Peters capell ... zuzelassen"[14]. Hummelberg gratuliert Rhegius mit 15. März zu dessen Priesterweihe und bittet ihn, er möge seine Gedenktafel für den verstorbenen Kaiser durchsehen und, wenn nötig, korrigieren[15]. Vier Tage später bedankt sich Rhegius bei Hummelberg für dessen Glückwunschschreiben von Konstanz aus und teilt zugleich mit: „Sacerdotes mei Augustae sunt excusi, uerum nondum aduecti Constantiam[16]." Mit diesen „Sacerdotes mei" meint Rhegius fraglos seine Schrift über das Priestertum, das laut Kolophon einen Monat zuvor am 19. Februar in Augsburg gedruckt worden war[17]. Rhegius ließ im selben Schreiben Hummelberg auch wissen, daß er sein Erstlingswerk ihm sofort zuschicken werde, sobald er es habe. Das dürfte bald darnach der Fall gewesen sein, denn von Zwingli, dem Rhegius es auch zusandte, liegt bereits eine Woche später, am 25. März 1519, die Reaktion vor. Eine Reaktion übrigens, die an Hohn, Spott und Zynismus kaum noch zu überbieten ist[18].

Aus einem Brief Hummelbergs vom 5. April 1519 erfahren wir, daß eine Diskussion stattfand, bei der Rhegius nach Hummelbergs Meinung einen „triumphum ... speciosum" über die ausgedienten Theologen gefeiert hat[19]. Es dürfte sich um die Diskussion handeln, über die das Domkapitel am 11. März beriet, wie vorhin zitiert wurde, und dabei mehrheitlich beschloß, Rhegius teilnehmen zu lassen. Leider erfahren wir keine näheren Einzelheiten über Thematik und Verlauf. Wohl erfahren wir aus demselben Brief noch, daß es Leute gegeben hat, die Rhegius nicht diesen klaren Sieg zubilligten wie Hummelburg.

Am 2. Juni läßt Ulrich Zasius in einem Brief an Thomas Blaurer Urbanus Rhegius grüßen[20], und am 7. Juni richtet Johann Fabri Grüße von Rhegius bei Zwingli mit den Worten aus: „Urbanus

[12] Ms. 17.
[13] Ebd. Auf den weiteren Inhalt werden wir unten noch zurückkommen.
[14] Krebs, Protokolle, Nr. 6161.
[15] Horawitz, Analekten, S. 121f.
[16] Ebd., S. 122. Ms. 18.
[17] D. 18.
[18] Zwingli an Beatus Rhenanus, 25. März 1519. CR, 94. Bd., S. 158. Weiteres unten.
[19] Michael, Hummelberg an Urbanus Rhegius, 5. April 1519. Horawitz, Analekten, S. 123.
[20] Schieß, Briefwechsel Blaurer, 1. Bd., S. 26.

meus te corpore atque animo salvum cupit[21]." Mit diesem Datum war Rhegius somit wohl noch in Konstanz und noch nicht vor der Pest geflohen.

Das nächste, was wir von Rhegius hören, ist, daß er am 18. Juli 1519 das „Münsterplebanat" verliehen bekommt[22] und ungefähr zur selben Zeit die Kaplaneipfründe „St. Konrad beim Heiligen Grab" erhält[23]. Analog zur Verleihung der Kaplaneipfründe St. Georg war Rhegius bei der Verleihung des Münsterplebanates nicht anwesend. Rhegius hatte nämlich mit vielen anderen Kaplänen wegen der Pestgefahr die Stadt verlassen. „Der Dekan forderte daher am 18. Juli alle, die sich ohne seine Erlaubnis[24] entfernt hatten, unter Androhung der Entsetzung zur Rückkehr auf. Es waren abwesend Mag. Urban Regius ...[25]."

Wann Rhegius Konstanz genau verlassen hat und wohin er nun zog, ist nicht in Erfahrung zu bringen. Der zitierten Aufforderung des Dekans vom 18. Juli ist er mit Sicherheit *nicht* nachgekommen, denn am 20. August desselben Jahres treffen wir ihn, wie oben nachgewiesen[26], auf der Universität von Tübingen.

Wann er von dort wieder nach Konstanz zurückkehrte, ist nicht auszumachen. Auf sicherem Boden stehen wir erst wieder mit März 1520. Am 3. März richtet nämlich der Konstanzer Johann von Botzheim bei Martin Luther Grüße von Rhegius aus[27], und im selben Monat erscheint bei Johann Schäffler „Rhegius'" Cura pastoralis[28]. Ein Werk übrigens, das von der gesamten Rhegius-Literatur bis jetzt übersehen wurde.

Der undatierte Brief des Domherrn Johann von Botzheim an Zasius, in dem er diesem über Rhegius' Tätigkeit berichtet, wird um diese Zeit bzw. kurz zuvor geschrieben worden sein[29]. Wir erfahren,

[21] CR, 94. Bd., S. 184.

[22] Baier, Vorreformationsgeschichtliche Forschungen, S. 54. Dieses Münsterplebanat wird am 2. Mai 1521 nach Rhegius' Verzicht weiterverliehen. Ebd. Vgl. dazu Krebs, Protokolle, Nr. 6652, wo der 4. März 1521 als Datum der Weiterverleihung angegeben wird.

[23] Baier, ebd. S. 51. Auch hierfür fand die Weiterverleihung laut Baier ebd. am 2. Mai 1521 statt.

[24] „Am 28. Mai wurde jedem Domherrn, der sich vor der drohenden Pest fürchtete, erlaubt, bis Bartholomäi die Stadt zu verlassen." Baier, Domkapitelprotokolle, S. 211.

[25] Baier, ebd., S. 212.

[26] Siehe: S. 104.

[27] WABr, 2. Bd., S. 60f.

[28] Siehe: D. 22.

[29] Walchner, Botzheim, S. 106. Vgl. dazu: Uhlhorn II, S. 19; Staub, Fabri, S. 123; Gröber, Die Reformation, S. 148.

daß Rhegius damals sehr eng mit Fabri zusammenarbeitete, um diesen bei der sich anbahnenden literarischen Fehde mit Luther zu unterstützen. Vom 7. April datiert der Brief Fabris an Vadian, in dem er tausendfache Grüße von Rhegius aus Konstanz übermittelt. Fabri kündigte in diesem Brief dem Vadian „litteras folitas“ von Rhegius an, „postquam cerimonias paschales et onera officii ab humeris excusserit“[30].

Um Ostern (8. April war Ostersonntag) begann auch jener Griechischkurs, der die illustre Runde vereinte: Generalvikar Johann Fabri, den Domherrn Johann von Botzheim und den „Vicarius in Spiritualibus“[31] Urbanus Rhegius unter der Oberleitung des Michael Hummelberg, des Humanisten aus Ravensburg, der zu diesem Zweck in Konstanz Wohnung nahm[32]. „Der Unterricht“, weiß Staub, „wurde mit allem Eifer betrieben über zwei Monate, bis in den Juni hinein[33].“

Der einzige von diesem vornehmen Humanistenkreis, der noch nicht Griechisch konnte, also wirklich ein Anfänger war und den Kursus nötig gehabt hätte, der Domherr Johannes von Botzheim, fiel, kaum überraschend, bald aus[34]. Am Ende des Kurses stellte Hummelberg seinen übriggebliebenen „Schülern“ — wie nicht anders zu erwarten — ein glänzendes Zeugnis aus: „Nosti enim“, schreibt er an Beatus Rhenanus, „quam seduli improbique laboris sit Faber, quam varii et felicis ingenii Rhegius, ut nihil sit, quod hi duo non possint, si velint, nihil non velint, si possint[35].“

In der Zeit, in der dieses „Triumvirat“ sich am Griechischen ergötzte, traf ein Brief von Johann Eck an Fabri aus Rom in Konstanz ein, der wie eine Bombe gewirkt haben muß und die Geister schied. Eck, der sein Mitwirken an der päpstlichen Bulle gegen

[30] Vadianische Briefsammlung, 2. Bd., S. 271.

[31] So titulierte Konrad Pellikan Urbanus Rhegius in seinem Chronikon, als er auf seiner Visitationsreise im Sommer 1520 diesen in Konstanz traf. Siehe: Pellikan, Chronikon, S. 76. Vgl. dazu: Heimbürger, Urbanus Rhegius, S. 49; Wittmann, Augsburger Reformatoren, S. 45, Anm. 137. Bei Mayer, Die Matrikel, 1. Bd., S. 183, Anm. 18 steht ohne irgendeine Quellenangabe zu lesen, daß Rhegius am 21. November 1519 bischöfl. Vikar von Konstanz wurde.

[32] Staub, Fabri, S. 85f. Nach Rublack, Konstanz, S. 17 gehörte diesem Griechischkurs auch der Stadtarzt Johann Jakob Menlishofer an.

[33] Staub, ebd., S. 86.

[34] Staub, ebd., S. 106, Anm. 110 vermutet hinter diesem Ausfall: „Langsame Fassungskraft.“

[35] Michael Hummelberg an Beatus Rhenanus, 7. Juni (1520). Horawitz/Hartfelder, Rhenanus’ Briefwechsel, S. 231. Staubs Behauptung, Hummelberg habe diesen Brief an *Vadian* geschrieben, ist ein Irrtum, oder die Schreibung basiert auf einem Druckfehler. Siehe: Staub, Fabri, S. 106, Anm. 110.

Luther dem Generalvikar Fabri berichtete, trug dem Adresssaten auf, diesen seinen Brief auch Rhegius lesen zu lassen[36].

Staubs Meinung, dieser „Brief kam wahrscheinlich noch vor dem 12. Mai in Fabris Hand“[37], dürfte wohl kaum zutreffen, wenn man bedenkt, daß Eck den Brief am 3. Mai in Rom schrieb. Sicher war er aber am 7. Juni beim Adressaten eingelangt, da hatte auch Hummelberg ihn schon gelesen[38], so daß wir mit Fug und Recht annehmen können, daß spätestens zu diesem Zeitpunkt auch Rhegius ihn schon kannte.

Somit zählt Rhegius zu den allerersten im deutschen Sprachraum, die über die päpstliche Bulle, die diverse Lehrsätze Luthers verdammen sollte, erfahren haben.

Vom 16. Mai datiert schließlich Erasmus' Brief an den uns schon bekannten Domherrn Botzheim mit Grüßen an Rhegius mit dem höchst schmeichelhaften Wortspiel: „Optimo patrono meo vrbanissimo Vrbano plurimam ex me salutem dicito[39].“

18. Juni 1520 ist das Briefdatum von Thomas Blaurers Brief an Hummelberg, den Rhegius diesem überbringt. Thomas Blaurer, der ein halbes Jahr später am Feuer beim Elstertor zu Wittenberg stehen sollte[40], wo Luther die Bannandrohungsbulle verbrannte, die Rhegius hingegen im Dom zu Augsburg verkündete — wie wir noch hören werden —, schrieb damals, all das nicht ahnend, über diesen: „... decore et Ornamento ciuitatis nostrae[41].“ Hummelberg antwortete Blaurer am 27. Juni mit dem Bemerken, daß „Rhegius utriusque nostrum amantissimus“ ihm den Brief überbracht habe[42].

Rhegius kehrte aber nicht nach Konstanz zurück, wie aus einem Brief Fabris an Vadian tags darauf zu entnehmen ist, wo Fabri schreibt, Rhegius sei weggegangen, „nescio, quando sit rediturus“[43].

36 „Vrbanum nostrum hec legere desydero ...“ Eck, Epistola, 2. Bl. Vgl. dazu: WA, 6. Bd., S. 576—594.

37 Staub, Fabri, S. 126. Staub dürfte für seine Datierung Fabris kritisches, ja abschätziges Wort über Eck „iam pontificiis auribus studens“ überinterpretiert haben. Siehe: Johann Fabri an Joachim Vadian, 12. Mai 1520. Vadianische Briefsammlung, 2. Bd., S. 277.

38 Vgl. Hummelberg an Beatus Rhenanus, 7. Juni (1520). A.a.O., S. 232: „Scripsit huc Eckius Romanum pontificem XXXIII Lutheri articulos damnaturum ...“ Als Absenderort gibt Hummelberg ausdrücklich an: „... ex aedibus Jo. Fabri Constantiae“.

39 Allen, 4. Bd., S. 262.

40 Vgl. BBKL, 1. Bd., Sp. 615.

41 Thomas Blaurer an Michael Hummelberg, 18. Juni 1520. Horawitz, Analekten, S. 137. Vgl. dazu: Schieß, Briefwechsel, Blaurer, 1. Bd., S. 27f.

42 Horawitz, ebd., S. 137; Schieß, ebd., S. 28.

43 Johannes Fabri an Joachim Vadian, 28. Juni 1520. Vadianische Briefsammlung, 2. Bd., S. 291.

Rhegius war offensichtlich für längere Zeit aus Konstanz abgereist. Wohin? Mit welchem Ziel? Die Antwort auf diese Fragen gibt uns das Protokoll des Augsburger Domkapitels. Diesem entnehmen wir, daß das Domkapitel am 3. Juli beschloß, Rhegius, der „nechstmals gepredigt hat, noch mer zu horen“[44]. Rhegius war also nach Augsburg abgereist, um sich um die vakante Domprädikatur zu bewerben, die er, wie wir noch ausführen werden, nach Absolvierung von zwei Probepredigten gegen eine starke Konkurrenz auch erhielt. Damit hatte Rhegius' Aufenthalt im Trubel von Konstanz sein Ende.

1.2. Priesterweihe — Priesterbild — Priesterbildung

1.2.1. Priesterweihe und Priesterbild

Die Priesterweihe dürfte Rhegius Ende Februar 1519 empfangen haben. Am 15. des Monats März gratulierte ihm hierzu, wie oben schon mitgeteilt, Hummelberg mit den Worten: „Quod sacerdotii tui, augusti et diuini muneris, primitias DEO optimo maximo pura sanctaque mente obtulisti, tibi uere congratulor et non tibi modo, sed quoque sacerdotali ordini, quem te cum docto tum pio sacrificio exornatum esse gaudeo[45].“

Vier Tage darnach beantwortet Rhegius Hummelbergs Glückwunschschreiben mit überschwänglichen Worten auf das Priestertum: „Gratularis mihi, doctissime Michael, ob honorem sacerdotii, bene profecto et prudenter. Tanta enim res sacerdotium est, ut maximi olim principes et imperatores sacerdotii accessione suos apices putarint exornari. Id uero omnium longe maximum foret, si ipse sacerdotali ordini honori essem, quod tu quidem existimas, sed ...[46].“ Hier klingt auch das Grundthema seines Traktates über die priesterliche Würde an, den Rhegius ein halbes Jahr zuvor bei Johann Fabri geschrieben hatte und der in Augsburg gerade die Druckerei verließ. Weil diese Schrift gleichsam seine Grundsatzerklärung über das Priestertum ist, auf die hin er sich weihen ließ, wollen wir sie kurz in ihrem Hauptpunkt referieren. „Atqui sacerdos“, schreibt Rhegius, „creatam rem in ipsum omnium rerum creatorem transmutat, Panem utpote in ueram Christi carnem, & uinum

[44] Kapitelprotokoll, fol. 127.

[45] Horawitz, Analekten, S. 121. Das Datum für Rhegius' Priesterweihe mit Ende Februar 1519 anzunehmen, bietet jedoch eine Schwierigkeit, die Fastenquatember — ein regulärer Weihetermin — waren 1519 nämlich erst um die Mitte des Monats März. (Der 19. war Quatembersamstag). Rhegius dürfte somit einen Sondertermin gehabt haben. Die Weihe selber wird nicht in Konstanz, sondern in Meersburg stattgefunden haben. Vgl.: Krebs, Protokolle, Nr. 3341.

[46] Horawitz, ebd., S. 122. Ms. 18.

in sanguinem. Quamobrem nihil similius Deo est quam sacerdos, si quicquam potest esse simile ei, qui immensus, innominabilis, omnipotens, omniscius, & nemini praeterquam sibijpsi, ob infinitae substantiae pelagus, possibilia in se omnia eminenter complectens, ad plenum notus. Trifariam Deus, quid possit, ostendit hominibus... Potestatem antedictam, illam omnium maximam, Deus optimus contulit, non suae matri selectissimae, non angelis, sed sacerdoti, tanquam ministro, qui Deum in hostiae substantiam, & contra hostiae substantiam in Deum conuertit, quod, qui alij quam sacerdoti licere contenderit, haeretici nota censendus est[47]."

Rhegius hat hier ein Priesterbild vor Augen, wie es uns in den Primizpredigten der damaligen Zeit vielfach entgegentritt[48]. Kranold, im vorigen Jahrhundert, meinte dazu: „Wir finden in diesem Werke unmittelbar vor der Reformation die ausschweifendsten Erklärungen des Mittelalters über Priester- und Papstthum zusammengestellt und noch einmal vertreten[49]."

Rhegius war, wie wir gehört haben, Priestersohn und brauchte deshalb, um zur Weihe zugelassen zu werden, eine Dispens. Diese war einerseits leicht zu bekommen, und andererseits war dieser „Defekt" der häufigste Dispensgrund dieser Region, ja in der Diözese Chur machte er im Zeitraum von 1502—1514 sogar die Hälfte aller Dispensfälle aus[50].

Darüber, wie andere über Rhegius' Priesterweihe und über sein Priesterbild, das er im vorliegenden Traktat skizzierte, urteilten, gibt eine zeitgenössische Marginalie beredte Auskunft. Es handelt

[47] Opera I, fol. IIII.

[48] Vgl. Hierzer, Priesterbild.

[49] Kranold, Urbanus Rhegius, S. 188. Übrigens wollte der Verleger (Typographus) der Opera diesen Rhegius-Traktat nicht aufnehmen, da er völlig aus dem Rahmen falle. Vgl. Opera I: Typography, dem Opusculum vorangestellt. Der unhistorischen Denkweise entsprungen finde ich Hartfelders Qualifikation: „Da diese Schrift fast zwei Jahre nach Luthers öffentlichem Auftreten herauskam, so ist klar, daß sie zugleich auch wie eine Absage an die Wittenberger gefaßt werden muß." Hartfelder, Der humanistische Freundeskreis. S. 23. Ich kann Uhlhorn II, S. 14 auch nicht beipflichten, wenn er meint, daß von Rhegius „wohl nicht ohne Seitenblicke auf ihn" (gemeint Luther) „gerade jene Stellen geschrieben sind, die von solchen reden, welche die priesterliche Würde herabsetzen." Ich finde, es ist der historischen Gegebenheit weit entsprechender, Rhegius' „Seitenblicke" auf die „Dunkelmännerbriefe" (1515—1517) mit ihrer „humanistischen Schilderung einer empörend ungebildeten, dabei doch lächerlich eingebildeten Klerikergesellschaft" zu münzen. Zitat aus: Willburger, Konstanzer Bischöfe, S. 31.

[50] Vasella, Klerusbildung, S. 448. Kluckhohn, Urkundliche Beiträge, schreibt S. 595 zu diesem Fragenkomplex: „Schon lange vor dem Beginn der Reformation war unter der Geistlichkeit des Bistums der Konkubinat ziemlich allgemein verbreitet."

sich um eine Marginalie, die wahrscheinlich von Benedict Burgauer, der seit 1519 Pfarrer in St. Gallen war, stammt[51]. Geschrieben ist sie auf das Titelblatt jenes Exemplars der Rhegius-Schrift: Opusculum de dignitate sacerdotum, das in Pfarrer Burgauers Besitz war[52] und etwas freier übersetzt lautet: So hat sich Rhegius getröstet, als er durch die mächtigen Freunde die heiligen Weihen überhaupt erst nehmen mußte. Ziemlich unpassend zwar, er wird aber durch die Zeitumstände (tempustulo) entschuldigt werden. Die Gesinnung derer, an die er schrieb, ließ nichts Besseres zu.

1.2.2. Bemühungen um bessere Priesterbildung

1.2.2.1. Weiheexamen, Prüfungsstoff und Unwissenheit der Weihekandidaten

In dem eben zitierten Werk äußert sich Rhegius auch zur Priesterbildung. Er reduziert dieses Problem hierbei auf die „scientia". Besonderes Lob erntet sein Bischof, dem Rhegius auch das Werk gewidmet hat, weil er denen, die das Priestertum anstreben, eine neue Prüfungskommission, nämlich „examinatores doctos" vorangestellt hat; weiteres weil er für das „examinandi negocium" seinen „praeceptorem et Mecoenatem" Johannes Fabri erwählt und bestimmt hat[53].

In der Frage des Examens der Weihekandidaten war es 1506 zwischen Domkapitel und Bischof Hugo zu Meinungsverschiedenheiten gekommen, die schließlich zu einer längeren Verstimmung führten, „weil das Kapitel dem Schulmeister unbedingt die Abnahme des Examens als Teil seiner Befugnisse und Einkünfte erhalten will, Hugo sich damit aber nur unter der Bedingung einverstanden erklärt, daß vom Kapitel ein ‚geschickter' Schulmeister angestellt wird"[54].

Schließlich scheint es zum Kompromiß gekommen zu sein, der dann am 9. Jänner 1518 im Kapitelprotokoll seinen Niederschlag findet[55], wonach der Schulmeister von Ravensburg für die vakante Stelle gewählt wird, aber ohne das Anrecht auf die Examination zu erhalten[56].

Was nun Rhegius über die neue Prüfungskommission, wie vorhin zitiert, bringt, läßt sich mit den entsprechenden Quellen und Ab-

[51] Leuze, S. 107 und 135.
[52] Ebd., S. 107, Nr. 279.
[53] Opera I, fol. IX.
[54] Vögeli, Reformation in Konstanz, S. 602.
[55] Krebs, Protokolle, Nr. 5845.
[56] Vögeli, ebd.; vgl. Krebs, ebd.

handlungen zwar nicht belegen[57], an der Richtigkeit seiner Angaben ist aber wohl nicht zu zweifeln. Demnach wurde vom Bischof seinem Generalvikar Johann Fabri im Laufe des Jahres 1518 (März—September) die Einrichtung der Weiheexamination verantwortlich übertragen[58].

Was wurde nun geprüft, was mußte der Weihekandidat wissen? Staerkle, der dieser Frage für die Diözese Konstanz näher nachgegangen ist, schreibt: „Die Prüfungsfächer waren: ‚Legere, Cantare, Exponere, Sententiare, Declinare, Construere, in Generalibus curae et practice'…" Staerkle stellt hierbei auch prinzipiell fest, es sei „nicht leicht, den Inhalt dieser Fächer eindeutig zu bestimmen, namentlich fehlt uns", fährt er fort, „der Einblick, was unter ‚in generalibus cure(!) et practice(!)' alles verstanden wurde: doch sicherlich eine kurze Glaubens- und Sakramentenlehre, Handhabung des Ritus, Kenntnis des Festkalenders (Computus)"[59].

Diese Weiheexamina hätten zwar keinen geeigneten Schutzwall gebildet, „um untaugliche und unwürdige Kandidaten vor der Pforte des Priestertums abzuhalten", anderseits aber solle man sich hüten, meint Staerkle, „die Forderung der Weiheprüfung als Bagatelle hinzustellen und so ihren Wert überhaupt in Abrede zu stellen". Die differenzierte Notenskala deute „auf eine geordnete Führung jener Examen hin"[60].

[57] Vgl.: Baier, Domkapitelprotokolle; Krebs, Protokolle; Vögeli, Reformation in Konstanz, und Kluckhohn, Urkundliche Beiträge. Auch Spezialuntersuchungen zu der Frage oder die Abhandlungen über den Bischof und sein Wirken schweigen sich aus. Vgl. dazu: Lauer, Die theologische Bildung; Studer, Hugo von der Hohen-Landenberg; Gröber, Die Reformation; Willburger, Konstanzer Bischöfe; Braun, Der Klerus von Konstanz; die ungemein gediegene Untersuchung von Vasella, Klerusbildung; sowie von demselben: Reform und Reformation; Oediger, Um die Klerusbildung; ders., Bildung der Geistlichen; Rublack, Konstanz.

[58] Fabri wurde 26. März 1518 — siehe oben S. 112 — zum Generalvikar ernannt, und Rhegius vollendete sein Opusculum — wie schon mehrmals angeführt — am 16. September desselben Jahres. Was die Prüfer für Weihezulassungen betrifft, schreibt Vögeli unter Hinweis auf die Kapitelprotokolle vom 24. März 1508 (Krebs, Protokolle, Nr. 3341), „bestand in Konstanz ein Dreierkollegium von Examinatoren … doch läßt sich nur der Scolasticus als solcher nachweisen; die beiden Kollegen mögen der Generalvikar und der Cantor gewesen sein." Vögeli, Reformation in Konstanz, S. 601f.

[59] Staerkle, Bildungsgeschichte, S. 141f. Vögeli, Reformation in Konstanz, hat sich Staerkle voll und ganz angeschlossen, siehe S. 599f. Vgl. dazu: Eder, Das Land ob der Enns, S. 284ff.; Falk, Klerikales Proletariat; Hefele, Über die Lage des Klerus.

[60] Staerkle, ebd., S. 143f. Staerkle bietet S. 144, Anm. 200 die Notenskala, wie sie sich aus den „Weihezeugnissen aus den Jahren 1494—1540" ersehen läßt: male, ex parte oder in parte, mediocriter, competenter, satis bene, bene. Vasella,

Diese Prüfungen mußten nun nicht nur die Schüler der Lateinschulen (Dom- oder Ratsschulen) ablegen), sondern auch die Studenten der Universität[61]. „Es mochte vorkommen", findet Staerkle, „daß Universitätsstudenten in Beherrschung derselben" (gemeint die lateinische Sprache) „hinter Kloster- und Stadtschülern zurückstanden und beim Examen in Konstanz nicht günstig abschnitten[62]." Damit wird auch eine Passage im Brief des Rhegius an seinen Freund Michael Hummelberg vom 19. März 1519 in puncto seiner eigenen Teilnahme ziemlich gut deutbar: „... nam cum audirem examen, inter triginta uix unum aliquem mediocriter doctum vidi[63]." In welcher Eigenschaft war Rhegius bei einem solchen Examen? Als Examinator wohl kaum, denn er war gerade erst geweiht bzw. Weihekandidat. Als neugieriger Zuhörer? Er war eher einer von den dreißig, die ihre Weiheexamina ablegten.

Was er aber über seine Kommilitonen schreibt, ist alles eher als schmeichelhaft, auch die Examinatoren — darunter war doch federführend sein „praeceptor und Mecoenas" der Generalvikar Johann Fabri — kommen nicht sehr gut weg: „... sed indoctorum in nostra classe tanta multitudo est, ut forsan inter aliquos tribunus uideri possim, nec iniuria stomacharis, quod tot caeca animalia quotidie deo offeruntur, in quibus nec morum candor nec eruditio ulla conspicitur; soleo manibus et pedibus obluctari examinatoribus, qui idiotas et analphabetos in nostrum numerum asciscunt; hi uero probe se tuentur, nullos (inquiunt) sacerdotes breui futuros, nisi interdum conniueant ad ruditatem examinandorum, quod quidem esse quam uerissimum nuper didici[64]."

Nach der Untersuchung von Staerkle gab es speziell bei einem Prüfungsfach besondere Schwierigkeiten: „Gerade", schreibt er, „in den ‚generalia cure et practice' scheint man an die Kandidaten

Klerusbildung, kam S. 446 zum Schluß, daß auf Grund mangelhafter Weiheexamina „den Neupriestern oft weitgehende Einschränkungen ihrer geistlichen Rechte auferlegt wurden. So durften manche nur drei, andere wieder nur 30 Messen lesen, oder sie erhielten nur das Recht der Anstellung an einem ‚beneficium simplex', d. h. an einem Benefizium bloß mit Chor- und Altardienst, unter Ausschluß von Seelsorge."

[61] Vögeli, Reformation in Konstanz, S. 603: „Die Forschungen ... haben gezeigt, daß der niedere Klerus von der Lateinschule — kirchlicher oder weltlicher — oder dem abgeschlossenen Trivium der artistischen Fakultät her sich zum Examen meldete."

[62] Ebd., S. 144.

[63] Horawitz, Analekten, S. 122. Ms. 18.

[64] Ebd. Oediger findet: „Klagen über den Andrang Unwissender zu den geistlichen Stellen und über allzugroße Weitherzigkeit der kirchlichen Behörden waren nichts Neues, auch Mißstände auf diesem Gebiete bestanden schon lange." Oediger, Um die Klerusbildung, S. 146.

keinen geringen Maßstab angelegt zu haben." Bei der Untermauerung seiner These ist Staerkle nicht frei von Lokalpatriotismus, wenn er argumentiert: „Von neun Professen des Klosters St. G" (gemeint St. Gallen), „die wir unter den Examinanden finden, hat nur ein einziger in jenem Fache sich die erste Note geholt, obwohl das Stift sie kaum unvorbereitet nach Konstanz gesandt hat[65]."

1.2.2.2. Rhegius gibt für das schwerste Prüfungsfach ein reformiertes Lehrbuch heraus

Wenn wir nun diesem schwersten Prüfungsfach, bei dem sogar die St. Gallener Professen sich schwer taten, näher nachgehen, machen wir eine erstaunliche Entdeckung. Zunächst hat Vögeli dieses Fach „practicare oder in generalibus cure et practice respondere" mit dem Wissensstoff identifiziert, wie er im Lehrbüchlein „Cura pastoralis pro ordinandorum tentamine" niedergelegt ist[66]. Vögeli zitiert auch gleich ein Exemplar dieses Lehrbüchleins, das er, als erschienen in Basel 1510, bibliographisch erfaßt[67], und zu dem er meint, nun ließe sich dieses schwierige „Prüfungsfach... von Basel her wohl auch für Konstanz eindeutig bestimmen"[68].

Vögeli hätte aber gar nicht nach Basel zu gehen brauchen, um für Konstanz etwas eindeutig zu bestimmen. Dieses Lehrbuch nämlich ist auch in Konstanz, und sogar modernisiert, erschienen. Verfaßt von wem? Von Urbanus Rhegius! Herausgegeben im März 1520[69]. Rhegius hat somit nicht nur das mangelhafte Wissen seiner Kommilitonen schärfstens gegeißelt, er hat auch das Seinige dazu beigetragen, daß Besserung eintrete.

1.2.2.3. Hauptunterschiede zwischen dem „veralteten" gebräuchlichen und dem von Rhegius „reformierten" Lehrbuch

Da dieses Werk des Rhegius völlig unbekannt geblieben ist, scheint mir ein längeres Verweilen geboten und das Aufzeigen der Hauptdifferenz zu dem „veralteten" Lehrbüchlein nötig. Und, das darf man nicht vergessen, wir stehen in dem Jahr, in dem Luther seine großen programmatischen Schriften herausbrachte.

Wie Rhegius im Vorwort „seiner" Cura pastoralis schreibt, war es nicht seine Absicht, dieses Lehrbüchlein herauszugeben, etwa

[65] Staerkle, ebd., S. 144, Anm. 238.
[66] Vögeli, Reformation in Konstanz, S. 601.
[67] Ebd.
[68] Ebd.
[69] Siehe: D. 22.

weil in der Diözese Konstanz keines vorhanden wäre, sondern weil die im Umlauf befindliche Cura pastoralis „mendosa et frigidissima“ ist[70]. Er will nun diese in der Diözese Konstanz verwendete Ausgabe nicht nur durchmustern, sondern auch erweitern („augere“)[71]. Wenn wir unter diesen Gesichtspunkten Rhegius' Cura pastoralis durchblättern, fällt zunächst kein anderer gravierender Unterschied zu den anderen auf[72], als daß die Cura pastoralis des Rhegius als einzige eine Autorenangabe hat und, daß alle außer der des Rhegius, mit der Definition der Pastoral beginnen: „Cura est onerosa atque sollicita custodia animarum alicui commissa ut animas hominum custodiat ne pereant, sed potius ut salventur[73].“ Rhegius läßt „seine“ Cura pastoralis mit Gott dem Herrn, der die Menschen mit den Gnadengaben erschaffen hat, anfangen.

Allen Ausgaben der Cura pastoralis einschließlich der des Rhegius gemeinsam ist die Behandlung der Sakramente als erster Punkt nach der Einleitung. Die den Sakramenten vorangestellte allgemeine *Sakramentenlehre* ist bei Rhegius etwas länger geraten. Hier bietet er ein nicht uninteressantes Sondergut, indem er auf Augustinus zurückgreift: „Solus deus creat gratiam ait Augustinus. Sacramenta vero sunt signa practica dei infallibilia ad que deus concurrit ad charitatem in nobis efficiendam consydera igitur in sacramento assistentiam dei ex pacto promisit enim in sacramento rite administrato se collaturum graciam[74].“

Der Aufzählung und reihenweisen Behandlung der sieben Sakramente[75] folgt allen gemeinsam einschließlich D. 22 der Dekalog.

[70] Siehe: D. 22, Bl. A 1. Diese zweite Schrift Rhegius', die er noch in Konstanz schrieb, fand keine Aufnahme in die „Opera“. War sie dem Herausgeber, seinem Sohn Ernestus Regius, unbekannt oder fiel sie beim „Typographus“ der Zensur zum Opfer?

[71] Ebd.

[72] Ich habe zum Vergleich sechs verschiedene Ausgaben herangezogen. Hier im Anmerkungsapparat möchte ich sie unter Verzicht der Blattangabe bei Zitationen der Einfachheit halber nur Cura pastoralis I—VI nennen. Im Literaturverzeichnis sind sie genau aufgeschlüsselt zu finden. Bemerkt sei, daß alle sechs vor Rhegius' Cura pastoralis erschienen sind. Cura pastoralis I und II, die kein Erscheinungsjahr aufweisen, dürften etwa im Zeitraum 1505—1515 herausgegeben worden sein. Die Cura pastoralis des Rhegius möchte ich zur Vereinfachung nur mit ihrer Bibliographienummer: D. 22, zitieren.

[73] Beginn der Cura pastoralis I—VI.

[74] Die Kurzformel: „Sacramentum est sacre rei signum“, haben alle unter Hinweis auf Augustinus gemeinsam. D. 22, Bl. A 1'.

[75] Bei Rhegius ist die Reihenfolge und die Benennung der Ehe abweichend:

Cura pastoralis I—VI:	*D. 22*
Baptismus	Baptismus
Confirmatio	Confirmatio

Die Aufzählung der verschiedenen Arten von Sünden wie Hauptsünden, himmelschreiende Sünden, fremde Sünden etc. hat Rhegius bereits bei der Behandlung des Bußsakramentes. Bei der Absolutionsformel hat Rhegius keine substantielle Änderung vorgenommen.

In der Erklärung der *Erbsünde* findet sich bei ihm wieder ein bemerkenswertes Sondergut. Wieder unter ausdrücklicher Berufung auf Augustinus, der „vocat peccatum originale, multivocam penam et culpam et satis ostendit parabola evangelica de homine ab hiericho descendente non modo spoliato in gratuitis sed in naturalibus vulnerato et semivivo relicto“[76]. Alle anderen bringen gleichlautend über die Ursünde die Definition: „Originale peccatum est illud quod contractum est a primo parente scilicet Adam. Et illud deletur per baptismum[77].“

Eine weitere Abweichung findet sich in der Definition der *Messe*. Hier bringt er die Definition eines modernen Theologen, nämlich des schon genannten Jodok Clichtoveus, eines Schülers von Faber Stapulensis: „Missa est sacrum altaris ministerium et sacrificium ut ait Jod. clithoueus[78].“ Alle anderen bringen wieder gleichlautend: „Missa est divinum officium in salutem fidelium ad consecrationem corporis et sanguinis christi a sacris patribus institutum[79].“

Kanon der Messe: Cura pastoralis I—VI: „Canon est compilatio verborum pertinentium ad divinum officium et ad consecrationem corporis et sanguinis domini nostri iesu christi.“

Rhegius: „Canon id est regula, quo nomine vocatur precipua pars misse quia partim institutione christi; partim sanctorum patrum regulis constituta est.“ (Bl. B 3')

Bei der *Priesterweihe* hat Rhegius die starre Einteilung in Materie und Form völlig aufgegeben. Mit den anderen zählt er die sieben Weihestufen auf und bringt dann abweichend nach dem Presbyterat, womit die anderen aufhören, wieder als Eigengut:

Sacer Ordo	Eucharistia
Eucharistia	Penitentia
Penitentia	Extrema unctio
Matrimonium	Ordo
Extrema unctio	Coniugium

Cura pastoralis IV hat an der 4. Stelle zusammengezogen: „Penitentia Eucharistia“.

[76] D. 22, Bl. C 2'.

[77] Cura pastoralis I—VI.

[78] D. 22, Bl. B 3'.

[79] Cura pastoralis I—VI.

„Episcopus id est superintendens, curamque gerens eorum quibus preficitur. Vocatur etiam presul pontifex et antistes.“ (Bl. C 4)

In der *Bildungsfrage* der Geistlichen wird Rhegius polemisch, ja aggressiv. Alle anderen fordern nämlich nur das Trivium der „Sieben freien Künste“ (Grammatik, Rhetorik, Dialektik), weil diese „multum faciunt ad scientiam pietatis puta theologicam“, als für den Priester ausreichend. Von Quadrivium (Arithmetik, Geometrie, Musik und Astronomie) heißt es dann wörtlich: „... verum parum aut nihil prosunt.“ Rhegius bemerkt dazu ausfällig: „Ordinando triviales dumtaxat artes esse necessarias crassissime somniant. Ideo ceca animalia deo offerunt non sine magna animarum iactura.“ (Bl. C 4'). Dadurch, daß sich Rhegius hierbei auch auf den „Bildungsreformer“[80] Erasmus unter ausdrücklicher Namensnennung beruft (ebd.) und Fabri der hauptverantwortliche Examinator der Weihekandidaten war, konnte diese Bemerkung auch als Spitze gegen den Generalvikar Fabri interpretiert werden.

Beim *Ehesakrament* hat Rhegius die Einteilung in Materie und Form insofern fallengelassen, als er von der ersteren gar nicht spricht. Bei der Form bringt er nur *eine* Kopulationsformel, und zwar nur die, die der Priester spricht: „Joannes, ego committo tibi Annam in legitimam uxorem. Anna, ego committo ...[81].“ Die Kopulationsformel, die offensichtlich ebenso möglich und üblich war, die nicht vom Priester, sondern von den Brautleuten gesprochen wurde: „Accipio te in meam uxorem. Et ipsa respondeat: Accipio te in meum virum“[82], fehlt bei Rhegius.

Dadurch, daß Rhegius die verschiedenen Sünden und Sündenarten — wie oben erwähnt — bereits bei der Behandlung des Bußsakramentes aufgezählt hat, ergibt sich zu den anderen ein großer, vor allem einteilungsmäßiger Unterschied. Ähnliches gilt auch von den Tugenden. Rhegius bringt sie im Anschluß an die Symbola, die anderen davor.

Bei den theologischen Tugenden findet sich in puncto *Glauben* wieder ein bedeutender Unterschied. Alle außer Rhegius bringen wieder in wörtlicher Übereinstimmung: „Fides est virtus theologicalis qua quis credit deum trinum in personis et unum in essentia[83].“

[80] Vgl. dazu Schottenloher, Erasmus.

[81] Ebd., Bl. D 1. Ein nicht uninteressantes Detail am Rande: Cura pastoralis I—VI haben bei den Brautleuten als Beispielnamen Johannes und Katharina, Rhegius hat den Brautnamen und *nur* den geändert in Anna, so wie eine eigene Braut, die er fünf Jahre später ehelichte, hieß. Es mag ein reiner, aber auffallender Zufall sein.

[82] Cura pastoralis I—VI.

[83] Ebd.

Rhegius: „Fides est substantia rerum sperandarum, argumentum non apparentium." Rhegius gibt auch an, woher „seine" Definition stammt: „Deffinitore Paulo ad he. XI"[84], das heißt aus: Hebr 11,1.

Im letzten Teil, *„Practica"* genannt, der bei allen „dem kirchlichen Kalender und der Bestimmung der Feste, also dem Computus"[85] gewidmet ist, stimmt Rhegius voll mit den anderen überein.

Zusammenfassend läßt sich sagen, Rhegius hat nicht zuviel versprochen. Er hat dieses „Lehrbuch" für die Priester erweitert, durch Einbeziehung von Ansichten lebender Theologen (Erasmus, Clichtoveus — auch Faber Stapulensis wird erwähnt — Eck und Zasius werden im Zusammenhang mit der damals sehr kontroversiellen Frage der Taufe von Judenkindern[86] zitiert) reformiert. Daß Rhegius sich als Autor bei diesem an sich anonymen Lehrbuch für die Weihekandidaten angibt, ist, so scheint es mir, durchaus gerechtfertigt und kein Ausfluß einer etwaigen Hybris. Es ist ein höchst interessantes Dokument humanistischer Priesterbildung, das nichts Gleichwertiges kennt, geschrieben noch nach der Leipziger Disputation, aber von der Reformation alsbald völlig überrollt und von der gesamten Literatur vergessen.

1.3. Rhegius' theologischer Standort in Konstanz und seine Entwicklung

Sehen wir Rhegius tatsächlich auf der Seite Luthers, wie sein Hauptbiograph Uhlhorn konstatiert[87]? War er „bereits im Glaubensgrunde von der katholischen Kirche innerlich losgetrennt", wie es Wittmann ventiliert[88]? Läßt sich über diesen Fragenkomplex keine Klarheit gewinnen, weil „in keiner Periode die Quellen, welche uns über das Leben des Rhegius Auskunft geben, so dürftig, wie eben in dieser entscheidenden Zeit"[89] sind? Wir wollen hier kurz versuchen, auf diese aufgeworfenen Fragen eine Antwort zu geben. Die vorhandenen Quellen, wie etwa das von mir erstmals herangezogene Werk „Cura pastoralis" des Rhegius sowie zeitgenössische Briefe, von, über und an ihn, lassen mir diesen Versuch nicht ausweglos erscheinen. In seiner „Cura pastoralis" läßt Rhegius verhältnismäßig viel „moderne" Theologie einfließen. Ja mehr noch, er gibt dieses Lehrbuch für die Priesterkandidaten deshalb

[84] D. 22, Bl. D 1'. Bemerkenswert scheint mir, daß Rhegius den Bibeltext weder nach Faber Stapulensis noch nach Erasmus zitiert, sondern nach der Vulgata.
[85] Vögeli, Reformation in Konstanz, S. 601.
[86] Vgl. Wiedemann, Eck, S. 330ff.
[87] Uhlhorn II, S. 19.
[88] Wittmann, Augsburger Reformatoren, S. 48.
[89] Uhlhorn, ebd., S. 20.

neu heraus, um diese neuere — nicht lutherische — Theologie den jungen Geistlichen nahezubringen. In der betonten Hervorkehrung des hl. Augustinus zuungunsten mittelalterlicher Theologen erweist er sich als gelehriger Schüler Ecks, der doch auch keinen Geringeren als den Humanistenfürsten Erasmus geradezu penetrant aufgefordert hatte, er möge sich mehr an den hl. *Augustinus* statt an den *Hieronymus* halten. Die Schriften jenes solle er doch endlich studieren. Eck berief sich bei seinem Appell an Erasmus auf den italienischen Humanisten Franciscus Philelphus, über dessen Briefe Rhegius — wie wir oben S. 89f. gesehen haben — in Ingolstadt Vorlesungen gehalten hatte. Erasmus reagierte bekanntlich ob dieser Belehrungen des Ingolstädters tiefgekränkt, ohne jedoch zu verhehlen, daß auch er Augustinus sehr genau kenne, lese und studiere, aber den Hieronymus wegen seiner besonders kritischen (bibelkritischen) Haltung höherschätze[90]. Daß sich zur selben Zeit nicht nur bei Eck, sondern auch bei seinem kommenden Hauptkontrahenten, Martin Luther, der hl. Augustinus größter Wertschätzung erfreute, sei hier — weil allgemein bekannt — nur erwähnt[91].

Rhegius bleibt als humanistisch gebildeter Magister artium und Theologe im Bemühen, ad fontes vorzustoßen, keineswegs beim Kirchenvater Augustinus stehen, er greift zurück zur letzten Quelle, um Theologie zu treiben, auf die Bibel. Hierbei, wiederum kein Zufall, auf den Apostel Paulus. Dessen Definition vom Glauben im Hebr[92] 11,1 führt er in „seine" Cura pastoralis ein und wirft die alte bzw. mittelalterliche hinaus. Woher wird Rhegius wohl beeinflußt sein, von Luther? Nein, dieser hat seine Hebräerbriefvorlesung zwar 1517/18 gehalten, aber allgemein zugänglich wurde sie erst durch ihre erstmalige Drucklegung 1929[93], sondern wohl von dem französischen Theologen Faber Stapulensis, dessen vierzehn Paulusbriefe bereits 1512 erstmals herauskamen[94] und über dessen Schriften Rhegius in Ingolstadt bereits Vorlesungen gehalten hatte.

Wenn im März 1520 der Konstanzer Domherr Botzheim Luther Grüße von Rhegius mit dem Bemerken ausrichtet: „. . . qui ob id amicior tibi videri debet, quod non temerario adfectu, sed iudicio ad te amandum ductus est"[95], so darf das nicht überbewertet wer-

[90] Siehe Briefwechsel Eck-Erasmus vom 2. Februar und 15. Mai 1518. In: Allen, 3. Bd., S. 208—212; 330—338; vgl. dazu: Wiedemann, Eck, S. 324—329.

[91] Vgl. Hamel, Der junge Luther.

[92] Damals wurde der Hebräerbrief noch allgemein Paulus zugeschrieben.

[93] Siehe: WA, 57./III. Bd., S. XXIVff., 3—91, 97—238.

[94] Zur Bibliographie der Schriften von Faber Stapulensis, vgl. RE, 5. Bd., S. 716.

[95] Vgl. oben S. 115.

den. Rhegius war deshalb kein Lutheraner. Luther wurde um diese Zeit für Rhegius ein moderner, sehr ernst zu nehmender Theologe *neben* anderen. Der früher eher abweisenden Haltung[96] ist nun eine freundlichere gewichen, wie Botzheims Bemerkung in seinem Brief an Luther zeigt. Auch Eck stand Luther, speziell was dessen Kampf gegen den Ablaßmißbrauch betrifft, im Oktober 1518, also zu einer Zeit, in der Rhegius noch bei ihm in Ingolstadt war, sehr positiv gegenüber. Er schreibt doch wörtlich an den bekannten Wiener Humanisten Cuspinian: „... quamvis ipse non negem maximos esse indulgentiarum abusus. Quare in his Luther laudo, a quibus a vulgo laudatur[97].“ Es wird niemandem einfallen, Eck deshalb, weil er Luthers Kampf gegen den Ablaßmißbrauch lobt, einen Lutheraner zu nennen. Da Rhegius bald nach diesem Brief Ecks Ingolstadt und seinen verehrten Lehrer verließ, ist es nicht von der Hand zu weisen, daß er von Eck zunächst zu einer recht differenzierten, keineswegs bloß negativen Haltung zu Luther veranlaßt wurde[98].

Um den Ablaß, korrekter um seinen Mißbrauch, handelt es sich auch, als Rhegius zum erstenmal mit Zwingli Kontakt aufnahm, es war dies am 2. März 1519[99]. Rhegius schrieb hierbei offensichtlich im Auftrage Fabris[100]. Es ging dabei darum, den allzu eifrigen Ablaßprediger Bernhardin Sanson, einen Franziskaner, zu stoppen. Der Generalvikar Fabri hatte schon, bevor er dem Rhegius den Auftrag hierfür gab, persönlich, „als die Kunde von der unwürdigen Art der Ablaßpredigt nach Konstanz drang ... wohl unter dem ersten Eindruck der Nachrichten über Luthers Auftreten gegen den Ablaß zur Feder“ gegriffen und Sanson geschrieben, ihn bei den zuständigen kirchlichen Stellen angezeigt und „Zwingli, der damals noch in Einsiedeln war, zum Einschreiten gegen solchen Mißbrauch“ aufgefordert[101].

[96] Vgl. Brief von Botzheim an Zasius (Anfang 1520), a.a.O.

[97] Johann Eck an Johann Cuspinian, 13. Oktober 1518. In: MIÖG, 37. Bd., S. 73f.

[98] In seinem Werk: Aristotelis Stagyritae, fol. XXXVI nennt Eck Luther wörtlich: „D. Martinus Luder Heremita amicus noster.“ Dieses Werk vollendete Eck — laut Vorwort — am 24. Jänner 1518, und im Juni desselben Jahres kam es in Augsburg heraus. Da Rhegius darin ein Lobgedicht auf Eck und seine Schrift verfaßte, wie am Ende zu lesen ist, siehe: D. 15, kann man mit Fug und Recht annehmen, daß er es gekannt hat.

[99] Siehe: Ms. 17.

[100] Staub, Fabri, S. 117. Vgl. dazu auch Paulus, Sanson, S. 450f.

[101] Staub, ebd. In der späteren Auseinandersetzung zwischen Fabri und Zwingli beruft sich jener Zwingli gegenüber auf diese seine Aufforderung. Fabris Brief ist allerdings nicht erhalten. Vgl. zu all dem: Helbling, Fabri und die Reformation, S. 59f.

Rhegius wurde somit von seinen unmittelbaren Freunden, Lehrern und Gönnern wie Eck und Fabri, den großen und einflußreichen Bekämpfern der Reformation und des Luthertums, zur kritischen Haltung gegenüber dem Ablaß(mißbrauch) und den Ablaßpredigern geradezu erzogen. Kennt er doch Ecks Lob über Luthers Kampf gegen den Ablaß und ist persönlich beteiligt am Kampf gegen den Ablaßprediger Sanson in der Diözese Konstanz, aufgefordert von Fabri. Was ist da lutherisch? Das Pikante, um nicht zu sagen Groteske, daran ist noch, daß er Zwingli zu diesem Kampf animiert, aufgestachelt von Fabri[102].

Etwa drei Wochen nach diesem Brief setzte sich Rhegius mit Zwingli erneut in Verbindung, wie aus dessen Schreiben an Beatus Rhenanus zu entnehmen ist. Diesmal geht es nicht um Ablaß, sondern Rhegius übersendet Zwingli sein Erstlingswerk, das Opusculum de dignitate sacerdotum. Glaubte Rhegius mit diesem Werk bei Zwingli Wohlwollen, Zustimmung und Achtung zu erwecken, so hat er sich bitter getäuscht. Zwinglis Urteil ist, Rhegius wird es wohl kaum jemals erfahren haben, einfach vernichtend. Ein Satz aus Zwinglis „Rezension" möge genügen: „Liber est, ut tandem ad me redeam a risu, a Fabro factus, non fabrefactus[103]." Aus diesem Brief erfahren wir auch, daß der Sekretär des schweizerischen Kirchenfürsten und Staatsmannes Matthäus *Schiner* namens Michael *Sander*[104] diesen Traktat des Rhegius anforderte, nicht um ihn wißbegierig zu lesen sondern, laut Zwingli, „ut rideat"[105].
Auf Zasius' Grüße, Erasmus' schmeichelhaftes Wortspiel im Brief an Botzheim vom „urbanissimus Urbanus" und des Ravensburger Humanisten Michael Hummelbergs Lobeshymnen auf Rhegius brauche ich hier nicht einzugehen, um Rhegius' Standort zu bestimmen, sondern nur daran zu erinnern.

Nötig scheint mir allerdings noch, zu fragen: Wie stand Rhegius zu Eck und Luther *unmittelbar* bevor er aufbrach, um in Augsburg Probepredigten zu halten, um die dortige Domprädikatur zu erlangen (Mitte Juni 1520)? Wie war Rhegius' Reaktion auf jenen Brief Ecks aus Rom, der ihn erreichte, noch ehe er nach Augsburg

102 Die entscheidende Passage im Brief des Rhegius lautet: „Scribit ad te dominus meus Johannes Faber, cui condonationes quaedam aut indulgentie stomachum movent, quas Minorita nescio quis circumfert per Helvetiam in numi aucupio non instrenuus. Movet virum iustum, quod in una dispensatione pene decem errores deprehenduntur." CR, 94. Bd., S. 143. Mit den finanziellen Erfolgen Sansons als Ablaßprediger setzte sich Paulus, Geschichte des Ablasses, 3. Bd., S. 461f. auseinander.

103 Zwingli an Beatus Rhenanus, 25. März 1519. Siehe oben S. 114.

104 Über Michael Sander siehe: CR, 94. Bd., S. 117, Anm. 1.

105 Zwingli an Beatus Rhenanus, ebd.

zog? Eine unmittelbare Reaktion Rhegius' auf Ecks Brief an Fabri, den dieser dem Rhegius zu lesen geben soll[106], haben wir nicht. Es besteht aber kein Grund zum Zweifel, daß sie ähnlich, wenn nicht überhaupt identisch mit der seines Generalvikars Fabri war, und die war „mißbilligend". „Der Generalvikar konnte sich", urteilt Staub, „mit der stürmischen, scharfen Kampfesweise Dr. Ecks gegen den Wittenberger ebensowenig wie mit seinem energischen Vorgehen am päpstlichen Hofe befreunden[107]."

Und wie urteilte zu dieser Zeit der Konstanzer Generalvikar Johann Fabri, „einer der ersten Vorkämpfer der kath. Kirche in Deutschland"[108], über *Luther*? Am 12. Mai 1520 schüttelte er sein Herz beim St. Gallener Stadtarzt und späteren Bürgermeister, dem treuen Anhänger Zwinglis, Joachim *Vadian* aus: „Placent mirum in modum, quae vir ille scripsit; at male me habet illud, quod pleraque, vera quidem, ceterum solidiora, quam quae crudus populi stomachus digerat, sic incautus divulgat, ut nulla in compitis anus obambulet Lutheranę confessionis nescia ... Certe ut verissima sint, quae scripsit *Lutherus,* mundo tamen universo ea non conveniebat tam involuta proponere ... Quotus quisque enim est, mi *Vadiane,* ex vulgaribus, qui acri censura antecedentia et consequentia sane expendat; id quod in hac re praecipuum esse puto. Haec adeo non scribo male affecto animo, ut vehementer optarim, omnes homines esse vere *Lutheranos,* hoc est docte pios et pie doctos. Verum posteaquam MN tam (!) SERAPHICI ęgre hactenus *Lutheranum* institutum intellexerunt, quaeso qui fiet, ut agrestis multitudo tanta statim sapiat mysteria[109]." Nichts spricht dagegen, daß auch Rhegius so wie sein Generalvikar über Luther dachte, als er von Konstanz Abschied nahm und nach Augsburg aufbrach, um sich um die vakante Dompredigerstelle zu bewerben.

[106] Eck, Epistola; vgl. oben S. 116f. Staub, Fabri, S. 127 vermutet, daß dieser ominöse und unrühmliche Brief Ecks durch Urbanus Rhegius „in Zwinglis Hand" gekommen sein könnte, „der ihn sofort heimlich kopierte und ... nach Luzern an Mykonius schickte". Für diese Vermutung hat Staub aber nicht den geringsten Beweis beigebracht.

[107] Staub, ebd.

[108] Tomek, Fabri, Sp. 935.

[109] Vadianische Briefsammlung, 2. Bd., S. 278f. Über die Abkürzung „MN" gibt die Edition keine Auskunft. Sie dürfte aber mit MONETARIUS (vgl. Cappelli, S. 222) aufzulösen sein. Demnach wäre zu lesen: MONETARII tam SERAPHICI „die genauen Prüfer".

2. DOMPREDIGER IN AUGSBURG

2.1. Bewerbung und Berufung

Mit dem Eintritt des Augsburger Dompredigers Johannes Oekolampad in das Brigittenkloster Altomünster am 23. April 1520[110] war die dortige Domprädikatur vakant.

Eine Reihe von Predigern bewarben sich nun von sich aus oder vom Domkapitel hierzu eingeladen um die Stelle. So beschließt das Domkapitel am Dienstag, dem 5. Juni: „... den von Eistet" (wohl Eichstätt gemeint) „in die corporis christi" (7. Juni) „zu horen und den von Tubingen, Esslingen und Stuttgart zu beschreiben[111]." Gleich am nächsten Tag heißt es im Protokoll des Domkapitels: „Ist beschlossen, ain vicari zu doctor Martin gein Tubingen zu schicken mit befelch im anzuzeigen, so ferr im vermaint were, die predicatur alhie anzunehmen, so mochte er sich alher fugen vnd ain capitel mit im davon hendlen; vnd so fern er das obslagen, soll er furter gein Stugart vnd Esslingen reiten, denselbigen predigern anzaigen, das die predicatur ledig sey, so fern inen geliebt, megen sie sich olher fugen, vnd sich heren lassen, vnd darumb bitten[112]."

Was heißt das? Das heißt wohl, daß der Prediger von Eichstätt sich selber gemeldet und beworben hat und daß der Prediger von Tübingen eingeladen wurde. Sollte der aber nicht wollen, soll der Beauftragte des Kapitels nach Stuttgart und Esslingen reiten und die dortigen Prediger auffordern, sich für Augsburg zu bewerben. Das Domkapitel hat ganz offensichtlich dem Prediger von Tübingen eine gewisse Präferenz eingeräumt.

Während nichts mehr über den von Eichstätt, der übrigens niemand anderer war als Matthias Kretz[113], der dann unmittelbarer Nachfolger von Rhegius werden sollte, zu hören ist, heißt es am 18. Juni, der Prediger von Esslingen soll am kommenden Sonntag predigen. Seine Probepredigt entsprach offensichtlich nicht den Erwartungen des Domkapitels, denn er wurde am 25. Juni mit zehn Gulden abgefertigt[114]. Von den Predigern von Tübingen und Stuttgart ist weiter auch nichts zu hören, die haben der Einladung offensichtlich keine Folge geleistet[115].

110 Vgl. Staehelin, Oekolampad, S. 113. 111 Kapitelprotokoll, fol. 124'.

112 Ebd., fol. 125.

113 Kretz war seit 1519 Domprediger von Eichstätt. Siehe: Paulus, Matthias Kretz, S. 4.

114 Kapitelprotokoll, fol. 126'. Bei diesem Prediger dürfte es sich um den Augustiner Hieronymus Gandelfinger handeln. Vgl. Rauscher, Prädikaturen, S. 203.

115 Beim Tübinger Prediger, dessen Vorname im Protokoll mit Martin angege-

Am Dienstag, dem 3. Juli, findet sich der schon oben (S. 118) zitierte Eintrag, wonach Rhegius nochmals predigen soll. Da die Probepredigten — wie sich aus dem Protokoll schließen läßt — an Sonn- und Feiertagen stattfanden, ist es sehr wahrscheinlich, daß Rhegius erstmals am Sonntag, dem 1. Juli, predigte und die zweite Probepredigt am Sonntag darauf, also am 8. Juli, hielt. Am Montag, dem 9. Juli, steht im Protokoll zu lesen: „Item auf heut ist beschlossen, mit dem prediger von Costents mein her Dechand[116], her Georgen Gros[117] vnd her Berharten Adelmann[118] handlen zu lassen und verwenung zu thun, so fern er in geburender Zeit docterieren wolle, in ain Capitel die predicatur leihen etc. mit furhaltung, das er sich der Fundation gemes wol halten werd etc.[119]." Zwei Tage später meldet der Augsburger Domscholaster die getroffene Wahl an Willibald Pirckheimer nach Nürnberg mit den Worten: „Scias nos in concionatorem elegisse Vrbanum Regium, cuius nomen tibi non ignotum esse puto; satis doctus ac eloquens uehementerque detestans scholasticam theologiam; adeo ut, me monitore, in ea re sibi moderandum sit. Spero, eum euangelicae doctrinae futurum et optimum praeceptorem ac acerrimum propugnatorem[120]." Aus diesen Worten scheint ziemlich deutlich hervorzugehen, daß Rhegius der Kandidat Bernhard Adelmanns war. Zu ventilieren, ob Erasmus bei Rhegius' Berufung die Finger im Spiel hatte, scheint mir ein unnützes Unterfangen[121]. Rhegius hatte um diese Zeit als vom Kaiser gekrönter Dichter und Verfasser diverser Schriften, vor allem Gedichte, einen bekannten Namen. Rhegius' endgültige Bestellung zum Domprediger geschah aber erst am Mittwoch, dem 21. November 1520, als er nachweist, daß er (vgl. oben

ben wurde, dürfte es sich mit Sicherheit um Martin Plansch handeln, beim Stuttgarter um Johann Mantel. Vgl. Rauscher, Prädikaturen, ebd. Siehe auch: Staehelin, Oekolampad / Briefe und Akten, 1. Bd., S. 118f., Nr. 79.

116 Domdechant war Philipp von Rechberg, der am 25. Jänner 1484 geboren wurde und am 16. Februar 1557 starb. Dieses Amt bekleidete er von 1519 bis 1555. Sein Epitaph mit Wappen befindet sich im Domkreuzgange zu Augsburg. Siehe: Haemmerle, Die Canoniker, S. 131f., Nr. 648.

117 Von Gros ist weniger bekannt. Sein voller Name ist: Georg Gross von Trockau, er erhielt 1496 das Kanonikat und starb 1534. Haemmerle, ebd., S. 57, Nr. 271.

118 Bernhard Adelmann von Adelmannsfelden wurde am 27. Mai 1459 geboren und starb am 16. Dezember 1523. Von 1505 an war er Domscholaster von Augsburg. Sein Epitaph befindet sich in der Sebastianskirche zu Eichstätt. Eck setzte ihn 1520 auf die Bannandrohungsbulle; Bernhard Adelmann unterwarf sich sogleich. Haemmerle, ebd., S. 1, Nr. 3; BBKL, 1. Bd., Sp. 35f. Vgl. dazu auch unten S. 135f.

119 Kapitelprotokoll, fol. 127'; vgl. oben S. 106.

120 Heumann, Documenta, S. 202, Nr. XXXVIII.

121 Wittmann, Augsburger Reformatoren, S. 48.

S. 108ff.) die Bedingung erfüllt und doktoriert habe. „Darauff", heißt es im Protokoll, „Er die fundation der predicatur zu halten gelobt vnd gesworn hat, laut des articels, in der fundation begriffen, im vorgelesen[122]."

Es erfolgte die Präsentation gegenüber dem Generalvikar Heinrichmann und die Installation durch den Dechant „in Coro"[123].

2.2. Verkünder der Bulle „Exsurge Domine" im Augsburger Dom

2.2.1. Pflichten des Dompredigers

Das Aufgabengebiet des Dompredigers war in der Stiftungsurkunde für die Domprädikatur festgelegt[124]. Vom Prediger wurde gefordert, daß er „entweder schon Doktor oder Lizentiat der Theologie sey, oder innerhalb zweier Jahre das Doktorat annehmen solle"[125]. Rhegius ging, wie oben ausgeführt, um diese Bedingung zu erfüllen, nach seiner Erwählung nach Basel.

Ohne alle einzelnen Verpflichtungen der Reihe nach aufzählen zu wollen, möchte ich doch drei markante und für uns wichtige herausgreifen, die einzuhalten Rhegius auch schwor.

Der Domprediger soll:

1. An allen Sonn- und Festtagen nachmittags in der Kathedralkirche in deutscher Sprache predigen; dann bei allgemeinen, wider die Ungläubigen, wegen epidemischer Krankheiten, wegen Ungewitter, Kriegen, zur Erhaltung des Friedens etc. zu haltenden Prozessionen, oder bei Ankunft eines päpstlichen Legaten oder einiger Fürsten, ferner alle Tage in der Fastenzeit und im Advent dreimal in der Woche.

7. Das Volk zur Unterstützung der Kathedralkirche und der Kirchenfabrik ermahnen und in seinen Reden das Volk nicht wider den Klerus aufreizen, widrigenfalls er vom Kapitel bestraft den Klerus aufreizen, widrigenfalls er vom Kapitel bestraft werde.

[122] A.a.O., fol. 138.

[123] Ebd. Nach Haemmerle, S. 90, wurde Heinrichmann erst 1521 Generalvikar, bis dahin bekleidete Johann Allantzee dieses Amt (ebd., S. 217). In der Literatur wird aber allgemein Heinrichmann ab Ende 1520 bereits als Generalvikar bezeichnet. Vgl.: Schröder, Die Verkündigung der Bulle; Greving, Zur Verkündigung; etc. Die Bezeichnung Heinrichmanns als Generalvikar für diese Zeit (Ende 1520) hier in unserer Untersuchung stützt sich auf diese Literatur. Domdechant war, wie vorhin erwähnt, Philipp von Rechberg. Der ganze Verlauf der Präsentation und Installation wird sicherlich so vor sich gegangen sein, wie zwei Jahre zuvor bei Oekolampads Bestellung. Vgl. dazu: Zoepfl, Funde, S. 87f.

[124] Die Urkunde befindet sich in München HSA: Augsburg HU 2301. In den Hauptpunkten ediert in: Braun, Geschichte, 3. Bd., S. 129—133. Vgl. dazu auch: Kießling, Bürgerliche Gesellschaft, S. 301f.

[125] Braun, ebd., S. 130.

9. Keine Bulle oder Briefe ohne besonderen Auftrag des Bischofs oder seines Generalvikars publizieren[126].

Als Rhegius dieses sein Amt am 21. November 1520 antrat, war er gegenüber der Zeit seiner Erwählung (9. Juli) „schon nicht mehr der alte", meint Roth in dem Sinne, daß er nun bereits Lutheraner war. Allerdings „mußte sich die neue Erkenntnis erst noch tiefer gründen und weiter reifen, bevor er als eigentlicher, überzeugter Lutheraner betrachtet werden konnte"[127]. Roth dürfte die tatsächliche Situation etwas verkannt haben, die These Zoepfls hingegen trifft am besten den Kern der Sache in dieser Anfangssituation der Reformation in Augsburg, wenn er formuliert: „Daß beide" (gemeint Rhegius und Bischof Stadion), „namentlich Rhegius, in der lutherischen Sache keine abgesagten (!) Feinde Luthers waren, hatte damals und namentlich in Augsburg nichts Außergewöhnliches an sich[128]." Nirgends findet diese These eine bessere Bestätigung als in der Causa der Bannandrohungsbulle „Exsurge Domine".

2.2.2. Tauziehen um Verkündigung der Bulle

Rhegius übernahm sein Amt als Domprediger und schwor, die Statuten zu halten, zu einem Zeitpunkt gegen Ende eines langen und heftigen Tauziehens über die Verkündigung dieser Bulle. Der Bischof war zwar widerwillig, aber doch bereit, der Aufforderung des päpstlichen Exekutors Eck nachzukommen und die Bulle „in Stadt und Bistum Augsburg" verkündigen zu lassen[129].

„Sein" Domkapitel, in zwei Lager gespalten, in „eine kleine bischöfliche und eine Gegenpartei, welche wir die Adelmann'sche nennen können"[130], versucht die Verkündigung zumindest zu ver-

[126] Braun, ebd., S. 131f.

[127] Roth, Augsburg, 1. Bd., S. 58.

[128] Zoepfl, Das Bistum Augsburg, S. 18.

[129] Schröder, Die Verkündigung der Bulle, S. 149f. Es geht hier nicht darum, die langwierigen und verschlungenen Verhandlungen aufzuzeigen, die zwischen Eck, Bischof Stadion, Generalvikar Heinrichmann und Domkapitel in puncto Promulgation der Bulle geführt wurden. Sie sind sehr gut erforscht zu finden in: Druffel, Über die Aufnahme der Bulle; Schröder, Die Verkündigung der Bulle; Greving, Zur Verkündigung; Schottenloher, Lutz; Schottenloher, Druckauflagen; Schmauch, Christoph von Stadion, S. 37—57; Kalkoff, Die Bulle „Exsurge". Hier in unserer Untersuchung geht es darum, Rhegius' Verhalten in dieser Situation der Anfänge der Reformation zu beleuchten, speziell seine Rolle in dieser heiklen Frage aufzuzeigen.

[130] Schröder, ebd., S. 145. Neben Bernhard Adelmann saß auch noch sein Bruder Konrad im Domkapitel. „Wie sein Bruder Bernhard war er ein bedeutender Humanist und Bibliophiler", bemerkt Haemmerle, Die Canoniker, S. 2f., Nr. 6. Nähere Daten über ihn ebd. Bernhard Adelmann gehörte zu den acht, die Eck, seiner Befugnis entsprechend, „nach eigenem Ermessen 24 der bedeutend-

schleppen, wenn nicht gar zu hintertreiben. Genau an dem Tag, an dem Rhegius als Domprediger angelobt und dem Generalvikar Heinrichmann vom Domkapitel präsentiert wurde, läßt dieser seinen Bischof schriftlich wissen, daß in Augsburg keine Druckerei bereit sei, die Bulle und das ergänzende bischöfliche Mandat zu drucken[131].

Diese letzte große Schwierigkeit, für die Verkündigung der Bulle in Augsburg[132] einen Drucker aufzutreiben, der diese und das bischöfliche Mandat druckt, überwand Eck persönlich, indem „er den Abdruck der Bulle mit dem bischöflichen Mandat in Ingolstadt selbst besorgte"[133]. Eck änderte dabei auch auf eigene Faust vor der Drucklegung die Druckvorlage für das Mandat, das die bischöfliche Kurie von Augsburg erstellt hatte. Die Augsburger hatten offensichtlich den Passus, daß Luthers Bücher verbrannt werden sollen, gestrichen, „da nit ganz gut sein würdet, die lutherischen biechlein zu verbrennen... dann dardurch vil gfarlichhait, sonderlich in Augspurg, verhiet wurde", rechtfertigte der Generalvikar die Streichung[134]. Eck revidierte diese Streichung bei der Drucklegung auf eigene Faust[135].

sten Anhänger der neuen Lehre in der Bannbulle einzutragen", namhaft machte. Thurnhofer, Bernhard Adelmann, S. 70. Und wie verhielt sich Adelmann zu dieser Nomination? Lier schreibt: Adelmann fehlte „der Muth, auf die Dauer dieser Zudringlichkeit Eck's zu widerstehen. War doch für ihn der Verlust seiner Pfründe zu befürchten. Anfangs dachte er wohl noch daran, durch eine Appellation sich von dem Verdachte der Ketzerei zu reinigen, gab aber bald diesen Plan auf... Eck begnügte sich mit dieser Demüthigung. Unverzüglich, d. h. schon am 9. Nov. 1520, erhielt Adelmann die gewünschte Freisprechung und am 15. wurde ihm die Bestätigungsurkunde zugestellt. Demüthig unterwarf er sich als reuiger Sohn der Kirche dem Gebote des Papstes und schwor alle Ketzerei ab." Lier, Der Augsburgische Humanistenkreis, S. 103f.

[131] Bischof Stadion an Johann Eck, 22. November 1520. Ediert: Schröder, Die Verkündigung der Bulle, S. 171f.: „... dann alain yetzo jüngst sovil mit einem, der doch vor kain latein nie getruckt hat, gehandelt, das er sich dieselben zu trucken bewilligt, sover im das durch ein rat zu Augsburg zugelassen werden. Darauf unser vicari auch die von Augspurg umb bewilligung gebeten, aber kain antwort erlangt." Daß Heinrichmann an den Bischof am 21. November diese hier zitierte Mitteilung schriftlich machte, geht aus diesem Brief Stadions hervor. Heinrichmanns Brief selbst ist nicht vorhanden. Vgl. dazu auch: Schottenloher, Druckauflagen, S. 204 und derselbe: Lutz, S. 250f.

[132] Analoge Schwierigkeiten wie in Augsburg gab es auch in Eichstätt, Freising, Regensburg. Vgl.: Kalkoff, Die Bulle „Exsurge".

[133] Kalkoff, ebd., S. 90.

[134] Heinrichmann an Bischof Stadion, 29. November 1520. In: Schröder, Die Verkündigung der Bulle, S. 172.

[135] Vgl. dazu: Zoepfl, Das Bistum Augsburg, S. 24.

2.2.3. Rhegius verkündet die Bulle am 30. Dezember 1520

Die tatsächliche Verkündigung der Bulle geschah aber erst vier Wochen später, genau genommen am Sonntag, dem 30. Dezember. Wer nahm sie vor? Wer stieg auf die Domkanzel zu Augsburg und verlas die Bulle? Um diese Frage, die bis heute in der Literatur unbeantwortet geblieben ist, korrekt und eindeutig zu klären, bedarf es wieder eines Blickes in das Protokoll des Augsburger Domkapitels. Am 26. Dezember 1520 vermerkt es, daß der „doctor prediger", das ist nun seit dem 21. November eben unser Urbanus Rhegius, an das Kapitel herangetreten sei und angezeigt habe, daß er vom Bischof durch Notar und Zeugen — also ganz förmlich — ersucht worden sei, „die mandata wider den luter zu zuuerkunden"[136]. Rhegius tritt auf dieses Ersuchen hin an das Kapitel heran „mit Bitt im darin zu raten"[137].

Unternahm Rhegius von sich aus einen Versuch, die Verkündigung zu hintertreiben, indem er Kapitel und Bischof gegeneinander ausspielte, oder wollte er einfach für sich die Rückendeckung des Kapitels holen? Sein Widerwillen ist an diesem Schritt jedenfalls ablesbar.

Das Domkapitel beschloß nach eingehender Beratung, daß dem Rhegius gesagt werden soll: „Zum glimpflichsten das zuuerkunden, aus gescheft B. H. vnd meins gn. Herrn vnd ains Capitels nit zugedencken[138]."

Vier Tage darnach, am 30. Dezember also, bestieg Rhegius wirklich die Domkanzel von Augsburg mit der Bulle Exsurge in der Hand, um sie dem Volke zu verkünden. Kann er da ein überzeugter Lutheraner gewesen sein? Da wir ihm nicht unterstellen wollen, er habe gegen sein Gewissen gehandelt, kann die Antwort nur *Nein* lauten.

Bernhard Rem, ein Augsburger Chronist, der unter der Kanzel gesessen sein mag, gibt uns Kunde von der Verkündigung. Er berichtet: „Und a die 30. december da ward der Luther hie offentlich berriefft an der predig, aus des bischoff von Augspurg befelch, das het der pabst gebotten; und wer des Luthers biechlein hett, der solt sie dem vicari oder techant bringen[139]." Wenn man beides — den Auftrag des Domkapitels und den Bericht des Chronisten über die Ausführung — miteinander vergleicht, dann kann man sagen, Rhe-

[136] A.a.O., fol. 141.
[137] Ebd.
[138] Ebd. Mit „B. H." ist wohl „Bäpstliche Heiligkeit" und mit „meins gn." (-ädigen) „Herrn" Bischof Stadion gemeint.
[139] Rem, Chronik, S. 139.

gius hielt sich genau an den Auftrag des Domkapitels, das seine Hände in Unschuld wusch.

2.2.3.1. Welchen Text genau verkündete er?

Wollen wir noch kurz überlegen, was Rhegius von der Domkanzel zu Augsburg seinen Zuhörern verkündete bzw. verlas[140]. War es die lateinische, zehn Blatt starke „BULLA CONTRA ERrores Martini Luther & sequacium“[141], deren Druck Eck in Ingolstadt besorgte, oder war es vielleicht der deutsche Auszug[142] daraus, den derselbe Drucker in Ingolstadt, wohl auch auf Ecks Veranlassung, herausbrachte? Eine Frage, die sich wohl kaum mit Sicherheit lösen läßt. Da die breite Zuhörerschaft unter der Domkanzel des Lateinischen unkundig war, ist es durchaus denkbar, daß sich Rhegius mit der deutschen Kurzfassung begnügte.

2.2.3.2. Innerlich zerrissen

Die ablehnende Haltung, die die Augsburger Domherrn der Verkündigung der Bulle entgegenbrachten, und ihr Auftrag an Rhegius, bei der Verkündigung sich nur auf den Papst und den Bischof zu berufen und nicht auf das Domkapitel, dürfte dessen inneres Schwanken und Unentschlossenheit sehr gefördert, wenn nicht gar ihn zur völlig negativen Haltung der Bulle gegenüber bestimmt haben.

Auch Eck, und das scheint mir in der Literatur viel zu wenig beachtet zu werden, stand der Bulle „Exsurge Domine“ keineswegs nur positiv gegenüber. Ja aus seiner Feder ist uns eine äußerst kritische Bemerkung über sie erhalten: „... nam etsi in bulla priori“ (gemeint die Bulle „Exsurge Domine“) „multa fuerunt damnata, tamen aliqua videbantur adeo obscura, immo quaedam adeo indifferentia ut visum fuerit quandoque viris etiam doctissimis partem contrariam veriorem esse quam ea quae damnata fuerint[143].“ Wenn

[140] Schröder und Greving sind sich darin einig, daß die Publikation der Bulle und des bischöflichen Mandates „im übrigen Bistum ... wohl erst zu Anfang des Jahres 1521 erfolgt“ sei. Zitat aus: Greving, Zur Verkündigung, S. 208; vgl. Schröder, Die Verkündigung der Bulle, S. 152.

[141] Schottenloher, Druckauflagen, S. 207, Nr. 7. Die Bulle ist ediert zu finden u. a. in: Mirbt/Aland, Quellen zur Geschichte des Papsttums, S. 504—513.

[142] Siehe: Inhalt Bepstlicher Bull; vgl. Schottenloher, ebd., S. 208, Nr. 15. Dieser deutsche Auszug ist sehr kurz, er umfaßt zwar 4 Blätter, hat aber nur dreieinhalb Seiten Text. Siehe unten S. 140, Anm. 148.

[143] Friedensburg, Ecks Denkschriften, S. 243. Vgl. dazu Kalkoff, Luthers Prozeß, S. 572f. Ecks Kritik an der Bulle ist umso bemerkenswerter, als genaue Untersuchungen festgestellt haben: „Alle in der Bulle angeführten Sätze — mit

nun Eck, der auf die „Ausgestaltung" der Bulle „sicher einen großen Einfluß ausgeübt" hat, ja, wenn man in ihm „die eigentlich treibende Kraft sehen kann"[144], die zu ihrer Entstehung überhaupt führte, der weiters ihr emsiger Exekutor war, so kritisch über sie sprach, darf es einen nicht wundernehmen, wenn weniger Engagierte wie Domkapitel und Domprediger von Augsburg der ganzen Sache negativ gegenüberstanden.

Wie sehr Rhegius ein innerlich „Zerrissener" gewesen ist, davon gibt sein Verhalten Kunde. Derselbe Rhegius, der die Domkanzel von Augsburg besteigt, um die Bulle zu promulgieren, dichtet einen Hymnus auf ihre Verbrennung durch Martin Luther am Elstertor zu Wittenberg. Ja mehr noch, er gibt seinen „Verbrennungshymnus" als Einblattdruck, versteckt gezeichnet mit „V. R.", heraus[145].

Drei Tage nach Rhegius' Verkündigung der Bannbulle, am Mittwoch, dem 2. Jänner, beschließt das Domkapitel, dem Rhegius, mit dem es offensichtlich sehr zufrieden war, „das weichbischoffs[146] haus, so es ledig wurdet ... vmb den olten zins zu leihen, vnd in maß wie der weichbischof das inngehabt hatt"[147].

2.3. Weiteres Wirken und Abdankung im Spannungsfeld reformatorischer Anfänge

2.3.1. Die Bulle erregt die Augsburger

Da Rhegius' Verkündigung der Bulle die Aufforderung beinhaltete: „... und wer des Luther biechlein hett, der solt sie dem vicari

einer einzigen Ausnahme — lassen sich aus den lateinischen oder deutschen Schriften Luthers belegen." Roos, Die Quellen, S. 917.

[144] Schulte, Die römische Verhandlung, S. 52.

[145] Siehe: D. 23.

[146] Weihbischof war von 1506—1520: Heinrich IV. Negelin; von 1521—1546: Johann V. Laymann. Siehe: Haemmerle. Die Canoniker, S. 204; Schröder, Die Augsburger Weihbischöfe, S. 440f. und 443—446.

[147] Kapitelprotokoll, fol. 142. Das Haus des Weihbischofs wurde frei, weil der Weihbischof Negelin „gegen Ende des Jahres 1520 starb" oder, schreibt Schröder, Negelin „trat vom Weihbischofsamt zurück". Schröder, Die Augsburger Weihbischöfe, S. 440. „ ... die äußeren Bedingungen waren verhältnismäßig sehr günstig", urteilt Roth wahrlich nicht übertrieben über Rhegius' soziale Verhältnisse und fährt fort: „ ... so daß er darum beneidet wurde. Er erhielt den ansehnlichen Gehalt von 200 Goldgulden, mehr hatte man selbst dem Erasmus an barem Geld nicht geboten, als man ihn für die Universität Ingolstadt gewinnen wollte." Roth, Augsburg, 1. Bd., S. 58f., vgl. dazu: Braun, Geschichte, 3. Bd., S. 129; Rem, Chronik, S. 167: „... das cappittel gab in ain jar 200 fl." Uhlhorn II, S. 27: „Der Gehalt war für jene Zeit sehr hoch, 200 Goldgulden." Rhegius' Zeitgenosse Valentin Ickelschamer dürfte hierzu das ausgedrückt haben, was viele sich dachten. In Bezug auf Rhegius schrieb

oder techant bringen"[148], mußte es spätestens zur Fastenzeit, als die Bevölkerung zur gewohnten und gebotenen Osterbeichte ging, zu Spannungen kommen. Und Rem, der Stadtchronist, weiß auch prompt zu berichten: „... in der fasten da wolten hie die pfaffen die leutt in der beicht nicht ausrichten, die lutherischen biechlin hetten und sie nicht wolten von in ton. Also ward ain gros gemurmel daraus; die handwerckleut sagten, man solt die pfaffen zu tod schlagen. also schickten die vom cappittel für ain ratt und begerten, man solt sie sichern, das kund aber ain ratt nit ton. die pfaffen die verputen iren pfaffen, daß sie mit den laien nicht streitten solten von des Luthers wegen, und daß sie auch nicht giengen, wa man die lutherische biechlin fail hett[149]."

Der Rat der Stadt wurde beim Domkapitel ob der Vorgangsweise der Beichtväter, die zur Empörung führte, vorstellig[150]. Das Domkapitel stellte eine Kommission zusammen, „wiewol ein Capitel mit der sach nicht zuthun hat", weil „das verkunden der Bulla on iren willen bescheen"[151] sei; es schob die ganze Verantwortung dem Generalvikar zu, er solle mit den Pfarrern und Beichtvätern einen Ausweg suchen, „damit kain aufrur alhi erwachs"[152]. Am 22. Februar beauftragt es den Domprediger Rhegius, „ain Capitel vnd gemaine priesterschaft entschuldigen vnd anzaigen, das ain Capitel mit der sach nicht zuthun habe etc."[153].

er: „... nymbt auch ainer ain jar nit zwayhundert gülden das er predig. Warumb? Es seyn der armen zu vil allent halben." Ickelschamer, Clag ettlicher brieder, Bl. B'.

148 Rem, Chronik, S. 139. Wenn Rhegius nicht die Bulle in ihrem lateinischen Text verlas, sondern den deutschen Auszug verkündete, vernahmen die Augsburger von der Kanzel: „Dar tzu bei verpietung christenlicher begrebnuß, bej pen der verleümnuß vnnd vnteüglichait tzu aller rechtmessiger handlung, vnnd ander penn, vonn gaistlich vnnd weltlich recht den ketzernn tzu gehörig, daß kain Christen menschen, waß standts oder würde der sey, die selbig verdampt jrrig artikel vnnd falsche leer d. Ludders bestette, schütze, lobe, fürdere oder halte. Auch kainer bey obgeschrieben penen die büechlinn ludders darjn solliche jrrige leer begriffen würdt, trucken verkauffen, auffnen, loben, sützchen oder behalten sol, haimlich oder offenlich, Sunder wer die habe, soll die antworten nach befelch jrs ordenlichez Bischoffs, jren pfarherrn, oder andernn, denen der Bischove befelch würdt gebenn, die dann also gesamlet offenlich in beijsein der priesterschafft vnnd des volcks, söllen verbrent werdenn." Siehe: Inhalt Bepstlicher Bull.

149 Rem, Chronik, S. 144f. Vgl. dazu: Roth, Augsburg, 1. Bd., S. 65.

150 Kapitelprotokoll, fol. 145; Eintragung vom 19. Feb. 1521.

151 Ebd.

152 Ebd., Eintragung vom 20. Februar 1520.

153 Ebd., fol. 145'. Vgl. dazu: Zoepfl, Das Bistum Augsburg S. 24.

2.3.2. Rhegius: Die Bulle und nicht Luther richtet den Schaden an

Was muß das auf das Volk und die Stadt Augsburg für einen Eindruck gemacht haben, wenn am Sonntag darauf, am 24. Februar, als Antwort auf die Empörung des Volkes wegen der Verweigerung der Absolution durch die Beichtväter das Domkapitel verkünden läßt, es könne nichts dafür, ja mehr noch, es habe mit der Sache nichts zu tun. Ist denn das nicht eine Anklage des Bischofs, des Papstes, ist das nicht vor allem eine Anklage der Bulle, die an allem schuld sei? Jetzt wird Rhegius' Haltung durchaus verständlich, wenn er als Domprediger, der all das miterlebt, zur Feder greift, um sich in einer Flugschrift Luft zu machen, die nachweisen will, daß nicht Luther bzw. seine Schriften, sondern die päpstliche Bulle „mercklichen schaden in gewissin manicher menschen gebracht hab“[154]. Diese Schrift erschien im Sommer pseudonym, Rhegius begann aber auch offen auf der Domkanzel reformatorische Theologie oder, wie Rem sich ausdrückt, „auff des Luthers mainung“[155] zu predigen.

2.3.3. Rom verlangt Widerruf — das Domkapitel bewilligt Darlehen

Mit 27. März 1521 sind zwei päpstliche Breven datiert, eines an den Bischof, eines an das Domkapitel, mit dem Inhalt: „... dem Prediger“, also Urbanus Rhegius, „aufzutragen, seine gemachten Vorträge zu widerrufen und öffentlich zu erklären, daß Luthers Irrthümer von ihm“ (gemeint der Bischof) „und dem päpstlichen Stuhle verdammt, und alle, die sie vertheidigten ... Ketzer seyen[156].“

Schmauch hält es für wahrscheinlich, daß der Initiator dieser Breven Johann Eck war, allerdings ohne Beweise vorzulegen[157]. Hummelbergs Ausführungen über Rhegius' Predigttätigkeit deuten ebenso in diese Richtung: „D. Urbanus Rhegius“, schreibt er an Beatus Rhenanus, „vere evangelicum concionatorem agit Augustae; non nugas theologicas, non traditiones Pharisaicas, sed augustam theologiam et Christum ipsum praedicat, ob quod Eccium praeceptorem olim suum infestissimum patitur hostem[158].“ Von

[154] Siehe: D. 27. Wir werden unten auf diese Flugschrift noch ausführlich zurückkommen.
[155] Rem, Chronik, S. 145.
[156] Braun, Geschichte, 3. Bd., S. 211f. Die Originale der Breven sind verschollen.
[157] Schmauch, Christoph von Stadion, S. 62f., Anm. 5.
[158] Hummelberg an Beatus Rhenanus, 12. April 1521. Horawitz/Hartfelder, Rhenanus' Briefwechsel, S. 274. Rhegius und Hummelberg scheinen nach wie vor in einem sehr guten Briefkontakt gestanden zu sein. Vgl. dazu Hummel-

einem Widerruf Rhegius' oder von einem Druck, den das Domkapitel auf ihn ausgeübt hätte, hören wir nichts. Geradezu das Gegenteil ist der Fall. Knappe vierzehn Tage darnach bewilligt das Domkapitel dem Rhegius „hundert gulden zuleihen, das haus damit zubawen, so er retlich etwas daran zu bezalen vnd zu bawen willen were"[159].

Diese Bewerbung Rhegius' um ein Darlehen von dieser Höhe und seine Gewährung durch das Domkapitel zwecks Haus(um)bau und Adaptierung[160] beweist handfest, daß keine der beiden Parteien, weder der Prediger noch das Kapitel, an eine Änderung in der Domprädikatur dachten. Rhegius plante für eine längere Zukunft als Domprediger, und das Domkapitel sah keinen Grund, diese Pläne zu durchkreuzen. Daß im Kapitelprotokoll keinerlei Reaktion auf diese päpstlichen Breven erfolgte, ist wirklich erstaunlich. Den passiven Widerstand gegen alles, was aus Rom oder vom Bischof, oder von beiden Instanzen in puncto Vorgehen gegen Luther kam, setzte es konsequent fort.

Rhegius indes dürfte von der Sache sehr wohl erfahren haben, seine Ausführungen in einer unter dem Pseudonym Symon Hessus erschienenen Schrift, geschrieben im Stil eines Dialogs, den Hessus und Martin Luther halten, nicht allzulang darnach[161], beweist dies.

berg an Vadian, 22. April 1521, Vadianische Briefsammlung, 2. Bd., S. 358f., Nr. 257.

159 Kapitelprotokoll, fol. 148', Eintragung vom 8. April 1521.

160 Am 2. Jänner erhielt er ja das Haus des Weihbischofs geliehen. Siehe oben S. 139.

161 Siehe: Clemen, Symon Hessus, IVa, S. 568f. und D. 25. Die diesbezügliche Passage sei wiedergegeben: „HES. Ich weyß das Alexander vor etlichen tagen hie größlich ding trowet hat Vrbano Regio dem prediger zu Augspurg im hohen Gestifft. MAR. Warumb? HES. Von der Ewangelischen warheyt wegen, welche er in der Christlichen stat Augspurg trewlich (nyemants angesehen) leret, vnnd Martinus Caracciolus hylfft dem Alexandro zu seiner vnsyñigen weyß. MAR. Wirt aber Vrbanus Regius hynfüro schweygen, hat in Alexander erschreckt? HES. Neyn, er wirt ye lenger ye mer das Ewangelium predigen ... MAR ... Der Eck het sich auch vnderstanden, wie ich zu Straßburg gehört hab, den Urbanum Regium mit seinen Römischen tondklöpffen zu erschrecken, doch hat sich Regius nit lassen bewegen." Bl. Bij' der deutschen Ausgabe von D. 25. Hutten, Opera, 6. Bd., S. 610, Im ursprünglich lateinisch erschienenen Traktat lautet der auf Eck bezogene Satz: „... nam et Eccius horabili citationum tonitru (!) regij aures circumstrepens ..." Bl. B. Mit „Alexander" ist Hieronymus Aleander, der als päpstlicher Nuntius am Wormser Reichstag anwesend war, gemeint. Vgl. dazu: Kalkoff, Depeschen; Müller, Aleander; Wormser Reichstag, u. a. Auch Caracciolus war als päpstlicher Nuntius am Wormser Reichstag anwesend. Er hieß übrigens mit seinem Vornamen nicht Martinus, sondern Marinus. Literatur siehe wie vorhin bei Aleander. Zur hier erzählten Begebenheit siehe: Kalkoff, Depeschen, S. 140f., Anm. 2; Uhlhorn II, S. 32; Wittmann, Augsburger Reformatoren, S. 55ff.

2.3.4. Rhegius hält Anti-Ablaßpredigt — das Domkapitel zieht ihn zur Rechenschaft

Acht Wochen nach der Darlehensgewährung bietet sich uns allerdings ein wesentlich geändertes Bild. Am 31. Mai 1521 beauftragt das Domkapitel den Dompropst[162] und den besonderen Gönner des Rhegius, den Domscholaster Bernhard Adelmann, „mit dem prediger gutlich zu handeln, die fabrik zu bedencken, vnd wider die indulgents nit also wie bescheen ist, zu predigen..."[163]. Was war geschehen? Was hat das Kapitel so aus der Reserve gelockt, um diesen Beschluß zu fassen? Waren es vielleicht doch die päpstlichen Breven, von denen ich oben meinte, das Domkapitel hätte sie ignoriert?

Diesen Fragen näher nachzugehen, scheint mir um so nötiger, als hier die höchste Kapitelinstanz, der Dompropst, zum Eingreifen bemüht wird, der bisher nicht einmal bei der Anstellung des Rhegius in Erscheinung trat, und weil sich hier erste und sehr kräftige Regungen im Domkapitel gegen den Domprediger feststellen lassen. Die gesamte Literatur vermeint hier die Reaktion des Domkapitels auf die päpstlichen Breven zu finden[164].

Dagegen spricht aber zu eindeutig der ganz speziell formulierte Zitationsgrund: Predigt gegen den Ablaß oder, wie es vorhin zitiert heißt: „indulgents". Nicht eine etwaige Sympathie Rhegius' für Luthers Theologie im allgemeinen, nein, sondern speziell sein Auftreten in einer Predigt gegen den Ablaß und damit gegen die mit ihm eng verknüpfte „fabrik" ist es, was die Domherrn so aufgeschreckt hat. Ist nun eine solche Rhegius-Predigt bekannt oder gar erhalten? Ein Blick auf das Protokolldatum genügt, um bei diesen Fragen die Klärung zu ermöglichen. Die Protokolleintragung findet sich am Freitag, dem 31. Mai 1521; an diesem Tag beschließt das Kapitel, Rhegius wegen der dem Ablaß äußerst abträglichen Predigtäußerungen zu zitieren. Da die letzte Domkapitelsitzung am Mittwoch, dem 29. Mai, war und sich dort noch keinerlei Hin-

[162] Marquard von Stein hatte dieses Amt von 1519 bis 1559 inne. Geboren am 20. Jänner 1481, gestorben am 14. Jänner 1559. Haemmerle, Die Canoniker, S. 164, wo auch seine Pfründenkumulation verzeichnet ist.

[193] Kapitelprotokoll, fol. 154', Eintragung vom 31. Mai 1521. Vgl. dazu: Braun, Geschichte, 3. Bd., S. 212f.

[164] Der erste, der hier einen kausalen Zusammenhang knüpft, ist Braun, Geschichte, 3. Bd., S. 212f. Dem folgten: Roth, Augsburg, 1. Bd., S. 71; Wittmann, Augsburger Reformatoren, S. 51; Hablitzel, Urban Rhegius, S. 443 und Schmauch, Christoph Stadion, S. 62, der diese ganze Angelegenheit mit der Bemerkung verharmlost: „Nur ein verschüchterter Versuch der Kapitelherren, die vom Papst gleichfalls requiriert waren, wird gegen sein Predigen gewagt." Ebd., Anm. 1. Uhlhorn behandelt diesen Fragenkomplex nicht.

weis auf Rhegius oder seine Anti-Ablaßpredigt findet — auch in den Sitzungen davor findet sich nichts —, muß die inkriminierte Predigt dazwischen, also am Donnerstag, dem 30. Mai, stattgefunden haben. Und haargenau das trifft zu, das läßt sich präzis nachweisen; Donnerstag, der 30. Mai 1521, war Fronleichnam, und Rhegius hielt die Fronleichnamspredigt, die er auch im Druck erscheinen ließ[165]. In ihr hat Rhegius sich sehr ausführlich mit dem Ablaßwesen auseinandergesetzt, nicht zufällig, denn zu Fronleichnam gab es große Ablässe zu gewinnen. Nikolaus Paulus hat ausgerechnet, daß alles zusammengerechnet nicht weniger als 11.100 Tage Ablaß gewonnen werden konnten[166].

Den Sukkus seiner Ablaßkritik faßte er in Worten zusammen, die natürlich der gewohnten Ablaßpraxis völlig den Boden entzogen und in ihrer theologischen Position lutherisch waren[167]; er formulierte recht pathetisch: „Ich ston hie vnd wil dir verkünden den großmechtigen / allerhochwirdigsten ablaß / daran du kain zweyfel haben kanst / der dich vil meer treibt zu guten wercken / dann sunst kainer der kain mennsch gibt auff erden / sonnder der höchst priester in der ewigkait / nach d'ordnung Melchisedech / Christus jesus vnser ainiger hailmacher vnd recht haupt der Christenlichen kirchen. Es ist ain vnaußsprechlich groß ding ablaß der schuld oder sünd / das warlich allain hertzlich solt begeren ain rechter Christ / aber nit ablaß der pein / so wir hie von wegen der schuld leyden sollen. Zeitlich pein ist ain ding das billich / ain gehorsamer sun nit fliehen / hassen / ab jm kauffen sol / sondern got seinem Vater haimsetzen...

Nun hör mir eben zu / ich wil dir den rechten ablaß verkünden / der in kainem papir oder pirgamen mag begriffen / mit kainem bley versigelt werden / ich verkünd dir gnad / zu ablaß aller deiner sünd / glaub nur / bit got mit den jungern Luce am. xvij cap.[168] das er dir dein glauben mere / woltestu meer ablaß haben / was kanst du doch mer vmb got bitten / oder was mag dir got hie grössers geben / es ist der allergröst schatz / wann dir deine sünd verzigen werden / woltest du so vndanckbar sein vnd nit annemen das Creütz Christi / allerlay widerwertigkeit der welt so du waist das es die buß ist die Christus wil gehebt haben / oder du seyest nit sein junger Luce am xiiij[169]."

Da Rhegius den Rüffel, den die Domherrn ihm wegen der Anti-Ablaßpredigt erteilten, mit der Edition seiner Predigt beantwortete,

[165] D. 26.

[166] Paulus, Geschichte des Ablasses, 3. Bd., S. 429.

[167] Vgl. Liebmann, Himmlischer Ablaßbrief, S. 210f.

[168] Lk 17,5.

[169] Lk 14,27. Die ganze Predigtpassage findet sich: D. 26, Bl. Aiiij'-B.

mußte dies unweigerlich zu Spannungen zwischen Rhegius und dem Kapitel führen. Rhegius aber mußte sich um so mehr im Recht dünken, als niemand anderer als selbst Eck, den keiner lutherischer Gesinnung wird zeihen können, Luther ob seiner Ablaßkritik einst Lob spendete[170]. Oder, wird sich Rhegius überlegt haben, hat er doch im Auftrage des Konstanzer Generalvikars Fabri Zwingli angespornt, gegen den Ablaßprediger Sanson vorzugehen[171]?

2.3.5. Neuerliche Spannungen mit dem Domkapitel — Rhegius' Urlaubsgesuch wird genehmigt

Der nächste Zusammenstoß mit dem Domkapitel ließ nur wenige Wochen auf sich warten. Am 24. Juli 1521 befaßte es sich mit einem neuerlichen Verstoß des Rhegius gegen die Satzungen der Domprädikatur. Im Protokoll heißt es: „Auch soll dem prediger gutlich gesagt werden, so im furohin vom Rat zetel zugeschickt werden, das er dieselbgen leichtlich on rat ains Capitels nit verkunden, sondern zuuor wol besichtige, ob es nit wider ain capitel sey[172]." Man erinnere sich, daß Rhegius beim Amtsantritt schwören mußte, das Volk zur Unterstützung der Kathedralkirche und der Kirchenfabrik zu ermahnen ... und ohne besonderen Auftrag des Bischofs oder seines Generalvikars keine Bulle oder Briefe zu publizieren[173].

Am 4. und am 6. September 1521 steht Rhegius' Urlaubsgesuch auf der Tagesordnung der Kapitelsitzung. In der Begründung heißt es: „... seines leibs netens halben" möchte er „in ain wildbad".

Am 4. vertagt das Kapitel dieses Ansuchen, weil zuwenig Domherrn anwesend sind. Zwei Tage später wird das Gesuch abschlägig beantwortet, Begründung:

1. Wegen „der sterbenden lauf"[174].
2. Wenn er sich jetzt absentiere, würden „die von der Stat und ganze gemainet grossen onwillen darob empfahen, daraus auch nachteil und vbels erfolgen wurde".
3. „Die vrsachen nit verhanden werden[175]."

Eine Woche später liegt neuerlich eine „Suplication" des Rhegius an das Domkapitel vor, „darin er vrlaub begert". Da das Ka-

[170] Vgl. oben S. 129.
[171] Siehe oben S. 129f.
[172] Fol. 163.
[173] Braun, Geschichte, 3. Bd., S. 131f. Vgl. auch oben S. 135.
[174] Gemeint ist die Pest. Sender, Chronik, S. 151f. berichtet: „Um sant Jacobstag hat zu Augspurg der sterbent angefangen ... Hie in allen pfarren sind gestorben 5000 menschen. Die reichen leut sind al aus der stat geflochen gen Ulm, Werd und gen Laugingen, da sind ob 1400 menschen von Augspurg gewessen."
[175] Fol. 166. Mit dem 3. Punkt wollte das Domkapitel wohl sagen, Rhegius möge keine Krankheitsgründe vorschützen.

pitel aus Augsburg nach Günzburg a. D. der Pest wegen geflüchtet war[176], wird nun alles schriftlich abgewickelt. So beschließt es, Rhegius schriftlich zu antworten: „...das In ain Capitel wol hete leiden mogen, so er aber auf seinem furnemen verharren wolte, müsse ain Capitel bescheen lassen, doch soll seiner antwurt darauf zugewartet (!)[177]." Diese Antwort trifft beim Domkapitel ein und wird am 18. September verlesen, zur Kenntnis genommen, und nun „soll in der zeit, die er zuuerwesen schuldig ist, vmb ain andern bedacht werden"[178]. Das heißt, das Kapitel ließ nun den Punkt der Prädikaturstatuten in Kraft treten, der ihm die Möglichkeit gibt, von sich aus einen Ersatz namhaft zu machen, und nicht den, der ein solches Recht dem Possessor mit Bezug der Hälfte des normalen Einkommens einräumt[179].

2.3.6. Rhegius dankt ab und verläßt Augsburg

Am 2. Oktober beschließt das Kapitel bereits, die Prädikatur dem Prediger von Eichstätt zu leihen, „so fern er sich noch mer hören lassen zu prediciren" und sofern er um „die predicatur biten will"[180].

Was nun alles vor sich geht, geschieht mit einer eigenartigen Eile und Hast. Nachdem bereits am 20. September das Kapitel Rhegius' Behausung vergeben hatte[181], beschließt es am 2. Oktober, die Prädikatur Matthias Kretz von Eichstätt zu geben, sofern dieser um sie bittet. Am 14. Oktober liegt diese „erbetene Bitte" vor, und das Kapitel beschließt, ihm die Prädikatur zu überlassen, „so der ander doctor urbanus resigniert, mit dem er sich vergleichen mag"[182].

Das „so" hat der Protokollschreiber zunächst vergessen vorauszusetzen und dann eingefügt, wohl auch ein Zeichen der Hast. Rhegius hatte somit noch gar nicht resigniert, als bereits sein Haus (seine Dienstwohnung) und seine Stelle anderweitig vergeben wird. Am Donnerstag, dem 17. Oktober, ist es nun soweit, Rhegius, heißt es, hat auf die „predicatur durch sein procurator resigniert"[183].

176 Roth, Augsburg, 1. Bd., S. 71f.
177 Fol. 169'; „werden" wohl zu ergänzen.
178 Fol. 170. Von einer „bis Weihnachten" befristeten Zeit ist nicht die Rede. Vgl. Roth, ebd., S. 72.
179 Vgl. Braun, Geschichte, 3. Bd., S. 130f.
180 Kapitelprotokoll, fol. 171. Prediger von Eichstätt war, wie oben dargelegt, Matthias Kretz, der sich ein Jahr zuvor schon vergeblich um die Prädikatur beworben hatte. Diesmal scheint er vom Kapitel direkt eingeladen worden zu sein.
181 Ebd., fol. 170.
182 Ebd., fol. 174.
183 Ebd.

Kretz kann sein Doktorat nachweisen und erhält die Prädikatur, ohne daß inzwischen ein anderer Prediger, wenn auch nur kurz, bestellt worden wäre[184]. Seine Predigt auf die Schutzpatronin der Philosophen und Theologen, die hl. Katharina, deren Fest am 25. November immer festlich begangen wurde, hielt er somit nicht mehr als aktiver Domprediger, obwohl der diesbezügliche Druck ihn noch so nennt[185].

Daß Rhegius die Prädikatur nicht ganz freiwillig, wenn auch nicht direkt gezwungen, aufgab, ist aus seinem Brief vom 11. Jänner 1522 zu entnehmen: „Poteram, si affectibus remisissem frena, mea valedictione totam urbem in Sacerdotes concitare... nisi Christiana prohibuisset modestia, qua tum suppresso animi dolore iustissimo causas abitus mei in meum ipsius caput conjeci[186]."

Rhegius verließ nun Augsburg; wann dies genau war, läßt sich zwar nicht feststellen; am 4. Jänner 1522 treffen wir ihn in seiner Heimat in Langenargen, von wo er Kontakt mit Erasmus aufnimmt[187].

2.4. Wie lutherisch war Rhegius 1521/22?

2.4.1. Welche seiner Schriften gibt hierüber am besten Auskunft?

Zorn meint, Rhegius habe Augsburg vor Jahresende 1521 verlassen, „nachdem er sich... offen für Luthers Lehre erklärt hatte"[188]. Auch Uhlhorn ist im Prinzip dieser Meinung und beruft sich hierbei vor allem auf Rhegius' Schrift: Unterricht, wie ein Christenmensch Gott seinem Herrn täglich beichten soll[189].

Uhlhorn greift diese Schrift aus den neun, die Rhegius im Jahre 1521 erscheinen ließ[190], deshalb heraus, weil unter denen, die ein-

[184] Vgl. Roth, Augsburg, 1. Bd., S. 85, Anm. 162; Uhlhorn/Tschackert, Rhegius, S. 736. Genannt wird ein Mathematiker namens Vögelin. Übrigens erwies sich das Domkapitel am 27. November Rhegius gegenüber großzügig und erfüllte seine finanziellen Wünsche in puncto Zinsnachlaß. Siehe: Kapitelprotokoll, fol. 176.

[185] D. 31.

[186] Ms. 20. Rhegius an Wolfgang Rychard. Roth vertritt den Standpunkt der eher freiwilligen Resignation, weil Rhegius' theologischer Standort innerhalb des einen Jahres sich so geändert habe, daß er den durch Eideserklärung auf sich genommenen Verpflichtungen nicht mehr nachkommen konnte. Roth, ebd., S. 72.

[187] Ms. 19.

[188] Zorn, Augsburg, S. 170.

[189] D. 28; vgl. Uhlhorn II, S. 44.

[190] D. 23—31. D. 23: Das Siegeslied auf die Verbrennung der Bannandrohungsbulle ist nur mit „V. R." gezeichnet, was natürlich viele Deutungsmöglichkeiten offen ließ. D. 24, 25 und 27 sind unter den Pseudonymen: Simon Hessus und Phoeniceus Roschach erschienen. Vgl. dazu die entsprechenden Angaben im bibliographischen Teil meiner Untersuchung. D. 26 ist die schon

deutig Rhegius' Namen tragen, diese „eigentlich nur Luthers Gedanken" wiedergibt[191].

Für Beck ist diese Rhegius-Schrift „eines der ersten Beispiele solcher Beichtformel in der evangelischen Kirche"[192].

Hier haben aber Uhlhorn und nach ihm auch Beck laut Althaus, der die evangelische Gebetsliteratur näherhin untersuchte, besonders danebengegriffen. Wörtlich stellt Althaus fest: „Beiden Forschern ist es entgangen, daß Rhegius in völliger literarischer Abhängigkeit von Erasmus steht, freilich ohne seinen Gewährsmann zu nennen oder auch nur anzudeuten ...[193]."

2.4.2. Rhegius' „Summa theologica Lutherana"

Die Schrift Rhegius', die am besten Auskunft zu geben vermag über Rhegius' Rezeption lutherischer Traktate oder besser gesagt Theologie, ist unter dem Pseudonym Phoeniceus von Roschach erschienen[194]. Dieser Rhegius-Traktat ist aus zwei Gründen recht bemerkenswert:

1. Rhegius versucht eine Luthertheologie, gleichsam eine „Summa theologica Lutherana"[195], aus den bis dahin erschienenen Lutherschriften zu erstellen.

2. Ihre Grundtendenz ist, nachzuweisen, daß Luther keine neue Theologie bringt, sondern die alte Lehre fortführt, gereinigt von Mißbräuchen, die sich erst in den letzten vierhundert Jahren eingeschlichen haben.

charakterisierte Fronleichnamspredigt. Sie ist ohne Zweifel schon von Luther beeinflußt, aber „der ganze erste Teil ferner, der von der Art der Gegenwart Christi im Sakrament und der Wirksamkeit dieses Sakraments im Unterschied von den anderen handelt, ist durchaus von den herrschenden kirchlichen Anschauungen getragen". Seitz III, S. 10. D. 28 ist die eben besprochene Schrift vom Unterricht, wie ein Christenmensch Gott seinem Herrn täglich beichten soll. D. 29 und 30 sind Übersetzungen ins Deutsche von einer Chrysostomuspredigt und der „Vater unser"-Erklärung Cyprians. Weil Uhlhorn sich bemüht, Rhegius' Abhängigkeit von Luther um diese Zeit solcherart nachzuweisen, „daß es eigentlich nur Luthers Gedanken sind, die er in seiner Weise wiedergibt", findet er, bei der Chrysostomushomilie habe Rhegius nicht gut gewählt, „da diese sehr bedenkliche Ansätze zu einem Dienst für die Todten enthält". „Die Wahl zeigt", fährt Uhlhorn II, S. 30 fort, „daß des Rhegius eigene Erkenntniß hier noch nicht klar war." D. 31: Die erwähnte Katharinenpredigt. Auch hier kann man Seitz' vorsichtiges Urteil unterschreiben: „Wir werden nicht fehlgehen, wenn wir auch hier Einflüsse Luthers auf Rhegius annehmen." Seitz III, S. 11.

191 Uhlhorn II, S. 44.

192 Beck, Erbauungsliteratur, S. 72, Anm. 1.

193 Althaus, Gebetsliteratur, S. 71.

194 D. 27.

195 „... nun well mir sehen, in ainer summ was doch Luthers leer inhalt ... sy", schreibt Rhegius wörtlich. Ebd., Bl. Aiij'.

Wenn wir diesen beiden Gesichtspunkten in der genannten Schrift näher nachgehen, läßt sich die Frage, wieweit Rhegius bei seinem Weggang von Augsburg lutherisch war, am ehesten beantworten.

2.4.2.1. Für die „Summa" verwendete Luther-Schriften

Angefangen hat es damit, „es ist yetz in dem 4. jar", schreibt Rhegius, daß Luther gesehen hat, daß die Ablaßprediger das Evangelium nicht beachtet haben. So hat er nun als „ain guter hirt" begonnen, „etlich proposition von dem ablaß zedisputieren in der schul", und zwar ganz bescheiden „allain nach sitt vnd gewonhait der hohen schulen". Es ging ihm hierbei darum, „gelerter leut mainung vnd argument auch" zu hören. Da „ist sin disputatz zedel zum ersten gedruckt worden vnd in alle land gefiert, das doch des Luthers mainung nit gewesen ist, ye es ist so wyt kommen, das er ain erklerung hat über sin disputatz zedel gemacht, damit mengklich sin mainung und waruff er sich gründet, verstünd"[196]. Damit hat Rhegius bereits zwei Lutherschriften apostrophiert[197]. Als weitere, die er für seine „Summa" verwendet, zählt Rhegius (Bl. Aiij'-Aiiij) namentlich auf: Vom Bapstumb zu Rom ob es von gott sy[198]; von den sacramenten[199]; von der meß[200]; von christenlicher fryhait[201];

[196] Ebd., Bl. Aiij. Für Rhegius stand es somit um Mitte 1521, als er diesen Traktat schrieb, außer Zweifel, daß vier Jahre zuvor, also 1517, auf der Universität in Wittenberg Ablaßdisputationen stattgefunden hatten, und zwar „nach sitt und gewonhait der hohen schulen". Das heißt weiters, daß nach Rhegius zuvor die Disputationsthesen am schwarzen Brett der Universität angeschlagen worden waren. Volz hat übrigens bei der Diskussion rings um den Thesenanschlag diese Stelle bei Rhegius ins Treffen geführt. Siehe: Volz, Luthers Thesenanschlag, S. 126. Über Organisation und Zweck von Disputationen auf den Universitäten der damaligen Zeit vgl. Horn, Die Disputationen.

[197] Die Ablaßthesen, 1517. WA, 1. Bd., S. 229—238 und die Resolutiones, 1518. Ebd., S. 522—628.

[198] Von dem Papsttum zu Rom wider den hochberühmten Romanisten zu Leipzig, 1520. WA, 6. Bd., S. 285—324.

[199] Hier kommen mehrere Sermones in Betracht: Sermon vom Sakrament der Buße, 1519. WA, 2. Bd., S. 713—723; Sermon von dem Sakrament der Taufe, 1519. WA, 2. Bd., S. 727—737; Ein Sermon von dem hochwirdigen Sakrament des heiligen wahren Leichnahms Christi und von den Bruderschaften, 1519. WA, 2. Bd., S. 742—758; Verklärung D. M. Luthers etlicher Artikel in seinem Sermon von dem heiligen Sakrament, 1520. WA, 6. Bd., S. 78—83.

[200] Ein Sermon von dem Neuen Testament, das ist von der heiligen Messe, 1520. WA, 6. Bd., S. 353—378. (Der Traktat: Vom Mißbrauch der Messe, WA, 8. Bd., S. 482—563 erschien erst 1522.)

[201] Von der Freiheit eines Christenmenschen, 1520. WA, 7. Bd., S. 20—38.

von guten wercken[202]; vom ablaß[203]; von der hayligen eer[204]; ... vom bann[205].

Rhegius zählt in einem auch Hauptpunkte lutherischer Lehre auf, ohne daß damit ein Schrifttitel korrespondierte, so: „von der christenlichen kirchen" und: „vom glauben"[206].

Als weitere Schriften Luthers, die er für die vorliegende Summe herangezogen habe, nennt er noch: „von des Papst gewalt...[207] Babilonische Gefencknuß...[208] von dem ehlichen stand"[209].

2.4.2.2. Theologische Aussagen der „Summa"

Wer diese Lutherbücher lese und studiere, komme zum Schluß, doziert Rhegius, Luther „redt nit wider ordnung vnd oberkait, er waist wol wie es erstlich gestanden ist, aber er will in gaistlicher oberkait kain weltlichen pomp und bracht die wil sy vicari Christi sollen sin".

Keineswegs verwerfe Luther die *Sakramente*, er lehre nur, was nach der hl. Schrift Sakrament genannt werden soll. Zwei Dinge gehörten dazu: „vffsetzung gots vnd götliche verhaissung". Daraus folge, daß Sakramente nur sind: „das hochwirdigst sacrament des libs und bluts christi vnd der touf, dann bußviertikait ist im grund ain widerkerung vnd weg zur touf oder ain widergedenckung des toufs". Die anderen Sakramente hebe Luther aber keineswegs „vff", formuliert Rhegius in seiner Summa weiter, „nempts aber verhaissung onuerdnete zaichin. Er sagt priester wyhung say ain kirchliche ordnung...[210]."

202 Von den guten Werken, 1520. WA, 6. Bd., S. 204—276.

203 Ein Sermon von Ablaß und Gnade, 1518. WA, 1. Bd., S. 243—246. Eine Freiheit des Sermons päpstlichen Ablaß und Gnade belangend, 1518. WA, 1. Bd., S. 383—393.

204 Von der Heiligen Ehre, (1520/21). WA, 10./III. Bd., S. 407—419. Die WA ebd. S. 407 und S. CLXVII verlegt diese Schrift in das Jahr 1522. Da aber Rhegius diesen Traktat hier aufzählt, muß er spätestens 1521 im Sommer erschienen sein.

205 Ein Sermon von dem Bann, 1520. WA, 6. Bd., S. 63—75.

206 Gerade über den Glauben hat sich Luther durchgehend geäußert, ohne einen Traktat direkt so zu betiteln. Rhegius dürfte hierbei aber speziell folgenden Luthertraktat vor Augen gehabt haben: In epistolam Pauli ad Galatas M. Lutheri commentarius, 1519. WA, 2. Bd., S. 443—618.

207 Resolutio Lutheriana super propositione sua decima tertia de potestate papae, 1519. WA, 2. Bd., S. 183—240. Von der Beichte, ob die der Papst Macht habe zu gebieten, 1521. WA, 8. Bd., S. 138—185.

208 De captivitate Babylonica ecclesiae praeludium, 1520. WA, 6. Bd., S. 497—573.

209 Ein Sermon von dem ehelichen Stand, 1519. WA, 2. Bd., S. 166—171. Dieser Luther-Traktat wird auf Bl. Biij zitiert.

210 Bl. Aiiij.

Die da schreien, Luther sei „wider die priesterschaft", wollen ihn einfach nicht verstehen, daß er „allain die bösen myßbreuch" bekämpfe. (Bl. Aiiij')

Ebenso verwerfe er nicht die *hl. Messe,* sie sei nach ihm „ain testament und sacrament ... und ain hailigs zaiche des brots und wins, darunder Christi fleisch und blut wahrhaftiglich ist". Opfer sei die Messe als solche zwar nicht, wohl könne man die Gaben, die die Leute brächten, „opffer haissen". Auch die übliche Form „mitt claidung und geberden" verwerfe er nicht. „er verwerff die siben sacrament nit, allain er sagt man mögs nit all uß der schrifft probieren, es ist loblich die kinder firmen." (Bl. B) „Von der ölung sag ich", verteidigt Rhegius, „der Luther verwirfts nit". (Bl. B') „... die Ee sy ain figur Christi und der kirchen und sy ain sacrament das von den menschen, nit von gott selbst ain sacrament uffgesetzt sy. ... sichestu das der Luther den eelichen stand nit verwirft." (Bl. Biij-Biij')

In puncto Beichte bzw. *Ohrenbeichte* lehrt Rhegius über Luthers Position: „... wer redt das Luther die bicht well abthon, der luingt jn schantlich an, dann er spricht also die haimlich bicht, wie sy yetzt geschicht, wie sol sy in semlicher form nit in der schrift stat, dannocht gefalt sy mir wunderberlich wol, sy ist nützlich, ja ouch nott vnd ich welt nit das bicht nit wer." (Bl. C)

Fegefeuer: „Vom Fegfür Schribt Doctor luther clarlich, er gloub ain fegfuir, ... rat auch yetzlichen Christen menschen semlichs zeglauben, das sagt er aber wol, das man nit wiß wa das fegfuir sy ..." (Bl. Cij)

Über *Totengedenken* und *Ablaß* „sagt D. Luther, ich waiß und man soll fest glauben, das die armen seelen unsegliche pin liden und man jnen zu helffen schuldig ist mit betten, fasten, almusen geben und was man vermag ... aber das der Bapst mit ablaß in das fegfuir rumpeln will, mit gewalt got in sine haimliche gericht fallen, kan der luther nit beschirmen gloubs wer well, sunst disputiert luther etlich puncten von den seelen im fegfuir, begert wer mög, soll jm bericht geben, aber niena findt man das er das fegfuir verleigne ... (Bl. Cij) das gib ich wol zu, das der Bapst in gebetts wyß, nit mit gewalt, mäg etwan abwenden semlich straff gotts die sunst über den sinder ging". (Bl. Ciij)

Heiligenverehrung: „Er sagt und hellt fast mit der Christenhait, man soll die lieben hailgen anrieffen und eeren, doch man soll nit vermainen, das die hailgen durch sich selbs haben macht, die gab zu geben, oder die kranckhait zewenden, sonder sy sind allain firbitter." (Bl. Ciij')

Glaube und *Werke:* „... das erst und höchst aller edlest gut werck ist der gloub in Christum. (Bl. Ciiij) Merck jm eben uff, das ist sin mainung, er will das der bom vor der frucht sy, die öpfel sind nitt vor dem öpfelbom, der bom ist vor... Mit den worten verbuit Doctor Luther nit gute werck, er zaigt allain an die natürlichen ordnung vnder dem bom und früchten, vnder den wercken vnd vnder dem glauben, das der gloub vor mieß gon, darnach so kommen die werck wol hernach." (Bl. Ciiij')

Dann schilt Rhegius diejenigen, die meinen, sich auf Luther berufen zu können, wenn „sy weder fasten, noch betten noch beichten, am fritag bratwirst fressend und ergernuß geben". (Bl. D)

Freier Wille: „Er sagt", interpretiert Urbanus Rhegius Martin Luther weiter, „und ist war, des menschen will mög aigentlich nimmer ain fryer will genampt werden, er sy dann mit gottes genad erlicht, wann er die gnad nit hat, soll er billicher, ain aigner will genannt werden, dann ain fryer on gnad thut er nit gotes willen sondern sin aignen willen, der ist nymer gut... der fry will on gnad, kann nichts dann sünden." (Bl. Dij)

Konzilien und *Irrtumslosigkeit* der Kirche: „Doctor Luther hat wider Costantzer Concilium geredet, dann Costentzer consilium ist wider sich selbs... Er verwirft nit alle concilia, aber er zaigt an, das etwa in etlichen geirrt sy vnd beclagt sich des hoch, das yetzt, kain rechts göttliches Concilium werden will." (Bl. Dij') „... doch hallt Luther, das die recht gemain kirch nit mög irren, ob glich ain tail irre". (Bl. Dijj)

2.4.2.3. Ergebnis: Luther wird mißverstanden und mißdeutet

Bei dieser Lutherinterpretation und Explikation lutherischer Theologie zieht Rhegius den Schluß: „Luther erklert üch üwern alten glouben, so sprecht jr er bring ain nüwen, warumb? Das wissen jr noch den alten nitt recht, das hört man vß üwren worten." (Bl. Diiij) „Luther bringt kain nüwen glouben aber er leert dich den alten wol baß verston, dann man in vierhundert jaren hab gelernt." (Bl. D')

Im letzten Teil der Schrift geht es Rhegius darum, nachzuweisen, daß die Bannandrohungsbulle unermeßlichen Schaden angerichtet hat. Denn Luther lehre nichts Falsches, nichts Verwerfliches und Ketzerisches. Er werde nur mißverstanden und mißdeutet. Zum Teil sind es bloß Wiederholungen des schon Gesagten.

Für Rhegius bringt Luther um diesen Zeitpunkt — man bedenke nach Erscheinen von Luthers Hauptschriften und ihrer vollen Kenntnis — nichts Neues und schon gar nichts Revolutionäres. Was Luther lehrt, ist nach seiner Überzeugung die gute, alte Theologie, die von der Scholastik noch nicht depraviert ist.

3. PRINZIPALKAPLAN DER HEILTUMKAPELLE IN HALL IN TIROL

3.1. Auf theologischer Standortsuche in seiner Heimat am Bodensee

3.1.1. Erasmus ist die Sonne, Luther der Elias

Bevor Rhegius sein neues Amt in Hall in Tirol antrat, hielt er sich in seiner engeren Heimat am Bodensee auf. Wann er von Augsburg dahin übersiedelte, ist, wie wir gehört haben, ungewiß. Er reiste über Ulm, wo er seinen Freund, den Stadtarzt Wolfgang Rychard[211], treffen wollte, was offensichtlich mißglückte[212], in seine Heimat. Am 4. Jänner treffen wir ihn bereits zu Hause in Langenargen, von wo aus er Kontakt zu Erasmus aufnimmt[213].

Dieser Brief des Rhegius, geschrieben nach seinem Studium der vielen Lutherschriften, nach Abfassung der vorhin referierten „Summa theologica Lutherana", vermag Rhegius' Standort im aufwühlenden, geistig-theologisch-ekklesialen Ringen dieser Zeit noch genauer zu präzisieren.

„Haud secus enim te expectauimus ac solem quendam qui tenebras nostrae noctis sit discussurus", schreibt Rhegius an Erasmus, „tenebras inquam internas eoque periculosissimas; nam te renascentis theologiae auctorem primum nostris temporibus qui non fatetur, et mendax est et ingratus. Primus tu a turbidiss (imis) scholasticorum lacunis ad fontem sacrarum litterarum reuocasti theologos, idque ea modestia vt admonitione tua tam salubri tamque neccessaria ne inimici quidem sint offensi... Primo omnium ad theologos veteres hortabaris, a quibus deinde ceu riuulis ad canonicas Scripturas, fontem limpidiss (imum) nos perduxisti, denique effecisti tantum vigiliis tuis doctissimis vt nullum pene studiorum genus iam foeliciori pede procedat quam sacrosancta theologia[214]."

[211] Zu Wolfgang Rychard siehe: Keim, Wolfgang Rychard.

[212] Vgl. Urbanus Rhegius an Wolfgang Rychard, 11. Jänner 1522. Ms. 20.

[213] Rhegius' Hauptbiograph kannte und überspielte diesen aussagekräftigen Brief. Vgl. Uhlhorn II, S. 350. Der „Anti-Uhlhorn" kannte den Brief nur soweit ihn Uhlhorn erwähnte. Vgl. Wittmann, Augsburger Reformatoren, S. 53, Anm. 177.

[214] Urbanus Rhegius an Erasmus von Rotterdam 4. Jänner 1522. Allen, 5. Bd., S. 2f. Ms. 19. Rhegius fährt ebd. fort: „Rem sane admirabilem videmus, et litteras humaniores et sacras sic connecti vt simul citra tumultum condiscantur quae ante indoctorum machinationibus erant plusquam hostes. Tuis hoc omne lucubrationibus acceptum ferimus, qui omnem mouisti lapidem vt pro inani philosophia in scholis theologorum coelestis philosophia crucis tandem nosceretur. Gaude et triumpha, Erasme; cognosci coepit, nec apud litteratos duntaxat sed et laicos, qui persuasi sunt Paraclesi tua ad omnes Christianos

Formuliert einer so, der „eigentlich nur Luthers Gedanken... wiedergibt“[215]?

Kann man da einfach die Überschrift setzen: „Abfall des Rhegius von der katholischen Kirche“ und vom „traurig entarteten ehemaligen Domprediger“ sprechen[216]? Paßt hier überhaupt eine Denomination wie Abfall von der katholischen Kirche, Lutheraner, Erasmianer? Mir scheint, zu diesem Zeitpunkt kann man in Rhegius einen Theologen finden, der sehr aufmerksam die laufend, ja täglich erscheinenden Traktate und Flugschriften verfolgt und studiert, der um seine eigene Position ringt, sich, das allerdings, von der überkommenen Schultheologie schon weitgehend gelöst hat. Erasmus ist die Sonne und Luther, wie es in der vorher referierten Flugschrift einmal heißt, „der Elias...“[217], der Evangelisch recht Bischof“[218]. So urteilt Rhegius über diese zeitgenössischen Größen und charakterisiert sich damit selbst am besten. Daß Rhegius' Worte über Erasmus keine Floskeln waren oder er diesem in einem Privatbrief bloß schmeicheln wollte, wie es die Humanisten allzuoft taten, beweist seine Übersetzung der Titusbriefinterpretation des Erasmus[219] ins Deutsche. In seinem Widmungsschreiben an die Gräfin Magdalena von Montfort[220] erklärt er auch, warum er diese Erasmusinterpretation übersetzt und herausgibt: „Sunder ainem yeden Christenmenschen auff das verstentlichest fürgelegt wurd, hat der obbemelt D. Erasmus des hayligenn Pauli Epistolas für sich genommen, und eben des Pauli sententz oder maynung ordentlich, verstentlich und getreulich (doch mit mer worten und clärer) geschriben, also das die maynung Pauli unverruckt, gantz samenhafftig lauter und clar beleib[221].“

pertinere sacras litteras. Nuper matronam audiui de Lege et Euangelio ex Paulo ad Ro. doctius multo disserentem quam olim magni illi Magistri nostri potuerint. Sic tu tanquam classico vniuersum orbem ad Christi philosophiam excitasti. Ad instaurandam theologiam natum te nihil dubitamus. Proinde fato tuo obsequere, Augustinum atque Hilarium doctissima manu tua purgato, vt a veris adulterina dinoscamus: quod annis superioribus felicissime praestitisti in Hieronymo.“ Am Ende seines Briefes bemerkt Rhegius übrigens, daß er bald nach Augsburg zurückkehren werde, wo er „sesquiannum Christum“ gepredigt habe. Rhegius zählt somit seine Dompredigertätigkeit bereits von seiner Erwählung (9. Juli 1520) und nicht erst von seiner Installierung (21. November) an.

215 Uhlhorn II, S. 44.

216 Wittmann, Augsburger Reformatoren, S. 50 und 66.

217 D. 27, Bl. Biiij.

218 Ebd., Bl. Diiij'.

219 D. 32, vgl. dazu: Erasmus, Opera, 7. Bd., Sp. 1067—1076.

220 Zur Frage des Verhältnisses der Grafen von Montfort zur Reformation, siehe: Liebenau, Montfort.

221 D. 32, Bl. Aiij.

3.1.2. Priesterkollegen sind Diener des Antichrist

Eine Woche nachdem Rhegius an Erasmus schrieb, schickte er den oben schon erwähnten Brief an seinen Freund Wolfgang Rychard. Aus dem Brief entnehmen wir, daß die Augsburger über Rhegius zu sagen wußten: „Mulieribus ajunt me fuisse chariorem quam pro re[222].“ Hier in seiner Heimat beschäftigt er sich sehr intensiv mit Lutherschriften und studiert sie wiederum durch[223].

Wieweit er sich hierbei schon von der alten Kirche entfernt hat, zeigen Äußerungen über ihre Lehren und über seine Konfratres, die dieser nach wie vor treu anhangen, wie diese: „Conciliorum decreta omnia haud secus ac fidei articulos esse habenda. Pontificum decretales sacrosanctas esse. Pontifici jus esse uni, sacras literas pro suo nutu ac renutu figere ac refigere. Fidei quaestiones ad unum Rom. Pontificem esse referendas. Ecclesiam Dei absque Papae constitutionibus solis Bibliis regi non posse. Ecclesiam non errare aut Concilia. Qui verbo aut facto qualicunque concilio obluctetur, haereticum esse. Proinde Lutheranos jam esse haereticos & extra ecclesiam. Quid multa? Quid posset Christiana libertas in tot errorum caligine oppletis animis? ... Rideo igitur interdum deploratos Antichristi servos: misereor item tam perditae caecitatis[224].“ Weiteres von diesem Rhegius-Brief, der an Hochmut und Überheblichkeit nichts zu wünschen übrig läßt, zu referieren, verbietet mir Rhegius' Wertschätzung[225]. Zweifelsohne war er ob seiner Verdrängung von der Augsburger Domprädikatur vergrämt, was einiges entschuldigt, wenngleich ihm die Märtyrerkrone eines Verfolgten und Vertriebenen gar nicht steht. Er wurde nämlich in Augsburg weder verfolgt noch aus der Stadt vertrieben, wie Uhlhorn glaubhaft machen will[226].

3.1.3. Wie verschollen

Eigenartige Stille tritt um Rhegius nun ein, wir hören von ihm und über ihn ein halbes Jahr gar nichts[227]. Es ist dies die Zeit, in

[222] Urbanus Rhegius an Wolfgang Rychard, 11. Jänner 1522. Bibliotheca, S. (1015f.). Ms. 20.

[223] „Martini lucubrationes omnes denuo pellego.“ Ebd. S. (1016).

[224] Ebd., S. (1015)f.

[225] Wittmann bemerkt hierzu: „Im Umgang mit jenen seiner Mitpriester in der Umgegend, welche der katholischen Kirche die Treue bewahrten, benahm er sich so, daß selbst Uhlhorn daran Anstoß nimmt...“ Wittmann, Augsburger Reformatoren, S. 66.

[226] Vgl. dazu Uhlhorn II, S. 44f.

[227] Burmeister schreibt in seiner Gasser-Studie, daß dieser im Jahre 1522 „drei Monate lang bei Urbanus Rhegius in Langenargen Physik studiert habe“.

der die Reformation ihre Auswüchse zu zeitigen beginnt. Man denke an das Treiben der Schwärmer und Andreas Karlstadts in Wittenberg: Während Luthers Wartburgaufenthalt montierten sie nicht nur die Bilder in ihrer Kirche ab und verbrannten sie, „auch das Öl zur letzten Ölung“ verheizten sie, „weil sie nach der evangelischen Lehre nicht mehr als Sakrament gelten dürfte“[228].

Es ist auch die Zeit, in der sich Thomas Müntzer von Luther abwendet, um seine eigenen Wege zu gehen, bzw. in der er „durch seine Entwicklung zum sozialen Revolutionär“ wird[229].

Um diese Zeit dürfte es auch gewesen sein, daß Rhegius mit Thomas Müntzer zusammentraf[230]. Sicheres läßt sich nicht sagen, Rhegius ist wie verschollen.

3.1.4. Rhegius gratuliert Zwingli zu seinem reformatorischen Auftreten

Das erste sichere Lebenszeichen von Rhegius erhalten wir erst wieder Mitte Juli, da er von Lindau aus mit Zwingli wieder Kontakt aufnimmt[231]. Aus dem Briefeingang erfahren wir, daß seit Rhegius' letztem Schreiben an Zwingli zwei Jahre vergangen sind. Da aber sein letzter uns erhaltener Brief vom 2. März 1519 datiert, muß es inzwischen noch ein Schreiben gegeben haben, das uns leider nicht erhalten geblieben ist. Der jetzige Brief ist eine Gratulation Zwinglis für dessen mutiges reformatorisches Auftreten und eine Aufforderung, im selben Geiste fortzufahren. An welche Aktion Zwinglis könnte Rhegius wohl gedacht haben? Ein Blick auf das Datum dürfte diese Frage klären. Rhegius' Brief ist mit 16. Juli datiert; Zwingli unterzeichnete am 2. Juli „mit zehn Geist-

Burmeister, Gasser, 1. Bd., S. 16. Aus zeitgenössischen Quellen läßt sich derartiges allerdings nicht untermauern.

[228] Köstlin/Kawerau, Luther, 1. Bd., S. 482. Vgl. dazu auch: Müller, Die Wittenberger Bewegung.

[229] Bensing, Thomas Müntzers Aufenthalt, S. 45.

[230] 1524 schrieb Rhegius: „Es ist jetzt zwey jar, wolt mir dein“ (gemeint Andreas Karlstadt) „gesell Thomas Müntzer, die Biblien verschupffen ...“ Werke 4, fol. CXIX. D. 47. Wo dieses Gespräch stattgefunden hat, läßt sich nicht mit Bestimmtheit sagen. Uhlhorn II, S. 74, meint ganz dezidiert, es sei in Augsburg gewesen, ohne irgendeinen Beweis anzuführen. Daß es überhaupt ein persönliches Zusammentreffen zwischen beiden gegeben hat, begründet Ellinger, Müntzer, S. 230, mit einer recht plausiblen Interpretation der zitierten Rhegiusstelle folgend: „Da Müntzer bis Ende 1522 literarisch nicht hervorgetreten und ein brieflicher Verkehr höchst unwahrscheinlich ist, müßte man, auch dem Wortlaut nach, aus der Bemerkung auf ein persönliches Zusammentreffen schließen.“

[231] Ms. 21.

lichen eine von ihm verfaßte Bittschrift — besser Manifest — an den Konstanzer Bischof Hugo“[232], worin er „die Freigabe der schriftgemäßen Predigt und die Aufhebung der Zwangsverpflichtung zur Ehelosigkeit der Priester“[233] verlangt. Damit scheint es ziemlich wahrscheinlich, daß Rhegius diesen entscheidenden Vorstoß Zwinglis im Auge gehabt hat[234].

3.1.5. Rhegius zählt sich zu den Lutheranern

Ende Juli, am 31., desselben Jahres, tritt Rhegius auch mit Vadian wieder in schriftlichen Kontakt. Auch hier wieder die Bemerkung, daß er seit zwei Jahren nicht mehr geschrieben habe, auch hier ist uns kein Brief aus der in Frage kommenden Zeit bekannt[235]. Als Grund für sein langes Schweigen ihm gegenüber gibt er an, daß er gehört habe, Vadians St. Gallener Mitbürger „ab antichristo stare, theologum nostrum Martinum execrari“. Er fürchtete daher, daß „civium contagio nonnihil morilatum (!) te, ut Lutheranos omnes ceu pestem aversareris“[236]. Mit diesen Zeilen nennt sich Rhegius klipp und klar einen Lutheraner. Lutheraner aber nicht gemeint im Gegensatz etwa zu Erasmianer oder Zwinglianer, dazu waren diese Ströme noch zu sehr verflochten, ihre Divergenzen, wie sie in diesen Benennungen zum Ausdruck kommen, markieren eine spätere Entwicklung; wohl aber als Gegensatz zu den Altgläubigen, zur alten Kirche mit dem Papst an der Spitze, die auch bei Rhegius schon mit Antichrist benannt wird. Trotzdem trat er neuerlich in ihre Dienste, nämlich als Prediger von Hall in Tirol, nachdem er in Straßburg, wo man ihn als Münsterprediger vorgeschlagen hatte, nicht durchkam[237].

[232] Helbing, Fabri und die Reformation, S. 16.

[233] Farner, Zwingli, 3. Bd., S. 283.

[234] Der Editor des Rhegius-Briefes im CR, Walther Köhler, meint hierüber allerdings: „Es kann hier nur an den Züricher Fastenstreit mit der Verhandlung zwischen Zwingli und den bischöflichen Boten und an Zwinglis Schrift ‚Von Erkiesen und Freiheit der Speisen‘ gedacht sein.“ CR, 94. Bd., S. 537, Anm. 2. Die genannte Bittschrift (Manifest) ist ediert: CR, 88. Bd., S. 197—209. Vgl. dazu Uhlhorn II, S. 47, der diese hier skizzierten Zusammenhänge wohl deshalb übersieht, weil er Rhegius' Brief mit 6. Juli datiert. Im Autograph steht jedoch klar und deutlich der 16. Juli als Briefdatum, dem folgte auch die Edition im CR.

[235] Der letzte uns bekannte Brief des Rhegius an Vadian datiert mit 8. November 1517. Siehe: Ms. 13.

[236] Ms. 22. Vadianische Briefsammlung, 2. Bd., S. 443. Vgl. hierzu: Näf, Vadian, 2. Bd., S. 121.

[237] Jung, Geschichte der Reformation, S. 38.

3.2. Investitur, Pflichten und Bonitäten als Prinzipalkaplan der Haller Heiltumkapelle

3.2.1. Investitur

In der Haller Stadtchronik steht vermerkt: „Nach diesem doctor[238] ist angenummen worden von ainem ersamen rat hie zu Hall doctor Urban Regius, ein trefflicher hochgelerter man, zue ainem predicanten, und gen Brixen presentiert. Hat in bischof Sebastian Sprentz[239] confirmiert und in den tax nachgelassen[240].“

Sinnacher schreibt: „... die Vormünder des von Florian Waldauf hinterlassenen minderjährigen Sohns Johannes präsentierten nun zur Pfründe ‚den Wirdigen und hochgelehrten hern Vrbanum Regium von Argau... den die Ersamen — burgermeister und rate der stadt hall benent haben‘[241].“

Im Investiturprotokoll heißt es expressis verbis, daß mit 13. September Urbanus Rhegius die 1. Kaplanei „sacrae Capellae Beatae Mariae virginis“ der St. Nikolaus-Kirche in der Stadt Hall und, damit verknüpft, das Amt „predicandj“ verliehen bekommt[242]. Als Präsentatoren werden die Vormünder des minderjährigen Johannes[243] von Waldenstein und Retemberg genannt: Blasius Hölzl[244], kaiserlicher Rat und Präfekt „in Vellenberg“, sowie Wolfgang Praun[245], kaiserlicher Salzschreiber in Hall. Daß Blasius Hölzl, der „einflußreiche Beamte des Kaisers“[246] Maximilian I., auftritt, liefert uns einen guten Fingerzeig dafür, wer wohl hinter Rhegius' Berufung nach Hall in Tirol gestanden sein mag und diese vielleicht sogar mit Nachdruck betrieb. Dieser Blasius Hölzl nämlich „hielt sich vielfach in Augsburg auf“ und war mit dem dortigen Stadtschreiber Peutinger eng befreundet. Er zählte sogar „zu den ersten

[238] Gemeint ist ein gewisser Steffan Seligmann. Siehe: Schweyger, Stadtchronik, S. 82. Seligmann war aber nur interimistisch nach dem Abgang von Jakob Strauß und bis zu Rhegius' Installation Prinzipalkaplan. Zu Strauß' Wirken in Hall vgl. Waldner, Strauss, und Rogge, Strauß.

[239] Vgl. Eubel, Hierarchia Catholica, 3. Bd., S. 141.

[240] Schweyger, ebd.

[241] Sinnacher, Beyträge zur Geschichte, 7. Bd., S. 193.

[242] Brixen DA: Liber Investituris I, S. 307—308, Nr. 594. Die Überschrift der Eintragung lautet: „Inuestitura pro Doctore Vrbano de prima et Principali Cappellania una cum predicatura annexa in ecclesia Sancti Nicolaj oppidi Hall.“

[243] Johann war der Sohn des Stifters der Prädikatur Florian Waldauf von Waldenstein, der am 13. Jänner 1510 verstorben war. Siehe: Verdroß-Droßberg, Waldauf, S. 44.

[244] Vgl. Felmayer, Hölzl.

[245] Praun scheint sonst nicht auf.

[246] Horn, Peutinger, S. 157.

Mitgliedern der von Peutinger gegründeten ‚Sodalitas Litteraria Augustana'"[247]. Peutinger wiederum kannte Rhegius von dessen Dompredigerzeit. Die Achse Rhegius-Peutinger-Hölzl liegt damit auf der Hand.

3.2.2. Verpflichtungen und Bonitäten

Die Prinzipalkaplanei, verbunden mit der Prädikatur, geht auf ein Gelübde zurück, das Florian Waldauf von Waldenstein, als er 1489 zusammen mit seinem Herrn, Kaiser Maximilian I., in Seenot geraten war, abgelegt hatte. Waldauf ging gleich nach der Errettung aus dieser Not an die Ausführung seines Gelübdes, das drei Punkte umfaßte:

„1. Die Stiftung eines Predigtamtes;

2. Die Erbauung einer Kapelle Maria Scheidung oder Himmelfahrt;

3. Die Sammlung vieler Stücke hochwürdigen Heiligtums[248]."

Diesem Gelübde und seiner Verwirklichung näher nachzugehen, übersteigt den Rahmen dieser Untersuchung[249]. Wohl scheint es mir analog zur Prädikatur von Augsburg nötig, kurz die Verpflichtungen zu skizzieren, die der Possessor der Prinzipalkaplanei und der mit ihr verbundenen Prädikatur auf sich nahm. Diese Verpflichtungen und Bonitäten sind im Stiftsbrief wie auch in dem vom Stifter eigenhändig geschriebenen Heiltumbuch festgelegt[250].

3.2.2.1 Verpflichtungen

Eigenhändig schrieb der Stifter die Aufgaben und Pflichten des Possessors der beiden gestifteten Kaplaneien nieder. Soweit diese den Prinzipalkaplan bzw. den Inhaber der Prädikatur betreffen, seien drei markante Punkte herausgegriffen, so wie sie dem Stifter in die Feder flossen.

1. Er muß „in hoher teutschen sprach" und „mit peispil gueter werk" seine Zuhörer unterweisen.

247 Ebd.

248 Verdroß-Droßberg, Waldauf, S. 31. Vgl. dazu auch: Hochenegg, Ritter Florian Waldauf. Waldauf stiftete speziell für die Prädikatur auch eine Bibliothek, die sich sehen lassen konnte. Vgl. dazu: Brunner, Baldaufsche Bibliothek, und derselbe: Alphabetischer Katalog.

249 Vgl. Verdroß-Droßberg, Waldauf; Egger, Heilige Kapelle; Garber, Haller Heiltumbuch.

250 Vom Stiftsbrief wurden vier gleichlautende Stücke hergestellt, die alle erhalten geblieben sind. Sie befinden sich in Brixen BA; Hall StA; Innsbruck LA und StA. Das handgeschriebene Heiltumbuch befindet sich im Stadtpfarramt von Hall in Tirol. Ich zitiere dieses nach der Edition von Garber, Haller Heiltumbuch.

2. „Derselb doctor als prediger liset alle wochen zum minsten drei messen und darzu auch alle wochen ain seelmess in der heiligen capellen und nach der seelmess spricht er bei des stifters begrebdnuss(!)[251] in der heiligen capellen das Miserere oder De profundis mit ainer oder mer gewondlichen collecten und sprengt alsdann auf des stifters begrebdnus und dabei in der heiligen capellen den weichprunn und den umbstehenden christenmenschen gibt er auch den weichprunnen, zu erlangen die gnaden und aplass[252], so darzu verlihen sind."

3. „Der prediger tuet auch alle suntag, alle hochzeitlich und ander feirtēg das ganz jar in sand Niclasen pfarrkirchen zu Hall ein lobliche predig und an allen Vnser Lieben Frawen tēgen, die nit gepoten werden zu feirn, und an den tēgen der heiligen capellen patron, die man auch nit feiren wurde, tuet er auch ain fruchtpere lobliche predig. Aber in der vasten predigt er alle tag und im advent zum minsten alle wochen drei oder vier, werchtēg und sunderlichen auch alle jar am karfreitag predigt er den passion etliche stunden lang andechtiglich und loblich ...[253]."

3.2.2.2. Bonitäten

Für den Prinzipalkaplan und Prediger gab es verschiedene Bonitäten, die zwei wichtigsten seien herausgegriffen.

1. „Aber die gestifteten presenzen, eerungen und ander zuestend, so dem bestēten prediger ... die mitsambt seinem quattembersold alle jar ungeverlichen bei zwaihundert guldein Reinisch bringen, volgen und pleiben nichtdestminder on abgang dem rechten besteten prediger[254]."

2. „Zum XXI. haben der stifter und stifterin dem prediger und caplan der heiligen capellen und allen irn nachkommen auf ewigkeit geordnet, geaignet, gegeben und auch von neuen erpauen ain lustige wolerpaute behausung mitsambt ainem vorhof, garten,

[251] Die Leiche des Stifters wurde 1510 stiftungsgemäß in der hl. Kapelle bestattet. Der Totenschild trägt die Aufschrift: „A. D. 1510 die 13 mensis Januarii obiit nobilis ac strenuus Eques auratus divi Maximiliani Cesaris augusti senator dominus florianus de Waldenstain Ex Rettenberg Capellae divae virginis cultus primus fundator." Vgl. Verdroß-Droßberg, Waldauf S. 44f.

[252] Zum Umfang der Ablässe und ihrer Bedingungen, vgl. Egger, Heilige Kapelle, S. 38ff. Verdroß-Droßberg, Waldauf, schreibt S. 35 zusammenfassend: „Besonders hervorgehoben werden die Ablässe, die der hl. Kapelle nach dem Muster des Campo santo in Rom zuteil wurden."

[253] Garber, Haller Heiltumbuch, S. LXXVIIIf.

[254] Ebd., S. LXXIX. Wenn man allen Sold und alle „pesserung" zusammenzählt, ergibt dies 208 „guldein Reinisch" jährlich für den Prinzipalkaplan.

fließenden prunnen, prunnkasten und aller zugehörung, in der stat Hall im Yntal gelegen, und die für steur, wacht und aller ander anlegung, beswerung und mitleidens in ewig zeit ganz gefreit und geledigt[255]."

3.2.2.3. Eidesleistung als Voraussetzung für die Übernahme

Der Stifter forderte: „... das ain jeder prediger und auch ain jeder caplan der heiligen capellen, vor und ee inen die possession und gwer der heiligen capellen, der caplaneien und behausung gegeben wirdet, dem ersamen rat der statt Hall in handen des pfarrers daselbst vor ainem offen notari und darzu ervorderten gezeugen, offenlich zusagen, versprechen, geloben und swern, sich des auch darzu noch notdurft verschreiben, das sy dise fundation, ordnungen und stiftungen, sovil die ir jedem auflegen und nach laut des stiftsbriefs in allen puncten und artigkeln stet, vest und unzerbrochen halten und volziehen sullen und wellen ...[256]."

Rhegius kam dieser Eidesleistung sechs Tage nach seiner Investitur nach. Die diesbezügliche Urkunde, in der er sich verpflichtet, den Stiftsbrief „in allen yeglichen Puncten und Artickeln ... nichts darinn ausgenomen ... vesst und untzerbrochen" zu halten und zu befolgen, ist uns noch erhalten geblieben[257].

3.3. Ein Dreivierteljahr ungestörte Tätigkeit

Wir wissen nicht, was Rhegius bewogen hat, dieses Amt des Prinzipalkaplans, verbunden mit der Prädikatur, an einer der reichhaltigsten Heiltumkapellen im süddeutschen Raum[258] anzunehmen und sich zu verpflichten, die Satzungen genau zu befolgen und auszuführen. Von seinem theologischen Standpunkt her, müßte man meinen, konnte Rhegius sich nicht mehr zu den Diensten des Prinzipalkaplans der Haller Heiltumkapelle verpflichten. Er weiß sich selber doch schon als Lutheraner und seine Konfratres in der alten Kirche — wie wir vorhin gesehen haben — als Diener des Antichrist. Anzunehmen, Rhegius übernahm dieses für die Frömmigkeit der alten Kirche so typische Benefizium der Annehmlichkeiten willen — schließlich war dieser Posten mindestens so gut dotiert wie die Domprädikatur von Augsburg —, verbietet uns die Hochachtung vor seinem Gewissen. War es sein Verlangen, die neue theologische Richtung, repräsentiert durch die „Sonne" Eras-

[255] Ebd., S. LXXXVII.
[256] Ebd., S. LXXXVIf.
[257] Innsbruck StA: Urkunde Nr. 705. Vgl. dazu: Ruf, Strauss und Regius, S. 77.
[258] Vgl. Garber, Haller Heiltumbuch, S. Iff.

mus und den „Elias“ und „rechten evangelischen Bischof“ Luther, wie er es sah, zu verkünden? Bot sich dafür Hall dem beschäftigungslosen ehemaligen Domprediger Rhegius als *die* willkommene Plattform an? Lag aber nicht das, was er aufgrund seiner eigenen Überzeugung verkünden wollte, völlig konträr zu der im Stiftsbrief zum Ausdruck gebrachten Frömmigkeit, die zu fördern er durch Eidesleistung sich verpflichtete? Die Editoren der evangelischen Kirchenordnungen machten es sich jedenfalls viel zu einfach, wenn sie Rhegius' Tätigkeit als Prinzipalkaplan an der Haller Heiltumkapelle mit: „... freier evangelischer Prediger u. a. in Hall in Tirol“, umschrieben[259]. Noch einfacher macht sichs Stupperich, der Rhegius' Haller Verpflichtungen vor dessen Augsburger Dompredigerzeit und damit vor dem Jahr 1520 ansiedelt[260].

Rhegius ließ seine wahre Gesinnung, die er in Hall durchaus nicht verleugnete, breits in seiner ersten uns erhaltenen Predigt, der Kirchweihpredigt, deutlich durchblicken. Vehement greift er die Ablaßpraxis an und treibt direkt seinen Spott mit ihr. Von den Äußerlichkeiten weist er in dieser Predigt immer wieder weg, hin zu innerer Gesinnung, zum Glauben. Christus ist der „ainigen mitler, und gnaden stul“[261], eine Formulierung, die eine versteckte Kritik am dortigen stiftungsmäßigen Brauch darstellte, da jährlich am 3. Sonntag nach dem St. Georgstag (23. April) die Heiltümer entsprechend dem Stifterwillen „in 21 Prozessionen auf den vor der Kirche aufgestellten Heiltumsstuhl gebracht“ wurden, um sie bis in den Abend hinein[262] dem Volke vorzulegen bzw. zum Kusse zu reichen.

Bei aller Kritik, die er über die Heiltumsverehrung durchblicken läßt und die in dem Satz kulminiert: „... am Jüngsten Tag wirt er nit fragen, wie viel Götzen du in die kirchen gemachet habest... Sonder hast du den hungerigen gespeyßt?“, betont er ausdrücklich: „Nicht das ich den rechten brauch der bilder gar noch verwerff ...[263].“

Seine zweite uns erhaltene Haller Predigt hielt er über das dritte Gebot[264]. Hier rechnet er mit der aristotelischen Philosophie ab. Während die erste Predigt sich durchaus im theologischen Denken von Erasmus „seine Sonne“ bewegt[265], klingen hier bereits

[259] Siehe oben S. 63f.
[260] Ebd.
[261] Werke 1, fol. XXXVI'. D. 34.
[262] Verdroß-Droßberg, Waldauf, S. 36.
[263] Werke 1, fol. XXXV'.
[264] D. 35.
[265] Damit soll nicht gesagt sein, Rhegius habe einfach eine erasmische Predigt,

Töne, speziell über den freien bzw. unfreien menschlichen Willen, an, die sich außerhalb erasmischer Denkkategorien bewegen[266]. Am Ende seiner Predigt über das 3. Gebot spielt Rhegius das Klosterleben bzw. die Klostergelübde gegen das Predigthören aus: „...jr geistliche mutter lasts nit herauß." Gemeint ist, daß die Hausoberin eines Ordenshauses „ihren" Schwestern zum Zweck des Predigthörens keinen Ausgang gibt. „Sprichst tu jr solt predig hören, so sagen sie: wie meinst tu das? wir sind jm stand der vollkommenheit uns zimpt nicht under die welt zu gehen[267]." Eine weitere Bemerkung in dieser Predigt, daß „jedermann schweygen" muß, „wenn er schon ein Eseltreiber zu Rom ist gewesen", wo er „gewalt vom Bapst"[268] erhalten habe, ist eine allzu deutliche Anspielung auf Johann Eck, als daß dies lange gut gehen konnte. Aber noch ging alles gut.

Bis zum Frühjahr, besser bis zum 20. März 1523, hören wir nichts von Rhegius. Mit diesem Datum ist die Vorrede zum Werk: Von Reu, Beichte und Buße[269] versehen, Themen, über die er wohl in der Fastenzeit, wo er ja stiftungsgemäß täglich predigen mußte, handelte. Seine Verdeutschung des Fastenhymnus[270] dürfte auch um diese Zeit anzusetzen sein.

Erneut ins Gesichtsfeld tritt Rhegius wieder, als Erzherzog Ferdinand nach Hall in Tirol kommt, es war dies „am Freitag nach Ostern"[271] (10. April 1523). Der Haller Stadtchronist Schweyger, ein Augen- und Ohrenzeuge, schreibt über Rhegius' Verhalten hierbei: „Es ist auch die briesterschaft all, auch doctor Urban Regius, ditzmal predicant, in iren ornattn und heiltumb entgegen gangen pis anfang des haller feldts[272]."

im Sinne eines Gegensatzes zu lutherisch, gehalten. Seitz III hat S. 12 übrigens zu Recht darauf verwiesen, daß in dieser Predigt sich Gedanken finden, die Luther 1519 im Traktat: Ein Sermon von dem hochwürdigen Sakrament des heiligen wahren Leichnams Christi und von den Bruderschaften, aussprach. Siehe: WA, 2. Bd., S. 742—758.

266 Für Seitz III, S. 12, ist diese Predigt des Rhegius ein Paradebeispiel dafür, wie eng er sich „an Luther anschloß". Rhegius' Abhängigkeit von Luthers „10-Gebote"-Predigt ist ohne Zweifel sehr eindeutig. Siehe: WA, 1. Bd., S. 398—521.

267 Werke 1, fol. XLIIII. D. 35. In seinen weiteren Ausführungen über die Klostergelübde finden sich deutliche Spuren, daß Rhegius Luthers 1521 erschienenen Traktat: „De votis monasticis M. Lutheri iudicium" benützte. Siehe: WA, 8. Bd., S. 573—669.

268 Werke 1, fol. XLIII.

269 D. 37.

270 D. 36.

271 Ruf, Mitteilungen, S. 204.

272 Schweyger, Stadtchronik von Hall, S. 83.

3.4. Zwischen Hall und Augsburg

3.4.1. Erste Reise nach Augsburg „animi gratia" — unerwartete Schwierigkeiten bei der Rückkehr

Vierzehn Tage später, genau genommen „ante diem Georgii"[273], das ist Mittwoch, der 22. April 1523, bricht Rhegius nach Augsburg auf. Warum wohl? Uhlhorn meint: „Um den Zorn Ferdinands sich beruhigen zu lassen[274]." Bei Uhlhorn fällt übrigens auf, wie sehr er diese Zeit des Haller Aufenthalts von Rhegius als dessen „Verfolgungszeit", als „Kreuzschule" qualifiziert wissen will[275].

Bis jetzt war weder von Verfolgung noch von einer „Kreuzschule" etwas zu bemerken. Wohl kam sie, und auch sehr hart,

[273] Urbanus Rhegius an Wolfgang Capito, 24. Juni 1523. Ms. 23. Im Haller Raitbuch heißt es zwar: „... an sannd Jörgen tag" (23. April) „im 1523 Jahre". Da die dortige Eintragung erst Mitte Juni 1525 (Quatember Trinitatis, der Samstag dieser Quatember war 1525 der 10. Juni) erfolgte und Rhegius selbst den Tag davor als Abreisetag angibt, ist der 22. April wohl als sicher anzunehmen. Siehe: Haller Raitbuch, fol. 385.

[274] Uhlhorn II, S. 52. Roth folgt diesem und schreibt: Rhegius hat in Hall in Tirol „unerschrocken das Evangelium gepredigt, bis ihn im Frühling des Jahres 1523 das feindselige Verhalten des Bischofs von Brixen und des Erzherzogs Ferdinand nötigte, die Stadt zu verlassen". Roth, Augsburger Reformatoren, 1. Bd., S. 126.

[275] Uhlhorn, ebd., S. 44f. Er findet außerdem die Erlebnisse des Rhegius während dieser Haller Zeit „vielfach dunkel". (S. 350) Auf die Verwendung der vorhandenen Archivalien von Innsbruck, Hall, Brixen hat Uhlhorn bei Erstellung seiner Abhandlungen über Rhegius völlig verzichtet. Den wichtigen und aufschlußreichen Brief des Rhegius vom 16. September 1524 an Capito (Ms. 27) scheint er nur bruchstückhaft gekannt zu haben. Wittmann bringt in seiner Untersuchung über die Augsburger Reformatoren hier nichts, was über Uhlhorn hinausginge. Was der Sohn Ernestus über die Haller Zeit seines Vaters zu sagen hat, möchte ich Schelhorns Ergötzlichkeiten, S. 249f. entnehmen und wörtlich wiedergeben: „Sein Sohn Ernestus Regius gedenket dieses seines Aufenthaltes in dem Tyrol in der Zuschrift der deutschen Bücher seines Vaters, welche zu Nürnberg A. 1552" (hier irrt Schelhorn, das Erscheinungsjahr der Sb. ist 1562, siehe D. 142 und 143) „in fol. zusammen gedruckt worden und die er den Lunebürgischen Hertzogen Heinrich und Wilhelm zugeeignet hat. ‚Er ist', schreibt er, ‚bey die zwey oder dreymal durch den Bapst und seinen Anhang von Augspurg vertrieben, hat also etliche Jare müssen das Elend versuchen, Inn welcher Flucht er zu Hall im Intal vnd Inßbruck herum gezogen, verlassen von jedermann, sich auch an denselbigen Oertern nicht wol dürfen zu erkennen geben, von wegen der ernstlichen Verfolgung der Widerpart. Hat sich aber in solcher Angst vnd Flucht erhalten durch die tröstliche Verheißung, die Christus thut, da er selig spricht alle, die Verfolgung leyden seines Namens halben, nicht gezweyfelt, er werde anstat diser zeytlichen Not ewige Freude und Genade bey Gott finden. Ist auch darnach wiederumb gen Augspurg durch Göttliche Schickung beruffen, sein angefangenes Amt weyter zu verfüren'."

man darf aber nicht die komplette Haller Tätigkeit des Rhegius unter dieses Motto stellen.

Warum er nach Augsburg aufbrach, schreibt er selber: „animi gratia"[276] lautet der Grund. Die Sehnsucht also war es, die ihn nach Augsburg trieb. Die Sehnsucht, alte Freunde wiederzusehen, wie etwa seinen Gönner und Freund Bernhard Adelmann, wo er Briefe von Wolfgang Capito vorfand[277]. Sicher wohl auch, um sich in Augsburg überhaupt umzusehen, Neues zu hören und neue Bücher zu kaufen. Auch wäre bei diesem Aufenthalt beinahe das Ereignis eingetreten, wovon er ein Jahr später, als er Wolfgang Capito zu dessen Heirat gratuliert, schreibt: „... in eam conditionem" (gemeint die Heirat) „migrassem ante annum nisi persecutionum procellae obstitissent...[278]." Um welche Verfolgung (persecutiones) es sich handelte, erfahren wir ebenso aus Rhegius' Brief an Capito, und zwar aus dem vom 24. Juni 1523. Er läßt darin Capito wissen, daß er nach einigen Wochen Aufenthalts in Augsburg wieder nach Hall zurückkehren wollte. Als er beim Aufbrechen war, langte ein Brief aus Hall ein, worin der Senat von Hall ihn ermahnte, noch nicht zu kommen, denn „Ferdinandum adeo grassari in Evangelii praedicatores, ut non satis tuti sint, quos tutissimos esse oportebat"[279]. Rhegius berichtet seinem Freund Capito weiter, nun habe er eine lateinische Apologie an Ferdinand — womit natürlich der Erzherzog und Bruder des Kaisers gemeint ist — verfaßt, „quam Hallani obtulerunt"[280].

„Hallani nihil non tentant", fährt Rhegius fort, „quo me tutum sanumque ad cathedram meam reducant...[281]." Ich finde, daß Ruf und nach ihm Kienberger dieses Rhegiuswort diametral verkehrt wiedergeben, wenn sie übersetzen: „Die Haller thun nichts für mich[282]." Weiters erzählt Rhegius, daß er nicht nur dem Erzherzog eine Apologie geschickt und der noch nicht geantwortet habe,

[276] Urbanus Rhegius an Wolfgang Capito, 24. Juni 1523. Ms. 23. Uhlhorn II, bringt S. 351 azw. diesen Brief, aber gerade diese Grundangabe läßt er aus, und das sogar ohne durch Auslassungszeichen die Weglassung anzudeuten.

[277] Ms. 23.

[278] Urbanus Rhegius am Wolfgang Capito, 16. September 1524. Ms. 27, fol. 709.

[279] Ms. 23.

[280] Ebd. Im Haller Raitbuch fand diese Botentätigkeit ebenso ihren Niederschlag. Dort werden fol. 391 die Boten sogar namentlich genannt, und dies sind die weiter nicht näher bekannten Christoph Stocker und Oswald Camerl. Die ganze Aktion kostete den Magistrat von Hall 2 Pfund und 10 Kreuzer. Vgl. dazu auch: Kienberger, Geschichte der Stadt Hall, S. 183.

[281] Ms. 23.

[282] Ruf, Strauss und Regius, S. 78 und Kienberger, Geschichte der Stadt Hall, S. 183. Auch Luther Margret, Der Protestantismus, hat sich S. 39 dieser Übersetzung angeschlossen.

sondern auch: „Mea omnia apud Episcopos defensurus eram sed non admittor[283].“
Man sieht hier, daß Rhegius die kirchliche Obrigkeit noch akzeptiert und den Bischof bzw. die Bischöfe als die zuständigen Instanzen betrachtet. Prompt erhält er für dieses Verhalten von seinem Freund Capito aus Straßburg vierzehn Tage darnach eine Rüge.

Capito, der in seiner reformatorischen Entwicklung offensichtlich schon einen Schritt weiter war[284], fragt Rhegius rethorisch erstaunt: „Ecquid ais causam ne dicere apud Episcopos animus fuit?“ Die Bischöfe seien doch schon darangegangen, „Christum ... potentia ac tyrannide opprimere ...“[285].

An welche Bischöfe wird Rhegius wohl geschrieben haben? Sicher ist, daß er an den für Hall in Tirol zuständigen Bischof von Brixen schrieb. Dort ist sowohl der Eingang eines solchen Rhegius-Briefes wie auch die Antwort von dort an diesen in einem Schreiben des Bischofs an die Haller vom 17. Juli erwähnt[286].

In welchem Ruf Rhegius damals allgemein stand, läßt er Capito mit folgendem Satz wissen: „... omnes cantant: Lutheranus est, Lutherus est haereticus[287].“

3.4.2. Prediger der Stadt Augsburg und schriftstellerische Tätigkeit während der Wartezeit

Weil sich Rhegius' Rückkehr durch diese Ereignisse hinauszögerte, blieb er noch „Augustae apud amicos“. Er verbrachte diesen unerwarteten und unfreiwilligen längeren Aufenthalt in Augsburg nicht tatenlos. So erfahren wir aus seinem schon mehrmals zitierten Brief vom 24. Juni 1523 an Capito, daß er in Augsburg „rogatus a senatu aliquoties“ gepredigt hat[288].

Diese Predigttätigkeit hielt über den Zeitpunkt der Briefabfassung hinaus an. So läßt sich ganz konkret anhand der Rechnungsbücher des Karmeliterklosters St. Anna eine Predigt des Rhegius „in die visitationis virginis Mariae“[289] (2. Juli) 1523 nach-

[283] Ms. 23.
[284] Vgl. hierzu Baum, Capito und Butzer, vor allem auch Kittelson, Capito. Beide greifen aber auf diesen Briefwechsel Capito-Rhegius nicht zurück.
[285] Wolfgang Capito an Urbanus Rhegius, 6. Juli 1523. Basel UB: Nachlaß Capito, Ms. Ki. Ar. 25a, 37. Briefkonzept.
[286] Briefkonzept des Bischofs von Hall Sebastian Sprenz an die Stadt Hall im Inntal, 17. Juli 1523. Siehe: Brixen DA, Hofregistratur, X, S. 823—826. Weder der Briefwechsel Rhegius-Brixen noch die Apologie des Rhegius an den Erzherzog Ferdinand konnte trotz intensiven Suchens eruiert werden.
[287] Ms. 23.
[288] Ebd.
[289] Rechnungsbücher St. Anna, 4. Juli 1523. Vgl. Schott, Beiträge, S. 255.

weisen. Damit dürfte wohl auch der genaue Ort für die Predigt geklärt sein, die Rhegius am Fronleichnamstag (4. Juni) hielt und bei der er sein Lieblingsthema *Ablaß* erneut ventilierte. Er verkündete hierbei auch „seinen" „Himmlischen Ablaß", den er auch als Einblattdruck unter das Volk brachte, auch seine Fronleichnamspredigt erschien gedruckt.

Dadurch, daß Rhegius auf Bitten des Rates predigte, stand er und seine Predigt natürlich auch unter dessen Schutz, und es konnte ihm nicht mehr das passieren, was zwei Jahre zuvor, als er über den Ablaß im Dom predigte, geschah, nämlich, daß er von einem kirchlichen Gremium zur Rechenschaft gezogen wurde. Ebensowenig konnte ihm das passieren, was ein Jahr zuvor seinem Kollegen Johann Spitelmaier[290] am selben Ort, eben bei den Karmeliten, passierte, daß er nämlich „per episcopum et capitulum Augustae amotus fuerat"[291].

Rhegius war bei diesem unfreiwillig verlängerten Augsburger Aufenthalt auch als Schriftsteller sehr tätig. Außer den beiden schon erwähnten Drucken, die er zu Fronleichnam drucken ließ bzw. herausbrachte, sind es noch ein Traktat zur Frage, ob Petrus tatsächlich in Rom gewesen ist, also zur Primatsfrage[292], und dann vor allem die beiden „Bestandsaufnahmen" reformatorischer Theologie, nämlich die „Erklärung etlicher läufiger Punkte" und die „Erklärung des apostolischen Glaubensbekenntisses". Schriften, die Bestseller wurden und nicht selten zusammengedruckt erschienen[293].

Diese beiden zuletzt genannten Schriften sind keine Flugschriften in dem Sinne, daß sie irgendeine Einzelfrage mehr oder minder polemisch abhandeln, sondern sie sind eine Art Katechismen, die Antworten auf alle strittigen theologischen Fragen geben wollen. Die erste der beiden, die „Erklärung etlicher läufiger Punkte", ist sehr gut mit Melanchthons „Loci communes"[294] vergleichbar. Seitz charakterisiert diese Schriften nicht zu unrecht als Abschluß der ersten Periode der reformatorischen Schriftstellerei des Rhegius[295].

Zu einem äußerst unguten Auftritt kam es am Montag, dem 13. Juli, während einer Predigt eines Dominikanermönchs im

[290] Johann Spitelmaier dürfte wohl mit Sicherheit mit dem Hans Spitelmaier identisch sein, der als ein früher Täuferlehrer in Mähren in die Geschichte einging. Vgl. MennLex, 4. Bd., Sp. 226f. und MennEnc, 4. Bd., Sp. 599.
[291] Rechnungsbücher St. Anna, 15. März 1522.
[292] Siehe: D. 38—40.
[293] Siehe: D. 41—42,2.
[294] Vgl. Kolde, Loci communes, und: CR, 21. Bd., Sp. 66ff.
[295] Seitz III, S. 18; vgl. auch oben S. 61 Reus Qualifikation.

Kloster St. Margareten, Rhegius betreffend. Das Kloster war mit Dominikanerinnen besetzt und feierte an diesem Tag den Margaretentag.

Nach der Predigt kam es in der Kirche zu Schreiszenen, in deren Gefolge sich auch eine Klosterfrau ermannte und schreiend das Wort ergriff.

Hören wir, was der Zeitgenosse Rem in seiner Stadtchronik diesbezüglich des Festhaltens würdig erachtete: „Da schrie ain klosterfrau herab und sagt gegen dem becken, die burger, die lieden doctor Urban und in in (!) ihre heuser zu gast, und die minnten den burgern ire weiber. da sagt ain altz weib gegen der klosterfrauen, sie lug, ‚und du liessest dich sie gern minnen, so wellen sie dein nicht!'[296]."

Daß diese Szene dazu geeignet war, Rhegius' Abreise aus Augsburg zu beschleunigen, ist sehr gut denkbar.

3.4.3. Auf der Flucht

3.4.3.1. Rückkehr zur Heiltumkaplanei und Predigt unter wehrhaftem Schutz

Wann genau Rhegius von Augsburg wieder abreiste, um den Verpflichtungen des Prinzipalkaplans der Haller Heiltumkapelle nachzukommen, ist nicht bekannt. Seinem Freund Wolfgang Rychard schreibt er am 29. Dezember desselben Jahres, daß er *Ende des Sommers* 1523 in Hall „minime tutus"[297] war. Das hieße wohl, daß er etwa noch im Monat Juli/August nach Hall zurückkehrte, aber dort ob der unsicheren Lage nur kurze Zeit blieb.

Rhegius sieht die Situation so: „Inter me et pseudoepiscopum Brixiensem vehemens est disceptatio propter verbum Dei. Ipse nimis et blanditus hoc compellere anno me voluit ad deutoreses Evangelio miscendas. Ego restiti[298]." Was der Zeitgenosse Angerer über dieses Jahr 1523 berichtet, wird sich bezüglich Hall in diesen Monaten abgespielt haben: „In eben diesem Jahr", schreibt er, „fiengen schon die ausgesprungenen Münch mit des neuen Doctor Luthers Lehr auch das liebe Vaterland Tirol und Bisthum Brixen

[296] Rem, Chronik, S. 199.

[297] Urbanus Rhegius an Wolfgang Rychard, 29. Dezember 1523. Ms. 25. Rhegius gibt als Datumsangabe am Schluß seines Briefes: „A. 1523 die Thomae nescio cujus." Dieses „nescio cujus" kann sich meines Erachtens niemals auf den Apostel Thomas, der am 21. Dezember gefeiert wird, beziehen, denn dieser Thomas war einfach viel zu geläufig. Es kann sich nur auf den 29. Dezember beziehen, an dem ebenso ein Thomas gefeiert wird, nur weiß er eben nicht, welcher. Uhlhorn II, S. 351, läßt beide Möglichkeiten offen.

[298] Ms. 25.

anzustecken und übel verderben... wie dann der Urban Reger ein lutherischer Predikant von seinen Anhängern mit gewaffneter Hand zu der Predigt in der Pfarrkirche zu Hall ist begleitet worden[299]."

3.4.3.2. Flucht aus Hall nach Augsburg

Dem Brief vom 16. September 1524 an seinen Freund Wolfgang Capito nach Straßburg flicht Rhegius die Bemerkung ein, es sei auf den Tag genau ein Jahr vergangen, daß er, „ad cathedram Ecclesiae Hallanae revocatus"[300], in die Nachstellungen des Bischofs, womit er wohl wieder den Brixener meint, und Erzherzog Ferdinands verwickelt worden sei. Der Senat und das Volk habe ihn begünstigt, jedoch der Bischof von Trient und der von Brixen ließen nichts unversucht, womit sie ihn zugrunde richten könnten. „Inter tot hostium insidias", schreibt er wörtlich, „quod facerem, elabebar ut quondam ὁ σκεῦος ἐκλογῆς[301]." Mit diesen griechischen Termini spielt er auf den Apostel Paulus an, den Gott (Apg 9,15) dem Jünger Ananias gegenüber, knapp nach Paulus' Damaskuserlebnis, so benennt. Sollte diese Anspielung auf Paulus bzw. dessen Flucht bedeuten, daß auch Rhegius wie einst Paulus (Apg 9,25) über die Stadtmauer mit einem Korb hinabgelassen wurde und so der Gefangennahme entkam?

Die Flucht aus Hall führte ihn erneut nach Augsburg, wie er Capito weiter schreibt: „Augustam igitur profectus sum, donec defervuerit principis inclementia[302]."

Von irgendeiner Augsburger Tätigkeit in dieser Zeit, die wohl nur einige Wochen dauerte, hören wir gar nichts.

3.4.3.3. Erneute Rückkehr nach Hall — keine Predigttätigkeit

Als er sich in Hall wieder einigermaßen sicher wähnte, kehrte Rhegius erneut dorthin zurück. Wann genau er dort eintrifft, ist wieder nicht sicher zu eruieren, Ruf nimmt dies bereits für Oktober an[303]; nachweislich in Hall ist er mit 9. November 1523. Mit diesem Datum melden die Innsbrucker dem Bischof nach Brixen, „... daß wie glaublich vernommen, das bemelter prediger" — aus dem Zusammenhang geht eindeutig hervor, daß Rhegius damit gemeint ist — „diser Zeit zu Hall seye, und sich alda ennthalte, aus wes vergonnen, mügen wir nit wissen[204]."

[299] Angerer, Brixen, S. 13.
[300] Ms. 27, fol. 709.
[301] Ebd.
[302] Ms. 25.
[303] Ruf, Strauss und Regius, S. 78.
[304] Innsbruck LA: Causa Dominum, I. Bd., fol. 31. Abgedruckt sowohl bei Ruf, Strauss und Regius, S. 79, wie auch bei Wrede, Rhegius zu Hall, S. 101.

Die Reaktion des Brixener Bischofs ließ nicht lange auf sich warten, er schrieb sofort, das heißt am 13. November, „An die Hofräth zu Innspruck" und verlangte, „daß bemelter Prediger widerums aus Hall geschaffen oder vanklich bestrikht werde, damit man nachmalen gegen ime ... was Recht ist verfaren müge"[305]. Als Begründung für diesen Verhaftungsantrag führt der Bischof an, daß doch hinlänglich bekannt sei, wie Rhegius sich vor einigen Wochen zu Augsburg „mit Predigen und sonst vngeschickt gehalten, dadurch dann vil ubls und empörung erwachsen"[306]. Es ist recht bemerkenswert, daß der Brixener Bischof nicht die Haller Predigten des Rhegius, die teilweise ja auch im Druck vorlagen und dem Brixener Bischof sicher ebenso bekannt waren wie die Augsburger, inkriminiert, sondern nur letztere. Dachte er vielleicht ganz speziell an den „Himmlischen Ablaßbrief" des Rhegius, der tatsächlich eine sehr weite Streuung erfuhr[307]?

Ob Bischof Sebastian Sprenz von sich aus so vehement die Entfernung des Rhegius aus Hall betrieb oder ob bereits *Ecks* Aktivitäten während seines dritten Romaufenthalts[308] ihre Wirkungen zeitigten, ist heute kaum noch auszumachen. Jedenfalls hatte Johann Eck seinen ehemaligen Schüler und Schützling Urbanus Rhegius in Rom kräftigst verklagt. In einem für den Papst bestimmten Gutachten schreibt Eck wörtlich: „Cur in oppido Hall comitatus Tirolis patiatur Ludderanum praedicatorem Urbanum Regium? nam dum episcopus Brixensis expulisset antiquum praedicatorem Ludderanum Geistspitz[309], ipsi mox susceperunt alium pejorem priori[310]." Unter den Autoren, die nach Erscheinen der Bannbulle noch lutherische Traktate erscheinen ließen, führte Eck im selben Gutachten Rhegius gleich an vierter Stelle nach Karlstadt, Oekolampad und Melanchthon auf[311]. Nicht uninteressant hierbei ist, daß Zwingli in Ecks „Ketzerkartei" noch fehlt.

Der Hofrat in Innsbruck beantwortete das Begehren des Brixener Bischofs vom 13. November, Rhegius zu verhaften und einzusperren, am 18. November abschlägig, obwohl „zubesorgen ist, sein Lutteri-

305 Brixen DA: Hofregistratur, X, S. 857.
306 Ebd.
307 Vgl. Liebmann, Himmlischer Ablaßbrief.
308 Vgl. Wiedemann, Eck, S. 184ff. Auf der Rückreise von seinem zweiten Romaufenthalt hatte Eck „den Bischof Sebastian Sperantius in Brixen besucht und in dessen Gegenwart eine Predigt über Bilder in christlichen Kirchen gehalten". Ebd., S. 185.
309 Rogge, Strauß, S. 19: „... so wurde Strauß — Rhegius' Vorgänger, der 1522 amoviert wurde — von den Geistlichen selbst genannt, nachdem er diesen Ausdruck für die Kleriker gebraucht hatte."
310 Friedensburg, Ecks Denkschriften, S. 185.
311 Ebd., S. 236.

sche leer, möchte zu Hall, dieweil er also zu Halle wäre, in den heusern ausgegossen werden und kunfftiglich ubels daraus entsteen"[312].

Aus diesem Schreiben ist auch zu entnehmen, daß Rhegius „weder offenlich noch haimlich nit prediget". Weil aber der Erzherzog, damals als er in Hall war (10. April 1523)[313], ohnehin „gemelts doctor Urbanus halben selbst gehandelt hat", könne man Rhegius nicht ohne entsprechende Weisungen des Erzherzogs einfach gefangennehmen und einsperren lassen.

Bischof Sebastian Sprenz ließ aber nicht mehr locker und gab sich mit dieser Antwort keineswegs zufrieden. Wenn der Hofrat in Innsbruck nicht helfen konnte, Rhegius zu amovieren, dann muß es doch, so mochte er gedacht haben, der Bischof von Trient, Erzherzog Ferdinands Kanzler Cles, den der Erzherzog „wie seinen Vater ehrte" und „ohne seinen Rath keinen wichtigen Beschluß faßte"[314], können.

So trat Sprenz an Cles heran und schrieb am 12. Dezember 1523 ihm nach Nürnberg, wo der Reichstag sich versammelte: „... quia Doctor Urbanus Regius praedicator Hallensis adhuc in oppido Hallensi manet", wo er zwar nicht öffentlich predige, wohl aber häufig „in angulis" auf Schlechtes sinne und konspiriere, möge er, d. h. Bernhard Cles, „operam dare", daß Rhegius durch ein Mandat des Erzherzogs „habitacione in illo oppido ... interdicatur"[315]. Gegenüber dem Hofrat von Innsbruck, wo Sprenz noch die Gefangennahme des Rhegius verlangt hatte, gibt er es jetzt — wie man sieht — weit billiger, er verlangt nur mehr, daß dem Rhegius „habitacione interdicatur".

3.4.3.4. Endgültige Vertreibung aus Hall — Hoffnungen auf Fabris Hilfe durch ein fatales Mißverständnis vereitelt

Diese Intervention hatte vollen Erfolg, Rhegius mußte Hall *endgültig* verlassen, was er allerdings noch nicht wußte. Er ging Ende des Jahres 1523 „consensu itaque Hallanae reipublicae" wieder in seine Heimat, das alte Refugium, nach Langenargen und Tettnang, wie er am 29. Dezember 1523 seinem Freund Wolfgang Rychard

[312] Innsbruck LA: Causa Domini, I. Bd., fol. 35.

[313] Ebd. Diese Bemerkung ist ein sehr deutlicher Hinweis, daß der Erzherzog damals am 10. April, als Rhegius ihm zusammen mit den anderen Haller Priestern mit den Heiltümern entgegenzog, diesen nicht bestrafte. Vgl. oben S. 163.

[314] ADB, 4. Bd., S. 324.

[315] Trento: Corrispondenza Clesiana, busta 4, fol. 7. Vgl. dazu auch Loserth, Anabaptismus. S. 13.

schreibt[316]. In seiner Heimat am Bodensee will er aber nur so lange bleiben, erzählt er weiter, „donec Hallani feliciter Norimbergae causam meam peregerint, nam agunt jam per Fabrum strenue".

Daß die Unterhändler von Hall überhaupt an Fabri herantreten, damit dieser für Rhegius sich einsetze, gemeint natürlich beim Erzherzog, wird zweifelsohne auf einen entsprechenden Tip des Rhegius zurückzuführen sein. Fabri war mit 1. August 1523 von Erzherzog Ferdinand zu seinem Rat und zum vorgeschriebenen Dienst bei Hofe verpflichtet worden[317]. Zu dieser Zeit, als die Haller Fabri mit ihrem Prinzipalkaplan und Prädikanten befaßten, dürfte er in Nürnberg beim 3. Nürnberger Reichstag[318] gewesen sein. Daß Rhegius seine Sache durch die Haller mit Fabri verhandeln läßt, beweist klar, wie sehr Rhegius diesen auf seiner Seite wähnte. Offensichtlich wußte er nichts von der schweren Verstimmung Fabris wegen der Flugschrift „Ain schöner dialogus. Cuntz und Fritz". Fabri vermutete in Rhegius den Autor dieser höchst populären Flugschrift und war aufs tiefste verletzt und äußerst empört über seinen Schützling Urban Rhegius[319]. Diesen fatalen Verdacht, dieses tragische Mißverständnis, das zum Groll seines Freundes Fabri, schließlich zum Bruch und zur Feindschaft führte, konnte Rhegius nicht wissen. Daß Fabri Rhegius zu unrecht verdächtigte, wie ich durch meinen Manuskriptfund der in Frage stehenden Flugschrift nachweisen kann[320], läßt diesen Verdacht zum Verhängnis, ja zur Tragik dieser beiden einst so eng befreundeten Persönlichkeiten werden. Voll Wehmut klagt Rhegius im September 1524 noch seinem Freund Capito: „Jo. Fabri aulicus, olim pene pater, sic odit et lacerat Urbanum ut non possit vehementius[321]." Wie sehr er zu diesem Zeitpunkt, obwohl schon in Augsburg vom Rat engagierter Prediger, noch an seiner Prinzipalkaplanei hängt, zeigt er, wenn er fortfährt: „... uno verbo is Hallanae Ecclesiae me possit restituere." Dann bringt er den Grund für die „frigiditatem", wie Rhegius sich ausdrückt und wie er es sieht zwischen sich und Fabri. Nämlich, daß er „ingratus nimium favet Luthero, non vult calamum distingere in viros dei ..."[322].

Von seiner Heimat zog Rhegius direkt nach Augsburg, ohne im Jahre 1524 nochmals seine Predigttätigkeit in Hall aufzunehmen. Daß es so kommen werde, ahnte er bereits Ende Dezember 1523, als

316 Ms. 25.
317 Helbling, Fabri, S. 61.
318 Vgl. dazu: RTA, IV. Bd.
319 Staub, Fabri, S. 136.
320 Näheres unten im II. Teil meiner Untersuchung.
321 Ms. 27, fol. 711.
322 Ebd.

er am 29. des Monats den schon mehrmals erwähnten Brief an Wolfgang Rychard schrieb. Darin heißt es, er warte jetzt in Tettnang, bis die Haller ihn nach Hall zurückrufen, „ubi etiamnum mater mea rem domesticam mihi tuetur“[323]. Sollte aber dies unmöglich sein, werde er nach Augsburg zurückkehren, „ubi parata conditio est, non qualis est rasorum, sed libera, ne pseudoepiscopus vel tantillum mihi sit timendus“[324]. Wann er nun „tercio Augustam“[325] kam, ist nicht auszumachen, wahrscheinlich wohl im Frühjahr 1524[326].

3.4.3.5. Dritter Aufbruch nach Augsburg und endgültiger Verlust der Prinzipalkaplanei von Hall

Die Haller betrachteten ihn noch, wie aus einer einschlägigen Eintragung im Raitbuch hervorgeht, und das soll nicht unerwähnt bleiben, Anfang Juni 1525 als ihren Prediger, der „also noch bisher als ain vertribener zu Augsburg vont“[327]. Wie lange sie ihn noch als den rechtmäßigen Possesser der Prinzipalkaplanei erachteten, geht aus den Archivalien aber nicht mehr hervor. Wohl läßt sich feststellen, daß der nächste Prinzipalkaplan an der Heiltumkapelle und unmittelbare Rhegius-Nachfolger, ein gewisser Christophorus Lanndsperger, erst im Mai 1528 installiert wurde[328].

[323] Ms. 25.
[324] Ebd.
[325] Ms. 27, fol. 709.
[326] Ein Brief an Thomas Blaurer, der nur mit 1524 datiert ist und den Rhegius Anfang 1524 geschrieben hat, weist als Absendeort noch Tettnang auf. Siehe: Ms. 26.
[327] Haller Raitbuch, fol. 385.
[328] Innsbruck StA: Urkunde Nr. 742.

D Reformatorisches Wirken in Augsburg

Das reformatorische Wirken des Rhegius in Augsburg ist durch drei Fakten mit großer Ausstrahlungskraft bestimmt:
1. Umfangreiche Predigttätigkeit.
2. Öffentlicher demonstrativer Bruch mit der alten Kirche, wie er durch die feierliche Hochzeit und durch das öffentliche Austeilen beider Gestalten bei der Eucharistiefeier am Weihnachtstag zum Ausdruck kommt.
3. Engagiertes Kämpfen, das vom Rat offiziell betrieben und honoriert wird, gegen die Wiedertäufer.

Bevor wir auf die angeführten Punkte eingehen, ist zu untersuchen: Wo stand Rhegius theologisch bei diesem Wirken, wie war sein diesbezügliches theologisches Denken bei Beginn seiner reformatorischen Tätigkeit 1524 in Augsburg? Vielleicht noch pointierter, welcher Rhegius wirkte in Augsburg, ein zwinglischer, ein erasmischer oder ein lutherischer?

Der Bruch mit der alten Kirche war innerlich vollzogen, und die „Sonne" Erasmus stand nicht am Zenit, wie wir sehen werden.

1. THEOLOGISCHER STANDORT

1.1. Lehre von der Privatbeichte als Kriterium der Standortbestimmung

Wenn man nach dem innerreformatorischen theologischen Standort des Rhegius der zwanziger Jahre fragt, ist man sofort und unwillkürlich geneigt, sich am Abendmahlsstreit, der zwischen Luther und Zwingli tobte, zu orientieren und Rhegius danach zu taxieren und einzuordnen. So sehr hat diese im Jahre 1524 ausgebrochene innerreformatorische Abendmahlskontroverse, die sich auf die Kontroverse der leiblichen Realpräsenz Christi im Abendmahl zuspitzte, in der Literatur die Überhand gewonnen, daß daneben alles andere verblaßte und in den Hintergrund trat. Der Streit, der mit Karlstadts Thesen seinen Anfang nahm und auf der Ebene Zwingli-Luther-Oekolampad-Melanchthon-Rhegius u. a. in größter Subtilität geführt wurde — auf der Ebene minderer Theologen oder gar des einfachen Volkes ließ er nichts an Derbheit zu wünschen übrig[1] — schob alsbald alle anderen Differenzpunkte praktisch beiseite, ließ sie vergessen, aber ohne sie zu lösen.

Die theologische Frage aber, die dem Rhegius zuerst Kopfzerbrechen bereitete, war nicht die der Realpräsenz, die kam später mit all ihren Konsequenzen dazu. Rhegius' innerreformatorisches Grundproblem: Luther oder Zwingli, brach auf in der Frage der Beichte, bzw. ob des sakramentalen Wertes der Privatbeichte oder besser Ohrenbeichte, wie man sagte. Von dieser historischen Gegebenheit ausgehend, wollen wir hier in unserer Untersuchung der diesbezüglichen Position des Rhegius und seiner Entwicklung das eigentliche Augenmerk schenken und nicht seiner Haltung in den Eucharistiestreitigkeiten. Dazu zwingen uns einerseits historisch-theologische Gründe, denn Rhegius ist um die Jahreswende 1523/24 durch Zwinglis diesbezügliche Position so sehr verunsichert, daß er beim Konstanzer Münsterprediger — wie noch zu zeigen sein wird — um Hilfe in dieser seiner Ratlosigkeit nachsucht. Ein ähnliches Verhalten Rhegius' ist in der klassischen Streitfrage der Reformatoren, der Realpräsenz also, nicht nachweisbar. Rhegius mußte sich somit schon zwei Jahre bevor die Streitigkeiten zwischen Zwingli und Luther in puncto Abendmahl bzw. leiblicher Realpräsenz Christi öffentlich ausbrachen[2], dem Problem stellen, das auf eine einfache Formel gebracht lautete: Luther oder Zwingli? Eine Tatsache, die, wie vorhin schon angedeutet, in der Literatur übersehen zu werden pflegt[3].

[1] Man vergleiche bloß das Marburger Religionsgespräch mit den Predigten von Michael Keller in der Barfüßerkirche zu Augsburg.

[2] Im März 1525 erschien in Zürich Zwinglis Brief an Matthäus Alber (für unsere Untersuchung ist es unerheblich, ob Zwingli diesen Brief jemals abgesandt hat oder die Adresse bloß fingiert war. Siehe dazu: Brecht, Zwingli) und im selben Monat des gleichen Jahres sein grundlegender Kommentar: De vera et falsa religione commentarius. CR, 90 Bd., S. 335—354; 628—911. Luther tritt in den Streit gegen die „schweizerische" Abendmahlsauffassung erst ein durch seine Vorrede (erste) zum „schwäbischen Syngramm" und durch seinen Sermon wider die Schwarmgeister. Erstere erschien im Juni, letzterer im Herbst 1526. Vgl. hierzu Kolde, Chronologie, und vor allem WA, 19. Bd., S. 447—461; 474—523. Zum „schwäbischen Syngramm" vgl. Honecker, Abendmahlslehre.

[3] Seitz I, der die Theologie Rhegius' zwischen Luther und Zwingli untersuchte, geht hier etwas skurril vor. In seiner Abhandlung: „Die Entwicklung des Urbanus Rhegius, speziell sein Verhältnis zu Luther und Zwingli, in den Jahren 1521—1523" folgert er aus nachstehenden Voraussetzungen: „Eine Probe auf diese Bestimmung des Verhältnisses läßt sich nun gerade an dem Punkt machen, der die Hauptfrage unserer Untersuchung betrifft, nämlich bei der Abendmahlslehre." (Seitz I, S. 28) Seitz II kommt hingegen zum Schluß, daß Rhegius „in den ersten Jahren seiner Wirksamkeit über diesen Gegenstand",

Zu dieser rein historischen Gegebenheit, die als Kriterium der theologischen Standortbestimmung die Ohrenbeichte nahelegt, kommt das Faktum, daß Rhegius' Verhalten im Streit um Christi leibliche Realpräsenz derart oft untersucht wurde, daß ich mich hier mit Annotationen begnügen kann und wohl auch muß, will ich mich der Gefahr des Wiederholens eines schon längst Gesagten oder gar des Plagiates entziehen[4].

Die Haltung zur Beichtfrage als Kriterium für die reformationstheologische Standortbestimmung zu wählen, legt — drittens — ihre grundlegende theologische Bedeutung förmlich nahe. „Die Privatbeichte ist" — nach Lohse — „ein Kristallisationspunkt für zahlreiche theologische und kirchliche Probleme ... In ihr treffen sich", konstatiert Lohse weiter, „sehr viele zentrale theologische Fragen[5]."

1.2. Luthers und Zwinglis Position

1.2.1. Luther um 1522

Luther hat sich oft und ausführlich zur Beichte geäußert. Er hat eine dreifache Beichte unterschieden und bis 1526 wie folgt eingeteilt:

a) Die öffentliche.
b) Die Gott dem Herrn allein getane.
c) Die private oder Ohrenbeichte.

Aber hören wir am besten Luther selber, was er speziell über die Privatbeichte am Sonntag Reminiscere, dem 16. März 1522, predigte[6] und mit welchem Nachdruck er sich „für die Beibehaltung der Beichte, die Karlstadt in seiner Abwesenheit aufgehoben hatte",

womit Seitz die Privatbeichte meint, „nur unbestimmte Äußerungen, die eine fest entwickelte Anschauung noch nicht erkennen lassen", von sich gibt. „Dagegen ist deutlich", doziert Seitz fortfahrend, „daß er" (gemeint Rhegius) „in den Jahren 1525—1528 Zwinglis Ansicht von der Beichte durchaus geteilt hat. Er bezeichnet", begründet Seitz seine These, „als den Kern der Beichte ausdrücklich ‚das radts fragen oder rat forschen' ..." (Seitz II, S. 327). Wäre Seitz historisch-genetisch vorgegangen, hätte er merken müssen, daß Rhegius, lange bevor er zu Zwinglis Abendmahlslehre Stellung bezog, ja, beziehen konnte, es bei der Privatbeichte getan hat, und nicht umgekehrt. Außerdem ist Seitz' Forschungsergebnis unhaltbar, aber darüber unten.

[4] Analoges gilt überhaupt für die Behandlung dieses ganzen jetzigen Abschnitts über Rhegius' reformatorisches Wirken in Augsburg. Denn gerade diese Zeit seines Lebens und seiner Tätigkeit ist in der Literatur nicht nur eingehend, sondern auch sehr gut dargestellt. In diesem Abschnitt ist der Beitragscharakter meiner Untersuchung — siehe Themenstellung — am ausgeprägtesten.

[5] Lohse, Privatbeichte, S. 207.

[6] WA, 10./III. Bd., S. 58—64.

eingesetzt[7] hat. „... aber dannocht wil ich mir die heymliche beicht niemants lassen nemen und wolt sie nit umb der gantzen welt schatz geben. Dann ich weyß was trost und stercke sie mir gegeben hat: es weiß niemants was sie vermag denn wer mit dem teuffel oft und vil gefochten hat. Ja ich were langst vom teuffel erwürgt, wenn mich nit die beichte erhalten hett. Dann es sind vil zweyfeliche sachen, die der mensch nit erreychen kan noch sich darjnn erkunden, so nympt er seinen bruder auff ein ort und helt jm für sein anligende not. Was schadet jm, das er sich vor seinem nechsten ein wenig demütiget und sich zu schanden macht und warte von jm ein trostunge, nympt die an und glaübte jr, als wann er sie von gott hörte, wie wir dann haben. Mat. 18. ‚wenn zwene zusamen kommen, warjnnen sie eins werden, soll jn gescheen'.

Wir müssen auch vil absolution haben, damit wir unser blöde gewissen und verzagts hertze gegen dem teuffel und got mügen stercken. Darumb sol niemant die beicht verbieten, auch niemants darvon halten oder zyehen. Denn wer sich mit den sünden beyst und jr gerne loß were und darüber gerne het ein gewissen spruch, der gee hin und klage sie eym in sonderheit: und was er jm darüber sprechen wirdt, das neme er an, als wenn es Gott selber gesprochen hett durch den mundt.

Wer aber eynen starcken festen glaüben hett, sein sünd sein jm vergeben, der mag diese beicht lassen ansteen und allein got beichten. Ja wie vil haben solichen starcken glaüben? Derhalben wird ich mir diese heimliche beichte, wie ich gesagt habe, nit lassen nemen. Aber ich wil niemants darvon gezwungen haben sondern eim jeden frey heym gestelt haben[8]."

Dieses Zitat aus Luthers Predigt vom 16. März 1522 vermag dessen Standpunkt hierzu am vollkommensten zu vermitteln. Ergänzend sei angeführt, was Luther in einem Traktat des Jahres 1521 schreibt: „Die heymliche, beycht acht ich wie die Junpfferschaft(!) und keuscheyt eyn seher kostlich heylsam ding[9]."

Luthers polemische und vehemente Ablehnung altkirchlicher Gesetze, die die Privatbeichte verpflichtend vorschreiben und hierbei die vollständige und umfassende Aufzählung der schweren Sünden verlangen, tun dieser hier im ausführlichen Zitat wiedergegebenen Grundposition keinen Abbruch. Ebensowenig die Position, die aus seiner Theologie des allgemeinen Priestertums erfließt, daß jeder gläubige Christ, und nicht nur der Priester, sei er Bischof

[7] Lohse, Privatbeichte, S. 211.
[8] WA, 10./III. Bd., S. 61—63.
[9] Von der Beichte, ob die der Papst Macht habe zu gebieten. WA, 8. Bd., S. 138—185. Das Zitat steht S. 164.

oder Papst, die Macht hat, Sünden zu vergeben[10]. Luther selber hat zeitlebens gebeichtet, und zwar bei seinem Beichtvater Johannes Bugenhagen[11]. „Soviel wir wissen", schreibt Lohse, „hat Luther niemals gegenüber einem Laien gebeichtet[12]."

So heftig Luther die Verpflichtung zur Privat- bzw. Ohrenbeichte verwerfen konnte, so wenig findet sich in seinen Schriften ihre Verwerfung als solche. Deshalb scheint es mir höchst bedenklich, wenn *Aland* in seinem Lutherlexikon unter dem Stichwort Ohrenbeichte ein Lutherwort so verdeutscht: „Die Ohrenbeichte ist nichts anderes als ein tyrannischer Zwang der Priester. Sie hat keinen Grund in der Schrift[13]." Weit korrekter erscheint mir die Verdeutschung bei Borcherdt/Merz: „Aber diese Beichte ist nichts anderes als ein tyrannischer Priesterzwang, keineswegs in der Schrift verwurzelt und gegründet[14]." Korrekter aus zwei Gründen: erstens durch das relativierende „diese" und nicht durch das apodiktische „die", und zweitens, weil er wörtlich „Beichte" und nicht „Ohrenbeichte" übersetzt. Es stimmt zwar, daß das Ganze sich im Kontext auf die Privat- bzw. Ohrenbeichte bezieht, aber nicht auf die Privatbeichte an sich, sondern auf das Gesetz, mit dem sich Luther gerade auseinandersetzt: „... omnia mortalia esse sacerdoti confitenda[15]."

[10] Vgl. hierzu: Ein Sermon vom Sakrament der Buße, 1519. WA, 2. Bd., S. 713—723; vor allem S. 716f. Von der Beichte, ob die der Papst Macht habe zu gebieten, 1521. WA, 8. Bd., S. 138—185; speziell S. 181f. und 184; Predigt in der Pfarrkirche zu Weimar am 26. Oktober 1522. WA, 10./III. Bd., S. 394—399; besonders S. 394f.

[11] Vgl. Lohse, Privatbeichte, S. 225.

[12] Ebd.

[13] Aland, Lutherlexikon, S. 251, Nr. 1017.

[14] Borcherdt/Merz, Latomus, S. 36.

[15] WA, 8. Bd., S. 57. Bei dem Traktat, aus dem dieses Zitat entnommen ist, handelt es sich um: Rationis Latomianae pro incendiariis Lovaniensis scholae sophistis redditae, Lutherianae confutatio, 1521. WA, 8. Bd., S. 43—128. Um den Gesamtzusammenhang herzustellen, sei der ganze Absatz, aus dem Aland seinen Merksatz entnommen hat, in der ursprünglichen Fassung zitiert. WA, ebd., S. 57f.: „Tertius: Non omnia mortalia esse sacerdoti confitenda. Hunc damnatum dicit generali Concilio, ergo est damnatus, tenet consequentia a Latomo ad suum sapientem. Quam autem scripturam pro se habet Concilium? Si Concilium sine scriptura valet, et satis est infulatos et rasos illic congregari, cur non lignea et lapidea signa e templis congregamus, et impositis mitris et infulis dicamus illic Concilium esse generale? Nonne vitiosissimum est, Concilium sine verbo dei agere aut statuere? Verum ego nunc amplius dico et nego confessionem exigendam esse in totum, editio in hoc ipsum vernaculo libro, facturus idem latino, ubi tempus faverit. Traditiones enim hominum abolendae sunt de Ecclesia, quas et Latomus per homines tolli posse affirmat in suo dialogo, at ista confessio aliud non est, quam tyrannica exactio pontificum, nullis radicibus scripturae nixa."

Für Luther ist die Privatbeichte, vor allem durch die gesprochene Absolution, was Althaus sehr gut hervorhebt, eine besondere Gestalt der Verkündigung des Wortes Gottes[16]. So kann man Klein vollinhaltlich zustimmen, wenn er bezüglich Luthers Haltung zur Privatbeichte formuliert: „Von allen Beichtarten ist diese die bedeutsamste, weil in ihr das Wort Gottes hörbar wird, was bei der Beichte allein vor Gott nicht der Fall ist[17]."

Fendt ruft förmlich aus: „Aber alle Welt weiß, wie zäh Luther an dem Bekenntnis der Sünden in der heimlichen Beichte festhielt. Auch wenn er oft redete, als sei die ‚Erzählung der Sünden' eine überflüssige Sache — praktisch setzte er sie durchwegs voraus[18]! ... So ist die ‚heimliche Beichte und Lossprechung', die er liebte, lobte, empfahl und durchhielt — ein Lutherdenkmal[19]!"

1.2.2. Zwingli um 1523

Zwingli äußerte sich klar und eindeutig über die Beichte in seinen 67 Artikeln[20] und in den diese erläuternden Schlußreden[21] des Jahres 1523.

Die für uns entscheidenden Aussagen finden sich in den Artikeln 50—52:

„50. Gott laßt allein die sünd nach durch *Christum Jesum*, sinen sun, unseren herren allein.

51. Welicher sölchs der creatur zugibt, zücht got sin eer ab unnd gibt sy dem, der nitt gott. Ist ein ware abgöttery.

52. Darumb die bicht, so dem priester oder nächsten bschicht, nit für ein nachlassen der sünd, sunder für ein radtforschung fürggeben werden soll[22]."

Die wesentlichen Aussagen in den Erklärungen zu diesen Artikeln, genauer zum 52. Artikel, möchte ich analog zu Luther, und weil es vor allem zur Ortung der Position Rhegius' nötig ist, im nachstehenden Zitat ausführlicher bringen:

„Denn sobald wir gloubend, das uns gott unser sünd verzyhe durch sinen sun, und sind in dem glouben gwüß, so sind uns unser sünd verzigen. Jo. 6. (Joh 6,40): Welcher in mich gloubt, der hat ewigs leben. Und Jo. am 3. (Joh 3,16): Welicher in inn geloubt, der wirt nit geurteilet ...

[16] Althaus, Theologie Luthers, S. 272.
[17] Klein, Beichte, S. 14.
[18] Fendt, Beichte, S. 127.
[19] Ebd., S. 137.
[20] CR, 88. Bd., S. 458—465.
[21] Ebd., 89. Bd., S. 14—457.
[22] Ebd., 88. Bd., S. 463f.

Sprichst: Ja, es nimpt den glouben nit ein ieder so bald an! Antwurt: So wirt in ouch die sünd nit verzigen, und ob er glych ze tusend malen dem pfaffen bychtete. Denn die schlußred stat unbeweget. Got laßt die sünd allein nach durch *Christum Jesum* unseren herren allein. Was thut denn der pfaff darzu? Der zugang zu dem priester ist nüt anderst denn ein radtforschung, der gstalt: Vil menschen werdend in iren conscientzen beschwärt umb ir mißthat willen und wüssend nit, wie inen die verzigen wirt.

...Hat aber der *Christenmensch* vorhin einen sölichen glouben, wie offt anzeigt ist, so darff er nit für dich kummen, sunder er gadt täglich in sin kämerlin und redt darinn mit got und klagt im sine prästen und weyßt sicherlich in dem glouben, das ein iettlicher, der den namen gotes anrufft, das derselb heil wirt in *Christo Jesu*, unserem herren. Ro. 10. (Röm 10,13) ...Der gloub machet den mentschen fromm, nit die lüselbycht." (Dieser Ausdruck wird in der dortigen Anmerkung, S. 400 erklärt: „Verächtlicher Ausdruck für: Ohrenbeichte.") „...Darzu, all die wyl du die lüselbycht nit uß der gschrifft bewärst von got geheissen und gelert sin, so hilffet nit stryten, das sy gut sye oder nutz der seel bringe; denn sy schlechtlich nit gut sin mag, sy sye dann von got gelert. Aber wol mag ich dir nachlassen, das sy vil glychßneren gezogen hab[23]."

Roth sieht in dieser Haltung Zwinglis zur Privatbeichte, daß dieser dem Menschen — sofern er Christ ist — mehr zutraue als Luther. Der Mensch könne in Zwinglis Sicht „mit etwas größerer Unbeschwertheit die Übersicht seiner eigenen Situation" behalten als in der Sicht Luthers[24].

Baur sieht Zwinglis radikale Ablehnung der Privat- bzw. Ohrenbeichte kirchenpolitisch begründet, wenn er erklärt: „Da die Hauptmacht der Hierarchie in dem Besitze des Bussacraments lag, so ist begreiflich, daß Zwingli mit besonderem Eifer und mit besonderer Ausführlichkeit diese Burg der Hierarchie bekämpft[25]."

1.3. Rhegius' Entwicklung und Wandlung

1.3.1. 1521 lutherisch

Wie oben schon skizziert, versuchte Rhegius 1521, eine Summa" lutherischer Theologie[26] zu erstellen.

In ihr wehrt er sich vehement gegen die Behauptung, die man mancherorts hören könne, „Luther well die haimlich bicht, wie

[23] Ebd., 89. Bd., S. 394—403.
[24] Roth, Privatbeichte, S. 103.
[25] Baur, Zwinglis Theologie, 1. Bd., S. 268.
[26] D. 27, vgl. oben S. 148ff.

sy yetz geschicht", abschaffen. Der dies behauptet, lügt „schantlich"; die Privatbeichte — Rhegius nennt sie die „haimliche bicht" — stehe zwar nicht in der hl. Schrift, dennoch gefalle sie Luther „wunderberlich", sie sei ihm „nützlich", ja mehr noch, er sage, sie sei „ouch nott", und Luther betrachte sie als eine „ertzney den verwunten krancken gewissin"[27]. Anstandslos übernimmt Rhegius auch die Ansicht, daß man sowohl jedem Nebenmenschen wie dem Priester „syn gewissin eroffnet, vnd sin haimlichs anligen entdeckt", also beichten und aus des Bruders Mund das Wort Gottes empfangen kann.

Was Luther bekämpfe, seien nur die Mißbräuche, die da wären:
a) Vorbehaltung der Lossprechung bei gewissen Sünden.
b) Buße oder Genugtuung als ius divinum zu betrachten.
c) Andere Buße, als Gott verlangt, nämlich die Bekehrung bzw. „die werck seiner gebot", aufzugeben.
d) Belastung der Beichte mit „vil zu gelegten stucken, des nitt nott ist"[28].

Was mit diesem letzten Mißbrauch gemeint ist, darauf geht Rhegius nicht näher ein. Mit Sicherheit kann man aber die Vorschrift annehmen, die Rhegius selbst noch ein gutes Jahr zuvor den Konstanzer Theologen, die zur Weiheprüfung antraten, in „seiner" Cura pastoralis einbleute: „Obserua confitendo circumstantias has. Quis, quid, ubi, quale, per quos, quoties, cur, quomodo, quando[29]."

1.3.2. 1523/24 Von Zwingli beeinflußt

Im Frühjahr (zur Fastenzeit) 1523 predigte Rhegius in Hall in Tirol über Reue, Beichte und Buße und gab dann seine Predigten als Traktat heraus[30].

Hierin wird schon sehr deutlich unterstrichen und herausgehoben: „... die ohrenbeycht ... ist ein menschen gesetz, und nichts anders ... Was nicht in der Schrifft mag erfunden, gegründt und bewert werden, sol billich verdechtlich geacht werden, als ein menschen gedicht ... Also das kein menschen gesetzt dein gewissen mag fahen, verbinden bey einer todtsünd[31]."

Neben dieser kräftigen Betonung, daß die Privatbeichte nicht aus der hl. Schrift bewiesen werden kann, sondern von Menschen eingeführt wurde, finden sich auch positive Äußerungen über sie. Sie sind aber wieder sehr stark durch die Bemerkung relativiert:

[27] Ebd., Bl. C-C'.
[28] Ebd., Bl. C'.
[29] D. 22, Bl. Cii.
[30] D. 37.
[31] Werke 1, fol. CII'. D. 37.

„Aber wer sie recht brauchen kann ...[32]." Der also, der die Ohrenbeichte zu gebrauchen versteht, „der solt jr nicht mangeln vmb viel guts, denn sie ist fast nützlich". Dann verlagert er den Wert der Beichte durch die Aufforderung: „... doch gloub der Absolution"[33], ganz auf diese. Man merkt bereits ein sehr deutliches Abrücken gegenüber 1521 und gegenüber Luther. Kein Wort mehr, daß die Ohrenbeichte nötig sei. Man sieht hier wieder Rhegius' relative Selbständigkeit; trotz aller Hochschätzung und grundsätzlichen Ausrichtung auf Luther, ist er diesem nicht einfach hörig.

Ein halbes Jahr später zu Fronleichnam (4. Juni 1523) geht Rhegius noch einen Schritt weiter. Hat er bei seinen Fastenpredigten schon das „nötig" für die Ohrenbeichte gestrichen, aber „nützlich" noch stehengelassen, so fällt bei der Fronleichnamspredigt[34] auch das „nützlich" weg. Wohl ruft er bei der Predigt aus: „... last die ohrenbeycht vngezwungen, last sie auß lieb der frommigkeyt geschehen ...[35]." Zugleich werden diejenigen, die sie verlangen und behaupten, Christus habe die Ohrenbeichte eingesetzt, als „beychtsoldner"[36] beschimpft, und er gebraucht Ausdrücke wie „erdichten ohren beycht[37], die schinderey der heimlichen Beycht"[38], alles Qualifikationen, die Luther so nie gebraucht hat. Hier ist Rhegius noch deutlicher von Luther abgerückt und befindet sich auf dem Weg zu Zwingli.

In seiner im Sommer desselben Jahres erschienenen Sammlung der wichtigsten theologischen Loci[39] schreibt er von der Ohrenbeichte an einzig Positivem nur mehr: „Ich verwerff sie nicht"[40], und das ist wenig! Was sonst noch zu diesem Thema zu lesen ist, ist eher eine Warnung vor der Ohrenbeichte, denn sie ist „nicht gegründet in der schrifft"[41].

Im Traktat über die zwölf Artikel unseres Glaubens[42] steht lapidar der Satz: „Vergebung oder ablaß der sünd, ist nirgend denn in der Christlichen gemeine. Christus hat jr die Schlüssel geben"[43], von der Ohrenbeichte fehlt jedes Wort.

[32] Ebd.
[33] Ebd., fol. CIII.
[34] D. 38.
[35] Werke 1, fol. CVIII.
[36] Ebd.
[37] Ebd., fol. CVII.
[38] Ebd.
[39] D. 41.
[40] Werke 1, fol. XXXII.
[41] Ebd.
[42] D. 42.
[43] Werke 1, fol. XII'.

1.3.3. Rhegius sucht bei Wanner[44] Rat und wird von Thomas Blaurer[45] geschulmeistert

Gegen Ende des Jahres 1523 etwa muß Rhegius an seinen „Leidensgenossen“ Johannes Wanner brieflich herangetreten sein, um dessen Standpunkt in der Frage der Ohrenbeichte zu erfragen. Auf diesen Brief, der leider nicht erhalten ist, antwortete Thomas Blaurer, dem Wanner Rhegius' Brief zum Lesen gegeben haben muß, wie aus Blaurers Antwort zu ersehen ist[46]. Thomas Blauer, „seit Spätherbst 1523 aus Wittenberg zurückgekehrt ... wo er Luther selbst gebeichtet hatte“[47], antwortete auf Rhegius' besorgte, wenn nicht ängstliche Anfrage recht schulmeisterlich: „Du erbittest darüber unsere Meinung, während wir vielmehr Dich anhören wollen, obschon ich noch keinen Anlaß zur Ängstlichkeit in solchen Erörterungen sehe ...[48].“ Dieser noch zurückhaltenden Ermahnung, nicht ängstlich zu sein, folgt ein sehr deutlicher Rüffel ob Rhegius' Zweifel an der Richtigkeit von Luthers und Melanchthons Position durch Blaurer, der Luther 1521 nach Worms begleitet hatte und völlig auf ihn eingeschworen war. „Quid igitur“, fragt er vorwurfsvoll den Rhegius, „satisne certa sunt, satisne constant sibi, que hodie sentimus circa negocium confessionis? Ego mihi plane persuasi et indubitata esse et sibi similia, que de ea re Lutherus et Philippus aliique omnes sani non sancierint, sed admonuerint[49].“ Auch wenn wir Rhegius' Brief nicht haben, läßt sich auf Grund dieser Antwort erahnen, was in ihm stand: schlicht und einfach Zweifel an der Richtigkeit von Luthers Lehre über die Beichte. In diesen Antwortsätzen sagt Blaurer zwar indirekt, aber sehr deutlich: Alle, die über die Beichte nicht so denken wie Luther, sind nicht gesund. Darauf wird Blaurer noch schulmeisterlicher und ruft Rhegius zu: „Atque utinam Luthero similes hac parte omnes essemus[50].“

Davor nannte Blaurer in seinem Brief auch den Mann, der Rhegius so sehr verunsicherte, direkt beim Namen: Zwingli. Blaurer

[44] Johannes Wanner, seit Dezember 1521 Inhaber der Münsterprädikatur von Konstanz, von der er auf Befehl Erzherzog Ferdinands durch den Bischof mit 16. Jänner 1524 entlassen wurde. Ab dem 6. Februar des Jahres predigte er in St. Stephan in Konstanz. Siehe: Rublack, Konstanz, S. 18ff.

[45] BBKL, 1. Bd., Sp. 615. Thomas Blaurer studierte 1520—1523 in Wittenberg. Siehe auch oben S. 144. In der Schreibweise: Blaurer, und nicht Blarer, habe ich mich der Edition von Schieß, Briefwechsel Blaurer, angeschlossen.

[46] Schieß, Briefwechsel Blaurer, 2. Bd., S. 773ff. Leider fehlt das genaue Briefdatum.

[47] Vögeli, Reformation in Konstanz, S. 1046.

[48] Schieß, ebd., S. 773.

[49] Ebd.

[50] Ebd., S. 775.

verwirft einerseits Zwinglis Ansicht der völligen Ablehnung der Beichte und untergräbt dessen Position kräftig mit dem Hinweis, daß Zwingli nichts Neues bringe, da schon „ante eum Carolostadius[51] sic in totum" die Beichte verworfen habe[52]. Dann mahnt Blaurer seinen Adressaten bei aller Freiheit zur Eintracht, denn „una certa salus est atque adeo unus spiritus"[53]. Schließlich läßt Blaurer einen höchst bemerkenswerten Satz einfließen, in dem er wörtlich zugibt, daß die Hl. Schrift nicht ausreicht — offensichtlich hat Rhegius in seinem Schreiben an Wanner darauf hingewiesen —, um die Beichte zu begründen. Dezidiert schreibt er, auf die Ohrenbeichte bezogen: „Hec res confici posset non modo scripture exercicio, sed et diligenti observatione eorum, que ad finem charitatemque proxime edificant[54]."

Diese Feststellung des Ungenügens der Hl. Schrift deckt sich gut mit Lohses Beobachtung, nach der Luther in keinem anderen Stück des christlichen Glaubens, „ohne über eine klare Schriftgrundlage zu verfügen, eine derart dezidierte und kompromißlose Haltung eingenommen hat"[55] wie in der Bejahung der heimlichen Beichte (Privatbeichte).

Rhegius antwortete Blaurer von Tettnang aus. Blaurers Brief hat seine Wirkung getan; Rhegius' Zweifel sind einigermaßen ausgeräumt, deutlich rückt er von Zwingli mit der Bemerkung ab: „Proinde satis asperum mihi videtur, quod Zwinglius, vir doctus, sic excindit confessionis plantationem, ut ne fibras quidem ullas relinquat[56]." Daß er überhaupt geschrieben und die Frage der Beichte aufgeworfen habe, begründet Rhegius — sich beinahe entschuldigend — mit: „... non potui non ostendere amicis, qua parte veritatis inimici Martinum calumniari posset ...[57]." Das klingt so, er, Rhegius, ist ja ohnehin mit Luther einer Meinung, aber er will aufmerksam machen, daß es Leute gibt, die Luther der Unwahrheit bezichtigen könnten. Welcher Unwahrheit wohl? Wohl nur der, daß er — ohne Schriftgrund — „... sic necessariam aurium confessionem esse contendit ... ut citra eam non constet salus[58]."

[51] Andreas Karlstadt; über seine Äußerungen zur Beichte um diese in Frage stehenden Zeit siehe: Fischer, Beichte I und II, vor allem Beichte I, S. 127ff. und Beichte II, S. 126ff. sowie Barge, Karlstadt, 1. Bd., S. 246ff.

[52] Blaurer an Rhegius, ebd., S. 775.

[53] Ebd.

[54] Ebd.

[55] Lohse, Privatbeichte, S. 224.

[56] Urbanus Rhegius an Thomas Blaurer, Anfang 1524. Ms. 26. Schieß, Briefwechel Blaurer, 1. Bd., S. 93.

[57] Ebd.

[58] Ebd., S. 92.

Also volle Einigkeit zwischen Rhegius und Blaurer? Ist Rhegius nun ganz auf Luthers Linie und von Zwingli völlig abgerückt? Wenn man diesen Brief genauer und zur Gänze liest, merkt man, daß dem lange nicht so ist. Rhegius sucht sich nämlich eine mittlere Position zwischen den Kontrahenten zu bewahren. Wie er sich von Zwingli distanzierte, habe ich vorhin zitiert, wie unvollkommen er sich mit Luther identifiziert, zeigt, daß er die Privatbeichte *nur* für die ganz Schwachen und *hilflos Kranken* akzeptiert.

Er expliziert dies durch einen Vergleich aus dem Bereich der Nahrungsaufnahme: „... nonnulli ob manuum debilitatem proposito vesci cibo nequeunt, nisi a sanis porrigatur, frangatur atque in os ponatur[59]." Für solche Fälle — am besten mit seltenen Ausnahmsfällen zu bezeichnen — ist die Ohrenbeichte notwendig, das konzediert er nun. Für Luther aber ist, wie wir oben gesehen haben[60], die Ohrenbeichte weit, weit mehr.

1.3.4. Ab Juni 1524 in der Mitte zwischen Luther und Zwingli

In Rhegius' „Ernstliche erbietung der Euangelischen Prediger"[61] des nächsten Jahres (1524) wird die Ohrenbeichte nun mit der Bemerkung abgetan: „... man weiß wol wer die ohren beycht haben will, bey verlierung der seligkeyt[62]." Hier wird die Ohrenbeichte unterschwellig als Machtanspruch der alten Kirche und des Papsttums ins schiefe Licht gebracht. Der kirchenpolitische Aspekt, den wir bei Zwingli gesehen haben[63], bricht hierbei sehr deutlich auf. Im selben Jahr 1524 gab Rhegius im Juni eine geänderte (verbesserte) Auflage seiner Sammlung der wichtigsten theologischen Loci[64] heraus. Gegenüber dem Vorjahr erfuhr der Artikel über die Beichte eine höchst bemerkenswerte Ergänzung und „Verbesserung" durch den Einschub: „... ich wayß wol, das ... vor tausent drey hunder jaren ... Die frommen gelerten priester vmb radt seind gefragt worden jn haimlichen sachen der gewissen ...[65]."

Hier mit dieser Sicht hat Rhegius seinen Standpunkt in puncto Privatbeichte nun fixiert. Er hält fest und lehrt:

1. Die Privatbeichte ist nicht in der Hl. Schrift gegründet, sie ist „menschen leer". Dieser Standpunkt findet sich bei Luther wie bei

[59] Ebd., S. 93.
[60] Siehe oben S. 176ff.
[61] D. 45.
[62] Werke 4, fol. IIII.
[63] Vgl. oben S. 180.
[64] Siehe bei D. 41. Diese Neuauflage verließ laut Kolophon am 10. Juni 1524 die Druckerpresse. Diese verbesserte Auflage fand keine Aufnahme in die Sammelbände.
[65] Ebd., Bl. i.

Zwingli, nur sind die Folgerungen der beiden nicht dieselben. Außerdem akzentuiert Luther diese Tatsache nicht so wie Zwingli.

2. Zur Zeit der Kirchenväter wurden die Priester „vmb radt gefragt jn haimlichen sachen der gewissen".

Hier hat sich Rhegius weit zu Zwingli hin bewegt, ist aber in der Mitte zwischen diesem und Luther stehengeblieben. Den zwinglischen „Rubikon" hat er eben nicht überschritten und dessen punctum saliens hat er sich nicht angeeignet.

Dieses punctum saliens zwinglischer Privatbeichtelehre, das da lautet: „Got laßt die sünd allein nach durch *Christum Jesum* unseren herren allein. Was thut denn der pfaff dazu? Der zugang zu dem priester ist *nüt anderst* denn ein radtforschung..."[66], sucht man bei Rhegius vergeblich. Man kann diesen springenden Punkt noch weiter reduzieren auf die apodiktische Ausschließlichkeit *„nichts anders"*, und gerade diese fehlt. Sie kommt auch in keiner einzigen späteren Äußerung über die Privatbeichte vor, weder in der „Nova doctrina"[67] 1526 noch in der „Summa christlicher leer"[68] 1527; in beiden Traktaten beschäftigte er sich neuerdings ausführlich mit der Privatbeichte. Auch in diesen wahrte Rhegius die Mitte zwischen Zwingli und Luther, oder vielleicht besser ausgedrückt, auch hier wie schon ab 1524 bemüht er sich, beider Standpunkte gerecht zu werden und sie auf einen gemeinsamen Nenner zu bringen.

Würde man Rhegius' Übernahme des zwinglichen Terminus, daß die Beichte ein „Ratholen" sei, allein schon, ohne auf jenes ausschließende „nur Ratholen" zu achten, als Beweis für die völlige Aneignung von „Zwinglis Ansicht von der Beichte werten", wie Seitz es voreilig tut[69], dann wäre selbst Luther im Frühjahr 1526 zwinglich gewesen. Denn in seinem Sermon vom Sakrament, der im Herbst desselben Jahres erschien[70], schreibt Luther wörtlich über die Privatbeichte: „Zum dritten ist aber ein trost darynn, wer ein bose gewissen hat odder sonst ein anliegen odder not, wolt gerne rad haben, das er da umb bitt. Darumb konnen wir die beicht nicht verachten[71]."

Gerade weil aber jenes zwinglische Ausschließlichkeitsprinzip, das sich im *„nur Ratholen"* ausdrückt, fehlt, wird man Luthers Privatbeichtlehre auch des Jahres 1526 nicht als zwinglisch qualifizieren können.

[66] CR, 89. Bd., S. 396.

[67] D. 63.

[68] D. 66.

[69] Seitz III, S. 107; vgl. oben S. 175f.

[70] Sermon von dem Sakrament des Leibes und Blutes Christi wider die Schwarmgeister, 1526. WA, 19. Bd., S. 482—523.

[71] Ebd., S. 521.

Analoges muß auch von Rhegius gelten, auch dann, wenn er bewußt nicht so positiv wie Luther über die Beichte spricht, was hinreichend expliziert wurde. Übrigens hat dieser Sermon Luthers vom Jahre 1526 derart starke Anklänge an Rhegius' Traktat vom Jahre 1523 über die Reue, die Beichte und die Buße[72], daß man mit Fug und Recht behaupten kann, Luther ist, als er seinen Sermon bzw. die diesem zugrundeliegenden Predigten im März 1526 konzipierte, von jenem beeinflußt. Luther ist in diesem Sermon sogar von seinem Einteilungsschema der drei Beichtarten von 1522 abgewichen und hat dieses nun so gebracht, wie es sich bei Rhegius findet[73].

[72] D. 37.

[73] Dreierlei Beichtarten, verglichen bei Luther 1522, Rhegius 1523 und wieder Luther und zwar von 1526:

I. Art:

Luther 1522: Öffentliche Beichte: „... als wenn jemand offentlich gesündigt hatte, so das die Leute davon wüsten, so ward derselbig auch offentlich fur dem hauffen angeklaget ..." WA, 10./III. Bd., S. 58.

Rhegius 1523: Unmittelbare Beichte Gott dem Herrn: „Wann sich der sünder allein vor Gott verklagt, seine sünd bekent, sich selbs zu nichten macht ..." Werke 1, fol. CI'.

Luther 1526: Unmittelbare Beichte Gott dem Herrn: „Eine fur Gott. Denn zum ersten ist für allen dingen not, das ich mich fur Gott ein sunder erkenne ..." WA, 19. Bd., S. 513.

II. Art:

Luther 1522: Unmittelbare Beichte Gott dem Herrn: „Zum andern ist ein Beicht, da wir Gott unsere Sunden allein klagen und Gott selbs beichten, fur welchen wir alle unsre gebrechen ausschütten ..." WA 10./III. Bd., S. 60.

Rhegius 1523: Den beleidigten Nächsten um Verzeihung bitten: „Wenn sich einer vor seinem nebenmenschen seiner schuld bekennet, als wann ich einen hab beleydiget, vnd ich komb zu jhm vnd bitt jn treylich, das er mirs verzeyhe ..." Werke 1, fol. CI'.

Luther 1526: Den beleidigten Nächsten um Verzeihung bitten: „... halt euch also, das sich ein yglicher fur dem anderen demutige und bekenne seine schuld, wo er yemand beleidigt hat." WA, 19. Bd., S. 516.

III. Art:

Luther 1522: Privat-Ohrenbeichte oder heimliche Beichte: „... da einer dem andern beichtet und nimet jn allein auff ein ort und erzelt jm was sein not und anligen ist, auff das er von jm ein tröstlich wort höre, damit er sein Gewissen stille ..." WA, 10./III. Bd., S. 61.

Rhegius 1523: Privat-Ohrenbeichte, die sich aus der öffentlichen (Kirchen-) Beichte entwickelt hat: „Die dritte beycht, heist Kirchen beycht, wenn sich der mensch nicht allein daheim vor jm selbs Gott beklagt, sondern auch vor andern leuten ... Die beicht ist also geschehen im anfang der Kirchen ... und ist also an stat der Kirchenbeicht, die ohrenbeicht kommen ..." Werke 1, fol. CII.

Luther 1526: Privat-Ohrenbeichte, die sich aus der öffentlichen (Kirchen-) Beichte entwickelt hat. „Hie redet man aber von der heimlichen Beycht, wilche ich halt, das sie komen ist aus der öffentlichen Beycht ..." WA, 19. Bd., S. 519.

3. Die Priester haben damals, als sie „vmb radt seind gefragt worden", guten Trost „vnd absolution auß der geschrift geben"[73a].

Diese Hervorkehrung, daß bei der Privatbeichte die Absolution gespendet wird, bringt Rhegius wieder zu Luther, aber nicht zu weit, denn die lutherische Wertschätzung der Absolution, die „eine effektive, wirksam zuteilende Gnadengabe"[74] wird, kommt bei Rhegius hier nicht zum Ausdruck, ja sie wird durch das angefügte „Ich verwerff sie nicht"[75] geradezu bestritten. Teilte er mit Luther diese zitierte Hochschätzung der Absolution, müßte er für die Ohrenbeichte mehr übrig haben als das distanzierte, sehr kritische, geradezu wegwerfende Urteil: „Ich verwerff sie nicht."

1.3.5. Kritischer Lutheraner, aufgeschlossen für Zwingli und distanzierter Erasmianer

Diese Methode, Luther und Zwingli dadurch auf einen Nenner zu bringen, daß er sich Letzterem soweit wie irgend möglich nähert, ohne dessen „punctum saliens" essentialiter und verbaliter zu übernehmen, hat Rhegius auch im Abendmahlsstreit angewandt. Nirgends, in keinem einzigen seiner Traktate hat Rhegius die zwinglische symbolische Deutung des „est" der Einsetzungsworte als „significat" interpretiert, geschweige denn ersteres durch letzteres ersetzt. Köhlers nachstehend zitierte Feststellung ist deshalb in ihrem ersten Halbsatz genauso problematisch, wie der zweite Halbsatz richtig ist: „Neu gewonnen hat Rhegius die bewußte Ablehnung[76] der leiblichen Realpräsenz, obwohl er sie nicht direkt ausspricht[77]."

Für Seitz, der sich auf dieselbe Schrift Rhegius' wie Köhler bezieht, ist Rhegius hierbei „in allem Wesentlichen ganz zwinglisch"[78]. Mit der Begründung für diese Behauptung, die sich gegen Uhlhorn richtet, macht sichs Seitz ganz leicht: „Denn", fährt er, seine These, daß Rhegius „in allem Wesentlichen ganz zwinglisch" ist, begründend fort, „daß die spezielle Erwähnung der Einsetzungsworte und ihrer Deutung nach Zwingli nicht vorkommt, wird man noch nicht als durchschlagendes Argument gegen diese Auffassung anführen können"[79]. Richtig sieht Seitz: „... die Gleichung est =

[73a] Wie oben S. 185, Anm. 65.

[74] Sommerlath, Absolution, S. 223.

[75] Siehe oben S. 182.

[76] Köhler bezieht sich hierbei auf Rhegius' Schrift: Nova doctrina, die 1526 erschien. D. 63.

[77] Köhler, Zwingli und Luther, 1. Bd., S. 323.

[78] Seitz II, S. 308 =Seitz III, S. 88. Seitz bezieht sich auf Uhlhorn I, S. 29.

[79] Seitz II, S. 308f.

significat in den Einsetzungsworten war für Zwingli nicht der *Ausgangspunkt* seiner Abendmahlslehre, ja nicht einmal der eigentliche exegetische Stützpunkt[80]." Leider vergißt er aber zu ergänzen, daß diese Gleichung der harte Kern, das Substrat, das punctum saliens von Zwinglis Theologisieren und Exegetisieren bezüglich der leiblichen Realpräsenz war und für Rhegius der „Limes", den er in seinen Traktaten nie überschritt. Die einzige und direkte Äußerung Rhegius', daß er Zwinglianer sei, findet sich in seinem Privatbrief, den er selber folgendermaßen charakterisierte: „Hec rapui verius, quam scripsi, urgentibus me negociis in loco ad scribendum minime idoneo[81]." Der Brief ist datiert mit 28. September 1526 und an Zwingli adressiert. Nachdem er diesen seinen Brief, so wie zitiert, charakterisiert hat, fährt er fort: „Quod ad eucharistiam attinet, Auguste nihil est periculi... Rana[82] et Agricola[83] boni viri sint: si quid peccant, non peccant malitia in casu nostro de eucharistia[84]."

Wenn man mitbedenkt, daß Luther in den Abendmahlsstreit gegen Zwingli öffentlich literarisch eigentlich noch kaum eingetreten war — schriftlich lag lediglich zu diesem Zeitpunkt des Rhegiusbriefes seine Vorrede zum Schwäbischen Syngramm vor — so darf dieses Rhegiuswort zu ungunsten Luthers nicht überbewertet werden.

Aufgeschlossen bis begeistert für Zwingli, ja das konnte Rhegius wahrhaftig sein, aber im wesentlichen ganz zwinglisch war er nie. Wie aufgeschlossen und begeistert für Zwingli er mitunter sein konnte, beweist jener Brief aus dem Jahre 1524, in dem es heißt: „Epistolam Huldrichi Zuinglii heri tibi redditam, frater ab ilibus dilecte, legi relegique magno animi et ardore et stupore. Loquitur enim vir ille dei meras flammas, atque utut vivae vocis energiam calamus assequi nequeat, mirę tamen refert pii cordis prudentem simplicitatem et nescio quid nostro sermone maius. Eruditionem interim et eloquentiam hominis taceo... Meae me tepiditatis vehementer puduit, cum hunc spiritus fervorem et impetum ultimis hisce temporibus pernecessarium cernerem, ac sensi protinus nec

[80] Seitz II, S. 314.
[81] CR, 95. Bd., S. 727. Ms. 34.
[82] Rana oder Frosch, mit Vornamen Johannes, war bis 1523 Prior des Karmelitenordens in Augsburg und 1518 Gastgeber Luthers. Näheres über ihn bringt Roth, Augsburg, 1. Bd., vgl. dazu auch: Simon, Frosch, und vor allem: Franz, Johannes Frosch.
[83] Agricola oder Kastenbauer, mit Vornamen Stephan, seit 1525 Prediger in St. Anna in Augsburg. Vgl. RGG^{3}, 1. Bd., Sp. 188f., und Roth, ebd.
[84] A.a.O., S. 727f.

sine iusto animi dolore, quantum in me iuris etiamnum caro habeat, quam probe frigeam, si his Zuinglii flammis fuero collatus[85]."

Letztlich ging es Rhegius immer um eine Konkordia — nicht im Sinne einer bestimmten Formel gemeint — im reformatorischen Lager, und, um diese herzustellen, konnte er gegenüber der lutherischen Position zwar sehr kritisch sein, aber nicht im wesentlichen ganz zwinglisch.

Mit dem Erscheinen von Erasmus' Traktat „De libero arbitrio"[86] im September 1524[87], in dem Erasmus gegen Luther für die Willensfreiheit auf den Plan getreten war, drohte die „Sonne" Erasmus am Rhegius-Horizont unterzugehen. Distanziert wehmütig, bisweilen polemisch und aggressiv urteilte er jetzt über Erasmus, den er noch zwei Jahre zuvor, wie wir gesehen haben, als die Sonne pries. Am 21. Oktober 1524 konnte er an Johannes Oekolampad sehr kritisch über Erasmus schreiben: „Erasmi vicem doleo, qui, dum in sua vocatione perstitit, iure optimo magnus est habitus; restituit enim pristino candori, quae multis seculis ob linguarum imperitiam fuerunt depravata; iam vero cum papistarum copiis se iungit, altiora viribus tentat, quod vel hostes inviti fatentur, quoties, ‚Διατριβήν', aut ‚Collationem' illam legunt mirifice mirandam, scilicet in qua quorundam scholasticorum opiniones transtulit et verborum fuco Erasmicas fecit: luctatur anxie, nec tamen eluctatur: et vel ignorantiam prodit scripturarum vel impie dissimulat, papistis suis colludens, opera praedicans, nescio quid voluntati tribuens, tantum ne persecutionem patiatur homo delicatus, abolitum cupiens offendiculum crucis[88]."

2. UMFANGREICHE PREDIGTTÄTIGKEIT

Den eigentlichen Beginn der reformatorischen Predigttätigkeit in Augsburg kann man mit 1523 ansetzen, als Rhegius auf des Rates Bitten und Gnaden in der Karmeliterkirche zu St. Anna predigte. Darüber haben wir oben bereits gehandelt[89]. Als Rhegius 1524 „endgültig", gemeint für unseren Untersuchungszeitraum, nach Augsburg zurückkehrt, ist es nun keineswegs so, wie es die Literatur bis jetzt darzustellen wußte, daß er in Ausburg auf Bitten oder Bestellung des Rates im Zusammenhang mit den Augsburger Unruhen

[85] Urbanus Rhegius an Johann Frosch, Juni/Juli 1524. CR, 95. Bd., S. 201. D. 44.
[86] Erasmus, Opera, 9. Bd., Sp. 1215—1248.
[87] Vander Haeghen, S. 20.
[88] Staehelin, Oekolampad/Briefe und Akten, 1. Bd., S. 323, Ms. 28.
[89] Siehe S. 166f.

an Stelle des beurlaubten Barfüßermönches Johann Schilling[90] zu predigen beginnt, oder wie Uhlhorn diesbezüglich schreibt: „... seine schon eine Zeitlang geübte private Wirksamkeit wurde eine öffentliche und amtliche[91].“ Bei Roth findet Rhegius zuerst „als Privatmann im Carmeliterkloster Unterkunft... bis er ... im August vom Rate als Prediger bei St. Anna und den Barfüßern verwendet wurde“[92].

In Wirklichkeit predigte Rhegius, noch ehe der Rat an ihn herantrat, gebeten „a magna vrbis parte“, wie er seinem Freund Capito nach Straßburg schreibt, „frequenti templo apud Carmelitas“ dreimal in der Woche über den Römerbrief[93]. Aus diesem Rhegiusbrief erfahren wir noch ein besonders interessantes Faktum. Anstelle des erkrankten Johann Speiser[94] predigte er auch in der Fuggerkirche St. Moritz „Fucerorum precibus permotus“[95]. Die Fugger, die „im Jahre 1518 das Patronat der Prädikatur zu St. Moritz“ erworben hatten[96], scheinen somit den Reformator von Augsburg geschätzt zu haben. Nach Roth, dem Verfasser der Augsburger Reformationsgeschichte, waren es die „Geldsäcke der Fugger“, die Eck immer wieder nach Augsburg zogen, ihr „Einfluß“, gemeint der der Fugger, „war in Rom überhaupt unbegrenzt“[97]. Diese Fugger mit Jakob Fugger an der Spitze, „dem man als heftigen Gegner der Reformatoren die abscheulichsten Dinge nachsagte“[98], sind es aber, die Rhegius 1524 bitten, ihre Prädikatur zu verwesen. Man sieht, wie selbst Roth von falschen Klischeevorstellungen beeinflußt ist. Diese Predigttätigkeit bei den Fuggern, wie Rhegius' umfangreiches Engagement überhaupt, hatte sich alsbald herumgesprochen. So schreibt dem Rhegius aus Ulm sein Freund Wolfgang Rychard am 8. September 1524: „Aiunt te plurimum esse occupatum: et ad sanctum Mauritium diuino verbo prefectum[99].“

Diese Predigttätigkeit bei den Fuggern dürfte es aber auch gewesen sein, die dem Rhegius den Titel „kouffmansprediger zu Augspurg“ eintrug. Genau eine Woche, bevor Grebel am 21. Jänner 1525 in Zürich Georg Blaurock auf dessen ungestümes Drängen wieder-

[90] Vgl. dazu: Vogt, Johann Schilling, und Roth, Augsburg, 1. Bd., S. 156ff.
[91] Uhlhorn II, S. 62.
[92] Roth, Augsburg, 1. Bd., S. 127; dem hat sich auch Lutz angeschlossen. Vgl. Lutz, Peutinger, S. 233ff.
[93] Ms. 27, fol. 709.
[94] Über Speiser, vgl. Roth, Augsburg, 1. Bd., vor allem S. 188, Anm. 76.
[95] Ms. 27, ebd.
[96] Roth, Augsburg, 1. Bd., S. 45. Vgl. dazu: Schröder, Fuggers Patronatsrecht und: Rem, Chronik, S. 93f.
[97] Roth, ebd.
[98] Ebd., S. 157.
[99] Ms. in Hamburg UB/HsAbt: Sup. ep. (4) 49, fol. 191—191'; hier fol. 191.

taufte, schrieb er diese abqualifizierende Titulierung seinem Schwager Joachim Vadian[100]. Wie lange Rhegius bei den Fuggern predigte und welche Remuneration er dafür erhielt, ist nicht festzustellen. Da er aber laut Michael Keller[101], der auf Anfang Dezember 1524 bezogen schrieb, Rhegius habe „in sechs Wochen an khainem ort"[102] mehr gepredigt, weil er wegen Heiserkeit nicht konnte, wird die Predigttätigkeit mit Ende Oktober ihr Ende gefungen haben. Bei den Barfüßern übernahm nun Michael Keller, der ganz ins zwinglische Lager einschwenkte, von Rhegius die gesamte Predigttätigkeit[103].

Vom Rat zu Augsburg erhielt Rhegius erstmals am Samstag vor Galli (15. Oktober) 1524 eine Entlohnung in der Höhe von 20 Gulden[104]. Für 1525 läßt sich ein Honorar, „vererung" genannt, nachweisen: Samstag nach Oculi (25. März) 12 Gulden[105]; zum Vergleich: Michael Keller erhielt mit selbem Datum 32 Gulden[106]. Daß Rhegius über den Römerbrief predigte, hatte er, wie oben bereits dargelegt[107], im September 1524 seinem Freund Capito mitgeteilt. Aus seinem Brief an Oekolampad erfahren wir nun näher, daß er neben dem Römerbrief, den er in der Kirche interpretierte, „reliquas epistolas omnes privatim in auditorio frequenti" las. Für

[100] Konrad Grebel an Joachim Vadian, 14. Jänner (1525). In: Vadianische Briefsammlung, 3. Bd., S. 104. Zur ersten Wiedertaufe siehe: Blanke, Brüder in Christo.

[101] Zu Keller siehe: Roth, Michael Keller; Schottenloher, 9671—9674.

[102] Michael Keller an den Rat von Augsburg, 13. August 1527. In: Roth, Michael Keller, S. 161.

[103] Ebd.: „... aber gott wolt mich dieweil anders prauchen, also daß ich auch must haimsuchen mein geliebsten bruder im herren, doctor *Urban,* und do ich zu im kham, war er haiser und also gantz sprachlos, solt an zwai orten hie, zu *St. Anna* und bei den *Barfüssern,* predigen, möcht aber söllichs mer dann in sechs wochen an khainem ort thun; es war hart nach diser hanndlung, so sich zwischen aines parfüsser minich, dozumol hie bei den barfuessern predicant, begeben hett. war man ains predicanten daselbist hin vast nottürftig, redet mit mir doctor *Urban,* ich solt ettlich sermon thun gott zu eere und nutz und frommen des nechsten, auch zu stillung den rauchen pöfell, die nach dem minich, der gepredigt hett, noch schrieen, deß ich mich verwilligt, wiwol ich mich ungesckigkt darzu befunde, und doch nicht abschlahen mocht noch wolt. also ist mit mir nachmals, on zweifel nicht unwissen e. w. weitter gehandelet worden, und also ich armes gefeß und diener des herren wort bißher euch alhie das lautter wort gottes biß dato dises brieffs verkündiget hab."

[104] Augsburg StA, Baumeisterbuch 1524, Bl. 77'. Vgl. dazu unten S. 215ff.

[105] Ebd. Baumeisterbuch 1525, Bl. 66. Weitere Angaben über Besoldungen siehe unten im nächsten Abschnitt unter: Honorierung des Rhegius und der übrigen Stadtprädikanten.

[106] Ebd.

[107] Siehe S. 191.

den Tag, an dem er Oekolampad schreibt, es ist dies Freitag, der 21. Oktober, vermerkt er noch: „... hodie primam ad Thessalo. finivi[108]."

Rhegius' Paulusbriefvorlesungen scheinen so großen Zulauf gehabt zu haben, daß er sie öffentlich und fortlaufend halten mußte. So weiß der Chronist Wilhelm Rem zu berichten, daß Rhegius am 6. Dezember anfing, im Refektorium des Karmeliterklosters den Paulus zu lesen. Hören wir Rem selber: „Anno dni 1524 umb sant Niclaus tag da fieng hie an doctor Urban zu lesen in teutsch sant Paulus epistel und legt alding gar fein aus. das beschach zu Unser Frauenbrieder im refitt. der selb doctor Urban predigt hie, wau ims meine herren von Augsburg befalchent, dan sie gaben im ettlich gelt. er las aber nur ettlich tag am werchtag in der wochen, darnach macht man 1 grossen stul in die kirchen, da las er auch[109]."

Was das Geld betrifft, das hier erwähnt wird, verweist der Editor dieser Chronik Friedrich Roth[110] auf die „Verehrungen" durch den Rat, wie vorhin festgehalten. Ein Blick in die Rechnungsbücher des Karmeliterklosters belehrt uns aber über weitere Geldquellen. Die Buchhaltung — die übrigens der Stadtschreiber Konrad Peutinger durch einen Substituten führte, wie aus ihr ersichtlich —, kann als Einnahmen buchen: Am 29. Oktober 1524 „de visitantibus lectionis docotoris urbani Regij" 1 Gulden, 2 Schilling, 3 Pfennig; am 31. Dezember 1524 „auditores lectionarum doctoris urbani Regij tribuerunt conventui" 4 Gulden, 4 Schilling und 11 Pfennig; am 14. Jänner 1525 „visitantes lectionarum doctoris urbani tribuerunt conventui" 3 Gulden, 5 Schilling und 2 Pfennig[111]. Damit hören die Einnahmen — zumindest die diesbezüglichen Eintragungen — auf.

Welche Folgen das Hören von Paulusbriefvorlesungen zeitigen konnte, weiß der Chronist Clemens Sender aus dem Orden des hl. Benedikt zu erzählen: „Man hat zu den Carmeliten und in dem Barfüssercloster offenlich wie auff der hochen schul die evangelia und epistel Pauli gelesen, und sind vil frauen und mann an dise letzgen gangen, von reichen, mittelmessigen und armen ... Ain metzger hat haimlich erfaren, daß sein frau auch an die letzgen ist

[108] Staehelin, a.a.O., S. 324. Ms. 28. Aus demselben Brief erfahren wir auch, daß parallel zu Rhegius der gewesene Karmelitenprior Johannes Frosch „Galathas publice enarrat".

[109] Rem, Chronik, S. 214. Beim Chronisten Rem geht es allerdings etwas wirr zu, denn am 9. Jänner 1525 vermerkt er neuerdings: „... da fieng hie an ain fast wolgelerter doctor, der was ain pfaff, zu dem ersten mall sant Pauls eppistel in teutsch zu lesen, und darnach so legt ers in teutsch aus." Ebd., S. 216.

[110] Ebd., S. 214, Anm. 2.

[111] Rechnungsbücher St. Anna.

gangen, und hat sein spech auff sie gehept. und auff ain tag hat es sich begeben, daß sie von der schul ist haim komen, da het sie ir man gefragt, wa sie gewessen sei; hat sie gesagt: ‚bei irer gespillen', darauff der metzger: ‚nein, du bist zu schul gewessen, kom her und sag mir dein letzgen auff, was du gelernet habest!' da hat sie feindlich dafür geleugnet, da her der man zu jr gesagt. ‚so du mir nit wilt auffsagen, so sich ich wol, daß du bist hinder die schul gangen', und hat im darvor gut rutten in ain wasser eingeweicht und seiner frauen die klaider oben zusammenbunden und (sie) gantz enplest und mit rutten geschlagen, daß plut hernach ist gangen, und hat (sie) also von der schul und lernung gelaussen[112]."

Daß Rhegius aber mit Zuhörern nicht immer gesegnet war, werden wir im nächsten Abschnitt, wenn über das Predigtverbot am Augsburger Reichstag 1530 gehandelt wird, hören.

3. ÖFFENTLICHER, DEMONSTRATIVER BRUCH MIT DER ALTEN KIRCHE

3.1. Hochzeit

Die Wirkung des lutherischen Angriffs auf Zölibat und Ordensgelübde war überwältigend. „Eine Heiratsbewegung ergriff den Klerus", resümierte Franzen in seiner Untersuchung über die Zölibatsfrage der Reformationszeit[113].

Unter denen, die diese „klerikale Heiratslawine" lostraten, war auch Rhegius[114]. Sein Hochzeitstag ist, wie wir im Literaturbericht gesehen haben, praktisch geklärt. Das Hauptverdienst hierfür kommt Schott[115] zu.

Drei Tage, nachdem Luther in Wittenberg diesen Schritt in seiner Wohnung tat und heiratete und Justus Jonas beim Anblick Luthers und seiner Braut Katharina Bora am Brautlager die Tränen ob dieses Schauspiels nicht unterdrücken konnte[116], heiratete Rhegius. Dieser wählte für seine Eheschließung nicht eine Wohnung oder sonstige private Räumlichkeiten, sondern den Ort seines öffentlichen Wirkens, die Kirche St. Anna in Augsburg.

112 Sender, Chronik, S. 177.
113 Franzen, Zölibat, S. 29.
114 Franzen zählt ebd. auch noch viele andere auf.
115 Schott, Beiträge: Von Schott hat es Roth, Augsburg, übernommen. Lediglich Zoepfl im LThK — siehe oben — tanzt aus der Reihe und bringt wieder 1526 als Hochzeitsjahr.
116 Köstlin/Kawerau, Luther, 1. Bd., S. 735.

Es war der Freitagvormittag nach Fronleichnam, am 16. Juni 1525, als bei höchster Stadtprominenz „Urbanus Regius aines priesters sun aus Costenser bistumb“[117], flankiert von seinem Traupriester, dem gewesenen Karmeliterprior Johannes Frosch, den Rhegius drei Monate zuvor am 20. März getraut hatte[118], und dem „burgermaister Ulrich Rechlinger“[119] in die Karmeliterkirche zu Augsburg zur Trauung einzog.

Wenn man dabei bedenkt, was Franzen konstatiert: „Es gehörte eine gewisse Verwegenheit dazu, sich nicht nur über das kirchliche, sondern auch über das staatliche Recht hinwegzusetzen; denn das kirchliche Zölibatsgesetz war auch im Reichsrecht verankert“[120], dann kann man erst ermessen, welchen Demonstrationscharakter diese Hochzeit in der Reichsstadt Augsburg gehabt haben muß. Die Stadtpfeifer waren aufgeboten, und als der städtische und stattliche Hochzeitszug die Schwelle der St.-Anna-Kirche überschritt, erreichte die Demonstration des Bruches mit der alten Kirche und ihren „Menschensatzungen“ ihren Höhepunkt und die Festesfreude ihr Gotteslob; es wurde „auff der orgel das te deum laudamus geschlagen“[121].

Das Karmeliterkloster stellt sich mit einem Hochzeitsgeschenk von 2 Gulden „in auro“ ein[122] (Für ihren ehemaligen Prior Johannes Frosch verzeichnen die Rechnungsbücher vierzehn Tage vor seiner Hochzeit Ausgaben von 2 Gulden „pro alba cuculla“[123].)

Frosch traute seinen Kollegen Rhegius nach demselben Ritus, wie dieser ihn getraut hatte[124]. Nach seiner kurzen Predigt, „darin er den eelichen standt hochgelopt hat“[125], bat Frosch das Brautpaar zum Altar und sprach zum Bräutigam gewandt: „. . . ‚erwirdiger herr und cristenlicher bruder begert ir Annam[126], die gegenwirtigen(!),

[117] Sender, Chronik, S. 176.
[118] Siehe: D. 53 und Rem, Chronik, S. 219.
[119] Sender, ebd. Weitere Stadtprominenz ist bei Sender nicht aufgezählt. Es fällt aber auf, daß der zweite Bürgermeister, nämlich Ulrich Artzt, sowie der gewiegte Stadtschreiber Konrad Peutinger nicht anwesend waren. Ulrich Artzt (Arzt) war auch Hauptmann des Schwäbischen Bundes und schwor — wie im übernächsten Abschnitt ausgeführt wird — Urbanus Rhegius den Tod. Roth nennt ihn den „Ketzerfresser“. Roth, Augsburg, 1. Bd., S. 310. Peutinger selbst nahm an dieser demonstrativen Hochzeit zwar nicht teil, wohl ist seine Tochter als Teilnehmerin am Hochzeitstanz vermerkt, Sender, ebd., S. 177.
[120] Franzen, Zölibat, S. 30.
[121] Sender, ebd., S. 176.
[122] Rechnungsbücher St. Anna, 24. Juni 1525.
[123] Ebd., 4. März 1525.
[124] Siehe: D. 53 und Strobel, Eine der ältesten evangelischen Copulationsformeln.
[125] Sender, Chronik, S. 176; leider ist diese Ansprache weiter nicht überliefert.
[126] Anna Weisbrucker, sie überlebte ihren Mann um 25 Jahre und starb 1566. Vgl. Cassel, Geschichte der Stadt Celle, S. 430, Anm. 1. Uhlhorn II, S. 337,

zu eurem eelichen weib, so gebt mir ain zeichen!' sagt er ,ja'." Darnach Frosch zur Braut: „,begerst du den erwirdigen herrn und christenlichen bruder doctor Urban zu deinem eelichen man, so gib ain zaichen!' da sprach sie ,ja'[127]." Nach der Kommunion unter beiderlei Gestalten der beiden Brautleute, berichtet der Chronist Sender weiter, ging es zum „mittagmall", dem sich „ain dantz" anschloß[128].

Dem Beispiel Rhegius' folgten in Augsburg viele Priester und Mönche[129]. Ob Rhegius ein Jahr nach seiner Hochzeit nachstehende Gedanken Luthers teilte, ist uns nicht überliefert: „Qui non habet uxorem, vult habere, qui habet, non potest eam[130]." Sein einstiger Lehrer und Gönner Eck stellte sich, wie schon mehrfach erwähnt, mit einem boshaften Hochzeitslied ein und ließ es in Druck gehen[131].

3.2. Erstes öffentliches Austeilen der Eucharistie unter beiderlei Gestalten

Analog zum Hochzeitsdatum des Rhegius hat auch hier Schott die alte Streitfrage — siehe Literaturbericht —, wann zum erstenmal das „heilig hochwirdig Sacrament"[132] gespendet wurde, gelöst, nämlich „am Weihnachtstag 1525"[133]. Bei Sender wie in der Langenmantelschen Chronik heißt es aber, daß man bereits 1524 sowohl in der St.-Anna-Kirche wie bei den Barfüßern das „hochwirdig Sacrament... under beiderlei gestalten gegeben" habe[134].

Roth dürfte mit seiner Interpretation recht haben, daß dieses nur „einzelnen, die es verlangten" gereicht wurde[135]. Die erste allgemeine und feierliche Form, womit „der Bruch mit der alten Kirche offenkundig"[136], ja demonstriert wurde, war aber am besag-

will sie noch 1588 lebend wissen, aber die vermeintliche Witwe des Urbanus Rhegius ist in Wirklichkeit die Schwiegertochter.

127 Sender, ebd.

128 Ebd., S. 176f.

129 Vgl. Roth, Augsburg, 1. Bd., S. 295.

130 Ecclesiastes Salomonis cum annotationibus D. M. Lutheri, 1532 (30. Juli — 7. November 1526). WA, 20. Bd., S. 7—203; die zitierte Stelle: S. 14.

131 Siehe: Eck, Epithalamia. Dieses Lied gleicht teilweise einem Plagiat des von Michael Brenner auf Jakob Locher Philomusus 1515 verfaßten Hochzeitsliedes. Da das ganze Geschehen damals in Ingolstadt stattfand, hat Eck das Gedicht sicherlich gekannt. Vgl. hierzu: Schlecht, Lob und Spottgedichte, S. 223.

132 Langenmantelsche Chronik, fol. 477'. Der Ausdruck „Abendmahl" kommt in keiner zeitgenössischen Handschrift, die davon berichtet, vor.

133 Schott, Beiträge, S. 260.

134 Langenmantelsche Chronik, ebd., Sender, Chronik, S. 154.

135 Roth, Augsburg, 1. Bd., S. 299.

136 Schiller, Die St. Annakirche, S. 55.

ten Weihnachtstag des Jahres 1525. Der Mönch Sender hebt bei der Austeilung beider Gestalten noch hervor, daß sie „frauen und mann“ gegeben wurden und daß diese „sie selbs angeriert“ haben[137]. Man reichte somit wohl den Kelch und das Hl. Brot in die Hand.

Nach einem alten Gemälde, das in schlechter Reproduktion in einer Handschrift erhalten geblieben ist[138], hat Rhegius den Kelch und Frosch das Brot ausgeteilt. Nach dieser Darstellung wurde der Kelch vom Spender so gehalten, daß der Empfänger, ohne ihn mit der Hand zu berühren, trank, und das Brot wurde direkt auf die Zunge gelegt.

Der Chronist Pirmin Gasser weiß von einer anderen reformatorischen Neuheit zu berichten: Nach ihm begannen Rhegius und Frosch am besagten historischen Weihnachtstag nämlich, beide Gestalten „citra auricularis confessionis praeparamentum publice distribuere“[139]. Eine durchaus glaubhafte Bemerkung, wenn man den oben skizzierten theologischen Standort Rhegius' über die Privatbeichte ins Kalkül zieht, nachdem er für sie nicht mehr übrig hat als „ich verwerf sie nicht“ und kein bejahendes Wort über Nutzen und Notwendigkeit aufbringt.

4. VOM RAT HONORIERTER KÄMPFER GEGEN DIE WIEDERTÄUFER[140]

In den Augsburger Rechnungsbüchern scheint Rhegius zweimal als Honorarempfänger im Zusammenhang mit den Wiedertäufern auf. Das erste Mal, am 11. Jänner 1528, erhält er 4 Gulden „von

[137] Sender, ebd., S. 154.

[138] Chronica Ecclesiastia Augustana, unum, Bl. zwischen 60 und 61.

[139] Gasser, Annales, Sp. 1776f. Über weitere Einzelheiten dieser Eucharistie schweigen sich die Quellen leider aus. Die Privatbeichte betreffend schreibt Roth: Sie „war bei den Evangelischen rasch in Abnahme gekommen; sie war dem Volke schon deshalb verhaßt, weil mancher Beichtiger sie dazu benützte, um das Beichtkind nach seiner Gesinnung bezüglich ‚der Lutherei‘ oder auch den von diesem etwa gelesenen ‚ketzerischen‘ Büchlein zu fragen ...“ Roth, Augsburg, 1. Bd., S. 298.

[140] Die Wiedertäufer von Augsburg, ihre Anfänge, ihre Höhepunkte, ihr Niedergang, ihr Wirken, ihre Lehren, ihre Bekämpfung und Rhegius' Rolle hierbei haben in der Geschichtsforschung eine wiederholte, gediegene und detaillierte Behandlung erfahren (Meyer, Die Anfänge; Keller, Denck; Roth, Langenmantel; Roth, Höhepunkt und Niedergang; Roth, Augsburg, 1. Bd., S. 218—271; Uhland, Täufertum). Ich möchte keineswegs eine neue hinzufügen, hier soll lediglich Rhegius' Verhalten bei der Bekämpfung der Wiedertäufer behandelt werden, und dies auch nur im Sinne von Annotationen. Einer gesonderten literarischen Behandlung wert wäre die Thematik, ob und wieweit „es sich bei der Täuferbewegung um eine in der Reformationszeit entstandene, zeitlich und räumlich genau eingrenzbare Bewegung“ (Uhland, Täufertum, S. 2) handelte.

wegen der Leer vnd vnderricht der Tauffern vnd widertaufern in ainem erbern Rat mermal gethan". Für eine Predigt in diesem Zusammenhang „zu Sant peter gethan" erhält er zusätzlich einen Gulden[141].

Mit selbem Datum und für denselben Dienst wurden mit je 4 Gulden auch Johannes Frosch, Stephan Kastenbauer und Michael Keller belohnt. An diesem Faktum sind drei Dinge ins Auge springend. Da ist einmal die Belohnung durch den Rat überhaupt, d. h., daß der Rat die Prediger zur Bekämpfung der Wiedertäufer ganz offiziell heranzieht.

Zweitens, daß nur Vertreter bzw. Prediger der neuen, der reformatorischen Lehre zu ihrer Bekämpfung vom Rat engagiert werden. Uhland kommt dieses Vorgehen des Rates seltsam vor, war doch die Stadt keinesfalls offiziell reformiert. Er sieht hierin die nach außen hin vertretene Neutralität des Rates zwischen evangelischer und katholischer Partei verletzt[142]. Könnte es aber nicht so gewesen sein, daß vom Rat die Wiedertäufer als „Wildwuchs" der neuen reformatorischen Bewegung betrachtet wurden und somit zu ihrer Bekämpfung nur die Exponenten dieser reformatorischen Bewegung in Frage kamen? Mir erscheint die Bestellung der vier Exponenten der Reformation in Augsburg mehr ein Vorwurf an diese als eine Hintanstellung der alten Kirche.

Der dritte ins Auge springende Punkt ist die Reihenfolge dieser Exponenten. Für den Rat von Augsburg ist der Sprecher und Anführer der Reformation in ihrer Stadt Urbanus Rhegius. Damit hatte Rhegius den Zenit seiner reformatorischen Bedeutung für Augsburg und für den süddeutschen Raum erreicht. Den Höhepunkt seiner Bedeutung für die Reformation überhaupt erreichte Rhegius zwar auch in Augsburg, wobei jedoch die territoriale Grenze völlig gesprengt wurde, es war dies beim Reichstag 1530 mit der Erstellung und Verlesung der CA und den Religionsverhandlungen — darüber sehr ausführlich unten.

Wenn wir nun ganz konkret der Frage nachgehen, wann und in welcher Weise Rhegius vom Rat zur Bekämpfung der Wiedertäufer herangezogen wurde, wofür er dann die zitierte „Verehrung" erhielt, so läßt sich aus den Quellen[143] exakt und mit völliger Sicherheit nur folgendes nachweisen:

141 Augsburg StA, Baumeisterbuch 1528, fol. 63.
142 Uhland, Täufertum, S. 111.
143 Für die in Frage kommende Zeit wurden im Augsburger StA durchgearbeitet: Geheime Ratsbücher, Ratsbücher, Literaliensammlung, Urgichtensammlung, Selekt Wiedertäufer und Strafbücher.

1. Vom 21. September bis zum 26. September 1527 diskutieren die vier genannten Exponenten der reformatorischen Bewegung mit Urbanus Rhegius an der Spitze[144].

Als Disputanten auf wiedertäuferischer Seite werden hierbei namentlich in der Reihenfolge genannt: Hans Hut, Siegmund Salminger, Magister Jakob Dachser und Jakob Groß[145]. Die Disputation drehte sich primär um theologische Themen, wie die Beschneidung als Bundeszeichen und die Notwendigkeit des der Taufe vorausgehenden Glaubens[146].

2. Am Dienstag, dem 1. Oktober, hält Rhegius — auch die anderen — „in der gewonlichen Gerichtstuben... ain Sermon, oder predig"[147]. Die Beobachtung Uhlands: „Vielleicht ist dies auf den Einfluß der Vorschläge Zürichs zurückzuführen, das ja immer wieder Versuche unternahm, die Taufgesinnten durch seine Prediger zum Widerruf zu bewegen"[148], dürfte zutreffen. Zürich antwortete nämlich mit 15. September 1527 auf eine entsprechende Anfrage Augsburgs, wie Zürich es mit den Wiedertäufern halte, in dem Sinne, wie es Augsburg nachher durchführte[149].

3. Zeitlich schwer einzuordnen ist eine Disputation, auf die sich der am 11. Mai 1528 hingerichtete Eitelhans Langenmantel[150] beruft. Rhegius wird von Langenmantel hierbei als vorletzter der Augs-

144 Augsburg StA, Geheime Ratsbücher 1527—1529, fol. 111—120.

145 Ebd., fol. 111. Über die genannten Personen vgl. vor allem: Roth, Augsburg, 1. Bd., S. 218—271; ders., Höhepunkt und Niedergang, sowie MennEnc. und MennLex.

146 Ebd., fol. 111'—119. Uhland hat mit großem Bedauern allzu recht, wenn er meint, wir seien über den Verlauf der Gespräche nur mangelhaft unterrichtet. Die einzige Quelle ist eine flüchtige Skizzierung der einzelnen Gesprächspunkte, welche sich in den Dreizehnerprotokollen erhalten hat. Uhland, Täufertum, S. 115. N. B. Dreizehnerprotokolle = Geheime Ratsbücher. Laut persönlicher Auskunft der Augsburger StA-Direktion ist letztere Benennung korrekter.

147 Augsburger StA, Ratsbücher 15, fol. 149'.

148 Uhland, ebd., S. 110f.

149 „Witter fugen wir üwer fürsichtikeitt uff ier schriben ze wyssend, alß wir vor langer zyt mit söllchen verstoppften, einrichtigen lüten beladen worden und sich ier sectt gesterckt und mit ieren unerbren ordnungen und handlungen usgebrochen, haben sy uns ursach geben, das wir unssre und andre der heilgen schryfft gelerten in namlicher anzahl und nit mit wenigem unsser gemin statt kosten in unsser statt berufft und offen verhör, gesprech und disputation hallten lassen." QGT Schweiz, 1. Bd., S. 260, Nr. 237; der Augsburger Anfragebrief ist nicht erhalten, läßt sich aber aus dem zitierten Züricher Schreiben erschließen. Vgl. Uhland, ebd., S. 93, Anm. 78.

150 Siehe: Roth, Langenmantel, S. 9. Uhlhorn II, weiß S. 128, allerdings ohne irgendeinen Beleg anzuführen, zu berichten, daß bei Langenmantel „auf Fürbitten seiner Familie die Todesstrafe in lebenslängliche Verbannung verwandelt" worden sei. Roth ebd. vermerkt vierzig Jahre nach Uhlhorn II:

burger Prediger aufgezählt und außerdem mit Urban Rieger benannt[151]. Die Reihenfolge dieser Aufzählung und die Benennung als Rieger wird sicherlich abschätzig gemeint sein.

Rhegius wird vom Rat auch ein zweitesmal wegen seines Engagements gegen die Wiedertäufer honoriert. Am 20. Juni 1528 vermerkten die Augsburger Rechnungsbücher ein Honorar von 6 Gulden für Rhegius „von wegen der Buchlen wider die widertauffer gemacht“[152]. Roth meint, dieses Honorar habe Rhegius für zwei seiner Wiedertäuferschriften bekommen[153]. Da Rhegius deren drei verfaßte und die dritte bloß zwei Tage nach der zitierten Honorarzuteilung die Druckerpresse des Alexander Weissenhorn verließ[154], ist diese vielleicht auch einzubeziehen.

Rhegius' wiedertäuferisches Wirken scheint alsbald weit bekannt und anerkannt worden zu sein. Mit einer Eingabe vom 14. Jänner 1529 will der Landeshauptmann der Steiermark, Siegmund von Dietrichstein, Rhegius' Schriften in der Steiermark zur Verbreitung empfehlen, um so die Wiedertäufer besser bekämpfen zu können, was aber Erzherzog Ferdinand im Schreiben vom 28. Jänner 1529 untersagt[155].

Aber schon einige Monate vor Dietrichstein ist man in Brandenburg-Ansbach auf Rhegius aufmerksam geworden und will ihn dort sogar mit der Leitung des „zu begründenden evangelischen Kirchenwesens“[156] betrauen. Rhegius antwortete hinhaltend.

Der Augsburger Reichstag, auf dem „der Weizen des Rhegius und seinesgleichen üppig blühte“[157], änderte die Situation grundlegend, und in seinem Gefolge sollte Rhegius eine ganz andere und unerwartete Berufung erhalten. Darüber in den nächsten beiden Abschnitten ausführlich.

„Über die Versuche, die von seiner zahlreichen und mächtigen Verwandschaft zu seiner Rettung jedenfalls gemacht worden sind, haben sich im Augsburger Stadtarchive keine Documente erhalten.“

151 Augsburg StA, Literaliensammlung, Kasten 1528 Mai, fol. 4'.

152 Augsburg StA, Baumeisterbuch, 1528, fol. 69'.

153 Roth, Augsburg, 1. Bd., S. 267, Anm. 129. Roth nennt: D. 67 und D. 70.

154 Vgl. D. 71.

155 Ediert von Grete Mecenseffy: QGT, 11. Bd., 1964, S. 181—183. Dietrichsteins Eingabe wird aus dem Antwortschreiben Ferdinands erschlossen.

156 Roth, Augsburg, 1. Bd., S. 209.

157 Wittmann, Augsburger Reformatoren, S. 203.

E Augsburger Reichstag 1530 und Urbanus Rhegius

1. EINZUG DER FÜRSTEN UND DES KAISERS

1.1 Die Ankunft der Fürsten und Theologen

Den Anfang des Einzuges oder Einreitens[1], wie man damals auch zu sagen pflegte, zum Augsburger Reichstag machte der Kurfürst von Sachsen Johann am Montag dem zweiten Mai[2]. Mit dem Kurfürsten von Sachsen sollte auch der Theologe in Augsburg einziehen, um den sich in „theologicis" alsbald „alles" drehen sollte, Philipp *Melanchthon*. Nach dem Augenzeugen, dem Benediktinermönch von St. Ulrich, Clemens Sender, saßen die Theologen — außer Melanchthon brachte Kurfürst Johann noch Justus Jonas, Georg Spalatin und Johann Agricola mit — mit den kurfürstlichen Räten auf dem Wagen, während „der troß, frauen und mann, ob 50 personen"[3] zu Fuß daherstapften. Gleich am übernächsten Tag läßt der Kurfürst seinen Prediger Johann Agricola das „reine, lautere" Evangelium verkünden. Als Ort dieser reformatorischen Predigt suchte er aber nicht nur Kirchen aus, wie etwa die Karmeliterkirche St. Anna, wo schon seit Jahren die reformatorische Predigt erscholl, sondern auch das Dominikanerinnenkloster St. Katharina. Auf Wunsch der dortigen Klosterfrauen kann dies kaum geschehen sein, denn diese blieben geschlossen der Predigt fern[4]. Daß diese Vorgangsweise, die an Noblesse einiges zu wünschen übrigließ, nicht gutgehen konnte, läßt sich leicht denken. Näheres darüber unten.

Der Kurfürst Markgraf Joachim I. von Brandenburg betrat am Freitag, dem 13. Mai, Augsburger Boden und brachte die Theologen, die auf altgläubiger Seite eine besondere Rolle spielen sollten, mit, nämlich Konrad Wimpina und Johann Mensing[5]. Am selben Tag

[1] Vgl. Schottenloher, Bibliographie 28 012—28 015.

[2] Sender, Chronik, S. 253f.; Schirrmacher, Briefe und Akten, S. 43—45; Walch, 16. Bd., Sp. 708ff.

[3] Sender, Chronik, S. 254.

[4] Ebd., S. 254.

[5] Nach Sender, Chronik, S. 255, und Historica relatio, S. 59, war es der 13. Mai. Schirrmacher, Briefe und Akten, S. 43, und Cyprian, Historia, Beilagen Nr. VI, S. 78, verzeichnen den 12. Mai. Für unsere Untersuchung ist diese Datumsfrage ohne Belang.

trifft auch der agile Landgraf Philipp von Hessen in Augsburg ein[6]. Der Landgraf, der es stets verstand, „das reine, lautere Evangelium" seinen politischen Interessenten unterzuordnen und dienstbar zu machen[7], sorgte bei seinem Einzug gleich für Aufsehen: nicht wegen des Theologen, den er mitbrachte — es war dies der weniger bekannte Erhard Schnepf[8] und nicht Zwingli; dieser rechnete vergeblich als theologischer und politischer Berater des Landgrafen, in Augsburg mit dabei sein zu können[9]. Die Kleidung seiner Begleiter war es, die die Aufmerksamkeit der Bürger und Gäste von Augsburg erregte. Der linke Ärmel seiner 120 Trabanten war mit fünf Buchstaben geziert: V.D.M.I.E.[10]. Offensichtlich in Nachahmung des Kurfürsten Friedrich von Sachsen, der 1522 „suis hybernam vestem dedit cum his literis in dextera manica in longitudinem intertextis: V.D.M.I.E."[11]. Jedoch bestand zu Kurfürst Friedrichs Intention ein wesentlicher Unterschied. Die fünf Buchstaben mit der Bedeutung „Verbum domini manet in aeternum"[12] hatten eine Art Wahlspruchfunktion und waren an zwei verschiedene Adressaten gerichtet. Für den Kurfürsten waren sie einst das Zeichen der Annahme lutherisch-reformatorischer Theologie und damit eine Spitze gegen die Altgläubigen gewesen. Für den Landgrafen Philipp jedoch waren sie mindestens so sehr gegen den Kurfürsten von Sachsen bzw. seine reformatorische Richtung wie gegen die Altgläubigen gemünzt. War schon an eine Berufung des Marburger Widersachers Luthers, nämlich des Zwingli, nach Augsburg als seinen Theologen nicht zu denken, so wollte der Landgraf auf diese Weise demonstrieren, wer nun das „Verbum Domini" lauter und rein vertritt[13].

Wie die Sachsen damals 1522 diese fünf Buchstaben kommentierten, wissen wir nicht, wie die Augsburger reagierten, ist uns

[6] In der Datumsfrage dieselbe Situation wie vorher beim Kurfürsten von Brandenburg.

[7] Vgl. dazu die Untersuchung von Hauswirth, Landgraf Philipp. Womit aber keineswegs gesagt sein soll, daß Philipp aus diplomatisch-opportunistischen Gründen leichtfertig religiöse Überzeugungen änderte oder aufgab. Vgl. Grundmann, Philipp von Hessen.

[8] Weis, Diarium, S. 679. Schnepf kam mit dem Hessischen Kanzler Feige schon am 3. Mai in Augsburg an. Siehe: CR, 2. Bd., Sp. 39, Brief Melanchthons an Luther vom 4. Mai 1530.

[9] Hauswirth, Landgraf Philipp, S. 214.

[10] Sender, Chronik, S. 256. Roth, Augsburg, 1. Bd., S. 332. Chronica ecclesiastica Augustana, weist S. 96 diese Buchstabenschrift irrtümlich der Begleitung des Kurfürsten von Sachsen zu.

[11] Spalatin, Chronicon, Sp. 616.

[12] Sender, Chronik, S. 256.

[13] Vgl. dazu Hauswirth, Landgraf Philipp, S. 214.

weitgehend überliefert. Vieles und allzuvieles hatte sich in ihren Mauern in den vergangenen zehn Jahren schon als „Verbum Domini", als „reines, lauteres" Evangelium ausgegeben, das wird sie wohl beflügelt haben, jene V.D.M.I.E. respektlos in „Vnd Du Mußt Ins Elend" umzudeuten[14]. Das ist aber nicht die einzige boshafte Interpretation. Eine Handschrift aus der Augsburger Stadtbibliothek weiß noch andere zu berichten[15]. Nach dieser hätten die „Papisten" interpretiert: „Verbum Domini Manet In Ärmelen", worauf man den „Päpstlichen" spöttelnd beteuerte, es hieße in Wirklichkeit „Verbum Diaboli Manet in Episcopis"[16].

Am Samstag, dem 14. Mai, traf Herzog Ernst von Lüneburg mit dem eher kläglichen Troß[17] von 30 Pferden ein, er sollte es sein, der den weiteren Lebensweg des Urbanus Rhegius wesentlich bestimmte. Wie noch ausgeführt werden wird, war es Herzog Ernst, der Rhegius nach Lüneburg berief und diesem damit ein neues großes Wirkungsgebiet in Norddeutschland erschloß. Vom Bischof von Würzburg heißt es, er sei am Sonntag, dem 22. Mai, um 6 Uhr früh ganz still eingezogen[18]. Den grobschlächtigen Theologen Johann Cochläus brachte Herzog Georg von Sachsen am 28. Mai in die Stadt[19]. Wann der Exponent der Altgläubigen Johann Eck in die Stadt kam, wird nicht berichtet[20]. Sein Kampfgefährte und Ratgeber König Ferdinands, Bischof Johann Fabri, kam am Samstag, dem 11. Juni, an[21]. Der Theologe, der der ganzen Reformation seinen Namen aufgedrückt hat, Martin Luther, konnte als Gebannter und Geächteter nicht am Reichstag erscheinen, er blieb auf der

[14] Sender, Chronik, S. 256; vgl. dazu Roth, 1. Bd., S. 352. Die kommentierende Einfügung „die alten christen", die der Editor der Chronik von Sender: Roth S. 256, vornimmt, um auszudrücken, wer umdeutete, ist problematisch. Die Umdeuter werden die Augsburger, sofern nicht zwinglisch gesinnt, gewesen sein.

[15] Es handelt sich um die Handschrift „Chronica ecclesiastica Augustana" verfaßt von Scheller Augustin, 1749.

[16] Chronica ecclesiastica Augustana, S. 96.

[17] Sender, Chronik, S. 256; Schirrmacher, Briefe und Akten, S. 44; Cyprian, Historia, Beilagen Nr. 6, S. 78.

[18] Schirrmacher, Briefe und Akten, S. 44; Sender, Chronik, S. 258, und Historica relatio wissen dazu noch zu berichten, daß jeder der 100 begleitenden Reiter eine Armbrust getragen habe. Übrigens zog mit dem Bischof, es war Konrad III. von Thüngen, der Theologe ein, der auf altgläubiger Seite eine gewichtige Rolle spielen sollte, Bartholomäus Using.

[19] Sender, Chronik, S. 258; Schirrmacher, Briefe und Akten, S. 45.

[20] Am 4. Juni war er jedenfalls noch nicht angekommen. Siehe Brief von Brenz an Isenmann, (4.) Juni 1530. CR, 2. Bd., Sp. 86.

[21] Siehe Brief von Jonas an Luther, 13. Juni 1530. WABr, 5. Bd., S. 362.

Koburg zurück, beobachtete, agitierte und beeinflußte von dort das Geschehen auf seine Weise.

1.2. Der Einzug des Kaisers

Alles wartete in Augsburg ungeduldig auf die Ankunft des Kaisers. Wilde Gerüchte schwirrten durch die Stadt, so etwa, der Kaiser komme überhaupt nicht[22]. Böse Nachrichten über das Verhalten seiner soldatischen Begleiter eilten seiner Ankunft voraus[23]. Adam Weis, Pfarrer von Crailsheim, einer der Begleiter des Markgrafen Georg von Brandenburg-Ansbach, führt in seinem Tagebuch Urbanus Rhegius einmal sogar als Gewährsmann für eine abscheuliche Tat eines Spaniers aus dem kaiserlichen Troß an[24].

1.2.1. Empfang durch die Fürsten und die Stadt Augsburg

Am Mittwoch, dem 15. Juni, war es nun endlich soweit. Als die in Augsburg versammelten Kurfürsten, Fürsten, Kardinäle und Bischöfe hörten, der kaiserliche Zug nähere sich der Stadt, zogen sie ihm entgegen und mit ihnen alles, was Rang und Namen hatte. Das Volk folgte oder säumte die Straßen, die der Zug nehmen sollte. Zwei Stunden dauerte das Warten in der prallen Sonnenhitze an der Lechbrücke, bis gegen vier Uhr nachmittags der Kaiser endlich ankam. „Die weite Lechebene blitzte vom Schmuck fürstlicher Pracht. Eine unabsehbare Menge Volks aller Nationen drängte sich hier zusammen. Hier konnte man noch ein Gefühl davon bekommen, daß der Römische Kaiser der Herr der Welt war“, schildert romantisch Uhlhorn[25] den historischen Augenblick. Man stieg von den Pferden, der Kaiser und sein Bruder König Ferdinand begrüßten die Fürsten mit Handschlag. Der Kurfürst von Mainz hielt die Begrüßungsansprache, die der Kaiser entblößten Hauptes anhörte[26]. Er beglückwünschte den Kaiser zur erfolgten Krönung, wünschte ein langes, friedliches Leben und eine lange

[22] Vgl. Brief Luthers an Melanchthon, 2./3. Juni 1530. WABr, 5. Bd., S. 346.

[23] Weis weiß zu berichten, daß bei Innsbruck ein Spanier aus dem kaiserlichen Troß ein Mädchen, das noch ein Kind war, zu Tode schändete. Diarium, S. 680.

[24] Auf dem Anmarsch nach Augsburg, als der kaiserliche Zug in München halt machte, habe ein Spanier die Tochter des Gastgebers, die statt des gewünschten aber nicht vorhandenen Weines Met und Bier brachte, durchbohrt. Diesem Unhold sei dann sofort vom Hauptmann der Kopf abgeschlagen worden. Weis, Diarium, S. 689.

[25] Uhlhorn II, S. 154.

[26] Schirrmacher, Briefe und Akten, S. 55.

Regierungszeit[27]. Nach kurzen Dankesworten, die Pfalzgraf Friedrich im Namen des Kaisers sprach[28], gab der päpstliche Legat Kardinal Campeggio, auf seinem Esel sitzend, flankiert vom Salzburger Kardinal Matthäus Lang und vom Trienter Kardinal Bernhard Cles, den Segen. Während Kurfürst Johann, Landgraf Philipp von Hessen und Markgraf Georg von Brandenburg demonstrativ stehenblieben, knieten die anderen Kurfürsten und Fürsten nieder[29]. Daraufhin angesprochen soll der Kurfürst geantwortet haben: „Ich ließ den schelmen eyn gut jar haben. etc. Deo flectanda sunt genua[30].“ Um nicht ausgelacht zu werden, enthielt sich der päpstliche Legat weiterer Segnungen[31]. Diese Begebenheit wird wohl manche aus dem Festestaumel gerissen und ihnen ins Bewußtsein gerufen haben, welcher Problematik sie nun entgegengingen.

Dem Stadtschreiber Peutinger wurde die Ehre zuteil, den Kaiser im Namen der stolzen Reichsstadt zu begrüßen; die beiden Bürgermeister Vetter und Imhof fühlten sich zu schwach und blieben zu Hause[32]. Langenmantel, der „eine wohlunterrichtete Persönlichkeit“[33] war, gibt als weiteren Grund für ihr Zuhausebleiben an, daß sie für die Begrüßung des Kaisers „nit vast geschickht“ waren[34]. Nach Abschießen einiger Salven ist der Kaiser unter dem „Augsburger-Himmel“ in die Stadt eingeritten. Als Himmelträger, sechs an der Zahl, fungierten Ratsmitglieder, die der Augenzeuge Sender auch namentlich nennt. Schalkhaft vermerkt er, daß diese sechs zu Fuß neben dem Kaiser, der auf seinem Pferd saß, dahertrippeln mußten und daß alle, bis auf einen, aus Müdigkeit aufgaben und ihren Knechten das Himmeltragen überlassen mußten, die ihrerseits wieder ihre Schuhe stückweise verloren[35]. Bei St. Leonhard[36]

27 Sender, Chronik, S. 263; Cyprian, Historia, Beilagen Nr. VI, S. 67f. Vgl. dazu: Coelestin, Historia comitiorum, I. Bd., fol. 73'.

28 Sender, Chronik, S. 263; Cyprian, ebd., S. 68.

29 Schirrmacher, Briefe und Akten, S. 55. Weder Sender noch Langenmantel berichten in ihren Chroniken diese auffällige Begebenheit. Über das Verhalten von Philipp von Hessen vgl. Grundmann, Philipp von Hessen, S. 367; über Markgraf Georg: Schornbaum, Markgraf Georg von Brandenburg, S. 113.

30 Jonas an Luther, 18. Juni 1530. WABr, 5. Bd., S. 368.

31 Weis, Diarium, S. 692: „Abstinuit Legatus solitis suis Crucis signationibus, videns id ab omnibus rideri.“

32 Sender, Chronik, S. 273; vgl. dazu Lutz, Peutinger, S. 308, der den 14. Juni als Einführungsdatum anführt.

33 Roth in: Langenmantel, Chronik, S. 362.

34 Langenmantel, Chronik, S. 369.

35 Sender, Chronik, S. 274.

36 Die Chronisten Sender und Langenmantel nennen St. Leonhard, Schirrmacher den Weinmarkt als Ort des Priesterempfanges. Sender, Chronik, S. 274; Langenmantel, Chronik, S. 370; Schirrmacher, Briefe und Akten, S. 57.

an der Judengasse fand diese Komik für alle Beteiligten ein glimpfliches Ende. Hier wartete nämlich schon ungeduldig die Priesterschaft von Augsburg mit einem neuen „Himmel" und neuen „Himmelträgern", um den Kaiser in den Dom zu geleiten.

1.2.2. Willkommensgruß der Kirche

Der Benediktinermönch Sender, der wohl einer der vielen unter der Priesterschaft war, weiß auch zu berichten, daß „Alle priesterschaft aus allen pfarren, ausgenommen die bettelorden nit"[37] sich beim Dom trafen und dem Kaiser mit „weissen damastin himel"[38] entgegenzogen. Die Priesterschaft, des „Himmeltragens" weit kundiger als der Rat der Stadt, hat nun gleich „sechs der jüngsten Thumbherrn"[39] für dieses Ehrenamt bestimmt. Zum Unterschied von den städtischen Himmelträgern gab es bei den kirchlichen weder einen Ausfall noch kam ein Domherr bloßfüßig im Dom an. Zumindest weiß kein Chronist davon zu berichten. Auch scheinen der „Domhimmel", der bischöfliche Ornat und alle anderen kirchlichen Utensilien diesmal ganz ordentlich gewesen zu sein und nicht wie vor zwölf Jahren beim letzten Reichstag in Augsburg, den noch Kaiser Maximilian I. hielt. Der Empfang, den damals am Sonntag, dem 6. Juni 1518, der Bischof und die Priesterschaft dem päpstlichen Legaten Kardinal Cajetan bereiteten, muß wie ein Hohn gewirkt und zum Gespött Anlaß gegeben haben. Man suchte den schäbigsten „Himmel" und die zerschlissensten Ornate aus und zog so dem Vertreter des Papstes entgegen[40]. Beim Kaisereinzug putzte sich die kirchliche Repräsentanz ganz anders heraus. Als aber das kaiserliche Roß den „Stadthimmel" verließ und des weißen „Priesterhimmels" ansichtig wurde, scheute es. Ob es der Anblick des

[37] Sender, Chronik, S. 274.

[38] Ebd. vgl. dazu Langenmantel, Chronik, S. 370, und Schirrmacher, Briefe und Akten, S. 57.

[39] Langenmantel, Chronik, S. 370; Sender, Historica relatio, S. 67, nennt sie namentlich.

[40] Sender, Chronik, S. 136: „diser cardinal ist under ainem schlechten und spotlichen himel von den thomherrn in unser liebe Frauen kirchen eingefiert worden, mit ainem schlechten, alten tuch und hiltzin stangen, geel angestrichen, aus diser ursach: des cardinals diener die sagten, wa man den cardinal enpfieng, so kerthe seinen dienern zu der himel, darunder man den cardinal einfiert, das rauchfaß (die) bischoff und abbtstäb und alles, was ire capplän, evangelier und epistler triegen und anhetten, wie sie dann darvor an andern orten hetten gethan. und wassen da in iren ornaten der bischoff von Augspurg und sein weichbischoff und der abbt von sant Urlich (!), die legten sich auch auff das schlechtost an. da des cardinals diener so ain schlechte, spotliche ristung allenthalb sachen, die nichtz wert was, underliessen sie es und fachten und begerten nichtz."

ungewohnten Baldachins war oder der Hymnus, den der Dompropst und der Domdechant zusammen mit vier anderen Würdenträgern anstimmten und der alsbald aus den Priester- und Mönchskehlen mächtig und wie ein Freudenruf anschwoll, der das kaiserliche Roß verwirrte und dem Kaiser das Letzte seiner Reitkunst abverlangte[41], wissen wir nicht. Wohl wissen wir, daß einer diesen Hymnus, weil auf das Erscheinen des Kaisers gemünzt, wie eine Blasphemie empfand und darob zur Feder griff, nämlich Urbanus Rhegius. Um welchen Hymnus handelte es sich? Lassen wir den Benediktiner Sender, dessen liturgisches Interesse die ganze Begebenheit der Überlieferung wert fand, und der wohl mitgesungen hat, erzählen: „... da sind vor im“ (gemeint dem Kaiser) „niderkniet der thromprobst herr Marquard vom Stain, der thomdechant herr Philipp von Rechberg und mit inen noch 2 thomherrn und 2 aus den vierherrn, die haben gesungen: advenisti desiderabilis, quem expectabamus in tenebris, ut educeres hac nocte vinculatos de claustris. darnach hat der gantz chor die antiphen(!) vol hinaus gesungen bis zu end: te nostra vocabant suspiria, te larga requirebant lamenta, tu factus spes desparatis, magna consolatio in tormentis. Alleluja! Mit disem gsang ist der kaiser, king, cardinäl, all fürsten und herrn nach der priesterschafft alle in der proceß in die kirchen gangen, mit vil prinenden facklen, ...[42].“

1.2.3. Rhegius' Kritik am „blasphemischen“ Hymnusgesang

In einer mit November 1530 datierten Schrift, die 1533 in Wittenberg im Druck erschien[43], kritisiert Rhegius im Widmungsvor-

[41] Dieses Mißgeschick verschweigt bezeichnenderweise Sender. Langenmantel, Chronik, S. 370, schreibt dafür sehr genau „und wie kai. maj. aus der statt himmel zoch und wolt under den pfaffenhimmel, das scheicht im sein roß und wolt nit hinunder, doch bracht ers darunter“. Bei Förstemann, Urkundenbuch, 1. Bd., S. 261, ist die Ursache klar: „Als nun Kei. Mai. ynn die Stadt bis zu S. Linharts kirchen beleid, ward die geistligkeit von München vnd Pfaffen mit der Procession vnd einem anderen himel doselb, vmb sein Kai. Mai. vollent ynn vnser frauen kirchen zu füren. do entsetzt sich Kei. Mai. hengst vast fur solchem himmel, das sein Mai. ihn mit gewalt darunter zwingen muste.“

[42] Sender, Chronik, S. 276. Vgl. dazu auch Hartmann, Chronica, S. 18. Über Entstehung, Text, Verwendung und Interpretation dieses Hymnus: Amon, Cum rex gloriae. Justus Jonas, der am 18. Juni Luther schriftlich vom Einzug berichtete, übergeht völlig diesen Jubelruf der Augsburger Priesterschaft. Ihn interessierten drei Dinge: „Tria maxime observaui in tota pompa: Ipsum vultum Caesaris et nostrum Electorem illum Ensem preferentem et quo loco irent Sanctae Ro. Ecclesiae Cardines.“ WABr, 5. Bd., S. 367.

[43] Der Vierundzwentzigst Psalm, Sampt dem Ostergesang Cum rex gloriae... D. 98.

wort an den Kanzler von Lüneburg, Johann Furster, daß vor Monaten die Namen und Titel des allmächtigen Gottes unseres Herrn Jesus Christus „in offentlicher Gotteslesterung“[44] verwendet wurden. Zusammenfassend stellt Rhegius am Ende seiner Interpretation dieses Hymnus fest, daß er berechtigt nur Gott dem Herrn, dem Erlöser und König Jesus Christus zu Ehren gesungen werden darf, wie jeder ja selber beurteilen könne[45]. Die weiteren Ausführungen lassen an Polemik wenig zu wünschen übrig, wenn er die in der Finsternis um Hilfe Rufenden mit den Altgläubigen in dem Sinne identifiziert, daß sie schon mit großem Verlangen gewartet haben, „ob jemands wolt zu hülffe kommen, und bey ewer seele tyranney handhaben“[46]. Die Altgläubigen, meint er, hätten sich im Kaiser getäuscht. Die Begründung für diese Meinung ist besonders interessant. Er sieht sie in der Frömmigkeit des Kaisers, der wissenlich nichts gegen Christus unternehme und deshalb auch ein Konzil anstrebe, wo geistliche Sachen mit dem Gotteswort entschieden werden.

Man könnte somit meinen, um 1530 sei bei Urbanus Rhegius das große Vertrauen ins Konzil noch ungebrochen gewesen. Hier muß man sich aber, um Fehlschlüsse zu vermeiden, vor Augen halten, welche Funktion er dem Konzil zubilligte: „So vil unserm Glauben betrifft habenn vnnd wissen wir was Christus vnnd die Apostel zu glaubenn geleert haben, das ist genug, wir bedurffen kains newen artickels des glaubens, es kan auch vnnd soll das Concilium keins setzen. Aber deshalb begherenn wir ains Conciliums, das wir unserer leer offentliche freye rechenschafft geben mogen das meniglich sehe, das wir die wahrheit habenn ...[47].“

[44] Werke 2, fol. XXVI'.

[45] Ebd., fol. XLV'.

[46] Ebd.

[47] Denkschrift des Urbanus Rhegius, 8. März 1531, Ms.48, fol. 43. Nach Rhegius ist es auch gar keine Frage, daß ein Konzil irren kann, man brauche nur die einzelnen Konzilien durchzugehen und sehe sofort, wie oft sie geirrt haben. Als Beweis für seine These führt er unter anderen das Konstanzer Konzil an, das entschieden habe, „die christliche Kirche sei nit ein versammlung der usserwellten sondern aller getaufften rips raps sie sein from oder gotloß ...“ Ebd., fol. 46. Diese Grundgedanken, die Lutheraner bedürften keines Konzils, weil sie ohnehin das „reine, lautere“ Evangelium verkündeten und das Konzil sei das Bekenntnisforum des wahren Glaubens, aber nicht die glaubensentscheidende, unfehlbare Instanz, kommen auch bei Luther in seiner Unterredung mit dem päpstlichen Legaten Pietro Paolo Vergerio 1535 und in seinen Schmalkaldischen Artikeln 1537 deutlich zum Ausdruck. Siehe NB I, 1. Bd., S. 539ff.; vgl. dazu Pastor, Geschichte der Päpste, 5. Bd., S. 50; Schmalkaldische Artikel: BSLK, S. 411. Kraß, aber sehr treffend formuliert Kantzenbach, Der Ruf nach einem Konzil, S. 107, die Bereitschaft der Lutheraner bis Schmalkalden 1537, an dem vom Papst berufenen Konzil teilzunehmen, sei

Interessant ist aber auch, daß Rhegius diesen Hymnus überhaupt polemisch verstand, polemisch in dem Sinne, daß er ihn gegen die Neugläubigen, und vor allem gegen die Prediger des reformatorischen Glaubens gerichtet sah.

Es kann bei der altgläubigen Geistlichkeit, die im Fackelschein den Kaiser in den Dom geleitete, beim Singen dieses Osterjubels das schon mitgeschwungen haben, was Roth glaubt heraushören zu können, nämlich „der unverhohlene Ausdruck der auf Seite der Altgläubigen auf den Kaiser gesetzten Hoffnungen“[48]. Uhlhorn hingegen dürfte zu hart formulieren, wenn er in diesem Hymnusgesang den Ausdruck dafür sieht, daß von den Römischen den „Evangelischen... die Rolle der Angeklagten zugedacht“ war[49]. Auffallend bleibt ohne Zweifel, daß 1518, als Kaiser Maximilian am 27. Juni nach Augsburg kam, um seinen letzten Reichstag zu halten, der Chronist Sender, der damals ebenso anwesend war[50], nichts von einem derartigen Empfang oder Gesang zu berichten weiß[51].

Drabek, die in ihrer Dissertation das Reisezeremoniell der Herrscher im Spätmittelalter untersuchte[52] und ein eigenes Kapitel der „Liturgie des Königsempfanges“ widmete[53], weiß von diesem Hym-

„aus missionarischen Gründen“ erfolgt. „Es hat nach Luther“, faßt Meinhold dessen Standpunkt in den Schmalkaldischen Artikeln in betont ökumenischem Ton zusammen, „wenig Sinn, über die zentralen Glaubensfragen auf dem Konzil zu verhandeln...“ Meinhold, Der evangelische Christ, S. 88. Derselbe Autor meint auch, „die Behauptung, daß Konzile irren können, ist eine Fortführung der Lehren Augustins über das Konzil“. Meinhold, Konzile, S. 201. Angesichts dieser reformatorischen Konzilsauffassung muß man Tecklenburg, Luthers Konzilsidee, S. 197, mit größtem Bedauern zur Kenntnis nehmen: „Trotz aller beiderseitigen ökumenischen Verständigungsversuche scheint eine Annäherung der divergierenden synodalen Standpunkte von Protestanten und Katholiken, die im wesentlichen seit dem sechzehnten Jahrhundert die gleichen geblieben sind, auch weiterhin unmöglich zu sein.“ Daß Luthers Auffassung „über die Unfehlbarkeit des Konzils noch nicht eingehend untersucht worden“ sind, ist tatsächlich überraschend. Siehe: Bäumer, Lehramt, S. 42, Leider gilt dasselbe auch für Melanchthon. Stupperichs Feststellung könnte bei einer solchen Untersuchung ein wichtiger Ansatzpunkt sein: „Die vornehmste Aufgabe der Synode, betonte Melanchthon immer wieder, ist die Lehrentscheidung.“ Stupperich, Kirche und Synode, S. 204.

[48] Roth, Augsburg, 1. Bd., S. 336.

[49] Uhlhorn II, S. 155.

[50] Sender, Chronik, S. 144: „weil man das ampt im chor hat gesungen und sein mt. da ist kniet, hat sie wider ir gewonhait die augen imerzu laussen umschweiffen und uns angesechen... und schickt uns nach dem ampt ain ungerischen ochsen...“

[51] Vgl. Sender, Chronik, S. 135.

[52] Drabek, Reisezeremoniell.

[53] Drabek, Reisezeremoniell, S. 44—52. Auch die Untersuchungen von Biehl, Das

nus als Empfangsgruß auch nichts. Die anderen Elemente des Herrscherempfanges, wie die Einholung mit dem Baldachin, der Fußfall des Bischofs als Willkommensgruß, das Absingen von Hymnen und Antiphonen durch die voranziehenden Kleriker u. a. finden sich alle getreulich vor[54]. Dieser Osterhymnus, als Willkommensgruß für den Kaiser 1530 bei dessen Einzug in Augsburg gesungen, erscheint somit außergewöhnlich. Anderseits dürfte aber dieser Hymnus als Empfangsgruß für höchste Persönlichkeiten doch vorgekommen sein, nur so läßt sich die Szene von Worms, als Luther zum Reichstag erscheint, befriedigend erklären. Selnecker, dessen Bericht[55] Quellenwert zuerkannt wird[56], schreibt über Luthers Einzug: „Darauff kompt er gen Wormbs den 16. Aprilis und da er einzeucht begibt sichs, das des Fürsten von Beiern Hoffnarr Löffler aus etlicher anregung oder aus einem weissagerischen Geist welchen er sol gehabt haben Luthero begegnet und tregt in der Hand ein Creutz welches man zu grabe vortregt und singet auff der Gassen mit heller stimme: Advenisti desiderabilis quem exspectabamus in tenebris ...[57]."

Daß Luther unter deutlicher Anspielung auf diesen Osternachtshymnus 1523 zwölf Nonnen eines Klosters „befreien" ließ[58], sei nur nebenbei erwähnt.

1.2.4. Abschlußfeier im Dom

Der feierliche Einzug des Kaisers in Augsburg fand schließlich im Dom seinen letzten Höhepunkt und Abschluß. Der päpstliche Legat spendete den Segen, den der Kaiser knieend empfing[59], von

liturgische Gebet, und die von Arbusow, Liturgie, kennen diesen Hymnus als Empfangsgesang zum Kaisereinzug nicht. Freidl, die die Reichstage von 1511 bis 1518 näher untersuchte, erwähnte diesen Hymnus auch nirgends. Vgl. Freidl, Kaiser Maximilian I.

54 Drabek, Reisezeremoniell, S. 21f. und 45ff.

55 Selnecker, Leben und Wandel Luthers.

56 Kolde, Caspar Sturm, S. 118, schreibt Selnecker betreffend: „Und die Mitteilungen Selneckers über Sturm und seine Aussagen über Luther in Worms gewinnen ... jetzt an Gewicht, als sie nicht auf spätere Tradition zurückzuführen sind, sondern wirklich auf unmittelbare Mitteilungen Sturms ..."

57 Selnecker, Leben und Wandel Luthers, fol. 31'. In der Wormser Chronik ist diese Szene auch festgehalten. Über den Einzug des Kaisers wird jedoch nichts ausgesagt. Siehe: Zorn, Wormser Chronik, S. 253ff.

58 WA, 11. Bd., S. 387 und 394ff. Vgl. dazu: Deschner, Das Kreuz mit der Kirche, S. 147. Mir scheint die Anspielung auf den oben wiedergegebenen Hymnus naheliegender als auf Ps. 68,19 wie es WA, 11. Bd., S. 395, Anm. 1 annimmt.

59 Sender, Chronik, S. 277; Langenmantel, Chronik, S. 370; Schirrmacher, Briefe und Akten, S. 57; Tetleben, Protokoll, S. 61.

einer neuerlichen sächsischen oder markgräflichen Brüskierung vernehmen wir nichts, während sich der sechsundzwanzigjährige Landgraf Philipp von Hessen grinsend hinter einem großen Leuchter bemerkbar gemacht haben soll[60]. Der Abschluß bestand im fixen „Zeremoniell der kirchlichen Empfangsfeierlichkeiten, das bei keinem Einzug fehlte“[61], im Ambrosianischen Lobgesang, dem „Te deum“[62].

2. DAS KAISERLICHE PREDIGTVERBOT

2.1. Die Predigttätigkeit bei Reichstagsbeginn

Bereits am zweiten Tag nach seiner Ankunft, es ist dies Mittwoch der 4. Mai, beginnt Magister Johann Agricola[63] aus Eisleben — deshalb auch häufig Eisleben oder Islebius genannt — mit der Predigt im Dominikanerkloster zu Augsburg. Am Sonntag darauf wechselt er ins Dominikanerinnenkloster St. Katharina über, und dies auf Geheiß seines Kurfürsten Johann[64] und mit Bewilligung des Rates von Augsburg[65].

Friedrich Roth bemerkt dazu völlig richtig: „Natürlich gestattete der Rat auch den fremden Prädikanten die Predigt, wobei auffällt, daß diesen Kanzeln eingeräumt wurden, die den einheimischen bisher verschlossen gewesen waren[66].“ Die Klosterfrauen zu St. Katharina wurden, so scheint es, überhaupt nicht gefragt, Eisleben wurde ihnen einfach aufgezwungen; sie beantworteten diese Vorgangsweise mit Boykott[67]. Eisleben war von echtem reformatori-

[60] Grundmann, Philipp von Hessen, S. 367, Anm. 35.

[61] Drabek, Reisezeremoniell, S. 49.

[62] Ebd.

[63] Vgl. Kawerau, Agricola; Kordes, Agricola's Schriften.

[64] Schirrmacher, Briefe und Akten, S. 45f. Sender, Chronik, S. 254, weiß nur von der Predigt im Frauenkloster St. Katharina, aber nichts vom Dominikanerkloster zu berichten. Roth, Augsburg, 1. Bd., schreibt S. 333: „Am 4. Mai und später noch öfter predigte der sächsische Prädikant Agricola von Eisleben im Dominikanerkloster, am 8. Mai bei St. Katharina ...“

[65] Sender, Chronik, S. 254: „... als die sag ist gewessen, aus aines rats verwilgung ...“

[66] Roth, Augsburg, 1. Bd., S. 333.

[67] Sender, Chronik, S. 254f.: „... es hat aber kain closterfrau an die predig wellen gan.“ Priorin der Dominikanerinnen war damals Veronika Welser, Tochter des berühmten Bartholomäus Welser. Hörmann, Erinnerungen, weiß S. 322 über die Aktivität dieser Priorin für das Reichstagsjahr zu berichten: „Auf Ansuchen der Priorin bestätigte Kaiser Karl V. 1530 bei Gelegenheit des Reichstages zu Augsburg die alten Rechte des Klosters und beauftragte den Magistrat, das Kloster in seinem Namen zu schützen und dessen Rechte zu wahren.“ Die etwas unfaire Vorgangsweise, den Dominikanerinnen den Prediger des Kurfürsten von Sachsen und andere lutherisch gesinnte einfach

schen Geist erfüllt und predigte gleich über Zentralpunkte lutherischer Lehre. Die Abendmahlsfrage wurde zum Ärger der zwinglischen Partei von ihm polemisch traktiert[68]. Aber nicht nur bei den Dominikanern und Dominikanerinnen ließ Kurfürst Johann seinen Prediger aufmarschieren, auch bei den Karmelitern zu St. Anna setzte er ihn ein[69].

Johannes Rurer, ein ehemaliger Chorherr, als „Hauptträger der Reformation in Brandenburg-Ansbach"[70] in die Geschichte eingegangen, kam mit seinem Landesherrn Markgraf Georg von Brandenburg-Ansbach am 24. Mai in Augsburg an[71]. Vier Tage später beginnt er „iussu Principis" über die Epistel an die Philipper bei den Dominikanerinnen zu predigen[72]. Der württembergische Reformator Erhard Schnepf, von dem Melanchthon Luther Anfang Mai noch zu schreiben wußte „vir optimus tuique amantissimus, qui nobis aliquam spem ostendit..."[73], predigte am Freitag, dem 13. Mai, wohl erstmals und zwar in St. Moritz[74]. Am Dienstag, dem 17. Mai, läßt Landgraf Philipp in St. Moritz verkünden, daß er ab nun am Sonntag, Dienstag und Mittwoch „zu S. Ulrich frue vmb sieben Uhr wolte predigen lassen"[75]. Das heißt, daß Schnepf von nun an bei St. Ulrich predigte. Justus Jonas berichtet dies Luther auch ausdrücklich am 12. Juni, dem Sonntag Trinitatis. Jonas weiß auch zu vermelden, daß Schnepfs Predigten ausgesprochen gut besucht seien und die ganze Stadt zusammenlaufe „maiori etiam frequentia quam nostri..."[76]. Am selben Sonntag, an dem

vorzusetzen, kann mit der unmittelbaren Nachbarschaft der Herberge des Kurfürsten und der anderen Fürsten keine hinreichende Erklärung finden. Zur Herbergsfrage vgl. Sender, Historica relatio, S. 60.

[68] Jonas an Luther, 12. Juni 1530: „M. Eislebius Agricola, nostrae aulae concionator, inde ab aduentu nostri Principis pro concione quosdam principales articulos tractauit doctrinae christianae, de fide, de operibus, de sacramentis etc., atque inter hos per quatriduum concionatus est contra errorem sacramentariorum. Ibi irritauit crabrones, et indignissime fert multitudo in hac vrbe Zwinglianam doctrinam damnari aut etiam leuiter perstringi." WABr, 5. Bd., S. 357.

[69] Sender, Chronik, S. 281: „Herzog Hansen von Sachsen prediger hat zu sant Katherina und zu zeiten zu sant Anna geprediget, ..."

[70] RGG³, 5. Bd., Sp. 1222.

[71] Schirrmacher, Briefe und Akten, S. 44. Sender, Chronik, S. 258, erwähnt wohl den Einzug von „markgraff Jerg von Brandenburg", Rurer wird nicht genannt.

[72] Weis, Diarium, S. 680; Rurer an Althamer, 4. Juni 1530. In: Kolde, Die älteste Redaktion, S. 107.

[73] Melanchthon an Luther, 4. Mai 1530, CR, 2. Bd., Sp. 39.

[74] Schirrmacher, Briefe und Akten, S. 46. Nach einer anderen Überlieferung soll Schnepf bereits am 9. Mai im Dom gepredigt haben, was allerdings sehr unwahrscheinlich ist. Vgl. Schirrmacher, ebd., Anm. 1.

[75] Schirrmacher, Briefe und Akten, S. 46.

[76] WABr, 5. Bd., S. 357f.

er schreibe, fährt Jonas fort, habe Schnepf offen die zwinglische Abendmahlslehre angegriffen, und das im Beisein seines Fürsten Philipp, was zu einem offenen Wirbel und Tumult in der Kirche geführt habe[77]. Der von Kurfürst Joachim von Brandenburg mitgebrachte Dominikanertheologe Johann Mensing wird wohl in der Domkirche mit kräftiger Stimme gepredigt haben, als ihm Adam Weis am Sonntag, dem 29. Mai, lauschte, wobei er sehr polemisch und ausfällig gegen die Reformatorischen gewesen sein dürfte. Weis hat für ihn nur Schimpf, Spott und Hohn übrig[78].

Adam Weis, selbst lutherischer Prediger des Markgrafen Georg von Brandenburg-Ansbach, der mit diesem und zusammen mit Johannes Rurer am 24. Mai Augsburg betreten hatte[79], predigte, wie er sagt, gezwungen wie Rurer, am Tag vor und nach dem Pfingstsonntag[80]. Gepredigt dürfte er an diesen Tagen auch bei St. Katharina haben[81]. Über seine letzte Predigt hat er uns relativ genau unterrichtet. Er hielt sie am Tag der Verkündigung des kaiserlichen Predigtverbotes, am Samstag, dem 18. Juni, bei den Dominikanerinnen. Auch das Thema seiner Predigt überlieferte er seiner Nachwelt: „... dixi ex 1. Cap. ad Phil. de precatione et communicatione Spiritus Christi, necessariis mediis ad fructum verbi[82].“ Dieser Zwang, den die lutherisch gesinnten Fürsten[83] auf ihre Prediger ausübten, war wohl eher politisch als religiös motiviert. Sollte der Kaiser provoziert werden?

[77] Vgl. dazu auch: Gußmann, Quellen und Forschungen, I./1. Bd., S. 397f. Daß Schnepf offen gegen die zwinglische Abendmahlslehre auftrat, ist um so erstaunlicher, weil sein Landesherr Philipp dieser Lehre zuzuneigen schien. So gesehen wird es auch besser verständlich, was Gußmann, S. 60, über Philipps Anordnung schreibt: „Seinem eigenen Hofprediger Erhard Schnepf verbot er, den Sakramentsstreit auf die Kanzel zu bringen.“ Nach Rurer predigte Schnepf in der Ulrichskirche auch über den 1 Petr. Rurer an Althamer, 4. Juni 1530. In: Kolde, Die älteste Redaktion, S. 107.

[78] Weis, Diarium, S. 682: „Dominica exaudi, Audivimus contionem Joannis Mentzinger, ord. praedicatorum. Quem Joachimus Brandenburgensis, secum adduxerat. Homo stolidus, magno supercilio, ingenti clamore, insana manuum jactatione, eruditione nulla, mire ineptiebat, aperte item et sepe mendatia in nostrates impudentissime spargens.“ Was den Predigtort betrifft, siehe Rurer an Althamer, 4. Juni 1530. A.a.O.

[79] Schirrmacher, Briefe und Akten, S. 44.

[80] Weis, Diarium, S. 684: „Quarta Juni contionari cogebar. Item altera Penth.“

[81] Sender gibt zwar St. Moritz an, Chronik, S. 281f.: „ ... margraff Jergen von Brandenburg (prediger) zu sant Moritzen ...“, Schirrmacher, Briefe und Akten, S. XXI, Anm. 1 führt als Predigtort für Weis immer St. Katharina an. Auch Rurer meldet St. Katharina, siehe Kolde, Die älteste Redaktion, S. 107.

[82] Weis, Diarium, S. 696; vgl. dazu: Förstemann, Urkundenbuch, 1. Bd., S. 268. Hier geht hervor, daß Weis auch am Vortag, also am 17. Juni, gepredigt hatte.

[83] Vgl. zum Predigtgebot für Rurer und Weis durch ihren Landesherrn: Schornbaum, Markgraf Georg von Brandenburg, S. 423.

Bartholomäus Using, den der Bischof von Würzburg, Konrad III. von Thüngen, mitgebracht hatte, predigte am Pfingstsonntag im Dom[84]. Am selben Tag predigte Urbanus Rhegius, um auf die angestammten Augsburger Prediger überzugehen, auf Bestellung des sächsischen Kurfürsten in der Kirche der Dominikanerinnen St. Katharina. Rhegius scheint mit Stephan Agricola und Johann Frosch zu den fleißigsten Predigern überhaupt gehört zu haben. Von ihnen heißt es, „die to teglich gepredigt haben ...“[85]. Weis nennt Rhegius als ersten unter den „Theologis eruditissimis“ von Augsburg[86]. Seine Predigten aber, die er vornehmlich zu St. Anna hielt, hatten keinen besonderen Zuspruch. Justus Jonas wußte über seinen „Kampfgefährten“ Luther sogar zu berichten: „Videas in Urbani concionibis vix ducentos osse (!) auditores, in Michaelis concionibus sex milia hominum[87].“

Mit Michael war Michael Keller, der Barfüßermönch und Zwinglianer, gemeint, er war der „Abgott“ des Volkes[88]. Die lutherischen Prediger, vor allem die angereisten, waren ihm nicht wohlgesinnt, sie sahen in ihm ihren lokalen Hauptgegner, den es zu meiden, zu isolieren und schlecht zu machen galt[89]. Landgraf Philipp versuchte ihn durch seinen Predigtbesuch aufzuwerten, die sächsischen Prediger mied er, umgekehrt mied man sächsischerseits Keller[90].

Auf altgläubiger Seite ist als angestammter Prediger natürlich Matthias Kretz zu nennen, der seit 1521 als unmittelbarer Nach-

[84] Weis, Diarium, S. 686: „Die Pentecostes, audita contione, in summo templo, Usingen ...“

[85] Schirrmacher, Briefe und Akten, S. 46.

[86] Weis, Diarium, S. 676.

[87] Jonas an Luther, 12. Juni 1530. WABr, 5. Bd., S. 358. Mathis Pfarrer an Peter Butz, 2. Juni 1530, In: Virck, Politische Correspondenz, 1. Bd., S. 448: „... dan sie einen haben, heist meister Michel, der des Zwinglius meinung ist, hat oüch den grosten züloüf vom volck.“ Ein Augsburger namens Joachim Helm weiß am 7. März 1528 sogar zu schreiben: „... wan ein widderteuffer oder ein Zwingelscher bey uns predigt, ßo seyn by sechzentausent zcuhoren (!), wan die andern doctores predigen, seindt yr kaum sechs oder sieben menschen, auffs meysthe.“ In: Kawerau, Zur Reformationsgeschichte Augsburgs, S. 131f. Vgl. auch Paetzold, Die Konfutation, S. XIII.

[88] Roth, Augsburg, 1. Bd., S. 333. Vgl. Uhlhorn II, S. 104.

[89] Weis trägt in sein Tagebuch ein: „... Michaele Keller, homine ad perdendas animas accomodatissimo, magna hypocrisi, eruditione modica, eum errorem illic disseminante.“ Diarium, S. 675f. Jakob Sturm und Mathis Pfarrer an den Rat von Konstanz, 28. Mai 1530. In: Virck, Politische Correspondenz, 1. Bd., S. 446: „... gegen den“ (gemeint Keller) „lassen sich die Sachsischen predicanten uf den canzeln hören ...“

[90] Siehe: WABr, 5, S. 306, Anm. 17 und S. 358f.; sowie Gußmann, Quellen und Forschungen, I./1. Bd., S. 60, bzw. S. 397f.; Uhlhorn II, S. 153f.

folger von Urbanus Rhegius die Augsburger Domprädikatur innehatte[91]. Während des Reichstages war er Herbergsvater für viele altgläubige Theologen. Eck, Fabri, Cochläus, Ursinus wohnten bei ihm[92].

2.1.1. Honorierung des Rhegius und der übrigen Stadtprädikanten

Viele Kanzeln waren mit reformatorischen Predigern besetzt[93]. Diese waren weitgehend vom Rat angestellt bzw. ihre Predigttätigkeit wurde von ihm honoriert. Urbanus Rhegius war, wie bekannt, Prediger bei den Karmelitern in St. Anna. Er wohnte seit Herbst 1528 im sogenannten „Wunderhaus"[94], das an die St.-Anna-Kirche direkt angebaut ist. Sein Honorar, das er vom Rat 1530 bekam, ist im Augsburger Baumeisterbuch angegeben. Am 27. Februar: „35 guldin in mintz", am 16. April 4 fl., und am 4. Juni 36 fl.[95] Das Honorar unter den Predigern war deutlich abgestuft, des Rhegius Mitstreiter in der St.-Anna-Kirche, Johannes Frosch und Stephan Agricola, erhielten mit selbem Datum: Frosch 26 fl., 4 fl. plus 1 fl. „von wegen der predig den armen weiblen gethan" und 26 fl. Agricola: 26 fl., 4 fl. und 26 fl.[96] Aus dem Baumeisterbuch ist auch eindeutig zu entnehmen, daß noch weitere Prediger entlohnt wurden. Es wurde gegeben „dem zum Creutz 15 und dem zu S. Jorgen 15 fl."[97]. Bei dem Prediger der Kreuzkirche, der die

[91] Vgl. oben S. 146f.

[92] Kretz an Erasmus, 29. Oktober 1530. Allen, 9. Bd., S. 73: „... si forte rescies me per haec comitia Eckii fuisse hospitem. Fui enim et Fabri Vuiennensis episcopi, Cochlei, Vrsini aliorumque multorum hospes, qui tibi sunt amiciss. Fuit enim domus mea velut publicum eruditorum diuersorium."

[93] Vgl. Gußmann, Quellen und Forschungen, I./2. Bd., S. 371.

[94] Augsburg StA, Steuerbuch 1528, Sp. 2d und 1529, Sp. 2c. 1528 ist er mit seiner Mutter verzeichnet. 1530 ist Rhegius nicht mehr im Steuerbuch eingetragen, was sich leicht damit erklären läßt, daß die Steuerbeamten immer erst mit St. Galli = 16. Oktober ihre Tätigkeit aufnahmen, Rhegius aber am 26. August bereits abgereist war. 1526 und 1527 finden wir ihn wohnhaft. „Am Zitzenberg", gleich gegenüber den Dominikanern. Steuerbuch 1527, Sp. 30c; Steuerbuch 1526, Sp. 30b. Seine erste Nennung im Steuerbuch geschah 1525 mit wohnhaft in der Gasse „Von unser Frawen brueder". Steuerbuch 1525, Sp. 46c.

[95] Augsburg StA, Baumeisterbuch 1530, Bl. 64', Bl. 67' und Bl. 70. Zum Vergleich dazu: Stadtarzt Gereon Sailer bezog 1530 50 Gulden. Siehe: Roth, Augsburg, 1. Bd., S. 360, Anm. 71.

[96] Augsburg StA, Baumeisterbuch, Eintragung auf denselben Blättern wie vorhin bei Rhegius.

[97] Augsburg StA, Baumeisterbuch 1530, 4. Juni, Bl. 70. Roth, Augsburg 1. Bd., S. 296, hat nicht recht, wenn er die Honorierung der Predigttätigkeit nur für Rhegius, Keller, Frosch und Agricola gelten läßt und behauptet, für die anderen Prediger kämen die jeweiligen Gemeinden auf. Auf S. 322, Anm. 41,

in der Nähe stehende St.-Othmar-Kapelle als Predigthaus erhielt, handelt es sich um den zwinglisch gesinnten Johann Schneid[98]. Der Prediger von St. Georg war Johann Seifried, der in der zur Georgskirche gehörenden St.-Johannes-Kapelle predigte; auch er war zwinglisch orientiert[99]. Bei St. Ulrich predigte ein gewisser Wolfgang, der identisch sein dürfte mit dem lutherisch gesinnten Wolfgang Haug[100]. 1526 heißt es von ihm: „...den hat ain rat in dem Spital zu ainem prediger gesetzt[101].“ Drei Jahre später, am 28. Oktober 1529, machten ihm einige einflußreiche Augsburger Bürger die Kanzel bei St. Ulrich zugänglich[102].

Michael Keller, der „Abgott“ des Volkes, erhielt vom Rat am 12. Februar 1530 78 fl. für 39 Wochen, wie es eigens heißt[103]. Er war der Prädikant, von dem man sagen kann, daß er fix besoldet wurde, und zwar mit 2 fl. pro Woche[104], und das auch so nach der Predigteinstellung[105].

Kaspar Huber, der gelegentlich auch predigte, so 1527 in der St.-Johannes-Kapelle bei der Georgskirche, kann schwerlich hierher gezählt werden, er nahm nämlich „keine amtliche Stellung“ ein[106]. Mit der Einstellung der Predigt am 18. Juni hörte auch die Honorierung der Prediger auf; die des fix besoldeten Keller jedoch nicht. Indem die Gattinnen von Frosch, Agricola und Keller eine „Verehrung“ erhielten, wurden ihre Familien jedoch noch weiter unterstützt. Am 26. November ist wörtlich vermerkt: „Item LX guldin doctor Steffans doctor Frosch vnnd Maister Michels weiber zu ainer verehrung jeder 20 fl. in gold[107].“

widerruft Roth indirekt wieder diese im Haupttext gemachten Angaben mit dem Vermerk, sie hätten „Provisionen“ erhalten.

98 Siehe: Roth, Augsburg, 1. Bd., S. 295ff.; Sender, Chronik, S. 179.

99 Ebd.

100 Roth, Augsburg, 1. Bd., S. 321, Anm. 36, nimmt diese Identität an.

101 Sender, Chronik, S. 179.

102 Sender, Chronik, S. 245; vgl. dazu: Roth, Augsburg, 1. Bd., S. 296f.

103 Augsburg StA, Baumeisterbuch, Bl. 64.

104 Vgl. Augsburg StA, Baumeisterbuch ab 1525. Roth, Augsburg, 1. Bd., S. 145, Anm. 71: „Er erhielt vom Frühjahr 1525 an zuerst ‚Verehrungen‘, dann eine Besoldung von wöchentlich 2 Gulden ...“

105 Baumeisterbuch 1530, 2. Juli, Bl. 71: „Item XL guldin maister michael vom 12. tag february bis auf dato tut 20 wuchn tut jede wuchn 2fl.“

106 Roth, Augsburg, 1. Bd., S. 322, Anm. 42. Die in der Chronica ecclesiastica Augustana S. 94 aufgezählten acht Prediger zu Beginn des Augsburger Reichstages stimmen somit nur zum Teil, ebenso ihr dort angegebener Wirkungsort. So kam der darin genannte Bonifazius Wolfart erst im Februar 1531 von Straßburg nach Augsburg, vgl. hierzu: Roth, Augsburg, 1. Bd.. S. 352; Gußmann, Quellen und Forschungen, I./2. Bd., S. 371f.

107 Augsburg StA, Baumeisterbuch 1530, Bl. 78'. Die Gattin des Urbanus Rhegius war deshalb nicht unter den ‚Verehrten‘, weil sie mit ihm bereits am

Die herbe Kritik, die der Rat ob seines Verhaltens den Predigern gegenüber einstecken mußte, ist nur bedingt richtig, wenn man die Archivalien mehr berücksichtigt. Zu behaupten, wie Uhlhorn, die evangelischen Prediger waren in Augsburg einfach nicht mehr sicher, „die meisten entflohen, nach Nürnberg, Memmingen, Constanz, Straßburg", und dann fortzufahren: „... schon am 7." (gemeint August 1530) „wandte sich jedoch die Lage zum Bessern"[108], ist zu verallgemeinernd. Auch Luthers Grußworte an die lutherischen Prediger Rhegius, Frosch und Stephan Agricola vom 27. Juli mit der Bemerkung „illos, quos Augusta pro suis laboribus fidelibus honorat exilio et omnibus malis"[109] wird den Tatsachen nicht voll gerecht.

Die Predigten der vielen und divergierenden Prediger mit ihrem jeweiligen Anhang mußten in Augsburg unweigerlich zu Unzukömmlichkeiten und Zusammenstößen führen. Vom Tumult in der Ulrichskirche gelegentlich einer Sakramentspredigt im lutherischen Geist durch Erhard Schnepf haben wir schon gehört. Roth charakterisiert die Situation so, daß von den reformatorischen Predigern „redlich auf die Päpstlichen gehauen wurde" und fährt fort „... auch die Katholischen waren keine Lämmer[110]."

Die Begleiter des sächsischen Kurfürsten und die Diener des Landgrafen Philipp taten sich besonders hervor, so am Montag dem 23. Mai. Als sie eine Prozession der Benediktinermönche sahen,

26. August Augsburg verlassen hatte. Besonders auffallend wiederum die Bevorzugung des Zwinglianers Keller. Er bekommt den fixen Sold von wöchentlich 2 Gulden und seine Frau erhält genauso die ‚Verehrung', wie die der anderen beiden, die kein Honorar mehr erhielten. Ob die Stipendien, die Frosch und Agricola vom Rat erhielten, ident mit den sogenannten ‚Verehrungen' an ihre Frauen sind oder zusätzlich gewährt wurden, ließ sich nicht eruieren. Vgl. dazu: Stephan Agricola an Luther, 1. November 1530. WABr, 5. Bd., S. 667.

108 Uhlhorn II, S. 158. Auch Schuberts Behauptung, ein Hauptgrund für den Weggang des Rhegius von Augsburg sei zu suchen in dem „Umstand, daß ihm die Ratsherren, die ‚klugen Krämerseelen', die nichts riskieren wollten, gegen die katholischen Restitutionsanordnungen des Kaisers zu geringen Schutz gewährt hätten", ist der unreflektierten Schreibweise zuzuordnen. Schubert, Die Reformation in Augsburg, S. 293. Während bei Uhlhorn die Lage der reformatorischen Prediger in Augsburg sich nach dem 7. August bereits zum Besseren wandte, fliehen sie nach Roth, Augsburg, 1. Bd., S. 340, erst nach dem 17. August.

109 Luther an Jonas, 27. Juli 1530. WABr, 5. Bd., S. 501; Luthers Schreiben ist eine Stellungnahme zu Spalatins Brief an Luther, 10. Juli 1530. Ebd., S. 463f. S. 213, Anm. 78.

110 Roth, Augsburg, 1. Bd., S. 334. Was die Katholiken betrifft, verweist Roth hierbei auf die Charakterisierung der Predigt des Dominikaners Mensing durch den lutherischen Prediger und Tagebuchführer Adam Weis; siehe oben S. 213, Anm. 78.

begannen sie zu pfeifen und „rugitus velut boues latrantes vocem dederunt“[111]. Am 25. Mai störten sie, während die Fürsten am Fenster standen, die Prozession mit einer verstimmten Trompete, was wiederum zu allgemeinem Gelächter führte. Nachdem diese Störung glücklich überwunden war, wurde dieselbe Prozession weiter von den Dienern des Fürsten Franz von Lüneburg belästigt. Diese bewarfen die frommen Benediktiner von ihren Fenstern aus mit Knochen.

2.2. Das Predigtverbot

Am kaiserlichen Predigtverbot zum Augsburger Reichstag entschied sich das weitere Lebensschicksal des Urbanus Rhegius. Grund genug, um jenes eingehender zu behandeln als in sonstigen Untersuchungen geschehen, aber auch um unrichtiger Legendenbildung entgegenzuwirken. Mit diesem Predigtverbot wird auch die Entstehung der Confessio Augustana sowie die Einigung diverser protestantischer Fürsten in ursächlichen Zusammenhang gebracht.

2.2.1. In der Literatur

In der Literatur der letzten hundertvierzig Jahre findet sich zu diesem Thema überwiegend die Position, daß der Kaiser gleich nach Abschluß der Empfangsfeierlichkeiten am 15. Juni 1530 die protestantischen Fürsten zu sich rief und die Einstellung der reformatorischen Predigt für die Dauer des Reichstages verlangte, diese sich wiederum mannhaft weigerten[112].

Der Kaiser trägt dieses Ansinnen an die protestantischen Stände heran, weil er, von zelotischen Katholiken aufgestachelt, in der reformatorischen Predigt falsche Lehren verkündet weiß. Die protestantischen Fürsten setzen sich ganz entschieden gegen dieses Ansinnen und diese Verdächtigung zur Wehr und erreichen schließlich den Kompromiß des allgemeinen Predigtverbotes[113]. Diese

[111] Sender, Historica relatio, S. 60. Vgl. dazu Uhlhorn II, S. 153, und Roth, Augsburg, 1. Bd., S. 334. Bei der Prozession wird es sich um den ersten Bittgang zu Christi Himmelfahrt (26. 5.) gehandelt haben.

[112] Außer der Einstellung der reformatorischen Predigt war als zweiter Punkt die Teilnahme an der Fronleichnamsprozession am nächsten Tag das Thema der nächtlichen Unterredung mit dem Kaiser. Der Frage der Teilnahme der protestantischen Stände an der Fronleichnamsprozession wird hier keine Aufmerksamkeit geschenkt, denn diese tangiert Urbanus Rhegius nicht.

[113] Der anschließende Überblick über die Darstellungen dieses Predigtverbotes seit Ranke in den vergangenen 140 Jahren soll eine repräsentative Auswahl sowohl der protestantischen wie der katholischen Stimmen bringen. Gegen diese These, die Müller, Die römische Kurie, S. 94, vertritt, nach der das kaiserliche Predigtverbot die Protestanten „in besonderem Maße“ traf, weil

Darstellungsweise zieht sich wie ein roter Faden durch die historische Literatur. Sie wird je nach Temperament, Standort und Zeitpunkt sachlich oder polemisch, nüchtern oder dramatisch dargelegt. Zu dieser Sicht, die bis heute andauert und zu allerlei Schlüssen in den Entstehungsfragen der Confessio Augustana geführt hat, dürfte der bekannte Historiograph Leopold von Ranke wesentlich beigetragen haben. Obwohl die Quelle, aus der anderes hervorgeht, schon längst gedruckt vorlag[114], stellte Ranke 1840 diese Frage in ganz anderem Lichte dar.

Ranke[115] läßt die Unterhaltungen über das Predigtverbot am Abend nach dem Einzug des Kaisers mit dessen Ansinnen an die protestantischen Fürsten, die reformatorischen Predigten einzustellen, beginnen. Er beeinflußte wie kein anderer die diesbezügliche Historiographie: „Indem", schreibt Ranke, „die übrigen Fürsten sich entfernten, hieß der Kaiser den Kurfürsten von Sachsen, den Markgrafen Georg von Brandenburg, den Herzog Franz von Lüneburg und Landgraf Philipp in ein besonderes Zimmer rufen, und sie durch seinen Bruder auffordern, die Predigten nunmehr abzustellen. Die älteren Fürsten erschraken und schwiegen. Der Landgraf ergriff das Wort und suchte die Weigerung darauf zu begründen, daß ja in den Predigten nichts anderes vorkomme, als das reine Gotteswort, wie es auch S. Augustinus gefaßt habe. Argumente, die dem Kaiser höchst widerwärtig waren. Das Blut stieg ihm darüber ins Gesicht, und er wiederholte seine Forderung um so stärker. Allein er stieß hier auf einen Widerstand ganz anderer Art als ihn jene italienischen Mächte leisteten, die nur Interessen eines schon zweifelhaft gewordenen Besitzes verfochten. ‚Herr', sagte jetzt der alte Markgraf Georg, ‚ehe ich von Gottes Wort abstünde, wollte ich hierbei auf dieser Stelle niederknien, und mir den Kopf abhauen lassen'. Der Kaiser, der nichts als Worte der Milde von sich hören lassen wollte, und von Natur wohlwollend war, erschrak selbst über die Möglichkeit, die ihm hier aus fremdem Munde entgegentrat. ‚Lieber Fürst' erwiderte er dem Markgrafen in seinem

bei diesen die Predigt besonders eifrig betrieben wurde, spricht glaubhaft die Handschrift: Chronica ecclesiastica Augustana, S. 89f.: „Predigten die Evangelischen so Predigten darauf die Catholischen, es war des Cantzel besteigen kein Ende, in diesen Kirchen von einerley; in anderen von Zweyerley Religionen da Predigten bey S. Ulrich Reformirte und Catholische desgleichen im Stift bei S. Moritzen und wie gemelt bey den Dominikanern; ... in den übrigen die Catholischen allein."

114 Es handelt sich um den schriftlichen Bericht von Hans von Dolzig an den sächsischen Kurfürsten vom 8. Mai 1530. Abgedruckt in: Förstemann, Urkundenbuch, 1. Bd., S. 177—183; ebenso CR, 2. Bd., Sp. 43—45 und andere.

115 Ranke, Deutsche Geschichte, 3. Bd., S. 239.

gebrochenen Niederdeutsch, ‚nicht Köpfe ab‘[116].“ Ranke behandelt anschließend die Frage der Teilnahme an der Fronleichnamsprozession durch die reformatorischen Fürsten und kommt wieder auf das Predigtverbot zurück: „In Hinsicht der Predigt gaben sie zwar zuletzt nach, aber erst dann, als der Kaiser versprochen, auch der entgegengesetzten Partei Stillschweigen zu gebieten. Er selbst ernannte einige Prediger, die aber nur den Text ohne alle Auslegung verlesen sollten[117].

Bei Heimbürger beginnen die Verhandlungen um die Predigtstellung historisch völlig korrekt *vor* der Ankunft des Kaisers, wobei er von den Gegnern der Reformation zum Verbot der reformatorischen Predigt angestachelt wird. Auch die Begründung des Kaisers legt Heimbürger richtig dar, wenn er berichtet, Karl V. „hatte darauf erklärt, wie es zur Förderung der guten Einigung gereichen würde, wenn man von beiden Theilen mit dem Predigen innehielt, bis die zu wünschende Vergleichung zu Stande gekommen wäre ...“[118]. Bei Heimbürger kommt also der Wunsch, daß alle Prediger schweigen sollen, vom Kaiser selbst, und den äußert er noch vor seinem Einzug in Augsburg. Kein Wunder, daß jede Dramatik fehlt und kein Wort von dem Kompromiß, den die protestantischen Fürsten dem Kaiser abtrotzten, zu finden ist.

Vier Jahre nach Heimbürger schreibt Keim 1855, daß der Kaiser, „wie die Evangelischen meinten, in Folge einer Zuflüsterung des überhaupt nur zu einflußreichen Legaten beim Austritt aus der Kirche ... das Stillstehen der evangelischen Predigt begehrte ...“[119]. Kein Wort, daß schon vor dem Eintreffen des Kaisers Verhandlungen liefen, kein Wort, daß der Kaiser an die Einstellung *aller* Predigten dachte. Deshalb kann er die weiteren Schilderungen betont kämpferisch anreichern: „Nachdem die Evangelischen schon ans Heimreisen gedacht, einige Altgläubige mit der Klinge daran gedacht“[120], wird dem Kaiser von den protestantischen Fürsten der Kompromiß auf Suspendierung aller Predigten abgerungen; nur er selber sollte „einige unpartheiische Prediger aufstellen dürfen, das reine Gotteswort zu verkündigen ...“[121].

Auch nach Uhlhorn beginnt die Unterhandlung über das Predigtverbot erst nach dem Einzug des Kaisers. Auch bei ihm heißt es, die protestantischen Fürsten „zwangen den Kaiser zur Neutralität“[122].

[116] Ebd.
[117] Ebd., S. 240.
[118] Heimbürger, Urbanus Rhegius, S. 128.
[119] Keim, Schwäbische Reformationsgeschichte, S. 157.
[120] Ebd., S. 158.
[121] Ebd.
[122] Uhlhorn II, S. 156.

Für Pastor[123] jedoch sieht die Sache wieder anders aus. Zwar beginnen für ihn die Unterhandlungen mit den protestantischen Fürsten auch erst am Abend des 15. Juni. Das allgemeine Predigtverbot und die Neutralität des Kaisers haben die genannten Fürsten nach Pastor nicht erzwungen. „Es ist bei der ganzen Frage“, schreibt er, „wegen des Verbots der Predigten wohl festzuhalten, daß der Kaiser dies von Anfang an gefordert hatte. Nicht von einem Teile verlangt er während der Dauer des Reichstages Stillschweigen, sondern von beiden[124].“

Bei Köstlin/Kawerau finden wir wiederum das Abtrotzungsprinzip. Der Kaiser tritt gleich nach seiner Ankunft persönlich an die evangelischen Fürsten heran und fordert sie auf, das Predigen einzustellen. Ihr „fester Widerspruch bewog ihn“ (gemeint ist der Kaiser), „wenigstens das Gleiche auch für den anderen Teil zu verfügen“[125].

Laut Roth beginnt der Kaiser „am Tage seiner Ankunft, um die zehnte Stunde nachts, mit seinen Pressionen auf die Evangelischen“[126]. Roth vermeidet es, von einem standhaften Abtrotzen des allgemeinen Predigtverbotes zu reden.

Brandi läßt dieses Thema ohne weitere Behandlung nur anklingen: „Noch abends berief er“ (gemeint der Kaiser) „die protestierenden Fürsten zu sich, um ihnen zu befehlen, daß ihre Prädikanten schweigen[127].“

Die eindeutige Spitze in der Interpretation des kaiserlichen Predigtverbotes und des sogenannten Kompromisses hält Johannes von Walter. In seiner Einleitung zur Edition der Depeschen Tiepolos vom Augsburger Reichstag führt er den Kompromiß, der dem Kaiser am 18. Juni durch das allgemeine Predigtverbot abgerungen wird, auf die Eingabe der „bekannten vier Bedingungen, auf Grund deren Melanchthon verhandeln wollte“ zurück[128]. Der ganze Reichstag schien ob des kaiserlichen Verlangens nach Einstellung der reformatorischen Predigten in Brüche zu gehen. Dadurch aber, daß der Kaiser und der päpstliche Legat noch am 18. Juni von den vier Bedingungen Melanchthons in Kenntnis gesetzt wurden, „würde in der Tat die Einigung in der Predigtfrage erklärt werden können. Hatten die streitenden Parteien Boden gefunden, auf dem verhan-

[123] Pastor, Reunionsbestrebungen.

[124] Ebd., S. 19.

[125] Köstlin/Kawerau, Luther, 2. Bd., S. 213.

[126] Roth, Augsburg, 1. Bd., S. 337.

[127] Brandi, Reformation, S. 234.

[128] Tiepolo, Depeschen, S. 38. Auf die sogenannten vier Bedingungen wird unter dem Abschnitt unten „Melanchthons Verhandlungen um eine Konkordie...“ genau eingegangen.

delt werden konnte, so rückte die Predigtfrage ohne weiteres auf eine so nebensächliche Linie, daß man diesen Standpunkt schleunigst irgendwie aus der Welt zu schaffen suchte[129]." Allerdings heiße dies, meint Walter weiter, daß hinter Melanchthons vier Bedingungen die protestantischen Fürsten standen, das aber „würde der bisherigen Auffassung widersprechen ..."[130]. Der Gesandtschaftsbericht des Venetianers Tiepolo, das muß hervorgehoben werden, legt diese von Walter vertretene These tatsächlich nahe[131].

Grundmann[132] setzt die Predigtverbotsverhandlungen auch erst nach dem Einzug an, wobei Philipp von Hessen sich besonders gegen das Ansinnen des Kaisers stark macht. Noch zwei Tage nach der Ankunft des Kaisers denkt dieser tatsächlich nicht ans Nachgeben, kein Wort von einem Kompromiß[133]. Den Kompromiß, daß nur vom Kaiser verordnete Prediger ohne jede Polemik predigen sollten, handelte nach Grundmann ein Fürstenausschuß aus[134].

Iserloh geht auf die Frage, wann der Gedanke des Predigtverbotes erstmals ausgesprochen wurde und wer ihn zuerst und in welchem Umfang äußerte, nicht ein. Er stellt nur fest, daß es noch am Tage des feierlichen Einzuges zu Spannungen kam, „weil der Kaiser ..., die evangelische Predigt verbot"[135]. Schließlich kam es nach Iserloh zum Kompromiß, „insofern sie überhaupt untersagt wurde, um nicht durch Streitigkeiten auf der Kanzel die Verhandlungen zu stören"[136]. Diesen Standpunkt wiederholt Iserloh wörtlich in der „Kleinen Reformationsgeschichte"[137].

Den diesbezüglichen Diskussionsstand in der Historiographie glaubte 1968 Rischar[138] am besten folgend zusammenzufassen: „Auf Veranlassung übereifriger Katholiken verbot der Kaiser allen protestantischen Theologen das Predigen, um während des Reichstages öffentliche Streitigkeiten zu verhindern. Wiederholt hatte diese Gruppe die Protestanten als falsche Verkünder der apostoli-

[129] Ebd., S. 39.
[130] Ebd.
[131] Im Anschluß an die Aufzählung der vier Forderungen Melanchthons schreibt Tiepolo: „Ilche udito da sua Maestade ... fece di subito proclamare per la terra, doue specialmente habitauano questi predicatore Lutherani, che alcuno non ardisse di predicare sotto pena della disgratia sua et grauissimo castigo ..." Depeschen, S. 47.
[132] Grundmann, Philipp von Hessen.
[133] Landgraf Philipp von Hessen an seine Frau, 17. Juni 1530. Abgedruckt in: Grundmann, Philipp von Hessen, S. 415.
[134] Grundmann, Philipp von Hessen, S. 366.
[135] Iserloh, Die protestantische Reformation, S. 268.
[136] Ebd.
[137] Lortz/Iserloh, Kleine Reformationsgeschichte, S. 146f.
[138] Rischar, Eck.

schen Lehre bekämpft... Die protestantischen Fürsten, die diese Vorwürfe entschieden bestritten, widersetzten sich der Forderung Karls V. und erreichten in zähen Verhandlungen, daß auch die katholischen Theologen Redeverbot erhielten[139].*

Müller stellt 1969 völlig unpathetisch fest, der Kaiser habe nach seinem Einzug in Augsburg einfach seinen Plan verwirklicht, die Verhandlungen der Glaubensfragen nicht durch Kontroverspredigten stören zu lassen; deshalb sein allgemeines Predigtverbot[140].

Einseitig klingt wieder die Darstellung von Stupperich, da nicht einmal von einem Kompromiß die Rede ist. Anderseits ist ihm das Faktum wichtig genug, um es in seiner Taschenbuchabhandlung im Anschluß an des Kaisers Einzug zu erwähnen: „Die evangelischen Stände bekamen die Gesinnung des Kaisers gleich zu spüren, der die evangelische Predigt untersagte...[141]."

2.2.2. in den Quellen

Um das kaiserliche Predigtverbot richtig zu sehen, das Verhalten des Kaisers und seine Motivation korrekt beurteilen zu können, ist ein Dokument von entscheidender Bedeutung, das in der ganzen Diskussion eigenartigerweise viel zu wenig Beachtung fand. Es handelt sich um den Bericht des kurfürstlichen Rates Hans von Dolzig an seinen Herrn, den Kurfürsten Johann von Sachsen, über seine Unterredung mit dem Kaiser am 8. Mai in Innsbruck.
Bei dieser Unterredung von Hans von Dolzig drehte es sich um Sonderverhandlungen des sächsischen Kurfürsten zu dem Zweck, dessen „religionspolitische Loyalität"[142] dem Kaiser zu versichern. Diese Sonderverhandlungen bargen im Zusammenhang mit dem Katzenelnbogischen Erbfolgestreit auch „eine deutliche Spitze gegen Landgraf Philipp von Hessen" in sich[143]. Der kurfürstliche Unterhändler berichtete noch am selben Tag, dem 8. Mai, „in der VII. Stund zu Nacht"[144] nach Augsburg. Dort langte der „niederschmetternde Bericht Dolzigs" am 10. Mai ein[145]. Was hatte Dolzig so Niederschmetterndes berichtet? Soweit es die Frage des Predigtverbotes betrifft, sei es unter die Lupe genommen[146]. „Der andere vornehmlichste Beiartikel", schreibt Dolzig seinem Kurfürsten,

139 Ebd., S. 24f.
140 Müller, Die römische Kurie, S. 93f.
141 Stupperich, Reformation, S. 93.
142 Maurer, Melanchthons Anteil, S. 161.
143 Ebd., dazu insbesondere Schubert, Bekenntnisbildung, S. 237ff.
144 CR, 2. Bd., Sp. 45.
145 Maurer, Melanchthons Anteil, S. 162.
146 Vgl.: Förstemann, Urkundenbuch, 1. Bd., S. 177—183 und CR, 2. Bd., Sp. 43—45.

„... ruhet darauf, daß Kais. Maj. durch Bericht angelangt sey, welcher Maßen Ew. Chf. G. eine besondere Kirchen zu Augsburg nach ihrer Ankunft, darinne predigen lassen, vorgenommen. Dieweil aber nu die Kais. Maj. die Beisorg tragen, nachdem der Irrthum des Glaubens durch Auslegung der Schrift also beschwerlich vorstehet, sollten nun dazu der andern Fürsten, und dazu die gemeinen Prediger der Stadt Augsburg, auch Ihrer Maj. selbst Prediger, gegen einander also unvergleicht und disputirlich lehren, was Aergerniß und Unruhe des Gemüths und der Gewissens daraus vorfallen wollt, das wäre wohl zu ermessen und abzunehmen[147]." Dolzig berichtet des weiteren, der Kaiser sei vornehmlich ob der Glaubensdifferenzen in der deutschen Nation zu diesem Reichstag bewogen worden, und er sei entschlossen, die Glaubensfrage an erster Stelle zu behandeln[148].

Zur Predigtfrage zurückkehrend fährt Dolzig fort: „... derhalben so wäre zu vermuthen, daß K. M. auf Mittel nachtrachten würde, wie es damit zu halten seyn sollt, und solchs bei den Chur und Fürsten, des Reichs Ständen gnädiglich zu suchen, mit Anzeig I. M. Bedenkens, worauf es dießmal zu Förderung friedsamer Einigkeit zu richten und anzustellen sey sollt; nämlich daß des Orts zu Augsburg, und die Zeit wie man solchs erlangen und ungefährlich abreden möchte, mit den Predigten der K. M. der Chur und Fürsten, auch der andern in der Stadt, still gestanden würde. Und nicht daß Ihrer K. M. Gemüth dermaßen seyn sollt, vielweniger also zu meinen oder zu deuten, als wollte I. Maj. dadurch das göttliche Wort zu predigen verbethen haben; allein aus den Ursachen des Irrthums, wie zuvor berührt und angehört, auf daß I. K. M. mit Rath und Bedenken der Reichsstände so viel schleuniger und richtiger zu der Vergleichung vorbemeldts beschwerlichen Irrthums durch Gottes Gnaden kommen möchten. Daß auch solcher Vorschlag allein auf eine kurze Zeit solchs Reichstags gemäßiget und geduldet würde, in Hoffnung zu Gott, daß sich mit der Zeit Mittel der Vereinigung verfolgen zutragen sollten[149]."

147 CR, 2. Bd., Sp. 43f.

148 Ebd., Sp. 44. Bei Müller, Die römische Kurie, S. 97, bietet sich diese Angelegenheiten ziemlich ungereimt dar. Einerseits heftet er diese Reihenfolge in der Tagesordnung als Erfolg der Protestanten auf deren Fahnen: „Es setzten sich die Protestanten durch ..." Anderseits kann er in der Anmerkung nicht umhin, vom päpstlichen Legaten Campeggio festzustellen: „Ihm war es wichtiger, zunächst die Glaubensfrage zu behandeln, ..." Hier trafen sich eben die Interessen beider konfessioneller Richtungen. Man sollte weniger vom Durchsetzen des einen oder anderen Teiles sprechen, zumal der Kaiser selbst längst vor der Eröffnung des Reichstages und seinem Eintreffen in Augsburg entschlossen war, die Glaubensfrage zuerst abzuhandeln.

149 CR, 2. Bd., Sp. 44.

Analysiert man den Text genauer, erweist sich der Kaiser als über den Parteien stehend. Nicht weniger als sechs Wochen vor seiner Ankunft äußert er den Wunsch, daß *alle* Predigten eingestellt werden sollten, kein Wort davon, daß es nur die reformatorischen sein sollten. Der Irrtum im Glauben wird auf die verschiedene Auslegung der Bibel zurückgeführt und nicht auf Abweichungen von päpstlichen Lehrentscheidungen. Um überhaupt Ärgernis, Unruhe und Irrtum zu vermeiden, solle die Predigt eingestellt werden und nicht, weil die reformatorischen Prediger Irrtum und Ketzerei lehren. Keine Parteinahme, kein Teil wird angeklagt, keine Benachteiligung und keine Bevorzugung irgendeines Standpunktes. Kein Wort vom Wormser Edikt! All das muß klar und deutlich gesehen werden, will man voreilige Schlüsse vermeiden.

2.2.2.1. Der Wunsch des Kaisers wird nur halb wiedergegeben

Welchen Niederschlag fand nun dieser Bericht Dolzigs, aus dem Maurer Niederschmetterndes herausliest[150], in den Briefen des Kurfürsten und Melanchthons an Luther vom 11. Mai? Der Kurfürst vermeidet es Luther mitzuteilen, daß der Kaiser gedenke, *alle* Predigten während des Reichstages einzustellen. Das was er Luther wissen ließ, war nur die halbe Wahrheit; Luther mußte herauslesen, daß der Kaiser nur ein partielles Predigtverbot beabsichtigte. Im Kurfürstenbrief heißt es verkürzt, die Gesandten aus Innsbruck hätten geschrieben, „wie man im Vorhaben sey, zu Kais. Maj. Ankunft mit uns zu handeln, damit wir in der Kirchen, wie angefangen, nicht wollten predigen lassen..."[151]. Anschließend ersucht der Kurfürst Luther, sich dazu zu äußern, „damit wir in dem vor Gott und unseres Gewissens halben recht thun"[152]. Diese offensichtliche Verschleierungstaktik betrieb der Kurfürst anscheinend auch Melanchthon gegenüber, nur so läßt sich dessen Brief an Luther vom selben Tag erklären, in dem er meint, es bestehe kein Zweifel, daß der Kaiser die zwinglische Predigt verbieten werde. Melanchthon vermutet dann, „ut hoc praetextu nostrae conciones etiam prohibeantur, quia Islebius iam in publico templo concionatur"[153]. Er bittet Luther um seine Meinung in dieser heiklen Frage und teilt mit, daß er geantwortet habe (Wem? Wer hat Melanchthon um seine Meinung gebeten? Offensichtlich war es der Kurfürst), man müsse dem Willen des Kaisers weichen, weil sie in dessen Stadt Gäste seien. Im Satz danach, wo wieder von Zwingli die

[150] Vgl. oben, S. 223.
[151] CR, 2. Bd., Sp. 47.
[152] Ebd.
[153] CR, 2. Bd., Sp. 45.

Rede ist, dürfte ein Schlüssel für das Verständnis des Verhaltens des Kurfürsten liegen, der seine eigene Politik verfolge und hierfür den Willen des Kaisers verengte. Melanchthon schreibt dort an Luther: „Estne relinquendus locus publicus, si Caesar ita petet, hoc se petere, ut sine motu Cinglianae conciones etiam prohiberi possint[154]?" Der Kurfürst von Sachsen ließ, wie oben dargelegt, seinen Prediger Johann Agricola am Mittwoch, dem 4. Mai, mit der Predigt beginnen[155]. Diese Vorgangsweise, diese Hast des Kurfürsten, seinem Prediger sofort eine Kanzel zu verschaffen, dürfte wohl kaum nur der Begierde entsprungen sein, das Wort Gottes „rein, lauter und unverfälscht" zu hören, sondern auch handfester konfessionell-politischer Tendenz, nämlich dem starken zwinglianischen Anhang zu Augsburg entgegenzutreten und die lutherische Front auch gegen die Altgläubigen zu stärken. Der Predigtort Dominikaner- und Dominikanerinnenkloster bestärkt letztere Annahme.

Luther antwortete dem Kurfürsten am 15. Mai im Sinne Melanchtons, „der keiser ist vnser herr, der Stad vnd alles ist sein, ..."[156]. Luthers weitere Antwort basiert ganz auf der Annahme, der Kaiser wolle die lutherische Predigt deshalb verbieten, weil sie aufrührerisch oder schwärmerisch sei, also im Sinne einer Parteinahme, eines bereits gefällten Urteils. Daß dem aber nicht so sei, könne doch, meint Luther, durch eine Überprüfung festgestellt werden. Der Kurfürst möge deshalb zunächst darauf dringen, daß der Kaiser „nicht so vnuerhoret das predigen verbotte, sondern liesse doch zuuor yemand zuheren, wie man predigte"[157]. Wie sehr man sich sächsischerseits bemühte, die volle kaiserliche Absicht zu vertuschen, beweist nichts besser als der Brief des Sohnes des Kurfürsten Johann Friedrich an den Überbringer des kaiserlichen Willens Hans von Dolzig. Der Kurprinz ließ ihn diesbezüglich wissen: „Es wird auch noch zur Zeit die Sache, und was ihr anhängig in bequemer Geheim gehalten, als auch ich, so viel an mir, darob seyn will, daß ihm fürder nachgegangen wird[158]." Die Absicht der sächsisch-kurfürstlichen Politik scheint ziemlich klar auf der Hand zu liegen:

1. Den Kaiser, erst jüngst und nach der Ausschreibung des Reichstages vom Papst gekrönt, als Parteimann der Altgläubigen, als „Päpstlichen" abzustempeln.

[154] Ebd., Sp. 45f.
[155] Schirrmacher, Briefe und Akten, S. 45f.; vgl. oben S. 211.
[156] WABr, 5. Bd., S. 319.
[157] Ebd.
[158] CR, 2. Bd., Sp. 48. Leider ist das Datum dieses Briefes nicht genau bekannt; er dürfte um den 11. Mai geschrieben worden sein.

2. Sich selber als Gegenpol, Sprecher und Führer — nicht zuletzt gegenüber Philipp von Hessen — im reformatorischen Lager zu profilieren.

3. Das reformatorische Lager möglichst zu einer geschlossenen Front zusammenzuschweißen.

4. Sich als Haupt des echten Christentums in deutschen Landen und als den eigentlichen Verteidiger des Wortes Gottes hervorzustreichen[159].

2.2.2.2. Kurfürst Johann brüskiert den Kaiser und lädt Urbanus Rhegius zur Festpredigt

Die lange Zeit des Zuwartens in Augsburg auf den Kaiser arbeitete nicht für die kaiserliche Intention der Vergleichung und des Ausgleichs, sondern für die kurfürstlich sächsische, die Stärkung der reformatorisch-lutherisch-kurfürstlichen Position. Unter diesem Aspekt konnte der sächsischen Politik nichts Besseres passieren, als die kaiserliche Instruktion vom 24. Mai. Der Kaiser forderte den Kurfürsten auf, die von ihm angeordneten Predigten in Augsburg bis zu seiner Ankunft einzustellen. Außerdem spielte der Kaiser in dieser Instruktion auf das Wormser Edikt an und stellt den Kurfürsten förmlich zur Rede[160].

Diese Instruktion gab dem Kurfürsten die willkommene Gelegenheit, sich als den Sprecher der evangelischen Sache, als Hüter des „reinen, lauteren“ Evangeliums herauszustreichen. Ja mehr noch, der Kurfürst ging einen Schritt weiter, er konnte sich als den wahren Christen, dem nichts wichtiger ist als Gottes Wort, das es überall zu verteidigen gilt, in den Vordergrund spielen. Dem abwesenden Kaiser fiel so die Rolle des Unterdrückers des Gotteswortes schlechthin zu und nicht bloß dessen der reformatorischen Lehrverkündigung. Geradezu belehrend konnte der Kurfürst somit dem Kaiser antworten: „... es wäre erschrecklich, Gottes Wort und seine Wahrheit niederzulegen[161].“ Der Kurfürst machte sich zum Sprecher der gesamtchristlichen Interessen überhaupt, wenn er dem kaiserlichen Ansinnen geschickt konterte: „So wäre auch ganz beschwerlich, daß um derjenigen willen, die sich unnothdürftiglich

[159] Vgl. dazu: Müller, Die römische Kurie, S. 114.

[160] Förstemann, Urkundenbuch, 1. Bd., S. 220ff., und Walch, 16. Bd., Sp. 695ff. In WABr, 5. Bd., S. 344, Anm. 3, verdeutlicht der Editor des Briefes des Kurfürsten an Luther vom 1. Juni 1530 die Instruktion des Kaisers wie folgt: „... darin wir wegen des Wormser Edikts, auch etlicher anderer Sachen (besonders, daß der Kurfürst das Haupt des Schmalkaldischen Bundes sei), sehr von oben herab zur Rede gestellt werden.“

[161] Walch, 16. Bd., Sp. 704; Förstemann, Urkundenbuch, 1. Bd., S. 232.

ärgern wollten, die Predigt des heiligen Evangelii unterlassen sollte werden[162]." Unverblümt spielt er dem Kaiser die Rolle eines Parteimannes zu, der wortbrüchig werde, wenn er die evangelische Predigt verbiete. Wie konnte unterhandelt und verglichen werden, wenn die evangelische Predigt ungehört abgestellt werde? Im kaiserlichen Ausschreiben heiße es doch „wie eines jeden Meinung und Opinion allhie gehört und alsdann zu christlicher Vergleichung gehandelt sollte werden"[163]. Der Kurfürst fühlte sich nach diesem Antwortschreiben verpflichtet, gleich am nächsten Tag Martin Luther seine Brüskierung der kaiserlichen Aufforderung mitzuteilen. Bezüglich des kaiserlichen Begehrens nach Predigtverbot, wie es in der Instruktion hieße, schreibt er Luther dürr und lapidar, habe er geantwortet, „daß wir in diese Ding, wie sie an uns gesunnen, nicht willigen können"[164]. Damit ließ der Kurfürst auch Luther wissen, wer der starke Mann und Führer in der evangelischen Sache sei, ohne eigens herauszustreichen, daß er Luthers Rat zu befolgen für unangebracht hielt. Die kurfürstliche Rechnung scheint auch Luther gegenüber vollends aufgegangen zu sein, Luther war mächtig beeindruckt[165]. Nach außen ließ der sächsisch-kurfürstliche Hof zunächst nur durchsickern, daß der Kaiser dem Kurfürsten gegenüber in einer Schrift auf Einhaltung des Wormser Ediktes dränge, „und darin begehrt hab, seine Chf. G. wolle sich dem Edict zu Worms gemäß halten, und ihre Predig zu Augsburg abstellen"[166]. Die Nürnberger Gesandten, die dies am 31. Mai nach Hause berichteten, wissen noch nicht, was der Kurfürst geantwortet hat, wohl ist ihnen auch schon zu Ohren gekommen, daß der Kaiser die Einstellung der gesamten evangelischen Predigt in Augsburg, auch die der vom Augsburger Rat angestellten Prediger anstrebe,

162 Walch, ebd., Sp. 705; Förstemann, ebd., S. 233.

163 Walch, 16. Bd., Sp. 705; Förstemann, ebd., Zum Reichstagsausschreiben siehe Förstemann, Urkundenbuch, 1. Bd., S. 2—9; vor allem S. 8. Der Kurfürst greift in seinem Antwortschreiben deutlich auf das Gutachten seines Kanzlers Brück zurück; andere Parallelen zu einem Gutachten von unbekannter Hand machen auch dessen Benützung wahrscheinlich. Siehe: CR, 2. Bd., Sp. 75—77 und 71—75. Auf detailliertere Zusammenhänge einzugehen verbietet der Rahmen dieses Themas. Aus Brücks Gutachten spricht übrigens die genaue Kenntnis, daß der Kaiser alle Predigten einzustellen wünschte und nicht bloß die reformatorischen.

164 Kurfürst Johann an Luther, 1. Juni 1530. WABr, 5. Bd., S. 344.

165 Im Jänner 1533 ließ sich Luther in einer Tischrede hören: „Ducem Ioannem electorem credo habuisse Spiritum Sanctum, ... Nolebat cedere caesari iubenti, ut a praedicatione cessaret, et cum ego hortarer, ut cederet, quia esset in civitate eius, respondit ad literas meas: Ich weis nicht, ob ich narre oder meine gelerten. Den er war viel leichter gesint von Augspurg zu zihen den das predigen da nachzulassen." WATr, 3. Bd., S. 101, Nr. 2934a.

166 CR, 2. Bd., Sp. 78.

vorher komme er nicht nach Augsburg[167]. Einige Tage später berichten die Nürnberger, daß der Kaiser und seine geistliche Umgebung: „... zum Höchsten entsetzen sollen der Evangelischen Fürsten stattlichen Ankommens zu diesem Reichstag, und daß sie ihre Prediger so unverscheucht predigen lassen, ...[168]."

In Augsburg hatte der Kurfürst in der Religionsfrage das Heft in der Hand, selbst Philipp von Hessen konnte sich diesem Sog nicht entziehen[169]. So konnte der Kurfürst dem kaiserlichen Ansinnen „nicht hieher zu kommen, es wäre denn solch Predigen zuvor abgestellt..."[170] seinen kurfürstlichen Standpunkt „wo ihm Kais. Maj. seine Predigt hie niederlegen und verbiethen wollt, so gedächt S.Chf.G. nicht hie zu bleiben, sondern den nächsten heim zu reiten" entgegenstellen[171].

Diese letzteren Zeilen, geschrieben am Pfingstsonntag, also an dem Tag, an dem derselbe Kurfürst Urbanus Rhegius die Festpredigt im St. Katharinenkloster bei den Dominikanerinnen halten ließ[172], vermögen wohl am besten die brisante Situation zu beleuchten, in der Rhegius damals stand. Wie sehr der Kurfürst Rhegius hiedurch herausstreichen und durch diesen ehrenvollen Auftrag auf den Leuchter stellen wollte, kann man erst dann voll ermessen, wenn man weiß: „Markgraf Georg von Brandenburg vnd die anderen fursten haben stets bei den churfursten zu Sachsen predigt gehoret[173]."

Die Zuhörer, sehr divergierend zusammengewürfelt, scheinen mit der Predigt des Rhegius sehr zufrieden gewesen zu sein. Eine Augsburger Handschrift weiß von der recht pikanten Situation zu berichten, daß „dahin auch der Bischoff von Straßburg[174] auß Fürwitz, ... in Begleitung vieles Hofsgesinds, gekommen, welche sich gleich zu dem Churfürsten, auf den Chor verfüget haben, alda sie einander sehr freundlich empfangen. Nach geendigter Predigt fragte der Churfürst den Bischoff, ob Ihm diese Predig gefallen? der Bischoff sagte, wohl, und hat mich nicht gereut, daß ich ihm so

[167] Ebd., Sp. 79.

[168] Nürnberger Gesandtschaftsbericht, 3. Juni 1530. CR, 2. Bd., Sp. 85, Vgl. dazu Brandi, Kaiser Karl V, S. 264.

[169] Vgl. dazu: Nagel, Die Stellung des Landgrafen, und Grundmann, Philipp von Hessen.

[170] Nürnberger Gesandschaftsbericht, 3. Juni. CR, 2. Bd., Sp. 85.

[171] Nürnberger Gesandtschaftsbericht, 5. Juni. Ebd., Sp. 88.

[172] Schirrmacher, Briefe und Akten, S. 46.

[173] Ebd.

[174] Wilhelm von Hohenstein 1506—1541. Siehe: Eubel, Hierarchia Catholica, III. Bd., S. 117.

lange[175] zugehöret[176]." Die kurfürstliche Frage ist wohl kaum überinterpretiert, wenn man den Vorwurf heraushört: Und dessen Predigt soll vom Kaiser verboten werden? Ob es Rhegius jemals erfahren hat, daß er hier ein Spielball kurfürstlich sächsischer Religionspolitik war?

Wie wenig der Kaiser ernstlich daran dachte, nicht nach Augsburg zu ziehen, solange dort die reformatorische Predigt währte, beweist sein Aufbruch[177] am Pfingstmontag, also am 6. Juni, von Innsbruck nach Augsburg. In Augsburg war bereits zu hören, daß der Rat den Wunsch des Kaisers, auch die Predigten der „Stadtprädikanten" einzustellen, akzeptieren werde[178]. Die wahre Intention des Kaisers, alle Predigt, unabhängig vom konfessionellen Standort, stillstehen zu lassen, scheint die sächsisch-kurfürstliche Mannschaft als bestgehütetes Geheimnis noch für sich behalten zu haben. Nur so läßt sich die Intervention des Urbanus Rhegius beim Augsburger Rat befriedigend erklären, nicht weich zu werden und nachzugeben, wohl mit einem Seitenblick auf das „mannhafte" Verhalten des sächsischen Kurfürsten. Den Augsburgern war aber eine derartige Intervention höchst peinlich, so daß sie nicht einmal wahrhaben wollten, daß Rhegius ein von ihnen berufener Prediger war. Seine private Vorsprache beim Bürgermeister und beim Rat zeigte dieses für Rhegius recht betrübliche Ergebnis, so daß Rhegius — bewogen durch dieses Verhalten — der Stadt den Rücken kehrte[179]; aber davon später noch Genaueres.

2.2.2.3. Der „Kompromiß"

Der Kaiser rückte mit seinen Begleitern immer näher; Bischof Fabri kam gewissermaßen als Vorhut am Samstag, dem 11. Juni,

[175] Nicht jedesmal hatte Rhegius nach einer langen Predigt so gute Kritik. Von einer Predigt in Schmalkalden im Februar 1537 steht bei Uhlhorn II, S. 327 über Rhegius zu lesen: „Neben den hervorragendsten Theologen predigte auch er zweimal, das eine Mal nach Luthers Urteil viel zu lang, was Luther am wenigsten leiden konnte, weshalb er urtheilte, Urbanus Rhegius habe ‚neque urbane neque regie' gepredigt." (Dieses Bonmot ist bekanntlich Zincgref entnommen; vgl. oben S. 14f.)

[176] Chronica ecclesiastica Augustana, S. 88f.

[177] Schirrmacher, Briefe und Akten, S. 478.

[178] Die Nürnberger Gesandten schrieben am 11. Juni, dem Tag, an dem der Kaiser in München einzog, an ihre Stadtväter: „Und unsers Bedünkens seyn die von Augsburg gegen Kais. Maj. der Bescheidenheit und Gehorsam, wenn Kais. Maj. begehrte, ihre Predig abzustellen, achten wir, es würde daran nicht viel Mangels erscheinen." CR, 2. Bd., Sp. 90.

[179] Osiander an Linck, 4. Juli 1530. CR, 2. Bd., Sp. 164: „Augustenses ad eo pusillanimes immo frigidi sunt, ut Urbanum Regium a se vocatum esse profiteri nolint. Cum hoc an facturi essent, a Consule Senatu et a plerisque

in die Stadt. Bei seinem Einreiten erkundigte er sich sofort „quomodo Lutherani Principes adduxerint secum concionatores, qui praedicent contra papisticam religionem ...“[180]. Am Mittwoch, dem 15. Juni, am späten Nachmittag erreichte der Kaiser mit seinen Gefolgsleuten Augsburg. Allem Anschein nach wiederholte der Kaiser gleich bei seiner Ankunft noch vor dem eigentlichen Einzug sein Begehren nach Einstellung der Predigten bei den protestantischen Fürsten[181]. Jedenfalls bestellte der Kaiser diese gleich nach Abschluß der Einzugsfeierlichkeiten zu einer diesbezüglichen Unterredung und brachte erneut sein Begehren vor[182]. Mit dieser Unterredung lassen erst viele Historiographen — siehe oben — das kaiserliche Ansinnen auf Predigtverbot beginnen. Wie historisch inkorrekt dies ist, dürfte die dargebotene Genese dieser Frage hinlänglich bewiesen haben.

Mit Verwunderung muß deshalb das Erstaunen konstatiert werden, das den Landgrafen Philipp von Hessen ob des kaiserlichen Begehrens in derselbigen abendlichen Unterredung überkam. Kannte er tatsächlich den kaiserlichen Wunsch nicht, wußte er wirklich nichts von den Unterhandlungen über die Predigteinstellung, die schon sechs Wochen liefen, oder heuchelte er höchst gekonnt? Daß Kurfürst Johann über dieses kaiserliche Begehren entsetzt und überrascht war und nicht den Mut hatte, dem Kaiser zu antworten, ist nach allem bisher Gesagten völlig auszuschließen. Landgraf Philipp von Hessen, von dem diese Behauptung stammt, muß hier gehörig der sächsischen Politik aufgesessen sein[183].

Der Kaiser beharrte auf seinem schon so oft geäußerten Wunsch nach Predigtverbot und ließ dies durch seinen Bruder Ferdinand nochmals wiederholen. Während der sächsische Kurfürst viel-

privatim requisierit (mera stultitia sapientum istorum mercatorum) hac insigni ingratitudine motus promisit Duci a Luneburg, se cum eo abiturum; et faciet.“

180 Justus Jonas an Luther, 13. Juni 1530. WABr, 5. Bd., S. 362.

181 Das Schreiben des Kurfürsten Johann an Luther vom 25. Juni 1530 legt eine solche Interpretation nahe. WABr, 5. Bd., S. 394. Dazu CR, 10. Bd., Sp. 125; vgl. Gußmann, Quellen und Forschungen, Bd. I/1, S. 422.

182 Siehe Schirrmacher, Briefe und Akten, S. 58f.

183 Grundmann, Philipp von Hessen, S. 365: „Noch in der Nacht ließ der Landgraf durch seinen Kanzler die Nürnberger Gesandten wecken und darüber informieren, wie die beiden alten Fürsten Johann von Sachsen und Georg von Brandenburg ‚zum höchsten entsetzt‘ dem Kaiser nicht zu antworten wagten auf seine Zumutung, die Predigten einzustellen; Philipp aber entgegnete ‚so fest er gekonnt‘: sie predigten ‚nichts Böses und Neues, sondern allein das Wort Gottes‘, wie es die alten Kirchenväter auslegten; davon könne sich der Kaiser überzeugen, wenn er die Predigten höre. Karl V. bekam das von seinem Bruder Ferdinand ins Französische übersetzt und hat sich ‚darob etwas angerööt und erhitzt‘.“ Grundmann stützt sich hierbei vor

sagend schwieg, spitzte sich die ganze Verhandlung durch die Erwiderung des alten Markgrafen Georg zu Brandenburg gewaltig zu: „Ehe ich wollte meinen Gott und sein Evangelium verleugnen, ehe wollte ich hie vor einer kaiserl. Majest. niederknien, und mir den Kopf lassen abhauen[184].“ Die kaiserliche Antwort in gebrochenem Deutsch „Nicht Köpf ab, nicht Köpf ab“[185] dürfte für eine gewisse Entspannung gesorgt haben. Dem König Ferdinand, der im Namen seines kaiserlichen Bruders unter Hinweis auf des Kaisers Gewissen auf der Predigteinstellung bestand, wurde vom Landgraf erwidert: „Kais. Majestät gewissen sey aber kein Herr und Meister über Ihr Gewissen[186].“ Man ging ohne Entscheidung auseinander und verhandelte in den nächsten Tagen weiter.

Wie lautete aber des Kaisers Begehren, das sein Bruder in jener Nacht den protestantischen Fürsten gegenüber verdolmetschte, genau? Nach all dem bisher Gesagten dürfte es in den Markgräflich Brandenburgischen Reichstagsakten[187] am korrektesten wiedergegeben sein, nicht zuletzt deshalb, weil der Kaiser haargenau an dem anknüpft, was er dem kurfürstlichen Rat Hans von Dolzig gegenüber schon sechs Wochen zuvor am 8. Mai geäußert hatte. Dort heißt es: „... das Ir kur: und f.g. Irer predicanten predigen hie zw Augspurg abschaffen sollen, dergleichen wolten Ir kaiserlich Mt des gegentails vnnd der von Augspurg predigen auch abschaffen, vnd selbst prediger auffstellen, die gottes wort rain predigen solten[188].“ Also Einstellung der gesamten Predigttätigkeit und nicht nur der reformatorischen; wenn die protestantischen Fürsten ihren Predigern Schweigen gebieten, wird der Kaiser dasselbe für den andern Teil sowie für die Prediger der Reichsstadt Augsburg besorgen und anordnen. Neu im kaiserlichen Begehren ist aber, und dies ist offensichtlich die Frucht der bisherigen Verhandlungen mit dem sächsischen Kurfürsten, die Ankündigung, daß das Gotteswort nicht völlig verstummen solle, sondern daß vom Kaiser Prediger aufgestellt werden sollten, „die gottes wort rain predigen solten“. Die Verhandlungen, die nun in Augsburg sehr hektisch anliefen, hatten kein anderes Ergebnis als die Annahme des kaiserlichen Begehrens. Alle Gutachten und schriftlichen Eingaben bewegen sich im Rahmen der bereits vorgebrachten

allem auf das Schreiben der Nürnberger Gesandten an ihre Stadt vom 16. Juni 1530, CR, 2. Bd., Sp. 106ff.

[184] Walch, 16. Bd., Sp. 736; Schirrmacher, Briefe und Akten, S. 58f. und Nürnberger Gesandtschaftsbericht, 16. Juni 1530. CR, 2. Bd., Sp. 107.

[185] Walch, ebd.; Schirrmacher, Briefe und Akten, S. 59.

[186] Brenz an Isenmann, 19. Juni 1530. CR, 2. Bd., Sp. 115.

[187] Abgedruckt: Förstemann, Urkundenbuch, 1. Bd., S. 268f.

[188] Ebd.

Argumente[189]. Die sachlichste und stichhältigste Stellungnahme, die auf protestantischer Seite auch zum Tragen kam, stammt von Melanchthon. Der schwäbische Reformator Johannes Brenz scheint sich dem voll angeschlossen zu haben, nachdem durchgesickert war, daß das kaiserliche Predigtverbot keine Parteinahme darstellte und nicht nur die reformatorische Predigt zum Schweigen bringen wollte, sondern, um ruhige Verhandlungen zu gewährleisten, alle Predigttätigkeit.

Melanchthons Gutachten hatte fünf kurze, klare Punkte:

„1. Primum argumentum, quod sit concedendum, quia imperator utrique parti prohibens non facit praeiudicium.

2. Quia pollicetur, se velle audire causam.

3. Maius bonum praeferatur minori. Quia si cognitio causae per hanc pertinaciam impediretur, quid accideret?

4. Magistri *Agricolae* argumentum: quia sumus vocati ut pars ad dicendam causam, et ad rationem reddendam doctrinae, non ad praedicandum.

5. Quia non sumus Parochi Augustanorum[190].“

Wenn man dies liest, merkt man gar nichts vom kleinlauten, ängstlichen Melanchthon, ja im Gegenteil, es bedurfte einer gehörigen Portion Mutes, dies seinem Kurfürsten Johann ins Gesicht zu sagen. Jetzt wo Melanchthon in Kenntnis der ganzen Wahrheit des kaiserlichen Predigtbegehrens dies schreibt, mußte sein Gutachten beim Kurfürsten, der den vollen Inhalt schon seit sechs Wochen kannte, wie eine Anklage seiner Politik klingen. Speziell der Punkt vier, die Sache mit dem mitgebrachten Prediger Agricola, der auf kurfürstliche Anordnung in der Reichsstadt Augsburg zu predigen begann und das kaiserliche Predigtverbot mitverursacht hat, war eine Anklage von einer Schärfe, wie sie nicht einmal der Kaiser aussprach. Ähnlich der Punkt fünf: Wir sind nicht die Pfarrer der Augsburger. Das soll wohl heißen: Wir sind nicht befugt Prediger einzustellen. Wir haben kein Recht, nach Gutdünken, wie bei Urbanus Rhegius geschehen, Festprediger einzuladen bzw. zu bestellen.

Wie sehr Philipp von Hessen die Lage falsch einschätzte und glaubte, mit seinem Justamentstandpunkt durchzudringen, beweist sein Brief an seine Frau zwei Tage nach der geschilderten abendlichen Unterredung mit dem Kaiser. Hier hoffte er noch immer, der Kaiser werde auch während des Reichstages so weiter predigen lassen wie gehabt[191].

[189] Vgl. Förstemann, Urkundenbuch, I. Bd., S. 274—294.

[190] CR, 2. Bd., Sp. 112.

[191] Grundmann, Philipp von Hessen; Brief Philipps vom 17. Juni 1530, ediert S. 415: „Und lassen wir das heilig Evangelion noch teglichs hie predigen, wiewol uns keiserliche Mt. deßhalben, das wir die predige nochlossen wolten,

Am Freitag, dem 17. Juni, nachmittag einigte sich ein Fürstenausschuß in der Dompropstei auf Annahme des sogenannten Kompromisses, der nichts anderes war als das kaiserliche Begehren nach Einstellung der gesamten Predigttätigkeit; Samstag mittag kam dieser Fürstenausschuß zum sächsischen Kurfürsten aufs Rathaus, um auch ihn für den ‚Kompromiß' zu gewinnen, was auch gelang[192]. In dieser Abschlußbesprechung scheint auch die kaiserliche Absicht, nur Prediger aufzustellen, „die gottes wort rain predigen solten"[193], umgebogen worden zu sein. In der Besprechung mit dem Kurfürsten wurde jedenfalls in puncto Prediger formuliert: „Dieselbigen, so kaiserl. Majestät verordnen, sollen nichts mehr, denn schlecht das Evangelium mit der Epistel, nach dem bloßen Text, ohne alle Auslegung sagen, und mit der Confession Gebet beschließen[194]." Das eigentliche und absolute Predigtverbot, auch das der kaiserlich verordneten Prediger, ging also von den Fürsten aus und wurde mit dem sächsischen Kurfürsten ausgehandelt. Diese Fürstenbesprechung überschritt wohl das Maß des Zumutbaren, und man scheint dies auch selbst erkannt zu haben, als man auch noch Personalwünsche äußerte, nämlich der Kaiser möge Doktor Fabri, den Hofprediger und Ratgeber seines Bruders Ferdinand nicht nominieren. Und die Fürsten fügten hinzu: „... aber sie achtetens dafür, das keyserlicher Mat. hochheit nit maß gegeben werden möchte, nach ihrer Mat. bedenken etlich prediger zu uerordnen vnd zu bestellen lassen, ...[195]."

2.2.3. Proklamation des kaiserlichen Edikts — Rhegius' letzte Predigt

Am Abend desselben Tages, am Samstag, dem 18. Juni, endete die sechswöchige, mitunter dramatisch geführte Unterhandlung über das Predigtverbot mit Posaunenschall und Ediktsverlesung durch den ersten Herold des Kaisers Caspar Sturm. Hören wir ihn selber, was er zu verkünden hatte: „Das in der statt Augspurg nyemandts hinfüro Predigen soll er sey auch wer er wöll/sondern allein/die/so von Kaiserlicher Maie. darzů verordnet werden/bey

hart angestrengt hatt; ydoch gedencken wir mit gnediger verleihung des Almechtigen darbei zu pleiben. Wiewol sich auch die sachen hartt angelossen haben, ydoch verhoffen wir und haben des gute kuntschafft, es werde zu eynem guten ende gedeyen."

192 Walch, 16. Bd., Sp. 737; Schirrmacher, Briefe und Akten, S. 66—70.

193 Förstemann, Urkundenbuch, 1. Bd., S. 268.

194 Walch, 16. Bd., Sp. 737. Über diese Form des Predigtgottesdienstes vgl. unten S. 237ff.

195 Schirrmacher, Briefe und Akten, S. 69f.; vgl. dazu den Brief der Nürnberger Gesandten, 19. Juni 1530. CR, 2. Bd., Sp. 113.

höchster straff gebotten[196]." Nach den Nürnberger Gesandten endeten die Predigten der Fürsten und der Stadt Augsburg bereits zwei Tage vor der Ediktsverkündigung, also am 16. Juni[197]. Da aber Adam Weis, der markgräfliche Prediger von Brandenburg-Ansbach, expressis verbis betont — siehe oben —, er habe noch am 18. Juni gepredigt, ist der Nürnberger Gesandtschaftsbericht, zumindest die von den Fürsten mitgebrachten Prediger betreffend, ungenau. Sollte er hinsichtlich der Augsburger Stadtprädikanten stimmen, hieße dies, Urbanus Rhegius predigte am Fronleichnamstag, also am 16. Juni 1530, zum letzten Mal in Augsburg.

Kurfürst Johann meldet das allgemeine Predigtverbot eine Woche später, also am Tage — aber noch vor — der Verlesung der Confessio Augustana Martin Luther, wobei er seine Zustimmung mit dem allgemeinen Predigtverbot einerseits und anderseits mit der Verordnung kaiserlicher Prediger, „die das Euangelion lauter und klar predigen sollten", begründet[198]. Die weitere Mitteilung, daß König Ferdinand seinen Prediger Fabri auch nicht predigen lassen soll, erweckt den Eindruck, als ob dieser Personenwunsch eine Prestigesache des Kurfürsten gewesen wäre[199]. Luther mußte auf Grund dieses Schreibens den Eindruck bekommen, sein Kurfürst habe den Kompromiß des allgemeinen Predigtverbotes herausgehandelt und so sich mannhaft durchgesetzt. Sein Mitwirken am eigentlichen Predigtverbot, d. h. daß auch die kaiserlich verordneten Prediger nicht predigen, sondern nur die Hl. Schrift verlesen durften, weiß dieser sehr geschickt zu verbergen, ja er spielt hierüber sogar den Erstaunten und schiebt die Schuld den verordneten Predigern zu. Wörtlich heißt es im besagten Brief weiter: „Nu werden bericht, daß die Prediger, so der Kaiser verordnet, gemeiniglich nichts mehr, denn den Text des Euangelii sagen; was sie daneben lehren, sei ungeschickt und kindisch Ding. Also muß unser Herr Gott auf diesem Reichstag still schweigen[200]."

Jeden Grund, von einem Sich-Durchsetzen zu reden, hätte der Kaiser gehabt, wenn man seine von Anfang an geäußerte Absicht mit dem, was er nach langwierigen Verhandlungen tatsächlich erreichte, vergleicht. So und nur so gesehen ergeben die Depeschen des päpstlichen Legaten Campeggio einen echten Sinn, wenn er

[196] Sturm, Wie die Kaiserliche Majestet in Augsburg eingeritten, Bl. Aiiij'. Vgl. dazu: Brück, Geschichte der Handlung, S. 40; Walch, 16. Bd., Sp. 749; CR, 2. Bd., Sp. 124. Über Caspar Sturm: Kolde, Caspar Sturm, und Schottenloher, Kaiserliche Herolde.

[197] CR, 2. Bd., Sp. 107.

[198] WABr, 5. Bd., S. 394.

[199] Ebd.

[200] Ebd., S. 395.

am 26. Juni 1530 triumphierend vom Verbot der protestantischen Predigt nach Rom berichtet[201]. Formal gesehen, verfälscht Campeggios Bericht trotzdem die wahre Situation, da ein allgemeines Predigtverbot vom Kaiser von Anfang an intendiert und dann auch durchgesetzt wurde[202].

2.2.4. Vom Kaiser verordnete Prediger und Predigt

Der päpstliche Legat Campeggio wußte in der oben zitierten Depesche zu berichten[203], daß der Kaiser drei Prediger eingesetzt habe, ohne die Namen mitzuteilen. Caspar Sturm schreibt, wie wir noch sehen werden, daß es acht waren. Offensichtlich kamen im Laufe der Wochen noch weitere dazu. Wer waren diese Prediger? Gerhard Müller, der Bearbeiter der Nuntiaturberichte, glaubte sie schon gefunden zu haben und vermerkt in seiner Edition: „Als Prediger wurden Johann Mensing, Johannes Cochläus und Johann Fabri eingesetzt (Schirrmacher S. 71). Fabri gehörte also doch zu den Erwählten, obwohl die Abgesandten der altgläubigen Fürsten den Evangelischen erklärt hatten, es müßte weder Faber noch seines gleichen seyn (CR 2, 113)[204]." Sechs Jahre später 1969 widerruft Müller seine Entdeckung und stellt richtig, er habe die Stelle bei Schirrmacher falsch interpretiert, um mit einem kräftigen Seitenhieb das Gegenteil zu behaupten: „Auch führenden Kontroverstheologen auf altkirchlicher Seite wie Johann Fabri, Johannes Cochläus oder Johann Mensing wurde damit die Möglichkeit genommen, von den Kanzeln aus einer Einigung entgegenzuwirken[205]." Schließlich faßt Müller resignierend zusammen: „Die Namen der von Karl V. autorisierten Personen sind bisher nicht

[201] NB I, 1. EB, S. 65; vgl. dazu Pastor, Geschichte der Päpste, 4/2. Bd., S. 409. Sender, Chronik, S. 281: „... und hat sich auff disen abent das lutherisch predigen also geendt." Kein Wort vom allgemeinen Predigtverbot, eine interessante Parallele zu Campeggios Bericht.

[202] Gerhard Müller hat dies sehr richtig gesehen, wie auch, daß der Kaiser von Anfang an den Plan eines allgemeinen Predigtverbotes hegte. Müller, Die römische Kurie, S. 94.

[203] NB I, 1. EB, S. 65: „Et in executione di ciò furon eletti tre predicatori valenti che in diverse chiese predicano, ..."

[204] NB I, 1. EB, S. 65, Anm. 10.

[205] Müller, Die römische Kurie, S. 93 und Anm. 15 derselben Seite. Die Stelle bei Schirrmacher, die Müller nach eigenen Angaben zunächst falsch interpretierte, lautet: „... vnd haben also die papisten als Mensing, churfurst Joachim von Brandenburg prediger, Cocleus herzog Georgen theologus, vnd Feber des konigs Ferdinandi prediger vnd andern pfaffen vnd munche auch nicht predigen durfen vnd die lutherischen lestern vnd schenden auf dem reichstag, wie sonst albereit redlich angefangen"; vgl.: Schirrmacher, Briefe und Akten, S. 71, Brück, Geschichte der Handlungen, S. 41ff.

bekannt[206]." Und doch sind sie es, Caspar Sturm, der schon genannte Reichsherold, hat sie uns überliefert[207]. Es sind, wie gesagt, deren acht und sie wurden erst nach und nach bis Anfang Juli ernannt.

Caspar Sturm berichtet: „Es sein aber durch Kaiserliche Maiestat/bald daranch etliche Hoch vnd wolgelerte Doctores vnd Maister der hailigen geschrifft/zu Predigen/an ettlichen ortten in der Statt Augspurg verordnet worden/Nåmlich/Doctor Johann Fabri/erwelter Bischoff zů Wien vnd Newenstat/Kaiserlicher Maiestat hoff Rath. Doctor Johann Egk. Doctor Johann Mensingk. Doctor Mathes Kretz. Herr Mathes zů sant Ulrich. Doctor Burckhardt Prediger Ordens. Herr Wolffgang Pfarrer von Saltzburg/ vnd bruder Medardus/Obseruant Barfůsser ordens/Kai. Maie. Predicant[208]." Man sieht sehr deutlich, der Kaiser ließ sich keine Personen vorschreiben oder ausreden. Allerdings kommt diesen Predigern in Anbetracht dessen, daß sie ohnehin nicht predigen durften, keine allzu große Bedeutung zu. Die Ernennung war für sie doch eine Auszeichnung und für die Augsburger und den Reichstag immerhin ein deutlicher Fingerzeig. Deshalb ist nicht uninteressant, daß Cochläus nicht zu den vom Kaiser erwählten Predigern gehörte. Daß Urbanus Rhegius sich um eine solche kaiserliche Ernennung über Bürgermeister und Rat bemühte, legt das Datum des Briefes (4. Juli 1530), in dem sein Freund Andreas Osiander von einer privaten Fühlungnahme bei den genannten Instanzen berichtet, zwar nahe, doch erscheint mir die oben[209] gegebene Interpretation dieser Vorsprache wahrscheinlicher. Völlig auszuschließen wäre ein solches Bemühen jedoch nicht.

Was war nun die Aufgabe dieser vom Kaiser bestellten Prediger? Wie oben[210] schon dargelegt, handelte der Fürstenausschuß bei

206 Müller, Die römische Kurie, S. 94, Anm. 17.

207 Gußmann, Quellen und Forschungen, I./1. Bd., weist S. 423 bereits auf Caspar Sturm hin, allerdings ohne die Namen zu nennen.

208 Sturm, Wie die Kaiserliche Maiestät in Augsburg eingeritten, Bl. B. Über Fabri und Eck etwas zu sagen erübrigt sich. Der genannte „Doctor Johann Mensingk" ist wohl Mensing, den der Kurfürst Joachim von Brandenburg mit nach Augsburg brachte, der dann auch dem Vierzehnerausschuß angehörte. Mathes Kretz ist sicher Mathias Kretz, der Nachfolger des Urbanus Rhegius als Domprediger von Augsburg. „Doctor Burckhardt" wird identisch sein mit „Johannes Burckhardi, Vicarius praedicatorum", „bruder Medardus" mit „Medardus Praedicator Ferdinandi", siehe: Weis, Diarium, S. 709f. Die andern kennt Weis nicht, auch Walch, 16. Bd., Sp. 887, führt sie in seinem „Verzeichniß der päbstlichen Theologen, die zu Augsburg auf dem Reichstag gegenwärtig waren" nicht auf. Vgl. hierzu auch Pfnür, Einig in der Rechtfertigungslehre?, S. 223f.

209 S. 230.

210 S. 234.

der Unterredung mit dem sächsischen Kurfürsten folgendes aus: Diese Prediger sollen nur den Text des Evangeliums und der Epistel verlesen, keine Predigt halten und ihren Auftritt „mit der Confession Gebet beschließen“[211]. Kurfürst Johann will gehört haben, daß diese Prediger nur den Text des Evangeliums lesen, „was sie daneben lehren, sei ungeschickt und kindisch Ding“[212]. Brenz, der neugierig in die Kirche eilte, berichtet: „... praeter nudum textum evangelii aliud nihil audimus, nisi quod pro more suo concionator a principio adiiciebat preces communes pro vivis et mortuis, a fine generalem confessionem[213].“ Was die Nürnberger Gesandten vom Hörensagen tags darauf nach Hause berichten, deckt sich mit dem bisher Gehörten insofern nicht, als sie statt „Confession Gebet“ haben „... die heiligen Tag verkünden, wie von Alter herkommen[214].“

Die Predigt im eigentlichen Sinne gab es in ganz Augsburg tatsächlich nicht, das Verbot wurde streng eingehalten, auch in den Herbergen der Fürsten[215]. Müller will für diese verordneten Prediger auch den Begriff „Prediger“ gar nicht gelten lassen, sondern durch „Liturgen“ ersetzt wissen[216]. Das Schema, an das man sich bei dieser Predigtliturgie — abgesehen von der fehlenden, weil untersagten Predigt — hielt, war der althergebrachte Pronaus[217]. Was Kurfürst Johann gehört haben will und kindisch findet und worüber Brenz berichtet: „Rident omnes, et certe res valde ridicula est ...“[218], entsprach aber genau der Vollziehung der kaiser-

[211] Walch, 16. Bd., Sp. 737.
[212] WABr, 5. Bd., S. 395, vgl. oben S. 235.
[213] Brenz an Isenmann vom Sonntag, dem 19. Juni 1530. CR, 2. Bd., Sp. 117.
[214] CR, 2. Bd., Sp. 123.
[215] Nürnberger Gesandtschaftsbericht, 21. Juni 1530. CR, 2. Bd., Sp. 123. Vgl. dazu Brück, Geschichte der Handlungen, S. 42, wo er Parallelen zum Reichstag von Speyer 1529 zieht.
[216] Müller, Die römische Kurie, S. 94.
[217] Weismann, Der Predigtgottesdienst, S. 20ff.: „Der Pronaus empfing in jener Blütezeit der Predigt seine letzte und reichste Ausgestaltung. Schon um die Jahrtausendwende war er um ein wichtiges Stück bereichert worden, das nochmals eine große Rolle spielte: um die sogen. Offene Schuld, ein der Gemeinde deutsch vorgesprochenes Allgemeines Sündenbekenntnis (confessio generalis) mit anschließender allgemeiner Absolution (absolutio generalis) ... Das Fürbittgebet gliederte sich in jener Zeit ... gewöhnlich in zwei Teile, in Fürbitten für die Lebenden . . . und in Fürbitten für die Verstorbenen ... Einen oft sehr breiten Raum nahmen vom 12. Jahrhundert an die Verkündigungen ein ... So konnte es vorkommen, daß man auch bei kurzer oder fehlender Predigt mit Hilfe dieser Bekanntmachungen immerhin ‚einen Kanzelvortrag von angemessener Dauer‘ zustande brachte.“ Vgl. dazu: Meyer Luther und die Messe, S. 121ff.
[218] Brenz an Isenmann, 19. Juni 1530. CR, 2. Bd., Sp. 117.

lichen Anordnung, an der der Kurfürst mitgewirkt hatte. Sollte dieser predigtlose Predigtgottesdienst die Lächerlichmachung der kaiserlich verordneten Prediger bezwecken? Fast könnte man einen Moment daran denken, wenn man den Kurfürsten und Brenz hört, auch Melanchthon schlägt in diese Kerbe, wenn er hierüber an Luther schreibt: „Ita meo iudicio futurum est, ut magis etiam suam partem Pontificii laedant hoc interdicto quam nostram[219]." Sollte durch diese Schreibweise vielleicht nur Luther beruhigt werden? Aber Brenz schrieb nicht an Luther. Mit einem Schuß Zynismus formuliert der Historiograph der Augsburger Reformation Friedrich Roth das genaue Einhalten der ausgehandelten Anordnung durch den Domprediger Kretz: „... besonders auf den Domprediger Kretz, der zu den von dem Kaiser Auserwählten gehörte, war man sehr gespannt. Da wurde offenbar, wie es mit der ‚Predigt' des reinen Gotteswortes gemeint war, es wurde nur der Text des Evangeliums und des ‚gemeinsamen Gebets' verlesen; lachend zog die Menge ab[220]." Der lutherische Prediger, Augenzeuge und Tagebuchschreiber Adam Weis hingegen läßt durch seine nüchterne Eintragung gerade besagtem Domprediger Kretz, aber auch der ganzen Sache volle Gerechtigkeit widerfahren: „Mathias Kretz Contionator aedis summae, delectus, Rem egregie tractat, in neutram partem declinans. Nam primo paucis praecationibus praefatus, mox Evangelion nudis verbis absolvit, dein Confessione publica finit totum negotium. Similiter actum in templis Udalrici et Mauritii[221]."

3. URBANUS RHEGIUS IM KREIS REFORMATORISCHER REICHSTAGSTHEOLOGEN

Alle bedeutenden Theologen, die die deutschen Lande damals hatten, ausgenommen ihre Spitzen Luther, Zwingli und der Humanistenfürst Erasmus, waren in Augsburg versammelt. Das lange Warten auf den Kaiser gab reichlichst Möglichkeit zu intensiven Gesprächen, Diskussionen und diversen Zusammenkünften. Rhegius schloß sich sofort den sächsischen Theologen an, sein Brief an Luther vom 21. Mai gibt hierüber die beste Kunde: „Quotidie, cum per negocia licet, colloquia misceo cum ore et pectore tuo Philippo, Jona, Islebio et Spalatino, nec habeo iam ullam aliam studiorum meorum recreationem quam eruditissimas illas cum tantis viris con-

[219] Melanchthon an Luther, 19. Juni 1530. WABr, 5. Bd., S. 371.
[220] Roth, Augsburg, 1. Bd., S. 338.
[221] Weis, Diarium, S. 695f.

fabulationes, quibus, si tu quoque praesens esses, nihil iam ad plenum hoc gaudium posset desyderari[222]." Täglich also, sofern es irgendwie möglich war, besprach sich Rhegius mit Melanchthon, Jonas, Johann Agricola und Spalatin. Um diese Mitteilung, die er keinem Geringeren als Luther macht, richtig werten zu können, ist es nötig zu wissen, was sich in und mit diesem Theologenkreis in jenen Tagen abspielte.

3.1. Schützenhilfe für Rhegius, Ecks größten anwesenden „Ketzer"

Die genannten sächsischen Theologen kamen am Montag, dem 2. Mai, in Augsburg an. Bei ihrem Einzug erwartete sie gleich eine sehr negative Überraschung: Ecks 404 Artikel[223]. Gußmann, der Editor und Kommentator dieser Artikelsammlung, charakterisiert sie: „Wo ihm irgend einmal eine Abirrung von römischer Lehre und Überlieferung, ja auch nur von einer ihm vertrauten Schulansicht aufgefallen ist, wird sie herangezogen, an wirkungsvollem Orte untergebracht und gleichsam als neues Scheit zu dem höher und höher strebenden Holzstoß gelegt, auf dem die Ketzer ihre verdiente Strafe erleiden sollen[224]." In dieser Sammlung, meint Gußmann, wird aus dem Disputator Eck ein Inquisitor[225], sie sei eine „bösartige Anklageschrift"[226] der reformatorischen Bewegung. Daß diese widrigen Artikel dazu beitrugen, die Vorverhandlungen des Kurfürsten Johann mit dem Kaiser scheitern zu lassen, ist nach Gußmann „sogar wahrscheinlich"[227]. Nicht nur den Kaiser und seinen Bruder Ferdinand hat Eck mit einem Exemplar bedacht, sondern wohl auch den päpstlichen Legaten[228]. Daß Ecks „Anklageschrift" der Reformation alsbald in die Hände Melanchthons gelangte, dafür wird Urbanus Rhegius in Augsburg gesorgt haben. Rhegius brauchte wie kein anderer reformatorischer Prediger Schützenhilfe. Nicht weniger als zwölf seiner Werke verwendete sein ehemaliger Lehrer und Freund Eck, um ihn der Häresie zu zeihen; übertroffen wird er hierbei nur von Luther und Zwingli. Erst *nach* Rhegius rangieren in Ecks Sammlung Melanchthon, Karlstadt, Oekolampad, Hubmaier u. a.[229]. Auf diese Weise stempelt Eck Urbanus Rhegius zum drittgrößten „Ketzer" und zum größten

222 Rhegius an Luther, 21. Mai 1530. Ms. 46; WABr, 5. Bd., S. 334.
223 Eck, Articulos 404. Die Zitation erfolgt nach der Edition: Gußmann, Ecks 404 Artikel.
224 Gußmann, Ecks 404 Artikel, S. 18.
225 Ebd.
226 Ebd., S. 22.
227 Ebd., S. 46.
228 Ebd., S. 47.
229 Ebd., S. 37f.

unter den Anwesenden. Dazu kommt, daß auch der päpstliche Legat — was Rhegius allerdings nicht wußte und wissen konnte — in einem Schreiben an den Kaiser Rhegius namentlich unter denen aufführte, die „diese verfluchte, teuflische und häretische Pest", die von Luther den Namen habe, in Wort und Schrift verbreiten[230].

Am 4. Mai berichtete Melanchthon Luther sofort, aber noch leidenschaftslos, über die 404 Artikel und daß Eck von den Fürsten eine Disputation „contra Lutheranos" fordere[231]. Eine Woche später haben wir ein völlig geändertes Bild. Melanchthon, mit dem Rhegius täglich konferierte[232], hat die Gefährlichkeit dieser Sammlung nicht nur erkannt, sondern sich bereits intensivst mit ihr auseinandergesetzt. Jetzt nennt er sie Luther gegenüber „teuflischte Verteufelungen"[233], denen er ein entsprechendes Heilmittel entgegenstellen will. „Mittitur tibi apologia nostra, quanquam verius confessio est. ... Ego tamen ea dixi, quae arbitrabar maxime vel prodesse vel decere. Hoc consilio omnes fere articulos fidei complexus sum, quia Eckius edidit διαβολικωτάτας διαβολὰς contra nos. Adversus has volui remedium opponere[234]." Damit hat Melanchthon etwas ganz Entscheidendes und Grundlegendes gesagt: Die Confessio ist eine Antwort auf Ecks 404 Artikel[235]. Für Urbanus Rhe-

[230] Campeggio an den Kaiser, (8.) Mai 1530. NB I, 2. EB, S. 459.

[231] CR, 2. Bd., Sp. 39. Der Konstanzer Domherr Botzheim scheint die 404 Artikel schon am 13. April gekannt zu haben. Jedenfalls kann er mit diesem Datum Erasmus schreiben: „Eccius vocauit omnes Lutheranos in consilium Augustam, illic propugnaturus articulos fidei et Ecclesiam catholicam." Allen, 8. Bd., S. 422.

[232] „Quotidie ... colloquia misceo cum ore et pectore tuo Philippo, ..." Rhegius an Luther, 21. Mai 1530. A.a.O.

[233] CR, 2. Bd., Sp. 45. Gußmann, der Editor der 404 Artikel, tut ein Übriges, wenn er (S. 49) kommentiert: „Wir begreifen daher den flammenden Zorn, mit dem Melanchthon auf das häßliche Gekrächze des Unglücksraben schalt, ja sogar von ‚der teuflischsten aller Teufeleien' schrieb, ..."

[234] Melanchthon an Luther, 11. Mai 1530. CR, 2. Bd., Sp. 45.

[235] Gußmann bringt das Verhältnis von beiden auf den kurzen Nenner: „Sie verhalten sich zueinander wie Druck und Gegendruck." Ecks 404 Artikel, S. 54. Für Maurer, der 1960, also dreißig Jahre nach Gußmann, Studien über Melanchthons Anteil an der Entstehung der Confessio Augustana anstellte, ist Ecks Artikelsammlung „gegen die Wittenberger gerichtet", die keinen Anlaß bot eine Confessio zu formulieren. Erst die Antwort des Kaisers auf die Schwabacher Artikel, nämlich die Ankündigung des Verbotes der evangelischen Predigt, waren hierfür der Grund. Siehe: Maurer, Melanchthons Anteil, S. 162f. Von dieser Position aus schließt Maurer, daß Melanchthon am 11. Mai nur die erste Bearbeitung der Torgauer Artikel, also des zweiten Teiles der Vorstufe der Confessio Augustana, wie sie Kolde, Die älteste Redaktion, S. 16—31, ediert hat, mit Melanchthons Vorrede an Luther sandte. Vgl. auch: Hoffmann, Zur Entstehungsgeschichte der Augustana; Maurer, Historischer Kommentar, S. 39ff.

gius, den größten anwesenden „Ketzer" Ecks, bedeutete sie eine Schützenhilfe wie besser nicht denkbar.

Die reformatorischen Theologen lutherischer Provenienz arbeiteten an diesen Tagen fieberhaft an einer „apologia ... verius confessio", die dann die Confessio Augustana werden sollte, weil es galt, den Eckschen Vorwürfen effizient zu begegnen und so ihren Gefahren zu entrinnen.

Wer wird daran wohl mehr Interesse gehabt haben als gerade die, die in Ecks Sammlung
a) namentlich genannt und
b) in Augsburg, der von Eck gedachten Richtstätte, anwesend waren? Wer sind diese Theologen? Ein Blick in die Szenerie und in Ecks Artikelsammlung genügt, um dies zu merken: Rhegius und Melanchthon. Melanchthons heftige Reaktion kennen wir, die des Rhegius wird kaum minder heftig gewesen sein. Schließlich war er weit ungeschützter als der kurfürstliche Theologe Philipp Melanchthon. In diesem illustren Theologenkreis, mit dem Rhegius täglich beisammensaß, ging es somit um das Augsburger Bekenntnis, um die einzelnen Artikel und natürlich wohl auch um die Gretchenfrage der „tota dissensio" zwischen den Altgläubigen und der Reformation, zumindest der Reformation lutherischer Ausformung, um die Überwindung dieser Verschiedenheit bzw. um ihre Anerkennung, d. h. um eine Konkordie.

3.2. Philipp von Hessen will nach Aussprache mit Rhegius die CA unterschreiben

Kurz bevor Rhegius am 21. Mai an Luther schrieb, dürfte Luthers Stellungnahme zur „apologia ... verius confessio" und ihrer Vorrede, verfaßt von Melanchthon, mit Luthers sachlicher und vorbehaltloser Zustimmung in Augsburg eingetroffen sein: „Ich hab M. Philipsen Apologia vberlesen, die gefellet mir fast wol, vnd weis nichts dran zu bessern noch endern, Wurde sich auch nicht schicken, Denn ich so sanfft vnd leise nicht tretten kan[236]." Gerade in diese entscheidende Zeit, fast möchte man von Stunden reden, in der Luthers Plazet eintrifft, fällt die Aussprache zwischen Urbanus Rhegius und Landgraf Philipp von Hessen. Der Landgraf ergriff die Initiative und lud Rhegius zum Gastmahl[237]. Beide debattierten lange über verschiedene theologische Fragen, nicht weniger als zwei Stunden davon allein über die Eucharistie. Als Ergebnis kann Rhegius verlauten lassen, der Landgraf kenne zwar

[236] Luther an Kurfürst Johann, 15. Mai 1530. WABr, 5. Bd., S. 319. Zur Frage der sachlichen und vorbehaltlosen Zustimmung Luthers siehe Anm. 3 ebd.

[237] „... me ad prandium vocavit ..." WABr, 5. Bd., S. 334.

genau die zwinglischen Argumente in der Frage der Eucharistie, stehe jedoch nicht auf seiten Zwinglis[238]. Er wünsche brennend die Konkordie der gelehrten Männer „quantum sinit pietas"; im übrigen neige Philipp „multo minus ad discordias"[239], als es vor seiner Ankunft geheißen habe. Was Rhegius darauf vom Gesprächsverlauf noch melden kann, ist höchst bedeutsam, nämlich, der Landgraf sei bereit, in der Glaubensfrage gemeinsam vorzugehen und zwar im Sinne der Überlegungen Melanchthons „et aliorum"[240]. Hatte Rhegius auf Grund seines Gesprächs mit dem Landgrafen Luther berichtet, jener sei kein Zwinglianer und denke in der Glaubensfrage gemeinsam vorzugehen, so stößt Melanchthon tags darauf sofort nach und wird sehr deutlich. Der schonenden Vorbereitung durch Rhegius folgt Melanchthons offene Mitteilung an Luther[241], der Landgraf „bemühe sich"[242], die Confessio zu unterschreiben. Er könne, fährt Melanchthon fort, zu den „Unsrigen" gezogen werden[243]. Dieser Brief Melanchthons an Luther beweist nicht nur das enge Zusammenspiel des Rhegius mit den sächsischen Theologen — vor allem mit Melanchthon — sondern ganz besonders die enorme Bedeutung, die Rhegius betreffs der Unterschrift

[238] Im Autograph, siehe Ms. 46, heißt es eindeutig: „... non sentit cum Zwinglio, ..." wie die WABr, 5. Bd., S. 334 wiedergibt und nicht wie in CR, 2. Bd., Sp. 59 zu lesen ist: „Nam sentit cum Zwinglio, ..."

[239] Im Autograph steht „discordias" wie Kolde Analecta, S. 125 richtig gelesen hat. Siehe: Ms. 46. CR, 2. Bd., Sp. 59, und Enders, Briefwechsel, 7. Bd., S. 340, aber auch WABr, 5. Bd., S. 334, edieren inkorrekt „discordiam".

[240] WABr, 5. Bd., S. 334: „In summa, spem concepi de Hesso, sana eum consilia Philippi et aliorum haudquaquam aspernaturum." Die Anstrengungen Philipps, die Kontroversen zwischen dem Zwinglianer Michael Keller und ihm, die mit „logomachia" qualifiziert werden, einzudämmen, verschweigt Rhegius. Ebenso schien es Rhegius nicht wichtig genug, Luther zu berichten, daß er vom Landgrafen ermahnt wurde, seine Gesinnungsfreunde zur Zurückhaltung zu bewegen. Für den Landgrafen war Rhegius eindeutig der Erste unter den lutherischen Prädikanten von Augsburg. Die Qualifizierung der fundamentalen Lehrunterschiede in der Abendmahlsfrage als „logomachia" kann natürlich auch vom Berichterstatter Sailer stammen, ohne daß Landgraf Philipp den Ausdruck verwendete. Gereon Sailer an Matthias Zell und dessen Gesinnungsfreunde in Straßburg, Mai 1530. „Hessorum princeps ... Michaelem et Urbanum vicissim accersivit sedulo annisus, ut hanc inter eos etsi tollere non posset, ad tempus tamen sopiret logomachiam. Urbanum hortatus est, ut quantum posset suorum commilitonum remolliret animos;". Abgedruckt: Keim, Schwäbische Reformationsgeschichte, S. 165; Enders, Briefwechsel, 7. Bd., S. 341, und Grundmann, Philipp von Hessen, S. 362.

[241] Melanchthon an Luther, 22. Mai 1530. WABr, 5. Bd., S. 336.

[242] So übersetzt Grundmann, Philipp von Hessen, S. 363, das Wort Melanchthons: „Nunc Macedo agit, ut orationi nostrorum subscribat ..." WABr, 5. Bd., S. 336.

[243] Ebd.

des Landgrafen Philipp von Hessen unter die CA zukam. Wilhelm Gußmann hat die Geneigtheit des Landgrafen zur Unterzeichnung der CA auf den Einfluß des Urbanus Rhegius zurückgeführt, wenn er formuliert, sie sei „wohl durch Vermittlung des Urbanus Rhegius" zustandegekommen[244]. Recht grundsätzlich meint William Nagel, daß man durch das Gespräch des Rhegius mit dem Landgrafen auf lutherischer Seite wieder anfing, „zuversichtlicher auf den Landgrafen zu blicken"[245]. Nicht jedoch vermochte Rhegius die Bedenken — zumindest nicht alle, — die der Landgraf über die Eucharistielehre der CA hatte, auszuräumen[246], obwohl gerade er, was bis heute viel zu wenig Beachtung fand, sich der besonderen Wertschätzung des Hessen erfreute. Beim Marburger Religionsgespräch 1529 nämlich, zu dem der Landgraf auch Rhegius geladen hatte, dieser fix zusagte, „wo mich leibs Krankheit nicht verhindert"[247], dann aber doch nicht kommen konnte, tat Philipp eine ganz erstaunliche Eröffnung. Urbanus Rhegius sei es gewesen, sagte er, der ihn durch seine Schriften für die Reformation gewonnen habe[248].

Das enge Zusammenspiel und der ständige Kontakt des Rhegius mit den sächsischen Theologen, zu denen sich auch Erhard Schnepf aus Hessen gesellt hatte, sprach sich sogar bald bis nach Straßburg herum, wo solches mit scheelen Augen betrachtet wurde. Von dort beeilte sich Martin Bucer am 25. Mai, Zwingli nach Zürich zu berichten, daß Melanchthon, Jonas, Spalatin, Agricola Eisleben, die der sächsische Kurfürst mitgebracht habe, und Erhard Schnepf mit Urbanus Rhegius im engen Kontakt stünden, bisweilen auch mit Johannes Rana (Frosch) und Stephan Agricola. Keiner von ihnen aber wechsle ein freundliches Wort mit Michael Keller[249].

244 Gußmann, Quellen und Forschungen, I./1. Bd., S. 111. Maurer, Zum geschichtlichen Verständnis, S. 188, sieht die Rolle des Rhegius bei diesem Gespräch viel passiver. Für Maurer war Rhegius „nur" Mittelsperson, quasi ein vorgeschobenes Werkzeug Hessischer Politik.

245 Nagel, Die Stellung des Landgrafen, S. 113.

246 Jonas an Luther, (30. Juni 1530). WABr, 5. Bd., S. 427: „Landgravius subscripsit nobiscum, sed tamen dicit, sibi a nostris de sacramento non satisfieri." Vgl. dazu auch: Jonas an Luther, 25. Juni 1530. WABr, 5. Bd., S. 387; Rurer an Althamer, Anfang Juli 1530. In: Kolde, Die älteste Redaktion, S. 110.

247 Rhegius an Philipp von Hessen, 12. September 1530. Ms. 45, fol. 47.

248 Bericht Hedios, in: Marburger Religionsgespräch, S. 14. Vgl. dazu auch Köhler, Zwingli und Luther, 2. Bd., S. 75. Rhegius stand später — in der Frage von Philipps Doppelehe — diesem sehr kritisch gegenüber. Siehe: Lenz, Briefwechsel, S. 195.

249 Bucer an Zwingli, 25. Mai 1530. CR, 97. Bd., S. 592.

3.3. Private „Kollegen-Kontakte“

Am 30. Mai ist Urbanus Rhegius mit seinen Kommilitonen Stephan Agricola und Johann Rana Gastgeber. Die Gäste sind nicht genau auszumachen. Der Tagebuchschreiber Adam Weis spricht nur von „wir“, ohne diese „wir“ zu nennen und aufzuzählen. Sicher sind damit außer Weis selbst seine Theologenkollegen aus Brandenburg-Ansbach, mit denen er nach Augsburg reiste, gemeint. Da wäre an erster Stelle der schon genannte Johannes Rurer zu erwähnen. Dann wohl auch der Pfarrer von Kitzingen Martin Meglein[250]. Mit von der Partie wird wohl auch der Prediger von Schwäbisch-Hall Johannes Brenz, den Markgraf Georg von Brandenburg als „seinen“ Theologen nach Augsburg lud, gewesen sein. Brenz mußte aber zunächst wegen einer Erkrankung im Kloster Heidenheim zurückbleiben. „Doch genas er schnell und konnte nach einigen Tagen seine Reise fortsetzen[251].“ Am 27. Mai stieß er wieder in Augsburg zu seinen Theologenkollegen aus Brandenburg-Ansbach[252]. Ob bei diesem exquisiten Abendessen[253] auch die sächsischen Theologen sowie Erhard Schnepf teilnahmen, ist zwar nicht auszumachen, wohl aber anzunehmen. Bezahlt wurde das aufwendige Abendmahl ohnehin nicht von Rhegius und seinen beiden Augsburger Mitstreitern, sondern der reiche und elegante Augsburger Bürger Martin Weiß[254] kam für den ganzen Aufwand auf[255]. Tags darauf besichtigte die illustre Theologenrunde die wunderschönen Gartenanlagen dieses reichen Bürgers[256].

Ein paar Tage danach sind Melanchthon und Brenz Gäste des streitbaren altgläubigen Theologen Johannes Cochläus. Wieso gerade Brenz Melanchthons Begleiter war, verdient eine gewisse Aufmerksamkeit. Cochläus lud am 2. Juni Melanchthon schriftlich zu einem Gespräch mit dem Bemerken: „Cum uxoratis presbyteris

[250] Näheres über Meglein, (auch Mägle, Meglin, Mäglin, Möglin geschrieben) in: BlbKG, 1. Bd., S. 190—192.

[251] Hartmann, Brenz, S. 75; vgl. dazu Weis, Diarium, S. 674.

[252] Weis, Diarium, S. 681. Die betont abschätzige Beurteilung der Theologen von Markgraf Georg von Brandenburg-Ansbach durch Gußmann dürfte wohl auf dessen Urteilsfreudigkeit zurückzuführen sein: „An den ihn umgebenden Theologen aber besaß der Markgraf keinen sehr starken Halt. Statt ihn zu tragen und aufzurichten, gaben sie ihm selber das Beispiel einer schwankenden Unentschlossenheit.“ Gußmann, Quellen und Forschungen, I./1. Bd., S. 85.

[253] Der Teilnehmer Weis nennt es „cena lautissima“. Diarium, S. 682.

[254] Siehe über Martin Weiß: Roth, Augsburg, 1. Bd., S. 150.

[255] Weis, Diarium, S. 682.

[256] Ebd. Der Theologenkreis scheint somit durchgefeiert zu haben. Die ausnehmend schöne Witterung, die in jenen Mai- und Junitagen in Augsburg herrschte, förderte sehr die Geselligkeit. Vgl. Sender, Chronik, S. 252, und Roth, Augsburg, 1. Bd., S. 332.

tuis privatim colloqui non intendimus[257]." An wen wird hierbei Cochläus zuallererst gedacht haben, wenn nicht an Rhegius? Brenz berichtet am 4. Juni über diese Aussprache, besser gesagt, über die Ehre, als Melanchthons Begleiter von Cochläus empfangen zu werden, mit einem Zynismus, der nichts zu wünschen übrig läßt: „Ecce in quantam felicitatem mihi cesserit meus coelibatus, quod licuerit cum Cochlaeo colloqui[258]." Über das Gespräch ist weiter nichts bekannt, als daß Brenz zur Überzeugung kam, nun spräche Cochläus indifferent über verheiratete Priester.

In den folgenden Tagen wird es wohl gewesen sein, daß Rhegius Luthers Antwortschreiben auf seinen Brief vom 21. Mai erhielt. Leider ist dieser Brief Luthers verloren[259]. Daß wir überhaupt davon Kenntnis haben, verdanken wir einem Schreiben von Justus Jonas an Luther vom 25. Juni, in dem er dessen Brief an Rhegius erwähnt. Jonas erscheint auch über den Inhalt informiert, ohne jedoch Näheres mitzuteilen[260]. Dies beweist wieder den sehr engen Kontakt des Rhegius mit den sächsischen Theologen und daß man einander ständig auf dem laufenden hielt. In diesem Kreis reifte inzwischen die Confessio heran, wie sie endgültig formuliert am Samstag, dem 25. Juni, vor dem Kaiser und den Ständen des Reiches in der bischöflichen Residenz zu Augsburg verlesen und anschließend dem Kaiser übergeben wurde.

3.4. Rhegius als Schiedsrichter zwischen Melanchthon und Osiander in der Rechtfertigungslehre

Das klärende Gespräch in der Rechtfertigungskontroverse zwischen Melanchthon und Osiander, bei dem Urbanus Rhegius Schiedsrichterfunktion hatte, hat wohl mit Sicherheit in den Tagen nach der Verlesung der CA stattgefunden. Osiander „kam erst am Abend des 28. Juni in Augsburg an"[261]. Wenn er zweiunddreißig Jahre später behauptet, dieses Gespräch habe vor der Übergabe der Confessio stattgefunden, so dürfte dies „aber aus einem Gedächtnisfehler des altgewordenen Theologen zu erklären"[262] sein.

Die ganze Erzählung als aus der Luft gegriffen abzutun, meint Gußmann mit Recht, ist unzulässig, denn „Osianders Angaben

[257] CR, 2. Bd., Sp. 82.
[258] Brenz an Isenmann, 4. Juni 1530. CR, 2. Bd., Sp. 86.
[259] Vgl. dazu WABr, 5. Bd., S. 388ff.
[260] Jonas schreibt: „... et hoc auxit nobis dolorem nostrum et tristitiam quod animadvertimus ex proxima epistola tua ad Urbanum ..." Ebd., S. 388.
[261] Seebaß, Osiander, S. 140.
[262] Gußmann, Quellen und Forschungen, I./1. Bd., S. 469.

sind zu konkret gehalten"[263]. Was schreibt nun Osiander konkret? Weil seine Ausführungen sehr plastisch und aussagekräftig sind, seien sie wörtlich — jedoch stark gekürzt — wiedergegeben: „Im 1530. Jahr auf dem Reichstag zu Augsburg, da auch die Confession, die man die Augsburgische nennet, endlich gemacht und Kaiserlicher Majestät von den Sächsischen und ihren Mitverwandten überantwortet ist worden, sahe und hörte ich schier täglich Philippi Melanchthons Kleinmüthigkeit und zerstreute Gedanken, mit denen er schwerlich angefochten und betrübet war ... So hatte ich auch zuvor etliche Jahr her aus seinen Schriften vermerket, daß er vom Artikel der Rechtfertigung etwa nicht so lauter und klar ging, als der Luther, seliger Gedechtnis, gedacht derhalben, wie ich ihm doch eine kleine Hilfe möchte thun, daß er ermannet, ein fein rein und licht Bekenntnis von unserer Rechtfertigung thäte,. .. nahm für mich den schönen Spruch Jeremias am 23. und 33. das ist der Name, damit man Ihn (den HERRN Jesum) nennen wird, Gott unsere Gerechtigkeit, ...

dieweil aber Christus wahrer Gott und Jehovah wäre, auch durch den Glauben in uns wohnete, so wärs Christus selbst nach seiner göttlichen Natur unsere Gerechtigkeit, denn das wäre auch gewiß und unwidersprechlich, daß in der hebräischen Bibel nicht stünde, Gott Jehovah unser Gerechter wie es in der alten lateinischen Bibel steht, sondern es stünde, Jehovah unsre Gerechtigkeit, wie es den Paulus 1. Cor. 1. auch also dargegeben hat... Das that ich aber darum, daß ich hoffet, wenn dieses große Licht, das Dr. Luther schon angezündet hatte, auf dem Reichstage öffentlich herfürbrächte und den Papisten unter die Augen leuchtete, es solle das Gezänk von sola und de fide formata aufhören. Denn wenn sie verstanden hätten, daß wir nicht den bloßen Glauben als eine Tugend, sondern Christum selbst, der durch den Glauben ergriffen wird und in uns wohnet, für unsere Gerechtigkeit hielten, so hätten sie auch wohl verstanden, daß wenn wir sprechen: der Glaub allein macht gerecht, wir mit dem Wörtlein alles nichts anderes ausschlössen, denn die Werk, und nicht unbillig, denn die Werk des Gesetzes rechtfertigen nicht, Gal. 2. Die rechten guten Werk aber geschehen erst, wenn wir schon gerechtfertigt sein. Sie hätten auch ihr aristotelisch Gezänk de fide formata wohl müssen fallen lassen,

[263] Ebd. Eine zweimalige Anwesenheit Osianders in Augsburg zu postulieren, wie es Möller, Osiander, S. 130ff., noch tut, ist seit Schirrmacher, Briefe und Akten, S. 494, und Enders, Briefwechsel, 8. Bd., S. 18ff., völlig aufgegeben. Seebaß, Osiander wie auch Fligge, Herzog Albrecht, ventilieren diese Frage auch nicht mehr.

wenn sie verstanden hätten, daß unser Glaub Christum selbst in sich hätte etc. Das waren dazumal meine Gedanken.

Als mich aber Philippus gehöret, fraget er, ob man auch solchen Verstand des Propheten Jeremiä nach der Grammatica und rechter Art der Sprache bei Christen und Juden möcht erhalten, da saget ich ja; da sprach er darauf, Lieber, daß möcht ich gern gewiß sein. Da sagt ich, wohlan, so nehmet euch einen gelegenen Tag für, so wollen wir zu Doctor Urbano Regio gehen (der war dazumal Prediger zu Augsburg), der hat eine hebräische und chaldäische Bibel mit den Commentariis, da wollen wir's fein sehen.

Bald darauf, auf einen gelegenen Tag kam Philippus selb ander oder selb dritt, so führet ich Brentium auch mit zu Doctor Urbano Regio, nahmen die Bibel für uns und half mir Doctor Urban fleißig, und zeigeten Philippo und den Andern...[264]." Die Glaubwürdigkeit dieser interessanten Erzählung wird noch gestützt durch eine zweite Schrift Osianders vom selben Jahr, in der er wieder auf diese Begebenheit zu sprechen kommt[265]. Melanchthon, der damals die Situation und den Interpretationseifer Osianders mit einem Scherz überspielte[266], scheint diesen überhaupt nicht ganz ernst genommen zu haben. Dessen skurriler Lebensstil wird Melanchthons Einstellung mitverursacht haben[267]. Die Wette Melanchthons Anfang Juli mit Osiander, „vmb ein damscater wammes... die Strassburger wern noch luterisch werden,..."[268], reiht sich auch in diese Sicht ein. Diese Wette beweist uns übrigens, daß man im engsten Theologenkreis über die brisantesten theologischen Themen noch zu scherzen verstand.

Für unsere Untersuchung gilt nicht nur festzuhalten, wie gut sich Osiander und Rhegius gekannt haben[269] und wie stark Rhegius

[264] Osiander, Beweisung, Bl. Biij-Biiij. Bei der Normalisierung der Schreibweise hielt ich mich an Möller, Osiander, S. 130f.

[265] Osiander, Widerlegung, Bl. Oi.

[266] Fligge, Herzog Albrecht, S. 30.

[267] In seiner Postille, die allerdings nicht von Melanchthon herausgegeben wurde, erinnert sich Melanchthon an Osianders Lebensweise: „Osiander ita abrupit sibi vitam. Solebat incumbere studiis, circa horam nonam, et continuabat illa usque ad primam, vel secundam noctis. Saepe eum conveni, cum essemus Augustae in conventu. Mane surgebat, quando erat cibus appositus ad mensam; descendebat de scalis, et gestabat caligas repositas in brachiis. Solebam dicere ad eum: Domine Andrea, Ihr hettet die suppen schier verschlaffen. Respondebat: Ich weis die Zeit wohl zu treffen, et hilariter prandebat, et bibebat, ut Melancholici sunt voraces. Postea ibat deambulatum, unam et alteram horam; Itertia (!) vel quarta hora legebat, vel scribebat aliquid: postea coenabat, et circa horam noctis nonam iterum ad studia redibat. Factus est tandem hydropicus." CR, 25. Bd., Sp. 567.

[268] Rurer an Althamer, Anfang Juli 1530. Kolde, Die älteste Redaktion, S. 111.

[269] Die beiden kannten sich sicherlich schon seit dem gemeinsamen Studien-

in diesen engsten Theologenkreis integriert war[270]. Osiander kannte nicht nur dessen Exegese der in Frage stehenden Jeremiasstelle, er kannte sogar auch dessen Bibliothek. Weit wichtiger aber als die Feststellung der völligen Integration in den Kreis besagter Theologen ist Osianders Behauptung, Rhegius habe sich voll und ganz für seine exegetische Position entschieden. Diese seine Exegese, am besten markiert durch das Wort: „Jesus Christus unser HERR, wahrer Gott und Mensch, unsere Gerechtigkeit", finde sich, behauptet Osiander, von Rhegius genauso vertreten. Wer das bezweifle, brauche nur Rhegius' Werk „Dialogum oder gesprech, das er mit seiner Hausfrauen gehalten" nachzulesen[271]. Osiander hat tatsächlich nicht zuviel behauptet. Wir finden im besagten Werk, das zu den meist gelesenen des Rhegius überhaupt gehörte, die bezeichnende Feststellung seiner Frau Anna, er sage oft, er finde in der ganzen Hl. Schrift keinen tröstlicheren Spruch „denn disen: Christus Gott vnser gerechtigkeit". Er nenne ihn sein Kleinod „denn es sey der rechte kern des gantzen Euangelij"[272]. Auf Annas Frage, warum er denn (Jer 23,6) „Gott vnser gerechtigkeit" und nicht wie die deutsche Bibel „vnser Gerechter" verdeutsche[273], antwortet Urbanus Rhegius: Weil Hieronymus aus dem Hebräischen gelesen habe „vnser gerechtigkeit", gefiele ihm dies besser als das andere, außerdem konvergiere es mit 1 Kor 1,30 „Christus ist vns von Gott gemacht zur Weißheyt, zur Gerechtigkeit ...[274]." Auch hat Osiander recht, wenn er fortfahrend bei seiner wesentlichsten theologischen Aussage, die „als eine der wichtigsten Belegstellen für den Osiandrismus[275] gelten darf"[276] auf Rhegius ver-

aufenthalt in Ingolstadt. Vgl.: Simon, Wie kam Osiander nach Nürnberg? und Fligge, Herzog Albrecht, S. 32ff.

[270] Die drei: Melanchthon - Rhegius - Brenz, scheinen besonders engen Kontakt gepflogen zu haben, was — wie wir noch sehen werden — besondere Auswirkungen zeitigen sollte. So weiß Rhegius von einer Aussprache mit dem „Koheleth von Prag" während des Augsburger Reichstages zu berichten (Werke 2, fol. CXLIV'), bei dem nur er, Melanchthon und Brenz teilnahmen.

[271] Osiander, Beweisung, Bl. C. Das Werk, das Osiander meint, erschien 1537 erstmalig im Druck mit dem Titel: „Dialogus//von der schönen/predigt ..." Siehe D. 115, Werke 2, fol. LVIII—CXCVIII'.

[272] Dialogus ... D. 115, Werke 2, fol. CIV'.

[273] Ebd., fol. CV'.

[274] Ebd.

[275] Siehe: Schlottenloher, 40 555a—40 558; vgl. RE, 14. Bd., S. 506ff. LThK, 7. Bd., Sp. 1262: „Die Rechtfertigung geschehe durch die Einwohnung Christi im Glaubenden, d. h. sie ist reale Sündentilgung u. Heiligung, andererseits durch den Glauben, der vermöge seines von Osiander ganz real gefaßten Objektes der göttlichen Gerechtigkeit zur Gerechtigkeit angerechnet werde, d. h. Vergebung der Sünden ist."

[276] Fligge, Herzog Albrecht, S. 37.

weist[277]. Mit dieser will Osiander der forensischen Rechtfertigungslehre des Melanchthon jeden Boden entziehen. Sie lautet: „Ist Christus mein gerechtigkeyt, so sind mir meine sünde(!) vergeben vnnd helt mich Gott mit allen Engeln für fromm vmb meines HERren(!) Christi willen. Denn für diser vnendlichen gerechtigkeyt kan keine sünde bestehen, sie muß verleschen, Gleych als wenn ein klein füncklein fewer ins große Meer fellet[278]."

Da aber dieses Werk des Rhegius, auf das sich Osiander so nachdrücklich bezieht, erst sieben Jahre nach dem Augsburger Reichstag seine Erstauflage erlebte, erhebt sich die Frage, wieso konnte Osiander 1530 wissen, daß Rhegius Jer 23,6 und 1 Kor 1,30 in dem charakterisierten Sinne verdeutschte und interpretierte? Nun findet sich in den diversen Traktaten des Rhegius 1 Kor. 1,30 „Christus ist von Gott uns geworden unsere Frömmigkeit" oder Gerechtigkeit — was Rhegius synonym verwendet — sehr häufig[279]. Was die Exegese der Stelle Jer 23,6 betrifft, um die es bei der Rechtfertigungskontroverse zwischen Osiander und Melanchthon in Augsburg 1530 ging, muß betont werden: Sie findet sich bei Rhegius nicht erst 1530 im osiandrischen Sinne, wie Fligge behauptet[280], sondern schon wesentlich früher, nämlich 1527 und zwar in der „Summe"[281]. Dort behandelt Rhegius beide Bibelstellen, Jer 23,6 und 1 Kor 1,30 zusammenschauend, so wie sie Osiander 1530 verstand[282].

[277] Osiander, Beweisung, Bl. C.

[278] Dialogus ..., ebd., fol. CV.

[279] Ein Sermon vom dritten Gebot ..., 1522, D. 35, Werke 1, fol. XLI'; Von Reu ..., 1523, D. 37, Werke 1, fol. CI,; Vom hochwürdigen Sakrament ..., 1523, D. 38, Werke 1, fol. CV; Kurze Erklärung ..., 1523, D. 41, Werke 1, fol. XXIII und XXVII; Von Vollkommenheit ..., 1525, D. 51, Werke 2, fol. CCXXXIV'; Responsio ..., 1529, D. 73, Opera II, fol. XXXV; Seelenarznei ..., 1529, D. 76, Werke 3, fol. XIII'.

[280] Fligge, Herzog Albrecht, S. 35: „In Augsburg war Osiander bekannt, daß Rhegius die Verse Jer 23,6; 33,16 ebenso deutete wie er. Soweit wir sehen, tritt diese Interpretation in den Schriften des Rhegius etwa 1530 deutlicher hervor." Die Beweise, die Fligge, S. 606, Anm. 120, für seine These anführt, sind nicht stichhältig. Einerseits führt er den Traktat über das hochwürdige Sakrament an, der erschien aber bereits 1523, anderseits ist dort die entscheidende Stelle von Jer 23,6 gar nicht behandelt, sondern 23,32. Siehe: Werke 1, fol. CVIII. Der zweite Beweis, den Fligge anführt, ist ebensowenig stichhältig, denn der Traktat über den Psalm 24, siehe D. 98, war zu der Zeit, zu der das Gespräch bei Rhegius stattfand, von diesem nicht einmal konzipiert. Im Druck erschien er überhaupt erst 1533.

[281] D. 66.

[282] Siehe: Werke 1, fol. LVI'. Vgl. dazu auch Hirsch, Osiander, S. 69f.

Für die Frage, ob Osiander zu seiner Rechtfertigungstheologie durch Rhegius angeregt oder nur in ihr bestätigt wurde[283], dürfte dieser frühe Beleg bei Rhegius in Hinkunft nicht übersehen werden. Diesen Traktat bzw. diese Stelle des Traktates wird Osiander 1530 im Gedächtnis gehabt haben.

3.5. Rhegius als Vermittler zwischen Confessio Augustana und Confessio Tetrapolitana.

Als die Straßburger Reformatoren Martin Bucer und Wolfgang Capito, die Verfasser der Confessio Tetrapolitana, in Augsburg eintrafen, erlebte der Reichstag gerade in der Verlesung der CA seinen dramatischen Höhepunkt. Bucer kam zwei Tage zuvor und Capito einen Tag danach in der Stadt an, wo sie im Verborgenen lebten und arbeiteten[284]. Die Straßburger Gesandten[285] hatten zuvor vergeblich versucht, die Confessio Augustana „excepto articulo sacramenti" zu unterschreiben[286]. Diese Worte, geschrieben von Justus Jonas an Luther, charakterisieren knapp und treffend, wie besser kaum möglich, wo die tiefgehenden theologischen Unterschiede, nämlich in der Eucharistielehre, zwischen den Straßburgern und der CA lagen. Bucer und Capito gingen nun in Augsburg daran, unter Verwendung diverser Vorarbeiten und Entwürfe und der von Philipp von Hessen zur Verfügung gestellten Kopie der CA eine eigene Confessio zu erstellen[287]. Diese Confessio Straßburgs[288], der auch Konstanz, Lindau und Memmingen beitraten und die deshalb den Namen Vierstädtebekenntnis oder Tetrapolitana (CT) erhielt, wurde „am 9. Juli, nach überaus entwürdigender Behandlung durch den Kaiser... dem Vizekanzler Balthasar Merklin" übergeben[289]. Anfang August war in Augsburg überall das Gerücht zu hören, „die Antwort, die die kaiserlichen Theologen vorbereiteten, sei schärfer als die Konfutation der Augustana"[290].

Martin Bucer, der eine Redaktor[291] der Confessio Tetrapolitana, versuchte nun vergeblich, mit dem Hauptredaktor der Confessio

283 Fligge, ebd., S. 38. Wie Calvin über diese Rechtfertigungslehre urteilte, behandelt: Niesel, Calvin wider Osiander.

284 Moeller, Confessio Tetrapolitana, S. 18.

285 Jakob Sturm und Mathis Pfarrer, ebd. Vgl. Virck, Politische Correspondenz, 1. Bd., S. 437—545.

286 Jonas an Luther (30. Juni 1530). WABr, 5. Bd., S. 427.

287 Moeller, Confessio Tetrapolitana, S. 19.

288 Vgl. Ficker, Das Konstanzer Bekenntnis.

289 Moeller, ebd., S. 23; vgl. dazu Paetzold, Die Konfutation, S. XII.

290 Moeller, ebd., vgl. auch Paetzold, ebd., S. XXXVIIIf.

291 Müller, Tetrapolitana, S. 561: „Wir sind nicht in der Lage, den Anteil Butzers und Capitos an der Arbeit abzugrenzen."

Augustana, Philipp Melanchthon, persönlich in Kontakt zu treten[292], um den theologischen Hauptdifferenzpunkt, nämlich die leibliche Realpräsenz Christi, zu vergleichen. Am 14. August 1530 hören wir ihn über Melanchthons abweisende Haltung bitter Klage führen. Mit Urbanus Rhegius, schreibt er Ambrosius Blaurer nach Konstanz, habe er jedoch konferiert und dabei gleich gesehen, daß der Unterschied in der Eucharistielehre unter ihnen „solam verborum pugnam ... vigere“[293], wofür er Gott zum Zeugen anrufe. Auch Luther gegenüber meinte er, daß es in der Eucharistielehre zwischen beiden Parteien nur um einen Wortstreit gehe[294].

Zwei Wochen später kann Bucer Landgraf Philipp voll Freude berichten, bei Melanchthon „haben ander Leut, so viel .. geschaffet, daß er gesagt, ich sölle zu ihm kommen, so ich wölle: das ich an Statt gethan, und haben alsbald einander unser Meinung, dermaßen berichtet, daß jeder am andern ein Vergnügen gehabt“[295]. Daß unter diesen „ander Leut“ neben Johannes Brenz und dem Augsburger Stadtarzt Gereon Sailer vor allem an Urbanus Rhegius zu denken sei, steht in der einschlägigen Literatur unangefochten fest[296].

[292] Diese ablehnende Haltung Melanchthons, mit dem Reformator von Straßburg und Mitverfasser der Confessio Tetrapolitana Martin Bucer in persönlichen Kontakt zu treten — Bucer scheint das persönliche Gespräch und die Konkordia mit der Confessio Augustana intensiver betrieben zu haben als sein Kollege Wolfgang Capito — erklärt Virck, wohl mit Recht, mit Melanchthons Bemühen, mit dem altgläubigen Teil zu einer Konkordie zu gelangen. Gleichzeitige Verhandlungen mit den Straßburgern, die schlechthin als Zwinglianer galten, hätten beim altgläubigen Teil Anstoß erregt und alles Bemühen gefährdet. Siehe: Virck, Melanchthons politische Stellung, S. 89ff. Melanchthon ließ dies ziemlich unverblümt Bucer wissen, wenn er schreibt: „Mihi non videtur utile reipublicae aut tutum conscientiae, nostros principes onerare invidia vestri dogmatis, quod neque mihi neque aliis persuadere possim contra ecclesiae auctoritatem.“ Melanchthon an Bucer, 25. Juli 1530. CR, 2. Bd., Sp. 221.

[293] Bucer an Blaurer, 14. August (1530). CR, 98. Bd., S. 74.

[294] Bucer an Luther, 25. August 1530. WABr, 5. Bd., S. 569: „... alii nostram, alii vestram de eucharistia sententiam, quae tamen revera eadem est, licet discrepantibus verbis proponi hactenus consueverit, sequuntur ...“ Dieses Herunterspielen der theologischen Lehrunterschiede scheint die besondere Taktik der Straßburger Reformatoren damals gewesen zu sein. Brenz berichtet Isenmann über Capitos und Bucers Verhalten schon am 12. Juli 1530: „Affirmant constanter nos tantum verbis et modo loquendi dissentire, re ipsa autem convenire; nos constanter illud negamus.“ CR, 2. Bd., Sp. 187.

[295] Bucer an Landgraf Philipp, 27. August 1530. Lenz, Briefwechsel, S. 22. Die Verhandlungen zwischen Melanchthon und Bucer fanden am 22. August statt. Vgl. Bucers Deutsche Schriften, 3. Bd., S. 10.

[296] Vgl. Keim, Schwäbische Reformationsgeschichte, S. 231; Enders, Briefwechsel,

Rhegius ging sogar noch einen Schritt weiter und versuchte, diese Vermittlerrolle zwischen Confessio Augustana und Tetrapolitana auch zwischen Luther und Bucer zu spielen. Erfolgreich war er breits im Bemühen, den Hauptredaktor jener, Melanchthon, mit dem Mitredaktor dieser, Bucer, zu einem persönlichen Gespräch zusammenzuführen.

Die Nürnberger Gesandten, die diese Unternehmen offensichtlich kannten, luden Rhegius und Bucer zusammen mit anderen namhaften Theologen am 25. August zum Abendessen. Dieser illustren Tafelrunde gehörten außer den genannten Theologen auch Melanchthon, Justus Jonas, sowie der Straßburger Gesandte Jakob Sturm und andere an. Die Nürnberger wollten mit ihrer Einladung erreichen, daß sich die Zwinglianer (Tetrapolitana) und die Lutheraner (Augustana) verglichen und „damit auch sie höreten, wie nohe wir bei einanderen wären ...“, berichtet Bucer[297].

Rhegius reiste tags darauf von Augsburg ab, sein Weg führte ihn über Nürnberg auf die Koburg zu Luther und von dort nach Celle — darüber ausführlicher unten, hier interessiert uns nur seine Vermittlertätigkeit.

Bucer berichtet hierüber Landgraf Philipp, Melanchthon habe ihm versprochen, sein „Schreiben und Articul“ Martin Luther zu übersenden. Er, Bucer, hoffe, Melanchthon habe diese Schriftstücke Urbanus Rhegius auch tatsächlich mitgegeben, „wölcher mir auch zugesagt, fur sich selb das Best zur Sach ze reden. Dann auch er meiner Bekenntnuß gänzlich vernugt ist[298].“ Um welches Bekenntnis geht es hier, dem sich auch Rhegius nicht nur angeschlossen, sondern es gegenüber Luther sogar zu vertreten versprochen haben soll? Bucer selbst hat das Wesentliche im Brief an den Landgrafen

8. Bd., S. 208; Uhlhorn II, S. 159; Gußmann, Quellen und Forschungen, I./2. Bd., S. 375. Köhler, Zwingli und Luther, 2. Bd., S. 222, nennt Rhegius an erster Stelle, dann Gereon Sailer und Frau Argula von Staufen.

297 Bucer an Landgraf Philipp, 27. August 1530. Lenz, Briefwechsel, S. 24. Nach Schornbaum, Markgraf Georg von Brandenburg, S. 460, wollte der Rat von Nürnberg sich nicht mit den Anhängern der CT verbinden, denn „er würde dadurch den Kaiser erzürnen“.

298 Ebd. Die Straßburger Gesandten Jacob Sturm und Mathis Pfarrer berichten am 31. August nach Hause: „So vil die ander handlong oder zwispaltig meinong des sacraments betrifft, fügen wir euch zu vernämen, das sich Philippus Melanchthon und Butzer etlicher artikel verglichen, us welichen einigkeit möchte erfunden werden. die haben sie beide dem Luther durch doctor Urbanum Rhegium gon Koburg zugeschickt; doneben ime geschriben und dem Urbano ein sonder instruction geben, muntlich mit ime zu reden.“ Virck, Politische Correspondenz, 1. Bd., S. 492. Vgl. Köhler, Zwingli und Luther, 2. Bd., S. 223.

kurz zusammengefaßt: „Dann es hat die Unsern bisher in Dr. M. Luthers Schreiben nichts so hoch geirret als daß sie vermeinet, us seinen Worten folge, daß der Leib Christi natürlich mit dem Brod vereiniget oder aber ins Brod raumlich eingeschlossen werde, also daß, wer dasselbig esse, Christum esse, was er jedoch glaubet; us wöllichem dann die Papisten alle ihre abergläubische Mißbräuch, die sie bei diesem heiligen Sacrament eingefuhret, gezogen haben.

So wird auch dies us Dr. Luthers Schriften klarlich gesehen, daß ihn an den Unsern zum fürnehmsten verletztet hat, daß er achtet, sie halten nichts im Abendmahl sein dann nur eitel Brod und Wein, und bekennen da kein ander Essen Christi fürgeben werden, dann das gemein geistlich Essen, welchs wir auch ohn dies Sacrament haben im Glauben an Christum. Nun bekennen aber die Unsern, ... daß im Nachtmahl etwas weiteres ist, da dann Christus sonderer Weis (wölche die Alten nennen in mysterio, das ist in Geheimnuß) sein Leib und Blut seinen Jüngern durch sein Wort und die Sakramenten darreichet, daher die Seel kräftiglich gespeiset, im Glauben und ganzen christlichen Leben gestärket werden[299]."

Rhegius, der auch als Briefbote fungierte[300], führte in seinem Tornister mit sich: Einen Brief Bucers an Luther[301] sowie Bucers Thesen zur Eucharistielehre[302], weiters einen Brief Melanchthons an Luthers Famulus Veit Dietrich[303] und Melanchthons Thesen zur selben Frage[304]. Die Rolle, die Rhegius bei Luther als Vermittler zu Bucers Eucharistielehre spielte, wird wohl nie genau erhellt werden können. Jedenfalls scheint es mir unbillig, sein Verhalten so zu qualifizieren, wie es seinem Freund Melanchthon in dieser Causa widerfahren ist. Der Editor dieser Schriftstücke in der WA, Otto Clemen, urteilte nämlich, daß Melanchthon „nicht ohne Heimtücke andeutete", daß seine Thesen „mit denen Bucers nicht zusammenstimmen und daß er Bucer nicht traue"[305]. Rhegius

[299] Bucer an Landgraf Philipp, ebd., S. 23.

[300] Vgl.: WABr. 5. Bd., S. 567; Pollet, Bucer, 2. Bd., S. 145; Eells, Sacramental negotiations, S. 229; Uhlhorn II, S. 159 und Gußmann, Quellen und Forschungen, I./2. Bd., S. 315.

[301] Bucer an Luther, 25. August 1530. WABr, 5. Bd., S. 568f.

[302] Propositiones novem de sacra Eucharistia ... ebd., S. 570f.

[303] Melanchthon an Veit Dietrich, 26. August 1530. CR, 2. Bd., Sp. 314f.

[304] Melanchthon de Buceri sententia de sacra coena. CR, 2. Bd., Sp. 315f.

[305] WABr, 5. Bd., S. 568. Melanchthon schrieb an Veit Dietrich am 26. August über Bucer: „Mihi nihil videtur candide fieri, leges tamen Doctori. Omnino non videntur mihi quadrare propositiones illae, quas misit, ad has quas ego scripsi de ipsius sententia." CR, 2. Bd., Sp. 315. Wenn es auch nicht mehr auszumachen ist, wie Rhegius sich in Nürnberg, wo er Station machte, im Gespräch, bei dem auch Lazarus Spengler anwesend war, über Bucer und seine Konkordienbemühungen äußerte, so ist das Urteil Spenglers über Bucer

hat sich zu deutlich für die Abendmahlslehre Bucers ausgesprochen, und nicht nur das, er versprach sogar, sich für sie bei Luther zu verwenden[306], so daß eine andere Haltung bei Luther recht problematisch wäre. Anderseits wird er seine Intervention bei Luther vorher mit Melanchthon abgesprochen haben.

Der Vermittlungserfolg des Rhegius bei Luther war allerdings null. Ja, Luther antwortete dem Bucer gar nicht[307], und, was unserer Untersuchung näher liegt, auch Rhegius ließ nichts von sich hören, obwohl er Bucer versprochen hatte, ihm vom Ausgang seiner Unterredung mit Luther schriftlich zu berichten. Bucer warf dem Rhegius sein Verhalten auch prompt vor, gallig und spitz. Bucers Vermutung, warum Rhegius schwieg und keinen Bericht schickte, dürfte richtig sein, nämlich, daß Rhegius „non successisse ex sententia“[308], daß er also nicht völlig überzeugt war. Simulation unterstellt er ihm aber nicht. Rhegius' Versuch, zwischen Bucer und Luther zu vermitteln, war somit gescheitert.

Die Feststellung Keims, daß diese Unterredung des Rhegius mit Luther weniger für die Konkordie der beiden reformatorischen Parteien wichtig wurde als für Rhegius selbst[309], trifft sehr gut die Situation. Rhegius schreibt nämlich über diese Begegnung:

einige Monate danach doch beachtenswert. Am 20. Februar 1531 schreibt dieser: „Es machen vnns die schwürmer zu Straßburg, furnemlich aber, der lisstig verschlagen Butzerus, den ich bißhere nye sincerum gefunden hab, hie zu Nurmberg, zu Augsburg vnd an anndern orten, souil vnschicklikaiten ...“ Am 22. April desselben Jahres schreibt Spengler: „Sonnder das wir das Bützerlein lang für ain fasst listigs menndlein erkenndt.“ Spengler an Veit Dietrich in: Mayer, Spengleriana, S. 81ff.

306 Offen bleibt allerdings die Frage, wieweit hat Bucer seine dem Luther übermittelten Thesen, die Rhegius im Gepäck hatte, gegenüber den Gesprächen mit diesem geändert? War also die Abendmahlslehre, die Bucer Rhegius mündlich vortrug, eine andere als die, die er schriftlich in Thesenform mit sich führte, um sie Luther auszuhändigen? Was die Gespräche und Verhandlungen Bucers mit Melanchthon betrifft, glaubt Köhler, diese Diskrepanz eindeutig nachweisen zu können. Köhler, Zwingli und Luther, 2. Bd., S. 223ff. Rhegius jedenfalls wußte sich Bucer nur soweit verpflichtet, soweit dessen Eucharistielehre mit den ihm vorgetragenen Thesen übereinstimmte, und hat womöglich erst im Gespräch mit Luther eine Diskrepanz zu dem, was er mit sich geführt und übergeben hat, gemerkt. Keim urteilt über Bucer in diesem Zusammenhang: „... am Benehmen Bucers hängt trotz der gutgemeinten Absichten auch bei milder Auslegung zugleich etwas Unredliches und etwas Unkluges; auch war die Behauptung des blosen Wortstreites herausfordernd dreist.“ Keim, Schwäbische Reformationsgeschichte, S. 235f. Vgl. dazu auch: Bornkamm, Bucer, S. 22.

307 Luther an Melanchthon, 11. September 1530. WABr, 5. Bd., S. 617: „Martino Bucero nihil respondeo ...“

308 Bucer an Rhegius, 3. Jänner 1530. Verpoortenns, Commentatio, S. 187.

309 Keim, Schwäbische Reformationsgeschichte, S. 235.

„Talis enim ac tantus est Theologus Lutherus, ut nulla secula habuerint similem... Semper mihi magnus fuit Lutherus. At iam mihi maximus est[310]." Dieser gescheiterte Vermittlungsversuch des Rhegius zwischen Luther und Bucer spielte sich aber nicht mehr auf Augsburger Boden ab, wohin zurückzukehren uns des Rhegius Engagement für eine Konkordie mit den Altgläubigen gebietet.

4. RHEGIUS' STANDORT IM RINGEN UM DIE ÖKUMENE MIT DEN ALTGLÄUBIGEN

Als Rhegius am 29./30. August auf seiner Reise nach Celle in Nürnberg weilte, gaben die Nürnberger ihm zu Ehren sowohl im Rathaus wie auch auf dem Zwinger ein Gastmahl. Dabei wurde er von ihnen über zwei brennende, hochaktuelle Probleme befragt: Erstens, wie stehen in Augsburg die Ausschußverhandlungen mit den Altgläubigen, und zweitens, wie ist der Stand des Gesprächs um eine Konkordie mit den Zwinglischen[311]? Was Rhegius in der zweiten Fragen antwortete, haben wir vorhin zu orten versucht.

Die Beantwortung der ersten Frage führt uns zurück nach Augsburg zum Reichstag, der nach Meinung Luthers „warhafftig die letzte Posaune für dem Jüngsten tag gewesen ist"[312]. Sie führt uns zur Confessio Augustana (CA), die ambivalent sowohl Stein des Anstoßes für die Einheit als auch Diskussionsgrundlage und Ausgangspunkt für die Einheitsverhandlungen zwischen Protestanten und Altgläubigen werden sollte. In jüngster Zeit wird letzteres besonders betont und die CA sogar als „das erste ökumenische Dokument in der dornigen Geschichte der abendländischen Kirchenspaltung" gepriesen[313].

Sie führt uns in die geheimen und in die offiziellen Religionsverhandlungen.

[310] Rhegius an einen Freund in Augsburg, 1534. D. 99. Opera II, fol. LXXX.

[311] Nürnberg SA; Reichsstadt Nürnberg, Stadtrechnungen (Rep. 54) Nr. 26, fol. 108, und ebd., Verlässe des Inneren Rates (Rep. 60a) Nr. 787, fol. 17. Vgl. dazu: Schornbaum, Markgraf Georg von Brandenburg, S. 460.

[312] Chytraeus, Historia, Bl. 82'.

[313] Replik auf die Frage der Anerkennung der CA durch die katholische Kirche gezeichnet mit „pl" in: CiG, 28. Jg., 1976, S. 339.

4.1. Die Tage bis zur Verlesung der CA

4.1.1. Melanchthon verhandelt mit dem Kaiserhof und verzögert die Fertigstellung der CA

Unmittelbar nach der Ankunft des Kaisers ordnete der Kurfürst von Sachsen an, die „sächsische Apologie" oder „sächsische Konfession" solle so umgearbeitet und geändert werden, daß sie als Gesamterklärung der reformatorisch-lutherischen Bekenntnisgruppe angesehen werden könne[314]. Nun soll Melanchthon die Fertigstellung der Confessio absichtlich um einige Tage verzögert und damit hinausgeschoben haben[315]. Diese absichtliche Verzögerung habe Melanchthon deshalb herbeigeführt, weil er auf Grund seiner Sonderverhandlungen mit den kaiserlichen Sekretären glaubte, „daß man vielleicht von der Übergabe des Bekenntnisses werde ganz absehen können ..."[316]. Mit den hier zitierten Sonderverhandlungen sind die Verhandlungen gemeint, die Melanchthon mit den Sekretären des Kaisers, Cornelius Schepper und Alfonso Valdés, führte[317]. Am Tage der Verkündigung des Predigtverbotes, also am Sonntag, dem 18. Juni, war Melanchthon bereits ein zweites Mal bei Valdés. Der kaiserliche Sekretär, der Melanchthon abends rufen ließ, teilte diesem mit, er habe am Morgen dem Kaiser „aller der Lutherischen Artikel Unterricht gethan, und daß sie ganz nicht wider die Kirchen glauben ...[318]." Weiters teilte Valdés Melanchthon mit, der Kaiser habe ihm befohlen, auch mit dem päpstlichen Legaten hierüber zu sprechen. Was auch geschehen sei, so, fährt Valdés fort, „ist der Stoß am größten allenthalben an der Messe"[319]. Um welche „Lutherischen Artikel" es sich handelte, berichteten die Nürnberger Gesandten am Dienstag, dem 21. Juni, wir wollen sie unten näher behandeln. Heute jedenfalls hat sich

[314] Gußmann, Quellen und Forschungen, I./1. Bd., S. 83. Die Nürnberger Gesandten wissen am 15. Juni über die CA nach Hause zu berichten: „Doch ist die Vorrede und Beschluß nicht dabei, und, wie sich Philippus Melanchton vernehmen lassen, hat er darum daran nichts verteutschen wollen, daß er sich versehe, es möchte dieselbe Vorrede und Beschluß vielleicht nicht allein in des Churfürsten, sondern in gemein in aller vereinigten Lutherischen Fürsten und Stände Namen gestellt werden, ..." CR, 2. Bd., Sp. 105.

[315] Gußmann, Quellen und Forschungen, I./1. Bd., S. 84.

[316] Kolde, Die älteste Redaktion, S. 76. Brieger, Zur Geschichte der CA, meint S. 9 allerdings: „Die Arbeit am Bekenntnis ist hiernach durch die Verhandlungen mit Valdés auch nicht einen einzigen Tag ins Stocken geraten."

[317] Vgl.: Jonas an Luther, 18. Juni 1530. WABr, 5. Bd., S. 367ff.; Melanchthon an Luther, 19. Juni 1530. Ebd., S. 371; Melanchthon an Camerarius, (19. Juni) 1530. CR, 2. Bd., S. 119.

[318] CR, 10. Bd., Sp. 129.

[319] Ebd.

die Auffassung ziemlich allgemein durchgesetzt, wonach Melanchthon — und wie wir noch sehen werden, nicht nur er — „in der Verlesung der Konfession nur eine unliebsame Unterbrechung dieser Verhandlungen und eine unerwünschte Verschärfung der Lage“[320] gesehen hat, die ihre Fertigstellung verzögerte.

4.1.2. Hektik der letzten Tage

Am Abend desselben Tages (21. Juni) beschlossen die reformatorischen Reichsstände, „mit einer gemeinsamen Rechtfertigung vor Kaiser und Reich zu treten“[321]. Dieses gemeinsame Vorgehen, dem sich durch Vermittlung des Urbanus Rhegius auch Landgraf Philipp angeschlossen hatte[322], wurde durch die Predigtunterhandlungen wesentlich gefördert[323].

Aus einem Brief desselben Datums erfahren wir übrigens auch, daß der päpstliche Legat den Auftrag gab, Luthers Schrift „Vermahnung an die Geistlichen versammelt auf dem Reichstag zu Augsburg“[324] ins Lateinische zu übersetzen. Dies vor allem deshalb, weil man meinte, in ihr fände sich die ganze lutherische Lehre komprimiert[325].

In diesen Tagen entstand auch die neue Vorrede und der Schluß der CA. Den Ausschlag zur Neufassung gab Philipp von Hessen, der sich mit seinem Standpunkt, daß in Glaubenssachen nicht der Kaiser sondern der Papst die oberste Rechtsgewalt habe, gegenüber dem sächsischen Kurfürsten durchsetzte[326]. Kanzler Brück fiel die Redaktion der Vorrede zu[327]. In ihr bekunden die Unterzeichner, sollten die Verhandlungen hier in Augsburg nicht ersprießlich sein und zu keiner Einigung führen, müßten sie den Kaiser an sein Versprechen erinnern, beim Papst auf ein Generalkonzil zu dringen. Weiters müßten sie erneut an „ein solch gemein, frei, christlich Concilium“ appellieren[328].

[320] WABr, 5. Bd., S. 398.
[321] Gußmann, Quellen und Forschungen, I./1. Bd., S. 112.
[322] Ebd., S. 111; vgl. dazu oben S. 242ff.
[323] Ebd., S. 112.
[324] Siehe: WA, 30/II. Bd., S. 268—356.
[325] Vgl. Brief von Campeggios Bediensteten Daniel Mauch an Wolfgang Rychard, 21. Juni 1530. Azw. abgedruckt in: WA, 30./II. Bd., S. 238.
[326] Gußmann, Quellen und Forschungen, I./1. Bd., S. 112.
[327] Förstemann, Urkundenbuch, 1. Bd., S. 460. Justus Jonas übersetzte die Vorrede ins Lateinische, diese fand schließlich durch Melanchthon eine stilistische Überarbeitung. Vgl. dazu: Bornkamm, Der authentische Text der CA, S. 15f.
[328] Vgl. BSLK, S. 48f.

4.1.3. Endredaktion der CA und Rhegius' Mitverantwortung

Den entscheidenden Ausschlag zur Überreichung der Confessio gab die Aufforderung des Kaisers, jeder Stand möge „sein gutbeduncken, Opinion vnnd Meinung der berurten Irrung vnnd zwispalt, auch misbreuch halben ... zu Teutsch vnnd latein Inn schrifft stellen vnnd vberanntworten"[329]. Diese Worte, gesprochen bei der Eröffnung des Reichstages am Montag, dem 20. Juni[330], vom Pfalzgrafen Friedrich im Namen des Kaisers, beflügelten den reformatorischen Teil, sein Bekenntnis sofort fertigzustellen. Am Donnerstag, dem 23. Juni, in der Früh war für die Unterzeichner der Confessio eine gemeinsame Sitzung. Die Fürsten von Sachsen, Hessen, Brandenburg und Lüneburg sowie die Gesandten von Nürnberg und Reutlingen kamen mit ihren Räten und Theologen zusammen, um den endgültigen Text nochmals durchzugehen und zu unterzeichnen[331].

Zwölf Theologen saßen in diesem Kreis, die Nürnberger Gesandten, die diese Zahl nennen[332], verabsäumen es leider, auch ihre Namen mitzuteilen. Daß Rhegius bei dieser Endredaktion teilnahm, können wir mit Sicherheit annehmen, schon ob des engen Kontaktes mit den Fürsten und Theologen der unterzeichnenden Gruppe. Darüber hinaus wissen die Ulmer Gesandten aber ausdrücklich zu berichten, daß drei Prediger von Augsburg an dieser Abschlußsitzung teilnahmen[333]. Da Urbanus Rhegius der Exponent der lutherisch orientierten reformatorischen Prediger von Augsburg war, ist seine Teilnahme völlig sicher[334]. Diese Einladung an Rhegius, bei der alles entscheidenden beschließenden Sitzung teilzunehmen, beweist nicht nur sein hohes Ansehen, sondern auch seine Mitverantwortung an der CA. Ob man mit der symbolträchtigen Zahl 12 der Theologenrunde etwas aussagen wollte oder der Zufall dies

[329] Förstemann, Urkundenbuch, 1. Bd., S. 309. Von einer Verlesung einer solchen Schrift war somit nicht die Rede.

[330] Vgl.: Förstemann, Urkundenbuch, 1. Bd., S. 295—309; Tetleben, Protokoll, S. 70f.; Schirrmacher, Briefe und Akten, S. 75—83. Somit war der folgenschwere Reichstag offiziell eröffnet, den Patricius Wittmann, Augsburger Reformatoren, S. 200 als „Todestag des römisch-deutschen Kaisertums" charakterisierte.

[331] Nürnberger Gesandtschaftsbericht, 25. Juni 1530. CR, 2. Bd., Sp. 127.

[322] Ebd.

[333] Ulmer Gesandtschaftsbericht, 24. Juni 1530. Stuttgart HSA: Staatsarchiv Ludwigsburg B 207, Bü 80, fol. 128: „... auch sind die van Nurnberg vnd Reuttlingen bey dem Churfursten Herzog Hannsen van Sachsen auch alle Ire der furstl. prediger, vnd drey prediger van Augspurg gewesen ..."

[334] Vgl. dazu Gußmann, Quellen und Forschungen, I./1. Bd., S. 455. Gußmanns Annahme, daß die anderen beiden Frosch und Stephan Agricola waren, dürfte richtig sein.

so ergab, wird sich kaum mehr eruieren lassen. Auffallend bleibt jedenfalls die Teilnahme auch der beiden Kampfgefährten des Rhegius von Augsburg. Denn Augsburg unterzeichnete die CA bekanntlich nicht, für wen sprachen sie also, wessen Vertreter waren sie, war ihr Ansehen so groß, daß man ihren Rat nicht entbehren wollte, oder war es eine besondere Geste für die abgeschafften reformatorischen Prediger? Für Rhegius bedeutete dieser Donnerstagvormittag, der 23. Juni, den absoluten Höhepunkt in seiner bisherigen reformatorischen Bedeutung. Eine Wortmeldung oder irgendein Abänderungsvorschlag von seiten des Rhegius in dieser denkwürdigen Sitzung ist uns zum Unterschied von Erhard Schnepf[335] allerdings nicht überliefert.

Wenn Maurer seine These, Melanchthon sei der „alleinige ‚Verfasser' (im Sinne des Redaktors)" der CA gewesen, auch damit begründen will, „daß sich die sächsische Delegation in diesem frühen Verhandlungsstadium" (gemeint etwa bis Mitte Mai) „fast allein in Augsburg befand"[336], so übersieht er Rhegius und die anderen ortsansässigen Theologen und stellt seine Beweisführung auf schwankenden Boden. Moeller hat diese Sicht Maurers zu Recht einer Kritik unterzogen und dabei namentlich — neben anderen — auf Urbanus Rhegius verwiesen[337].

4.1.4. Altlandeshauptmann der Steiermark blockiert Verlesung der CA

Die Dinge in Augsburg trieben indes ihrem Höhepunkt zu. Die Verlesung bzw. die Übergabe der Confessio war für Freitag nachmittag, den 24. Juni, im Sitzungssaal des Reichstages, nämlich im Rathaus, geplant[338]. Der päpstliche Legat hatte zuvor das Wort[339].

Als anschließend die Unterzeichner der Confessio aufstanden, um „ihre Confession und Glaubensartikel gezwiefacht vorzutragen. Hat kaiserliche Majestät mit dem König, auch etlichen Churfürsten

[335] Maurer, Zum geschichtlichen Verständnis, S. 208f.

[336] Maurer, Melanchthons Anteil, S. 159f.

[337] Moeller, Augustana-Studien, S. 87.

[338] Vgl. Jonas an Luther, 25. Juni 1530. WABr, 5. Bd., S. 391. Vor allem aber vom (30. Juni 1530), ebd., S. 427: „De oblata confessione nostra coram Caesare Sabbatho post Joannis Baptistae, quae reddenda fuerat priori die, nisi Austriacorum oratio per Sigismundum a Dietrichstein valde lugubris et miserabilis contra Turcas, deplorans obsidionem superioris anni ad Viennam, impedimento fuisset, . . ."

[339] Rede bei Coelestin, Historia comitiorum, 1. Tl., fol. 124—131'. Walch, 16. Bd., Sp. 801—813. Jonas charakterisierte Campeggios Rede bezüglich der Lutheraner: „Nihil acerbe, nihil odiose dixit contra Lutheranos." WABr, 5. Bd., S. 391.

und Fürsten Gespräch gehalten, ... und anzeigen lassen: Ihre Majest. begehrt gnädiglich, daß sie mit ihrem Anbringen ein Kleines wollten verziehen. Denn ihre Majestät wollte vor die österreichischen, krainischen und kärnthischen Botschaften hören, welche ihre Obliegen des Türken halben an ihre Majestät und Stände tragen wollten[340]." Der Sprecher dieser leidgeprüften Länder war der 1529 zurückgetretene Altlandeshauptmann der Steiermark Siegmund von Dietrichstein[341]. Dietrichstein und die Seinen hatten auch ein „Libell" in dieser Sache erstellt und übergeben, das gleich vom Sekretär des Kürfürsten von Mainz verlesen wurde[342]. Dieses Dazwischenschieben der Türkenfrage, vielleicht besser „Türkenklage", war gegen die Abmachung über die Prozedur der Reichstagsverhandlungen zwei Tage zuvor[343]. Offensichtlich hatte der Kaiserhof

[340] So berichtet der Sprecher der Konfessoren. Brück, Geschichte der Handlungen, S. 51f.; hier zitiert nach Walch, 16. Bd., Sp. 824.

[341] Seine Ausführungen finden sich azw. und in indirekter Rede bei Coelestin, Historia comitiorum, 1. Tl., fol. 132'—133. Die Vertreter der einzelnen Länder werden fol. 132' aufgezählt. Für die Steiermark werden außer Sigmund von Dietrichstein noch genannt: „D. Erhardus à Polheim, D. Ladislaus Rotendorffer, D. Erasmus à Trautmannsdorff". Vgl. dazu auch Cyprian, Historia, Beilage VI, S. 75, und Sender, Chronik, S. 288. Diese Mission vor dem Kaiser und allen Ständen des Reiches bedeutete im politischen Leben Dietrichsteins den Zenit. Eder, Dietrichstein, S. 23, hat für die letzten Jahre Dietrichsteins nach seinem Abtritt als Landeshauptmann 1529 bereits hervorgehoben: „Die letzten Jahre ließ sich der Alternde zu manchen diplomatischen Missionen gebrauchen und lebte der Arrondierung seiner Güter." Mezler-Andelberg, Dietrichstein, S. 312, ergänzte: „1530 weilte Dietrichstein bei den Truppen des Königs in Ungarn und als Gesandter in Breslau, wo er die Vermählung von Ferdinands Tochter Elisabeth mit dem polnischen Kronprinzen Sigismund beriet." Vgl. auch: Eder, Landeshauptmann Dietrichstein. Der steirische Landeshauptmann kam auch schon sehr früh mit der Reformation in Berührung. Zwei Briefe vermögen dies neuerdings zu bestätigen. Den einen schrieb Hieronymus von Endorf am 11. Jänner 1521 an Siegmund von Dietrichstein, den anderen Dietrichstein an den sächsischen Kurfürsten Friedrich den Weisen, datiert mit 28. Februar 1521. Dieser Brief ist genau genommen ein Begleitschreiben, mit dem Dietrichstein eine Kopie des Briefes von Endorf an ihn dem Kurfürsten übersendet. Die Causa, um die es bei dieser höchst interessanten Briefpost ging, war die Verkündigung der Bannandrohungsbulle Leos X. „Exsurge Domine" in der Pfarrkirche St. Moritz in Ingolstadt am 26. Dezember 1520. Die zuletzt von Moltke, Dietrichstein, S. 303f., vertretene Ansicht, daß in Innerösterreich Luther erst im Zusammenhang mit dem Wormser Reichstag Furore machte — der Waffenschmied Sebald Pögl wird zum Zeugen aufgerufen — dürfte durch diese Briefe sogar etwas früher anzusetzen sein. Die Briefe finden sich u. a. ediert in: Tentzel, Historischer Bericht, 1. Tl., S. 520f., 2 Tl., S. 199—211 und Walch, 15. Bd., Sp. 1592—1598.

[342] Coelestin, ebd., fol. 133'. Vgl. dazu auch Cyprian, Historia, Beilage VI, S. 75f.

[343] Im Protokoll ist festgehalten: „Deinde die mercurii, que fuit XXII. Junii, omnes principes in pretorio convenerunt. Et tam electores quam alii principes

inzwischen Wind vom Plan der Protestanten bekommen, die Bekenntnisschrift nicht bloß dem Kaiser zu übergeben, sondern sie auch in der Vollversammlung verlesen zu lassen. Der Auftritt der Sprecher der von den Türken gebrandschatzten und verwüsteten Länder mit Verlesung ihrer Eingabe sollte sichtlich die Verlesung der Bekenntnisschrift verhindern und die Konfessoren zur bloßen Übergabe zwingen. Diese These wird untermauert durch des Kaisers Antwort auf das Verlangen der Protestanten nach Verlesung. Er wolle, sagte er, das Bekenntnis natürlich in Empfang nehmen, „aber das deyselbigen solten gelessen werden, were aene notth“[344].

Dietrichsteins Auftreten gerade zu diesem brisanten Augenblick des Reichstages war zweifelsohne weder von diesem gewählt noch war dessen Konsequenz von ihm intendiert. Er war hiebei der „Bauer“ am Schachbrett religionspolitischer Interessenskonflikte. Sein Auftreten vermochte tatsächlich die Verlesung der CA zu blockieren, der Plan des Kaiserhofes schien aufzugehen, aber nur — wie sich alsbald herausstellen sollte — für einen Tag.

4.1.5. Die Konfessoren setzen Verlesung durch — Rhegius' indirekrekter Anteil

Die Unterzeichner der CA ließen aber nicht locker, sie beriefen sich auf das Reichstagsausschreiben, wo es bei der Religionsfrage hieße: „... alle ains yeglichen gutbeduncken: opinion und maynung zwischen uns selbs in/liebe und gutligkeit zuhoren ...[345].“ Darauf ließ der Kaiser antworten: „... auch das ausscreyben des reichstages hilthe in, das *allein seyne Mt* iders opinion horen und darunder handeln wolle[346].“

Die Dramatik jenes Freitagabends im Tagungssaal des Reichstages im Augsburger Rathaus erreichte ihren Höhepunkt, als die Protestanten neuerlich auf der Verlesung bestanden. Der Kaiser lehnte nochmals entschieden ab, diesmal mit der Begründung „itzund ethwas speedt were, ume VI ure uff den abendt“[347], zugleich

in hoc concordaverunt, quod isti duo articuli, scilicet der beharlingen hulfe und des szwispalts des globens, noch simul und neben enander, auch nicht des Turken sache zuvor, sed quod ante omnia negotium fidei expediatur. Nam nisi tollatur dissidium et szwispalt im globen, nichil posset fructuose agi in articulo turcico propter differencias principum. Et ita relatum est Cesaree Maiestati per principes, que etiam contenta est, ut ante omnia tractetur articulus fidei, quam aliquid de Thurca agatur.“ Tetleben, Protokoll, S. 71.

[344] Ebd. S. 75.

[345] Förstemann, Urkundenbuch, 1. Bd., S. 8.

[346] Tetleben, Protokoll, S. 75.

[347] Ebd.

lenkte er aber auch ein und gab im Prinzip nach. Er ließ nämlich weiter antworten: „... oere Mt wolten es morgen nach essen ume zwu uren in seyner Mt gemach und pallas in byweßen *Kff. u. Ff.* und allen stenden des reichs leßen lassen[348]." Nach dieser Zusage forderte er die Protestanten auf, ihre Schrift ihm sofort, wie vorgesehen, zu übergeben. Da passierte etwas völlig Unerwartetes und Kurioses, die Protestanten weigerten sich, ihr Bekenntnis dem Kaiser auszuhändigen. Die Rolle der Bittsteller und des Gewährenden vertauschte sich schlagartig, der Kaiser muß förmlich um Übergabe der Bekenntnisschrift bitten, und die Bittsteller von vorhin lehnen glattweg ab. Die Begründung, mit der sie die Forderung des Kaisers auf Übergabe ihrer Bekenntnisschrift trotz dessen Vorlesungszusage für den darauffolgenden Tag ablehnten, war dubios[349], die Bekenntnisschrift, sagten sie: „... were in der ile gemacht und vill orthen radiret und noch nicht mandiret oder uff das reyne gebracht, das wolten ßey thun, auch noch eyn maell dey nacht uberßehen und morgen um zwu ure keyr Mt in irem pallas uberantworthen[350]." Die Blamage des Kaisers war perfekt und unwiderruflich[351]. Die Erregung, in der er nun antworten ließ, war die eines Gefrotzelten und Gedemütigten; Sender überlieferte die Antwort am ausführlichsten: „... mit was freffenlichait und trutz sie doch handlen und mit was rat und kecke, daß sie sollen komen für sein mt. und alle fürsten und stend zů verlesen offenlich (ain libel) mit ainer mangelhaffte abgeschabne gschrifft, die ir uns nit offenlich überandtwurten dirfen ...[352]." Die Unterzeichner der Confessio und ihr An-

348 Ebd.

349 Wie sehr die Konfessoren sich auf Verlesung *und* Übergabe der CA auf diesen Freitag den 24. Juni eingestellt und festgelegt hatten, beweist nichts besser, als die Stelle in der Vorrede des verlesenen — also endgültigen — Textes der CA: „... darauf dann, nach genommenem Bedacht und gehaltenem Rat, Euer Kaiserlichen Majestat an vergangener Mittwoch ist furgetragen worden, als wollten wir auf unserem Teil das Unser, vermöge Euer Kaiserlichen Majestat Furtrags, in Teutsch und Latein *heut Freitag* ubergeben." BSLK, S. 45.

350 Tetleben, Protokoll, S. 75.

351 Hier könnte man fragen, warum wollte denn der Kaiser so unbedingt den Text der CA noch vor seiner Verlesung? Wollte er ihn den kath. Theologen zum Studium übergeben, die ihrerseits ihm sofort eine Antwort liefern sollten, die er nach der Verlesung gleich verkünden wollte? Ahnten bzw. fürchteten dies die Konfessoren? Jedenfalls schienen sie dem Kaiser zu mißtrauen.

352 Sender, Chronik, S. 289 (Archiv-Codex). Nach Tetleben, Protokoll, S. 75 ließ der Kaiser antworten, er sei verwundert, „das ßey sich vor erbothen, dey scrifft zu ubergeben, und itzund sagen ßey, das deyselbige noch nicht uff das reyne gebracht seyn"; vgl. dazu auch: Coelestin, Historia comitiorum, fol. 133'—134; Nürnberger Gesandtenbericht, CR, 2. Bd., Sp. 128f.

hang hatten allen Grund zum Jubel, sie hatten sich voll durchgesetzt, ihr Sieg war total. Ihr einziger, aber verschmerzbarer Wermutstropfen war, daß ihre Bekenntnisschrift nicht sofort und in der Vollversammlung im offiziellen Sitzungssaal, sondern erst am nächsten Tag im viel kleineren Raum in der bischöflichen Residenz, die als kaiserliche Pfalz während des Reichstages diente, verlesen und übergeben werden sollte. Daß für diese Ortsverlegung und Zeitverschiebung „die Rücksicht auf den Legaten, der dann nicht anwesend zu sein brauchte", auch eine Rolle gespielt haben mag, wie Gußmann formulierte[353], ist sicher von untergeordneter Bedeutung.

Am Samstagnachmittag, dem 25. Juni, war es dann soweit. Dem Chronisten Spalatin, überwältigt vom Geschehen des Augenblicks, floß es in die Feder: „Sonnabends, des nächsten nach Johannis des heiligen Täufers, ist auf diesem Reichstag zu Augsburg der allergrößten Werke eines geschehen, das je auf Erden geschehen[354]." Das Bekenntnis sei deutsch vom Kanzler Doktor Christian Beyer verlesen worden; Spalatin fährt fort: „... und hat's sehr wohl gelesen, so laut und deutlich, daß man' nicht allein in dem Saal gehöret hat, sondern auch unten auf der Pfalz, das ist, in des Bischofs von Augsburg Hofe, da kais. Maj. zu Herberg liegt[355]."

Luther jubelte über die Verlesung, damit sei mehr gepredigt worden, als es zehn Prediger je vermocht hätten, und das kaiserliche Predigtverbot „sey damit wol gerochen"[356]. Die Verlesung selbst dauerte etwa zwei Stunden und hatte außerhalb des Saales gegen 3000 Zuhörer, „der Kaiser tat gelangweilt oder schlief"[357]. Der Augenzeuge Justus Jonas weiß hingegen zu berichten: „Satis attentus erat Caesar[358]."

Dem Mitunterzeichner Landgraf Philipp von Hessen war es zu verdanken, daß die Protestanten den Beschluß faßten und ihn hartnäckig verteidigten, die Confessio Augustana vor dem Kaiser und den Ständen zu verlesen und sie nicht bloß zu überreichen. Er hat „am entschiedensten darauf gedrungen"[359]. „Landgravius plane hoc

[353] Gußmann, Quellen und Forschungen, I./1. Bd., S. 456.

[354] Walch, 16. Bd., Sp. 875. Vgl. dazu Schirrmacher, Briefe und Akten, S. 90; Brück, Geschichte der Handlungen, S. 55; Tetleben, Protokoll, S. 76f. Zur Frage, wo ganz genau die CA verlesen wurde, vgl. Gußmann, Quellen und Forschungen, I./2. Bd., S. 372.

[355] Walch, ebd.; Sp. 876.

[356] Luther an Kurfürst Johann, 9. Juli 1530. WABr, 5. Bd., S. 454.

[357] Stupperich, Melanchthon, S. 68. Vgl. dazu: Brenz an Isenmann, 4. August 1530. CR, 2. Bd., Sp. 245.

[358] Jonas an Luther (30. Juni 1530). WABr, 5. Bd., S. 427; vgl. hierzu Anm. 5. S. 428 ebd., und Walter, Der Reichstag zu Augsburg, S. 52.

[359] Grundmann, Philipp von Hessen, S. 368.

dimicavit et ursit, ut coram statibus Imperii et Caesare articuli praelegerentur et voce recitarentur." Diese Worte, geschrieben von Justus Jonas[360] aus dem kursächsischen Lager, dessen Berichterstatter ansonst des Landgrafen „Mitwirkung überhaupt oft verschweigen"[361], kommt ein besonderes Gewicht zu. Ohne Text und Gehalt der CA auch nur im leisesten herabmindern und Melanchthons Verdienste schmälern zu wollen, sei die Frage erlaubt, wo wäre ihre Geschichtsmächtigkeit ohne jene dramatische und spannungsgeladene Verlesung, wo läge der spezifische Bekenntnischarakter ohne jenes reichsöffentliche Bekennen vor dem Kaiser und den Ständen? Wo wäre das Engagement und die Hartnäckigkeit des Landgrafen Philipp für diese Confessio ohne seine eigene Unterschrift? Ihre Unterzeichnung ließ er wiederum „wohl durch Vermittlung des Urbanus Rhegius ... erklären"[362]. Durch nichts besser leuchtet hier die spezielle Bedeutung des Vermittlers Urbanus Rhegius für die CA auf, zu der mehr die besonderen Umstände ihn auserkoren hatten, als eigenes Wollen und Bestreben es vermocht hätten.

4.2. Melanchthons Verhandlungen um eine Konkordie mit den Altgläubigen und Rhegius' Identifikation mit ihm

Die Verhandlungen, um die es hiebei geht und die Melanchthon auf reformatorischer Seite führte, solange sie geheim geführt wurden, können am besten mit Verhandlungen um die Restauration der episkopalen Jurisdiktion und deren Bedingungen umschrieben werden. Die Bedingungen kreisten um drei Themen: Laienkelch, Meßfeier und Zölibat.

In jüngster Zeit hat die Erforschung dieser Verhandlungen einen enormen Fortschritt erzielt, so daß ein näheres Eingehen auf die neue literarische Behandlung unbedingt notwendig ist, um Rhegius' Identifikation in den richtigen historischen Konnex stellen zu können. Womit aber keineswegs beabsichtigt ist, die Augsburger Religionsverhandlungen neuerlich in extenso zu erörtern. Sie sollen hier nur insoweit aufgerollt und behandelt werden, als es zum genauen Verständnis des Rhegius nötig ist und dessen Rolle präzis erfaßbar wird. Daß Rhegius sich mit Melanchthons Verhandlungsposition identifizierte, teilte er in einem Gutachten des Jahres 1539 mit[363]. Im Verlauf dieser Untersuchung wird der Text seines Gut-

[360] Jonas an Luther, 25. Juni 1530. WABr, 5. Bd., S. 392.
[361] Grundmann, Philipp von Hessen, S. 365, Anm. 24.
[362] Gußmann, Quellen und Forschungen, I./1. Bd., S. 111. Vgl. dazu oben S. 242ff.
[363] D. 128, Opera III, fol. IX'—XIII; siehe unten S. 279, Anm. 434.

achtens genau analysiert, um die Einordnung in die fließenden und nuancenreichen Verhandlungen möglichst präzis vornehmen zu können. Eine bloße Nacherzählung seines Gutachtens mit der wehmütigen, fast vorworfsvollen Zusammenfassung, „also auch Rhegius wollte mit Melanthon die bischöfliche Gerichtsbarkeit", wie es für Uhlhorn 1861 noch möglich war[364], verbietet uns der Fortschritt in der historischen Forschung seit damals.

Die negativen Konsequenzen, die sich aus dieser Identifikation für Rhegius ergeben, sind, daß die mannigfachen Verurteilungen und Beschimpfungen, die Melanchthon ob seiner Verhandlungsposition sowohl von katholischer und, wenn auch vornehmer, von protestantischer Seite erfahren hat, auch analog auf Rhegius anwendbar sind und für ihn gelten[365]. Dieser Aspekt sei nur angetönt, aber näherhin vernachlässigt.

Weit wichtiger als diese negative Konsequenz ist die, daß Melanchthons Verhandlungsangebot und seine Vorstellungen in bezug einer Konkordie keine Sache Melanchthons allein war, wie es in der Geschichtsschreibung allzuoft dargestellt wurde[366]. Diese Verhandlungen bzw. ihre Angebote hatten eine viel breitere Basis. Maurer weist darauf hin, daß Melanchthon sich am 31. August 1530 ausdrücklich damit verteidigt, es seien den Gegnern keine anderen Zugeständnisse gemacht worden als die, die Luther nach sorgfältigen Überlegungen vor dem Reichstag gebilligt habe[367]. Trotzdem formuliert Rhegius: „Philippus et ego ... arbitrabamur"[368]; nicht kursächsisch, nicht lutherisch, nicht protestantisch war also seine Position, nein, so wie Philipp Melanchthon es meinte, so meinte und wollte

[364] Uhlhorn II, S. 158; vgl. auch S. 327ff.

[365] Vgl. dazu etwa, was Johannes Cochläus, der Teilnehmer an den Augsburger Ausschußverhandlungen, über Melanchthon in bezug auf seine Verhandlungsposition für einen Müll ausgießt. Einen halben Zoo läßt er zu Melanchthons Beschimpfung aufmarschieren. Nachzulesen bei Pfnür, Einig in der Rechtfertigungslehre?, S. 286ff. Auf protestantischer Seite seien etwa Virck, Melanchthons politische Stellung; Reuter, Luthers und Melanchthons Stellung; Gußmann, Quellen und Forschungen, und dessen Ecks 404 Artikel genannt. Vgl. auch Rassow, Die politische Welt Karls V., S. 44.

[366] Hans Volz und Eike Wolgast betonen noch in dem im Jahre 1968 erschienenen 11. Bd. der WABr, S. 156, daß Melanchthon „ganz aus eigener Initiative" ... die „Sonderverhandlungen mit dem päpstlichen Legaten" unternommen habe.

[367] Maurer, Die geistliche Jurisdiktion der Bischöfe, S. 350. Melanchthon an Camerarius, 31. August 1530. CR, 2. Bd., Sp. 334: „Ad haec, nihil adhuc concessimus adversariis, praeter ea, quae *Lutherus* censuit esse reddenda, re bene ac diligenter deliberata ante conventum. Neque ego non additurus eram aliquid quasi auctarium, publicae pacis causa."

[368] Opera III, fol. IX'.

es auch er. Er kannte eben die Unterschiede, die teilweise sehr gewichtig und zum Teil nur Nuancen waren.

Wie war nun der Stand der Verhandlungen zur Zeit der Verlesung der CA? Paßte die öffentliche Verlesung überhaupt zu den Geheimverhandlungen? Bei diesem Fragenkomplex ist ein Faktum sehr vielsagend, nämlich: Nicht alle jubelten im lutherischen Lager ob der erzwungenen öffentlichen Verlesung der Bekenntnisschrift. Der Hauptredaktor jener Schrift, um die sich in Augsburg nun alles drehte, war deprimiert, dem Weinen nahe oder weinte überhaupt[369]. Aber nicht nur ihm allein, sondern auch seinen engsten Vertrauten und Gesinnungsfreunden erging es so[370]. Zu diesen zählte nicht nur Brenz, von dem Melanchthon namentlich dieselbe Traurigkeit an dem Tage, an dem die Konfession verlesen wurde, knapp nach dem historischen Ereignis an Luther schrieb: „Brentius assidebat haec scribenti, una lacrymans[371].“ Hinzuzuzählen ist wohl auch Urbanus Rhegius, der sich, wie schon gesagt und wie noch detailliert auszuführen sein wird, mit Melanchthon voll identifizierte. Den Grund für die tiefe Niedergeschlagenheit Melanchthons und seiner allerengsten Kampfgefährten finden wir etwas verschleiert formuliert im Brief Melanchthons an seinen Freund Joachim Camerarius „propter nostrorum hominum incuriam“[372]. Jonas hat die Ursache nicht nur klar erfaßt, sondern sie auch Luther gegenüber offen mitgeteilt. Philipp, so schreibt er am Tage der Verlesung, sei zuweilen von wunderlicher Traurigkeit befallen „ob publicam causam“[373]. Um diese Begründung richtig verstehen und werten zu können, müssen wir Melanchthons Geheimverhandlungen mit dem Kaiserhof, die große Hoffnungen auf Erfolg erweckten, unter die Lupe nehmen.

1.2.1. Was wird mit dem Kaiserhof verhandelt?

Melanchthon sah — wie oben bereits kurz skizziert[374] — in der Verlesung der Konfession „nur eine unliebsame Unterbrechung“ der so erfolgversprechend begonnenen Unterhandlungen mit dem

[369] Melanchthon an Veit Dietrich, 25. Juni 1530. CR, 2. Bd., Sp. 126: „Hic consumitur omne mihi tempus in lacrymis ac luctu.“

[370] Melanchthon an Luther, 27. Juni 1530. WABr, 5. Bd., S. 403: „Adhuc is status fuit nostrarum rerum, ut magnam partem temporis in lacrymis hic consumpserimus.“

[371] Melanchthon an Luther, 25. Juni 1530. WABr, 5. Bd., S. 387.

[372] 26. Juni 1530. CR, 2. Bd., Sp. 140.

[373] 25. Juni 1530. WABr, 5. Bd., S. 392.

[374] Siehe oben S. 257f.

Kaiserhof „und eine unerwünschte Verschärfung der Lage“[375]. Was hier Otto Clemen von Melanchthon feststellte, gilt im ähnlichen Maße auch für seine engsten Gesinnungsfreunde Brenz[376] und Rhegius[377]. Um das richtig verstehen zu können, muß man sich vergegenwärtigen, was Melanchthon mit den kaiserlichen Sekretären verhandelte und vor allem auch, was der Kaiser über Valdés zur Antwort gab. Melanchthon hatte in den Geheimverhandlungen[378] einen ganz wichtigen, ja sensationellen Kompromißplan deponiert und hierin Streitpunkte der lutherischen Reformpartei mit dem altgläubigen Teil in einige wenige Forderungen zusammengefaßt. Im Nürnberger Gesandtschaftsbericht vom 21. Juni[379] lautet die entscheidende Passage: „...die Lutherische Sach wäre nicht so gar weitläufig und ungeschickt, als vielleicht Kais. Maj. eingebildet würde, und stünde vornämlich der Zwiespalt auf diesen Artikeln, nämlich von beider Gestalt des Sacraments, von der Pfaffen und Mönch Ehe, und von der Messe, also daß die Lutherischen die sondern einzelnen Messen nicht für recht halten könnten. Wo man dieser Artikel vertragen, hielt er dafür, es sollten sonst in allen andern wohl Mittel und gute Ordnung gefunden werden.“ Die Antwort des Kaisers, die Valdés Melanchthon weiterleitete, berechtigte diesen wie seine Gesinnungsfreunde zu den größten Hoffnungen. „Kais. M. hätten solchen Bericht gern gehört“, heißt es weiter, „und ihr denselben nicht übel lassen gefallen.“ Für den päpstlichen Legaten, mit dem hierüber auch gesprochen worden sei, gelte das gleiche. Allerdings fügt Valdés hinzu, „die einzelne Messe abzustellen

375 WABr, 5. Bd., S. 398; vgl. dazu Müller, Die römische Kurie, S. 99.

376 Hartmann, Brenz, S. 78ff.

377 Uhlhorn II, S. 158: „Melanthon und Brenz, die beiden Hauptunterhändler waren dem Frieden auf's Höchste geneigt und gingen bis an die äußerste Gränze der Zugeständnisse,... Rhegius, mit dem sich Melanthon öfter besprach, stand ganz auf dessen Seite.“

378 Maurer, Die geistliche Jurisdiktion der Bischöfe, S. 371, Anm. 6, meint, man solle nicht von ‚Geheimverhandlungen‘ reden, weil die Nürnberger Gesandten eine ‚detaillierte Schilderung‘ hierüber nach Hause lieferten, Kanzler Brück eingeschaltet wurde und Melanchthon selber unbefangen Luther und Camerarius berichtete. Trotz dieser Einwände möchte ich an diesem Terminus festhalten, weil diese Verhandlungen nicht reichstagsöffentlich, wie später die Ausschußverhandlungen, sondern unter bewußter Ausschaltung der Öffentlichkeit geführt wurden. Ja mehr noch, man erwartete sogar, daß hierdurch eine öffentliche Verhandlung überflüssig werde. Maurer scheint übersehen zu haben, daß die Nürnberger expressis verbis ihren Bericht abschlossen mit: „Solchs haben wir danach E. w. das wissen zu haben, auch nit wollen unentdeckt lassen, die es noch zur zeit in geheimbd bey sich wölle behalten.“ Kolde, Die älteste Redaktion, S. 88. Müller, Campeggio, S. 140, Anm. 7, hat sich Maurer angeschlossen und spricht auch von Sonderverhandlungen.

379 CR, 2. Bd., Sp. 121ff.; ebenso Kolde, Die älteste Redaktion, S. 87f.

wollt ihm nicht eingehen"[380]. Was der Kaiser an jenem Samstag, dem 18. Juni, über Valdés Melanchthon antworten ließ, konnte Melanchthons Hoffnung auf baldige Einigung nur steigern, die Chancen seiner Mission nur erhöhen und ihn und seinen Anhang unter den anwesenden Reformatoren enorm an Bedeutung gewinnen lassen. Der Kaiser, fuhr Valdés laut Nürnberger Gesandtenbericht fort, „hielt auch für das Fruchtbarste, die Sach in einer Enge und Stille vorzunehmen, und gar nicht mit weitläufiger öffentlicher Verhöre und Disputationen; denn solche Verhöre und zänkisch Disputationen gebährten allein weiteren Unwillen und keine Einigkeit"[381]. Wie sehr Melanchthon diese Form der Bereinigung der Religionsdifferenzen akzeptierte, beweist ein Bericht, den die Nürnberger Gesandten bereits am Tage nach dieser Unterredung Melanchthons mit Valdés abfaßten. Nach diesem war jener bereits der Meinung, die ganze Religionsfrage dürfte „zu keiner so weitläufigen Handlung gelangen, sondern noch enger eingezogen und kürzer gefaßt und gehandelt werden"[382].

4.2.1.1. Das Verhandlungsmandat Melanchthons

In wessen Auftrag und Namen verhandelte Melanchthon derart gravierende und entscheidende Punkte, die die Bekenntnisschrift und den Reichstag in puncto Religionsfrage überflüssig zu machen schienen? Für Müller ist zunächst eine eingehende Erörterung dieser Frage unnötig, weil es auf der Hand liegt, „daß Melanchthon nicht ganz ohne Wissen des sächsischen Hofes vorging"[383]. Vier Jahre später (1969) meint Müller weit bestimmter, Melanchthon nimmt „im Namen der protestantischen Fürsten oder zumindest mit Wissen des kursächsischen Hofes mit den kaiserlichen Sekretären... Verbindung" auf[384]. Nach Maurer handelte es sich um den „kursächsischen Einigungsplan". Die Verhandlungen Melanchthons selbst werden allerdings recht abwertend als „Vorzimmergespräche" und diplomatischer Dilettantismus hingestellt[385]. Für unsere Unter-

[380] CR, ebd., Sp. 122f.; Kolde ebd.; vgl. dazu auch CR, 10. Bd., Sp. 129.

[381] CR, 2. Bd., Sp. 123. Gußmann, Quellen und Forschungen, I./1. Bd., S. 451, weist darauf hin, daß der Vorschlag „alles in der Enge und Stille ohne weitläufige Disputation abzumachen", auf den päpstlichen Legaten Campeggio zurückgehe.

[382] Nürnberger Gesandtschaftsbericht, 19. Juni 1530. CR, 2. Bd., Sp. 112.

[383] Müller, Um die Einheit der Kirche, S. 395, Anm. 21.

[384] Müller, Die römische Kurie, S. 97. Müller verweist weiters auch darauf, daß für Campeggio hinter Melanchthon nicht nur Sachsen, sondern alle Lutheraner standen. S. 97f., Anm. 45.

[385] Maurer, Die geistliche Jurisdiktion, S. 373. Überhaupt fällt in dieser Untersuchung Maurers harte Sprache und wegwerfende Urteile über Melanchthons

suchung ist ein zeitgenössischer Bericht höchst wichtig, der nicht unter den Tisch fallen darf. In ihm wird nämlich gesagt, die Prediger hätten die in Frage stehenden Forderungen verlangt[386]. Und Prediger heißt, die reformatorisch-lutherischen Theologen, heißt, die Theologenrunde, in der maßgebend Melanchthon zusammen mit Rhegius saß[387].

4.2.1.2. Die reformatorischen Forderungen

Welche Forderungen waren es nun genau, die Melanchthon als Sprecher der Reformation beim Kaiserhof deponierte und deren Erfüllung den Zwiespalt in der Religion seiner Meinung nach beenden würde?

Laut Nürnberger Gesandtschaftsbericht vom 21. Juni — wie vorhin dargetan — lauteten sie:

Duldung: 1. des Laienkelches
2. der Priesterehe
3. der Abschaffung der Privatmessen

Also Anerkennung der wesentlichen reformatorischen Neuerungen. Abweichend von den Nürnberger Gesandten weiß der Venezianische Gesandte Tiepolo noch von einem weiteren Forderungspunkt im Sinne der Duldung, nämlich dem der Kirchengüterfrage, zu berichten[388].

Der Mantuaner Gesandte Antonio Bagaroto kennt ebenso vier Forderungen, gleich als erste nennt er die den kirchlichen Stellen

Verhandlungen auf. Der „kursächsische Einigungsplan" kommt dabei auf Kosten Melanchthons jedoch ungeschoren davon. Damit scheint die innerprotestantische Diskussion über den Wert und die Verbindlichkeit *dieser* Augsburger Einigungsverhandlungen eine neue Akzentsetzung zu erfahren.

386 Sanuto, I diarii, Sp. 312. „Item, li predicatori honno rechiesto 4 cose a l'Imperator." Nach Tiepolo standen hinter den Forderungen die protestantischen Fürsten. Vgl. Tiepolo, Depeschen, S. 39, bzw. S. 46f.

387 Daß diese Verhandlungen kein Privatunternehmen Melanchthons waren, sondern mit Wissen weiter Kreise der reformatorischen Partei stattfanden, wird heute allgemein anerkannt. Wer nun genau hinter Melanchthons Verhandlungen stand, ob Kursachsen, ob mehrere Fürsten oder gar alle Konfessoren, wäre für die Sache in ihrer öffentlichen Bedeutung zwar enorm wichtig, dieser Frage aber näher nachzugehen, übersteigt den Rahmen meiner Untersuchung.

388 Tiepolo, 19. Juni 1530, Depeschen, S. 47: „la quarta, che a preti et frati non si lasciasse, senon quanto bastasse per il uiuer suo et il resto rimanesse a Laici." Sanuto, I diarii, Sp. 312f.: „la quarta, che a preti et frati non se lassi de instrada se non quanto bastasse per el viver loro, el resto rimanesse a laici."

weggenommenen und den Laien geschenkten Güter[389]. Die andern drei decken sich wieder.

Der päpstliche Legat Campeggio berichtet am Tage nach der Verlesung der Confessio summarisch über den Zeitraum vom 11. Juni an. Auch er zählt vier Forderungspunkte auf, in allen anderen Fragen, wie etwa in der Anerkennung der Lehre vom Fegefeuer und der Unterordnung unter die Hierarchie, werde es dann keine Schwierigkeiten geben. Neu ist bei Campeggio die Konzilsforderung, die anstelle der Kirchengüterfrage aufscheint. Die Kirchengüterforderung wird zwar wohl erwähnt, aber in dieser Frage meint Campeggio, gäben die Protestanten ohnehin nach[390]. Die Forderung nach einem Generalkonzil wird, wie Walter feststellte, „schwerlich auf Melanchthon zurückzuführen“ sein[391]. Campeggio nennt übrigens Melanchthon überhaupt nicht.

Das größte Gewicht in der korrekten Wiedergabe des Forderungskataloges von Melanchthon hat wohl sein Gesprächspartner auf kaiserlicher Seite. Alfonso Valdés kennt nur drei Forderungspunkte, wobei seine Reihenfolge sofort ins Auge sticht: Priesterehe, Laienkelch und Abschaffung der Privatmessen[392]. Wir finden nämlich auch bei Rhegius, wie noch darzulegen sein wird, die Frage der Priesterehe an erster Stelle angeführt.

Durch die hartnäckig erkämpfte öffentliche Verlesung der Confessio waren die Geheimverhandlungen mit dem Kaiserhof geplatzt. Von einer weiteren Verhandlung der Religionsdifferenzen mit ihm im Sinne des Kaisers „in Enge und Stille, ohne öffentliche Verhöre und zänkische Disputationen“, weil solche keine Einigkeit schaffen[393], konnte nun keine Rede mehr sein. Melanchthon und die Seinen ahnten deshalb für die Kirche bzw. Kircheneinheit nichts Gutes, sie waren deprimiert, niedergeschlagen und weinten. Es trat das Paradoxe ein: Ihr größter Triumph, die Verlesung „ihrer“ Confessio, war ihre größte Niederlage, nämlich das Ende der Unionsverhandlungen — die im Grunde genommen Toleranzverhandlungen waren — mit dem Kaiserhof, von denen sie so viel erwartet hatten.

[389] Gesandtschaftsbericht von Antonio Bagaroto, 22. Juni 1530. Sanuto, I diarii, Sp. 326: „la prima, che li beni che sono stà levati a li ecclesiastici et donati a laici a diverse persone fossero ben donati.“

[390] NB I, 1. EB, S. 70.

[391] Walter, Der Reichstag zu Augsburg, S. 41, Anm. 124.

[392] Alfonso Valdés an Kardinal Benedetto Accolti, 12. Juli 1530. In: Bagnatori, Cartas inéditas, S. 363: „Las cosas erant vt sacerdotibus permitterentur nuptiae; ut liceret suis laycis communicare sub utraque specie, y que non essent apud eos missae particulares uel priuatae, sed tamen communes pro populo.“

[393] Nürnberger Gesandtschaftsbericht, 21. Juni 1530. A.a.O.

4.2.2. Verhandlungen mit dem päpstlichen Legaten: Bei Duldung des Laienkelches, der Priesterehe und der „Meßreform" Restauration der episkopalen Jurisdiktion.

4.2.2.1. Ermunternde Stimmen bei den Altgläubigen

Melanchthon gab trotz des Scheiterns der Verhandlungen mit dem Kaiserhofe die Hoffnung auf eine Einigung nicht auf. Zu verheißungsvoll ließen sich die Aussprachen mit den kaiserlichen Sekretären an[394].

Vom Salzburger Erzbischof Kardinal Lang wurde ein grundsätzliches Ja zum Laienkelch, zur Priesterehe und zur Meßreform in Augsburg kolportiert, was die Hoffnungen der Einigungswilligen natürlich förderte. Störend empfand er nur, so wird berichtet, daß diese Reform ausgerechnet aus einem derartigen Winkel wie Wittenberg kommen sollte[395].

Unvorsichtig ehrlich und offen war der Augsburger Bischof Christoph von Stadion, er votierte öffentlich, vor den versammelten Fürsten, für Nachgeben in den Fragen Kelchkommunion und Priesterehe. Sollten Friede und Einigkeit mehr erfordern, wäre er darüber hinaus für weitere Konzessionen. Diese Rede wurde dem Bischof von den Altgläubigen sehr verübelt; ja er mußte sich die Frage gefallen lassen, „ob er auch Lutherisch wäre"[396].

4.2.2.2. Dissonanzen im lutherischen Lager

Melanchthon merkte bei seinen Verhandlungen mit dem Kaiserhofe die große Schwierigkeit, die die Forderung nach Abschaffung der Privatmesse hervorrief, und setzte sich sofort mit Luther hierüber in Verbindung. Sowohl am 26. wie auch am 27. Juni befragt er hierüber Luther. Wie eilig und dringend ihm diese Frage war, zeigt, daß er den Boten am 26. privat honoriert — übrigens gab er diesem auch die Bekenntnisschrift in ihrer verlesenen Form mit[397]. Jetzt komme es, noch bevor die Gegner — womit die Altgläubigen gemeint sind — antworten, auf eine Entschließung an, „quid velimus concedere ipsis". Die ganze Verhandlung werde sich

[394] Bei Cornelius Schepper war Melanchthon übrigens zusammen mit Justus Jonas. Siehe: Jonas an Luther, 25. Juni 1530. WABr, 5. Bd., S. 390.

[395] Jonas an Luther, (30. Juni) 1530. WABr, 5. Bd., S. 427f.

[396] Nürnberger Gesandtschaftsbericht, 28. Juni 1530. CR, 2. Bd., Sp. 150. Vgl. dazu: Schmauch, Christoph von Stadion, S. 133ff.; Janssen, Geschichte des deutschen Volkes, 3. Bd., S. 221f., und Roth, Augsburg, 1. Bd., S. 341.

[397] Zur Frage, wie Luther zur CA stand, sie beurteilte, lobte und kritisierte, vgl. Nagel, Luthers Anteil, vor allem S. 174ff.

um beide Gestalten, um die Ehe (Zölibat) und die Privatmesse drehen. Er möge zu diesen Fragen antworten, vor allem aber zum Punkt Privatmesse, denn diese würden die Gegner keinesfalls („nullo modo") fallenlassen[398]. Am nächsten Tag stößt er mit einem neuerlichen Brief nach. Er erinnert Luther, daß die Punkte zwar ohnehin abgesprochen seien, wie er ja wisse, aber jetzt, wo es in die Verhandlung („acies") gehe, sähen sie anders aus als bei der Vorabsprache. Wieder folgt der Hinweis auf die Privatmesse, wo der größte Streit („certamen") sein werde[399]. Mit diesem neuerlichen Hinweis auf die Schwierigkeiten in der Privatmesse ist es klar, worauf Melanchthon hinauswill. Er will von Luther das Plazet für ein Nachgeben in der Frage der Privatmesse, das er und die Seinen in Augsburg bereits ins Auge gefaßt haben[400].

Ohne Luthers Antwort auf diese Fragen und sein Urteil über die Confessio in ihrer endgültigen und verlesenen Textierung abzuwarten, arbeiteten die reformatorischen Theologen an einem Gutachten. Dieses Gutachten sollte die Summa der Lehre kurz gefaßt enthalten, in der man nachgeben oder nicht nachgeben könne. Diese Summa sollten die Fürsten dem Kaiser übergeben. Melanchthon und der Theologenkreis um ihn schrieben diese Artikel zusammen und Luther sollte dazu Stellung nehmen[401].

Ob alle reformatorischen Theologen lutherischer Richtung hierbei in allen Punkten eines Sinnes waren, ist mehr als fraglich; ja es gibt deutliche Hinweise, daß dem nicht so war. Justus Jonas schreibt Luther vertraulich, er habe mit Melanchthon „de imperio et iurisdictione episcoporum"[402] gezankt. Am 28. Juni macht eine Gruppe von Theologen, angeführt von Jonas, zusammen mit Johann Rurer, Erhard Schnepf und Heinrich Bock[403] einen Vorstoß bei ihren Fürsten. In einem Schreiben fordern diese Theologen ihre Fürsten auf, aus der Confessio die Artikel herauszuziehen, von denen man beim Suchen nach „vereinigung und concordien ... nicht nach lassen noch weichen kan"[404]. Maurer dürfte zu diesem Vorstoß ganz richtig bemerkt haben: „Ist das eine Spitze gegen Melanchthon, dessen Name unter den Unterzeichnern seltsamer-

[398] 26. Juni 1530. WABr, 5. Bd., S. 397.
[399] Ebd., S. 403.
[400] Vgl. hierzu WABr, 5. Bd., S. 403, Anm. 7, und Honée, Der Laienkelch, S. 21.
[401] Jonas an Luther, (30. Juni) 1530. WABr, 5. Bd., S. 428.
[402] Ebd.
[403] Justus Jonas — Kursachsen
Johann Rurer — Ansbach
Erhard Schnepf — Hessen
Heinrich Bock — Lüneburg
[404] Jonas, Briefwechsel, S. 166.

weise fehlt[405]?!" Wir könnten bei den fehlenden Namen noch Brenz und Rhegius nennen, dann dürften die beiden Flügel der lutherischen Reformationstheologen ziemlich genau festgelegt sein, deren Dissonanzen immer schriller wurden. Luther gegenüber beklagt sich Melanchthon später einmal bitter über die Widerstände in den eigenen Reihen, wohl in der festen Überzeugung, jener stehe auf seiner Seite[406]. Zwei Punkte waren es vornehmlich, in denen sich die beiden Flügel der lutherischen Theologen rieben: Jurisdiktion der Bischöfe und Wiederzulassung der Privatmesse.

Der Anführer des anderen Flügels der Theologen dürfte mit Sicherheit Justus Jonas gewesen sein[407]. Seine Gutachten[408] über die strittigen Fragen, vor allem in puncto Duldung der Privatmessen, die er für einen uns unbekannten Adressaten erstellte — vielleicht nur „für seine Person"[409] — liefern für diese These zusätzliche Beweise. Die Bemerkung des Rhegius: „Dominus Philippus et ego ... arbitrabamur sarciri posse concordiam ...[410]" wird uns damit immer verständlicher. Auch in der Frage, ob über die in der CA bereits aufgeführten „Mißbräuche" hinaus weitere nachzureichen seien, und, wenn ja, welche, war man sich im reformatorisch-lutherischen Lager keineswegs einig. Auch hier setzten sich Melanchthon und sein Anhang durch. Denn diese Artikel, die der andere Flügel im lutherischen Lager im Auge habe[411], seien „die gehässigen Artikel", keine nötigen Lehrartikel, diese gehören „mehr in die Schul als in die Predigten in der Kirchen", meint Melanchthon[412]. Maurer[413] vermutet als Verfasser dieser „gehässigen Artikel" Agricola — welchen von beiden er meint, sagt er zwar nicht, sicherlich wohl den Johann Agricola, den der sächsische Kurfürst als Prediger mitbrachte —, womit er insofern recht haben dürfte, als Johann Agricola mit Sicherheit dem Flügel um Justus Jonas zuzurechnen ist.

Was Melanchthon und die Seinen genau forderten und für die Erfüllung ihrer Forderungen anboten, geben uns Schriftstücke wieder, die Anfang Juli geschrieben wurden: Das Memorandum an den sächsischen Kurfürsten, der Brief an den päpstlichen Lega-

405 Maurer, Die geistliche Jurisdiktion der Bischöfe, S. 373, Anm. 57.

406 Melanchthon an Luther, 29. August 1530. WABr, 5. Bd., S. 598: „Valde reprehendimur a nostris, quod iurisdictionem reddimus episcopis."

407 Vgl. hierzu Maurer, Die geistliche Jurisdiktion der Bischöfe, S. 391f.

408 CR, 2. Bd., Sp. 305—311.

409 Maurer, Die geistliche Jurisdiktion der Bischöfe, S. 392, Anm. 105.

410 Gutachten des Urbanus Rhegius, Opera III, fol. IX'; siehe unten S. 279, Anm. 434.

411 CR, 2. Bd., Sp. 182f.

412 Ebd., Sp. 182.

413 Maurer, ebd., S. 376.

ten Campeggio vom 4. Juli und das am nächsten Tag folgende Skriptum an ihn[414].

Melanchthon dürfte inzwischen auch die Antwort Luthers auf seine Frage, wo und wieviel man den Gegnern nachgeben könne, in den Händen gehabt haben. Für seine Person, antwortet Luther, sei in der Confessio mehr als genug nachgegeben worden, er sehe nichts, wo er noch weiter nachgeben könne. Im Postskriptum kommt Luther auf Melanchthons Frage nochmals zurück, wobei er ihm zunächst vorwirft, viel zu unpräzis gefragt zu haben[415], um schließlich mit der Generalklausel ebenso unpräzis zu antworten: „... omnia eis concedere paratus, tantum solo euangelio nobis libere permissio[416]." Die Gruppe um Melanchthon konnte diese Worte als generelle Zustimmung Luthers zu Vergleichsverhandlungen interpretieren. Im Memorandum, also im Gutachten für den Kurfürsten Johann, bittet Melanchthon, nur auf zwei Artikel „zu arbeiten(!), utramque speciem und coniugium sacerdotum et religiosarum personarum"[417]. In der Begründung für den Laienkelch zählt Melanchthon dabei als letzten Punkt auf, daß man einer solchen „Prohibitation contra Ordinationem Christi" nicht zustimmen könne. Zuerst heißt es, ein Verbot würde viele Leute vom Sakrament überhaupt abhalten und sie würden ohne Sakrament sterben; die Verachtung des Sakraments, die durch Zwingli entstanden sei, würde zunehmen. Die Forderung nach Duldung der Priesterehe wird damit begründet, daß es bei einer Amtsenthebung der verheirateten Pfarrer und Prediger keinen Ersatz gäbe; die Religion würde bei vielen Leuten untergehen, die „Linderung" der Zölibatsvorschriften hingegen würde nicht gegen den Glauben und die guten Sitten verstoßen[418].

4.2.2.3. Erste Verhandlungsrunde mit dem päpstlichen Legaten

Melanchthon begnügt sich aber nicht nur mit einem Gutachten für seinen Kurfürsten, er tritt mit dem Legaten bzw. mit dessen Vertreter, dem Legaten Campeggio, in Kontakt, um die Religionsdifferenzen in direkten Verhandlungen zu bereinigen. Daß diese Kontaktaufnahme nicht ohne Wissen der Unterzeichner der CA,

[414] Memorandum: CR, 2. Bd., Sp. 162f., Brief vom 4. Juli, ebd., Sp. 169—171, Skriptum (5. Juli), ebd., Sp. 246—248. Vgl. zur Datierung und Benennung von „Memorandum" und „Skriptum": Honée, Der Laienkelch, S. 25; Müller, Um die Einheit, S. 402, Anm. 55. Zur Datierung des Briefes: Müller, ebd., S. 401, Anm. 52.

[415] Luther an Melanchthon, 29. Juni 1530. WABr, 5. Bd., S. 407: „... sed tu etiam parum quaesivisti, non signasti, quae et qualia arbitreris a nobis postulanda."

[416] Ebd.

[417] Memorandum, a.a.O., Sp. 162.

[418] Ebd.

zumindest seines Fürsten, erfolgte, ist heute — analog zu den Verhandlungen mit dem Kaiserhof — weitgehend anerkannt[419]. Ob für Melanchthon tatsächlich die „Verzweiflung . . . die Triebfeder seiner diplomatischen Verhandlungen mit Campeggio gewesen" ist, wie Honée ventiliert[420], wollen wir dahingestellt sein lassen.

Das Schreiben, mit dem Melanchthon an den päpstlichen Legaten herantritt, ist eine Vertiefung eines Teiles des in den diversen Abschnitten der Confessio Gesagten. Honée drückt dies plastisch durch einen in holländischen Theologenkreisen offensichtlich gängigen Vergleich aus, Melanchthon habe durch diesen Brief seinem „diplomatischen Gegenspieler nur den Schwanz und nicht den Kopf von Art. 28 des Glaubensbekenntnisses sehen"[421] lassen. Ohne die Forderungspunkte einzeln zu nennen, schreibt Melanchthon, daß die „concordia facile possit constitui", wenn Rom nur „paucis in rebus" die Augen zudrückt, dann „et nos bona fide obedientiam reddamus". Sofern, läßt er den Legaten wissen, die römische Kirche bereit ist, ihre gewohnte Milde walten zu lassen, und die vorgenommenen Änderungen akzeptiert oder die bestehenden Vorschriften lockert: „Parati sumus obedire Ecclesiae Romanae, . . ." Melanchthon geht noch einen Schritt weiter und stellt fest: „Romani Pontificis auctoritatem et universam politiam ecclesiasticam reverenter colimus, modo nos non abiiciat Romanus Pontifex." Was die Glaubenslehre betrifft, konstatiert er: „Dogma nullum habemus diversum ab Ecclesia Romana", ja, seine reformatorische Richtung ertrage in Deutschland wegen keiner anderen Sache mehr Haß, als deshalb, weil sie „Ecclesiae Romanae dogmata summa constantia" verteidigt[422].

In den Riten bestehe zwar ein gewisser geringer Unterschied, der einer Einigung entgegenzustehen scheine, aber selbst die Canones gäben zu erkennen, daß die Einheit („concordia") der Kirche in der Verschiedenheit der Riten dieser Art beibehalten werden könne[423]. Die lateinische Fassung der Bekenntnisschrift, das scheint mir in diesem Zusammenhang wichtig, negiert ebenso sehr deutlich jeden dogmatischen Lehrunterschied zum altgläubigen Teil, wenn es heißt: „Tota dissensio est de paucis quibusdam abusibus . . .[424]."

[419] Vgl. dazu Honée, Der Laienkelch, S. 21f.
[420] Ebd., S. 24.
[421] Ebd.
[422] Melanchthon an Campeggio, 4. Juli 1530. CR, 2. Bd., Sp. 170.
[423] Ebd., Sp. 170f.
[424] BSLK, S. 83c. In der deutschen Fassung lautet dieser Passus: „Dann die Irrung und Zank ist vornehmlich über etlichen Traditionen und Mißbräuchen." Ebd., S. 83d, in Na: „. . . die gantze irrung ist allein vmb etlich misbreuch, die sich on der christenheit bewilligung haben eingedrungen . . ."

Dieser Brief Melanchthons ist es vor allem, der ihm herbste Kritiken eintrug. Müller wirft ihm, weil ihm nicht aufgegangen war, „daß durch die Betonung und Stellung der Rechtfertigungslehre in der protestantischen Theologie ein neuer Abschnitt in der Geschichte der Kirche begonnen hatte", Irrtum und ungeschichtliches Denken vor[425]. Melanchthon, steigert sich Müller weiter, „wollte nicht eingestehen", daß mit der römisch-katholischen Kirche durch ihre Ablehnung der Rechtfertigungslehre keine Gesprächsbasis mehr vorhanden war. Die Kontaktnahme mit dem päpstlichen Legaten basiert auf diesem Mißverständnis[426]."

In dieselbe Kerbe schlägt Maurer mit seiner Bemerkung, daß „Melanchthon und die Seinen in Augsburg sich in dem ‚Irrgarten' von Luthers Zwei-Reiche-Lehre" sehr schwerfällig bewegten[427].

Zweifelsohne ein schwerer Vorwurf, den sich Melanchthon, Rhegius, Brenz — alles namhafte Väter und Begründer der lutherischen Kirche[428] — von ihren Nachfahren, den heutigen Theologen, gefallen lassen müssen.

Der päpstliche Legat reagierte auf diesen Brief sehr prompt. Gleich am nächsten Tag kam es zum zweimaligen persönlichen Kontakt mit Melanchthon, der Campeggio beim zweiten Mal das Skriptum[429] überbrachte. Dieser hielt es für derart wichtig, daß er es noch am selben Tag nach Rom weiterleitete[430].

Dieses Skriptum ist wohl die Frucht der Beratungen der Theologen des „Melanchthonflügels". Nach der Wiedergabe wesentlicher

Kolde, Die älteste Redaktion, S. 16; in Spal: „Dieweil dan in den artickeln des glaubens in vnsern kyrchen der heiligen schrifft oder gemeiner Christlichen kyrchen nichts zu wider gelert wirt, Sonder allein etlich mysßbreuche geendert sind, welche nicht durch Concilia, oder wie sich sonst geburt, also geordneth, Sonder zum teil mit der Zceit von sich selbs eingerissen, zum teil mit gewalt aufgericht sind, so fordert vnser notturfft, . . ." Förstemann, Urkundenbuch, 1. Bd., S. 327.

[425] Müller, Um die Einheit, S. 401. Immenkötter, Um die Einheit, S. 70, Anm. 13, reiht recht forsch unter die ungeschichtlich Denkenden, die „dogmatische Klarheit vermissen lassen", auch Johann Eck ein, ganz besonders gelte „dies von den Erasmianern Alfonso de Valdés . . ., Christoph von Stadion u. a."

[426] Müller, ebd.

[427] Maurer, Artikel 28 der CA, S. 380.

[428] Vgl. die Reihe: Leben und ausgewählte Schriften der Väter und Begründer der lutherischen Kirche. Melanchthon rangiert nach Luther an 2. Stelle, Brenz nach Bugenhagen und Osiander an 5., gefolgt von Rhegius an 6. Stelle.

[429] CR, 2. Bd., Sp. 246—248. Es ist in diesem Zusammenhang nicht unwichtig zu hören, daß nach dem venetianischen Gesandten Tiepolo Melanchthon den Auftrag erhielt, die Bedingungen schriftlich einzureichen. Tiepolo zählt diese folgend auf: 1. Meßreform, 2. Priesterehe, 3. Laienkelch. Tiepolo, Depeschen, S. 56f.

[430] NB I, 1. EB, S. 75ff.

Punkte dieses Schreibens wollen wir das Gutachten des Rhegius damit vergleichen und analysieren.

Im Skriptum wird an erster Stelle um beide Gestalten, d. h. also um den Laienkelch, gebeten. Die Begründung ist analog zum Memorandum für den Kurfürsten die Verehrung des Sakramentes und die Religion des Volkes, das lieber das „unverkürzte" Sakrament gebrauche. Um etwaige Zweifel darüber auszuräumen, daß das Verlangen nach beiden Gestalten aus der Leugnung der kirchlichen Konkomitanzlehre kommen könnte, wird im Skriptum explizit betont: „... et fateamur, in specie panis verum corpus Christi contineri aut per concomitantiam sanguinem adeoque integrum Christum; in specie vini itidem integrum Christum[431]." Auffallend und irreführend scheint mir das völlige Fehlen auch nur einer geringsten Andeutung, daß reformatorischerseits der Gebrauch beider Gestalten mit der Anordnung Christi (ius divinum), wie in der CA nachzulesen, begründet wird. Was Artikel 22 der CA lang und breit anführt, Bibel und Väterstellen, Canones und Gewohnheit[432], um beide Gestalten zu begründen, fehlt im Skriptum vollkommen.

Was den Zölibat betrifft, wird darauf hingewiesen, daß er oft ohnehin nicht eingehalten wird und die Priester schlecht beleumundete Konkubinen haben. Daraufhin wird an die Milde des Papstes appelliert, den Priestern „legitimas et honestas coniuges" zu gestatten[433]. Was die zum zweiten Mal Verheirateten angehe, diese Frage könne ja gemäß den Canones geregelt werden, „postquam Episcopi recuperaverint obedientiam". Für Mönche und Nonnen wird nicht um ein Gestatten der Ehe ersucht, sondern darauf verwiesen, daß der Papst „saepe dispensavit".

In der Frage der Messe sei man nur in der Zahl uneins. Wenn man in den anderen Angelegenheiten sich verglichen habe, dann könnten „etiam controversiae de missa componi". Hiermit ist die Kontroverse über die Meßfrage nicht nur optisch an dritter Stelle gereiht. Über die Speisen und ähnliche Angelegenheiten seien die Kontroversen gering. Wenn den Bischöfen „obedienta et iurisdictio ecclesiastica" wieder zukomme, könnten die meisten anderen Fragen geregelt werden. Den Bischöfen zu gehorchen sei keine Frage, wenn diese die verheirateten Priester nur aufnähmen. Was dann im Skriptum kommt, scheint mir bis heute viel zu wenig beachtet worden zu sein, nämlich die Begründung, warum das

[431] Skriptum, a.a.O., Sp. 246.

[432] BSLK, S. 84ff.

[433] CR, 2. Bd., Sp. 247 „... dignum et hoc esset clementia pontificia, concedere eis legitimas et honestas coniuges." Die nächsten Zitate finden sich in derselben Spalte.

Gehorsamsangebot, die Restitution der „iurisdictio episcopalis“ wirklich glaubhaft und ernst gemeint sei. Der verheiratete Urbanus Rhegius, der die Priesterehe an erster Stelle seiner Forderungen nennt, wie wir gleich sehen werden, dürfte bei diesem Passus der Wortführer gewesen sein und Pate gestanden haben. (Melanchthon war bekanntlich nicht Priester und Brenz unverheiratet.) Erbärmlich, heißt es, seien die Priester ob ihrer Heirat bis heute gepeinigt worden, so daß sie, wenn diese Gefahr gebannt sei, „libenter parebunt“.

4.2.2.4. Rhegius identifiziert sich mit Melanchthon und forciert die Priesterehenfrage

Die Übereinstimmungen des Rhegius-Gutachtens mit dem Skriptum sind ins Auge springend, wenngleich auch vorhandene Unterschiede nicht übersehen werden dürfen[434].

Rhegius nennt nicht zufällig und von ungefähr an erster Stelle seines Forderungskataloges die Priester- und Mönchsehe. Dann folgt die Forderung nach der Meßfeier, wie sie sich bei den Lutherischen eingebürgert habe. Erst an dritter Stelle folgt die Forderung nach der Kelchkommunion. Während Rhegius sich bei den ersten beiden Punkten einer Begründung enthält, was die Identifikation mit Melanchthon unterstreicht, gibt er bei der Kelchkom-

[434] D. 128, Opera III, fol. IX'. Weil der Sammelband einerseits schwer zugänglich und anderseits das Gutachten für unsere Untersuchung grundlegend ist, seien die für uns wichtigsten Passagen wiedergegeben: „In comitiis Augustanis, anno Domini 1530 cum de partium concordia ageretur, Dominus Philippus & ego ad hunc modum arbitrabamur sarciri posse concordiam aliquo modo tolerabilem, Si pontificij nobis concederent genus doctrinae, in Propheticis & Apostolicis scriptis traditum, à qua recedere, est negare Christum atque agnitam ueritatem, Et in externis, coniugium Sacerdotum & Monachorum, Missam more nostro, & usum utriusque Speciei in coena Dominica, iuxta Christi filij Dei institutionem, & primitiuae Ecclesiae praxin.
De aliis mediis obseruationibus non erat futura inter nos magna contentio. Hac Episcopi potuissent recuperare obedientiam, pro qua tam strenue decertant. Hanc obedientiam putabamus profuturam ad compescendas Sectas Sacramentariorum & Catabaptistarum.
Sed de Missa fuerat dubitatio, quae est basis totius papatus. Sperabamus tamen aliquam rationem iniri potuisse, quam aduersarij pacis studio tolerarent. Nam quod ad externas ceremonias attinet, non multum dissimiles sunt inter nos. In numero uero ex intentione dissimilitudo ingens est. Eratque tunc quaedam concordiae spes: Si pontificij permitterent nobis nostrum numerum Missarum, nos non eramus impedituri ipsorum numerum, idque libentius, quod satis constat, ceremonias nunquam per omnia similes fuisse in Catholica Ecclesia, ut satis liquet ex Eusebiana & Ecclesiastica historia. Haec de concordia restituenda erat nostra meditatio ante annos octo Augustae, quando Papistae aliquanto placabiliores erant, quam nunc sunt.“

munion eine Begründung, die als kurzer Extrakt der im Artikel 22 der CA angegebenen Gründe angesehen werden kann, womit er aber vom Skriptum sehr deutlich abweicht. Dieses Abweichen springt ins Auge und wird noch kräftig unterstrichen durch die Formulierung, beide Gestalten sollten im Herrenmahl konzediert werden „iuxta Christi filij Dei institutionem".

Diese Betonung des „ius divinum" auf Laienkelch wird durch die Einfügung, die an sich überflüssig wäre, von „filij Dei" ganz besonders akzentuiert. Im Memorandum an den Kurfürsten wird bei der Forderung der beiden Gestalten die Formulierung „ordinationem Christi" verwendet. Außerdem kommt dort dieses Argument, das die Schriftwidrigkeit des Kelchverbotes aussagen will, an letzter Stelle. In dem Schreiben an den Päpstlichen Legaten wird dieser Aspekt gar nicht erwähnt. Im Artikel 22 der Confessio hingegen wird diese Begründung mit den kräftigsten Farben untermalt. Eine Gestalt sei „unrecht", sei „contra mandata Dei", „non solum contra scripturam, sed etiam contra veteres canones"[435]. Im Skriptum geht Melanchthon sogar noch weiter: Nicht nur, daß er diese Begründung für die Kelchforderungen verschweigt, er erklärt auch, daß von seiner Seite die anderen nicht verdammt werden, die nur eine Gestalt gebrauchen.

In der Frage Laienkelch, weil er von Gott angeordnet und geboten und in der frühchristlichen Zeit geübt sei, identifiziert sich Rhegius später nur mit dem Melanchthon der Confessio und der Apologie und nicht mit dem Melanchthon des Skriptums. Da die Augsburger Religionsunterhandlungen nicht am Zugeständnis des Kelches durch den Papst scheiterten, sondern an dem Standpunkt, daß der Laienkelch „propter ius divinum" zu reichen sei, ist diese Position des Rhegius sehr aussagekräftig. Fraglich und offen bleibt hierbei natürlich, ob Rhegius dieses „ius divinum", dieses „iuxta filij Dei institutionem" auch in Augsburg tatsächlich so betont vertreten hat oder erst der Abstand von neun Jahren ihn manches weit schärfer sehen ließ.

Letzteres anzunehmen ist man auf Grund der Textierung gewillt. Rhegius schreibt, daß er und Melanchthon meinten, es könnte mit den „Päpstlichen" eine „concordia" gemacht werden, wenn diese ihnen „concederent", also erlaubten: „... usum utriusque Speciei in coena Domini, iuxta Christi filij Dei institutionem ..." Rhegius verwendet hier in einem Atemzug Konträres. Ist der Kelch tatsächlich von Gott geboten, warum bemüht man sich dann um eine päpstliche — vorhin kaiserliche — Erlaubnis? Hängt sein rechter Gebrauch aber am päpstlichen Erlauben („concedere"), wie kann man

[435] BSLK, S. 86.

dann von einer Anordnung Gottes („iuxta Christi filii Dei institutionem“) sprechen? Diese Aporie, von Rhegius und Melanchthon im gleichen Zusammenhang und Sinn verwendet, deutet sehr darauf hin, daß die Identifikation des Rhegius mit Melanchthon auch für das Skriptum voll gilt. Je nach Notwendigkeit wird bei den Religionsverhandlungen eben das eine besonders betont und das andere verschleiert, um dadurch am ehesten „die minimalen Existenzbedingungen sicherzustellen“[436]. Wird nun Kelchkommunion und Priesterehe konzediert und nicht ausdrücklich untersagt, dann, davon gingen Melanchthon und Rhegius aus, „blieb unsre forma ecclesiae“[437].

Die dritte Forderung, die Meßreform, wurde gleich anfangs als die größte Schwierigkeit erkannt. Hier war das Bestreben, die Unterschiede möglichst zu bagatellisieren oder überhaupt zu vertuschen, am stärksten. Weil von den protestantischen Priestern ohnehin niemand eine Privatmesse halten werde, sollte diese Frage aus dem Verhandlungspaket überhaupt gestrichen werden. Dieser Gedanke kommt in Melanchthons Gutachten für die lutherischen Fürsten, das er Anfang August, aber nach der Verlesung der Confutatio (3. August), verfaßte, sehr deutlich zum Ausdruck. Zwar werden die üblichen drei Forderungen in Form einer Bitte im Gutachten festgehalten: „...diese Stück bitten wir uns nachzulassen: utramque speciem, conigium sacerdotum et religiosarum personarum, unsre Meß“[438], aber das Meßproblem wird heruntergespielt. Gleich einige Zeilen weiter erteilt Melanchthon den Rat, weil hier keine Chance bestehe, etwas zu erreichen, „laß man den Kaiser davon mandiren. Es werden sich doch wenig bei uns unterstehen privatas missas zu halten[439].“ Auch in der CA liest man die verharmlosenden Sätze über die reformatorisch-lutherische Messe, es sei „keine merklich Anderung geschehen, dann daß an etlichen Orten teutsch Gesänge, das Volk damit zu lehren und zu uben, neben lateinischen Gesang gesungen werden“[440]. Sie werde, sofern Kommunikanten da sind, an Feiertagen und auch sonst gehalten. Wie aus dem 1. Korintherbrief, den Canones und der Kirchengeschichte ersichtlich, sei diese Art Messe zu feiern überhaupt nicht

[436] Honée, Campeggio und der Laienkelch, S. 150. Mit welch kräftigen Worten Melanchthon die Göttlichkeit des Kelchgebotes herausstreichen konnte, wenn es ihm nötig und zweckmäßig erschien, beweist nichts besser als seine Apologie der Konfession. Vgl. BSLK, S. 328ff.

[437] Gutachten Melanchthons über die angestrebte „concordia“, Anfang August 1530. CR, 2. Bd., Sp. 269. Vgl. dazu Honée, ebd.

[438] CR, 2. Bd., Sp. 269.

[439] Ebd.

[440] BSLK, S. 91f.

neu. „Tantum numerus missarum est dissimilis", also kein Grund, sie als ketzerisch oder unchristlich zu verdammen[441]. Allerdings verschweigt in anderen Kapiteln desselben Artikels die CA nicht den Hintergrund dieser Unterschiede. Die reformatorische Rechtfertigungslehre, auf der die vorgenommene „Reform" der Messe basiert und die zur Verwerfung der altgläubigen Meßfeier und Meßpraktiken führte, wird sehr offen dargelegt[442]. Die Verschleierung — nicht Bestreitung — der Diskrepanzen geschieht in den Geheimverhandlungen. So wird bezüglich der Messe im genannten Brief an Campeggio vom 4. Juli nur von „levis quaedam dissimilitudo rituum" gesprochen, die einer „concordia" zwar im Wege zu stehen scheinen, aber ernstlich doch nicht, wenn man die Canones befrage[443]. Im Skriptum, das tags darauf dem Legaten übergeben wird, wird die ganze Problematik nur kurz angetippt und dann reduziert auf „tantum numerus non est par"[444]. Die Übereinstimmung des Rhegius mit diesen Dokumenten einschließlich dem erwähnten Gutachten für die Fürsten auch in der Frage der Messe ist frappierend. Auch bei Rhegius kommt im Forderungskatalog zunächst die Messe vor („Missam more nostro"). Einige Zeilen weiter, gleich im nächsten Absatz, wird von ihm die Meßfrage mit allen ihren Problemen sehr stark relativiert. Über die Messe, die Basis des ganzen Papsttums, wäre Streit gewesen, schreibt er. Trotzdem hofften sie auch hier, einen gangbaren Weg zu finden: „Nam quod ad externas ceremonias attinet, non multum dissimiles sunt inter nos." Das Hauptproblem liege eben in der Zahl der Messen: „In numero uero ... dissimilitudo ingens est." Der theologische Hintergrund für diese „dissimilitudo" wird mit der recht allgemeinen Bemerkung „ex intentione" beiseitegeschoben. Seine Einigungsformel in dieser Frage brachte Rhegius auf den recht kurzen Nenner: „Si pontificij permitterent nobis nostrum numerum Missarum, nos non eramus impedituri ipsorum numerum ...[445]." Gewissensfreiheit, Toleranz und Pluralismus in der Theologie und in der Kirche hätten um diese Zeit kaum besser ausgedrückt werden können.

Und wie steht diese Toleranzformel bei Melanchthon zu lesen? „Ich acht", schreibt er, „aber die fursten seyen hierin gnug verwart, wenn sie niemant zwingen, meß zu halden, da gegen mogen sie willigen, sie wollens niemant verbieten, denn damitt ist dise

[441] Ebd., S. 95.
[442] Ebd., S. 92f.
[443] CR, 2. Bd., Sp. 170f.
[444] CR, 2. Bd., Sp. 247.
[445] Siehe oben S. 279, Anm. 434.

sach zu jedens gewissen frey gestallt[446]." Rhegius begründete seinen Standpunkt mit der Kirchengeschichte, aus der klar hervorgehe, daß in der Katholischen Kirche („Catholica Ecclesia") die Zeremonien auch nicht immer gleich waren[447].

Was wurde für die Erfüllung dieser Forderungen geboten? Melanchthon verwendet die Formeln: „Parati sumus obedire Ecclesiae Romanae, ... et nos bona fide obedientiam reddamus, ... Ad haec Romani Pontificis auctoritatem et universam politiam ecclesiasticam reverenter colimus ...[448]"; „Episcopi recuperaverint obedientiam ..., Cum contigerint rursus Episcopis obedientia et iurisdictio ecclesiastica ...[449]"; „obedientiam reddere et iurisdictionem Episcopis ...[450]."

Urbanus Rhegius' Formulierung paßt haarscharf in diese von Melanchthon gewählte, wenn er schreibt: „... Episcopi potuissent recuperare obedientiam ...[451]." „Facile autem possent episcopi legitimam oboedientiam retinere, si non urgerent servare traditiones quae bona conscientia servari non possunt"[452], heißt es in der Confessio. Von den Protestanten wurde somit sehr klar und eindeutig angeboten, die Jurisdiktion den Bischöfen zurückzugeben und ihnen wieder zu gehorchen, wenn diese drei Forderungen, die man mit gutem Grund auch Bedingungen nennen kann, erfüllt werden.

Rhegius hat diesen drei Bedingungen, nämlich der Duldung (concedere) der Priester- und Mönchsehe, der „Meßreform" und der allgemeinen Kelchkommunion, noch die Generalklausel vorangesetzt: Wenn die Päpstlichen uns „genus doctrinae, in Propheticis et Apostolicis scriptis traditum" erlaubten, von dem abzuweichen Christus und die erkannte Wahrheit verleugnen hieße[453]. Daß mit dieser Generalklausel inhaltlich nichts anderes gemeint war als die in der Confessio niedergelegten Glaubensartikel, ergibt sich aus dem Katalog der „mittleren" Dinge, den Rhegius anführt[454], ziemlich klar. Eindeutig wird diese These, wenn er formuliert: „So fern ain Concilium die lehr vnsers glaubens, die heilige schrift, Gottis wort, wie wir das auch zu Augspurg offentlich bekennt haben anno

446 Gutachten Melanchthons für die Fürsten, Mitte August 1530. Förstemann, Urkundenbuch, 2. Bd., S. 244.

447 Gutachten, siehe oben S. 279.

448 Melanchthon an Campeggio, 4. Juli 1530. A.a.O., Sp. 170.

449 Skriptum, a.a.O., Sp. 247.

450 Melanchthon an Campeggio oder an dessen Sekretär Luca Bonfio, 7. Juli 1530. CR, 2. Bd., Sp. 173. Bezüglich Datum und Adressat vgl. Müller, Um die Einheit der Kirche, S. 404, und dersl., Die römische Kurie, S. 103.

451 Gutachten, siehe oben S. 279.

452 BSLK, S. 131.

453 Gutachten, a.a.O.

454 D. 128, Opera III, fol. X.

1530 vnuerruckt vnd vns zu leeren vnd zu halten frey leßt, also das es vns nit zwingt wider Gottis wort zu lehren vnd zu zeleben ...[455]."

In einem Gutachten von lutherischen Theologen, das Mitte August in Augsburg entstanden ist[456], findet sich diese Generalklausel ebenfalls dem bekannten Forderungsprogramm vorangestellt. In ihr wird die Identität der in der Confessio gelehrten Artikel über Glaube, Werke, christliche Freiheit mit dem Evangelium durch eine Formulierung, die an Rhegius erinnert, hergestellt: „... von welchen man in keinem Weg weichen kann, wir wollen denn Gott und sein Evangelium verläugnen[457]."

Ob Rhegius mit Melanchthon auch in der Frage konform ging, daß den Protestanten von Rom die genannten Forderungen nicht öffentlich zugestanden werden müßten, sondern eine vorerst bis zum Konzil zeitlich begrenzte Duldung genüge[458], ist aus seinem Gutachten nicht zu entnehmen. Kann man angesichts solch ernster Überlegungen und klarer Aussagen über dieses so oft vorgebrachte Jurisdiktionsangebot mit der durchgehenden Akzentuierung auf *Rückerstattung* Maurer zustimmen, wenn er dieses Jurisdiktionsangebot „als eine unbestimmbare Größe, um nicht zu sagen ein Phantom" qualifiziert[459]? Ist es historisch korrekt, dieses Jurisdiktionsangebot mit Hilfe der Zwei-Reiche-Lehre inhaltlich völlig zu entleeren, wie Maurer: „Als Bischof hat der Bischof kein Recht über seine Gemeinden, sofern diese es ihm nicht ausdrücklich zugestanden haben ... ; Als Landesherr kann ein solcher Bischof nur den Untertanen seines Territoriums äußere zeremonielle Verpflichtungen auferlegen, nicht aber seinen Diözesanen, die unter einem anderen Landesherrn stehen (38ff, 44ff); auch hier also kann von einem Gehorsam gegenüber dem Bischof nicht die Rede sein[460]."

Auf Grund der hier ausführlich besprochenen Schriftstücke, vor allem des Skriptums, das dem Vertreter des Hl. Stuhles in Augs-

[455] Gutachten über die Konzilsfrage, Ms. 60, fol. 6.
[456] CR, 2. Bd., Sp. 280—285.
[457] Ebd., Sp. 282.
[458] Melanchthon an Campeggio oder an dessen Sekretär 7. Juli 1530. A.a.O.
[459] Maurer, Die geistliche Jurisdiktion der Bischöfe, S. 385.
[460] Maurer, Artikel 28 der CA, S. 390. Die Zahlen im Zitat meinen die entsprechenden Paragraphen in der CA/28; vgl. BSKL, S. 126ff. Vgl. dazu Honée, Der Laienkelch, S. 13. Die Position Asmussens scheint mir historisch weit korrekter, wenn er den Artikel 28 der CA in puncto Jurisdiktion zusammenfaßt: „Versetzt man sich in die Situation des Augsburger Reichstages, so muß man annehmen, daß mit jurisdictio gerade das gemeint war, was der ganze Reichstag darunter verstand. Was jurisdictio ist, mußte der Reichstag ablesen von dem, was er an den Bischöfen der Zeit vor Augen hatte, soweit nicht der Artikel selbst ausdrücklich davon Abstriche machte. Diese Feststellung hat Gewicht. Sie besagt nämlich, daß das grundlegende Dokument

burg übergeben wurde, kam es am 8. Juli zu einer weiteren persönlichen Begegnung zwischen diesem und Melanchthon. Der päpstliche Legat Campeggio schickte nach Melanchthon, dieser eilte eingedenk der Äußerungen des Repräsentanten des Hl. Stuhles drei Tage zuvor, „se posse concedere usum utriusque speciei, et conuigium sacerdotum"[461], voll Hoffnung zu ihm. Die kalte Dusche kam umso überraschender, als nun Melanchthon erkennen mußte, daß der päpstliche Legat nicht gewillt war, mit ihm weiterzuverhandeln[462]. Mehr noch, Campeggio äußerte ausdrücklich, daß bis zum Konzil „omina restituamus in veterem statum"[463]. Melanchthon war überzeugt, daß hinter dieser unerwartet kompromißlosen Haltung Eck und Cochläus standen.

Damit war auch der zweite Versuch, durch Geheimverhandlungen, diesmal mit dem Legaten, die Religionsdifferenzen zu bereinigen, vorerst gescheitert. Diese Situation muß für Rhegius und seine Freunde, vor allem die verheirateten, zermürbend gewesen sein. Die Botschaft, die sein Freund Melanchthon aus den Verhandlungen mit dem päpstlichen Legaten mitbrachte, war wenig ermutigend: Alles solle in den alten Stand zurückversetzt werden. Was soll das für die verheirateten Priester mit ihren Kindern heißen?

4.2.2.5. Zweite Verhandlungsrunde mit dem päpstlichen Legaten — Priesterehenfrage an erster Stelle

Die altgläubigen Theologen bastelten inzwischen fleißig an der Confutatio der Confessio, und die lutherischen waren zum Abwarten verurteilt. Die protestantischen Fürsten, von tiefer Sorge um das Kommende erfüllt, schickten Melanchthon und Brenz Ende Juli zum päpstlichen Legaten. Was die beiden auszurichten hatten, war

der lutherischen Kirche keinerlei Veranlassung sieht, die Existenz der Bischöfe als Bischöfe anzufechten. Die CA hat die Bischöfe nicht abgeschafft. Wenn sie doch in den meisten deutschen Kirchen abgeschafft wurden, so geschah das in ausdrücklichem Gegensatz zu CA. Denn der ganze Artikel wird gegenstandslos, geschweige daß er den Charakter eines Bekenntnisses behielte, wenn es im Grund gleichgültig ist, ob man Bischöfe hat oder nicht." Asmussen, Das Amt der Bischöfe, S. 211.

461 Melanchthon an Veit Dietrich, 8. Juli 1530. CR, 2. Bd., Sp. 174. Der päpstliche Legat scheint Melanchthon über die üblichen diplomatischen Usancen hinaus Freundlichkeit erwiesen zu haben. Melanchthon schreibt in diesem Brief jedenfalls: „...Is mihi egregie verba dat, cum quidem suavissime disputet."

462 Vgl. NB I, 1. EB, S. 84.

463 Melanchthon an Veit Dietrich, 8. Juli 1530, CR, 2. Bd., Sp. 174f. Melanchthon schrieb am 8. Juli zwei Briefe an Veit Dietrich, einen vor und einen nach seiner Unterredung mit Campeggio.

nicht weniger interessant als die Tatsache, daß die protestantischen Fürsten durch sie mit dem Legaten direkt in Kontakt traten. In dem Schreiben, das die beiden Campeggio übermittelten, ließen ihre Auftraggeber mitteilen: Sie ersuchen Campeggio, alles für den Frieden zu tun, zumal sie selbst „nullos articulos doceri (patiantur) discendentes a scripturis et ecclesia catholica". Weiters ließen die protestantischen Fürsten den Legaten wissen, daß sie „quantum sine offensione conscientiae fieri possit, eas conditiones accepturos esse, quas ad pacem et concordiam, et ad ecclesiastici ordinis auctoritatem retinendam, confirmandam et stabiliendam, iudicabitur pertinere"[464].

Daß Brenz und nicht Rhegius bei dieser heiklen Delegation Melanchthon beigegeben wurde, wird neben der engen Freundschaft, die jenen mit Melanchthon verband, vor allem im zölibatären Status des Brenz seine Ursache haben. Der päpstliche Legat sollte nicht durch seine Aussprache mit einer Gesandtschaft, der jemand angehörte, der durch die Heirat mit den Canones gebrochen hatte und so offen Lutheraner geworden war, präjudiziert werden. Bei der Aussprache, die Ende Juli stattfand, erkundigte sich Campeggio prompt nach dem Stand des Brenz. Als er hörte, dieser sei unverheiratet, erntete Brenz Lob und Anerkennung[465]. Daß diese Delegation auch die Position des lutherischen Unterhändlers Melanchthon bei Campeggio untermauern und festigen sollte, lag sicherlich ebenso in der Intention der Fürsten[466].

Die Endfassung der Confutatio ging der Vollendung entgegen. — Die erste Fassung[467] wurde bekanntlich vom Kaiser und seinen Räten als zu polemisch zurückgewiesen. — Am Mittwochnachmittag, dem 3. August, wurde sie im selben Raum wie sechs Wochen zuvor die Confessio verlesen. Der Kaiser soll — so spöttelt jedenfalls Brenz —, um seine Neutralität zu beweisen, bei ihrer Verlesung genauso geschlafen haben wie bei der Verlesung der Confessio[468].

[464] CR, 2. Bd., Sp. 172. Zur Datierung (27./28. Juli 1530) vgl. WABr, 5. Bd., S. 509, Anm. 3.

[465] Brenz an Isenmann, 14. August 1530. CR, 2. Bd., Sp. 278: „Huc accedit, quod cum ego cum Philippo nuper legatione fungeremur ad Cardinalem Romanum Campegium, et is interogasset, num uxoratus essem, negantem me perhumaniter, ut solent Itali, collaudarit." Brenz verniedlichte seine Rolle in Augsburg, wenn er von sich sagt, er sei „... spectator potius causae nostrae ... quam adiutor ..." Brenz an Myconius, 10. Juli 1530. CR, 2. Bd., Sp. 180.

[466] Vgl. dazu Honée, Der Laienkelch, S. 21f.

[467] Catholica et quasi extemporalis responsio, in: Ficker, Die Konfutation, S. 1—140.

[468] Brenz an Isenmann, 4. August 1530. CR, 2. Bd., Sp. 245.

Cochläus, dem Campeggio das Skriptum Melanchthons zur Begutachtung ausgehändigt hatte, arbeitete neben seiner Tätigkeit im Kreis der Confutatoren an der Stellungnahme für den päpstlichen Legaten. Er geht hierbei das Skriptum Punkt für Punkt durch und stellt bei der Kelchfrage fest, es sei sonnenklar, daß die Römische Kirche den Laienkelch erlauben könne; fügt dann aber die bemerkenswerte These an, sollten die Lutheraner mit ihrer Forderund nach Laienkelch durchdringen, würden sie ob dieses abweichenden Sondergutes als Sekte angesehen werden. Sie würden dann eher Lutheraner als Christen genannt werden. „Nunc tu ipse iudica", fährt Cochläus an Melanchthon gerichtet fort, „numquid honestius sit à Luthero potius, quam à Christo nomen habere[469]."

Das Gutachten des Cochläus war für den päpstlichen Legaten bestimmt und geheim; die Confutatio war die Antwort auf die CA. Wenngleich in beiden zusammengenommen alle Elemente einer Antwort auf Melanchthons Verhandlungsangebot aufscheinen, wollen wir diese Schriftstücke hier nicht weiterverfolgen, da beide Parteien ohnehin bald einander gegenübersitzen und ihre Argumente aus diesen oder gegen diese vorbringen.

Gleich in den Tagen nach der Verlesung der Confutatio kommt es zur neuerlichen Kontaktnahme Melanchthons mit den Vertretern des Papstes am Kaiserhof (Die Confutatio betrachteten weder er und seine Kollegen noch die protestanischen Fürsten als das letzte Wort.) Diese Wiederaufnahme der Kontakte mit den Vertretern des Papstes am Kaiserhof war ein verzweifelter Versuch, auf der Basis der Minimalforderungen durch Geheimverhandlungen doch noch zu einer Einigung zu kommen. Beschwörend, ja flehentlich klingt jetzt das vorgelegte Einigungsprogramm, das übrigens nur mehr zwei Forderungen kennt, nämlich Duldung der Priesterehe und des Laienkelchs. Im nun übermittelten Verhandlungsangebot scheint die Priesterehe, wie bei Urbanus Rhegius, an erster Stelle auf[470]. Ein sehr deutlicher Hinweis, daß hinter diesem verzweifelten Versuch[471] — nach der Verlesung der Confutatio —, das übermächtig drohende Schicksal zum Besseren zu wenden, die verheirateten Prediger und hier vor allem Rhegius standen. Von Änderungswünschen bei der Messe oder dem Meßkanon ist keine Rede mehr. Die Forderung nach Duldung der Priesterehen, die man doch nicht trennen könne, wird mit dem Priestermangel und die des Laienkelches mit ansonst zu befürchtender Schmähung des Sakra-

[469] Cochläus, Gutachten, fol. 20'.
[470] Siehe Gutachten, oben S. 279.
[471] Franzen ließ diesen wichtigen und entscheidenden Versuch in seiner Abhandlung: Zölibat, völlig unberücksichtigt.

mentes begründet. Würden die geforderten Bedingungen erfüllt, würden die protestantischen Priester den Bischöfen wieder gehorchen, die Kirche könne wieder zu einem Leib zusammenkommen und dem Römischen Stuhl werde die ihm zustehende Ehre zuteil. Die verheirateten Priester könnten, befreit von allem Gezänk, allen Eifer für die Verteidigung der Lehre einsetzen. Wenn die Forderungen, die man hier wohl besser Wünsche nennen könnte, sich jedoch nicht erfüllten, dann könne, artikuliert Melanchthon den Standpunkt der Seinen, jeder Vernünftige unschwer erkennen, was das für die Zukunft in Hinblick auf die vielen Sekten bedeute[472]. Rhegius erachtet die Wiederherstellung der episkopalen Obödienz für nötig: „... ad compescendas Sectas Sacramentariorum et Catabaptistarum[473].“ Also auch hier Einigkeit zwischen Melanchthon und Rhegius, wobei die Übereinstimmung der Argumente gerade mit diesem Brief Melanchthons besonders ins Gewicht fällt. Damit wird nämlich die vorhin aufgestellte These, dieser Brief und die damit verbundene neuerliche Kontaktnahme mit den Repräsentanten des Hl. Stuhles gehe auf das Betreiben derjenigen zurück, die am meisten zu befürchten hatten, nämlich die verheirateten Priester mit Rhegius an der Spitze, untermauert.

Melanchthon, der diesen Brief, getrieben von der Angst anderer, schrieb, konnte bei den Repräsentanten des Papstes am Kaiserhof nicht persönlich vorsprechen, Gelenkschmerzen hinderten ihn daran[474]. Wie sehr mußte diesen, die hinter diesem Brief standen, an einem raschen Schreiben Melanchthons gelegen sein, daß sie nicht einmal die Besserung seiner körperlichen Beschwerden abwarteten! Er bat Campeggios Sekretär Luca Bonfio, ihm durch diesen seinen Freund (gemeint der Überbringer des Briefes — vielleicht Brenz?) anzuzeigen, „welche Hoffnung der Legat über das dargelegte Einigungsprogramm zeige“[475]. Der päpstliche Legat hielt es für inopportun, Melanchthon durch dessen „Briefträger“ zu antworten. Viel zu wichtig und entscheidend war das, was er Me-

[472] Melanchthon an den Sekretär Campeggios (Luca Bonfio), 4. August 1530. CR, 2. Bd., Sp. 248f.

[473] Siehe oben S. 279.

[474] „Ego dolore artuum impeditus non potui ad vos egredi.“ CR, 2. Bd., Sp. 249.

[475] „Quaeso igitur, ut mihi paucis verbis significetis, an cum R. D. vestra de illis conditionibus collocuti sitis, et quam spem ostenderit“, heißt es im Brief Melanchthons, und am Schluß: „... teque rogo, ... mihi per hunc meum amicum significes, quam spem R.D.T. ostendat.“ Ebd. Honée, Campeggio und der Laienkelch, S. 172, liest aus dem Brief heraus: „Melanchthon hatte Bonfio um eine schriftliche Beantwortung seines Briefes gebeten ...“ Diese Interpretation, daß Melanchthon um schriftliche Beantwortung bat, scheint mir durch den Brieftext nicht gedeckt.

lanchthon wissen lassen wollte; so schickte er seinen Sekretär Luca Bonfio zu ihm. Melanchthons Brief selbst sandte er am 11. August an die Kurie nach Rom weiter[476]. Seinem Sekretär gab Campeggio eine schriftliche Instruktion, was er Melanchthon auf die Minimalforderungen zu antworten habe[477]. Diese Instruktion hielt sich in ihrer Reihenfolge an das Schema der Forderungspunkte Melanchthons, nämlich: 1. Duldung der Priesterehe, 2. Duldung des Laienkelches. Diese Reihenfolge mit der Priesterehe an der Spitze war — wie dargetan — kein Zufall, sondern Ausfluß innerprotestantischer Befürchtungen bzw. Bestrebungen, vor allem der Hauptbetroffenen.

In ihrer grundsätzlichen Tendenz klang die Instruktion hart und eindeutig negativ. Auf die Formulierung in Melanchthons Brief, die Priesterehen „non posse dissuere"[478], lautet die Antwort ganz einfach, diese Ehen „dissui necesse non est", weil sie gar keine Ehen sind. Diese sogenannten verheirateten Priester leben gegen das „fas" und gegen ihr eigenes Gelöbnis im sakrilegischen Konkubinat. Deshalb kann man auch nicht dulden, daß sie priesterliche Dienste verrichten. Sie müssen entfernt werden, selbst dann, wenn sie deswegen verhungern müßten.

Nach diesen kompromißlosen, unversöhnlichen Worten wird aber doch ein Weg der Hoffnung gezeigt. Die überaus große und unglaubliche Gutmütigkeit Roms könnte vielleicht doch, heißt es weiter, bis zum Konzil bei den „suppliciter petentibus" die Augen zudrücken[479]. Rhegius und die anderen persönlich betroffenen Priester dürften mit ihren Familien ob dieser Worte erleichtert aufgeatmet haben, das Ärgste schien hiermit abgewendet. Es war eben nicht im Sinne der päpstlichen Milde, „rem ad arma deducere propter tales causas"[480].

In der Kelchfrage weicht Campeggio dem Wunsch nach weiterer Duldung des Kelches aus, die „quaestio iuris", daß laut Anordnung Christi alle verpflichtet seien, unter beiderlei Gestalten zu kommunizieren, weist er als absurd zurück. Unnötig, fügt er noch hinzu, sei

[476] NB I, 1. EB, S. 108.

[477] Campeggio hielt seine Instruktion für so bedeutsam, daß er sie seiner Depesche, die er am 11. August nach Rom übersandte, lateinisch einfügte. Ebd. S. 108f. Welch guten Draht der Venetianische Gesandte Tiepolo zu den Repräsentanten des Hl. Stuhles gehabt haben muß, zeigt, daß dieser bereits am 7. August 1530 die italienische Fassung der Instruktion in einem Brief weiterleiten konnte. Tiepolo, Depeschen, S. 64f.

[478] CR, 2. Bd., Sp. 249.

[479] NB I, 1. EB, S. 108.

[480] So hieß es in Melanchthons Brief vom 4. August 1530. A.a.O., Sp. 249.

aber die Kommunion unter beiderlei Gestalten, weil ohnehin unter jeder der beiden Gestalten „totus integerque sit Christus", was die Protestanten ja nicht bestritten[481].

Was der Sekretär des päpstlichen Legaten am Ende seiner Unterredung mit Melanchthon auszuführen hatte, gehört zu den deprimierendsten Begebenheiten der Reformationsgeschichte. Jener bot nämlich Melanchthon eine pekuniäre Belohnung, wenn er von seinem Forderungsprogramm ablieЯe und die Fürsten zur Annahme der Confutatio bewege[482]. Daß unter diesen Voraussetzungen weitere Geheimverhandlungen unmöglich waren, liegt auf der Hand[483].

Immerhin zeitigten diese Geheimverhandlungen Melanchthons und der Seinen das wichtige Ergebnis, daß Rom bereit war, die Bestrafung der verheirateten Priester nicht zu betreiben, ja sogar bis zum Konzil die Augen zuzudrücken. Damit hatte der päpstliche Legat einen ganz gewichtigen Trumpf aus der Hand gegeben, ohne etwas dafür zu erhalten. Das weitere Wort sollten nun die Reichstagsausschüsse haben.

4.2.3. Im Kreuzfeuer der Ausschußverhandlungen: Melanchthon-Rhegius-Flügel im lutherischen Lager isoliert

Nicht die Ausschüsse und ihre Geschichte als solche interessieren uns hier, sondern, wie es dem Einigungsprogramm in den Ausschüssen erging, mit dem sich Rhegius so nachdrücklich identifizierte. Im „Großen Ausschuß" kam das Einigungsprogramm nicht zur Verhandlung. „Die Erörterung theologischer Streitfragen lag wohl auch trotz der Anwesenheit mehrerer Bischöfe außerhalb der Kompetenz dieses Gremiums", meint Immenkötter[484].

481 NB I, 1. EB, S. 108. Vgl. dazu Honée, Campeggio und der Laienkelch, S. 173f., und Müller, Campeggio, S. 142.

482 NB I, 1. EB, S. 109. Tiepolo wußte auch sofort von diesem bedauernswerten Versuch, den Ehrenmann Melanchthon auf diese Weise zu kompromittieren. Tiepolo, Depeschen, S. 65. Müller, Die römische Kurie, S. 108, setzt sich mit der Höhe der in Aussicht gestellten Belohnung auseinander.

483 Der Brief, den Melanchthon am 6. August 1530 („sofort nach dem Besuch Bonfios" meint Honée, Campeggio und der Laienkelch, S. 173) an Campeggio schrieb, tangiert unsere Untersuchung weiter nicht. Der Brief Melanchthons findet sich: CR, 2. Bd., Sp. 254f. Ohne diesen Brief könnte man allerdings Müllers Feststellung vorbehaltloser zustimmen: „Melanchthon aber gab, nachdem er gesehen hatte, daß man ihn für bestechlich hielt, seine Geheimverhandlungen mit dem Legaten und dessen Beratern in Augusburg auf." Um die Einheit der Kirche, S. 409.

484 Immenkötter, Um die Einheit, S. 27.

Der dem „Großen Ausschuß" folgende Vierzehnerausschuß behandelte am 16. und 17. August die Lehrartikel der Confessio; bei 15 Artikeln wurde Konsens festgestellt[485].

Am nächsten Tag legten die protestantischen Ausschußmitglieder in der Sitzung eine schriftliche Erklärung auf den Tisch, in der sie sich festlegten: Wenn ihnen die altgläubige Seite die Kommunion unter beiderlei Gestalten, die Priesterehen und ihre Art Messe zu feiern, „lasse bis zu verner hanndlung in einem gemeinen, freien Christlichenn Concilion", dann seien sie „zum höchsten genaigt" und willig, sich über die episkopale Jurisdiktion, die Speisevorschriften und die „gewönlichen kirchen Ceremonien" mit den jeweils zuständigen Bischöfen zu verständigen, „damit Inen vonn vnsern gaistlichen geburende obedientz geschehe vnnd Ir gepurliche Jurisdiction nicht verhindert werde, ..."[486]. Der harte Kern des Einigungsprogramms war gleich wie bei den Geheimverhandlungen, der Ton war ein anderer geworden. Das Prinzip der Duldung wurde aber durchgehalten; die Jurisdiktionsfrage sollte aber erst mit dem jeweiligen Bischof geregelt werden. Die „quaestio iuris", ob der Kelch eine Anordnung Christi filii Dei sei, wurde nicht angeschnitten. In der Ausschußsitzung spitzten sich die Debatten derart zu, daß der protestantische Teil erklärte: „Nam si in his tribus punctis minime concordaretur, ulterior tractatus esset inutilis, ...[487]."

Nun teilten die altgläubigen Ausschußmitglieder mit, daß sie am nächsten Tag dem protestantischen Teil ein Gutachten über die Punkte übergeben würden, in denen man bereit sei, um der Einigkeit und des Friedens willen nachzugeben. Johann Eck und der Kanzler von Baden Hieronymus Vehus waren beauftragt, diesen Vermittlungsvorschlag auszuarbeiten[488].

[485] Ehes, Kardinal Lorenzo Campeggio, 19. Bd., S. 131ff. Schirrmacher, Briefe und Akten, S. 217—222. Vgl. dazu: Leib, Annales, S. 550; Honée, Der Laienkelch, S. 66, und Immenkötter, Um die Einheit, S. 36ff. Bei diesen Verhandlungen machte Eck zur Sola-fide-Lehre den abgeschmackten Witz, die reformatorischen Theologen mögen einstweilen die „Solen" zum Schuster schicken. Vgl. Brück, Geschichte der Handlungen, S. 90. Bei den genannten Autoren findet sich auch Näheres über die personelle Zusammensetzung der Ausschüsse; Rhegius gehörte — wie schon erwähnt — keinem an. Zu Ecks „Witz" vgl. auch Spalatin, Annales, S. 163.

[486] Förstemann, Urkundenbuch, 2. Bd., S. 249. Zur Datierung vgl. Honée, Der Laienkelch, S. 67.

[487] Ehes, Kardinal Lorenzo Campeggio, 19. Bd., S. 137.

[488] Ebd.

4.2.3.1. Die Forderung auf Duldung des Laienkelches, der Priesterehe und der „Meßreform" in dem Vermittlungsvorschlag der Altgläubigen

Der Vermittlungsvorschlag der Altgläubigen wurde, wie vereinbart, am nächsten Tag dem protestantischen Teil übergeben[489]. Dieser Teil studierte die Altgläubigen-Einigungsvorschläge und beantwortete sie eineinhalb Tage später, am Samstagmittag, dem 20. August[490]. Der Vermittlungsvorschlag des altgläubigen Teiles konzedierte den lutherisch-reformatorischen Verhandlungspartnern den Laienkelch und die Priesterehe.

1. Der Laienkelch

Beide Gestalten könnten den Protestanten „vf zulassung oder permittiren" des Papstes oder seines Legaten[491] und mit Wissen und Billigung des Kaisers unter bestimmten Kautelen an den Orten gestattet werden, an denen ihre Spendung seit „ettlich Jar" üblich war[492]. Unter diesen Kautelen war auch eine, die besagte, sie hätten zur österlichen Zeit und wenn sonst beide Gestalten ausgeteilt werden, zu lehren und zu predigen, daß beide Gestalten nicht „auß gotlichem gebott" empfangen werden müßten[493]. Das gelte, bis das nächste Konzil entsprechende Entscheidungen treffe.

2. Priesterehe

Dort, wo sich die Ehe der Priester bereits eingelebt hat, wird deren Duldung bis zum Konzil in Aussicht gestellt, ohne jedoch die Priesterehe zu approbieren. Diese Duldung soll vor allem

[489] Der Einigungsvorschlag ist gedruckt: Spalatin, Annales, S. 170—178; Förstemann, Urkundenbuch, 2. Bd., S. 250—255; Walch, 16. Bd., Sp. 1385—1389. Vgl. dazu Immenkötter, Um die Einheit, S. 46, Anm. 75, und Honée, Der Laienkelch, S. 68ff.

[490] Ehes, Kardinal Lorenzo Campeggio, 19. Bd., S. 139. Die Antwort ist gedruckt: Spalatin, Annales, S. 179—188; Förstemann, Urkundenbuch, 2. Bd., S. 256—263; Walch, 16. Bd., Sp. 1389—1394. Vgl. dazu Immenkötter, ebd., S. 48, Anm. 81, und Honée, ebd. S. 68ff.

[491] Aus der ausdrücklichen Erwähnung des Legaten schließt Honée, daß er bei den Vorberatungen dieses Vermittlungsangebotes „aufs engste beteiligt gewesen" sein muß. Honée, ebd., S. 70f.

[492] Förstemann, Urkundenbuch, 2. Bd., S. 251.

[493] Ebd., S. 251f. Weitere Kautelen waren: Beichte vor der Kommunion; in der Osterzeit, wenn das Volk zur Kommunion kommt, wird es besonders belehrt, daß „der ganz Christus" unter jeder Gestalt gegenwärtig sei; keinem, der nur unter einer Gestalt kommunizieren will, darf das Sakrament verweigert werden; der konsekrierte Wein darf nicht für die Kranken in „geschirren behalten, noch zu yemand getragen" werden; will ein Kranker unter beiderlei Gestalten kommunizieren, kann er das nur in der Kirche oder zu Hause während einer vollständigen Eucharistiefeier; kommt viel Volk zur Kommunion, soll der konsekrierte Wein „durch ein Rorlein entpfangen vnd genossen" werden.

gewährt werden, um „zuuerschonen der armen verfurten weibsbilden“, und um die „Ernerung vnschuldiger kindlein“ zu sichern[494]. Dieser Generalpardon solle aber nicht für die gelten, die jetzt noch heirateten; diese müßten ihres priesterlichen Amtes enthoben werden, ihre Pfründen verlieren und des Landes verwiesen werden. Die Konkubinarier seien nicht zu dulden. Am Schluß dieses Punktes im Vermittlungsvorschlag taucht ein sehr interessanter, völlig neuer Gedanke auf. Man sollte doch überlegen, heißt es, ob es nicht gut wäre, daß das kommende Konzil sich mit der Frage beschäftige, verheiratete Männer in den priesterlichen Dienst aufzunehmen und zu ordinieren, wie es in frühchristlicher Zeit „etlich hundert Jar“ üblich war[495].

3. „Meßreform“

Keine Konzessionen macht der Vermittlungsvorschlag der Altgläubigen in der Frage der Privatmesse oder, um mit Rhegius zu sprechen, in der Zahl der Messen. Die Privatmessen sollten mit Einschließung „des cleinen vnd grossen Canon, wie bisher... gehalten werden“[496]. Was den Opfercharakter der Messe auf Grund des Textes des großen und des kleinen Kanons betreffe, sei er „mer ein streit oder zweyung Inn worten“[497]. Die Protestanten werden daraufhin im Sinne der Confutatio belehrt, wie der Opfercharakter der Messe zu verstehen sei. Christus habe sich am Kreuz als lebendiges Opfer Gott dem Vater „für die Sunden der Menschen geopfert“, in der Messe handle es sich um ein sakramentales Opfer zur „erinnerung vnd gedechtnus“ des Leidens und Sterbens Christi[498].

4.2.3.2. Melanchthons und Rhegius' Position: „Laienkelch sowohl ius divinum als auch Ermessensfrage des Papstes“, wird unhaltbar

Auf Grund der Positionen, die Melanchthon und die Seinen in den Geheimverhandlungen einnahmen und schriftlich fixierten, hätte man annehmen können, die protestantische Delegation erkläre in der Ausschußsitzung ihre Forderungspunkte — mit Ausnahme der sogenannten Meßreform — grundsätzlich für erfüllt. In Konsequenz dessen erklären sie weiters, ihr Versprechen auf Restauration

[494] Ebd., S. 253.
[495] Ebd., S. 254. Dieser letzte Gedanke taucht in diesem Dokument erstmals auf. Die Duldung verheirateter Priester in protestantischen Gebieten hat der Sekretär Campeggios beim Gespräch mit Melanchthon bereits angedeutet. Vgl. dazu auch Immenkötter, Um die Einheit, S. 47.
[496] Förstemann, ebd., S. 252.
[497] Ebd.
[498] Ebd., S. 252f. Vgl. dazu die Confutatio, CR, 27. Bd., Sp. 146ff. und 212ff.

der episkopalen Jurisdiktion einzulösen. Die weiteren Verhandlungen sollten sich nur noch mit den Details befassen, die Kautelen in der Kelchfrage im einzelnen klären und die noch grundsätzliche Differenz der „Meßreform" aus dem Weg räumen.

Dem war aber ganz und gar nicht so; ja es kam völlig anders als erwartet. Die altgläubigen Ausschußmitglieder schienen über die unerwartete Wendung, die das weitere Gespräch nahm, tief enttäuscht und betroffen gewesen zu sein. Die alsbald folgende allgemeine Diskussion war ein „chaotischer Gedankenaustausch, bei dem vor allem die katholischen Gemüter sich immer mehr erhitzten"[499]. Die Antwort der Protestanten ließ die Aporie ihres bisherigen Standpunktes deutlich zutage treten, der bei Rhegius klar ersichtlich ist und bei Melanchthon verschleiert vorliegt: Je nach Adressat wurde die eine Position betont und die andere verschleiert.

Die Aporie bestand darin — wie oben S. 280f. ausführlich dargelegt — den Laienkelch einerseits als „ius divinum" zu deklarieren und anderseits sich zu bemühen, für den Laienkelch von der kirchlichen Obrigkeit (Papst, Legat) die Erlaubnis (quasi Dispens) zu erbitten[500].

Jetzt, in der Antwort auf den Vermittlungsvorschlag des altgläubigen Teiles, konnten beide Positionen schwerlich zugleich vertreten werden. Kein Wunder also, wenn der protestantische Ausschußteil diesen Punkt im altgläubigen Vermittlungsvorschlag, der Laienkelch solle als besonderer Gunsterweis (Dispens) des Hl. Stuhles (Papst oder Legat) den Protestanten konzediert werden, mit Schweigen überging. Bei dem Rechtskautel im Vermittlungsvorschlag, die Protestanten sollten bei gegebenen Anlässen predigen, daß beide Gestalten nicht „auß gottlichem gebott" empfangen werden müßten, verwiesen sie auf ihre Aussagen in der CA. Sie müßten, fuhren sie fort, das Volk vor der Kommunion „vnnderrichten, das sie wissenn das recht sei, beide gestallt empfahen"[501]. Ihr

[499] Honée, Der Laienkelch, S. 80.

[500] Rhegius: „Si pontificii nobis concederent ..."; Melanchthon an Campeggio, 4. Juli: „Parati sumus obedire Ecclesiae Romanae, modo ut illa pro sua clementia ... pauca quaedam vel dissimulet, vel relaxet"; im selben Brief „... quorsum opus est, supplices abiicere ... ?" Im Skriptum, 5. Juli: „Roma ecclesia ... si permitteret nobis uti utraque specie sacramenti." A.a.O.

[501] Förstemann, Urkundenbuch 2. Bd., S. 256. Dieser Gretchenfrage, ob der Kelch ius divinum und eine Gestalt allein wider göttliches Gebot sei, wie es in der CA heißt, hat Pfnür in seinem Plädoyer für die Anerkennung der CA kein Augenmerk geschenkt. Vgl. Pfnür, Anerkennung der CA I, II und III. Es geht hierbei keineswegs um die Konkomitanzlehre, der die Protestanten klar und eindeutig zugestimmt haben, sondern um die ekklesiologischen Aspekte und um die schweren Invektiven, die in dieser Position

Brauch, beide Gestalten zu empfangen, sei „der einsetzung Christi gemes“[502]. Damit boten sie keinen tragfähigen Kompromiß an, der Hinweis auf das Konzil, bis zu dem die Prediger „mas halten“[503] sollten, war keiner.

In der Frage der Priesterehe schien sich eine Lösung anzubahnen. Die Protestanten gaben nur zu bedenken, daß es nicht möglich sein werde, nach dem Tode verheirateter Priester ihre Stellen mit fähigen zölibatären zu besetzen, da es kaum solche geben werde.

In der Frage der „Meßreform“ beharrten sie auf ihrer Art, Messe zu feiern. Hierbei fällt auf, daß sie von „vnnsern Furstenthumben vnnd gebieten“[504] sprechen. Das heißt wohl, in ihren Gebieten kommt eine Messe in altgläubiger traditioneller Form nicht in Frage. Den Altgläubigen wird also in Gebieten eines protestantischen Landesherrn die Privatmesse nicht zugestanden. Ein deutlicher Hinweis, daß sich der Standpunkt des Rhegius („Si pontificii permitterent nobis nostrum numerum Missarum, nos non eramus impedituri ipsorum numerum“[505]) und der des Melanchthon

zum Ausdruck kommen. Mag sein, daß das „keine kirchentrennenden Lehren“ sind, doch damals hat vor allem dieser Fragenkomplex zum Scheitern der Einigungsverhandlungen geführt. Die schon oben S. 256, Anm. 313 zitierte Replik erklärt sogar dezidiert: „Von den ‚Mißbräuchen‘, die im letzten Teil der CA aufgezählt werden, stehen heute nur noch die Fragen des Zölibats und der Klostergelübde zwischen den Kirchen.“ A.a.O., S. 340 „Die Anerkennung der CA an der Lehre Luthers“ entscheiden zu lassen und sie zu negieren, weil die CA zuwenig lutherisch sei, diese Gedankengänge gehören eher in den Bereich der Systematik. Vgl. Beer-Habitzky, Anerkennung der CA. Was Chrysostomos Konstantinides über den Dialog zwischen Orthodoxen und Lutheranern schrieb, scheint mir sehr gut auch auf den Dialog zwischen kath. Kirche und diesen anwendbar zu sein: „Was also bei einer solchen Situation notwendig erscheint, ist eine gründliche und tiefere historisch-theologische Untersuchung der Ursachen dieser und ähnlicher Vorgänge sowie die Erarbeitung von positiven Folgerungen aus dieser Überprüfung vor jeder anderen Aktion, um vorwärtszukommen.“ Konstantinides, Der Dialog, S. 497.

502 Förstemann, Urkundenbuch, 2. Bd., S. 256. Die Konkomitanz wird keineswegs aberkannt, wie Maurer, Die geistliche Jurisdiktion der Bischöfe, S. 383f., Anm. 86, schreibt. Der Text im protestantischen Antwortschreiben lautet nämlich ganz eindeutig: „So bekennt man auch, das gannzer leib Christj vnnder der gestallt des prots sej.“ Förstemann, ebd.

503 Ebd.

504 Ebd., S. 257.

505 Gutachten, siehe oben S. 279. Uhlhorn II, S. 158f.: „Also auch Rhegius wollte mit Melanthon . . . selbst die Privatmessen zugestehen.“ Hier liegt auch ein wesentlicher Unterschied zu Georg Spalatin, der in seinem Gutachten festhält: „. . . Zum dritten kan man in keyn weg bewilligen, das die misse priuate, die winckelmessen, der massen, wie sie vom gegenteil bisanher gehalten . . .“ Förstemann, Urkundenbuch, 2. Bd., S. 246. Vgl. auch Höß, Georg Spalatin auf dem Reichstag zu Augsburg, S. 80f.

(„... ich acht aber die fursten seyen hierin genug verwart, wenn sie niemant zwingen, meß zu halden, da gegen mogen sie willigen, sie wollens niemant verbieten, denn damitt ist dise sach zu jedens gewissen frey gestallt[506].“), diese brennende Frage nicht territorial zu lösen, sondern sie jedem Gewissen anheimzustellen, in der innerprotestantischen Diskussion am 19./20. August, an der Rhegius sicher teilnahm[507], nicht durchzusetzen vermochten.

Die episkopale Jurisdiktion wird ziemlich genau präzisiert, jedoch fällt hier auf, daß nicht von „obedientiam recuperare,... obedientiam reddere,... Romani Pontificis auctoritatem reverenter colimus“ etc. die Rede ist, sondern nur von der Geneigtheit, die episkopale Jurisdiktion „hellfen zuerhallten“[508].

Das alles beherrschende Thema der weiteren Verhandlungen sollte die quaestio iuris werden: Ist der Laienkelch kraft Gottes Gebot zu spenden oder ist eine Gestalt auch rechtens?

So folgerte der altgläubige Teil aus dem Standpunkt der Protestanten, daß somit alle Verstorbenen und alle Lebenden mit dem Kaiser an der Spitze unrecht taten bzw. täten, wenn sie nur eine Gestalt empfingen[509]. Die von Johann Brenz daraufhin ausgearbeitete und am nächsten Tag dem altgläubigen Teil übergebene Kompromißformel[510] war sicherlich gut gemeint, goß aber Öl ins Feuer. Darin heißt es, daß die Verstorbenen wie auch die Lebenden keineswegs deshalb verdammt seien, weil sie nur eine Gestalt empfangen hätten oder empfingen, da, so lautete die protestantische „Lossprechung“ der Altgläubigen von der Verdammnis, die Anordnung Christi auf beide Gestalten ein „ceremoniale praeceptum, dispensabile in quibusdam casibus neccessitatis“[511] sei. Zwei Tage zuvor noch sprach der altgläubige Teil vom gütigen Entgegenkommen des Papstes oder des Legaten, der

[506] Förstemann, Urkundenbuch, 2. Bd., S. 244.

[507] Vgl. Nürnberger Gesandtschaftsbericht, 20. August 1530. CR, 2. Bd., Sp. 294, über diese innerprotestantische Lagebesprechung: „Des Gegentheils übergebene Mittel läßt unser Theil mit Fleiß berathschlagen, und ziehen alle der andern christlichen Fürsten Theologen und Gelehrten dazu.“

[508] Der ganze Passus lautet: „Man ist auch Inn allweg dises teils geneigt, Bischoflich Regiment vnnd gewallt hellfen zuerhallten,...“ Förstemann, Urkundenbuch, 2. Bd., S. 259. Melanchthon wollte diese Formulierung noch im obigen Sinne verstanden wissen, wie aus seinem Brief an Luther deutlich hervorgeht: „Nos moderatissimas conditiones proposuimus, reddimus obedientiam episcopis et iurisdictionem, et communes ceremonias pollicemur nos esse instauraturos.“ 22. August 1530. WABr, 5. Bd., S. 556.

[509] Förstemann, Urkundenbuch, 2. Bd., S. 268.

[510] Ebd., S. 272.

[511] Walch, 16. Bd., Sp. 1397. Vgl. dazu Förstemann, ebd., S. 272 und 273 sowie Immenkötter, Um die Einheit, S. 51. Im Skriptum klingt dieser Standpunkt bereits an. Vgl. oben S. 280.

die Kelchkommunion den Protestanten erlauben werde. Die dort formulierte Klausel hatte „den Charakter einer Dispens"[512]. Jetzt, zwei Tage später, bekamen die Altgläubigen von den Protestanten zu hören, sie seien wegen des Genusses bloß einer Gestalt ohnehin nicht verdammt, sie seien sogar dispensiert, weil sie sich in einer Notsituation befänden[513].

Damit war die Situation verfahren, im Gegenvorschlag beharrten die Altgläubigen auf Predigten und Belehrungen durch die protestantischen Prediger, wonach „die niessung beider oder ainer gestallt nicht aus gottlichem gebott"[514] sei. Die Prediger jeden Teiles sollten deshalb das Volk belehren, es sei weder der Genuß einer noch beider Gestalten unrecht. Weil weder eine Gestalt noch beide Gestalten Gebot Gottes seien, seien auch ihnen beide Gestalten gestattet.

4.2.3.3. Unsicherheit und Uneinigkeit im lutherischen Lager: Melanchthon-Rhegius-Flügel findet keine Zustimmung mehr

Im Lager der Protestanten wuchs die Uneinigkeit. Der sächsische Kurfürst wurde selber unsicher und trat am 22. August an Luther mit der Bitte heran, er möge sich äußern:

1. Ist es Gottes Gebot, beide Gestalten zu gebrauchen, oder nicht? Die Altgläubigen wollen „vns utramque speciem gern zulassen, so wir bekennen und auch lerenn wollen, das recht sei, vnam speciem zu empfangen"[515].

2. Ist es erlaubt, die Privatmessen zu gestatten, nicht daß sie wieder eingeführt werden, sondern ob sie toleriert werden können. Einige meinen nämlich, daß Fürstenamt gehe nicht so weit „solche dinge zu weren". (Deutliche Anspielung auf Melanchthon und Rhegius.) Weiter wollte der Kurfürst wissen, ob der Kanon „zuzulassen sey mit einer zimlichen glosa"[516].

Melanchthon fragte am selben Tag bei Luther an, ob es richtig sei, daß man, obwohl man zum Eucharistieempfang zwar nicht verpflichtet sei, beide Gestalten empfangen müsse, wenn man die Eucharistie empfange[517]. Melanchthon erhielt auf diese subtile

[512] Honée, Der Laienkelch, S. 71.

[513] Für die theologisch Versierten war dies eine deutliche Anspielung auf Luthers babylonische Gefangenschaft der Kirche. Luther hat dies auch genauso interpretiert. Siehe: Luther an Melanchthon, 26. August 1530, WABr, 5. Bd., S. 577f. Vgl. Honée, ebd., S. 82.

[514] Förstemann, Urkundenbuch, 2. Bd., S. 274.

[515] Kurfürst Johann an Luther, 22. August 1530. WABr, 12. Bd., S. 125.

[516] Ebd.

[517] Melanchthon an Luther, 22. August 1530. WABr, 5. Bd., S. 555f.: „Quid tibi

Frage, die einen zentralen Punkt von Luthers Sakramentstheologie traf, keine Antwort.

Drei Tage später will er von Luther wissen, ob es den Seinigen überhaupt erlaubt sei, vom päpstlichen Legaten „petere pacem et toleranciam usque ad futurum concilium"[518]. (Wie oben dargelegt, haben die Protestanten in ihrer Antwort dieses Verlangen der Altgläubigen in Hinblick auf ihren Standpunkt, der Kelch sei Gottes Gebot, einfach ignoriert[519].) Luther soll diese interessante Frage später prägnant beantwortet haben: „Quod non. Seruus non est interrogandus, an eam rem permittere velit, quam iam ante permisit Dominus[520]." Spalatin schwärzte am 23. August Melanchthon bei Luther an, weil dieser „videtur paulo quidem amplius ipsis" (gemeint den Altgläubigen) „cessurus"[521]. Auch er wollte von Luther wissen, ob die Lutherischen im Hinblick auf die Ehre und Worte Gottes und ihr Heil überhaupt zulassen können oder ob sie müssen — falls sie genötigt werden —, den Laienkelch als „facultatem postulare a Legato et Caesare"[522].

Die reformatorischen Theologen im lutherischen Lager gerieten sich in Augsburg immer mehr in die Haare[523]. Jonas verfaßte Sondergutachten, die ganz offen gegen die Position von Melanchthon, Rhegius und Brenz Stellung beziehen[524]. Wochen vorher hat er Luther schon mitgeteilt, Melanchthon sei in der Frage der episkopalen Jurisdiktion viel zu entgegenkommend, weshalb es zwi-

videtur? Ordinatio Christi iuxta ad laicos et clericos pertinet; quare, tametsi sacramento uti non cogamur, tamen utentes formam sacramenti pariter retinere debent."

518 Melanchthon an Luther, 25. August 1530. WABr, 5. Bd., S. 564.

519 Siehe oben S. 294.

520 Melanchthon an Luther, 25. August 1530. Ebd.

521 Spalatin an Luther, 23. August 1530. WABr, 5. Bd., S. 557. Vgl. dazu Höß, Georg Spalatin auf dem Reichstag zu Augsburg, S. 81.

522 Spalatin, ebd.

523 Der Gesandte Nürnbergs Hieronymus Baumgartner skizziert schonungslos die Zustände im protestantischen Lager. „Gott hat uns aber zu sondern Gnaden verordnet, daß die Confession heraus, und einmal übergeben ist, sonst würden unsere Theologi längst ein anderes bekannt haben, wie sie denn, wo ihnen gefolgt würde, gern thäten, wiewohl sie einander ungleich seyn. Philippus ist kindischer denn ein Kind worden. Brentius ist nit allein ungeschickt, sondern auch grob und rauch... Denn die andern Sächsischen Theologi dürfen wider den Philippum nit öffentlich reden, denn er den Kopf dermaßen gestreckt, ..." CR, 2. Bd., Sp. 363f. Zwei Tage später, am 15. September, schreibt Baumgartner an Lazarus Spengler: „Denn auf diesem Reichstag kein Mensch bis auf heutigen Tag dem Evangelio mehr Schaden gethan denn Philippus. Er ist auch in eine solche Vermessenheit gerathen, daß er nit allein niemand will hören anderst davon reden und rathen, sondern auch mit ungeschickten Fluchen und Schelten herausfährt..." Ebd., Sp. 372f.

524 Siehe CR, 2. Bd., Sp. 305—311.

schen ihm und Philipp bereits zum Zank gekommen sei[525]. Das Angebot auf Restauration der episkopalen Jurisdiktion gerät im protestantischen Lager immer mehr unter Beschuß. Matthäus Alber, Prediger der Stadt Reutlingen, die die Confessio mitunterzeichnet hatte, schrieb den protestantischen Ausschußmitgliedern, die Wiedererrichtung der bischöflichen Jurisdiktion bedeute, „dem antichristen das sceptrum wider in die hand" zu geben[526]. Gereon Sailer, Stadtarzt von Augsburg, beschimpft die protestantischen Ausschußmitglieder ob ihrer Verhandlungsbereitschaft und schlägt hierbei einen sehr rüden Ton an, der dem Reichstagsniveau inadäquat war. Die Messe der Altgläubigen, die bei einem Duldungsfrieden toleriert werden soll, nennt er pöbelhaft „Kloake der Götzenverehrung"[527].

Unter diesen skizzierten Umständen, den Unsicherheiten und Richtungskämpfen im lutherischen Lager, ist es nicht verwunderlich, wenn es am Donnerstag, dem 25. August, zu einem Eklat kommt. Kurfürst Johann lud an diesem Tag für 12 Uhr mittags in seine Herberge zur Lagebesprechung. Neben den protestantischen Mitgliedern des Sechserausschusses[528] waren laut Nürnberger Gesandtenbericht anwesend: „... aller unser Mitverwandten Fürsten Räthe, Gelehrte und Theologen[529]."

Da Rhegius, obwohl er keinem offiziellen Ausschuß angehörte, zu entscheidenden Sitzungen des protestantischen Lagers eingeladen zu werden pflegte, können wir seine Teilnahme bei dieser brisanten Beratung mit Fug und Recht annehmen. Melanchthon legte neue Vermittlungsvorschläge vor[530]. Die Vertreter Lüneburgs, Hessens und der Städte, vor allem Nürnbergs[531], opponierten heftig. Der Punkt, den sie besonders aufs Korn nahmen, war die Restau-

525 Jonas an Luther, (30. Juni 1530). WABr, 5. Bd., S. 428.

526 Gußmann, Quellen und Forschungen, I./1. Bd., S. 317.

527 Gereon Sailer an Georg Spalatin, 20./21. August 1530. CR, 2. Bd., Sp. 296: „Quid putas cordati omnes dicent, si haec sentina Idolatriae (!) maneat?"

528 Der kursächsische Kanzler Gregor Brück, der markgräflich-brandenburgische Kanzler Sebastian Heller und Philipp Melanchthon. Vgl. dazu z. B. Immenkötter, Um die Einheit, S. 56ff.

529 Bericht vom 26. August 1530. CR, 2. Bd., Sp. 313.

530 Ediert von Schornbaum, Zur Geschichte des Reichstages von Augsburg 1530, S. 144ff.

531 Maurer, Die geistliche Jurisdiktion der Bischöfe, S. 366: „Für die Nürnberger waren die Jurisdiktionsansprüche des Bamberger Bischofs grundsätzlich abgetan... Und man fürchtete in Nürnberg, er werde auf dem Reichstag Bemühungen der Bischöfe unterstützen, daß man eine Restituierung der bischöflichen Rechte zur Voraussetzung für eine Behandlung der Glaubensfrage machen sollte."

ration der episkopalen Jurisdiktion[532]. Erhard Schnepf, der Prediger Philipps von Hessen, tat sich als „Widerpart" besonders hervor[533]. Er hätte der schriftlichen Ermahnung seines Landesherrn gar nicht bedurft, die, als sie eintraf, als Belobigung aufgefaßt werden konnte: „Viel weniger ist der Bischöff Jurisdiction zuzulassen, dieweil sie das Evangelium in ihren Landen nit zu predigen noch zu treiben gestatten wollen. Denn da würde ein fein Narrenspiel aus werden, so sie sollten Examinatores über christliche Prediger seyn, die selbs in der Lehre und Leben Chaiphas, Annas und Pilatus wären... Greift dem vernünftigen, weltweisen, verjagten(!) (ich darf nit wohl mehr sagen) Philippo in die Würfel[534]."

Die Richtung Melanchthon-Rhegius-Brenz war völlig isoliert und fand keine Zustimmung mehr. Es ist sogar unsicher, ob Melanchthons Gutachten noch „die Billigung seines Landesherrn gefunden hat"[535]. Diese Sitzung endete, ohne daß man wußte, wie es nun weitergehen sollte und was am Tag darauf in der Ausschußsitzung dem altgläubigen Part zu sagen sei[536].

Diese innerprotestantischen Richtungskämpfe dürften die Abreise des Rhegius aus Augsburg beschleunigt haben. Die Chancen, doch noch zu einer tragbaren Konkordie zu kommen, waren praktisch null. Für wen sprach seine Richtung noch? Er war als Anhänger Melanchthons in eine ungute Situation geraten. Am Abend desselben schicksalsschweren Tages nahm er noch mit Melanchthon und anderen an einem Empfang der Nürnberger Gesandten teil, und am nächsten Tag kehrte er Augsburg den Rücken. In der Begleitung des Nürnberger Gesandten Kreß[537], der den am Vortag durchgefallenen Vermittlungsvorschlag Melanchthons im Gepäck mitführte[538], ging es zunächst nach Nürnberg, von dort nach Koburg zu Luther, wo er einen Tag verbrachte. Was Rhegius nicht mehr in Augsburg erfahren hatte, wird er jetzt bei Luther zu Gehör bekommen haben, nämlich dessen Antworten auf die Fragen, die Rhegius und seine Kampfgefährten in Augsburg bewegt hatten.

[532] CR, 2. Bd., Sp. 313. Vgl. dazu auch: Engelhardt, Der Reichstag zu Augsburg 1530, S. 72ff.

[533] Ebd., vgl. dazu CR, 2. Bd., Sp. 329—331.

[534] Philipp von Hessen an seine Räte in Augsburg, 29. August 1530. CR, 2. Bd., Sp. 326f.

[535] Immenkötter, Um die Einheit, S. 63. Vgl. dazu Kantzenbach, Das Ringen um die Einheit, S. 49.

[536] Melanchthon an Luther, 26. August 1530. WABr, 5. Bd., S. 581: „Hodie erat veniendum in colloquium, cum quidem neque ego neque Pontanus sciremus, quid agendum esset, et quae esset summa sententiarum principum."

[537] Dobel, Memmingen, 4. Tl., S. 54.

[538] Schornbaum, Zur Geschichte des Augsburger Reichstages 1530, S. 142f.

Zur Frage des Kurfürsten, ob es rechtens sei, auch eine Gestalt zu empfangen und ob beide Gestalten nicht geboten seien, hatte Luther geantwortet, eine Gestalt sei „menschenfund", beide Gestalten „sind mit hellem, klarem wort Gottes bestettigt. Darumb konnen wir nicht willigen noch leren, das einerley gestalt recht sey[539]." Die Privatmesse sei ebenso Menschenlehre und ohne entsprechende Deckung durch ein Gotteswort aufgekommen. Sie sei nicht nur nicht zu feiern, sondern auch nicht zu dulden. Würden die Lutherischen die Privatmesse dulden, „so mugen wir flugs das gantz Euangelion lassen faren vnd eitel menschenwerk annemen"[540]. Wenn der Kanon nicht in dem Sinne zu verstehen sei, daß die Messe ein Opfer ist, solle man gleich das Wort „sacrificium" streichen und ihn nicht bloß glossieren. Der Kanon könne nicht dahin gedeutet werden, daß die Messe ein bloßes Gedächtnis sei. Die Fasten- und Feiertage könnten nur akzeptiert werden, „so fern sie von welltlicher oberkeit als eine welltliche ordnung gestellet" werden[541]. Damit hatte Luther dem Standpunkt des Rhegius eine sehr deutliche Absage erteilt.

In der Frage der episkopalen Jurisdiktion ist Luther prinzipiell zwar noch auf der Linie, die Melanchthon und Rhegius vertraten, aber mit der besonderen Akzentsetzung: Sofern die Altgläubigen „vnser lere wolten leiden vnd nicht mehr verfolgen... Denn wir begeren freylich nicht Bischoff noch Cardinal zu sein, Sondern allein gute Christen[542]." Luther warnte mit erhobenem Zeigefinger: „... sehet Euch dennoch wohl fur, und gebt nicht mehr, denn Ihr habt[543]."

Melanchthon hielt an der Aufrechterhaltung der hierarchischen Ordnung in der Kirche weiter fest, „vom aufziehenden landesherrlichen Kirchenregiment fürchtete er eine schlimmere Tyrannei, als sie jemals gewesen war"[544].

539 Luther an Kurfürst Johann, 26. August 1530. WABr, 5. Bd., S. 573.
540 Ebd.
541 Ebd., S. 574.
542 Luther an Lazarus Spengler, Beilage. 28. August 1530. WABr, 5. Bd., S. 595. Vgl. dazu Luthers Vermahnung an die Geistlichen... WA, 30./II. Bd., S. 268—356. S. 343 schreibt Luther über die Bischöfe bzw. die episkopale Jurisdiktion: „Ewer ampt wollen wir ausrichten, Selbst wollen wir uns, on ower kost, neeren, Euch wollen wir helffen bleiben, wie yhr seid... Was sollen wir doch mehr thun?"
543 Luther an Melanchthon, 26. August 1530. WABr, 5. Bd., S. 578.
544 Maurer, Artikel 28 der CA, S. 392. Melanchthon an Camerarius, 31. August 1530. CR, 2. Bd., Sp. 334: „Utinam utinam possim non quidem dominationem confirmare, sed administrationem restituere Episcoporum. Video enim, qualem simus habituri Ecclesiam, dissoluta πολιτεία ecclesiastica. Video postea multo intolerabiliorem futuram tyrannidem, quam antea unquam fuit."

Auch was Luther Spalatin am 26. August über die Verhandlung einer Konkordie mit den Altgläubigen schrieb, dürfte er Rhegius, seinem Besuch, schwerlich vorenthalten haben. Luther läßt in bezug auf die Religionsverhandlungen in Augsburg hierbei jenes Grundprinzip anklingen, das jeder Konkordie jedweden Boden entzieht, nämlich das Grundprinzip der Trennungstheologie, wie es in den Schmalkaldischen Artikeln, II. Teil, 4. Artikel seine Bekenntnisform erreichen sollte: Der Papst ist der Antichrist[545]. Beide Teile, Altgläubige und Lutheraner, das ist der Grundtenor in Luthers Antwort an Spalatin, lassen sich genausowenig versöhnen, wie Christus und Belial[546]. Urbanus Rhegius, der sich Luther nun uneingeschränkt anschloß, unterschrieb sieben Jahre später auch die Schmalkaldischen Artikel. Auf Grund dieses Bekenntnisses schreibt nun Rhegius: „Non itaque uideo, qua conscientia possimus inire concordiam cum Papa, cum ante biennium Smalcalde ore & scriptis palam confessi sumus, ipsum esse Antichristum. Si Papa est Antichristus, quemadmodum credimus & confitemur ingenue, possumus cum Apostolo dicere: Quae concordia Christo cum Belial Antichristo[547]?"

Die Antwort Luthers auf Spalatins Frage, ob man im Hinblick auf Gottes Ehre und Gottes Wort vom Papst oder seinem Legaten überhaupt das Recht (facultatem) auf den Laienkelch erbitten oder verlangen könne[548], dürfte Rhegius seine Isolation im lutherischen Lager wie drastischer nicht möglich vor Augen geführt haben. Luther antwortete nämlich: „... obsecro te, ut Amsdorfice repondeas in aliquem angulum: Daß uns der Papst und Legat wollten im Ars lecken[549]!"

Daß Rhegius seine in Augsburg praktizierte gewisse Selbst- und Eigenständigkeit hier auf der Koburg aufgegeben hat und zum „reinen" Lutheraner wurde, dürfte Keim meinen, wenn er über Rhegius' Aufenthalt bei Luther schreibt: „Denn hier empfing er für seine nordische Wirksamkeit die Weihe des Lutheraners[550]." (Vgl. hierzu oben S. 256.)

[545] BSLK, S. 427ff.

[546] Luther an Spalatin, 26. August 1530. WABr, 5. Bd., S. 576.

[547] D. 128, Opera III, fol. X.

[548] Vgl. Spalatin an Luther, 23. August 1530. WABr, 5. Bd., S. 557, dazu Anm. 8, ebd. S. 558. Siehe oben S. 298.

[549] Luther an Spalatin, 28. August 1530. WABr, 5. Bd., S. 583. Ähnliches hatte Luther schon am 15. Juli seinen Freunden nach Augsburg geschrieben. Ebd., S. 480.

[550] Keim, Schwäbische Reformationsgeschichte, S. 235. Uhlhorn II, S. 160 ohne Keim zu erwähnen: „Der Tag in Koburg war wie eine Weihe, die Rhegius in seinen neuen Wirkungskreis mitnahm."

F Urbanus Rhegius schlägt Berufung nach Ansbach aus und wählt Lüneburg zu seinem neuen Wirkungsbereich

1. MARKGRAF GEORG VON BRANDENBURG-ANSBACH WIRBT UM RHEGIUS

1.1. Rhegius ist unentschlossen

Die Werbung und Verhandlung des Markgrafen Georg von Brandenburg, Urbanus Rhegius „für die Leitung des in seinem Lande zu begründenden evangelischen Kirchenwesens"[1] zu gewinnen, reichen bis in den Monat August 1528 zurück. Daß Rhegius überhaupt vom Markgrafen hierfür ausersehen wurde, verdankt er der Empfehlung Martin Luthers. Dieser empfahl Rhegius auf eine entsprechende Anfrage am 14. Juli 1528 dem Wenzeslaus Linck. Luther schrieb damals, er, gemeint Linck, wisse doch wohl, daß Rhegius wieder Vernunft angenommen habe und nun eifrig zusammen mit ihm und den Seinen gegen die Sakramentarier kämpfe. Wörtlich fährt er fort: „Et quid, si hunc ipsum vocet Marchio[2]?"

Rhegius nahm den Ruf vorläufig nicht an, schlug ihn aber auch nicht aus. Man spürt aus seinem Brief ein Wollen und Doch-nicht-Wollen. Diese Unentschlossenheit drückt sich am besten in der Formulierung aus „... will also ditzemal nichts abgeschlagen haben, wie wol ich itz meins berufs halb nichs kan zu sagen ...[3]." Der Brief enthält aber eine konditionelle Zusage. Wenn sich die Sache in Augsburg im Sinne von Rhegius „nit wölte[4] schicken, wie ich verhoft hab, vnd alls dann min dienst bey euch furter begert wurde, will ich von hertzen gern thon was man mir vertrawt ...[5]." Fünf Wochen später ließ sich der Markgraf wieder vernehmen, aber nicht um zu fragen, wie sich die Angelegenheit in Augsburg

[1] Roth, Augsburg, 1. Bd., S. 209. Vgl. dazu auch Schornbaum, Kirchenvisitation, S. 2ff.

[2] Luther an Wenzeslaus Linck, 14. Juli 1530. WABr, 4. Bd., S. 496.

[3] Rhegius an Hans von Schwarzenberg, 31. August 1528. Ms. 38, fol. 29'.

[4] Im Autograph steht eindeutig „nit" und nicht „mit" wie in der Edition von: Kolde, Briefwechsel Rhegius, S. 28.

[5] Rhegius an Hans von Schwarzenberg, 31. August 1528. Ebd., fol. 29'.

entwickelt habe und ob er vielleicht jetzt bereit sei zuzusagen. Nein, der Markgraf wendet sich an Rhegius, um ihn zu bitten, er möge Stephan Kastenbauer-Agricola werben und gewinnen. Das Jahreshonorar sei „zum wenigsten hundert gulden"[6]. Sollte Agricola nicht zusagen, möge er, Rhegius, die Freundlichkeit haben und ihm einen Mann namhaft machen, „der nit allain zu predigen sunder auch Inn sachen Gottes wort zu furdern die mispreuch anzuzeigen vnd sein lere mit rechten reden vnnd schreiben zu uerkundigen geschickt sey..."[7]. Rhegius mußte durch diesen Brief sehen, und das war wohl ein Hauptzweck, daß der Markgraf den Brief an ihn und nicht gleich direkt an Agricola adressierte: Der Markgraf will nicht länger warten, er will die vorgesehene Stelle besetzen, und zwar gleich. Rhegius verstand sehr genau den Wink. Nachdem er im Antwortbrief mitgeteilt hatte, Agricola sei über die Berufung hoch erfreut, aber „man wölte Im sein sold besseren, das bewegt yn noch lenger bey der kirchen zu Augspurg das Evangelium zu predigen,..."[8] beeilte er sich, über seine Kollegen wenig Schmeichelhaftes festzustellen: „Sonst wais ich ietz zu mal keinen in Oberteutschland domit v. f. g. ratlich versechen were, dann es will vberall fälen an rechten hirten, findt man schon etlich gelert, so seind sy aintweders schwermer oder aber zum Seelen Regiment vnerfaren vnd zu jung, vnd ie vnerfarner, ie frecher zu weylen auch leichtfertig vnd böser gewissen[9]." Jetzt, da er festgestellt hat, es gäbe in ganz Oberdeutschland keinen geeigneten Prediger, kommt er auf seine Person zu sprechen, obwohl er im Schreiben des Markgrafen gar nicht mehr umworben wird. Ob seiner Erfahrung sei eigentlich er der einzige in Oberdeutschland, der für die in Aussicht gestellte Funktion geeignet sei. Man merkt sofort, Rhegius liebäugelt sehr mit dem Angebot aus Ansbach, und so weiß er ganz geschickt die Aufmerksamkeit wieder auf sich zu

[6] Briefkonzept, Nürnberg SA: Ansbacher Religionsakten, Tom. XI, fol. 26. Das Briefkonzept trägt das Datum: „Montag nach Miachaelis Anno etc. XXVIIJ." Die Lesart in der Edition von Kolde, Briefwechsel Rhegius, S. 30 „Anno etc. XXVIJ" dürfte als Druckfehler zu erklären sein.

[7] Briefkonzept, Nürnberg SA; ebd., fol. 26'.

[8] Rhegius an Markgraf Georg von Brandenburg, 11. Oktober 1528. Ms. 39, fol. 33.

[9] Die Lesart „gewessen" wie in der Edition von Kolde, Briefwechsel Rhegius, S. 31, ist inkorrekt. Im Autograph heißt es sehr klar „gewissen" wie auch bereits Döllinger, Reformation, 2. Bd., S. 60 wiedergegeben hat. Uhlhorn II, S. 146, läßt die harte Abqualifizierung, die Rhegius über seine reformatorischen Mitstreiter vornimmt, aus. Vor allem seinem Freund Johannes Frosch, dem ehemaligen Karmeliterprior und einstigen Gastgeber von Martin Luther gegenüber ist diese Auslassung des Rhegius unverständlich. Vgl. dazu auch: Götz, Die Glaubensspaltung, S. 256ff.

lenken. Zwei Dinge sind es, die ihn noch an Augsburg binden, einerseits seine Berufung durch die Stadt, von der loszukommen jedoch „mit der zeit möcht fuglich geschechen". Aber da komme ein weiteres schweres Problem dazu, „namlich ain eelich weib, fier klaine kind, ain mutter vast allt, zwo megedt, mit so viel volks, ist nit gutt wandern, es braucht kosten"[10]. Neben diesen familiären Schwierigkeiten, die ganz offensichtlich einen höheren Sold als 100 Gulden anpeilen, wie sie laut der Verhandlungsinstruktion für Ulrich Gravenberger[11] dem Rhegius bei der ersten Besprechung angeboten wurden[12], gab es auch hochbrisante politische. Rhegius teilt sie unumwunden dem Markgrafen mit: „Dazu wais ich mich vor dem thor nicht sicher, vor dem pundt[13], denn hie derff ich fur kain thor geen, ich wer alls bald von pfaffen vnd iren anhengern verkundschafft. Der Pundtshoptmann[14] hatt mir vor lengst den tod geschwornn allain vmbs Euangelium willen, ...[15]." Noch eine Schwierigkeit teilt Rhegius mit, die der Markgraf in Rechnung stellen müsse, nämlich eine private, sie betrifft seine Gesundheit. Ob der vielen Arbeiten sei sein „hopt flissig worden"[16], er müsse deshalb immer wieder ein bis zwei Tage bei der Arbeit aussetzen. Markgraf Georg antwortete umgehend auf dieses Schreiben, das man füglich ein Anerbieten des Rhegius nennen darf, nämlich drei Tage darnach, am Mittwoch, dem 14. Oktober. Alle Schwierigkeiten versucht er hierin auszuräumen. Für das Ein- und Auskommen seiner Familie sei durch ein Kanonikat, mit dem er versehen werde, das jährlich 100 Gulden „ertregt", vorgesorgt, dazu will der Markgraf „aussz vnser Camern XL oder funfcigk gulden Ratgelds zegeben". Was die Arbeit betreffe, genüge es, wenn „Ir des tags ein stund oder wo es gesein mocht zwo, In heilliger schrift lest" und in den anfallenden Sachen, die das Wort Gottes und das Seelenheil betreffen, möge er seinen Rat und seine Wohlmeinung mitteilen. Darauf wird Rhegius gebeten, „vff ehest so es fuglich sein mag" zu kommen. Was seinen Hausrat und die diversen Waren

[10] Derselbe Brief, fol. 33f. Vgl. dazu auch: Götz, Die Glaubensspaltung, S. 104.
[11] Vgl. zu Gravenberger: Kolde, Briefwechsel Rhegius, S. 27.
[12] Konzept in Nürnberg SA: Ansbacher Religionsakten, Tom XI, fol. 27' und 28'.
[13] Ohne Zweifel der Schwäbische Bund gemeint. Vgl. dazu: Schornbaum, Markgraf Georg von Brandenburg, S. 17f.
[14] Ulrich Artzt, gestorben 1527, (Oktober); vgl. Roth, Augsburg 1. Bd., S. 93f. und S. 102. Zum Schwäbischen Bund und der Glaubensfrage vgl. Lutz, Peutinger, S. 283ff. Vogt, Correspondenz, resümiert in seiner Untersuchung über Ulrich Artzt S. 288f.: „Im Ganzen genommen lernen wir U. Artzt's Denkweise aus seinen Briefen hinlänglich kennen, die freilich darin gipfelt, daß er selbständige Wege nicht gegangen ist."
[15] Brief des Rhegius, 11. Oktober, ebd., fol. 33'.
[16] Ebd.

betreffe, werde sich ein Weg finden, um sie geheim und unbemerkt nach Nürnberg zu transportieren. Mit Gottes Hilfe und Gnade werde es auch möglich sein, ihn selber wohlbehalten hierher nach Ansbach zu bringen[17].

1.2. Rhegius entscheidet sich für Augsburg, ist aber dem Markgrafen im Wort

Am Freitag, dem 23. Oktober, antwortete Rhegius dem Markgrafen mit einem Nein[18]. Zwar seien alle Bedenken beseitigt, die Angebote könne er annehmen, aber es liege nicht bei ihm. Die Stadtobrigkeit gebe ihn nicht frei, ihr fühle er sich verpflichtet.

Den obersten vier Herrn[19] und „nit dem Hauffen", habe er die Sache „In gehaim furgehallten", die wiederum „ermanten mich deshalb aufs höchst das ich ietz zumal bey yn bleyben wölte, dann sie kunten meinis diensts vnd meiner mitarbeiter noch nit geraten". Er möge doch seiner Verpflichtung in Augsburg gedenken, „gegenwirtige gefar falscher leer, der ich begegne muß", hätten die Vier ihm weiter ins Gewissen geredet[20]. Dadurch habe er sich erweichen lassen, bleibe in Augsburg und fühle sich weiter der Stadtobrigkeit verpflichtet.

Am 18. Juni 1530 verkündeten, wie oben ausgeführt, die kaiserlichen Herolde das allgemeine Predigtverbot. Rhegius war damit aller Verpflichtungen gegenüber der Augsburger Stadtobrigkeit entbunden, diese scheint jetzt sogar seine Berufung verleugnet zu haben[21]. Wohl auf Grund der skizzierten Verhandlungen mit dem Markgrafen Georg wußte sich Rhegius diesem noch immer im Wort. Bevor er sich Herzog Ernst verpflichten konnte, mußte diese Zusage gütlich gelöst und bereinigt werden.

[17] Briefkonzept, Markgraf Georg an Rhegius, 14. Oktober 1528. Nürnberg SA: Ansbacher Religionsakten, Tom. XI, fol. 35. Kolde, Briefwechsel Rhegius, S. 32f. Der Markgraf scheint hier die Loyalität des Balthasar von Wolfstein, der „zum Hauptmann im fränkischen Kreis gewählt wurde (ca. 15. III. 1528)", anzudeuten. Schornbaum, Markgraf Georg von Brandenburg, S. 18.

[18] Rhegius an Markgrafen Georg, 23. Oktober 1528. Ms. 40.

[19] Rhegius formulierte ebd. fol. 31: „sonder fieren den obersten." Mit diesen „Viern" dürften die vier, die sich immer wieder im Bürgermeisteramt abwechselten, gemeint sein: Georg Vetter und Hieronymus Imhof, die Bürgermeister in den geraden Jahren wie 1528, sowie Ulrich Rehlinger und Antoni Bimel als Nachfolger des 1527 verstorbenen Ulrich Artzt, die Bürgermeister in den ungeraden Jahren. Vetter und Imhof tendierten zu den Lutheranern, Rehlinger und Bimel zu den Zwinglianern. Vgl. dazu: Roth, Augsburg, 1. Bd., S. 87ff. und 101ff.

[20] Ms. 40, fol. 31.

[21] Vgl. Osiander an Linck, 4. Juli 1530. CR, 2. Bd., Sp. 163f.

2. RHEGIUS WIRD VON SEINEM DEM MARKGRAFEN GEGEBENEN WORT ENTBUNDEN UND VERPFLICHTET SICH HERZOG ERNST

2.1. Einvernehmliche Lösung

Die erste Mitteilung, daß Rhegius von Herzog Ernst zu Lüneburg berufen wurde, finden wir im Tagebuch des markgräflichen Predigers Adam Weis. Er trägt dieses Faktum als erste Neuigkeit vom Monat Juli ein, noch vor der Datierung des ersten Monatstages[22]. Daraus können wir wohl schließen, daß die Verhandlungen zwischen Markgraf Georg, Urbanus Rhegius und Herzog Ernst noch vor Reichstagsbeginn angebahnt und nach der Verlesung der CA abgeschlossen wurden. Leider ist uns nicht bekannt, was ihn bewog, sein dem Markgrafen gegebenes Wort wieder aufzulösen und sich dem Herzog Ernst zu verpflichten. Weis berichtet nur ganz kurz und lapidar: „Vrbanus Rhegius, vocatus est ab Ernesto duce a Luneburg ad munus Concionatorium, cum consensu tamen principis nostri, cui se antea obstrinxerat[23]."

Hat der Ratsschreiber der Reichsstadt Nürnberg, Lazarus Spengler, diese Berufungsverhandlungen mit allem Hin und Her im Auge gehabt, als er sein hartes Urteil über Rhegius fällte, oder hat Nürnberg, unabhängig vom Markgrafen, Rhegius für sich verpflichten wollen? „... vnd ist aigentlich ain gedicht, das meine herrn[24] ye willen gehabt haben nach Vrbano Regio zutrachten, dann wir kennen ine alhie zu wol, wissen auch wie vnbestenndig vnd factiosus er ist ...[25]."

[22] Weis, Diarium, S. 711.

[23] Ebd. Uhlhorn hat diesem ganzen Fragenkomplex der Berufung des Rhegius nach Ansbach, seiner Zu- und Absage keine besondere Aufmerksamkeit geschenkt, weil er ihn nur insoweit kannte, soweit Döllinger das Problem behandelte. Uhlhorn II, S. 141f. und S. 146; vgl. dazu: Döllinger, Reformation, 2. Bd., S. 60f. Die herbe Kritik Uhlhorns an Heimbürgers Ausführungen zu diesem Thema erscheint voll berechtigt: „Manches darin, wie die Verhandlungen Ernsts mit dem Augsburger Rathe und die Überlassung des Rhegius auf fünf Jahre scheint mir bloße Vermuthung oder Ausmalung zu sein." Uhlhorn II, S. 357.

[24] Da der Nürnberger Ratsschreiber Spengler „auch als Ratgeber Einfluß auf die Reformation der fränkischen Markgrafschaften in den Jahren 1526/28 ausübte", ist mit dieser Bezeichnung, „meine herrn", nicht notwendig an die Stadtobrigkeit von Nürnberg zu denken. Das Zitat stammt aus: Holborn, Spengler, in: RGG^3, 6. Bd., Sp. 240.

[25] Spengler an Dietrich, 13. April 1534. Mayer, Spengleriana, S. 151. Vgl. dazu: Klaus, Veit Dietrich, S. 124.

2.2. Rhegius' Zusage an Herzog Ernst wird kolportiert und kommentiert

Der erste, der diese Neuigkeit aus Augsburg zu berichten wußte, war Andreas Osiander[26]. Der Mann, dem Osiander das mitteilte, war sicherlich kein zufälliger Adressat, es war Wenzeslaus Linck, der im Sommer 1528 Rhegius seinem Herrn dem Markgrafen Georg empfahl, womit schließlich die damaligen Berufungsverhandlungen eingeleitet wurden.

Auch Martin Bucer beeilte sich, die Neuigkeit von der Berufung des Rhegius nach Lüneburg seinem Freund Zwingli zu melden. Seine Bemerkungen hierzu sind voll Ironie und verraten den Parteimann. Wenn Bucer schreibt: „Urbanus sic fidit Augustanae religioni pontificiae, ut se adiunxerit duci Luneburgensi ...“[27], spürt man direkt die Geringschätzung der Confessio Augustana[28] — nur diese kann mit „Augustana religio pontificia“ gemeint sein —, die Bucer als Redaktor der eben fertiggestellten, aber noch nicht überreichten Tetrapolitana[29] empfindet. Spöttisch fügt er über Rhegius an: „... delitias Augustanas ulterioris Saxoniae asperitate commutaturus, sed indubie haud volens[30].“ Nichts vermag den damaligen theologisch-kirchlichen Standort des Rhegius besser zu charakterisieren als diese Worte von Bucer. Rhegius war, als er von Augsburg wegging, ein auf die Confessio Augustana eingeschworener Reformator. Er war reformatorisch, soweit die CA reformatorisch ist, und er war altgläubig, soweit diese altgläubig ist. Daß Rhegius Augsburg verließ, lag auf der Hand, einerseits wurden alle Predigten in Augsburg eingestellt, wodurch er seines Lebensraumes beraubt wurde, und andererseits hatte „seine“ Stadt die CA nicht unterzeichnet. Dazu kam, daß Michael Keller der „Abgott“ des Volkes und der Zwinglianismus völkstümlich war. Rhegius hingegen war nicht sonderlich populär, seine Predigten nicht allzugut besucht[31].

[26] Osiander an Linck, 4. Juli 1530. A.a.O. Die oben zitierte Tagebuchnotiz von Adam Weis kann man nicht zur Bekanntmachung rechnen, weshalb sie in dieser Aufzählung hier fehlt.

[27] Bucer an Zwingli, (5. Juli) 1530. CR, 98 Bd., S. 8.

[28] Vgl. hierzu: Bucers Deutsche Schriften, 4. Bd., S. 416ff.

[29] Einen Tag vor der Überreichung der CT (9. Juli) war bei derselben Stelle übrigens ein anderes Glaubensbekenntnis abgegeben worden, nämlich die „Fidei ratio“ Zwinglis. Zwingli benötigte zur Abfassung seines Glaubensbekenntnisses „nur zwei bis drei Tage. Der Druck war am 3. Juli vollendet ... Ein vom Züricher Rat bezahlter Bote ... brachte die Fidei ratio nach Augsburg und überreichte sie dort am 8. Juli ... Balthasar Merklin, dem Bischof von Konstanz und Vizekanzler für Deutschland ... zur Weitergabe an den Kaiser.“ Blanke, Zwinglis „Fidei ratio“, S. 99.

[30] Bucer an Zwingli, (5. Juli) 1530. A.a.O.

[31] Vgl. oben, S. 214ff.

Am 10. Juli berichtete Spalatin Rhegius' neue Verpflichtungen an Luther. Des Rhegius Kollegen Frosch und Stephan Agricola seien vom Augsburger Rat schändlichst entlassen worden, ergänzt Spalatin seinen Bericht, und müßten nun mit Frau und Kindern ein neues Zuhause finden[32].

Hätte Zwingli die Neuigkeit nicht von Bucer gewußt, würde er sie von Georg Maurer[33] erfahren haben. Dieser berichtete Rhegius' Entschluß, in die Dienste Herzog Ernsts zu treten, Zwingli am 12. Juli[34].

3. RHEGIUS' ABSCHIED VON AUGSBURG UND REISE NACH CELLE ÜBER NÜRNBERG UND KOBURG

3.1. Unsicherheiten in Augsburg fördern die Abreise

Nachdem Landgraf Philipp von Hessen am 6. August „unter dem Vorwand, seine Gemahlin sei erkrankt, ... bei Nacht und Nebel durch das Gögginger Tor"[35] Augsburg verlassen hatte, gab es in der Stadt reichlich Aufregung und Nervosität[36]. Als der zwinglisch gesinnte Prediger Johann Schneid[37] von Hl. Kreuz in der Nacht vom 6. auf den 7. August zum Kurprinzen Johann Friedrich kam, „um ihm ... mitzuteilen, daß der Kaiser ihn und seinen Vater noch vor Tagesanbruch werde gefangen nehmen lassen"[38],

[32] Spalatin an Luther, 10. Juli 1530. WABr, 5. Bd., S. 464. Ganz so wird es aber wohl nicht gewesen sein. Siehe oben S. 217f. Agricola selbst schreibt am 1. November 1530 an Luther von sich und Frosch ... „augustanorum quidem adhuc habemus stipendia Norinberge apud sanctum egidium degentes ..." Allerdings treffen wir hier auch einen völlig gebrochenen und verzweifelten Agricola, wenn er weiter schreibt: „ ... taceo, quod Sathanae astutiis et carnis mee nequiciis in consciencia tam grauiter affligar, ut dubitem de gratia salutis et promissionibus dei." WABr, 5. Bd., S. 667.

[33] Zu Georg Maurer siehe: CR, 98. Bd., S. 16, Anm. 1.

[34] Maurer an Zwingli, 12. Juli 1530. Ebd., S. 19.

[35] Roepke, Die Protestanten in Bayern, S. 184. Grundmann, Philipp von Hessen, S. 342: „Daß aber die Krankheit der Landgräfin fingiert und vorher verabredet, daß die Heimkehr des Landgrafen von langer Hand vorbereitet und die Briefe seiner Frau im voraus von ihm bestellt waren, hat bisher niemand gewußt oder auch nur vermutet; die vertraulichen Weisungen an seine Frau bezeugen es unwiderleglich."

[36] Vgl. Grundmann, ebd., S. 389f.; Roth, Augsburg, 1. Bd., S. 340.

[37] Das unklare Schicksal, das Schneid nach Uhlhorn II, S. 158 erlitten haben soll („entkommen" oder „gehängt und sein Leichnam in die Wertach geworfen"), gelang Roth, Augsburg, 1. Bd., zu klären. S. 364 schreibt er: „Im Frühling 1531 erscheint er" (gemeint Schneid) „wieder in Augsburg; auf seine Bitten erhält er vom Rate ein Stipendium ..."

[38] Roth, Augsburg, 1. Bd., S. 340.

drohte das Faß überzulaufen. Daß der Kaiser diesen Unglücksboten nach Kenntnis dieses Vorfalls verhaften ließ, wird nicht weiter wundernehmen[39]. Die spanischen Soldaten scheinen hierdurch zu einem harten Vorgehen gegen die reformatorischen Prediger aufgestachelt worden zu sein. In diesen Tagen dürften die Augsburgischen reformatorischen Prediger die Stadt verlassen haben. Rhegius, der bereits in der Obhut seines neuen Herrn, des Herzog Ernst, war, unter diese „Flüchtlinge" einzureihen, wie es noch in der jüngsten Literatur geschieht, geht zu weit[40]. Wohl dürfte die harte und rauhe Vorgangsweise der kaiserlichen Soldaten die Abreise des Rhegius noch vor der seines Landesherrn Ernst gefördert haben. Es dürfte in diesen Tagen passiert sein, was Rhegius zehn Jahre später dem Kurfürsten von Sachsen Johann Friedrich schrieb, daß in Augsburg ihn „die Spanier auffgesucht, und todt schlagen" wollten[41].

Als Spalatin am 17. August dem engen Freund Luthers und Zwickauer Reformator Nikolaus Hausmann Grüße von der illustren Theologenrunde Jonas, Melanchthon, Agricola, Brenz, Rhegius und Schnepf übermittelte[42], hat er wohl den engsten Freundeskreis des Rhegius, in dem dieser sich durch fast vier Monate ununterbrochen bewegte, vollzählig genannt. Allerdings war man zu diesem Zeitpunkt in dieser Runde nicht mehr so einig wie noch zwei, drei Monate zuvor. Die diversen Religionsverhandlungen förderten Dissonanzen und Unsicherheiten, die noch weiter zunehmen sollten und Rhegius den Abschied aus Augsburg erleichterten. Die vornehme Gastrunde bei den Nürnberger Gesandten am Donnerstag, dem 25. August, traf sich nicht zuletzt zum Abschiedsessen für Rhegius[43]. Am nächsten Tag reiste Rhegius von Augsburg ab, um es nie wieder zu betreten[44].

[39] Roepke, Die Protestanten in Bayern, sieht in Schneids Handlungsweise eine Bagatelle, wenn er S. 184 hierüber schreibt: „Der sich brüskiert fühlende Kaiser verhaftete unter nichtigem Vorwand einen der Augsburger evangelischen Prediger, ..."

[40] Roepke, ebd.: „Der sich brüskiert fühlende Kaiser verhaftete ... worauf die übrigen, vom Rat ja schon zu Beginn des Reichstages im Stich gelassen, fluchtartig die Stadt verließen. So verlor Süddeutschland auch einen profilierten Mann wie Urbanus Rhegius ..."

[41] Siehe D. 132.

[42] Spalatin an Hausmann, 17. August 1530. Kolde, Analecta, S. 146ff.

[43] Bucer an Landgraf Philipp, 27. August 1530. Lenz, Briefwechsel, S. 24. Siehe oben, S. 253.

[44] Über den „abenteuerlichen Reunionsversuch" des Jahres 1531, der Rhegius wieder (noch) in Augsburg weiß, erübrigt sich Näheres auszuführen. Nicht das Jahr 1531, das jenseits unseres Untersuchungszeitraumes liegt, ist der Grund unseres Übergehens, sondern weil seit Kolde diese Causa als eine

3.2. Über Nürnberg und Koburg nach Celle

Rhegius reiste über Nürnberg, wohin er vom Nürnberger Gesandten Christoph Kreß begleitet wurde[45], nach Koburg zu Luther. In Nürnberg wurde Rhegius am 29./30. August mit allen Ehren empfangen. Nicht weniger als zweimal gaben die Nürnberger ihm zu Ehren ein Essen. Vom zweiten Mal wissen wir, daß sich unter den Festgästen Pistoris[46], Wenzeslaus Linck, Andreas Osiander, Lazarus Spengler u. a. befanden. In Rhegius sahen die Nürnberger genau den richtigen Mann, um Auskünfte in zwei hochwichtigen Angelegenheiten, die sich in Augsburg vollzogen, zu erhalten. Das waren einerseits die Ausschußverhandlungen der altgläubigen Theologen mit denen der Confessio Augustana und anderseits die Gespräche um eine Konkordie mit der zwinglisch-theologischen Richtung[47]. Über die Antwort, die Rhegius in diesen Fragen gegeben haben wird, wurde oben bereits gehandelt[48].

Wann genau Rhegius bei Luther auf der Koburg war, wissen wir nicht; was Rhegius über diesen Tag der Nachwelt überlieferte, zählt zu den größten Lobeshymnen eines Zeitgenossen über Luther. Mit überschwenglichen Worten weiß er noch vier Jahre später einem Augsburger Freund darüber zu erzählen[49].

Von Koburg zog er weiter nach Norden in die Residenzstadt Herzog Ernsts von Braunschweig-Lüneburg, nach Celle. Ein erstes Zeugnis seiner Wirksamkeit in Celle haben wir in einem Brief, datiert mit 17. November 1530 und unterschrieben mit: Pfarrer zu Celle[50]. Aus derselben Zeit datiert auch ein Brief Bucers an Herzog Ernst, in dem dieser seinem „lieben brudern und mitdienernn in euangelio D. Urban Regio“[51] Grüße übermittelt.

leidige Machination entlarvt ist, in der Rhegius nie involviert war. Vgl.: Schlecht, Ein abenteuerlicher Reunionsversuch; Kolde, Über einen römischen Unionsversuch; Roth, Augsburg, 2. Bd., S. 34ff.; NB I, 2. EB, S. 340ff.; Jedin, Konzil von Trient, 1. Bd., S. 220ff.; Stupperich, Kirchliche Einigungsbestrebungen.

45 Der Memminger Gesandte zum Augsburger Reichstag, Hans Ehinger, berichtet am 28. August nach Hause: „Vorgesterg (!) jst Dr. vrba von hie mit dem Cressen gen nuornberg vnd fort gestrax gen kobuorg zu Dr. marthin luther geraist, jn diser schweren handlung des sacramentz verhellfen das best vnd wegst zu fierdren.“ Dobel, Memmingen, 4. Tl., S. 54.

46 Bei Pistoris dürfte es sich um den Abt von Egydien, Friedrich Pistoris, handeln. Vgl. Engelhardt, Nürnberg.

47 Siehe oben, S. 256.

48 Ebd. und S. 290ff.

49 D. 99. Siehe oben S. 256 und 300ff.

50 Urbanus Rhegius pfarrher zu Zell. Ms. 47.

51 Bucer an Herzog Ernst, (Mitte November 1530). CR, 98. Bd., S. 247.

Den dringenden Wunsch der Lüneburger, in ihre Stadt zu kommen, um das Kirchenwesen zu reformieren, mußte Rhegius 1530 zweimal abschlägig bescheiden. Seine angeschlagene Gesundheit und die persönlichen Verhältnisse erlaubten es ihm nicht, noch im gleichen Jahr Celle zu verlassen. „Es haben mir aber die fluß vnd catharr noch kein ru gelassen, das ich den lufft noch keins wegs erliden mag“[52], entschuldigte Rhegius sich im November. Eine neuerliche Werbung der Lüneburger muß er wieder abschlagen, wobei er ergänzend zu seiner Entschuldigung vor fünf Wochen anfügt: „Mire mihi intemperies hyberna uenti illius marini inimica est[53].“ Außerdem erwarte seine Frau ein Kind, sie würde bei seiner Abwesenheit ob der raschen Veränderung seiner Angelegenheiten über die Maßen betrübt.

Die eigentliche Wirksamkeit des Rhegius in den Lüneburgischen Gebieten begann somit erst im Jahr darauf und dauerte zehn volle Jahre[54].

[52] Ms. 47.
[53] D. 78, Opera III, fol. LXXXVI.
[54] Vgl. oben den Literaturbericht.

Zusammenfassung

Die RHEGIUS-FORSCHUNG erlebte in der zweiten Hälfte des vorigen Jahrhunderts ihre Hochblüte. Innerhalb eines Jahrzehnts beschäftigten sich gleich zwei Autoren in Monographien mit diesem Reformator, 1851 war es *Heimbürger* und 1861 *Uhlhorn*. Diesen Bearbeitungen durch protestantische Forscher trat 1884 der katholische *Wittmann* an die Seite. Wenngleich dieser sich nicht monographisch mit Rhegius befaßte, so ist doch ein sehr wesentlicher Teil seiner Arbeit Rhegius gewidmet. Die Theologie Rhegius' versuchte am Ende des Jahrhunderts *Seitz* aufzubereiten. Der unübertroffene Augsburger Reformationshistoriker *Roth* stellte sich 1901 mit einer einschlägigen Untersuchung seiner Stadt ein, die Rhegius in gebührender Weise behandelte und die andere Autoren in mancher Hinsicht ergänzte. Seit dieser Zeit ist Rhegius ein STIEFKIND in der Reformationshistorie, wenig beachtet und von den Forschern anscheinend vergessen. Die diversen Aufsätze, Abhandlungen und kleineren Beiträge über Rhegius leben seit der skizzierten Zeit praktisch von *Uhlhorn*. Das auch mit vollem Recht, ist doch *Heimbürger* von ziemlich unkritischer Warte an die Arbeit herangegangen und hat ein Rhegius-Bild entworfen, das weitgehend als zu einfache Schönfärberei qualifiziert werden muß. *Wittmanns* Beitrag, der ob seiner sehr schweren Greifbarkeit auf die weitere Rhegius-Literatur kaum einen Einfluß gehabt hat, ist katholisch kämpferisch und trägt leider zu stark dieses Zeitkolorit am Gewande. *Uhlhorn*, der nachmalige protestantische Abt von Loccum, hat es zu einer für die damalige Zeit erstaunlichen Höhe der Objektivität gebracht. Die katholischen Forscher, die sich mit Rhegius befaßten, wie *Döllinger, Paulus* oder der schon rezensierte *Wittmann*, fallen der Literatur dadurch auf, daß sie die negativen Seiten im Charakter und im Verhalten des Rhegius — die unzweifelhaft gegeben waren — besonders hervorkehren, wenn nicht überhaupt sich ausschließlich damit beschäftigen.

Für die gesamte Rhegius-Forschung bedauerlich, ja sehr abträglich war es, daß die Ansätze, die es im 16. Jahrhundert gab, Rhegius unabhängig von der Schreibweise seines Sohnes darzustellen, bald im Keim erstickten. Das Gewand der Rhegiusbiographie, wie es sein Sohn Ernestus schneiderte, hielt praktisch dreihundert

Jahre und wurde erst langsam und zaghaft abgestreift. Für eine Biographie wie diese, die nicht in der Lage — oder nicht willens — war, auch nur eine einzige Jahreszahl zu nennen, ist diese lange Dominanz erstaunlich.

Ich möchte ihr allerdings nicht so negativ gegenüberstehen wie *Uhlhorn*. So ausgemacht falsch nämlich, wie *Uhlhorn* sagt, ist die These, daß Rhegius ursprünglich *König* hieß — wie sein Sohn zu berichten weiß — doch wieder nicht. Rhegius' Mutter kann durchaus *König* geheißen haben, und einiges spricht dafür. Da Rhegius' Eltern nicht verheiratet waren, wohl ob der geltenden Kirchengesetze, die es dem Vater — dem katholischen Priester — verboten, eine Ehe einzugehen, ist die Benennung des Sohnes nach der Mutter keineswegs von der Hand zu weisen. Aus den Quellen ist allerdings nirgends zu ersehen, daß sich Rhegius jemals *König* nannte, und von seinen unmittelbaren Bekannten, die mit seinen Familienverhältnissen vertraut waren, fehlt auch eine diesbezügliche Aussage. Zum Unterschied dazu stehen wir mit dem Namen *Rieger*, wie sich Rhegius vor seiner Umbenennung nannte, auf ganz sicherem historischen Boden. Meine These, in Konrad *Rieger*, der in der fraglichen Zeit Benefiziat in Langenargen war, den Vater des Rhegius zu sehen, hat die Wahrscheinlichkeit für sich. Daß sein Vater Priester war, wird übrigens heute auch von protestantischer Seite, wie es *Stupperich* gut beweist, nicht mehr in Zweifel gezogen.

Die BILDUNG und AUSBILDUNG, die Rhegius genoß, bewegte sich in den damals üblichen Bahnen. Wo sie spezielle Akzente erfuhr, war sie geprägt von der außergewöhnlichen Persönlichkeit Johann *Ecks*. Seinetwegen hatte er zu leiden und wurde verspottet; er ist es aber, der Rhegius fördert, der ihm hilft. *Eck* fasziniert Rhegius und beflügelt ihn zu Gedichten, die mehr ausdrücken als bloß humanistischen Flitter und Firlefanz. Eine spezielle humanistische Ausbildung, die ihn zur Empfänglichkeit für Zwinglis Theologie prädestinierte, ist historisch nicht nachweisbar. Ebensowenig ist historisch nachweisbar, daß Rhegius aufgrund seines Ausbildungsganges für die Reformation heranreifte. Auf der Ebene von Denkstrukturen Thesen für und wider die Neigung zur reformatorischen oder altgläubigen Theologie aus seinem Bildungsspezifikum konstruieren zu wollen, würden Konstruktionen ohne Historie bedeuten.

In UNGEREIMTHEITEN verstrickt ist Rhegius bei seiner PROMOTION zum Doktor der Theologie. Diese wurden durch den allzu unmittelbaren Konnex mit der Domprädikatur von Augsburg mitverursacht, für die eine solche Bildungsstufe erforderlich war. Von diesen Ungereimtheiten vermochten ihn Quellen, die von seinen eigenen Angaben unabhängig sind, nicht loszulösen.

Sein Engagement für die PRIESTERBILDUNG in der alten Kirche ehrt ihn nicht nur, sondern vermag sehr stringent zu beweisen, wie ernst es ihm um das Priestertum und um den Priesterdienst war.

Seine Krönung zum Dichter und Redner durch Kaiser *Maximilian I.* erwirkte seine eigene hohe Meinung über sich selbst mindestens in dem Maße, wie sie der Kaiser und seine Umgebung von ihm hatten. Diese DICHTERKRÖNUNG öffnete ihm manche Tore, die anderen verschlossen blieben. Sie war eine vorzügliche Empfehlung für die hochdotierte DOMPRÄDIKATUR von Augsburg. Sein Selbstbewußtsein ermunterte ihn auch hier zur Bewerbung um diese Kanzel und vermochte eine diesbezügliche Einladung von seiten der zuständigen Domherren erfolgreich zu ersetzen.

Als Rhegius dieses Amt antrat, war die Spannung in den deutschen Landen sehr groß. Die Bannandrohungsbulle *Leo X.* für Martin *Luther* wurde landauf und landab promulgiert. Heftige Diskussionen beherrschten das geistige und geistliche Leben. Der Hauptbetroffene Martin *Luther* übergab sie dem Feuer, Urbanus Rhegius verkündete sie als ausführendes Werkzeug den Augsburgern von der Domkanzel herab. Kann er da schon lutherisch gewesen sein? Nein, er war genauso innerlich unsicher wie viele andere auch.

Das Domkapitel war kein Hort, das ihm Sicherheit zu geben vermochte, keine Instanz, die ihn zur Treue zur alten Kirche und ihrem religiösen Leben anspornen konnte. Die Domherren waren ebenso empfänglich für das LICHT, das in WITTENBERG zu leuchten begann. Allerdings kannten sie keinen Pardon in der Ablaßfrage, zu eng war damit die Kirchenfabrik verknüpft. Hier wuchs Rhegius aber über sich hinaus, die gewonnene theologische Überzeugung ließ die sozialen und gesellschaftlichen Annehmlichkeiten in den Hintergrund treten. Aber damit war der Tag, an dem er von der Domkanzel verdrängt — nicht vertrieben — werden sollte, nicht mehr fern. Rhegius ließ durch einen Notar seine RESIGNATION auf die Domprädikatur einreichen und machte Platz für seinen Studienfreund, aber nicht mehr Gesinnungsgenossen, Matthias Kretz.

Vergrämt zog Rhegius in seine Heimat und studierte das reformatorische Schrifttum, das die Märkte überflutete. Hier reifte er innerlich zum REFORMATOR. Vom Leuchter der Augsburger Domprädikatur genommen und in das ruhige, verträumte Langenargen gesetzt, wird ihm die alte Kirche, die „Papstkirche", immer mehr zum ANTICHRISTEN, seine ihr treu gebliebenen Konfratres zu Dienern dieses Antichristen.

Hätte er dergestalt noch die PRINZIPALKAPLANEI an der Haller Heiltumkapelle in Tirol übernehmen dürfen? Diese Prinzipalkaplanei, verbunden mit der Prädikatur, war das Paradebeispiel religiöser Überzeugung der alten und reformbedürftigen Kirche. Dotiert war diese Stelle nicht minder als die in Augsburg. Rhegius gerät durch die Investitur auf dieses Benefizium, nicht unschuldig, ins ZWIELICHT. Die vehemente und zähe Verfolgung, der er in Hall in Tirol nach einjähriger Tätigkeit ausgesetzt ist, korrespondiert der Vehemenz und Zähigkeit, mit der er an dieser Stelle festhält (aus Eifer für den Stiftsbrief, dem in allen Punkten zu genügen er beeidet hatte?). Aus diesem Zwielicht vermögen ihn nur unerwartete Quellenfunde zu befreien.

Was *Eck* und seinen einstigen Paladin Rhegius entzweite, ist nicht zu eruieren. War es die Überheblichkeit, oder war es das verschiedene Naturell, wir tappen im dunkeln. Was *Fabri,* den einflußreichen Generalvikar von Konstanz und alsbald mächtigen Rat Erzherzog Ferdinands mit Rhegius entzweite, ist weitgehend geklärt. Es ist die Flugschrift, die Fabri tief verletzte: „Cuntz und Fritz". Es wäre mindestens für Rhegius einiges anders gelaufen, wäre nicht diese Flugschrift dazwischengetreten und hätte *Fabris* Zuneigung zu Rhegius zerstört. Daß aber Rhegius gar nicht der Verfasser war, wie ich durch meinen Fund der handgeschriebenen Druckvorlage dieser Flugschrift nachweisen kann, läßt die Entzweiung beider fatale Züge gewinnen. Kein Wunder also, wenn sich besagter Fabri nicht beim Erzherzog für Rhegius' Weiterverbleib in Hall als Prinzipalkaplan einsetzte, wie es Rhegius erwartet hatte.

Die Gegensätzlichkeit der in der Literatur nebeneinander existierenden Positionen, (vertreten durch Uhlhorn und Seitz), was Rhegius' innerreformatorischen theologischen Standort betrifft, erweist sich als kaum lösbar, wenn man vom Paradigma „ABENDMAHLS-KONTROVERSE" ausgeht. Anhand der Lehre von der OHREN- oder PRIVATBEICHTE läßt sich jedoch gut erweisen, daß Rhegius nie „im Wesentlichen ganz zwinglisch" (*Seitz*) war, und es läßt sich genauso präzis zeigen, daß Rhegius keineswegs „mehrmals" das LAGER wechselte (*Uhlhorn*). Rhegius war weder jemals im zitierten Sinne zwinglisch, noch wechselte er mehrmals hin und her. Rhegius' reformatorische Position war — wollen wir *Erasmus* zunächst ausklammern — lutherisch. Mit dem Auftreten *Zwinglis* verließ er diese Grundposition keineswegs. Er wurde allerdings *Luther* gegenüber kritisch und versuchte ständig, die Positionen beider auf einen Nenner zu bringen, was bei einer blinden Gefolgschaft natürlich nicht möglich gewesen wäre. Für eine solche Gefolgschaft war Rhegius bereits viel zu eigenständig; er war zum kritischen LUTHERANER herangereift. Luther war ihm bis 1530 zwar groß, der Größte aber wurde er für ihn erst mit der Übersiedlung nach Norden, hervorgerufen nicht zuletzt, wie er selber bekennt, durch eine persönliche Begegnung auf der Koburg.

Erasmus, 1522 noch Rhegius' Sonne, neigte sich in seinem Horizont immer tiefer und drohte um 1524, als Erasmus für den freien Willen Partei ergriff, unterzugehen.

Die „endgültige" Übersiedlung Rhegius' 1524 nach Augsburg hatte alsbald eine reiche PREDIGTTÄTIGKEIT zur Folge. Nicht nur der Rat von Augsburg engagierte ihn, nein, auch die *Fugger*, was in der Literatur ständig übersehen wurde und wird.

Rhegius' feierliche HOCHZEIT mit dem „Te Deum laudamus" hatte demonstrativen Charakter; sie war die Manifestation des inneren und die Deklaration des äußeren Bruches mit der alten Kirche. Er trat damit in Augsburg eine Lawine von heiratslustigen Priestern und Mönchen los, die nicht mehr zu stoppen war. Mit dem öffentlichen und feierlichen Austeilen der hl. Kommunion unter beiderlei Gestalten am Weihnachtstag 1525 war der BRUCH mit der alten Kirche besiegelt und perfekt.

Der Kampf gegen die WIEDERTÄUFER läßt seinen ersten Platz unter den Augsburger Reformatoren deutlich sichtbar werden. Der Rat hatte ihn hierfür, wie zur Predigttätigkeit im St.-Anna-Kloster, engagiert und weiß ihn auch zu honorieren.

Am Augsburger REICHSTAG 1530 sollte er eine wichtige Rolle als „Parteimann" *Melanchthons* spielen. *Eck* hatte ihn in seinen 404 Artikeln besonders aufs Korn genommen und zum größten anwesenden „Ketzer" abgestempelt. Das vom Kaiser von Anfang an intendierte allgemeine PREDIGTVERBOT, das er auch durchzusetzen vermochte, war das Ende für Rhegius' Predigttätigkeit im Süden. Rhegius' vermittelnde Grundposition im innerreformatorischen Tauziehen brachte ihm ein gewisses Vertrauen des Landgrafen *Philipp von Hessen* ein. Dieses Vertrauen sollte beim Reichstagsgeschehen eine Tragweite erhalten, wie es niemand vorhersehen konnte. Nicht nur, daß dessen Unterschrift unter die *CA* damit zusammenhängt; die für die Geschichtsmächtigkeit der Confessio so wichtige VERLESUNG steht damit in innerem Konnex.

Rhegius' vermittelnde Gesinnung ließ ihm beim Reichstag an MELANCHTHONS Seite weiters eine Rolle zufallen, die zu echten Konkordienverhandlungen mit den Altgläubigen führte. (Heute würde man ihn einen zutiefst ökumenisch gesinnten Theologen nennen.) Wenn auch die persönlichen Interessen des verheirateten Priesters Rhegius hierbei ziemlich im Vordergrund standen, darf die Wichtigkeit des Zölibatsgesetzes bei diesen Verhandlungen nicht übersehen werden.

Als die innerreformatorische Isolierung des Melanchthon-Rhegius-Flügels immer deutlicher und das Scheitern der Verhandlungen mit den Altgläubigen immer sichtbarer wurde, verließ Rhegius Augsburg. Er zog über Koburg, wo er *Luther* begegnete, in sein neues Wirkungsgebiet nach Norddeutschland. Vorher galt es noch, eine alte und unerledigte Berufung mit seiner prinzipiell schon gegebenen Zusage nach Ansbach gütlich zu bereinigen.

Am 26. August 1530 verließ Rhegius Augsburger Boden, um ihn nie wieder zu betreten.

Seine schriftstellerische Tätigkeit hatte zu diesem Zeitpunkt einen Umfang erreicht, der sich sehen lassen konnte. Einige seiner Traktate erlebten Auflagen, die Vergleiche mit *Luther* nicht zu scheuen brauchen.

Von seinen bildlichen Darstellungen schließlich scheint der zeitgenössische Holzschnitt vom Jahre 1524 am ehesten in Frage zu kommen, um über sein Äußeres Auskünfte zu geben.

II

Das literarische Lebenswerk

Bibliographie seiner Handschriften und Erstdrucke

Einleitung

Die vorliegende Bibliographie will alle Schriften des Urbanus Rhegius, ob gedruckt oder ungedruckt, erfassen. Sie will sich dabei auf die Erstdrucke und die Autographen oder bei deren Verlust auf ihre ersten Abschriften beschränken. Ich hoffe, damit einen wichtigen Grundstein für eine umfassende Bibliographie zu legen, die allen Nachdrucken, Übersetzungen und Abschriften mit ihren jeweiligen Fundorten nachgeht. Nun habe ich die Nachdrucke und Übersetzungen durchaus nicht außer acht gelassen, sie sind weitgehend angeführt, aber nur mit Jahr-, Ort- und Druckerangabe, außerdem wird kein Anspruch auf Vollständigkeit erhoben. Vollständigkeit wurde jedoch wohl bei der Erfassung der Autographen und Erstdrucke angestrebt; Erstdruck verstanden im Sinne des frühesten erhaltenen Druckes.

Auf präzise Wiedergabe des Titels, genauer gesagt des Textes der Titelseite, und der Angaben über Erscheinungsort, Drucker und Erscheinungszeit, Größe und Umfang wurde größter Wert gelegt. Weitere Rubriken geben über Widmung, über Bibliographie, Fundorte, Wiedergabe in den Sammelbänden und über Auflagen Auskunft. — Siehe die anschließenden Erläuterungen. — Allgemeines Abkürzungsverzeichnis, Abkürzungsverzeichnis der Zeitschriften sowie das Literaturverzeichnis sind am Anfang des ersten Teiles dieser Untersuchung zu finden. Durch Besuche der Österreichischen Nationalbibliothek in Wien, der Staats- und Stadtbibliothek in Augsburg und diverser kleinerer Bibliotheken einerseits und durch das Entgegenkommen der Entleihdienste der Bibliotheken andererseits war es möglich, fast ausnahmslos von allen Drucken das Original in den Händen zu haben. Wo das durch besonders widrige Umstände nicht möglich war, boten Xeroxkopie, Mikrofilm und ergänzende Auskünfte die nötigen Unterlagen. Bei den Manuskripten hingegen waren Mikrofilm und Xeroxkopien die Primärwege der Beschaffung.

Die Fundortangaben beruhen mehr oder minder ausschließlich auf Auskünften der am Schluß verzeichneten Bibliotheken und Archive. Die Bezeichnung eines Druckwerkes als Unikat heißt genaugenommen, daß es in den in der Fundortzusammenstellung aufgezählten Bibliotheken (Archiven) nur einmal vorkommt. Über das Vorhandensein eines Werkes in einer in den Verzeichnissen nicht erfaßten Bibliothek oder einem solchen Archiv wird nichts ausgesagt.

Die Erstellung dieser Bibliographie wäre ohne einschlägige Auskünfte der am Schluß aufgeführten Archive und Bibliotheken undenkbar gewesen. Ich möchte hier die Gelegenheit zum aufrichtigen Dank benützen, besonders gegenüber der Österreichischen Nationalbibliothek in Wien, der Bayerischen Staatsbibliothek in München und der Herzog-August-

Bibliothek in Wolfenbüttel. Namentlich bedankt sei Herr Direktor Dr. Friedrich *Blendinger* vom Stadtarchiv Augsburg, Herr Direktor Dr. Joseph *Bellot* von der Staats- und Stadtbibliothek Augsburg und Herr Hans *Immel* von der Landesbibliothek in Hannover.

Für wertvolle Hinweise danke ich Frau Hofrat Dr. Maria *Mairold*, der früheren Leiterin, sowie dem derzeitigen Leiter der Handschriftenabteilung der Universitätsbibliothek Graz, Herrn Dr. Hans *Zotter;* für mancherlei Mithilfe bei der Auswertung der in slawische Sprachen übersetzten Traktate Frau Oberstaatsbibliothekar Dr. Edith *Trenczak*.

Sehr in Anspruch genommen war die Fernleihstelle der Universitätsbibliothek von Graz, speziell Frau Hartwiga *Gusel* und Frau Ingrid *Kammerhofer*. Sie seien für ihre besondere Umsicht nicht nur genannt, sondern ihnen sei vor allem herzlich gedankt.

Erläuterungen zur Bibliographie

Ad — Gibt den Adressaten an und weist die nachstehende Schrift als Brief aus.

Aufl — Diese Rubrik soll über weitere Auflagen und über Übersetzungen von Rhegius-Werken Auskunft geben. Sie wird selbstredend nur bei Drucken verwendet, die Rhegius zum Autor haben; nicht also bei Mss., aber auch nicht bei Drucken, in denen sich bloß ein Gedicht oder ein Brief von ihm findet.

Aut — Die Bezeichnung eines Ms., das von Rhegius selbst geschrieben ist. Orientierungspunkte dafür sind: Mentz, Handschriften S. 22; die Editionen im CR und WABr; Schieß, Briefwechsel Blaurer, und die Vadianische Briefsammlung.

Bg — Die Erfassung des Werkes in einer allgemein anerkannten Bibliographie oder seine Behandlung in einer Spezialuntersuchung wird hier angegeben. Kuczyński und jüngere Bibliographien wurden bevorzugt.

Dt — Bei Gedichten, die in nicht von Rhegius verfaßten Büchern stehen, wird zuerst das Datum des Vorwortes angegeben — damit kommt man dem Abfassungsdatum eines Gedichtes näher — und als zweites das des Druckes. Steht nur ein Datum, so ist es das Druckdatum.

E — Bei den Handschriften (Mss.) ist unter dieser Rubrik die Bibliographie von der Edition der entsprechenden Handschrift zu finden.
Bei den Drucken (D.) sind hier die Briefe, die nur gedruckt überliefert sind — sofern nicht in den Sb. ediert — oder der Abdruck eines derzeit unauffindbaren Ms. bibliographiert. Prinzipiell wurde hierbei nur auf jüngste Editionen zurückgegriffen.

F — Bibliotheken und Archive, in welchen sich die behandelte Schrift befindet; es meint immer mindestens *ein* Exemplar. Bei Unikaten werden, wie bei den Mss., die Signaturen so, wie sie mitgeteilt wurden, angegeben. (Zur Auflösung der Mss.-Sigel sei auf das beschreibende Handschriftenverzeichnis der WABr, 14. Bd. verwiesen.) Bei Drucken, die nicht von Rhegius stammen, in denen also nur Gedichte etc. von ihm abgedruckt sind, wird keine Fundortangabe geboten, sondern nur auf die Bibliographie verwiesen.

GU Analog zur Vatikana und zu Bibliotheken in den USA wird die Größe in Zentimetern und der Umfang in Blattanzahl angegeben. Gezählt wurden die bedruckten (angedruckten) Blätter. Bei den Mss. ergibt sich der Umfang aus der Folio-Angabe (bei Paginierung durch ein vorangestelltes S.) der unter F. zitierten Handschriften (des Codex) oder aus der Seitenangabe der angeführten Edition, häufig aus beiden.

Hg Herausgeber der postumen Schrift.

In Gibt den Titel eines Druckes aus dem 16. Jahrhundert an, in dem sich der Brief, das Gedicht etc. von Rhegius befindet. Die näheren bibliographischen Daten einer solchen Schrift sind außer bei den Sb. in der unter Bg. zitierten Bibliographie zu finden.

K Im Kolophon sind Ort, Drucker und Datum des Druckes zusammengefaßt, bei den Mss. und den gedruckten Briefen der Abfassungsort und die entsprechende Datumsangabe. In der Schreibweise der Druckorte und der Drucker hielt ich mich an Benzing, Buchdrucker. Kommt ein Drucker im Verzeichnis von Benzing nicht vor (etwa bei englischen Drucken), folgt die Schreibweise dem BM STC. (British Museum, Short-title catalogue) Die Reihenfolge der Drucker richtet sich nach dem Druckdatum und nicht nach der Abfassungszeit. Die Offizinen von Sigmund Grimm, Simprecht Ruff und Philipp Ulhart in Augsburg waren eine Zeitlang derart ineinander verwoben, daß eine präzise Zuordnung zu dem einen oder anderen Drucker heute kaum möglich ist. In solchen Fällen werden alle drei Drucker, durch Bindestriche getrennt, angeführt.

LBl Findet sich im Text der Titelseite ein Laubblatt (Lindenblatt), sei es am Anfang, sei es in der Mitte oder am Ende, wird dies an der entsprechenden Stelle durch diese in Klammer gesetzte Abkürzung angegeben.

Sb Unter Sammelbänden sind immer die von Ernestus Regius in zwei Bänden gesammelten und 1562 herausgegebenen Schriften seines Vaters Urbanus Rhegius zu verstehen. „Opera“ meint den Sammelband der lateinischen, „Werke“ den der deutschen Traktate. Die Ziffer gleich nach dem Sammelband (Opera I, Werke 3) bedeutet jeweils den Teil in ihm, dem Beistrich folgende lateinische Zahlen die Folioangaben, unter denen die Schrift zu finden ist. Der Frage, welche Auflage bzw. welcher Nachdruck im einzelnen in die Sammelbände Eingang gefunden hat, wurde nur in Ausnahmefällen nachgegangen z. B. beim theologisch sehr bedeutenden „Dialogus“ D. 115/115,1. Ist die Priorität zweier Abschriften bei einem Ms. nicht ganz eindeutig, werden beide zitiert und durch die Nummer mit Komma gezählt und gewertet: Ms. 57/57,1.

T Titel eines Traktates; bei gedruckten Schriften des Rhegius immer der gesamte Text des Titelblattes. Normalisierungen oder Auflösungen der Kürzel nur, wenn es die Wiedergabe durch die Maschine unbedingt erforderlich machte.
Durch Übersetzungen kommt es bei der Wiedergabe in den Sb. manchmal zu Überschneidungen; in solchen Fällen wird auch der Übersetzungs-Titel geboten, jedoch auf die sonstigen bibliographischen Angaben verzichtet.

TE Ist der Titel einer Schrift von einem Holzschnitt umrahmt oder von Holzschnittleisten eingefaßt, wird dies analog zur Dekoration mit dem Laubblatt (Lindenblatt) wiedergegeben, jedoch immer am Schluß des Textes.

Ü Bei den Gedichten, Liedern, Gebeten, Vorlesungsankündigungen die vorhandene Überschrift; Normalisierungen wie bei „T".

V Der Text des ersten Verses oder der ersten Zeile, analog zu Ü, sowie bei einigen Traktaten unter den Mss. zur exakten Identifikation

W Widmung kann ein Doppeltes heißen, die Schrift als solche ist an jemanden gerichtet bzw. jemandem gewidmet, oder es findet sich in ihr ein spezielles Widmungsvorwort. Ist letzteres gegeben, wird die Person, der die Schrift gewidmet ist, genannt, dann der Wohnort — sofern angegeben oder sicher erschließbar. Der Ort, der allenfalls dem Strichpunkt folgt, ist der Abfassungs- (Widmungs-)ort der Schrift, daran schließt sich das Datum der Abfassung an. Bei der ersten Variante geht die Person schon aus dem Titel hervor, so daß unter W nur das Datum und allenfalls der Ort der Widmung (Abfassung) angegeben wird.
Grundsätzlich sei festgehalten, daß die erschlossenen oder wahrscheinlichen Daten, wie etwa Zeit, Ort, Drucker oder auch manchmal der Adressat, in Klammer gesetzt sind.

A Das literarische Schaffen des Urbanus Rhegius

1. KURZER ÜBERBLICK

Mit 15. November 1510 ist das Vorwort des Werkes datiert, in dem das erste literarische Zeugnis von Rhegius zu finden ist. „Sincere capitur qui relligionis (sic!) amore hec legat...", besingt der 21jährige Humanist das Werk „Navicula poenitentiae" des Johann Geiler von Kaysersberg[1], eben als sich Martin Luther, der später sein Lebensschicksal wesentlich bestimmen sollte, nach Rom begibt. Damit sind die beiden Phasen des literarischen Wirkens des Rhegius in substantieller Hinsicht angedeutet. Man könnte sie als humanistisch-reformerische und als reformatorische betiteln. Wobei zu vermerken ist, daß sie drei Jahre lang (von 1521 bis 1523) parallel verlaufen.

Gleichsam schüchtern und zaghaft beginnt Rhegius, der noch Rieger hieß, mit Lobgedichten in Werken des Geiler von Kaysersberg und des Johann Eck auf ihre Verfasser, um schließlich selbst Autor von Werken zu werden, in denen andere Lobgedichte auf ihn verfassen. Sein erster Traktat ist das „Opusculum de dignitate sacerdotum"[2]. Sein Sohn Ernestus, der als 26jähriger die Schriften seines Vaters in zwei Sammelbänden 1562 herausbrachte, unterließ es, die Gedichte seines Vaters in diese Sammelwerke aufzunehmen, obwohl gerade sie es waren, die diesem 1517 den Lorbeerkranz eines Redners und Dichters aus der Hand Kaiser Maximilians I. eintrugen. Erst Gottfried Wagner gab aus dem Nachlaß des Ernestus Regius 1711 diese Gedichte heraus, die als letzte Nummer in der nachstehenden Bibliographie angeführt werden[3]. Diese ist nach zwei Prinzipien eingeteilt, einerseits nach Manuskripten und anderseits nach Drucken. Die Schriften werden nach dem Erscheinungsdatum bei den Druckwerken und nach dem Abfassungsdatum bei den Manuskripten und den gedruckten Briefen gereiht und numeriert.

2. PSEUDONYME UND ANONYME RHEGIUS-SCHRIFTEN

Wer sich mit der Bibliographie von Rhegius' Schriften befaßt, muß sich der Frage stellen, von welchen pseudonymen und anonymen Traktaten Rhegius der Autor ist. Zuvieles wurde dem Reformator von Augsburg zugeschrieben; sein Name wirkte auf anonyme und pseudo-

[1] D. 1.
[2] D. 18.
[3] D. 144.

nyme Schriften wie ein Magnet. Alfred Götze schreibt auf Grund eingehender stilistischer und inhaltlicher Untersuchungen dem Rhegius nicht weniger als zehn solcher Traktate zu und faßt sein Untersuchungsergebnis zusammen: „Vielleicht ist mit der zuweisung der zehn flugschriften an Rhegius der umfang seiner anonymen schriftstellerei noch nicht vollständig erkannt, so dass ein abschliessendes urteil noch nicht gefällt werden darf, soviel kann man aber schon jetzt sagen, dass mit dieser zuweisung dem, der da hat, gegeben wird, dass er die fülle habe[4].“ Nicht sehr beeindruckt von dieser Beweisführung und ihren Argumenten zeigte sich vor allem Paul Merker. Aus den nämlichen inhaltlichen und stilistischen Gründen, die Götze für Rhegius verwendete, identifiziert er für eine Reihe dieser Flugschriften im St. Gallener Reformator Joachim Vadian den Autor[5]. Die Feststellung, zu der Ingeborg Kolodziej in ihrer Dissertation über die Flugschriften dieser Zeit kommt, läßt sich sehr gut auch auf Rhegius anwenden: „Die Versuche der verschiedenen Literarhistoriker zeigen trotz philologisch einwandfreier Methoden häufig keine überzeugenden Ergebnisse ... Nach stilistischen Merkmalen zur sicheren Feststellung des Verfassers zu kommen ist äußerst schwierig, wenn nicht unmöglich. Der Inhalt der Flugschriften bietet auch wenig Anhaltspunkte. Immer wiederkehrendes Leitmotiv ist die Kritik an den Mißständen der römischen Kirche und das Berufen auf die Autorität der Heiligen Schrift. Von hier aus auf einen Verfasser zu schließen, wäre sehr gewagt, und entbehrte jeder wissenschaftlichen Grundlage[6].“ Für Barbara Könneker ist Rhegius bzw. die Abhandlung von Alfred Götze und Paul Merker sogar zum Paradigma dafür geworden, daß durch die Methode der stilistischen und inhaltlichen Untersuchungen die Autorenfrage nicht gelöst werden kann[7].

Ist es überhaupt zulässig, Rhegius als Autor von pseudonymen Flugschriften zu betrachten? Sind Pseudonymität und Anonymität nicht zu anrüchig, um den Reformator damit zu belasten? Wenn wir Rhegius selbst fragen, wie er zu diesem Sich-Verstecken steht, ist man eher gewillt, anzunehmen, Rhegius habe überhaupt keine derartigen Schriften verfaßt. Im Mai 1528 tadelt er die Wiedertäufer sehr hart ob ihrer Anonymität bei der Abfassung von Flugschriften. Einen Sendbriefautor,

[4] Götze, Satiriker, S. 112. Clemen meint in seiner Besprechung von Götzes Abhandlung in: ZKG, 26. Bd., 1905, S. 283f.: „Völlig beweiskräftig erscheinen mir übrigens G.s Erörterungen nicht. Eine ganze Menge von Gedanken und Ausdrücken, aus denen er Kapital schlägt, sind Gemeingut der Flugschriftenliteratur jener Tage.“ K. M. in: ZHVNS, 1905, S. 75, geht dabei noch einen Schritt weiter und macht für zwei der von Götze für Rhegius in Anspruch genommenen Schriften Georg Motschidler, Büchsenmeister zu Wittenberg, verantwortlich.

[5] Merker, Anonymer Reformationsdialog. Schiess, Flugschriften Vadians, S. 187f., Anm. 2, bietet eine übersichtliche Zusammenstellung von diesem „Halbdutzend-Verfahren“, wie er dieses unausgegorene Zuteilen und wieder Wegnehmen von Flugschriften durch die Germanisten spöttisch nennt.

[6] Kolodziej, Flugschriften, S. 7.

[7] Könneker, Literatur, S. 26f.

der bloß mit „V.D." zeichnete, keine Ortsangabe machte und beim Datum das Jahr ausließ, weist er öffentlich zurecht: „Warumb scheuhest du zu schreyben ain Datum an deinen Brieff, gehest du mit rechten sachen umb, soltest billich dein namen und ort setzen. Paulus, Petrus und Johannes setzen jre namen zu förderst. Du darffst in auch nit am ende melden anderst, denn durch zween buchstaben, da niemands weiß, wie oder wo ... Aber du schweigst deiner stat und deines namens, wer das für ehrlich oder Apostolisch helt, der halte es. Man findt leut die wo̊llen betrogen werden, da kann niemand für[8]."

Zehn Jahre später urteilt er über dieselbe Frage der Anonymität und Pseudonymität noch härter und stellt sich geradezu als Beispiel für offene Namensnennung hin: „Cur nomen suum non adscribit libello, quod Regius facit? Timidi et sibi male conscij hominis est, e latebris eiaculari libellos suppresso nomine[9]."

Angesichts dieser Äußerungen kann man bei der Zuteilung von anonymen und pseudonymen Schriften an Rhegius wohl nicht vorsichtig genug sein und darf es sich nicht zu leicht machen, wogegen sogar Uhlhorn und Roth nicht ganz gefeit sind, obwohl gerade Roth es war, der Utz Rychßner (seiner Anfangsbuchstaben wegen wurde er für Rhegius gehalten) eindeutig als Augsburger Weber identifizieren konnte[10].

Daß die mit sehr viel Sachkenntnis und ebensoviel Akribie angewandte Methode der stilistischen und inhaltlichen Untersuchungen unzulänglich ist, beweist das Ergebnis von Alfred Götze. Es müssen somit zusätzliche und möglichst verläßliche Kriterien gefunden werden, um eine solche Zuteilung zu rechtfertigen, oder man begnügt sich resignierend mit der Feststellung von Barbara Könneker: „Mit Recht ist daher die Verfasserfrage in der neueren Forschung in den Hintergrund getreten, hat sich statt dessen die Einsicht durchgesetzt, daß die Anonymität dieser Schriften vielfach einem bewußten Stil und Ausdruckswillen entsprang ...[11]."

Trotz dieser enormen Schwierigkeiten kann man der Frage nicht ausweichen: Ist Rhegius der Autor von anonymen oder pseudonymen Schriften? Wenn ja, welcher? Mag die Feststellung von Kolodziej auch stimmen: „Die Namensfrage der meisten Flugschriften ist für

[8] Zwen wunder seltzam sendbrieff, D. 70; Werke 4, CLXXVI'—CLXXVII.

[9] Confutatio libelli, D. 127; Opera II, LXXX'.

[10] Uhlhorn II, S. 33, und Roth, Augsburg, 1. Bd., S. 69, vermuten hinter dem Namen Matthäus Gnidius Rhegius als wahren Autor, weil inhaltliche Gründe für seine Autorschaft sprechen. Daß sich hinter dem Weber Utz Rychßner Urbanus Rhegius verbirgt, hat Uhlhorn II, S. 67, auch nicht völlig ausgeschlossen. Diesen Utz Rychßner hielt z. B. Weller, Nr. 3121—3123, seiner Anfangsbuchstaben wegen für Rhegius. — Für Wittmann, Augsburger Reformatoren, S. 113, ist Utz Rychßner eindeutig Rhegius. Aber Roth, Augsburg, 1. Bd., S. 148, hat die Identität von Utz Rychßner endgültig als den in den Steuerlisten eingetragenen Weber von Augsburg geklärt und die Frage zum Abschluß gebracht.

[11] Könneker, Literatur, S. 27.

deren literarische, kirchliche oder politische Bedeutung unwichtig[12]", für eine Autorenbibliographie liegen die Dinge jedenfalls anders.

Die saubere und exakte Beantwortung der Frage nach der Autorschaft hängt von (ebensolchen) Kriterien ab, die für eine derartige Zuordnung sprechen. Da die inhaltlichen, stilistischen und denkstrukturellen Kriterien nicht ausreichen, was wohl hinlänglich erwiesen ist, müssen neue und anders gelagerte hinzutreten. Mir scheinen die von Barbara Könneker apostrophierten direkten oder indirekten zeitgenössischen Zeugnisse[13] hiefür sehr geeignet. Allerdings bedürfen auch sie einer näheren Präzisierung.

Ich finde solche Kriterien *erstens* dort, wo Zeitgenossen jemanden, den sie *selber sehr gut kennen* oder mit dem sie gar *befreundet* sind bzw. waren, als Autor namhaft machen. Natürlich ist auch hier größte Vorsicht geboten, denn man findet die „fast krankhafte Neigung der Zeitgenossen der Jahre 1520—1525, jede irgendwie auffallende anonyme oder pseudonyme Schrift mit irgendeinem berühmten Namen in Verbindung zu bringen"[14]. *Zweitens* verrät das *Manuskript* einer Flugschrift, sofern man ein solches findet, die Hand des Autors oder schließt jemanden aus. *Drittens* läßt sich ein Pseudonym vielleicht ziemlich eindeutig enträtseln, oder der *Autor enträtselt* es selbst. Diese äußeren Kriterien scheinen mir meist sicherer als die von Ingeborg Kolodziej als die sichersten Erkennungszeichen aufgezählten „biographischen historischen und geographischen Notizen"[15].

2.1. Sind Symon Hessus und Henricus Phoeniceus von Roschach identisch mit Urbanus Rhegius?

Ich möchte hier die vielen stilistischen und inhaltlichen Argumente, die Otto Clemen für Urbanus Rhegius' Autorschaft zusammengetragen hat, nicht wiederholen, wohl aber auf seine gründliche Untersuchung besonders verweisen[16]. Unter dem Verfassernamen Symon Hessus finden sich drei Schriften, zwei aus dem Jahre 1521: „Argumentum libelli"[17] und „Dialogus Symonis Hessi"[18], eine von Juli 1523: „Apologia Symonis Hessi"[19]. Unter Phoeniceus von Roschach ist eine Schrift bekannt: „Anzaygung, daß die Romisch Bull"[20] vom Jahre 1521.

Die Äußerung bzw. das Bekenntnis des Rhegius im September 1525 Ludwig Hätzer gegenüber meldete dieser alsbald brieflich seinem Freund Zwingli nach Zürich: „En, ait, ego Simon ille Hessus; eo, si uspiam quicpiam hoc sub nomine vulgatum offendes, nostri Martis tela

[12] Kolodziej, Flugschriften, S. 8.
[13] Könneker, Literatur, S. 27.
[14] Clemen, Symon Hessus, S. 573.
[15] Kolodziej, Flugschriften, S. 7f.
[16] Clemen, Symon Hessus, und dersl., Henricus Phoeniceus.
[17] D. 24.
[18] D. 25.
[19] D. 40.
[20] D. 27.

esse scias ..."[21], ist nach wie vor ein Hauptargument für Rhegius = Symon Hessus.

Die Abqualifizierung dieses Schuldbekenntnisses als bloßer Scherz, wie es Johann Schulthess, ein Editor des Briefes, unternimmt und, ihn zitierend, Otto Clemen durchaus nicht negiert[22], bedürfte wohl einer präziseren argumentativen Untermauerung, sonst kommt sie einer Unterstellung sehr nahe.

Zu diesem Hauptargument des Selbstbekenntnisses gibt gerade bei diesem Pseudonym dieses selbst eine weitere gute Fährte, die bis zum heutigen Tag unbemerkt geblieben ist. Fragen wir: Was heißt denn „Hessus"? Der Thesaurus Graecae linguae gibt folgende Auskunft: 'Εσσὴν, ῆνος, ὁ, Rex, βασιλεῦς. Hessus ist somit nichts anderes als das graezisierte Rex — Rhegius. Für einen derartigen Gebrauch des Wortes Hessus = Rex gibt es außerdem damals — bloß sechs Jahre zuvor — eine schöne Parallele in umgekehrter Richtung. Reuchlin nannte Eobanus Hessus 1515 ob seines Namens einen König. Carl Krause, der Hauptbiograph von Hessus, schreibt darüber: „Gerade in die Tage seiner (gem. Eobanus Hessus) Verheiratung um Neujahr 1515 fiel der folgenreiche Scherz Reuchlins, der auf einen Brief und übersandte Gedichte antwortend den Namen Hesse nach dem griechischen 'Εσσὴν, d. i. König, umdeutete und seinen Träger als den wahren König der Dichter begrüßte[23]." Läßt sich Hessus als graezisierter Rhegius entschlüsseln, so stößt man beim Vornamen Symon auf größere Schwierigkeiten. Vielleicht gibt uns für Symon (= Simon) Apg 13,1 einen Fingerzeig. Dort heißt es von Antiochien: „Erant autem in Ecclesia, ... et doctores, in quibus ... et Simon, qui vocabatur Niger ..." Rhegius scheint auch den Beinamen Niger gehabt zu haben. Man halte sich nur vor Augen, was sein ehemaliger Gönner, Freund und Lehrer Johann Eck im Hochzeitslied auf Urbanus Rhegius gemünzt zusammenreimte:

„Primum thorum Nigricanus
Occupabit hic Vrbanus
Stirpe natus Regia.
Jo. Jo.[24]."

Beim Pseudonym Henricus Phoeniceus von Roschach liegen die Dinge wesentlich anders. Den Namen Phoeniceus von Philiranus = Linde, wie sich Rhegius — um seine Herkunft aus Lindau auszudrücken — mit Beinamen in der Zeit von 1510—15 nannte, abzuleiten, ist wohl nicht

[21] CR, 95. Bd., S. 361.

[22] Clemen, Symon Hessus, S. 573. Auch für Enders ist diese Äußerung ein Scherz, er spricht des weiteren auch aus inhaltlichen Gründen Rhegius die Autorschaft ab. Vgl. Enders, Briefwechsel, 3. Bd., S. 69.

[23] Krause, Hessus, S. 144; vgl. dazu Geiger, Briefwechsel, S. 223. Daß der dankende Antwortbrief des Hessus an Reuchlin als Datum 6. Jänner trägt, kann im Hinblick auf den 6. Jänner, mit dem die erste der drei in Frage stehenden Flugschriften datiert ist, mehr als ein Zufall sein.

[24] Eck, Epithalamia, 21. Str.

zulässig[25]. Zu den Argumenten, die Otto Clemen[26] für die Verfasserschaft des Rhegius zusammengetragen hat, kommt noch ein, wie mir scheint, sehr gewichtiges. Uhlhorn hat bereits darauf hingewiesen: „Eck behandelte ihn“ (gem. Rhegius) „öffentlich als Autor und Rhegius hat nicht widersprochen“[27]. Eck schrieb darüber: „Liber iste sub nomine ficto Henrici Phęnicei erat aeditus: autor tamen eius famabatur Urbanus Rieger olim discipulus noster ...[28].“ Wenn auch Eck vorerst das Wort „famabatur“ verwendet, so läßt er im Kontext keinen Zweifel, daß auch für ihn nur Rhegius als Autor in Frage kommt.

2.2 Ist Rhegius der Autor der weit verbreiteten Flugschrift „Ain schőner dialogus. Cuntz und Fritz“[29]?

Uhlhorn meint: „So weit verbreitet die Meinung war, Rhegius sei der Verfasser dieses ‚hübschen Dialogus‘ (auch bei Faber in Constanz wurde es erzählt), so möchte ich es doch für ein falsches Gerücht halten. Schon Hummelberg, der Rhegius genau kannte und der auch davon gehört hatte, bezweifelt es. Die Schrift verräth nicht seine Art[30].“ Wittmann hingegen zweifelt nicht an Rhegius' Autorschaft und verwirft die Meinung Hummelbergs als vorgefaßt, weil er noch nicht „die Scharteke gelesen hatte“[31]. Roth hält zunächst Rhegius' Autorschaft für „wenig wahrscheinlich“[32], läßt sich aber einige Seiten weiter auf Grund der Untersuchung von Otto Clemen umstimmen und ergänzt sogleich von sich aus „... in welchem Falle dann wohl noch eine andere unter dem Namen eines Cunz von Oberndorf erschienene von ihm herrühren könnte“[33]. Otto Clemen schrieb nämlich über den in Frage stehenden Dialogus: „... auch diese Flugschrift hat wahrscheinlich Rhegius verfaßt[34].“ Für Alfred Götze steht wiederum fest: „So bleibt kein zweifel, dass auch der Dialog zwischen Kunz und Fritz von Urbanus Rhegius verfasst ist[35].“ Gleichlautend urteilt Arnold Berger: „Verfaßt ist es“ (gem. das Gespräch) „im Juni oder Juli 1521, und zwar ohne Zweifel von Urbanus Rhegius, dem Reformator von Augsburg[36].“ Somit kann Bloch-

[25] Clemen, Henricus Phoeniceus, S. 81. Phoeniceus auf Phoenix zurückzuführen, erscheint korrekter. Phoenix war in Humanistenkreisen eine beliebte Titulierung. Auch Rhegius wird von David Rotermund in dem Gedicht, das dieser dem „Opusculum“ des Rhegius, D. 18 voranstellte, als Phoenix besungen.

[26] Clemen, Henricus Phoeniceus, dazu auch: Uhlhorn II, S. 34; Roth, Augsburg, 1. Bd., S. 67; Seitz III, S. 5f.; Wittmann, Augsburger Reformatoren, S. 58ff.

[27] Uhlhorn II, S. 34.

[28] Eck, Prima pars, fol. CCXV'.

[29] Ediert in: Schade, Satiren, 2. Bd., S. 119—127 / S. 319—324, sowie Berger, Sturmtruppen, S. 55f. / S. 161—166.

[30] Uhlhorn II, S. 30.

[31] Wittmann, Augsburger Reformatoren, S. 62.

[32] Roth, Augsburg, 1. Bd., S. 68.

[33] Ebd., S. 86.

[34] Clemen, Symon Hessus, S. 581.

[35] Götze, Satiriker, S. 111.

[36] Berger, Sturmtruppen, S. 56.

witz zusammenfassen: „Endgültig ist er Rhegius durch A. Götze . . . zugewiesen worden[37].“ Diese Überzeugung findet sich auch in der bekannten Literaturgeschichte von Hans Rupperich als völlig gesicherte Tatsache: „In dem Gespräch, ‚Ein schöner dialogus Cüntz und der Fritz‘ (Augsburg 1521) von Urban Rhegius (1489—1541), damals Domprediger in Augsburg, diskutieren zwei lutherisch gesinnte Bauern[38].“ Angesichts solch gewichtiger Stimmen fällt die Bestreitung der Verfasserschaft Rhegius‘ schwer, und sie muß entsprechend begründet werden. Dies läßt sich aber durch nichts besser als durch das Manuskript der Flugschrift, das uns im Stadtarchiv von Augsburg erhalten geblieben ist[39], bewerkstelligen.

Der Ort Augsburg, wo ich das Ms. fand, ist zwar ein zusätzliches Indiz für Rhegius' Autorschaft und unterstreicht ohne Zweifel die Tatsache, daß die Flugschrift „Augsburger verhältnisse zum hintergrund hat“[40]. Schließlich tritt auch das ganz gewichtige äußere Kriterium hinzu, daß Zeitgenossen, dazu noch ein intimer Freund, nämlich Johann Fabri, Rhegius für den Verfasser gehalten haben[41].

Der Duktus der Handschriften, die ich aufeinanderfolgend bringe, ist aber zu verschieden, als daß sich eine Identität der Schreiber behaupten ließe. Daß das Ms. irgend jemandes Abschrift der Flugschrift sein könnte, schließen die diversen Korrekturen völlig aus, es ist schlicht und einfach die Druckvorlage. Höchst interessant ist übrigens auch die Titelverschiedenheit. Im Ms. lautet der Titel noch:

Ain dy̋alogus vō fry̋tzen in Hanenfedern// vnd Cuntz gänsshopff kurtz wey̋ly̋g// von den geleertten zu reden . . . der newen// zey̋tten so y̋etz verhanden sind/ //[42].

Auch der Inhalt läßt durchaus eine andere Deutung zu als Götze sie bietet. Den berühmten lutherischen Prediger als Dr. Johann Speiser, Prediger zu Sankt Moritz, identifizieren zu wollen, ist schon eine falsche

[37] Blochwitz, Antirömische Flugschriften, S. 170, Anm. 5.

[38] Rupperich, Deutsche Literatur, S. 117.

[39] Augsburg STA, Evangel. Wesensarchiv, 486. Der Grund, warum diese bedeutende Flugschrift von Burger, Evangelisches Wesensarchiv, nicht verzeichnet wurde, entzieht sich meiner Kenntnis. Hier tritt somit genau das ein, was Scheible treffend feststellte: „Manchmal befreit uns nur ein Handschriftenfund von einem gelehrten Irrtum.“ Scheible, Reform — Reformation — Revolution, S. 111.

[40] Götze, Satiriker, S. 106.

[41] Vgl. Brief von Michael Hummelberg an Johann Fabri 1521 VIII 1. In: Horawitz, Analekten, XLIV, S. 151f.

[42] Die Titelverschiedenheit von Druck und Vorlage wirft ein bezeichnendes Licht auf die Druckerpraxis der Reformationszeit, auf die besonders Johannes Luther hingewiesen hat. Weitere Bestätigung findet hier seine Feststellung: „Schnell wurde das neue Manuskript gesetzt und gedruckt, aber noch während des Druckes wachte der Druckherr, so es ging auch der Autor — denn bei Nachdrucken hatte dieser keinen Einfluß — über den aus der Presse herausgegangenen Text.“ Luther, Druckerpraxis, S. 237.

Blatt „a" vom Manuskript der Flugschrift: „Ain schöner dialogus Fritz und Cuntz", Augsburg StA, Evangel. Wesensarchiv, 486. Vgl. Berger, Sturmtruppen, S. 161, Z. 9ff.

1524

Der vatter der glori wölle In E. f. G. statt vnd land / gnedigklich volsterken, das er hat angefangen zu voller erkantnus Christi durch Iren dienst.

Durchleuchtigster fürst gnedigster Herr, Ich hab In grosser freud Gott gedanckt, das er E. f. G. hertz erweckt hat, mit ernst des Sacraments handel anzugreiffen, dann er ist bis her von vilen gar lanng bedacht worden, als ob er gering sey, so doch [illegible]

Handschrift des Urbanus Rhegius. Ms. 45. Ablichtung des Originals des von Mentz, Handschriften, S. 22, wiedergegebenen Rhegius-Briefes.

Fährte[43], er war nie Prediger des Karmeliten-Priors Frosch. Der Prediger, von dem die Rede ist, ist der Karmeliter und spätere Wiedertäufer Hans Spitelmaier, der auf Betreiben der bischöflichen Kurie als Prediger bei St. Anna abgesetzt wird und das Karmeliterkloster verlassen muß[44]. Wenn Götze weiter interpretiert: „Die schilderung des einen ,der von ampts wegen wider den Luther můß sein, ob ers schon nit gern thåt'[45], paßt am besten auf den bischof von Augsburg, Christoph von Stadion"[46], so kann man ihm nicht den Vorwurf ersparen, er habe sich zuwenig mit den Augsburger Verhältnissen, speziell mit dem Verhalten des Urbanus Rhegius, auseinandergesetzt. Was oben im ersten Teil ausgeführt und belegt wird, sei kurz skizziert: Es gehörte zu den Amtspflichten des Dompredigers, die Bulle gegen Luther im Dom zu Augsburg zu verkünden. Rhegius kommt seiner Amtspflicht nach und verkündet sie tatsächlich, und zwar am 30. Dezember 1520. Bloß eine Woche später, am 6. Jänner 1521, ist seine erste Symon-Hessus-Schrift: „Argumentum"[47] datiert, über die Otto Clemen urteilt: „Rhegius hat sich nun ganz in die Seele eines Alvarus Pelagius und Augustinus Triumphus redivivus hineingedacht; mit gut gespielter Entrüstung und der ernsthaftesten Miene von der Welt beweist er, daß der Papst mit vollem Rechte jene 41 Sätze, die in der Bulle vom 15. Juni gebrandmarkt worden waren, verdammt habe, ja, daß er von seinem Standpunkt aus im Grunde gar nicht anders habe handeln können, wollte er nicht seine Existenz verneinen[48]." Paßt denn da nicht gerade das auf den Domprediger und Verfasser dieser Hessus-Schrift besser als auf den Bischof Stadion, was Fritz im Dialogus von sich gibt, wenn er meint: „Doch geb er gern den Ecken dem teuffel, das der Luther am galgen hieng, des selben halb ist er unparteiisch[49]?"

Dieser Dialogus Kunz und Fritz ist zweifelsohne von einem sehr intimen Kenner der Augsburger Szenerie verfaßt. Mir scheint, er hat auch den Domprediger zur Zielscheibe und will ihn auffordern, sein Versteckenspielen aufzugeben, offen Farbe zu bekennen und nicht als Symon Hessus, sondern als Urbanus Rhegius für Luther und gegen Eck zu agitieren.

Jedenfalls gibt es Gründe genug, diesen Dialogus nicht Rhegius zuzuschreiben und ihn nicht in seine Bibliographie aufzunehmen.

[43] Die Stelle, um die es geht, lautet: „Der prior ist ain gelerter, frumer man und sein prediger, der etwa vil an seiner predig wider sőlich knabn redt und des Luthers lere, ja Christus ler herfür zeucht, ir fraschgarei und kalt recht verachtet, macht inen großen neid, ..." Berger, Sturmtruppen, S. 164, Z. 4—7; vgl. dazu Götze, Satiriker, S. 106ff.

[44] Siehe oben S. 167.

[45] Berger, Sturmtruppen, S. 163, Z. 10—11.

[46] Götze, Satiriker, S. 107.

[47] D. 24.

[48] Clemen, Symon Hessus, S. 582f.

[49] Berger, Sturmtruppen, S. 163, Z. 11—12.

2.3 Weitere Schriften

Otto Clemen ventiliert die Frage, ob nicht auch eine Schrift, die als Autor Philadelphus Regius angibt, aus der Feder des Urbanus Rhegius geflossen sei[50]. Wenn auch manches für Rhegius spricht, die Indizien reichen nicht aus, um sie einigermaßen sicher dem Rhegius zuzuschreiben. Jörg Vögeli sieht sogar weder sprachlich noch inhaltlich ein Hindernis, diesen Traktat Ambros Blaurer zuzuschreiben[51].

Theodor Kolde schreibt einen weiteren Traktat Urbanus Rhegius zu, nämlich das unter dem Pseudonym Hulderich Stratus Engedinus 1524 erschienene Werk: „Adsertiones articulorum Arsacij Seehofer, contra ...[52]." Während er sich in seiner Abhandlung 1905 noch nicht völlig festlegt, ist er ein Jahr später in der Realencyklopädie im Artikel über Seehofer ganz sicher, daß sich hinter dem Pseudonym Rhegius versteckt[53]. Wie kommt Kolde zu dieser Überzeugung? Er geht nicht den üblichen Weg der inhaltlichen, stilistischen und denkstrukturellen Untersuchung, er versucht auch nicht, das Pseudonym als solches zu enträtseln, er kann sich weiters nicht auf eine Selbstaussage des Rhegius berufen, eine zeitgenössische Äußerung aus dessen Freundeskreis liegt auch nicht vor. Kolde beruft sich auf eine handschriftliche Eintragung auf dem Titelblatt des Exemplars, das die Stadtbibliothek Nürnberg aufbewahrt. Kolde bezeichnet sie als handschriftliche Widmung und liest völlig richtig: „Theobaldo Billicano// Nordlingensis Ecclesiae Epo// ex dono V. Regij harum nugarum"//. Den Rhegius zum Autor macht Kolde erst durch die *Ergänzung:* „autoris oder scriptoris"[54]. Mit sichtlicher Entdeckerfreude fährt er dann fort: „Jedenfalls wird an des Rhegius Selbstbezeichnung als Autor nicht zu zweifeln sein und wäre damit eine neue ihm zugehörige Schrift gefunden." Es ist aber doch zu zweifeln, und zwar sehr ernsthaft. Ist es an sich schon problematisch, auf Grund einer eigenen deutenden Ergänzung die Autorschaft beweisen zu wollen, so wird diese Vorgangsweise noch problematischer, wenn diese Ergänzung keine zwingende Notwendigkeit ist. Ergänzte man etwa statt „autoris" oder „scriptoris" einfach „liber" oder „libellus", ergäbe das Ganze durchaus einen guten Sinn. Nämlich Rhegius läßt dem im „Seehofer-Streit" so tief verwickelten Billicanus alias Gerlacher eine Schrift (libellus) zukommen, von der er annimmt, Billicanus kenne sie noch nicht. Das konnte er umso leichter annehmen, weil die Schrift in Augsburg gedruckt worden war[55] und Rhegius einfach die Neuerscheinung postwendend übermitteln wollte. Wann die Schrift im Jahre 1524 genau erschien, wissen wir

[50] Clemen, Philadelphus Regius.
[51] Vögeli, Reformation in Konstanz, II./2. Bd., S. 1039f.
[52] Kolde, Seehofer, S. 122.
[53] RE, 18. Bd., S. 125.
[54] Kolde, Seehofer, S. 122, Anm. 4: „... wozu autoris oder scriptoris zu ergänzen sein wird."
[55] Druck und Titeleinfassung weisen diese Schrift dem Augsburger Drucker Ulhart zu.

leider nicht, wir kennen aber wohl das Abfassungsdatum, es ist der 31. III. 1524.

Das zweite Argument, das Kolde anführt, nämlich die Anwesenheit des Rhegius in Augsburg zur fraglichen Zeit „... der Verfasser war kein anderer als der bekannte Urban Rhegius, der damals in Augsburg wohnte... und somit leicht der erste sein konnte... der sich mit einem schon am 31. März beendeten Schriftchen dagegen wandte"[56], steht auf tönernen Füßen. Kolde macht nicht einmal den Versuch, nachzuweisen, daß Rhegius zur fraglichen Zeit in Augsburg wohnte, er stellt nur die Behauptung auf[57]. Auf das letzte Argument einzugehen, Urbanus Rhegius sei der Verfasser, weil er „mehrfach pseudonyme Flugschriften ausgehen ließ"[58], erübrigt sich in diesem Zusammenhang. Da keine stichhaltigen Beweise für die Autorschaft des Rhegius vorliegen, wird diese Schrift auch nicht in die Bibliographie aufgenommen[59].

Daß hinter Philipp Melhofer nicht Urbanus Rhegius zu suchen ist[60], hat Karl Schottenloher hinlänglich nachgewiesen[61].

Das Siegeslied auf die Verbrennung der Bulle durch Luther dem Rhegius zuzuschreiben ist hingegen völlig berechtigt[62]. Gustav Kawerau vermutete bereits Rhegius als Autor[63]. Die dort verwendeten Buchstaben „V. R." als Autorenangabe sind als Anfangsbuchstaben für Urbanus Rhegius sehr gut deutbar, zumal es eine zeitliche Parallele gibt. Der Traktat: „Underricht"[64], der in den fraglichen Jahren entstand und ohne jeden Zweifel von ihm stammt[65], trägt dieselben Anfangsbuchstaben, nur durch ein vorangestelltes D. (Doktor) erweitert bzw. ergänzt. Inhaltlich paßt dieses Lied zu den Traktaten von Symon Hessus und Henricus Phoeniceus von Roschach, stilmäßig zum namentlich gezeichneten Fastenhymnus des Jahres 1523[66]. Das durchschlagendste Argument ist aber, daß dieses Lied — wenig verändert — sich im Gedichtband des Rhegius findet[67]; dies ist Kawerau entgangen.

Warum hat sich Urbanus Rhegius überhaupt versteckt, weshalb hat er aus der Pseudonymität heraus — was er bei anderen tadelt —

[56] Kolde, Seehofer, S. 122.
[57] Vgl. oben S. 172f.
[58] Kolde, Seehofer, S. 122.
[59] Daß einige Bibliotheken dazu übergingen, diese Schrift Rhegius zuzuordnen, wird wohl dem Einfluß Koldes zuzuschreiben sein. Vgl.: Cambridge; Cambridge HU; Leipzig UB.
[60] Vgl.: Bossert, Kirchengeschichte, S. 279; Tettnang, S. 411 u. 615.
[61] Schottenloher, Ulhart, S. 24ff.
[62] D. 23.
[63] Kawerau, Verbrennung der Bannbulle.
[64] D. 33.
[65] Dieser Traktat wurde vom Sohn Ernestus Regius in die Sammelbände aufgenommen. Werke 1, CXV—CXVII'. (Die dortige Foliobezeichnung CXXI statt CXV ist ein Druckfehler).
[66] D. 36.
[67] D. 144 / XLVII; dazu Uhlhorn II, S. 345, Anm. 11.

agitiert? Die Angst vor möglichen Repressalien wird sicherlich eine maßgebliche Rolle gespielt haben. Anderseits entspringt dieses Sich-Verstecken dem Zeitstil, es ist ein beliebtes Kampfesmittel der Humanisten, man denke nur an die Dunkelmännerbriefe. Es dürfte stimmen, was Barbara Könneker meint: „Die Anonymität oder Pseudonymität, die sich mitunter auch auf die Angaben über Ort und Jahr des Erscheinens erstreckt, ist sogar eines der auffallendsten Kennzeichen der Flugschriftenliteratur, welches wohl nicht nur aus Furcht ... sondern mindestens ebensosehr der Neigung zur Mystifikation, d. h., zum ‚Spiel mit der Maske' entsprang, von dem schon die Humanisten in reichem Maße Gebrauch gemacht hatten[68]." Sehr gut fügt sich auch in diese Sicht die Tatsache, daß Rhegius seine Pseudonymität mit 1523/24 aufgibt. Es ist die Zeit, in der in ihm der Reformator über den humanistischen Reformer obsiegt. Wie ein Motto zum reformatorischen Durchbruch, wo es kein Versteckenspielen mehr gibt, klingt der Vers, den er 1524 auf die Titelseite eines Traktates[69] drucken ließ: „Joan. 3. Wer mit warhait vmbgeet/ der kompt ans liecht/ Wer übel handelt/ der hasset das liecht."

3. POSTUME WERKE

Keine Schwierigkeiten bietet die Autorschaft der postumen Werke. Es gibt deren fünf: „Loci communes", „Judicium de libello Cypriani", die beiden Sammelbände und die Gedichtesammlung[70]. Alle anderen nach seinem Tod erschienenen Werke sind entweder Nachdrucke oder Übersetzungen von schon gedruckt vorhandenen Schriften.

Die ersten beiden[71] haben in den Sammelbänden, die sein Sohn Ernestus herausgegeben hat[72], Aufnahme gefunden, womit ihre Authentizität hinlänglich garantiert erscheint.

Die Gedichtesammlung, die Gottfried Wagner erstmals 1711 herausgab, stammt aus dem Nachlaß des Ernestus Regius. Dazu kommt, daß einige Gedichte ohnehin namentlich gezeichnet sind und zu Lebzeiten des Autors gedruckt vorliegen.

4. ÜBERSETZUNGEN

Übersetzungen, die Rhegius von Werken anderer Autoren herstellte und herausgab, in seine Bibliographie aufzunehmen, wie z. B. die Auslegung der Epistel des Paulus an Titus von Erasmus ist wohl keine Frage[73]. Schwieriger wird es, wenn Rhegius zwei bereits gedruckt vor-

[68] Könneker, Literatur, S. 26.
[69] „Ernstliche erbietung" D. 45.
[70] D. 140—144.
[71] D. 140 und 141.
[72] Über Entstehung und Drucklegung der Sammelbände, vgl. Westphal, Briefsammlung, 1. Abt., 114; 2. Abt., 201, 207, 210, 217, u. a.
[73] D. 32.

handene anonyme Übersetzungen hernimmt und unter seinem Namen, versehen mit einer Widmungsvorrede, bloß zusammengedruckt neu herausgibt[74]. Da aber die Werke, die Rhegius zur Neuauflage auswählte, einiges über seinen geistig-theologischen Standort aussagen und er im Titelblatt namentlich aufscheint, fand ich die Aufnahme dieser in seine Bibliographie berechtigt.

Nicht sinnvoll erschien mir, eine Schrift als solche zu seinen Werken zu zählen, die bloß einen Brief von ihm enthält[75]. Der Titel dieser Schrift wird zwar genau wiedergegeben, aber deutlich als bloßer Träger eines in ihr abgedruckten Briefes oder Gedichtes etc. von Urbanus Rhegius ausgewiesen.

[74] Gemeint ist D. 50. Bei den Übersetzungen, die Rhegius neu herausgab, handelt es sich neben dem Psalm „Miserere" um die Auslegung des XXX. Psalms. Vgl. Kuczyński, 2360 und 3571.

[75] Vgl. die Eck-Bibliographie von Metzler, Metzler, S. CVII, 66.

B Die bisherige bibliographische Erfassung

Die erste Zusammenstellung der Werke des Rhegius, die ich finde, stammt wahrscheinlich von seinem ehemaligen Freund und nachmaligen Gegner Bischof Johann Fabri von Wien, sie wird im Archiv des Vatikans aufbewahrt[1].

Sein Katalog, der Ende 1536 entstand, führt 13 Schriften von Rhegius an (nur um zwei weniger als von Melanchthon und um fünf mehr als von Bugenhagen), die die Konzilsväter zur Vorbereitung lesen sollen[2].

Die erste gedruckte Zusammenstellung der Rhegius-Schriften bietet Conrad Gesner[3].

Nach dem Erscheinen der beiden Sammelbände der Rhegius-Werke 1562 wurden in darauf folgenden bibliographischen Zusammenstellungen praktisch nur ihre Inhaltsverzeichnisse wiedergegeben.

Veiel zitiert 1683 nach verbindenden Worten reichlich aus den Schriften des Rhegius mit entsprechenden Verweisen auf die Sammelbände[4]. Heinrich Bytemeister bietet in seiner Untersuchung 1726 ein reines Inhaltsverzeichnis[5].

Als ziemlich bescheiden kann der Beitrag, den Johann Vogt mit seinem ‚Catalogus' leistet, bezeichnet werden, er nennt 1753 nur die Opera und verweist im übrigen auf Gerdes[6]. Daniel Gerdes, der kaum reichhaltiger ist, würdigt seinerseits ganz besonders den Traktat „Dialogus von der schönen predigt"[7], den er als „rarissimus" qualifiziert[8].

Zur gleichen Zeit findet sich eine verdienstvolle Zusammenstellung und Besprechung der Werke bei Schlichthaber[9].

1 Cod. Vat. lat. 3919, fol. 262'—263.

2 Freudenberger, Reformatorisches Schrifttum, S. 580ff.

3 Gesner, Bibliotheca universalis, fol. 627—627'. Die Sammlung wurde in: Gesner/Lycostenes, Elenchus und in: Gesner/Lycostenes/Simler, Epitome, bald darauf wesentlich erweitert.

4 Veiel, Urbani Regii memoria. Vgl. oben I. Teil, S. 17.

5 Bytemeister, Commentarius, S. 11—20.

6 Vogt, Catalogus, S. 570.

7 D. 115.

8 Gerdes, Florilegium, S. 288f.

9 Schlichthaber, Andenken. Die Schrift von Rhegius, die Schlichthaber, S. 98, 16, zwar erwähnt, aber selber nicht eruieren konnte, ist offensichtlich endgültig verloren. Manche von Schlichthaber angeführte Traktate sind derart verstümmelt zitiert, daß sie kaum präzis ausgemacht werden können, eine Übereinstimmung mit bekannten Schriften scheint wahrscheinlich. Vgl. S. 101ff., 20, 24—26, 31.

Von Schlichthaber abhängig führt Jöcher in seinem Lexikon die Schriften des Rhegius an[10]. Die Fortsetzung und Ergänzung dieses Lexikons durch Heinrich Wilhelm Rotermund bedeutete auch einen echten Fortschritt. Die Werke sind übersichtlich aufgeführt, die numerierte Reihung zeigt die Tendenz, sie zeitlich nach dem Erscheinungsjahr zu ordnen und nicht bloß das Inhaltsverzeichnis der Sammelbände abzudrucken[11]. Mit kleineren Ergänzungen bietet derselbe Autor die Zusammenstellung der Rhegius-Werke zehn Jahre später 1829 nochmals[12].

In Abhängigkeit von Rotermund, aber konsequenter in der Reihung nach dem Erscheinungsdatum findet sich in Heimbürgers Monographie 1851 der Katalog der Rhegius-Schriften, wobei die Schrifttitel stark gekürzt und sprachlich modernisiert wiedergegeben werden[13].

Keine gesonderte Zusammenstellung und Reihung und damit Bibliographie im engeren Sinne bietet Uhlhorn in seiner Untersuchung zehn Jahre nach Heimbürger[14]. Wie ihr Titel aussagt, soll auch nur eine Auswahl der Schriften geboten werden. Dadurch, daß er seine Recherchen auf zwölf Bibliotheken (wenn auch höchst bedeutende) beschränkte, mußten ihm unweigerlich Schriften entgehen. Ich denke etwa an die Cura pastoralis[15] oder an den Erstdruck des Examen episcopi[16]. Dafür aber bemühte sich Uhlhorn beispielhaft um eine gute Erfassung des Titels der ausgewählten Werke, des Druckortes, des Druckers und des Erscheinungsjahres. Oft gibt er auch den Umfang nach Bogen gezählt und das Format in der damals allgemein üblichen Weise an.

Hingewiesen sei auch auf das wertvolle Verzeichnis von Goedekes Grundriß zur Geschichte der deutschen Dichtung[17].

Auf die heute noch unentbehrlichen Bibliographien Panzer, Weller, Kuczyński, Hohenemser einzugehen, erscheint überflüssig, sie waren, wie ihre Verwendung zeigt, selbstredend Ausgangspunkt und wertvolle Hilfsmittel für die Erstellung nachstehender Bibliographie.

Den Verzeichnissen der Druckwerke analoge Verzeichnisse der Handschriften gibt es für Rhegius nicht. Wohl sind die meisten Manuskripte im Laufe der Jahrhunderte abgedruckt oder ediert worden. So sind etwa seine Briefe an Luther, Zwingli und Vadian in den entsprechenden Briefeditionen dieser Persönlichkeiten zu finden. Nie aber wurde bis heute versucht, die Briefe des Rhegius systematisch zu biblio-

[10] Jöcher, Lexikon, 3. Bd., Sp. 1965—1968 (Jöcher benützte Schlichthabers erste Auflage).

[11] Jöcher/Rotermund, Fortsetzung, 6. Bd., Sp. 1568—1576.

[12] Rotermund, Lebensnachrichten, S. 448—456.

[13] Heimbürger, Urbanus Rhegius, S. 270—274. (Vgl. die als erste genannte Schrift bei: Jöcher, Rotermund und Heimbürger.) Weller, 2254, vermerkt sehr abschätzig: „... das literarisch ganz unbrauchbare Buch Heimbürgers: Urbanus Rhegius."

[14] Uhlhorn II.

[15] D. 22.

[16] D. 126.

[17] Goedeke, Grundriß, S. 177.

graphieren. Ein den Drucken analoger historisch-genetischer Rückblick über ihre Bibliographie läßt sich somit nicht führen.

Was Hans Volz in seiner Einleitung zur Bibliographie von Georg Spalatin feststellt, trifft somit sehr gut auch auf Urbanus Rhegius zu: Trotz seiner regen schriftstellerischen Tätigkeit hat Urbanus Rhegius bis heute noch keine auch nur einigermaßen erschöpfende und wissenschaftliche Ansprüche befriedigende bibliographische Behandlung erfahren[18].

[18] Volz, Spalatin, S. 83.

C Bibliographie

1. HANDSCHRIFTEN (MSS.)

1512

1 (Vorlesungsankündigung)
Ü Secte pHilosophorum//fuere Quatuor//
V Vrbanus Rieger ludimontano Michu://
K (Ingolstadt), 1512.
F Philadelphia: Epitome ars epistolaris, Ms. Lat. 242, fol. 6'—8.
Sb — — — —
E Azw.: Hirsch, Urbanus Rhegius.

2 (Vorlesungsankündigung)
Ü Modus legendi epistolas.//
V Duo diligēter capesse prae suas parabiles ad usū scribēdi et//
K (Ingolstadt), 1512.
F Wie Ms. 1, fol. 25'.
Sb — — — —
E Azw.: Hirsch, Urbanus Rhegius.

1512 — 1515

3 (Gedicht)
Ü UR Dauidi Rotmundt//
V Pelle puellarū vultus: perdulce venenū://
K (Ingolstadt, 1512—15).
F Eichstätt: Hs. 695, S. 5.
Sb — — — —
E Schlecht, Lob- und Spottgedichte, S. 223.

4 (Vorlesungsankündigung)
Ü Urbanus Rieger Artiū Candidatus studioso Lectorj: salutem//
V Morales ad Ethicen om̄bus (·ut aiunt·) neruis amplexandā non im//
K (Ingolstadt, 1513—15).
F Eichstätt: Hs. 695, S. 122.
Sb — — — —
E Randlinger, Vorlesungsankündigungen, S. 360.

5 (Eucharistischer Hymnus)
Ü Urbani Rieger in sacratiss: dn̄ici cōporis festū:—//
V Venit festa dies: quiuia (sic!)pangite sacra//
K (Ingolstadt, 1513—15).

F Eichstätt: Hs. 695, S. 131f.
Sb — — — —
E Schlecht, Lob- und Spottgedichte, S. 242f.

6 (Gedicht)
Ü UR arcium Ingenuarū candidatus Eruditis adolescen://tulis in studijs liberalibus rite designandis amicis//selectissimis felicitatem://
V Heus uos qu nimino pertempora plurimo nixu//
K (Ingolstadt, 1513—15).
F Eichstätt: Hs. 695, S. 144—146.
Sb — — — —
E Azw. in deutscher Übersetzung: Schlecht, Lob- und Spottgedichte, S. 218.

7 (Gedicht)
Ü UR//
V Irreuocanda cito labūtur tempora cursu//
K (Ingolstadt, 1513—15).
F Eichstätt: Hs. 695, S. 146.
Sb — — — —
E — — — —

8 (Vorlesungsankündigung)
Ü Ur: Rieger Eloquencie studiosis Bene agere//
V Aliū in francisci philelphi epistolis cursum felicibus (·ut aiunt·) augurijs//
K (Ingolstadt, 1513—15).
F Eichstätt: Hs. 695, S. 150—151.
Sb — — — —
E Randlinger, Vorlesungsankündigungen, S. 361.

1515

9 (Hochzeitslied für Jakob Locher)
Ü Carmen nuptiale Vrbani Rieger ad//Jacobū philomusum poetam et ora//torem laureatū preceptorem, cuius//Institutū bonū felix faustūque sit//
V Vel reputem ductū nature uel racionis//
K (Ingolstadt, 1515).
F Eichstätt: Hs. 695, S. 102—104.
Sb — — — —
E Azw.: Schlecht, Lob- und Spottgedichte, S. 222.

10 (Hymnus auf Eck)
Ü Carmen gratulatoriū de foelici Joannis Eckij artiū et theologie//doctoris clarissimi: ac preceptoris In germaniā reditu: vrbani//Rieger:—//
V Bellipotens plaudat germania: gaudia magna//
K (Ingolstadt, 1515 2. Hälfte).

F Eichstätt: Hs. 695, S. 78f.
Sb — — — —
E Schlecht, Eck, S. 33f.

1516

11 (Vorlesung)
Ü M. Urbanus Regius Discipulis// suis ad honestas litteras animũ.//
V Philosophi nostri, in Ethicis sententia est/ in tradendis//
K Ingolstadt, 1516 VI 10.
F Prag UK: MS VII E 28 (Truhlář lat. 1318), chart. saec. 16, fol. 1—144'; Aut.
Sb — — — —
E — — — —

1517

12
Ad Joachim Vadian
K Ingolstadt, 1517 V 16.
F St. Gallen StB: Vadianische Briefsammlung, Bremer Briefe 57; Aut.
Sb — — — —
E Vadianische Briefsammlung, 1. Bd., S. 190f., 97.

13
Ad Joachim Vadian
K Ingolstadt, 1517 XI 8.
F St. Gallen StB: Vadianische Briefsammlung, Bremer Briefe 58; Aut.
Sb — — — —
E Vadianische Briefsammlung, 1. Bd., S. 201f., 107.

1518

14 (Kurzer Hymnus auf die hl. Katharina)
Ü Carmina Mgꝛe Vrbani Regij poete laureati//ad honorẽ diue Katherine Epõ patauiensj//
V Rhetores emat linguis et corde disertos//
K (Ingolstadt), 1518 V 1.
F München SB/HsAbt: 4 A. lat. b 186, 9 Z.
Sb — — —
E — — —

15
Ad Michael Hummelberg
K Ingolstadt, 1518 XI 2.
F München SB/HsAbt: Clm 4007, fol. 102.
Sb — — —
E Horawitz, Analekten, S. 114, IX.

1519

16

Ad Michael Hummelberg
K Konstanz, 1519 I 18.
F München SB/HsAbt: Clm 4007, fol. 103—103'.
Sb — — —
E Horawitz, Analekten, S. 119, XIV.

17

Ad Huldreich Zwingli
K Konstanz, 1519 III 2.
F Zürich ZB/HsAbt: Ms. F. 46, fol. 276—276'; Aut.
Sb — — —
E CR, 94. Bd., S. 142f., 62.

18

Ad Michael Hummelberg
K Konstanz, (1519) III 19.
F München SB/HsAbt: Clm 4007, fol. 107.
Sb — — —
E Horawitz, Analekten, S. 122, XVIII.

1522

19

Ad Erasmus von Rotterdam
K Langenargen, 1522 I 4.
F Breslau (Wrocław) UB: Ms. Rehd. 254, 126; Aut.
Sb — — —
E Allen, 5. Bd., S. 2f., 1253.

20

Ad Wolfgang Rychard
K Tettnang, 1522 I 11.
F Hamburg UB/HsAbt: Sup. ep. (4°) 49, fol. 285'—287.
Sb — — —
E Biblioteca, S. (1013)—(1019), IX/A; azw.: Uhlhorn II, S. 350

21

Ad Huldreich Zwingli
K Lindau, (1522) VII 16.
F Zürich ZB/HsAbt: Ms. F. 46, fol. 278—278'; Aut.
Sb — — —
E CR, 94. Bd., S. 537f., 216.

22

Ad Joachim Vadian
K Langenargen, 1522 VII 31.
F St. Gallen StB: Vadianische Briefsammlung II/91, Ms. 31, Brief 91; Aut.

Sb — — — —
E Vadianische Briefsammlung, 2. Bd., S. 443, 320.

1523

23
Ad Wolfgang Fabricius Capito
K Augsburg, 1523 VI 24.
F Basel UB/HsAbt: Nachlaß Capito, Mscr.Ki.Ar. 25a, 26; Aut.
Sb — — — —
E Azw.: Uhlhorn II, S. 351.

24 (Traktat)
T Ein Sermon von der kirchwyhe. Doctor//urbani Regij. Prediger zu Hall im Intal//
V Vermeint man dz gott warhaftiklich uff dem ertrich won! wan//
K s. l., 1523 X 18.
F Zürich ZB/HsAbt: Ms. Car XV 3, fol. 4—7.
Sb Werke 1, XXXIV'—XXXVIII.
E D. 34.
(Die Kenntnis dieses Manuskripts verdanke ich der freundlichen Aufmerksamkeit des Herrn Dr. Ulrich Gäbler vom Institut für Schweizerische Reformationsgeschichte, Zürich.)

25
Ad Wolfgang Rychard
K Tettnang, 1523 XII 29.
F Hamburg UB/HsAbt: Sup. ep. (4°) 49, fol. 287—287'.
Sb — — — —
E Biblioteca, S. (1019)—(1021), IX/B; azw.: Uhlhorn II, S. 351.

1524

26
Ad Thomas Blaurer
K Tettnang, 1524 (Anfang).
F St. Gallen StB: Vadianische Briefsammlung II/217, Ms. 31, Brief 217; Aut.
Sb — — — —
E Schieß, Briefwechsel Blaurer, 1. Bd., S. 92—94, 66.

27
Ad Wolfgang Fabricius Capito
K Augsburg, 1524 IX 16.
F Strasbourg: Strasbourg, Archives municipales, AST.40/59, fol. 709—712; Aut.
Sb — — — —
E — — — —

28
Ad Johannes Oekolampad
K Augsburg, 1524 X 21.
F Zürich SA: E II 341, fol. 3406—3407; Aut.
Sb — — — —
E Staehelin, Oekolampad/Briefe und Akten, 1. Bd., S. 322, 224.

1525

29 (Denkschrift an Memmingen).
T — — — —
V Ich hab ungern gehöret, das die gmaind so uffrierig ist vn̄ so un//
K (Augsburg, 1525 I).
F München SB/HsAbt: Cgm 4965 (5, 2 fol.; Aut.
Sb — — — —
E Schelhorn, Memmingen, S. 71—76.

30 (Gutachten über die Forderungen der Bauern).
T Im namenn vnnseris Jhesu christi amen, Ersamen weisenn// günstigen lieben herren. Ich hab der pauren artickel. sampt// v. w. angehenckter mainung uber lesen, darauff will ich sumarie anzaigen, was mir die haillig schrift in disem fall// gibt auf besserung der hoch verstendigen. denen ich disen mein// Ratschlag zu meren mindern, oder gar ab zuthun vndterwirff,//
K (Augsburg, 1525 II/III).
F München SB/HsAbt: Cgm 4965(5, fol. 2—8'.
Sb — — — —
E Braun, Bauernkrieg, 2. Jg., S. 157—160; 170—176; 185—189. Dieses Ms. ist nicht, wie Braun, Bauernkrieg, S. 189 fälschlich wiedergibt, gezeichnet mit: „D. Ur. R." sondern mit „Euer Reg." (ius).
Mißverständlich ist auch, was Braun gleich anschließend schreibt und Kirchner, Bauernkrieg S. 132, Braun zitierend, übernimmt. Braun behauptet: „Zwei andere Schreiben von Rhegius an Memmingen, welche die Münchener Staatsbibliothek handschriftlich besitzt . . . zeigen eine ganz andere Hand, geben sich aber sonst auch nicht als Originale zu erkennen." Diese beiden Mss., von denen Braun spricht, sind ganz eindeutig Autographen von Rhegius, es sind dies die Mss. 29 und 31. Ms. 30 ist eine Schönschrift, offensichtlich von einem Sekretär hergestellt.

31 (Gutachten für Memmingen)
T Jesus ist Christus.//
V Ersamen wysen fůrsichtigen lieben Herren vn̄ brüder in christo//
K Augsburg, (1525 I—III).

F München SB/HsAbt: Cgm 4965(5; 4 fol.; Aut.
Sb — — — —
E Schelhorn, Amoenitates, S. 384—397, II.

32 (Traktat)
T Schlusred D. Vrbani Rhegij//vom weltlichenn gewalt, wider//die auffrůrischenn//
V Wan alle menschen zue gleich sich selbst vnd iren nechsten//
K (Augsburg, 1525 III/IV).
F Gotha FB/HsAbt: Chart B 23, fol. 93—98.
Sb Werke 4, CCVII—CCVIII'.
E Flugschriften zur Bauernkriegszeit, S. 436—440. Weder diese Edition noch Kirchner, Bauernkrieg, S. 126ff., kennen dieses Ms., aber auch nicht den Abdruck bei Luthers Flugschrift: „Ain Sendbrieff von dem hartē bůchlein“; D. 54, vgl. Benzing/Claus, 2182.

1526

33
Ad Thomas und Ambros Blaurer
K Augsburg, 1526 VI 14.
F St. Gallen StB: Vadianische Briefsammlung, X/88, Ms 39, Brief 88; Aut.
Sb — — — —
E Schieß, Briefwechsel, 1. Bd., S. 133—135, 105.

34
Ad Huldreich Zwingli
K Augsburg, 1526 IX 28.
F Zürich SA: E II 339, fol. 54—54'; Aut.
Sb — — — —
E CR, 95. Bd., S. 726ff., 532.

35
Ad (Johannes Piscatoris)
K Augsburg, 1526 XI 9.
F Paris UB: Ms 18, 145, fol. 238'—239.
Sb — — — —
E Kolde, Briefwechsel Luthers, S. 124f., II.

1527

36
Ad Huldreich Zwingli
K Augsburg, 1527 IV 1.
F Zürich SA: E II 339, fol. 136—136'; Aut.
Sb — — — —
E CR, 96. Bd., S. 82ff., 603.

37 (Unionsformel)
T Adhartacio ad fratres Cenee// domini participes fieri volentes// Ain Ermanung zu den Bru//edern die des herrn nacht//mall teilhafftig// wellen werden//
K Augsburg, 1527 IV 15.
F Zürich SA: E II 349, fol. 353—354.
Sb — — — —
E CR, 96. Bd., S. 136f., Beilage zur Nummer 619. Wenn auch dieses Ms. die Unterschrift von Wolfgang Wackinger trägt, kann es dennoch zu den Schriften des Rhegius gezählt werden. Er war zumindest ein Mitverfasser. Daß diese Einigungsformel in Deutsch und Latein aufbewahrt wird, wie Roth, Augsburg, 1. Bd., S. 217, Anm. 53 schreibt, dürfte auf einem Irrtum beruhen. Bekannt ist jedenfalls nur die deutsche Fassung von Zürich SA; allerdings trägt sie obigen lateinisch-deutschen Titel.

1528

38
Ad Hans von Schwarzenberg
K Augsburg, 1528 VIII 31.
F Nürnberg SA: Ansbacher Religionsakten, Tom. XI, fol. 29—29'; Aut.
Sb — — — —
E Kolde, Briefwechsel Rhegius, S. 27—29, I.

39
Ad Markgraf Georg von Brandenburg
K Augsburg, 1528 X 11.
F Nürnberg SA: Ansbacher Religionsakten, Tom. XI, fol. 33—33'; Aut.
Sb — — — —
E Kolde, Briefwechsel Rhegius, S. 30—32, III.

40
Ad Markgraf Georg von Brandenburg
K Augsburg, 1528 X 23.
F Nürnberg SA: Ansbacher Religionsakten, Tom. XI, fol. 31—31'; Aut.
Sb — — — —
E Kolde, Briefwechsel Rhegius, S. 33f., V.

41
Ad Ambros Blaurer
K Augsburg, 1528 XII 21.
F St. Gallen StB: Vadianische Briefsammlung, II/374, Ms 31, Brief 374; Aut.
Sb — — — —
E Schieß, Briefwechsel Blaurer, 1. Bd., S. 174—176, 131.

1529

42

Ad Ambros Blaurer
K Augsburg, 1529 I 22.
F St. Gallen StB: Vadianische Briefsammlung, II/379, Ms 31, Brief 379; Aut.
Sb — — — —
E Schieß, Briefwechsel Blaurer, 1. Bd., S. 178, 134.

43

Ad Ambros Blaurer
K Augsburg, 1929 II 21.
F München SB/HsAbt: Clm 10357, fol. 165—165'; Aut.
Sb — — — —
E Schieß, Briefwechsel Blaurer, 1. Bd., S. 183f., 138.

44

Ad Landgraf Philipp von Hessen
K Augsburg, 1529 IV 30.
F Marburg SA: 3 Pol. Archiv des Ldgf. Philipp, 1429, Bl. 3—4'; Aut.
Sb — — — —
E Azw.: RTA, 7./1. Bd., S. 863f. Regest in: Küch, Politisches Archiv, 1. Bd., S. 53, 1429.

45

Ad Landgraf Philipp von Hessen
K Augsburg, 1529 IX 12.
F Marburg SA: 3 Pol. Archiv des Ldgf. Philipp, 245, Bl. 47—47'; Aut.
Sb — — — —
E Neudecker, Urkunden, S. 138f., L.

1530

46

Ad Martin Luther
K Augsburg, 1530 V 21.
F Hamburg UB/HsAbt: Sup.ep. 1, fol. 100; Aut.
(Dresden LB hat eine Kopie.)
Sb — — — —
E WABr, 5. Bd., S. 334f., 1575.

47

Ad Bürgermeister und Rat von Lüneburg
K Celle, 1530 XI 17.
F Lüneburg StA: Br. 106/38; Aut.
Sb — — — —
E Stupperich, Urbanus Rhegius, S. 25 (Faksimile).

1531

48 (Denkschrift über Augsburger Reichstag und Konzilsfrage)
T Beschwerde szo die Appellierenden Stend// ab dem letzstenn beschluß des// Reychstags zu Augspurg haben// vnnd gruntlyche byllyche vrsa// chjnn auff ain generall// Concilium zu Appel//lierenn//
Auch was vonn Concilijs ainem Christhenn zu halltenn// Durch Vrbanum Rhe.//
Omnia sine praeiuditio melius sentien//tium.// Vrbanus Rhegius//
K Celle, 1531 III 8.
F Hannover HSA: Celle Br. 1, 11, fol. 1—47'.
Sb — — — —
E Vgl. Uhlhorn II, S. 312f.

49
Ad Martin Bucer
K Saalfeld, 1531 IV 20.
F Zürich SA: E II 339, fol. 262—262'; Aut.
Sb — — — —
E — — — —

50 (Kirchenordnung für Lüneburg)
T Christlyke Ordenynnghe van// der Scholenn vnd kerckenn// sackenn der Stadt Luneborch// Dorch Vrbanū Rhegium.//
K Lüneburg, 1531 VI 9.
F Lüneburg KB.
Sb — — — —
E Sehling, Bd. VI/I/1, S. 633—649.

51 (Gutachten zur Bündnisfrage mit den Eidgenossen).
T Bericht ob sich getzime das sich die Evangelischen// Stend mit den Eydgnossen Inn verpuntnus//oder sundern verstand geben//
V Zum Erstenn, Dieweil die Constitutiones von//
K Lüneburg, (1531 VI).
F Marburg SA: 3 Pol. Archiv des Ldgf. Philipp, 276, Bl. 24—26'.
Sb — — —
E Vgl. Ms. 51, 1.

51,1 (Gutachten wie Ms. 51)
T Berycht ob es sych gezyme das sych//die evangelischen Stend mytt den//eydgnossen In ein verpundnus oder// sonderen verstandt gebenn//
V Zum ersten Dieweyl die constitutiones von der Obirkeitt gesetztt.//
K Lüneburg, (1531 VI).

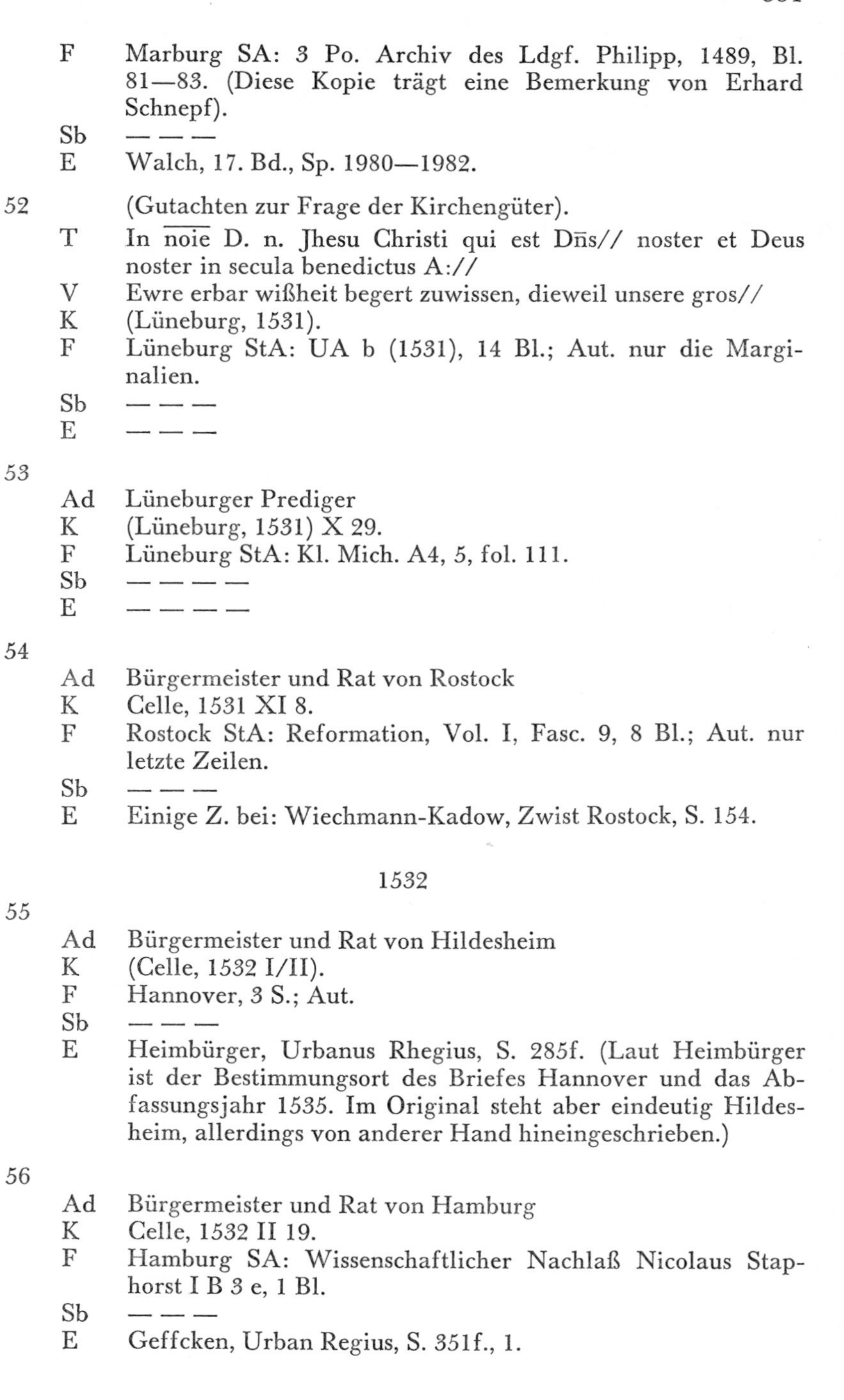

F Marburg SA: 3 Po. Archiv des Ldgf. Philipp, 1489, Bl. 81—83. (Diese Kopie trägt eine Bemerkung von Erhard Schnepf).
Sb — — —
E Walch, 17. Bd., Sp. 1980—1982.

52 (Gutachten zur Frage der Kirchengüter).
T In noie D. n. Jhesu Christi qui est Dn̄s// noster et Deus noster in secula benedictus A://
V Ewre erbar wißheit begert zuwissen, dieweil unsere gros//
K (Lüneburg, 1531).
F Lüneburg StA: UA b (1531), 14 Bl.; Aut. nur die Marginalien.
Sb — — —
E — — —

53
Ad Lüneburger Prediger
K (Lüneburg, 1531) X 29.
F Lüneburg StA: Kl. Mich. A4, 5, fol. 111.
Sb — — — —
E — — — —

54
Ad Bürgermeister und Rat von Rostock
K Celle, 1531 XI 8.
F Rostock StA: Reformation, Vol. I, Fasc. 9, 8 Bl.; Aut. nur letzte Zeilen.
Sb — — —
E Einige Z. bei: Wiechmann-Kadow, Zwist Rostock, S. 154.

1532

55
Ad Bürgermeister und Rat von Hildesheim
K (Celle, 1532 I/II).
F Hannover, 3 S.; Aut.
Sb — — —
E Heimbürger, Urbanus Rhegius, S. 285f. (Laut Heimbürger ist der Bestimmungsort des Briefes Hannover und das Abfassungsjahr 1535. Im Original steht aber eindeutig Hildesheim, allerdings von anderer Hand hineingeschrieben.)

56
Ad Bürgermeister und Rat von Hamburg
K Celle, 1532 II 19.
F Hamburg SA: Wissenschaftlicher Nachlaß Nicolaus Staphorst I B 3 e, 1 Bl.
Sb — — —
E Geffcken, Urban Regius, S. 351f., 1.

57

Ad Bürgermeister und Rat von Hamburg
K Celle, 1532 III 1.
F Hamburg SA: Wissenschaftlicher Nachlaß Nicolaus Staphorst I B 3 e, 1 Bl.
Sb — — —
E Geffcken, Urban Regius. S. 353f., 3.

58

Ad Bürgermeister und Rat von Hamburg
K Lüneburg, 1532 IV 2.
F Hamburg SA: Wissenschaftlicher Nachlaß Nicolaus Staphorst I B 3 d, 1 Bl.
Sb — — —
E Geffcken, Urban Regius, S. 354, 4.

59

Ad Landgraf Philipp von Hessen
K Lüneburg, 1532 VI 19.
F Marburg SA: 3 Pol. Archiv des Ldgf. Philipp, 298. Bl. 234—235'.
Sb — — — —
F Neudecker, Urkunden, S. 212—215, LXXVI.

60

Ad Herzog Ernst von Braunschweig
K Lüneburg, 1533 V 13.
F Hannover HSA: Celle Br. 50, 11, 3 fol.
Sb — — — —
E — — — —

61

Ad Herzog Ernst von Braunschweig
K Lüneburg, 1533 VI 4.
F Hannover HSA: Celle Br. 50, 11, 4 fol.
Sb — — — —
E — — — —

1533

62

Ad Herzog Ernst von Braunschweig
K Lüneburg, 1533 VI 16.
F Hannover HSA: Celle Br. 3, Nr. 10, I, fol. 2—2'; Aut.
Sb — — — —
E Uhlhorn II, S. 211.

63 (Gutachten über die Konzilsfrage)

T Ain Bedenken vnd wolmei=//nung, vber etlich artikel des Babsts vn̄ keyserlicher//Mayest, das kunftig//Conciliū betreffend//Vrb. Rhegiū//Lůneburg//16: Junij/An. 33.

K Lüneburg, 1533 VI 16.
F Hannover HSA: Celle Br. 3, Nr. 10, I, fol. 3—8'; Aut.
Sb — — — —
E Vgl. Uhlhorn II, S. 320f.

64

Ad Schwestern zu Hamburg
K Lüneburg, 1533 VII 20.
F Hamburg UB/HsAbt: Sup.ep. 4, fol. 1.
Sb — — — —
E Vgl. Uhlhorn II, S. 370, Anm. 5.

65

Ad Johann Furster, Kanzler
K Lüneburg, 1533 VIII 27.
F Hannover HSA: Celle Br. 49/412, S. 100—102; Aut.
Sb — — — —
E — — — —

1534

66

Ad Pleban Aester
K Celle, 1534 VII 2.
F Hannover NL: Ms. XLII, 1991 c; Aut.
Sb — — —
E Unschuldige Nachrichten, S. (362) f. Vgl. Uhlhorn II, S. 362, Anm. 7.

1535

67

Ad Bürgermeister und Rat von Augsburg
K Celle, 1535 VII 14.
F Augsburg StA: Personen-Selekt, Urbanus Rhegius; Aut.
Sb — — — —
E Roth, Augsburg, 2. Bd., S. 278f., Beilage II.

68

Ad Prediger von Augsburg
K Celle, 1535 VII 14.
F Strasbourg: Strasbourg, Archives municipales, Ast. 40, fol. 820—821.
Sb — — — —
E Walch, 17. Bd., Sp. 2065—2067.

69

Ad Bürgermeister und Rat von Hannover
K Celle, 1535 XI 15.
F Hannover StA: I O 13, 4 S.; Aut.
Sb — — — — —
E Tschackert, Urbanus Rhegius.

70

Ad Bürgermeister und Rat von Hannover
K Celle, 1535 XI 29.
F Hannover StA: I O 13, 4 S.; Aut.
Sb — — — —
E — — — —

1536

71

Ad Bürgermeister und Rat von Hannover
K Celle, 1536 I 12.
F Hannover StA: I O 13, 4 S.; Aut.
Sb — — — —
E — — — —

72 (Traktat)

T In noiē p. et. f. et spiritus amen /// ~~Gesprech~~ Dialogus zwischen vrbano Rhegio vn̄ // siner elichen (Einfügung!) husfrawen vō der predige. so Christus// luc. vlt. ~~that~~ den zwejē Jungern gen// Emaus am ostertag gethan hat// (Die Streichungen finden sich im Original.)
K Celle, 1536 III 18. (Die Behauptung Uhlhorns II, S. 369, Anm. 2: „Geschrieben ist das Buch schon 1532 in Lüneburg wie sich aus der Vorrede ergibt, . . .“ wird vom Autograph nicht bestätigt.)
F Wolfenbüttel HAB: Cod. Guelf. 610 Helmst., fol. 1—323; Aut. Letzte S. von fremder Hand ein kurzer Stammbaum der Familie des Rhegius.
Sb Werke 2, LVIII—CXCVIII'.
E D. 115.

73 (Übersetzung des Traktats vom Psalm 87)

T EIN TROSTLICHE AVS LE=//gunge vber den 87 psalm des// propheten Dauids von den hei=//ligen christlichen Kirchen erstlich// durch den Ehrwirdigen Hern D.// Vrbanum Rhegium (seligen) im// latein geschrieben, vnd itzt// allen betrubten Christen// zu trost vordeudschet// durch// M. Stephanum Reichen.//
K (Celle, 1536; die Übersetzung von Reich geschah etwa 1550—60).
F Gotha FB/HsAbt: Chart B 318, fol. 164—205'.
Sb Opera II, XLVIII—LV.
E D. 111.

74 (Gutachten zur Konzilsfrage)

T Ain bedencken D. Vrbani Rhegij vber die//artikel, so der Churfurst zu Sachssen vnnd// Landtgraff zu Hessen, vber das Pabstlich// Edict vom kunfftigen Concilio, zu bedenken// gestellt haben,//
K (Celle, 1536)

F Hannover HSA: Celle Br. 3, 13/II, S. 713—752; auf S. 715 umfangreiche Ergänzung aus der Hand des Urbanus Rhegius.
Sb — — — —
E Vgl. Uhlhorn II, S. 327.

1537

75
Ad Philipp Melanchthon
K (Schmalkalden, 1537 II).
F Dresden SL: Mscr. Dresd. C 107f., 18; Aut.
Sb — — — —
E Volz, Unbekannter Brief.

76
Ad Martin Luther
K Braunschweig, 1537 IV 18.
F Riga FB: Cod. chart. bibl. 350 (alt 244), fol. 163—163'. (Eine Ablichtung dieses Manuskripts stellte mir freundlicherweise der Hg. der WA Dr. Hans Volz zur Verfügung.)
Sb — — — —
E WABr, 8. Bd., S. 72, 3149.

77
Ad Autor Sander
K (Celle), 1537 X 25.
F Hannover StA: I O 13, 2 S; Aut.
Sb — — — —
E — — — —

78 (Traktat)
T Ain Bedenken der Luneburgischen// Ob ainer Oberkheit gezime die// widerteufer/ oder andere ketzer// zum rechten glauben zu dringen,// vnd so sie in der Ketzrey beharrend// der Ketzrey halb mit dem Schwert// zurichten,//
D. Vrbanum Rhegium//
Ro ·13·// Principes non terrori sunt bene agentibus sed male// Potestas seculi Dei Minister est tibi in BONUM// Non frustra gladiū gestat//
K (Celle, 1537).
F Marburg SA: 3 Pol. Archiv des Ldgf. Philipp, 1493 (Braunschweig-Celle), Bl. 70—87'.
Sb Werke 4, CCX—CCXV.
E D. 122.

1538

79
Ad Bürgermeister und Rat von Braunschweig
K Celle, 1538 I 29.
F Braunschweig StAB: B IV 11, 10, fol. 2; Aut.
Sb — — — —
E — — — —

80 (Traktat)
T Examen Episcopi in duca.// Luneburgensi per Doctorem// Vrbanū Rhegiū//
K (Celle), 1538 V.
F Jena UB: Ms. Bos. o. 17 C, fol. 397—405'.
Sb Opera II, XLVI—XLVII'.
E D. 126; vgl. Cohrs, Urbanus Rhegius.

81
Ad Johann Lang
K Celle, 1538 VII 14.
F Gotha FB/HsAbt: Chart A 339, fol. 224—224'.
Sb — — — —
E Crecelius, Ungedrucktes Schreiben und: Clemen, Ein Brief des Urbanus Rhegius, S. 371f.

82
Ad Martin Gorolit
K Celle, 1538 IX 14.
F Wolfenbüttel HAB: Cod. Guelf. 503 Nov, 9, 3 S.; Aut.
Sb Opera III, LXXXI'.
E — — — —

83 (Ratschlag für die Stadt Braunschweig)
Ü Consilium Doctoris vrbanj // Regij
K (Celle, 1539)
F Braunschweig StA: B III 5:5, fol. 269—288'; Aut.
Sb — — — —
E — — — —

1539

84
Ad Bürgermeister und Rat von Minden
K Celle, 1539 I 9.
F Minden StA: Aktenbestand B 29, 1, 4 S. Dieser Brief ist vom Kanzler Johann Furster und Lizentiat Balthasar Klammer mitunterzeichnet.
Sb — — — —
E — — — —

85
Ad Bürgermeister und Rat von Minden
K Celle, 1539 I 24.
F Minden StA: Aktenbestand B 29, 1, 2 S. Dieser Brief hat dieselben Unterzeichner wie der obige.
Sb — — — —
E — — — —

1540

86
Ad Philipp Melanchthon
K Hannover, 1540 V 24.

F Marburg SA: 3 Pol. Archiv des Ldgf. Philipp, 2587. [Sachsen (Ernst)], Bl. 128.
Sb — — — —
E — — — —

1541

87
Ad Joist, Graf zu Hoya
K Celle, 1531 V 11.
F Detmold SA: L 29 BI Mai 11, 2 S; Aut.
Sb — — — —
E Tschackert, Antonius Corvinus, S. 86f., 115.

88
Ad Ritterschaft und Städte der Grafschaft Lippe.
K Celle, 1541 V 11.
F Detmold SA: L 29 BI Mai 11, 3 S.; Aut.
Sb — — —
E Tschackert, Antonius Corvinus, S. 87f., 116.

Undatierte Mss.

89 (Thesenreihe zur Auferstehungsfrage)
T D. Vrbanus Regius// de agnitione mutua in vita// futura.//
K s.a.e.l.
F Hamburg UB/HsAbt: Sup. ep. 92, fol. 135—136.
Sb Opera II, XCV—XCV'.
E Vgl. D. 142a.

90 (Traktat)
T Introductio in Biblia// De ordine librorum//
K s.a.e.l.
F Hamburg UB/HsAbt: Sup.ep. 92, fol. 136—137.
Sb — — — —
E — — — —

91 (Traktat)
T De veteribus orthodoxis//iudicium vrbani Rhegij//
K s.a.e.l.
F Hamburg UB/HsAbt: Sup. ep. 92, fol. 137—138'.
Sb Opera III, LXX—LXX'.
E — — — —

92 (Ratschlag)
U D. Urbanij autographū
Ü
V 1 Christianus ꝑptor nllam̄ rem potest et debet ea facere et permittere//
K Infolge Wässerung depraviert
F Hannover HSA: Celle Br. 50, 12, 2 fol.; Aut.
Sb — — — —
E — — — —

2. DRUCKE (D.)

1512

1

Ü Exhortatorium Carmen Vrbani Rieger Philirani ad// Lectores candidos, vt egregium hoc opus Ioan// nis Keyserspergij Concionatoris olim Ar=//gentinensium viri diuini potius que//humani ingenij, impense// perlustrent.//

V Sincere capitur qui relligionis amore//

In Nauicula Penitentie// Per excellentissimum sacre pagine doctorem Jo//annem Keyserspergium Argentinensium// Concionatorem predicata. A Ja/ // cobo O.tthero Collecta.//

Bg Dacheux, S. CXVIIf., 52 A—C.

Dt 1510 XI 15; 1512 V.

Sb — — —

1513

2

Ü Vrbani Rieger Phylirani in Peregrinū, pręcellentissi//mi omniū ac consummatissimi olim Argen//tinensiū concionatoris Ioannis Geile=//ri Keiserspergij carmen incitatoriū// ad cādidum lectorem vt// hūc libellū, ꝑ the// sauro am=// plexe=//tur.//

V Huc properet miseris terrę Peregrinus in oris,//

In Peregrinus// Doctissimi sacre theologie doctoris Ioannis// Geiler Keyserspergij Concionatoris Ar//gentineñ. celebratissimia Jaco-//bo otthero discipulo suo// congestus.//

Bg Dacheux, S. CXXI, 57.

Dt 1512 VI 10; 1513 II.

Sb — — —

3

Ü IN IOANNIS ECkII VIRI DOCTIS-//simi ac Theologi maximi Oratio//nes ornatissimas Vrbani Rie//ger Philerani Epigram-//ma ad stuchosum//

V Verborum candor: grauitas simul ardua rerum//

In Audi Lector//OFFENDES HIC IOANNIS ECkII// Theologi fœlicis studii Auripolitani// Vicecancellarii & Canonici// Eistettensis Oratio//nes quatuor nō//indoctas// De diua Catherina & artibus lib. Friburgi//De arte medica Auripoli// De sacerrima Theologia Auripoli//Funebrem item in exequiis uenerādi patris//Georgii de Northofen Friburgi habitam// Heus tu, Eme & letaberis//

Bg Wiedemann, III, S. 452; Metzler, 3.

Dt 1512 XI 28; 1513 XII 24.

Sb — — — — —

1514

4

Ü VRBANVS RIEGER IN PRAEDEST. CHRYSOPASSVM IO=//ANNIS ECKII: PHILOSOPHORVM ET THEOLOGORVM DECORIS: PRAE//CEPTORISQVE SELECTISSIMI AD CANDIDOS LECTORES.//
V HEus Germane bonis auibus consurge: tenebris//
In CHRYSOPASSVS//A IOANNE MAIORIS ECKIO PROCANCELLARIO// AVRIPOLI ET CANONICO EISTETEN. LECTAEST//SVBTILIS ILLA PRAEDESTINATIONIS MATERIA//VVILHELMO ILLVSTRIS. PRINCIPE BAIOARIAM//GVBERNANTE. ANNO GRATIAE G. D. XII//
Bg Wiedemann, IV, S. 454f.; Metzler, 4.
Dt 1514 IV 18; 1514 XI.
Sb — — — — —

1515

5

Ü Distichon Vrbani Rieger Philerani// ad lectorem//
V Munerequem mentis, fortunae & corporis omni//
In AVDI LECTOR//Ioannis Eckij Theologi In=//goldstadieñ. orationes accipe tres non//inelegantes.// De nobilitate literis exornãda, & laude Mar//chionũ Brandenburgensiũ. Oratio. I.//De fidei Christianae amplitudine vltra reli=// quas infideliũ sectas. Oratio. II.//De Germania exculta cõtra Grillos.// Oratio. III.// Ad venerandum P. Chunradum Abbatem//Caesariensem Epistola de profectione//Eckij ad Bononiam, & disputati//one per eum habita:cũ alijs//tibi (vt arbitror)non//displicituris.// Generosi d. Martini Comitis de//Otingen in laudem d. Eckij//Theologi maximi Te//trastichon.//Eckius Arctoum docilis qui natus ad axem//Ingenio pollet ędepol egregio.//Eloquio praestat doctrina fultus amoena//Vix similem (credas) extera terra dabit.//
Bg Wiedemann, VI, S. 463; Metzler, 6.
Dt 1515 X 31; 1515 XII 5.
Sb — — — — —

1516

6

Ad Johann Fabri
K Ingolstadt, 1516 II.
E Allen, 2. Bd., 386, S. 189—192.

7

Ü VRBANI REGII ORATORIS ET PHILOSOPHI //Hexastichon.//

V Si cupis exactam logicen sine faece:reuolue//
In Joan. Eckii Theologi in//summulas Petri Hispani cxtempo//raria et succincta:sz succosa explanation// p supioris Germaniae scholasticis.//Cum priuilegio//Hen. Bebelij Distichon// Nil eget ille liber laudis:namque Ekkius omne// Quo d facit/ex omni parte placere solet//Ioan.Auentini Distichon.//Quęris ad ignoti:verique venire latebras:// Docta tibi monstrant:hęc rudimenta viam.//Accipe placido vultu:o studiosa iuuentus:hos Eckij in Hispanum cōmentariolos/re=//cepturus propediem:in Aristotelis Dialecticam et Physicam:tralatione Ar=//gyropoli accomodata:facilem et synceram explanationem.// Deo gloria.//
Bg Wiedemann, VII, S. 464; Metzler, 7.
Dt 1516 II 20; 1516 V 19.
Sb — — — — —

8

Ad Johann Turmair
K Ingolstadt, 1516 X 28.
E Turmair SW, S. 578—580.

1517

9

Ü AD AMPLISS:IN CHRISTO PATREM ET//Dominum d. Gabrielem Eistetteñ ecclesię Episcopum//dignissimum, virtutum, integritatis ac litterarum//amatorem maximum, Vrbani Regij phi=//losophi & Oratoris Carmē pro//Ioanne Eckio Theologo// Maximo//
V Accipe perplacido PRAESVL digisime vultu//
In Disputatio Ioan. Ec=//kij Theologi Viennae Pannoniae ha=//bita cū epistola ad Reuerendis=//simum Episcopum Ei=//stettensem.//Oratio Ioannis Eckij ad Illustriss. Baioario.//principes Vuilhelmum Clodoueum// & Arionistum nomine vniuer//sitatis Ingolstadieñ.//habita.//Oratio iucunda & faceta Ioan. Eckij Triuij//quęrelam aduersus bonarum artium//osores explicans.//Rumpere liuor edax.//
Bg Wiedemann, VIII, S. 466f.; Metzler, 8.
Dt 1517 I 27.
Sb — — — — —

10

Ü D. Eckio pręceptori abseruandissimo, a Vienna// Pannoniae, ingenij periculo celebri disputatione// ibidē facto, triumphatori redeunti, Vrbanus// Regius Oratoriam Ingolstadij profes//sus, gratulabundus cecinit.//
V Ecki pro meritis tua nomina pangere nemo//
In Disputatio Ioan. Ec=kij Theologi Viennae Pannoniae ha=// . . . s. D. 9.

Bg Wiedemann, VIII, S. 468; Metzler, 8.
Dt 1517 I 27.
Sb — — — — —

11

Ü Vrbanus Regius ad Ioan. Eckium praeceptorem.//
V Tu breuitate potes pregnanti stringere multa//
In Elementarius Diale//ctice d. Ioan. Eckii.// Cum Priuilegio.//Recognouit & auxit.//
Bg Wiedemann, IX, S. 473; Metzler, 9 (2).
Dt 1517 I 18; 1517 XII 26.
Sb — — — — —

12

Ü Vrbanus Rhegius Poeta & Orator//Laureatus Ad lectorem//
V Eckium nulle latitant disertum//
In Oratio funebris habita per Ioann://Eckiū The, Augustę in exequiali pompa Reuerendissimi//D. Henrici Episcopi Augustensis. M D.XVII.//Henrici haec fuerant Lichtnoi insignia clara//Praesulis Augustae/hic morte solutus obit.// Haec modo Christopherus Stadiona stirpe creatus//Laude tenet summa/sic moderante deo.//
Bg Wiedemann, XI, S. 480; Metzler, 11.
Dt 1517 IX 23; 1517.
Sb — — — — —

1518

13

Ü CHORIAMBICVM ASCLEPIADEVM M. VRBA=//ni Regij poetae laureati oratoriam Ingolstadij publice//profitētis ad Eckium pręceptorē selectissimum.//
V Quis te laudibus extollere discupit.//
In IOAN + ECKII//THEOLOGI INGOLSTADII PROCAN-//cellarij, ac Canonici Eistettē̄ de materia Iuramen//ti acutiss. decisio ad Georgium Kungsper=//gium Augustanum.//SOLI DEO GLORIA.//
Bg Wiedemann, XIII, S. 484; Metzler, 14.
Dt 1517 III 19; 1518.
Sb — — — — —

14

Ad Johannes Aesticampianus (Johannes Rhagius bzw. Sommerfeld)
K Ingolstadt, 1518 IV 4.
E Wilisch, XIX (44), S. 110—113.

15

Ü M. Vrbani Regij Poetę & oratoris laureati:oratoriā ordinarie Ingolstadij//legentis ad lectorem Endecasyllabon//

V Si mens coporea abuolaret arca//
In ARISTOTELIS STA//GYRITAE ACROASES PHYSICAE LIBRI. VIII. IOAN. ARGY=//ROPILO INTERPRETE, ADIECTIS IOAN. ECKII AD=//notationibus & commentarijs ad illustrissimum//D.ERNESTVM.//Comitem Palatinum Rheni//ac Boiorum ducem.//CVM PRIVILEGIO.//H.Bebelius morbo grauatus hoc//distichon extorsit.//Si physicen hodie superi tractare solerent// Eckius his ansam, materiamque daret.// Ioan.Auentinus.// Nunc noua fert animus tibi dicere (si libet, aures//Arrige) quid tellus, aethera, pontus agant.//Soli deo gloria.// Eckius.//
Bg Wiedemann, X, S. 477; Metzler, 16.
Dt 1518 I 24; 1518 VI.
Sb — — — — —

16

Ü ASCLEPIADEVM CHORIAMBICVM//M.Vrbani Rhegij poetae & oratoris laurea//ti,ad vere nobilē & amplissimū virū Leo//nardum de Eck de Vuolffs eck artiū// & Iurium doctorem consili=//arium ducalem patronum//obseruandis.// De miseria Poetarum//
V Mecoenas miseris vnice vatibus,//
In DIVIS DIO//NYSIO AREOPAGITAE HEMERA=//no, Bolfgango, tutelaribus Boiariae//numinibus S.//Inlustriss. que princibibus boiorum Vilel=//mio Litauico, Arionisto. D.D.//IMP. HENRICI QVARTI CAES. AVG.//ducis vero Boiorum septimi vita.//Eiusdem epistolae, inuentae a Ioanne Auentino.//Editae, vero, a sodalitate literaria Boiorum.// Claris.atque inlustrissimi principis Friderici ducis Sa=// xonię. & c̈.epistolę ad Ioannem Auentinum.//Eiusdem principis capita rerum quas//ipsi absoluit Auentinus.//Ad eundem principem Auentini carmina.//Auctores quidam quos Auentinus inuenit,//& qui nondum impressi sunt.// Sodalitatis literarię Boiorum carmina.//CVM PRIVILEGIO IMPERIALi.//
Bg Turmair SW, S. XV und 603ff.
Sb — — — — —

17

Ü M. VRBANVS RHEGIVS POETA ET//orator laureatus ad Lectorem.//
V Magnus Alexander totum qui terruit orbem,//
In DIVIS DIO//NYSIO AREOPAGITAE HEMERA=// . . . s. D. 16.
Bg Turmair SW, S. XV und 603ff.
Dt 1518 VIII.
Sb — — — — —

1519

18

T Opusculum//DE DIGNITATE//SACERDOTVM IN// COMPARABILI, AD AMPLIS=//SIMVM ANTISTITEM. D. HV//GONEM DE LANDENBERG//CONSTANTIEN. ECCLE//SIE EPISCOPVM, VR//BANO REGIO// AVCTO//RE.// (LBl) Libellus ad candidū Lectorem.// Vita Sacerdotum quanto splendescat honore//Omneque que toto vincat in orbe decus//Vt sacro rutilos transcendat munere coelos//AEthereis etiam celsior ipse choris//Non iniucunda stringo breuitate, quid hęres?//AEre perexiguo me tibi lector eme.//Eme, lege, & Ratio affectum// iudicando anteuortat.//

K Augsburg, Johann Miller, 1519 II 19.

GU 21 cm, 42 Bl.

W Hugo von Landenberg, Bischof von Konstanz.

Bg Kuczyński, 2224; Pegg, 3464.

F Augsburg SSB, Bamberg SB, Basel UB, Berlin DS, Cambridge, Cambridge HU, Dillingen, Frankfurt SUB, Freiburg UB, Genf BPU, Karlsruhe BL, Leiden UB, Leipzig UB, London BM, München BS, München UB, Neuburg/Donau, Olmütz, Oxford BL, Regensburg, Stams, St. Gallen StB, Vatican, Wien NB, Zürich ZB.

Sb Opera I, I—XVI'.

Aufl — — — — —

19

Ü M. VRBANI RHEGII POETAE ET ORA//toris laureati ad lectorem hendecasyllabon//

V Nature statuit perennis author//

In Tres libri de felicita=//te triplici. Vna que dicitur bracteata/ //personata siue philosophica:humana/ //falsa et erronea. Altera christicolarum//deo militantiū/ //terrestris siue vel:ve=//ra/recta/et meritoria:vel dispositiua.// Tertia celestis:beatorum siue triūphan=//tiū:sempiterna/absoluta et ītegra. Et//p̄ in hisce libris atinent/desumpta sūt// ex penetralibus sacre scripture do//ctrina:et institutione sanctorum//et theologie primatū:et ex//scriptis phorum/ poetarum//et oratorum:et histori//corum illustri//um.//

Bg Panzer, Annales, 8. Vol., S. 87, 156.

Dt 1519 IV 4.

Sb — — — — —

20

Ü M. Vrbani Rhegij Poetę & oratoris laureati//oratoriam publice profitentis//Choriambicū ad lectorē.//

V Naturam puto non ponere terminum//

In D.DIONYSIIAREO//pagitae De mystica Theo//logia lib. I.//GRAECE//Ioan. Sarraceno/Ambrosio Camaldul./ Interpret.//Marsilio Ficino//Cum vercelleñ extractione// Ioan.Eckius Commentarios adiecit pro//THEOLOGIA NEGATIVA//Ingolstadij.// (LBl)
Καὶ νόον αἰγλήεύτα λίωέϱ, καὶ γνῶσιν ἐόντωϱι νύκτα Διἀμβϱοσίην την ού ϑεμιϱεζο νομῆναι
Ad Reuerendiss.dominũ D.Christophorum//Episcopum Augusteñ.// Soli deo gloria.// (LBl)
Bg Wiedemann, XXI, S. 498f.; Metzler, 23(1).
Dt 1517 IX 9; 1519 V 25.
Sb — — — — —

21
Ü AD FORMOSAM VIRGINEM MARIAM//RATISPONAE IN AREA IVDEORVM EXPVLSORVM GRATIOSE RESIDEN//TEM ET GRANDIBVS MIRACVLIS CORVSCANTEM VRBANI//REGII PEAN.//
V O Regina poli potens//
K Ingolstadt, (Andreas Lutz, 1519).
GU 48 cm, Einblatt.
W — — — — —
Bg Schottenloher, Lutz, 4; Stalla, 5.
F München UB: 2 Hist. lit. 176.
Sb — — — — —
Aufl Unwesentlich verändert: D. 144/XXI.

1520

22
T CVra Pastoralis//a Regio recognita//Emendata et aucta// Constantie 1520.// (HS: Kelchelevation)
K Konstanz, Johann Schäffler, 1520 III.
GU 15 cm, 19 Bl.
W — — — — —
Bg Moeller, Konstanzer Reformationsdrucker, S. 729.
F Freiburg UB: K 3344, c.
Sb — — — — —
Aufl — — — — —

22 A
Ü IN ERVDITISSIMI//operis cõmendationem a Ioanne Fabro fa//berrime fabrefacti Praeceptore suo// Vrbani Regij Phĩ & Poetę//Elegia ad pium//lectorem.//
V Si tibi compta placent latio sacra verba lepore//
In DECLAMA=//tiones diuine de humane//vite miseria. D. Joan.//Fabro in spiritua//libus Uicario//Constantien.// authore.//(LBl)//A.//Lectionem & cognitionem non

anteuertant//calculi, nec pronuncietur. nisi causa// diligenter excussa.//

Bg Helbling, Fabri, 1, S. 139.

Dt 1519 IV 12; 1520 VIII 8.

Sb — — — —

22 B

Ü — — — —

V Tu mihi sola places, sed nostrae stamina vitae//

In DECLAMA=//tiones diuine de humane/. . . s. D. 22 A. Bl. Mij'

Bg Helbling, Fabri, 1, S. 139.

Dt 1519 IV 12; 1520 VIII 8.

Sb — — — —

1521

23

Ü CARMEN VI-//CTORIALE IN SOLENNEM//illum actum, quo D. Martinus Lutherus//X. die Decembris, anno domini M.D.//XX.VVittenbergae ante portam//S. Crucis, Jus Canonicum &//omnia Papistica Decreta//cum Decretalibus//combussit.//

V VIue viue mi Luthere,//

K (1521) Die Behauptung in der Überschrift, wie sie im Gedichteband steht, s. D. 144/ XLVII, daß dieses Lied in Celle in Sachsen entstand, ist für die Datierung unerheblich. Diese Überschrift stammt allem Anschein nach vom Herausgeber des Gedichtebandes, Gottfried Wagner.

GU Einblatt.

W — — — — —

E D. 144/XLVII.

F (Berlin DS). Das Original konnte nicht eruiert werden. Mir lagen die unter E und Aufl zitierten Wiedergaben vor.

Sb — — — — —

Aufl AKZ, 8, 13. Jänner 1828, Sp. 69f.; Kawerau, Verbrennung der Bannbulle.

24

T ARGVMENTVM LIBELLI.//SYMON HESSVS LVTHERO OSTEN// DIT CAVSSAS, QVARELVTERANA// OPOSCVLA A COLONIENSIBVS// ET LOVANIENSIB. SINT CONBV//STA. ID IPSVM ENIM PETIT MAR=// TINVS IN LIBELLO QVODAM,//VBI RATIONEM REDDIT FA=//CTISVI.NAM OB.XXX.ARTI//CVLOS ERRONEOS IN PA//PALIBVS LIBRIS INVEN//TOS IVS CANONI=//CVM SE INFLAM//MANS CON=// IECISSE//SCRI=//PSIT//

	Lector nō pigeat te Ironias Hessi pellegere, habes quo// pulmonem exerceas, sic em̄ Hessus Curiam de=//fendit, ut si decem sint Hessi Romae//propugnatores, Breui perire// fame uniuersam Curi=//am necessum//sit.//
K	(Augsburg, Sigmund Grimm und Marx Wirsung, 1521).
GU	20 cm, 16 Bl.
W	Zeringen in Br., 1521 I 6.
Bg	Kuczyński, 1019; Clemen, Symon Hessus, I, S. 566.
F	Augsburg SSB, Freiburg UB, Hamburg UB, München BS, München UB, Weimar, Wien NB, Wolfenbüttel HAB, Würzburg UB.
Sb	— — — — —
Aufl	1521, (Wittenberg, Johann Grunenberg) 1521, (Basel, Andreas Cratander) (1521, Augsburg, Sigmund Grimm und Marx Wirsung) Deutsch: (1521, Augsburg, Melchior Ramminger) (1521, Augsburg, Sigmund Grimm und Marx Wirsung) S.l.e.a. noch zwei.

25

T	Dialogus Simonis//Hessi et Martino Lutheri Wor//macie nuper habitus:lectu//non iniucundus.//
K	(Landshut, Johann Weißenburger, 1521).
GU	21 cm, 6 Bl.
W	Zeringen, 1521 V 30.
Bg	Clemen, Symon Hessus, IV^{a}, S. 568f.; Schottenloher, Landshut, 100a.
F	München BS, Weimar, Wien NB.
Sb	— — — — —
Aufl	(1521, Landshut, Johann Weißenburger), Deutsch s.a.e.l., zwei. 1860, Leipzig, in: Hutten, Opera, 4. Bd., S. 601—614.

26

T	Ain Sermon//von dem hochwirdigen//sacrament des Altars/ //gepredigt durch Doctor//Vrbanum Regium/ // Thůmbprediger zů//Augspurg/am tag//Corporis Christi.// M.D. XXj.// (LBl, TE)
K	(Augsburg, Silvan Otmar, 1521).
GU	21,5 cm, 6 Bl.
W	— — — — —
Bg	Kuczyński, 2227; Pegg, 3474; BM STC, S. 737.
F	Augsburg SSB, Coburg, Donaueschingen FFH, Dublin TC, Frankfurt SUB, Heidelberg UB, Leipzig UB, London BM, München BS, München UB, Neuburg/Donau, Nürnberg StB, Oxford BL, Regensburg, Stockholm KB, Wien NB.
Sb	— — — — —
Aufl	— — — — —

27

T Anzaygung dasz die Romisch Bull merck=//lichen schaden in gewissin manicher men//schen gebracht hab/vnd nit Doctor//Luthers leer/durch Henricū//Phoeniceum von// Roschach.//
Inhalt ditz Biechlins//Man schribt dem Luther zu das er nitt redt//oder nit also redt. Dañ es sind auch der schrifft gelerten we=//nig/die jn recht verstandē/will das gemain volck ge//schwigen. Er grindt sich vff die hayligen schrift//Propheten/Ewangelisten/Aposteln nach//jrem rechten verstand/Sin wider=//part hangt in menschen mainūg//darumb wer in recht verstat//im folgt/sy vnuer=// zagt er wirt nit//verfiert.//

K (Augsburg, Sigmund Grimm, 1521 VII—IX).

GU 20,5 cm, 20 Bl.

W Jacobo Nepoti von Tettnang; Roschach, 1521 VI 24.

Bg Kuczyński, 2229; Clemen, Henricus Phoeniceus.

F Augsburg SSB, Basel UB, Bonn UB, Breslau UB, Budapest MTA, Budapest OSK, Cambridge UL, Dresden SL, Frankfurt SUB, Göttingen UB, Hannover StB, Heidelberg UB, Innsbruck UB, London BM, Marburg UB, München BS, München UB, Nürnberg GNM, Prag UK, Wien NB, Zürich ZB.

Sb — — — — —

Aufl (1522, Straßburg, Johann Prüss d. J.).

28

T Underricht//Wie ain Christenmensch got seinem// herren teglich beichten soll Docto//ris Vrbani Regij Thůmpre=// digers zu Augspurg etc.//M.D.XXI// (TE)

K Augsburg, Silvan Otmar, 1521.

GU 21,5 cm, 4 Bl.

W — — — — —

Bg Kuczyński, 2228; Pegg, 3479; Althaus, Gebetsliteratur, S. 70f.

F Augsburg SSB, Breslau UB, Cambridge UL, Dresden SL, Dublin TC, Frankfurt SUB, Freiburg UB, Göttingen UB, Hannover NL, Heidelberg UB, Loccum, London BM, München BS, München UB, München St. Anna, Nürnberg StB, Oxford BL, Venedig BN, Weimar, Zürich ZB.

Sb Werke 1, XCVIII′—C.

Aufl 1521, Leipzig, Wolfgang Stöckel
1522, Straßburg, Martin Flach d. J.
1523, s. l.
1525, s. l.
1526, s. l.
1532, Leipzig, Michael Blum
Viele weitere Nachdrucke, vgl. Althaus, Gebetsliteratur S. 70f.

29

T Ain schône//Predig des hailgen Bischoffs Jo//annis Chrisostomi. Das man die//sünder lebendig vñ tod klagen// vñ bewainen sol. Das auch//d' lebendigen gůten werck// den todtē nützlich seyen//Durch Doctor Vr=//banū Regium ver//teütschet.//Vnd ain außzug von//dem gericht gots.// M.D.XXI.//
(TE, die vier Evangelisten, Petrus und Paulus und die abendländischen Kirchenväter darstellend.)
K Augsburg, Silvan Otmar, 1521 XI 21.
GU 20 cm, 8 Bl.
W Lukas Gaßner dem Älteren, (Augsburg); Augsburg, 1521 XI 7.
Bg Kuczyński, 1128; Hohenemser, 2870; Pegg, 1504.
F Augsburg SSB, Budapest MTA, Budapest OSK, Dresden SL, Dublin TC, Frankfurt SUB, Heidelberg UB, London BM, Minneapolis, München BS, München UB, Oxford BL.
Sb Werke 1, CCXXXX'—CCXLIIII'.
Aufl — — — — —

30

T Ain vberschöne vnd//nützliche erklårūg über das// Vater vnser/des hailigen//Cecilij Cypriani/durch//Vrbanum Regium//der hayligen ge=//schrift Doctor//verteutscht.// (TE)
K Augsburg, Sigmund Grimm und Marx Wirsung, 1521 XII 10.
GU 21 cm, 19 Bl.
W Frau Amalie von Danckenschwyl; Augsburg, 1521 X 31.
Bg Uhlhorn II, S. 40; Kuczyński, 551; Pegg, 597.
F Augsburg SSB, Eichstätt, München BS, München UB, Oxford BL, Weimar, Wien NB.
Sb Werke 1, LXXXIX—XCVIII.
Aufl — — — — —

31

T Ain predig//Von der hailigen junckfrauwen//Catharina/ Doctoris Vrbani//Regij Thůmpredigers zu//Augspurg/ gepredigt im//M.D.XXI.Iar.// (LBl, TE)
K Augsburg, Silvan Otmar, 1521 XII 14.
GU 19 cm, 8 Bl.
W — — — — —
Bg Weller, 1934; Kuczyński, 2226; Pegg, 3465.
F Bern StB, Budapest MTA, Budapest OSK, Dresden SL, Dublin TC, Frankfurt SUB, Göttingen UB, Halle ULB, Innsbruck UB, Leningrad Saltykov, London BM, München BS, Oxford BL, Stuttgart WL, Wolfenbüttel HAB, Zürich ZB, Zwickau RB.
Sb Werke 1, CCXLV—CCXLVIII'.
Aufl — — — — —

1522

32

T Des hochgelerten//herñ Doctor Erasmi von//Roterdam schône vñ//clare außlegung//über die Epi=//stel Pauli// zů Tito.//Durch Vrbanum Regiū der//hayligen schrifft Doctor ge=//teütscht.// (TE)
K Augsburg, Sigmund Grimm, 1522 (Anfang).
GU 19 cm, 16 Bl.
W Magdalena Gräfin zu Montfort, 1521 XI 20.
Bg Kuczyński, 738; Pegg, 1016.
F Augsburg SSB, Bamberg SB, London BM, München SB, München UB, Oxford BL, Wien NB.
Sb — — — — —
Aufl — — — — —

33

T Vnderricht wie sich//ain Christen mensch halten// sol das er frucht der Meß//erlang vnd Christ=//lich zů go tz tisch//ganng.//D.V.R.// (TE)
K (Augsburg, Sigmund Grimm und Marx Wirsung, 1522 VI/VII).
GU 19,5 cm, 6 Bl.
W — — — — —
Bg Seitz III, S. 16; Vogt, Urbanus Rhegius, S. 168f. behauptet zu Unrecht, daß dieser Traktat nicht in den Sb. ist.
F Augsburg SSB, Breslau UB, Eichstätt, Freiburg UB, München BS, München UB, Regensburg, Weimar.
Sb Werke 1, CXV—CXVII′.
Aufl — — — — —

34

T Ain Sermō.//Von der kyrchweyche//Doctor Vrbani Regij. Predi-//ger zů Hall jm Intal.//M.D.XXII.//Jar.// (TE)
K (Augsburg, Sigmund Grimm und Marx Wirsung) 1522 (X/XI).
GU 21 cm, 8 Bl.
W — — — — —
Bg Kuczyński, 2233; BM STC, S. 738; Pegg, 3477.
F Augsburg SSB, Basel UB, Dresden LB, Eichstätt, Frankfurt SUB, Freiburg UB, Heidelberg UB, Ingolstadt StA, Innsbruck UB, Leningrad Saltykov, London BM, Mainz StB, München BS, München UB, Nürnberg GNM, Olmütz, Oxford BL, St. Florian, Wien NB, Wolfenbüttel HAB, Zürich ZB.
Sb Werke 1, XXXIV′—XXXVIII.
Aufl — — — — —

35

T Ain Sermō. vō// Dem dritten Gebot. Wie//Man Christlich feyren sol//Mit anzavgung ettlicher myß-//breych/

	Geprediget/Durch.D.//Vrbanum Regium/Pre-//diger zů Hall jm Intal.// M.D.XXII.Jar.// (4 LBl, TE)
K	(Augsburg, Sigmund Grimm und Marx Wirsung, 1522 XI/XII).
GU	20,5 cm, 12 Bl.
W	Lukas Gaßner dem Älteren zu Augsburg; Hall im Inntal, 1522 XI 5.
Bg	Kuczyński, 2232; BM STC, S. 737; Pegg, 3473.
F	Augsburg SSB, Coburg LB, Dresden SL, Eichstätt, Frankfurt SUB, Freiburg UB, Gotha FB, Heidelberg UB, Innsbruck LA, Innsbruck UB, Leningrad Saltykov, London BM, Mainz StB, Minneapolis, München BS, München UB, Neuburg/Donau, Nürnberg StB, Oxford BL, Tübingen UB, Wien NB, Wolfenbüttel HAB.
Sb	Werke 1, XXXVIII'—XLV.
Aufl	— — — — —

1523

36

Ü	Verteütschung des Fasten Hymps//zu diser zeit Christe qui lux.//
V	CHrist der du bist des liecht vnd tag//
K	(Augsburg, Sigmund Grimm und Philipp Ulhart), 1523 (II/III).
GU	30 cm, Einblatt.
W	— — — — —
Bg	Weller, 2653; Schottenloher, Ulhart, Anhang, 20.
F	Berlin DS: Yd 7803, Hymnol. 215.
Sb	— — — — —
Aufl	Reprint: Festgabe Liliencron, S. Vf.; Blume, Kirchenmusik, Abb. 2; Wackernagel, Kirchenlied, 3. Bd., S. 412.

37

T	Von { Rew. / Beicht. / Bůsz. } Beschluß. Von ReúW //Beicht.Büsz.kurtzer//beschluß auß gegrünter schrift//nit auß mēschen leer. Durch// Doc. Vrbanum Regj//um zů Hall jm In-//tal gepredigt.//Im Iar. M D XXiij.// (TE)
K	(Augsburg, Sigmund Grimm und Philipp Ulhart, 1523).
GU	19,5 cm, 8 Bl.
W	Lukas Welser zu Augsburg; Hall, 1523 III 20.
Bg	Kuczyński, 2237; BM STC, S. 738; Pegg, 3485.
F	Augsburg SSB, Basel UB, Bern StB, Coburg, Dillingen, Dresden SL, Frankfurt SUB, Freiburg UB, Göttingen UB, Heidelberg UB, Innsbruck UB, Kopenhagen KB, Kopenhagen RB, Leningrad Saltykov, Linz LA, London BM, Min-

neapolis, München BS, München UB, Neuburg/Donau, Oxford BL, Regensburg, Strasbourg CW, Tartu, Wien NB, Zürich ZB, Zwickau RA.

Sb Werke 1, C′—CII′.

Aufl 1524, Wittenberg
1525, Erfurt, zwei: (M. Sachse und J. Loersfeld)
1713, Hamburg, Caspar Jakhel.

38

T Uom hochwürdi=//gen Sacrament des Altars:// vndericht/was man auß hayliger ge=//schrifft wissen mag/ durch Doctor//Vrbanū Regium zů Augspurg//gepredigt/ Corporis Christi//biß auff den achtenden.// M. D. xxiij.// Wer gottes gnad predigt/můß sich der welt//gnad verzeyhen. Gottes will geschech.A.//

K (Augsburg, Sigmund Grimm und Philipp Ulhart, 1523).

GU 20 cm, 15 + 1 Bl.

W Lukas Gaßner dem Älteren; (Augsburg)

Bg Schottenloher, Ulhart, Anhang, 21; BM STC, S. 738; Pegg 3483.

F Augsburg SSB, Donaueschingen FFH, Dortmund LB, Dublin TC, Göttingen UB, Heidelberg UB, Innsbruck UB, London BM, München St. Anna, München BS, Weimar, Wien NB, Wolfenbüttel HAB, Zürich ZB.

Sb Werke 1, CIIII—CXII′.

Aufl (1523) s. l.
1525, (Leipzig, Michael Blum)
1525 s. l., Unikat Wien NB: 79. v. 93.

39

T Hiṁlischer Applasbrief.//
(Kupferstich, Christus am Kreuz, darunter Maria und Johannes)

K (Augsburg, Sigmund Grimm und Simprecht Ruff, 1523 VI).

GU 23,3 cm, Einblattdruck.

W — — — — —

Bg Liebmann, Himmlischer Ablaßbrief.

F Freising: 86.0[10] Beiband.

Sb Werke 1, CXII′—CXIII.

Aufl. S.a.e.l. zwei Einblattdrucke. Beigedruckt dem „Hochwürdigen Sakrament . . .“ vgl. D. 38 und der zweifachen Ausgabe von: Ein bañbrieff des//Bapsts/vnd gantzē Endt=//christischen reichs.//
Darbey ein gnaden//brieff des gǒttlichen vnd him=// melschen ablaß/allen Christ=//glǎubigen trǒstlich.// Wee eüch schrifftgelerten/deñ //ir habt dē schlüssel der erkant=//nüß entpfangē/ir seyt nit hyn=//ein kūmen/ vnd habt gewǒrt//denen die hynein wolten.//Luce.xj.//

40

T APOLOGOA SI-//MONIS HESSI ADVERSVS DOMI-// NVM ROFFENSEM, EPISCO-//pum Anglicanū, super concertatiōe// eius cum Vlrico Veleno, An Petr//fuerit, Romae, Et quid de pri-//matu Romani Pontifi//cis sit censendū.//
Addita est Epistola eruditissima, de ecclesia//sticorum Pastorum autoritate &-//officijs in subditos, & suditorū// in supiores obediētia.
Versa pagina, Lector conspicies//libelli summam.// (TE)

K (Basel, Adam Petri, 1523).

GU 20 cm, 26 Bl.

W 1523 VII.

Bg Panzer, Annales, 9. Vol., S. 134, 254; BM STC, S. 403, Clemen, Symon Hessus, S. 569f.

F Basel UB, Berlin DS, Dresden SL, Freiburg UB, Genf BPU, Hannover NL, London BM, München SB, München UB, Prag UK, St. Gallen StB, Stuttgart WL, Warschau BN, Wien NB, Zürich ZB, Zwickau RB.

Sb — — — — —

Aufl — — — — —

41

T Ain kurtze erklå=//rung etlicher leüffiger//puncten/ aim yeden//Christen nutz vnd//not/zů rechtē ver//stand der hailigē//geschrifft/zů//dienst.//
Dem Ersamen vn̄ weysen//Lucas Gaßner dē eltern/ //durch D. V. Regium.//
Hieremie.16.// Dominus refugium meum// in die tribulationis.// (TE)

K Augsburg, (Sigmund Grimm-Simprecht Ruff-Philipp Ulhart), 1523 VII 30.

GU 15,5 cm, 76 Bl.

W Lukas Gaßner dem Älteren, (Augsburg).

Bg Kuczyński, 2236; BM STC, S. 737.

F Augsburg SSB, Basel UB, Leipzig UB, London BM.

Sb Werke 1, XVII—XXXIIII.

Aufl 1523, s. l.
1524, s. l.
1524, Augsburg, (Sigmund Grimm-Simprecht Ruff-Philipp Ulhart)
1524, Königsberg, Hans Weinreich
1525, Augsburg, (Sigmund Grimm-Simprecht Ruff-Philipp Ulhart).

42

T Die zwölff artickel vn=//sers Christlichē glaubens mit an/ //zaigūg d hailigen geschrifft/ //Darin̄ sie gegründt seind//

durch D. V. Regiū/Zū//dienst dem Ersamen//weisė Caspar weiß=//brugker.//
Wer nit glaubt der wirt verdambt.Marc.i6/ // (TE)

K Augsburg, Sigmund Grimm, 1523.
GU 15,5 cm, 60 Bl.
W Kaspar Weisbrucker, Augsburg.
Bg Kuczyński, 2235; Reu, Quellen, 1./2., S. 826f.; BM STC, S. 738.
F Augsburg SSB, Basel UB, Leipzig UB, London BM, München BS, Regensburg, Stuttgart WL.
Sb Werke 1, III—XVI'.
Aufl 1524, Augsburg, Straßburg, Königsberg, Wittenberg
1531, Antwerpen, John Hochstraten, Dänisch von Christiern Pedersen
1533, Malmö, John Hochstraten, Schottisch von John Gau
1548, London, Englisch
1888, Edingburgh und London, William Blackwood (Neuauflage der Ausgabe von 1533 durch A. F. Mitchell), Schottisch.
Viele weitere Auflagen.

42,1

T Erklårung der zwölff//artickel Christlichs gelaubens/ // vnnd leüffigster puncten alles//Christlichē lebens/ mit antzaig//wa sie in der hailigen schrift//gegründet/aim yeden ge=//main Christen mensch//en zů rechtē verstand// der schrift sond'//dienstlich.//durch D. Vrbanum Regiū.//
Magst du gelauben? wer gelaubt dem seind// alle ding müglich. Marci.9.//

K Augsburg, Simprecht Ruff, 1523 XII 26.
GU 14,5 cm, 80 Bl.
W Die „zwölf Artickel . . .“: Kaspar Weißbrucker, (Augsburg).
Die „leuffigsten Punkte . . .“: Lukas Gaßner dem Älteren, (Augsburg).
Bg Beck, Erbauungsliteratur, S. 74.
F Augsburg SSB, Stuttgart WL.
Sb Werke 1, I—XXIIII, vgl. D. 41 u. D. 42.
Aufl Sehr häufig nachgedruckt.
1527 August, Hagenau, Johann Setzer, Latein von Johannes Styphelus (Johann Stiefel):
T SYMBO//LI CHRISTIANAE FI=//dei Δήλωσις, seu Commenta=//riolus, ex intimis Scripturae di=//uinae sacris deprōptus, sine quo// ut hactenus latuit, articulorum//Christianae fidei germanus intel// lectus, ita nūc maxime utilis ac//necessarius Christianis omnibus.//Huic accedunt loci aliquot com=//munes, quorum est apud omnes// nūc longe maximus usus,//haud contemnendi·// D. VRB. REGIO AVC.// (TE)

Sb Opera I, XXX—LV'.
Aufl 1544, Hannover, Henning Rüdern, Niederdeutsch
1548, London, R. Jugge, Englisch von W. Lynne.

42,2

T Erklårung etlicher//leüffiger puncten der schrifft/Vn̄// der zwölff artickel Christen=//lichs glaubens/Wa die in// hailiger schrift gegrint.//seynd. Von newem//wider übersehen// vn̄ an etlichē//orten ge=//mert.//
Durch D.Vrba.Regi.// M. D. XXV.//
Ioannis.8.// Wer auß Got ist der hört sein wort.// (TE)
K (Augsburg, Heinrich Steiner), 1525
GU 15 cm, 2 unnum. Bl. und 204 gez. Seiten.
W — — — — —
Bg — — — — —
F Breslau UB, Halle ULB.
Sb — — — — —
Aufl 1526, s. l.

1524

43

Ü Dancksagung zu dem Aue maria.//
V Gebenedeyung/herlichait/eer vnd dancksagung sey dir on end//
K (Augsburg, Philipp Ulhart, 1524).
GU 27 cm, Einblatt.
W — — — — —
Bg Schottenloher, Ulhart, 29.
F Heidelberg UB: Cod. Pal. Germ. 793, fol. 16.
Sb — — — — —
Aufl — — — — —

44

Ad Johann Frosch
K Augsburg, (1524 VI/VII).
In EPISTOLA//Paraenetica Huldrichi Zuinglii ad// Ioannem Frosch Theologū.//
Altera//Vrbani Regii, eiusdem generis,// Ad eundem.//
E CR, 95. Bd., S. 201f., 340.

45

T Ernstliche er=//bietung der Euangelischē//Prediger an den gayst=//lichen Stand/die//yetzigen leer be=//treffend.//
Joan.3.// Wer mit warhait vmbgeet/ //der kompt ans liecht/ //Wer übel handelt/der//hasset das liecht.// (TE)
K (Augsburg, Philipp Ulhart, 1524).
GU 20 cm, 8 Bl.
W — — — — —
Bg Kuczyński, 2242; Schottenloher, Ulhart, 30; Pegg, 3456.

F Augsburg SSB, Basel UB, Dresden SL, Frankfurt SUB, Göttingen UB, Halle ULB, Heidelberg UB, Jena UB, Kopenhagen KB, Kopenhagen RB, London BM, München BS, München UB, Oxford BL, Regensburg, Stuttgart WL, Utrecht UB, Weimar, Wien NB, Zürich ZB, Zwickau RB.
Sb Werke 4, II—VI′.
Aufl Vgl. D. 46.

46

T Ernnstliche erbietunng//der Euangelischen Prediger/ an den//geystlichen vnd Båpstlichen standt/die jetzige gesunde/ //warhafftige/Euangelische vnd Christliche ler betreffent.// Sex gewisse zeychen/da bey mann des Endt=Christs// Leer erkennen mag.//
Item/Das Platten/kutten/scheren/vnd alle men=//schen satzung wider Gott/keinen grundt//haben inn der H. gschrifft.//
Durch Vrbanum Regium.// (HS: Weihezeremonien)
(In der Mitte des Druckes beginnt mit der Wiederholung des Titelbildes die Schrift):
T Das Blatten/Kutten/ // Kappen/Schern/Schmern/Saltz/ // Schmaltz/vnd alles der gleichen/Gott ab=//schewlich seindt finstu grundt=//liche anzeygung der geschrifft.// (HS s. oben)
K (1524), s. l.
GU 20 cm, 16 Bl.
W — — — — — —
Bg Weller, 3118; Hohenemser, 3178.
F Augsburg SSB, Eichstätt, Frankfurt SUB, Leningrad Saltykov, Uppsala UB, Weimar, Wien NB.
Sb Werke 4, II—X′.
Aufl — — — — —

47

T Wider den newē//irrsal Doctor Andres//von Carlstadt/ des// Sacraments//halb/war//nung.//
D. Vrbani Regij.// (TE)
K (Augsburg, Sigmund Grimm und Simprecht Ruff), 1524 (IX/X).
GU 20 cm, 20 Bl.
W — — — — —
Bg Kuczyński, 2248; BM STC, S. 738; Pegg, 3491.
F Augsburg SSB, Basel UB, Dresden SL, Erlangen UB, Frankfurt SUB, Freiburg UB, Genf BPU, Gotha FB, Heidelberg UB, Kopenhagen KB, Kopenhagen RB, Leningrad Saltykov, London BM, Nürnberg StB, Nürnberg LKA, München BS, München UB, Oxford BL, Stockholm KB, Stuttgart WL, Ulm StB, Weimar, Wittenberg EP.

Sb Werke 4, CXVII—CXXV.
Aufl 1525, Erfurt, (Melchior Sachse), Vorrede von Johannes Lange, vgl. Hase, 797
1525, Magdeburg, Michael Lotter.

48

T Kurtze verandt=//wortung auff zwů gotß//lesterungen/ wider die//feynd der hayligen//schrifft/Durch// D. Vrbanū//Regi.// M. D. XXIIII.// (3 LBl, TE wie D. 47)
K (Augsburg, Sigmund Grimm und Simprecht Ruff), 1524 (IX /X).
GU 19,5 cm, 10 Bl.
W Wolfgang Mangolt, (Augsburg).
Bg Kuczyński, 2247; BM STC, S. 373; Pegg, 3462.
F Augsburg SSB, Basel UB, Berlin UB, Budapest OSK, Dresden SL, Frankfurt SUB, Freiburg UB, Genf BPU, Göttingen UB, Heidelberg UB, Innsbruck UB, Leningrad Saltykov, London BM, München BS, Nürnberg GNM, Oxford BL, Stuttgart WL, Wien NB, Wolfenbüttel HAB, Zwickau RB.
Sb Werke 4, CXII—CXVI'.
Aufl — — — — —

49

T O b das new testament//yetzrecht verteutscht//sey/ kurtz bericht durch// D. Vrbanum Regiū.// (LBl) M. D. XXIIII.// (TE)
K (Augsburg, Sigmund Grimm und Simprecht Ruff), 1524 X 15.
GU 19 cm, 6 Bl.
W Andreas Rem, (Augsburg).
Bg Kuczyński, 2245; WADB, 6. Bd., S. LXXIII ff.; BM STC, S. 737.
F Augsburg SSB, Berlin UB, Budapest OSK, Dresden SL, Gotha FB, Halle ULB, Hannover NL, Heidelberg UB, London BM, München BS, München UB, Neuburg/Donau, Nürnberg GNM, Stuttgart WL, Tübingen Ev. Stift, Wien NB, Wolfenbüttel HAB.
Sb Werke 2, II—IV'.
Aufl 1525, s. l.
1525, Erfurt, (Wolfgang Stürmer), vgl. Hase, 194
und eine s. a. e. l.

50

T Ain überausz Schȏn//über alle Schȏne Außle=//gung des lieblichenn Psalmenn//Miserere mei deus/ Durch den//aller bewertestē (mit seinē blůt)//Hieronimum Sauonarolant// Ferrariensem/do er gefang//en was inn aynem grew=// lichenn Kercker Inn//dem Florennti=//ner Sal etc//
Widerumb zů ernewerunng inn//truck gefürdert Durch den Hoch//gelertē Doctor Vrbanū Regium// etc.//
Anno: M D XXiiij// (TE)

K (Augsburg, Johann Schönsperger d. J.), 1524 (Ende).
GU 15 cm, 76 Bl.
W Hugo Zoller, (Augsburg); Augsburg, 1524 IX 19.
Bg Pegg, 3580.
F Dublin TC, München SB, München UB, Wien NB.
Sb — — — — —
Aufl — — — — —

1525

51

T Von volkomenhait vnd//frucht des leidens Christi/ // Sampt erklårung der//wort Pauli Colos I.// Ich erfüll/ das//abgeet den//leyden//Chri=//sti etc.//
Durch D. Vrbanum Regium.// (TE teilw. identisch mit D. 49)
K (Augsburg, Sigmund Grimm und Simprecht Ruff, 1525 I).
GU 20,5 cm, 13 Bl.
W Lukas Gaßner dem Älteren, (Augsburg); Augsburg.
Bg Knaake, 3. Tl., 887; BM STC, S. 738; Pegg, 3488.
F Augsburg SSB, Budapest OSK, Dresden SL, Frankfurt SUB, Freiburg UB, Gotha FB, Heidelberg UB, London BM, München St. Anna, München BS, München UB, Oxford BL, Regensburg, Stuttgart WL, Tübingen UB, Wien NB, Wittenberg EP, Wolfenbüttel HAB, Zürich ZB.
Sb Werke 2, CCXXXIIII—CCXLII.
Aufl 1526, Wittenberg
1526, Altenburg, Gabriel Kantz
1526, s. l.

52

T Von leibaygēschaft//oder knechthait/wie//sich Herren vnnd aygen//leüt Christlich halten//sollend/Bericht// auß gǒtlichē//Rechtē.//
Durch D.Vrbanum Regium//zů Augspurg gepredigt.// M D XXV.// (LBl, TE)
K (Augsburg, Heinrich Steiner, 1525).
GU 20,5 cm, 20 Bl.
W — — — — —
Bg Kuczyński, 2250; BM STC, S. 738; Pegg, 3484 A.
F Augsburg SSB, Breslau UB, Dillingen, Dresden SL, Göttingen UB, Gotha FB, Heidelberg UB, Leningrad Saltykov, London BM, München BS, München UB, Stuttgart WL, Tübingen UB, Weimar, Wolfenbüttel HAB, Zürich ZB.
Sb Werke 1, CXLVII—CLV.
Aufl 1525, Leipzig (Michael Blum)
1530, Rostock, (Ludwig Dietz).

53

T	Ain Sermon vom eelichen//stand/wienutz/not/gůt//vnd frey er jederman//sey/Durch D.//Vrbanū re=//gium.// (LBl) M. D. XXV.// (TE)
K	(Augsburg, Sigmund Grimm und Simprecht Ruff), 1525 (IV /V).
GU	19 cm, 8 Bl.
W	Martin Weiß dem Jüngeren, (Augsburg).
Bg	Uhlhorn II, S. 71; Kuczyński, 2249; BM STC, S. 737.
F	Augsburg SSB, Fulda LB, Heidelberg UB, Innsbruck UB, London BM, München BS, München UB, Nürnberg StB, Philadelphia L, Tübingen UB, Västeras, Weimar, Wien NB, Wolfenbüttel HAB, Zürich ZB.
Sb	— — — — —
Aufl	— — — — —

54

T	Schlußred D.Vrba=//nie Regij/vom weltlichen ge=//walt wider die auff=//růrischen.//
In	Ain Sendbrieff von dem//hartē bůchlin wider//die bauren.// Martinus Luther.// Schlußred D.Vrba=//ni Regij/ vom weltlichen ge=//walt wider die auff=//růrischen.// M. D. XXV.// (TE) und:
In	Ein vrtayl Johann Po=//lianders/vber das hart Bůchlein// Doctor Martinus Luthers//wider die auffrurn der// Pawren/ hieuor//auß gangen.// Beschlußred Doctoris//Vrbani Regij/vom weltlichen// gewalt/ wider die//auffrůrischen.// 1525// (TE)
Bg	Kuczyński, 2170; WA, 18. Bd., S. 377f.; Benzing/Claus, 2182.
Dt	1525 (VI /VII).
Sb	Werke 4, CCVII—CCVIII'.

55

T	Der vber schwenklich//Reychtumb//
In	Vom hochwirdigen//Sacrament des altars/vnder//richt/was man auß heyli=//ger geschrifft wissē mag//durch D.Vrbanum// Rrgium tzu //Augspurg gepredigt/coporis//Christi biß auff denn//achtenden.M.//D.XXV.// (TE) wer gottes gnad predigt. muß sich der//welt gnad verczeyhen Got=//tes will geschech.//
Bg	Liebmann, Himmlischer Ablaßbrief, S. 199, vgl. dazu oben D. 38.
Sb	Werke 1, CXIII—CXIII'.

56

T	Die funff haubtt artic=//kel dyeseß aller seligsten// Testaments//

In Wie oben D. 55.
Sb Werke 1, CXIII'—CXIIII.

57

Ü Eyn gebet vor der entp=//fahung deß Sacraments//
V Ewiger barmhertzyger Gott/ich ar//
In Wie oben D. 55.
Sb Werke 1, CXIIII.

58

Ü So du das Sacrament//entpfahen wylt.//
V So nym fur dich die wort Christi.Dz//
In Wie oben D. 55.
Sb Werke 1, CXIIII.

59

Ü Eyn dancksagung//
V Heyliger/heyliger/herre Got saba//
In Wie oben D. 55.
Sb Werke 1, CXIIII.

60

Ü Sprich nachuolgende//wort mitt andachtt deynes// hertzenn//
V O Gott vatter/verley vnß eynen be-//
In Wie oben D. 55.
Sb Werke 1, CXIIII'.

61

Ü Wie man Gott teglich//beychten soll.//
V O Gott vatter yn ewigkeyt/du wol//
In Wie oben D. 55. Dieses Gebet ist nicht mit dem Traktat D. 28 zu verwechseln.
Sb Werke 1, CXIIII'.

62

Ad Theobald Billican (Theobald Gerlacher).
K Augsburg, 1525 XII 18.
In DE VER//BIS COE N AE DOMINI//nicae et opinionum uarieta//te, Theobaldi Billi=//cani, ad Vrba//num Regi=//um Epi=//stola.//
Respõsio Vrbani Regij ad eundẽ.// M. D. XXVI.// (TE)
Bg Uhlhorn I, S. 21/Anm.; BM STC, S. 341.
STC, S. 341.
Sb Opera II, V—VI.
Aufl 1901, In: Walch, 17. Bd., Sp. 1565—1570.

1526

63

T NOVA//DOCTRINA.PER//Vrbanum Re=//gium.// (LBl)
M. D. XXVI.// Eme, Lege, Iudica.// (TE)

K (Augsburg, Sigmund Grimm-Simprecht Ruff-Philipp Uhlhart), 1526.
GU 16 cm, 40 Bl.
W — — — — —
Bg Kuczyński, 2251; Pegg, 3463 A dürfte eine andere Aufl. meinen.
F Augsburg SSB, Bamberg SB, Basel UB, Bern StB, Breslau UB, Dresden SL, Eichstätt, Erlangen UB, Frankfurt SUB, Göttingen UB, Gotha FB, Güssing, Halle ULB, Heidelberg UB, Leipzig UB, München BS, St. Gallen StB, Strasbourg CW, Stuttgart WL, Ulm StB, Uppsala UB, Vatican, Warschau BN, Wien NB, Zeitz, Zwettl, Zwickau RB.
Sb Opera I, XVII—XXX.
Aufl 1526, mehrfach s. l. e. typr. nachgedruckt
1526, Wittenberg, Joseph Klug, Deutsch; Vorwort von Benedikt Schiler, vgl. Hohenemser, 3309
1526, (Zwickau, Gabriel Kantz), Deutsch, (Nachdruck)
1527, (Straßburg, Johann Knobloch d. Ä.), Deutsch von Heinrich Montprot:
T Die new Leer//sambt jrer Verleg=//ung. Durch Vr=// banū Regi=//um be//schri//ben// M. D. XXVII.// (TE)
Werke 1, CXXI'—CXLI'
1537, Sowthwerke, James Nicolson, Englisch von Wiliam Turner
1548, London, Robert Stoughton (Nachdruck)
1558, Wesel, Hans de Braecker
1560, Genf, Jean Crespin, Spanisch von Juan Perez de Pineda.

64

Ad Willibald Pirkheimer.
K Augsburg, 1526 IV 24.
Sb Opera III, XCI—XCI'.

65

Ad Johann Eck
K Augsburg, 1527 III 31.
In RESPON//SIO VRBANI RHEGII AD DV=// . . . . . s. D. 73
Bg Vgl. D. 73.
Sb Opera II, VI'.

1527

66

T Ain Summa//Christlicher leer/wie//sy Vrbanus Regius/ zů// Hall im Intal/vor//ettlich Jaren ge=//predigt hat.// 2. Thessalo.i.//
Welche nit gehorsam sind//dem Euāgelio Christi/die//

werdē peyn leydē/dz ewig//verderben. Darüber falle//od' stande wer da wōll/es//wirt nichs anders drauß.// (TE)
K (Augsburg, Philipp Ulhart, 1527).
GU 16 cm, 96 Bl.
W Den Kirchen zu Hall (in Tirol); Augsburg, 1527 III 17.
Bg Uhlhorn II, S. 53; Seitz III, S. 91; Schottenloher, Ulhart, 171.; BM STC, S. 738.
F Augsburg SSB, Eichstätt, Halle ULB, London BM, München BS, Regensburg, Zwickau RB.
Sb Werke 1, XLV'—LXXIIII.
Aufl — — — — —

67

T Wider den newen//Taufforden/Notwendige//Warnung an alle Christ=//gleubigen Durch die//diener des Euangelij zu// Augspurg.// M. D. XXVII.// am vj. des Herbst=// monats.// Lise vnd darnach vrteyl.// (TE)
K Augsburg, (Heinrich Steiner), 1527 IX 6.
GU 20 cm, 45 Bl.
W — — — — —
Bg Uhlhorn II, SS. 123; Kuczyński, 2253; Pegg, 80.
F Cambridge HU, Cambridge, Dillingen, Dresden SL, Göttingen UB, Gotha FB, München BS, Münster UB, Oxford BL, Zürich ZB.
Sb Werke 4, CXXV'—CLIII.
Aufl — — — — —

1528

68

Ad Johann Eck
K Augsburg, 1528 III 24.
In RESPON//SIO VRBANI RHEGII AD DV=// . . . . . s. D. 73
Bg Vgl. D. 73.
Sb Opera II, XLII'—XLIII.

69

T Prob zu des//herrn nacht//mal für die eynfelt//tigen Durch Urba//num Regium.//Psalm. 146.// Got hat ain wol gefallenn/an denē die jn fürchtend.// Prouerb.3.// Verlaß dich nit auff dein ver//stand/dunnck dich nit weyß// seyn/ sonder fürcht den herrn.// M.CCCCC.XXVIII.// (TE)
K (Augsburg, Heinrich Steiner), 1528.
GU 15 cm, 12 Bl.
W — — — — —
Bg Uhlhorn II, S. 143.
F Augsburg SSB, Basel UB, Minneapolis, München BS, Ulm StB, Wien NB.
Sb Werke 1, CXVIII—CXXI.
Aufl — — — — —

70

T Zwen wundersel//tzam sendbrieff/zweyer Wi=//dertauffer/ an ire Rot=//ten gen Augspurg//gesandt.// Verantwurtung//aller irrthum diser ob=//genantē brieff/ durch//Vrbanum Rhe//gium.// (LBl, TE wie D. 47)
K Augsburg, Alexander Weissenhorn, 1528 V 30.
GU 21 cm, 46 Bl.
W — — — — —
Bg Kuczyński, 2254; Pegg, 349 S; Eiden/Müller, 8.
F Augsburg SSB, Basel UB, Budapest OSK, Chicago UL, Eichstätt, Frankfurt SUB, Freiburg UB, Hannover NL, Heidelberg UB, Jena UB, London BM, München BS, Münster SA, Regensburg, Stuttgart WL, Wien NB, Zürich ZB.
Sb Werke 4, CLIII'—CLXXXII.
Aufl — — — — —

71

T Ein sendbrieff Hans huthē//etwa ains furnemen Uor// steers im widertauf=//fer ordenn.// Uerantwort durch Ur//banum Rhegium.//
Liß gar vnd darnach vrteyl.// M. D. XXVIII.// (TE)
K Augsburg, Alexander Weissenhorn, 1528 VI 22.
GU 21 cm, 19 Bl.
W — — — — —
Bg Uhlhorn II, S. 355, Anm. 6; Eiden/Müller, 7.
F Augsburg SSB, Gotha FB, Heidelberg UB, London BM, München BS, München UB, Münster UB, Nürnberg StB, Weimar, Wien NB, Zwickau RB.
Sb — — — — —
Aufl — — — — —

72

T MATE=//RIA COGITANDI DE//TOTO MISSAE NEGO//cio partim ex scripturis sanctis,//partim è priscae Ecclesiae ruinis//eruta, conscriptáque ad//Ioannem Ranam// Theologum//per//VRBANVM RHEGIVM//
1 Thessa. 5.// Prophetias ne aspernemini.// M. D. XXVIII.// (TE)
K Augsburg, Heinrich Steiner, 1528 XII.
GU 15,5 cm, 55 Bl.
W Johann Rana (Frosch), (Augsburg); (Augsburg), 1528 XI 21.
Bg Uhlhorn II, S. 145; Seitz II, S. 317; BM STC, S. 737.
F Bamberg SB, Dillingen, Dresden SL, Eichstätt, Graz UB, Leipzig UB, Leningrad Saltykov, London BM, München BS, Olmütz, Prag UK, Regensburg, St. Gallen StB, Strasbourg CW, Stuttgart WL, Ulm StB, Vatican, Wien NB, Wittenberg EP, Zwickau RB.
Sb Opera I, LVII—LXXV'.
Aufl — — — — —

1529

73

T RESPON//SIO VRBANI RHEGII AD DV=//os libros primum et tertium de Mis=//sa Ioannis Eccij quibus, Missam esse// Sacrificium ex scripturis osten=//dere, et aduersae partis// obiecta diluere co=//natur.//
Duae item Epistolae, prior Eccij, al=//tera, Vrbani, è quibus lector faci=//lius intelliget, cur iámprimū// hic libellus sit editus.//
Omnis dissertatio nostra huc spectat,//pie Lector, ut abusus et hominum in=//uentiunculae à sacro sancto dominicae// Coenae Mysterio tollantur.// M. D. XXIX.// (TE)

K Augsburg, Heinrich Steiner, 1529 II 26.

GU 15 cm, 132 Bl.

W Johann Eck, (Ingolstadt); Augsburg, 1527 IV 22.

Bg Panzer, Annales, 4. Vol., S. 166, 233; Uhlhorn II, S. 356, Anm. 4; Iserloh, Eucharistie, S. 58f.

F Amsterdam VU, Augsburg SSB, Bern StB, Berlin DS, Dillingen, Eichstätt, Fulda LB, Greifswald UB, Hannover StB, Leipzig UB, Mainz StB, München BS, Nürnberg LKA, Olmütz, Paris, Strasbourg CW, Stuttgart WL, Utrecht UB, Vatican, Weimar, Wien NB, Zeitz, Zürich ZB, Zwettl, Zwickau RB.

Sb Opera II, VI'—XLI'.

Aufl — — — — —

74

T Verantwortūg//zwayer predigen vom//glauben vnd gůten wer=//cken die Johañ Kos// zů Leiptzig ge=//thon hat/ // Durch Vrbanum//Regium.//1.5.29.//
Psal. 115.// Nit vns Herr/nit vns/sonnder dey=//nem namen gib die Eer.// (TE).

K (Augsburg, Michael Steiner), 1529.

GU 20,5 cm, 16 Bl.

W — — — — —

Bg Uhlhorn II, S. 151.

F Augsburg SSB, Breslau UB, Brünn UB, Dessau, Dresden SL, Halle ULB, Kopenhagen KB, Kopenhagen RB, München BS, München UB, Stuttgart WL, Wien NB, Wolfenbüttel HAB, Zeitz, Zwickau RB.

Sb Werke 4, XI—XXII'.

Aufl — — — — —

75

T Ain Predig//Warumb Christus//den Glauben ayn Werck// Gotes genennt habe/Was//der recht Christlich Glaub// sey/Vnd warumb man//sage allein der Glaub//macht froñ/ // Durch//Vrbanum Rhegium.//1529.// (TE)

K (Augsburg, Heinrich Steiner), 1529.

GU 19,5 cm, 8 Bl.
W — — — — —
Bg Uhlhorn II, S. 150; Kuczyński, 2255; BM STC, S. 737.
F Augsburg SSB, Dessau, Dresden SL, Hannover NL, London BM, München BS, Strasbourg CW, Wien NB, Wolfenbüttel HAB, Zwickau RB.
Sb Werke 1, CXLII—CXLVI'.
Aufl — — — — —

76

T Seelenn årtzney//für gesund vnd krancken//zů disen gefårlichen zey=//ten/durch Vrba=//num Rhe=//gium.// Jeremie 26.//Bessert ewere weg vnd werck//vn̄//hőret die stymb des Herren ewers//Gottes/vnd es würdt den Her=//ren gerewen des übels/das//er wider euch ge=//redt hat.// (TE)
K Augsburg, Alexander Weissenhorn, 1529 XI 8.
GU 15 cm, 24 Bl.
W — — — — —
Bg Eiden/Müller, 21; unübertrefflich bei Franz.
F Augsburg SSB, Leipzig UB, München UB, Prag UK, Regensburg.
Sb Werke 3, XI'—XX.
Aufl 1537, Wittenberg, Nickel Schirlentz, Latein von Johannes Freder:
T MEDICI//NA ANIMAE,//PER D.//VRBA. REGIVM.//
Matthaei. XVI. Quid prodest//homini si totum mundum lu=//cratus fuerit, animae uero suae//iacturam fecerit?//
VITEBERGAE.//1537// (TE)
SB Opera I, CCCCXII—CCCCXXI'.
Die hervorragende Zusammenstellung aller Auflagen durch Franz, S. 214, sei wiedergegeben:

Die „Seelenarznei“ von Rhegius.

	ohne Huberinus	davon nach 1600	mit Huberinus	Summe
Deutsch	36	1	13	49
Niederdeutsch	4		6	10
Dänisch	3	1		3
Französisch	2			2
Isländisch	3	2		3
Lateinisch	2		4	6
Niederländisch			1	1
Polnisch			2	2
Schwedisch	7	1		7
Tschechisch	7	1		7
	64	6	26	90

1530

77

T Vom̄ glaubenn̄//vnd gůten wercken.//Etliche spruch vom glau=//ben/auß dem Alten vnd Newen//Testament.// Vom grossen Ablaß/das ist/von//vergebung aller sůnde durch// Christum.// Von Gottes gnad/hůlfft//vnd barmhertzig-keyt.//Durch Vrbanum Rhegium.//. (Titelwiedergabe nach Hase, 1006)

K Erfurt, Gervasius Stürmer, 1530.

GU 8°, 23 Bl.
(Format konnte nicht genauer festgestellt werden, s. F).

W — — — — —

Bg Hase, 1006; Franz, S. 28f. und S. 99.

F Berlin SB. Diese Ausgabe, die als einzige den Namen des Urbanus Rhegius führt, ist verschollen. Vgl. dazu Franz, S. 28.

Sb — — — — —

Aufl Regelmäßig der „Seelenarznei“ beigedruckt, vgl. Franz.

78

Ad Prediger von Lüneburg

K Celle, 1530 XII 21.

Bg Uhlhorn II, S. 185.

Sb Opera III, LXXXVI—LXXXVI'.

79

T Die rechten haupt puncten/ // vnsers heyligen Christlichen glaubens/durch//Athanasium zusamen gezogen.//
Verteutscht durch D. Vrbanum Regium.// (HS: Zwei Männer, einer kniet vor einem Altar, der andere steht.)

K (Augsburg, Sigmund Grimm-Simprecht Ruff-Philipp Ulhart, 1525—30).

GU 15 cm, 3 Bl.

W — — — — —

Bg — — — — —

F Danzig, München UB.

Sb — — — — —

Aufl — — — — —

80

T forma christiani baptismatis

K (Augsburg, 1524—30).

E Fille, Zur Reformationsgeschichte Augsburgs, S. 40 und Sehling, XII./II. Bd., S. 39.
Die Handschrift, aus der Fille Bruchstücke edierte, ist nach freundlicher Mitteilung der Bibliothek Dillingen unauffindbar. Der endgültige Verlust der Handschrift wäre höchst bedauerlich, enthielt sie doch Predigten und Anreden vor allem zum Thema „Eucharistie“ von diversen Reformatoren. Rhegius war mit sechs Reden zu diesem Thema

und mit zwei Hochzeitsansprachen vertreten. Leider besorgte Fille weder einen vollständigen Abdruck noch eine kritische Edition.

Sb — — — — —

1531

81

Ü Ermanung an die Christen/ // zum gemainen gebett/ sampt// ainer sund bekandtnuß/ // Durch D.V.R.//

V Christus vnser Seligma=//

In Vil hailsamer vnd//trőstlicher Gebet/mit//sampt ainer Enangelischē//Beycht/gezogen auß//den sechs Doctorn/// hernach benent.//
Fleyssig Corrigiert/Ge=//mert vnd gebessert.//
Mathei.21.// Alles was jr bittet im gebett/ //glaubt jr/ so werdt jrs entpfahē.// 1531.// (TE)

Bg Althaus, Gebetsliteratur, S. 20f.

Dt 1531.

Sb — — — — —

82

T Sendbrieff: War=//umb der ytzige zanck im glau//ben sey von zweyerley frūm=//keyt. Vom rechten Got=//tes dienste. Vnd men=//schen satzungen/an//einen gůten freun=//de zů Hildes=//heim durch//Vrbanum Regium.// M. D. XXXI.// (TE)

K Nürnberg, Kunigunde Hergot, 1531.

GU 20 cm, 12 Bl.

W (Henning Könerding, Hildesheim), Celle, 1531 I 31.

Bg Kuczyński, 3543; Uhlhorn II, S. 173.

F Dresden SL, Erlangen UB, Gotha FB, Hannover NL, Heidelberg UB, München BS, München UB, Strasbourg CW, Stuttgart WL.

Sb Werke 4, XXIII—XXXII.

Aufl 1531, Magdeburg, Michael Lotter
1531, s. l. e. typr.
1548, London, Gwalter Lynne, Latein vom Drucker
1558, Wesel, Hans de Braecker, Holländisch.

83

Ad Vorsteher in Lüneburg (Johann Koller, Propst zu St. Johannis)

K (Lüneburg), Residenz des Herzogs (Ernst), 1531 V 25.

Sb Opera III, LXXXII'—LXXXIII'.

84

Ad (Johann Koller, Propst zu St. Johannis in Lüneburg)

K (Lüneburg), Residenz des Herzogs (Ernst), 1531 V 27.

Sb Opera III, LXXXIIII—LXXXIIII'.

85

Ad Augustin Getelen
K (Lüneburg), 1531 VI 11.
Sb Opera III, LXXXIX—XCI.

86

Ad Gerhard Herberding
K Celle, 1531 VIII 1.
Sb Opera III, LXXXVII'—LXXXIX.

87

T Trostbrieff an alle//Christen zů Hildeshaim/ //die vmbs Euangeliums//willen yetzt schmach//vn̄ verfolgung// leyden.// Mitt Außlegung des//123. Psalmen/yetzt zů// diser gefårlichen zeyt//fast trőstlich/ //durch//Vrbanum Regium//Zur Zell in Sachssen.// 1531.// (TE)
K (Augsburg, Philipp Ulhart), 1531.
GU 15 cm, 32 Bl.
W — — — — —
Bg Uhlhorn II, S. 175. Brandes, 490 und Pegg, 3478 meinen eine andere Aufl.
F Dresden SL, Gotha FB, Halle ULB, Hannover NL, München BS, Wien NB.
Sb Werke 3, XL—XLIX, der Psalm 123: Werke 2, LV—LVII'.
Aufl 1531, Magdeburg, Hans Walther, eine Hochdeutsche und eine Niederdeutsche Ausgabe
1532, Augsburg, (Philipp Ulhart)
1543, Frankfurt, Peter Braubach, Latein von Johannes Irenäus (Freder), versehen mit dessen Widmungsvorrede an den Senat und an das Volk von Hildesheim:
T LIBELLVS//CONSOLATORIVS, ADEOS,//QVI P ATIVNTVR PERSE//cutionem propter iusticiam, cum enarra//tione succincta Psalmi CXXIII.//Autore D. VRB.//Rhegio.// Matthaei 5.// Beati qui persecutionem patiuntur//propter iusticiam, quoniam//illorum est regnum//coelorum.// FRANCOFORTI EX//cudebat Petrus Brubachius,//Anno XLIII.//
Sb Opera I, CCCLXXXI—CCCXCIIII.

1532

88

T Eine vnge=//hewre wunderbar=//liche Absolution/der Closter=//frawen jm Fůrstenthumb Lů=//neburg/mit jhrer ausle=//gung/durch//Vrbanum Regium.// Superattendenten daselbst.//Psalm. 119.// Mein eiuer hat mich schier vmbbracht Herre/ // Das meine widersacher deiner wort vergessen.// Wittemberg.// (TE, HS von Lukas Cranach: David bezwingt Goliath)

K Wittenberg, Georg Rhau, 1532.
GU 20 cm, 36 Bl.
W Valentin Tham und Johann Matthie; Celle, 1531 X 28.
Bg Uhlhorn II, S. 243; Kuczyński, 3544; Pegg, 3480.
F Augsburg SSB, Budapest OSK, Cambridge, Cambridge HU, Dresden SL, Frankfurt SUB, Göttingen UB, Gotha FB, Halle UB, Hannover NL, Jena UB, Leningrad Saltykov, London BM, München BS, München UB, Nürnberg LKA, Oxford BL, Regensburg, Thorn UB, Warschau BN, Weimar, Wien NB, Wolfenbüttel HAB, Zwickau RB.
Sb Werke 4, XXXII'—LI'.
Aufl — — — — —

89

Ad Fürsten in Pommern
K 1532.
Sb Werke 3, II—VI.

90

Ad Christen in den Städten von Pommern
K Celle, 1532 II 1.
Sb Werke 3, VII—XI.

91

Ad Johann von Amstelredam
K Celle, 1532 II 8.
In ALIQVOT CAPI//TA, PRAECIPVAE AC VE//rae THEOLOGIAE, ex pa// tribus et scriptura sacra, Per// Ioannem Amstelredamum// a Concionibus euange// lij Bremae,// LVBECAE ANNO M. CCCCC.XXXII.//
Bg Panzer, Annales, 7. Vol, S. 274, 14; Uhlhorn II, S. 363, Anm. 11.
Sb — — —

92

Ad Senat zu Soest
K Lüneburg, 1532 VI 12.
In Der Er=//baren/Erenri://ker Stadt Sost Christ//like Ordenunge, jho denste// dem hilgen Euangelio/Ge/ // menem vreͤde vnd eindracht/ // ouergesen dorch D. Vrba/ // num Regium/ vnd mir ener// des suͤlfftigen latinschen// Commendation.// Dorch Gerdt Omeken von Kamen/ beschreuen.// M.D.XXXII.//
Bg Richter, 1. Bd., S. 165ff.; Schwartz, Soest, S. 60f.
Sb — — —

93

T Gewisse lere/ //bewerter vnd vnuͤber=//windlicher trost/ wi=// der verzweifflung der// suͤnden halben aus// dem. iiij. Capit.// zun Roͤmern//durch//Vrba. Rhegiū// Wittemberg. 1.5.32.// (TE)

K Wittenberg, Hans Weiß, 1532.
GU 15 cm, 31 Bl.
W Heinrich Weitzendorff; Lüneburg, 1532 VIII 2.
Bg Kuczyński, 3545; Pegg, 3545.
F Berlin DS, Budapest OSK, Dresden SL, Dublin TC, Halle ULB, Heidelberg UB, Leipzig UB, München BS, Regensburg, Warschau BN, Wolfenbüttel HAB, Zwickau RB.
Sb Werke 3, XLIX'—LVII.
Aufl 1545, Frankfurt, Peter Braubach, Latein von Johann Freder versehen mit dessen Widmungsvorrede an Hieronymus Weitzendorf von Lüneburg, s. Aufl. bei D. 116.
Sb Opera I, CCCXCIIII'—CCCCII'.

1533

94

Ad Unbekannter Adressat, drei Briefe.
K (Lüneburg), Propstei zu St. Johannis, 1533 I 7 (= Datum des dritten Briefes.)
Sb Opera III, LXXXIIII'—LXXXV'.

95

Ad Friedrich Henniges
K (Lüneburg), Propstei zu St. Johannis, 1533 I 25.
Sb Opera III, LXXXVI'—LXXXVII'.

96

Ad Johann Lampen
K (Lüneburg), Propstei zu St. Johannis, 1533 (I).
Sb Opera III, LXXXVII.

97

T ORTHODOX=//ORVM PATRVM SEN//tentiae aliquot de Missali Sacri=//ficio, explicatae per//Doct. Vrbanum// Regium.//Tertulianus.//Oportet secundū plura in scrip// turis intelligere pauciora, id//est, incerta per certam scriptu=//ram sunt interpretanda.// VVITEBERGAE.// 1533.// (TE)
K Wittemberg, Georg Rhau, 1533.
GU 15 cm, 19 Bl.
W Das Werk ist ein Antwortschreiben an Ludolph Petersin und Hermann Primat, von denen es auch herausgegeben wurde.
Bg Uhlhorn II, S. 366, Anm. 1.
F Berlin DS, Frankfurt SUB, Hannover StB, Leipzig UB, Strasbourg CW, Zwickau RB.
Sb Opera III, LXXVIII—LXXXI'.
Aufl — — — — —

98

T Der Vier//vnd Zwentzigst//Psalm/Sampt dem Oster=// gesang Cum Rex glorie//Christus etc. Von dem herr=//

lichen Sieg vnd Triumph//Christi.//Durch D.Vrbanū// Rhegium.//Wittemberg M.D.xxxiij.// (TE)

K Wittenberg, Hans Weiß, 1533.
GU 20 cm, 44 Bl.
W Johann Furster, Lüneburg; Celle, 1530 XI.
Bg Uhlhorn II, S. 155; BM STC, S. 738; Pegg, 3482.
F Augsburg SSB, Braunschweig, Dessau, Dresden SL, Fulda LB, Gotha FB, Heidelberg UB, Jena UB, Kopenhagen KB, Kopenhagen RB, Laibach, Leipzig UB, Leningrad Saltykov, London BM, München BS, München UB, Nürnberg StB, Oxford BL, Prag UK, Regensburg, Stuttgart WL, Thorn UB, Wien NB, Wolfenbüttel HAB, Zeitz, Zwickau RB.
Sb Werke 2, XXVI′—XLV′.
Aufl 1575, Köln.

1534

99

Ad Freund in Augsburg
K Lüneburg, 1534.
Sb Opera II, LXXX.

100

Ad Freunde in Oberdeutschland
K Lüneburg, 1534.
Sb Opera II, LXXX.

1535

101

T FOR=//MVLAE QVAEDAM//caute et citra scandalum// loquendi de praecipuis//Christianae doctrinae//locis, pro iuniori-//bus Verbi Mini=//stris in Ducatu//Lunebur-// gensi.// VRBANO RHEG. AVT.// 1. Corinth. 10.//Tales estote, ut nullum praebea-//tis offendiculum Ecclesiae Dei.// (TE)
K Wittenberg, Hans Lufft, 1535.
GU 15 cm, 47 Bl.
W Den jungen Predigern des Fürstentums Lüneburg.
Bg Uhlhorn II, S. 363, Anm. 14; Mejer, Lufft, S. 74; Pegg, 3458.
F Bamberg SB, Braunschweig StAB, Dublin TC, Fulda LB, Gotha FB, Hannover StB, Jena UB, Kopenhagen KB, Kopenhagen RB, Leningrad Saltykov, München UB, Schleusingen, Strasbourg CW, Stuttgart WL, Uppsala UB, Warschau BN, Wolfenbüttel HAB, Zwickau RB.
Sb Opera I, LXXVI—LXXXVII′.
Aufl Sehr häufig nachgedruckt z. B.:
1536, Wittenberg, Hans Lufft, erstmals Deutsch:
T (LBl) Wie//man fursich=//tiglich vnd on erger=//nis

reden sol/von den//furnemsten Artikeln//Christlicher lere.//Fur die jungen einfel//tigen Prediger.//1537.//
Sb Werke 1, CLV'—CLXXIII.
Dieser Traktat fand sogar Aufnahme in das „Corpus Doctrinae", vgl. Brandes, S. 39, 182.
1554, Brześć, B. Wojewódka, Polnisch
1605, Rostock, Schwedisch
1908, Leipzig, s. Uckeley, Formulae quaedam.

102

T Vom Abendmal//des HERRN vnd beyder//gestalt des Sacraments zu//empfahen/eine vorantwor=//tung auff eines Papisten//glos/domit er sich tůckisch//vnderstanden/den Ley=//en zu Luneburck/ //den Kelch des//HERRN//zu stelen.//Durch Vrbanum Regium.// M. D. xxxv.// (TE, HS: Gesetz und Gnade)
K 1535, s. l. e. typr.
GU 15 cm, 34 Bl.
W Diener des Evangeliums von Lüneburg und Braunschweig; Celle.
Bg — — — — —
F Augsburg SSB, Erlangen UB, Göttingen UB, Hannover StB, Leningrad Saltykov, Wolfenbüttel HAB.
Sb
Aufl — — — — —

103

T CATE//CHISMVS MINOR PVE//RORVM, GENERO-// SO PVERO OT-//TONI FVR-//STER, DI-//CATVS.// Ab Vrbano Rhegio.// Marci. 10.//Sinite paruulos uenire ad me, ne//prohibite illos, Talium//enim est Regnum Dei.// (TE)
K Wittenberg, Hans Lufft, 1535.
GU 15,5 cm, 112 Bl.
W Otto Furster (Sohn des Kanzlers von Lüneburg), Celle.
Bg Uhlhorn II, S. 363, Anm. 18; Knoke, Katechismen, S. 110; Mejer, Lufft, S. 75; Reu, Quellen, 1./2., S. 828ff.
F Berlin SBPrK, Braunschweig StAB, Breslau UB, Danzig, Fulda LB, Göttingen UB, Halle ULB, München BS, Thorn UB, Vatican, Warschau BN, Wien NB, Wittenberg EP, Wolfenbüttel HAB, Zwickau RB.
Sb Opera I, LXXXVIII—CXXV'.
Aufl 1536, Schwäbisch Hall, Peter Braubach
1538, Wittenberg, Josef Klug
1540, Wittenberg, Josef Klug.
1920, Gütersloh. In: Reu, Quellen 2./2., S. 593—627.

104

Ad Synagoge von Braunschweig
K Celle, 1535.

Sb Opera III, XCII—XCIII.
Aufl 1591, Hamburg, Jakob Wolff.

105

T Enchiridion//odder handtbůchlin//eines Christlichen Fůr=//stens/darinnen leer vnd//trost aller Oberkeit seer// nůtzlich/allein aus Got//tes wort auffs kůrzest//zusamen gezogen.//Durch D.Vrbanū//Rhegium.//Wittemberg. 1.5.35.// (TE)
K Wittenberg, Hans Weiß, 1535.
GU 15 cm, 48 Bl.
W Fürsten Otto, Ernst und Franz, Herzöge von Braunschweig und Lüneburg; Celle.
Bg Uhlhorn II, S. 212; Pegg, 3455.
F Breslau UB, Dortmund LB, Dresden SL, Dublin TC, Gotha FB, Halle ULB, Kopenhagen KB, Kopenhagen RB, Leningrad Saltykov, Nürnberg GNM, Oxford BL, Weimar, Wien NB.
Sb Werke 1, LXXIV′—LXXXIX.
Aufl 1536, Wittenberg, Hans Weiß
1537, Marburg, Eucharius Cervicornus
1538, Magdeburg, Michael Lotter, Latein von Georg Spalatin:
T CHRISTIA=//NI PRINCIPIS ET MA=//GISTRATVS ENCHIRIDI-//on, Doctore Vrbano Regio autore, om-//nibus & Principibus & Magistratibus//magnifice & consolatorium &//frugiferum, per Georgium// Spalatinum e lingua//Germanica in// Latinam uer-// sum.// (3 LBl) M.D.XXXVIII.//
Sb Opera II, LXIV—LXXIII′.
1544, Frankfurt/M., Christian Egenolff.

106

T Widderle=//gung der Münsteri=//schen newen Valentinianer vnd//Donatisten bekentnus/an die//Christen zu Osnabrugk/ //jnn Westfalen/ //durch//D.Vrbanum Reg.// Mit einer Vorrhede Doctor//Martini Luthers.//Wittemberg. 1535.// (TE, HS von Lukas Cranach: David bezwingt Goliath.
K Wittenberg, Georg Rhau, 1535.
GU 20,5 cm, 67 Bl.
W Freunde und Brüder von Osnabrück; 1534 II.
Bg Hohenemser, 2626; WA, 38. Bd., 336ff.; Benzing/Claus, 3138; Pegg, 3490.
F Bonn UB, Chikago UL, Dessau, Dresden SL, Erlangen UB, Frankfurt SUB, Göttingen UB, Gotha FB, Halle ULB, Hannover NL, Heidelberg UB, Jena UB, Kopenhagen KB, Kopenhagen RB, Leningrad Saltykov, London BM, Magdeburg StB, München BS, München UB, Münster SA, Münster UB, Nürnberg GNM, Oxford BL, Prag UK, Stuttgart WL, Thorn UB, Tübingen Ev. Stift, Tübingen UB, Uppsala UB, War-

schau BN, Warschau UB, Weimar, Wien NB, Wolfenbüttel HAB, Zürich ZB, Zwickau RB.
Sb Werke 4, CLXXXII'—CCVI'.
Aufl 1586, Berlin, Nikolaus Voltz.

1536

107

T Kirchen Ord=//nung der Stadt Hanno=//fer/durch// D. Vrbanum//Regium.// Getruckt zu Magdeburg/durch// Michael Lotter.//M.D.XXXVI.//
K Magdeburg, Michael Lotter, 1536.
GU 15 cm, 120 Bl.
W — — — —
Bg Uhlhorn II, S. 275; Graff, Kirchenordnung.
F Danzig, Hannover NL, Kopenhagen KB, Kopenhagen RB, München UB, Regensburg, Stuttgart WL, Uppsala UB, Wien NB.
Sb Werke 3, LXV—CI'.
Aufl 1588, Lemgo, Konrad Grothe.

108

T Der//XIIII.Psalm inn//eil ausgelegt/durch//D.Vrbanum Regi=//um/an einen gu=/ten freund.// (TE)
K Magdeburg, Michael Lotter, 1536.
GU 20 cm, 14. Bl.
W — — — — —
Bg Uhlhorn II, S. 363, Anm. 15; BM STC, S. 738.
F Cambridge HU, Dessau, Dresden SL, Göttingen UB, Halle ULB, Kopenhagen KB, Kopenhagen RB, München UB, Regensburg, Wien NB, Wolfenbüttel HAB, Zeitz, Zürich ZB, Zwickau RB.
Sb Werke 2, V—XII.
Aufl — — — — —

109

T Ein trostbrieff//An die Christen zu//Hannofer widder// der Papisten wů=//ten vnd lestern.//Durch D.Vrbanū Rhegium.//Wittemberg 1.5.36.// (TE)
K Wittenberg, Hans Weiß, 1536.
GU 15 cm, 46 Bl.
W s. T.
Bg Uhlhorn II, S. 270.
F Wolfenbüttel HAB: 169.3 Qu H(3).
Sb Werke 3, XXVIII'—XXXIX'.
Aufl 1536, Wittenberg, Hans Weiß „Ein Trostbüchlein ..."
Der „trostbrieff" dürfte der frühere Druck sein.
1545, Frankfurt, Peter Braubach, Latein von Johann Irenäus (Freder), versehen mit dessen Widmungsvorrede an den Senat und das Volk von Hannover:

T IN OMNIS//GENERIS AFFLICTIO=//NIBVS, IN PERSECVTI//onum procellis: in pestis periculo, alijsque// morbis. Item aduersus desperationem,// aduersus Satanae ignita tela, inferorum//terriculamenta & mortis horrorem, soli-//dae consolationes & remedia certissima,//conscripta per D. Vrbanum//Rhegium.// Item, an post hanc uitam mutuo nos//simus agnituri, eiusdem, D.//VRB. RHEGII//sententia.//FRANCO-FVRTI EX OF//ficina Petri Brubachij. Anno// M.D.XLV.//

Sb Opera I, CCCCXXIII—CCCCXXXVIII.

110

T PSALMVS//XLVII.//DE REGNO IESV//CHRISTI.// DOCTORE VR=//BANO REGIO//interprete.//HAM-BVRGI.//ANNO.//1536.// (TE)

K Hamburg, Franz Rhode, 1536 IX 1.

GU 15 cm, 36 Bl.

W Matthaeus von Getuderick, Hieronymus Enchusen und Lambertus Gemeran; Celle, 1536 V 31.

Bg Kuczyński, 2258; Kayser/Dehn, 561; Pegg, 3467.

F Braunschweig StAB, Budapest OSK, Danzig, Dublin TC, Heidelberg UB, Kopenhagen KB, Kopenhagen RB, Leningrad Saltykov, London BM, Prag UK, Warschau BN, Wien NB, Wittenberg EP.

Sb Opera II, LV'—LXIII'.

Aufl — — — — —

111

T PSALMVS OCTVAGE=//SIMVS SEPTIMVS, DE GLO=// riosa Christi Ecclesia: D.Ioa=//chimo Moller Senatori Ham=//burgensi dicatus, cum commenta//riolo.D. Vrbani Rhegij.// (HS: David spielt auf der Harfe)

K Hamburg, Franz Rhode, 1536 X.

GU 15 cm, 31 Bl.

W Joachim Moller, Hamburg; Celle, 1536 V 6.

Bg Kayser/Dehn, 560; Pegg, 3466.

F Budapest OSK, Danzig, Dublin TC, Hamburg UB, München BS, Prag UK, Warschau BN, Wien NB.

Sb Opera II, XLVIII—LV.

Aufl 1548, Frankfurt
1587, London, Englisch von Richard Robinson
1590, London
1594, London.

112

T Verant=//wortung dreyer//gegenwurff der Papisten// zu Braunswig/dar jnn fast//jr grőster grund ligt/zu// dienst dem Ersamen//Heisen Oschersleuen/ // D. Vrbanum Regium/ // Celle Saxonum.// 1536.// 2. Thimot.3.//

Impostores proficiēt in peius, dū et// in errorē adducunt, & errant ipsi.// Haec Apostolus de Papistis & eorum similibus.//
(TE, HS: Symbole der vier Evangelisten, Petrus und Paulus und die abendländischen Kirchenväter)

K Wittenberg, Josef Klug, 1536.
GU 20 cm, 23 Bl.
W Heisen Oschersleuten, Braunschweig; Celle, 1536 VI 29.
Bg Uhlhorn II, S. 367, Anm. 3; BM STC, S. 738; Pegg, 3481.
F Augsburg SSB, Dessau, Dresden SL, Freiburg UB, Göttingen UB, Gotha FB, Greifswald UB, Halle ULB, Hannover NL, Klosterneuburg, Kopenhagen KB, Kopenhagen RB, Leipzig UB, Linz LA, London BM, Regensburg, Thorn UB, Warschau BN, Wien NB, Wolfenbüttel HAB.
Sb Werke 4, LVI—LXVI.
Aufl — — — — —

113

T DE RE-//STITVTIONE//regni Israëlitici, contra// omnes omnium seculo-//rum Chiliastas: in pri-//mis tamen contra Mi-//liarios Monasterienses,//disputatio, Cellae Sa// xonum cele=//branda:// Per Vrbanum Rhegium, respondente// Guilielmo Cleueno, Aulae Du=//calis concionatore.// M. D. XXXVI.// (TE)
K (Augsburg, Hans Steiner), 1536.
GU 15 cm, 23 Bl.
W Wichmann aus Westphalen; Celle.
Bg Kuczyński, 2256; Hohenemser, 3441; BM STC, S. 736.
F Berlin DS, Bern StB, Braunschweig StAB, Breslau UB, Frankfurt SUB, Gent UB, Göttingen UB, Kopenhagen KB, Lindau StA, London BM, Marburg UB, München BS, Nürnberg LKA, Regensburg, Strasbourg CW, Stuttgart WL, Thorn UB, Tübingen UB, Vatican, Warschau BN, Wien NB.
Sb Opera II, LXXIV—LXXIX'.
Aufl 1550, Wittenberg
1561, Braunschweig, Christoph Friedrich Zilliger
1697, Helmstedt, Georg Wolfgang Hamm, Deutsch von Christian Gramschütz.
1860, Hermannsburg, Deutsch von Hermann Fick/Detroit USA.

114

T Dialogus.// Ein lůstig vnd nütz=//lich Gesprech/vom zukünff=//tigen Concilio zu Mantua/ Zwisschen// einem Weltfromen / vnd einem// Epicureer/ vnd ei=//nem Christen/ // Durch// D. Vrbanum Rhegium/ // Zur Zelle jnn Sachssen.// Augustinus ad anuarium.// Plenariorum Conciliorum in Ecclesia saluber=//rima est Autoritas.//
K Wittenberg, Josef Klug, 1536.

GU 20 cm, 32 Bl.
W — — — — —
Bg Uhlhorn II, S. 369, Anm. 8; Kuczyński, 2257.
F Braunschweig, Frankfurt SUB, Gotha FB, Halle ULB, Jena UB, London BM, München UB, Oslo UB, Thorn UB, Wolfenbüttel HAB.
Sb Werke 4, LXVI'—LXXXII.
Aufl 1537, Wittenberg, Josef Klug
1537, Hamburg, Franz Rhode.

1537

115
T Dialogus//von der schōnen/predigt/die Christus Luc.// 24. von Jerusalem bis gen//Emaus den zweien jůn=//gern am Ostertag/aus Mose vnd allen Pro=//pheten gethan// hat/Durch//D.Vrbanum Rhegium.//1537.// (TE)
K Wittenberg, Josef Klug, 1537.
GU 20 cm, 269 Bl.
W Fürstin Apollonia, geb. Herzogin von Braunschweig; Celle. 1536 X.
Bg Uhlhorn II, S. 331; Kuczyński, 3546.
F Augsburg, SSB, Berlin DS, Braunschweig, Breslau UB, Halle ULB, Kopenhagen KB, Kopenhagen RB, Leipzig UB, Lindau StA, Linz LA, München BS, München UB, Nürnberg StB, Nürnberg LKA, Olmütz, Prag Strahov, Regensburg, Warschau BN, Wien NB, Wolfenbüttel HAB, Zwettl.
Sb In die Sb wurde die Aufl. von 1539 aufgenommen, s. D. 115,1.
Aufl Sehr häufig nachgedruckt, allein in Wittenberg, von diversen Druckern: 1537, 1539 (D. 115,1), 1545, 1551, 1553, 1558, 1565, 1566, 1573, 1584, 1590, 1591, 1606.
1647, Hamburg
1651, Lübeck.
1689, Lüneburg mit dem stark veränderten Titel, der voll wiedergegeben sei:
Der//Holdseelig-redende//JESUS/ //Das ist// ein hōchst-erbaulicher//DIALOGUS//oder//Gespråch/ // Von der//Herrlich-kråfftigen Predigt/ //Welche der// Siegreich-auferstandene Heyland/ //aus Mose und den Propheten/ //denen zweyen// nach Emaus reisenden Jůngern/in Eroffnung//der heiligen Schrifft/ gehalten/ //Durch//Urbanum Regium/ //
Der Heil. Schrifft Doctorn und Fürstl.//Lůneb. General=Superintendenten//Kurz vor seinem End ůbersehen und gebessert.//
Nunmehro aber//Zum Siebendenmal aufgeleget/und mit nōtiger//Vorrede/Lebens.Beschreibung des seel.

Autoris/und//vollståndigen Registern vermehret.//
1538, s. l. e. typr., Niederdeutsch
1557, s. l. et typr. Holländisch
1631, Amsterdam, Holländisch
1648, Christiana, Dänisch.

S. a. e. l. e. typr. erschien von einem Anonymus hergestellt ein Auszug mit dem Titel:

T SChriftliche zeugnus// vom erkantnusz Christi/vnd sei=//ner gőttlichen herrligkait/gezogen auß// dem Dialogo//D.Vrbani Regij//Vber den ort Luce xxiiij. Muste nit Christus//leiden/ vnd in seine herrligkait eingeen:etc.// Trőstlich vnd nützlich zelesen.// Johannis xvij.//Die erkantnuß Christi ist das// ewige leben.//

1578, London, John Daye, Englisch von W. Hilton
1642, London, William White, (Nachdruck)
1545, Protějov (Tschechisch für Proßnitz), Jan Günther und Matyaś Pražak, Tschechisch.
1571, Prag, Jiři Melantrich, Tschechisch
1573, Prag, ebenso
1583, Prag, ebenso.

115,1

T Dialogus//von der schőnen pre=//digt/die Christus//Luc. 24. von Jerusalem bis//gen Emaus/den zweien//jűngern am Ostertag/ //aus Mose vnd allen//Propheten gethan//hat/ newlich wol//corrigirt vnd ge=//mehret/Durch// D. Vrbanum Rhegium.//M. D. XXXIX.// (TE, HS: Gesetz und Evangelium)

K Wittenberg, Josef Klug, 1539.

GU 19,5 cm, 297 Bl.

W Wie D. 115.

Bg Uhlhorn II, S. 369, Anm. 2; WA, 53. Bd., S. 397f.

F Brünn UB, Chikago NL, Coburg, Frankfurt SUB, Greifswald UB, Göttingen UB, München UB, St. Gallen StB.

Sb Werke 2, LVIII—CXCVIII'.

Aufl s. D. 115, dazu:

1542, Frankfurt/M., Peter Braubach, Latein von Johannes Irenaeus (Freder) mit einem Vorwort (Nachruf auf Urbanus Rhegius) von Martin Luther.

T PROPHETIAE//VETERIS TESTAMENTI DE CHRI//STO COLLECTAE ET EXPLICATAE//PER D. VRBANUM RHE//GIVM.//Cum Prȩfatione D.Martini Lutheri//
Ad Lectorem IOANN. Irenaeus.// I ngenij praeclara sui monumenta reliquit// P lurima, lux sacri Rhegius ampla chori,// S ed maius nullum, nullum magis utile scripsit// T ale tibi antè alius nec dedit autor opus.//

FRANCOFVRTI ex officina//P. Brubachij, Anno// M.D.XLII.// (TE)
Sb Opera I, CLXIII—CCLXXXII.

116

T Dialogus oder// Gesprech/zwischen dem// Teuffel vnd einem biessenden Sunder/ //die verzweiflung vnd hoffnung be=//langend/welchs sich also/wie hie//beschrieben ist/ in eins gutt//herzigen Christen ge=//wißne/ in der war=// heit befunden//hatt.// Durch.// D.Vrbanum// Rhegium.// Celle.//Saxonum.// 1536.// Gedruckt zu Hamburg durch// Franciscum Rhodm//Anno. 1537.//
K Hamburg, Franz Rhode, 1537.
GU 15 cm, 28 Bl.
W Abelke Schulhöfften, Hamburg; Celle, 1536 IX 21.
Bg Uhlhorn II, S. 228f.; Kayser/Dehn, 558.
F Leningrad Saltykov, München BS, Wolfenbüttel HAB.
Sb Werke 3, XX'—XXVIII.
Aufl 1545, Frankfurt, Peter Braubach, Latein von Johann Freder versehen mit dessen Widmungsvorrede an Hieronymus Weitzendorf von Lüneburg.
T DOCTRINA CER//TISSIMA ET CONSOLA=//tio solidissima atque firmissi-//ma contra desperationem// propter peccata, è quarto//Capite ad Roman.// ITEM,//Dialogus inter Satanam et poe=//nitentem peccatorem.// PER D. VRBAN.//Rhegium.//1545.// (TE)
Sb Opera I, CCCCIII—CCCCXI'.
1588, Genf.

117

Ad Johann Paul
K Celle/Blumlage, 1537 V 25.
In „FULMEN“ s. D. 119.
Sb — — —

118

Ad Autor Sander
K Celle, 1537 VI 3.
E Heimbürger, Urbanus Rhegius, S. 293, 15.

119

T (LBl) FVLMEN//IN VOTARIAM MONASTI=//cen, quod ea tuta conscientia possit// & debeat relinqui, ad quendam// magni nominis olim Ab-//batem, nunc Christia-//num.// PER VRBANVM RHEGIVM.// Matth.15.// Omnis plantatio, quam non plantauit pa=//ter meus coelestis, eradicabitur.//Magdeburgi apud Michaelem Lottherum.// M. D. XXXVII.//

K Magdeburg, Michael Lotter, 1537 (VI/VII).
GU 15 cm, 18 Bl.
W Einem ungenannten ehemaligen Abt. (Uhlhorn II, S. 188 vermutet Heinrich Radbrock von Scharnebeck); Lüneburg, 1532.
Bg Uhlhorn II, S. 188.
F Braunschweig StAB, Jena UB, Leningrad Saltykov, München BS, Sibiu, Uppsala UB, Wien NB, Wittenberg EP.
Sb Opera II, XCVI—XCIX.
Aufl — — — — —

120

T DEr xv. Psalm Da=//uids/ausgelegt durch D. Vr=//banum Rhegium.//Sampt einer Christlichen vnterrich=//tung/von einem vnchristlichen vnerhőr=//ten wucher.// Isa. LVIII.//Ruffe getrost/schone nicht/Erheb deine stimme//wie ein posaune/vnd verkůndige meinem//volck jr vbertretten.// M. D. XXXVII.//
K Magdeburg, Michael Lotter, 1537.
GU 21 cm, 32 Bl.
W Den Dienern des Evangeliums von Bremen, Braunschweig und Hannover; Celle, 1537 VI 23.
Bg Uhlhorn II, S. 226; Kuczyński, 3547; Knaake, 3. Tl., 894.
F Berlin DS, Braunschweig StAB, Cambridge, Dessau, Göttingen UB, Jena UB, Kopenhagen KB, Kopenhagen RB, Leipzig UB, München UB, Thorn UB, Warschau BN, Wolfenbüttel HAB, Zwickau RB.
Sb Werke 2, XII′—XXVI.
Aufl 1538, Magdeburg, Michael Lotter.

121

T (LBl) ABDIAS//PROPHETA EXPLA=//NATVS COMMENTARIOLO,//cum Antithesi Regni Chri//sti & Regni Satanae.//Per D. Vrbanum Rhegium://Christus Joan. 5.//Scrutamini scripturas, illae sunt quae te=//stantur de ME.// M. D. XXXVII.// Mense Septembri.//
K Magdeburg, Michael Lotter, 1537 IX.
GU 15 cm, 51 Bl.
W Autor Sander, Rudolf Moller, Georg Scarabäus und andere von Hannover; Celle, 1537 V 22.
Bg Uhlhorn II, S. 366, Anm. 15.
F Berlin DS, Göttingen UB, Hannover StB, Jena UB, Kopenhagen KB, Kopenhagen RB, London BM, Nürnberg StB, Prag UK, Stockholm KB, Thorn UB, Warschau BN, Wien NB, Wittenberg EP, Zwickau RB.
Sb Opera III, C′—CXIIII.
Aufl 1554, Königsberg, Hans Daubmann, Deutsch von Stephan Reich, der auch ein langes Vorwort verfaßte
T Eiñ kurtze Christlichē//Außlegung/vber den

Propheten//ABDJAM.// Wider die feindselige// Spoͤtter vnd anfechter des Euan=//gelij/Zu dieser zeyt nůtzlich zu lesen/ //allen betrůbten vnd Elenden Christen.//
Erstlich im Lateyn beschrieben/ // von dem Ehrwirdigen Herrn Doctor//Vrbano Regio/seliger gedechtniß/ // Vnnd jetzt verdeutscht/ // Durch// M. Stephanum Reychen.// Iohan. 5.//Suchet inn der Schriefft/Denn sie ists/ // die von mir zeuget.// Gedruckt zu Koͤnigßberg inn//Preussen, durch Johan̄ Daubman.// M. D. LIIII.//

Sb Werke 2, CXCIX—CCXXXIII'.

122

T Ein bedencken//der Luneburgeschen/Ob//einer Oberkeit gezime die widerteu=//fer/odder andere ketzer/zum rech// ten glauben zu dringen/vnd so//sie jnn der ketzerey behar=//rendt/der ketzerey halb/ //mith dem Schwert// zurichten.// Durch// D. Vrbanum Rhegium.// Celle Saxonum.// Ro.13.//
Principes non terrori sunt bene//agentibus, sed male.// Potestas seculi dei Minister est, ti//bi in BONVM, Non FRVS=//TRA gladium gestat.// 1537.//

K Hamburg, Franz Rhode, 1537.

GU 20 cm, 22 Bl.

W — — — — —

Bg Uhlhorn II, S. 355, Anm. 15; Kayser/Dehn, 556

F Hannover NL: C/7470.

Sb Werke 4, CCX—CCXV.

Aufl 1538, Straßburg, Jakob Frölich.

123

T Ein Sendbrieff//an das gantz Conuent//des Jungfrawen Closters//Wynhusen/wider das//vnchristlich gesang// Salue Regina/ // Durch// D. Vrbanum Rhegium// D. L. S.// PSAL. 46.//Psallite Deo nostro, Psallite Regi//nostro, sed sapienter.//

K Wittenberg, Josef Klug, 1537.

GU 15 cm, 16 Bl.

W s. T.

Bg Uhlhorn II, S. 247.

F Aschaffenburg, Coburg, Dresden SL, Halle ULB, Hannover NL, Hannover StB, Leningrad Saltykov, Regensburg, Warschau BN, Wien NB, Wolfenbüttel HAB, Zürich ZB, Zwickau RB.

Sb Werke 4, LII—LV'.

Aufl 1537, Wittenberg, Josef Klug
1538, Tübingen, Ulrich Morhart.

1538

124

Ad Berthram Damm
K Celle, 1538 II 2.
In DISPOSITIO//ORATIONIS, IN EPISTO//la Pauli ad Romanos.// AVTORE PHIL. MELAN.// ITEM EIVS// DEM D. PAVLI AD ROMA// nos epistola uersu heroico pie admodū//ac docte reddita, per Berthramum Da=//mianum Brunouicanum.//
Vrbani Rhegij iudicium super hoc carmine//.....
Bg Kuczyński, 3437; Damm, Bertram v. Damm, S. 177 u. 191ff.
Sb — — — — —

125

T Ein Sermon//Von den guten/ // vnd bősen Engeln/ zu// Hannouer gepredi=//get/durch//D.Vrbanum Rhegium.// Wittemberg.// M. D. XXXVIII.// (TE)
K Wittenberg, Josef Klug, 1538.
GU 19,5 cm, 21 Bl.
W Anton Berkhauser, Bürgermeister von Hannover; Celle, 1538 II.
Bg Kuczyński, 2261; BM STC, S. 373; Pegg, 3475.
F Amsterdam VU, Dresden SL, Frankfurt SUB, Göttingen UB, Gotha FB, Halle ULB, Hannover StB, Jena UB, Kopenhagen KB, Kopenhagen RB, Leipzig UB, Leningrad Saltykov, Lindau StA, London BM, München UB, München BS, Prag UK, Regensburg, Thorn UB, Weimar, Wien NB, Wolfenbüttel HAB, Zwickau RB.
Sb Werke 1, CCXXXII'—CCXL.
Aufl 1538, Magdeburg, Michael Lotter, Niederdeutsch
1543, (Schwäbisch Hall, Peter Braubach) Latein von Johannes Irenäus (Freder):
T DE ANGE//LIS·// D. VRBANVS RHE//GIVS// (HS: Schild mit Januskopf) ANNO XLIII.//
Sb Opera I, CCLXXXII'—CCXCI'.
1583, London, Widdowe Charlwod, Englisch von Richard Robinson
1593, London, Nachdruck vom selben Drucker.

126

T EXAMEN//EPISCOPI IN//DVCATV// LVNEBVRGENSI.//PER D. VRBA=// num Rhegium.// M. D. XXXVIII.// (TE)
K Erfurt, Wolfgang Stürmer, 1538 V.
GU 15,5 cm, 7 Bl.
W — — — — —
Bg Uhlhorn II, S. 363, Anm. 13. Die Bemerkung, daß diese Schrift erst nach dem Tode des Autors erschien, ist unzutreffend. Uhlhorn kam wohl deshalb zu diesem Schluß, weil

sie in keiner der 12 von ihm benutzten Bibliotheken und Archive zu finden war. Cohrs, Urbanus Rhegius, und sogar Hase kennen den Erstdruck auch nicht.

F Aschaffenburg, Braunschweig StAB, München UB, Wittenberg EP, Zürich ZB.

Sb Opera II, XLVI—XLVII'.

Aufl 1545, Frankfurt, Peter Braubach.

127

T CONFV//TATIO LIBELLI//cuiusdam Luneburgi occulto// adfixi, quo scriptor ille, quisquis//fuerit, vsum vnius speciei// in Sacramento, cona=//tur ex Scripturis// & Patribus// probare,// Per D. Vrbanum Rhegium.// M. D. XXXVIII.// VITTEBERGAE.// (TE)

K Wittenberg, Josef Klug, 1538.

GU 15 cm, 48 Bl.

W Den Dienern der Kirche von Lüneburg.

Bg Knaake, 3. Tl., 895.

F Augsburg SSB, Berlin DS, Coburg, Danzig, Erlangen UB, Göttingen UB, Halle ULB, Hannover NL, Hannover StB, Jena UB, Leningrad Saltykov, München BS, München UB, Warschau BN, Wien NB, Wittenberg EP, Wolfenbüttel HAB, Zürich ZB, Zwickau RB.

Sb Opera II, LXXX'—LXXXIX'.

Aufl — — — — —

1539

128

Ad Einen Freund

K (Celle, Mitte) 1539.

Sb Opera III, IX'—XIII.

129

T Wie man die falschen//Propheten erkennen/ia greif=//fen mag/Ein predig/zu Mynden jnn//Westphalen gethan/ durch// D.Vrbanum Rhegium.// Canonicus: Monachus:// (HS: Zwei Wölfe, der eine in Mönchskutte, der andere als Kanonikus, reißen ein Schaf, das sie in den Händen halten.) Jeremie 10. Die Hirten sind zu narren worden/ vnd fragen// nichts nach Gott/Darumb kůnnen sie auch nichts rechts leren/ // sondern zerstrewen die Herd.//

K Braunschweig, Andreas Goltbeck, 1539. (Erster Hochdeutscher Druck von Braunschweig.)

GU 20 cm, 40 Bl.

W Gerhard Oemiken, Superintendent von Minden; Celle, 1538 IX 21.

Bg Legge, 6; Brandes, 491; BM STC, S. 737; Pegg, 3493.

F Braunschweig StAB, Chicago UL, Göttingen UB, Gotha FB, Halle ULB, Helmstedt, Jena UB, Leipzig UB, Leningrad

Saltykov, London BM, München UB, Nürnberg LKA, Oxfort BL, Regensburg, Stockholm KB, Thorn UB, Utrecht UB, Weimar, Zwickau RB.
Sb Werke 4, LXXXII'—XCVI'.
Aufl 1539, Wittenberg, Hans Frischmut
1540, Olmütz, Tschechisch.

130

T Ein Ser=//mon/von den zwei//en Mirakeln Christi/ Mat=// thei am IX.Cap. Item/ // vom glauben/ vnd dem// hohen Artickel der//Aufferstehung des//Fleisches/ zu// Hannopher//gepredigt/ //durch//D.Vrbanum Rhegium.// (TE, HS: Symbole der vier Evangelisten, Petrus und Paulus und die vier abendländischen Kirchenväter)
K Wittenberg, Josef Klug, 1539.
GU 20 cm, 20 Bl.
W — — — — —
Bg Kuczyński, 2262; BM STC, S. 738; Pegg, 3476.
F Amsterdam VU, Braunschweig, Breslau UB, Dublin TC, Gotha FB, Halle ULB, Hamburg UB, Kopenhagen KB, Kopenhagen RB, Leningrad BAW, Leningrad Saltykov, London BM, München UB, Thorn UB, Uppsala UB, Weimar, Wolfenbüttel HAB, Zwickau RB.
Sb Werke 3, LVII'—LXIIII'.
Aufl 1589, Wittenberg, Josef Klug
1544, Frankfurt, Peter Braubach, Latein von Johann Freder mit Widmung an Anton Berkhauser, Hannover:
T DE FIDE//ET RESVRECTIONE D. VRB.// RHEGIVS.// (HS: Schild mit Januskopf) FRANCOFVRTI ex=//cudebat Petrus Brubachius// Anno, XLIIII.//
Sb Opera I, CCXCII—CCXCVIII.

131

Ad Kurfürst Joachim II.
K Celle, 1539 XI 19.
E Frege, Berlin, S. 175f.; vgl. WABr, 8. Bd., S. 622.

1540

132

Ad Kurfürst von Sachsen
K Hersfeld, 1540 VI 22.
E Seckendorf, Commentarius, 3. Bd., S. 228 und ders. Luthertum, Sp. 1855; azw.

133

Ad Anton Berkhauser, Hannover
K Celle, 1540 VIII 1.
Sb Opera II, XCI'—XCIII'.

134

Ad Anton Berkhauser, Hannover
K Celle, 1540 IX 17.
Sb Opera II, XC'—XCI.

135

Ad Anton Berkhauser, Hannover
K Celle, 1540 X 1.
Sb Opera II, XCIIII—XCIIII'.

136

Ad Lukas Lossius
K Celle, 1540 X 24.
In Catechismus,//HOC EST, CHRISTIANAE//Doctrinae Methodus.// ITEM,//OBIECTIONES IN// EVNDEM, VNA CVM VERIS// et breuibus earum Solutionibus, ordine cer=//to et perspicuo insertae,//Autore// LVCA LOSSIO Luneburgensi.//
Bg BM STC, S. 527.
Sb — — — — —

137

Ad Johann P.(aul)
K Celle, 1540.
Sb Opera III, unnum. vor I.

1541

138

T (LBl) CATE//CHESIS,//ILLVSTRISS. PRINCI=//pi FRANcisco OTTHONI, Brunsuicen//sium Luneburgensiumque Duci, puero genero=//sißimo, et toti Scholae Ducali dicata.// Per VRBANVM Rhegium,// Cellae Saxonum.// Ad ludum literarium autor.// Disce puer Christū, Pater hūc tibi misit ut eßet//Iusticia, et uitae Regula certa tuae.// Illustriß. Prin. ac Domini D. Ernesti Brunsui.//ac Lunebur. Ducis filius, Franciscus Ot=//tho, Vrbano Rhegio theologo S. D.// Nomine quem nostro pepigisti Vrbane libellum:// Hunc ego mente pia nocte dieque legam.// Hoc faciant pueri, puer ipse suadeo, cuncti:// Cura qbus summi est scandere ad astra poli//Eiusdem Prin. filiolus, Friderichus,// Eidem Vrbano S.// Quaeque sibi meritas exposcunt munera grates:// Munere, sed quaenam gratia, digna tuo est?// M. D. XLI.//
K (Magdeburg, 1541).
GU 14,5 cm, 132 Bl.
W Dem Prinzen Franz Otto, Lüneburg; Celle 1540 XI 1. Woche.
Bg Uhlhorn II, 229 und S. 364, Anm. 20. Knoke, Katechismen, S. 110; Pegg, 3452; vor allem: Reu, Quellen 1./2., S. 832ff. (Das von Reu ebd. zitierte Exemplar konnte nicht eruiert werden.)

F Braunschweig StAB, Danzig, Güssing, Hannover NL, Hannover StB, Kopenhagen KB, Kopenhagen RB, Leipzig UB, München BS, München UB, Münster UB, Nürnberg LKA, Olmütz, Oxford BL, Uppsala UB, Utrecht UB, Wien NB, Zwickau RB.

Sb Opera I, CXXVI—CLXIII'.

Aufl 1543, Leipzig, Nikolaus Wolrab
1543, Magdeburg
1545, Leipzig, Nikolaus Wolrab
1545, Frankfurt/M., Deutsch von Johann Eberhard Gleidsmann:
T Catechismus// Deutsch// Fůr des Durchleuchten// Hochgebornen Fürsten vn̄ Herrn/ // Herrn Ernsten/ Hertzogen zů// Braunschweig vnd Lune// burg/ Junge Herrn/ // auff Frag vnd Ant// wort gestellet// durch D.// Vrban. Rhegi.// M. D. XLV.// Zů Franckforth truckts// Cyriacus Jacob.//
1550, Wittemberg, Georg Rhau
1553, Wittenberg
1554, Wittenberg, Thomas Klug
1558, Wittenberg
1560, Wittenberg
1563, Wittenberg, Deutsch
1858, Hannover, Hahn, Deutsch, August Wellhausen (Hg.)
1547, Prag, Melantrich (= Jiři Raždalovský), Tschechisch vom Drucker
1908, Warschau, Polnisch.
1920, Gütersloh. In: Reu, Quellen, 2./2., S. 627—660, in Latein

139

T Wider die Gottlosen//blutdurstigen Sauliten vnd// Doegiten dieser letz=//ten ferlichen zeiten/ Der. lij.// Psalm ausge=// legt.// Durch D. Vrbanum// Regium.// Mit einer Vorrede D.// Martini Lutheri.// Vittemberg.// Anno 1.5.41.//

K Wittenberg, Josef Klug, 1541.

GU 20 cm, 26 Bl.

W — — — — —

Bg Kuczyński, 2264; WA, 51. Bd., S. 573; Benzing/Claus, 3377; Pegg, 3492.

F Augsburg SSB, Breslau UB, Cambridge UL, Chicago UL, Dresden SL, Göttingen UB, Gotha FB, Halle ULB, Hannover StB, Hannover NL, Innsbruck UB, Jena UB, Kopenhagen KB, Kopenhagen RB, Leipzig UB, Leningrad Saltykov, Lindau StA, London BM, München BS, München UB, Oxford BL, Regensburg, Uppsala UB, Warschau BN, Weimar, Wien NB, Wolfenbüttel HAB, Zeitz, Zürich ZB, Zwickau RB.

Sb Werke 2, XLVI—LIIII'.
Aufl — — — — —

1545

140

T LOCI THE// OLOGICI E PATRIBVS//ET SCHOLASTICIS NEOTE=// ricisque collecti per D. Vrba=//num Rhegium.// (HS: Januskopf im Rechteck) FRANCOFORTI EX OF=//ficina Petri Brubachij.// Anno// XLV//
K Frankfurt, Peter Braubach, 1545.
GU 15,5 cm, 252 Bl.
Hg Johannes Freder, der auch eine lange Vorrede verfaßte.
W — — — — —
Bg Heimbürger, Urbanus Rhegius, S. 274, 96.
F Cambridge, Danzig, Erlangen UB, Göttingen UB, Greifswald UB, Hannover StB, Helmstedt, Salzburg UB, Stuttgart WL, Thorn UB, Trier StB, Tübingen UB, Warschau BN, Wittenberg EP, Wolfenbüttel HAB, Zwickau RB.
Sb Opera I, CCXCVIII—CCCLXXX'.
Aufl 1550, Frankfurt, Peter Braubach.

141

T (LBl) IVDICI/VM VRBANI RHEGII DE// Cypriani libello, quem de Eleemosyna//inscripsit, secundum canonem Scri-//pturae Sanctae, & Ortho-//doxos.// PROFVTVRVM ETIAM AD//plerosque, alios Ecclesiasticos// Scriptores intelligēdos.// ITEM,// EXAMEN// EPISCOPI IN DVCATV// Luneburgensi, Eodem. D. Vrbano// Rhegio autore.// FRANCOFVRTI EX// officina Petri Brub. Anno Domini// M. D. XLV.//
K Frankfurt, Peter Braubach, 1545.
GU 15 cm, 24Bl.; Examen beginnt auf: B VIIa.
W Anonymer Adressat; Lüneburg, 1532 X 1.
Bg Cohrs, Urbanus Rhegius, S. 58, vgl. dazu D. 126; BM STC, S. 737.
F Augsburg SSB, Dillingen, London BM, München BS, Tübingen UB, Warschau BN, Warschau UB, Wien NB, Wittenberg EP, Zürich ZB.
Sb Opera II, XLIII'—XLV'.
Aufl — — — — —

1562

142

T OPERA//VRBANI REGII//LATINE EDITA.//Cum eius Vita, ac Praefatione// ERNESTI REGII, F.// IMPRESSA NORIBERGAE, IN OFFICINA// Ioannis Montani & Vlrici Neuberi.// M. D. LXII.//

K Nürnberg, Johannes Montanus (Johann vom Berg) und Ulrich Neuber, 1562.

GU 33cm, 669 Bl.
Index Praefatione et vita 12 Bl.
Pars I: MONVMENTORVM//Vrbani Regij Latina oratione con=// SCRIPTORVM PARS PRIMA, IN QVA EA// quae sunt διδακτικὰ comprehendun-tur.// fol. I—CCCCXXXVIII.
Pars II: MONVMENTORVM//Vrbani Regij Latina oratione con=// SCRIPTORVM PARS ALTERA, COM-//plectens scripta ἐλεγκπκὰ seu ἀγωνιστκὰ. fol. I—XCIX'.
Pars III: MONVMENTO=//rum Vrbani Rhegij Latina orati=// ONE CONSCRIPTORVM.// Pars Tertia,// QVA ILLA SCRIPTA CONTINEN=// tur, quae antehac nunquam sunt excusa.//HORVM INDICEM//sequens pagina demonstrat.// NORIBERGAE,// In officina Ioannis Montani, & Vlrici Neuberi.// M. D. LXII.// Praefatio 6 Bl.; fol. I—CXIIII.

Hg Ernestus Regius, Sohn des Urbanus. Die ersten beiden Teile widmete er den Augsburgern, den dritten Fürst Christoph von Württemberg.

Bg Uhlhorn II, S. 343; BM STC, S. 736.

F Augsburg SSB, Bamberg SB, Berlin DS, Bonn UB, Braunschweig, Braunschweig StAB, Breslau UB, Cambridge UL, Cambridge HU, Dresden SL, Erlangen UB, Freiburg UB, Genf BPU, Glasgow UL, Gotha FB, Göttingen UB, Graz UB, Greifswald UB, Halle ULB, Hannover NL, Jena UB, Kopenhagen KB, Kopenhagen RB, Kopenhagen UB, Leipzig UB, Linz LA, London BM, Magdeburg StB, Marburg UB, München BS, München UB, Neapel BN, Nürnberg LKA, Nürnberg StB, Olmütz, Oslo UB, Oxford BL, Paris Maz, Paris BN, Paris UB, Prag UK, Regensburg, Stuttgart WL, Ulm StB, Uppsala UB, Utrecht UB, Västeras, Vatican, Warschau BN, Weimar, Wien DB, Zeitz.

Aufl 1562 erschienen beim selben Drucker sowohl der Teil III allein als auch Teil I und II ohne den III. Teil. Nachstehende Traktate des Sammelbandes sind als eigene Flugschrift nicht nachweisbar und wurden vom Autor auch keiner solchen beigegeben. (Die datierten Briefe im Sammelband sind zeitlich eingeordnet bereits oben angeführt.)

a) QVAESTIO.// An homo hominem post hanc ui=// TAM AGNITVRVS SIT, HOC//EST, AN PARENTES, LIBEROS,// cognatos, affines et amicos meos, qui in terris noti mi=//hi fuerunt, sim

agniturus, et illi me uicißim.//
Opera II, XCV—XCV'.
(Wurde bereits dem postumen Werke „In omnis . . ." D. 109 s. Aufl. beigedruckt.)

b) DE LAPSV ET RESTAV=//ratione hominis propo=//sitiones.//
Opera III, I—III'.

c) DISPVTATIO DE//schismate huius saeculi, & de// Ecclesia.//
Opera III, IIII—V.

d) DE ORDINATIONE VEL//consecratione Sacerdotum,// Priesterweihung.//
Opera III, V'—VIII.

e) PROPOSITIONES// PROPOSITIONES// de coena Domini.// Opera III, VIII'—IX.

f) MODVS EXPEDIENDI// & absoluendi confitentem cui=// DAM ANIMARVM PASTORI OBI=//ter praescriptus.//
Opera III, XIII'—XIIII.

g) PER BREVIS RATIO//fructuose studendi in sacris literis,// NE TYRO HVIVS SACRI STVDII, OLE=//um & operam perdat.//
Opera III, XIIII'—XVI'.

h) ARTICVLVS FIDEI// nostrae Catholicę, Passus sub// PONTO PILATO, CRVCIFIXVS,// mortuus & sepultus, diligenter explicatus.//
Opera III, XVII—XXXVI.

i) DE DESCENSV CHRISTI// DE DESCENSV CHRI=//sti ad inferna, Sententia Docto=//ris Vrbani Regij.//
Opera III, XXXVI'—XXXVIII.

j) DE CHRISTO IESV// DE CHRISTO IESV ET// beneficijs eius, ac de fide in//CHRISTVM.//
Opera III, XXXVIII'—XLVI.

k) ALIQVOT CON=//cionum formulae.// DE DIVITE ET LAZARO.// Lucae Capite 16.//
Opera III, XLVI'—LXIX'.

l) DE LEGENDIS VE=//teribus Orthodoxis, iudicium//Vrbani Regij.//
Opera III, LXX—LXX'.

m) QVAESTIO ET AXIO=//mata de iustificatione impij ex ter=//TIO CAP. AD ROMANOS. VTRVM//una tantum sit ratio iustificandi impij, per omnia secula// coram Deo et hominibus.//
Opera III, LXXI—LXXIII'.

n) AXIOMATA EX//prologo primi capitis ad Roman.// QVAE PER AMICAM

SCRIPTVRARVM//collationem controuertentur, praesidente Doctore Vrbano Rhegio,//Respondente Frederico Henniges artium libera-//lium Magistro.//
Opera III, LXXIIII—LXXVII'.

o) VRBANVS RHEGIVS MAR=//tino Gorlitio Superintendenti in Brunswick.//
Opera III, LXXXI'.

p) MORS ET SEPVL=//tura Missae Papisticae.//
Opera III, LXXXII.

q) BREVIS ENARRATIO//Psalmorum. CII. Domine exaudi// ORATIONEM MEAM etc. ET// CXXVIII Beatus uir qui timet Dominum etc.//
Opera III, XCIII'—C.

143

T VRBANI REGII//Weylandt Superintendenten//im Fürstenthumb Lůneburg/ // Deutsche Bůcher vnnd Schrifften.// In welchen die fürnem̄sten haubt=//stůck Christlicher lehre/sampt etlichen bůchern der//heyligen Schrifft/ trewlich vnd reyn//erklåret/ vnd viler schedlicher Sec=//ten irrthumb widerleget.// Gedrůckt zu Nůrnberg/ durch Johan̄ vom// Berg/ Vnd Vlrich Neuber.// M. D. LXII.//

K Nürnberg, Johann vom Berg und Ulrich Neuber, 1562.

GU 30 cm, 819 Bl.

Teil 1: (Kein eigener Titel)
Titelblatt, Index und Vorrede 8 Bl. darauf fol. I—CCXLVIII'.

Teil 2: Der ander Teyl Teutscher bü=//cher D. Vrbani Rhegij/ darinn// Auszlegungen etlicher Psalmen/ Propheceyen/ //vnd sprůche ausz dem alten vnd newen/ Testament begriffen.// Nürnberg/ // Anno M. D. LXII.//
fol. I—CCXLII.

Teil 3: Der dritte Theyl// Teutscher Bü=//cher D. Vrbani Regij/ //darinnen vermanunge//vnd Trostschriff=// ten begriffen.// Nürmberg/ // M.D.LXII.// (TE, HS: Gesetz und Evangelium)
fol. I—CVI.

Teil 4: Der vierdt Teil Teutscher Bü=//cher D. Vrbani Rhegij/ darinn// Streitbůcher wider das Bapsthumb/ vnd// andere Rotten geschrieben/ // begriffen.// Nürnberg.// M. D. LXII.//
fol. I—CCXV'.

Hg Ernestus Regius, Sohn des Urbanus; diesen Sammelband widmete er den Fürsten Heinrich und Wilhelm zu Braunschweig und Lüneburg.

Bg Uhlhorn II, S. 343.
F Augsburg SSB, Berlin DS, Braunschweig StAB, Breslau UB, Brünn UB, Cambridge HU, Dresden SL, Erlangen UB, Göttingen UB, Greifswald UB, Güssing, Halle ULB, Hannover NL, Jena UB, Kopenhagen KB, Kopenhagen RB, Leipzig UB, Leningrad BAW, Lindau StA, Marburg UB, München BS, Nürnberg LKA, Nürnberg StB, Ulm StB, Utrecht UB, Warschau BN, Warschau UB, Weimar, Wien NB, Wolfenbüttel HAB.
Aufl 1577, Frankfurt/M., Peter Schmidt.
Nachstehende undatierte Traktate finden sich erstmals im Sammelband.
a) Ratschlag / dem Rath zu Lü=//nenburg gestelt / zu was brauch die Kirchen=//gůter fůrnemlich sollen gewendet werden.//
Werke 3, CII—CVI.
b) Rechenschafft der Predi. zu Lůneburg / //
Rechenschafft der Predicanten// zu Lůneburg/ von der rechten alten Christlichen// Lehre/ Wie sie durch die Propheten/Christum/vnd// Apostel/ sampt jhrem grůndtlichen inhalt/selbst ist// ist geprediget worden/in diesen Artickeln verfasset/ in Christ=//lichem sinn der heyligen Kirchen vor geleget/ vnd ge=//lehret/so viel sie selbst begeret haben/Durch// D. Vrbanum Rhegium gestelt.//
Werke 4, CVII'—CXI'.

1711

144
T VRBANI REGII// POEMATA// IVVENILIA// NVNC PRIMVM// EX MS. FILII EIVS// ERNESTI// EDITA// STVDIO// M. GODOFREDI VVAGENERI// VITTEMBERGRAE SAXONVM// Ap. CHRIST. THEOPH. LVDOVICVM// A. C. CIϽ IϽ CCXI
K Wittenberg, Christoph Theophil Ludwig, 1711.
GU 17,5 cm, 52 Bl.
Hg M. Gottfried Wagner, Widmungsvorrede an Johann Christoph Wolf; Wittenberg, 1711 I.
Bg Uhlhorn II, S. 345, Anm. 8 und 10 kennt nur die Ausgabe 1712.
F Dresden SL, Warschau BN.
Aufl 1712, Wittenberg, der selbe Drucker.

Nachfolgend finden sich die Gedichte, die fast ausschließlich aus der Studentenzeit des Rhegius stammen.
Die Gedichte sind wie im Gedichtband mit römischen Ziffern gezählt; unter S ist die Seitenzählung in Klammern angegeben — ebenfalls wie im Gedichtband —.

I

Ü Hendecasyllabum, ad Leonardum Eckium de VVofseck,
Musarum Patronum.
V PIstor dat Cererem benignus almam,
S (1f.).

II

Ü Ad Discipulos.
V NI claro Sophiae niteat mens lumine nostra,
S (2).

III

Ü In Veri DEI Natalem.
V TActu non temerata, Mater, ullo,
S (2) — (4).

IV

Ü de Nummo.
V NVmmus cunctipotens guberant orbem
S (4).

V

Ü de Baccho.
V BAccho forma cadit, Baccho consternitur aetas.
S (4).

VI

Ü Choriambicum, de Caesare Maximiliano, cuius manibus est
Poeta laureatus.
V CAEsar, multiiugis laudibus euehi.
S (4).

VII

Ü In malas Mulieres.
V AVt rudis, aut stultus, mulieri fidit, in orbe
S (4f.).

VIII

Ü Exhortatio, ad Studiosam iuuentutem, ut Andream
Osiandrum, Graeca interpretaturum, diligenter audiat.
V HEus, ueni, Lector, mora desit omnis,
S (5) — (7).

IX

Ü in Vinum, ad M. Matthiam Cressum et M. Vitum
V Duchenhusterum.
BAcchus non tuto fit secretarius ulli,
S (7).

X

Ü in Eckii, Theologi, Physicen.
V SI mens corporea abuolaret arca,
S (7f.), s. D. 15.

XI

Ü in Luxuriam.
V NOn maius uasto scelus est, quod sordeat, orbe
S (8).

XII

Ü Ode Τρίκωλος τετράσροφος, in Femineos mores.
V SI quis femineis moribus insolens
S (9).

XIII

Ü in Luxuriam, Veritas uerissima.
V AVdeo per dextram iurare, per omnia coeli
S (9f.).

XIV

Ü in Fugam Temporis, Distichon.
V VRge propositum, celeri pede deuolat aetas,
S (10).

XV

Ü Extemporarius lusus, Lanspergae inter pocula effusus, A. CIↃ IↃ XVII.
V LAnsperga, auspicio felici condita, pulchris.
S (11f.).

XVI

Ü ad Ottonem suum, equitem Germanum.
V AD te saepius ipse peruolarem,
S (13).

XVII

Ü Asclepiadeum Iocosum.
V PIscator, uetulae coniugis immemor,
S (13f.).

XVIII

Ü ad Nobilem Eckium, de Falso Rumore.
V IStri uortice mergier profundo,
S (14f.).

XIX

Ü ad Auditores Ciceronianos, post febres.
V FEbris frigoribus, tremore, flammis,
S (15f.).

XX

Ü Δίκωλος, δίστροφος, ad Eosdem.
V DVlcius est, cuius multum intermisius usum,
S (16).

XXI

Ü Paean, dicatus ex uoto Virgini Matri Feldkirchensi.
V O, Regina potens Poli,
S (16) — (18), vgl. dazu D. 21.

XXII

Ü de Vino, extemp.
V MOrdaces curae suaui pellunter Iaccho,
S (19).

XXIII

Ü Senectus quid sit.
V SI, quid pigra fiet, quaeris, torpore senectus,
S (19f.).

XXIV

Ü Asclepiadeum Choriambicum, ad Nobilem et Ampliss. Virum, Leonardum Eckium de VVolfseck, Artium et iurium Doctorem, Senatorem Ducalem, Patronum unicum, de Miseria Poetarum.
V Maecenas miseris unice uatibus,
S (20) — (24), s. D. 16.

XXV

Ü Moduli pro Cantoribus.
V SAturnalitio nostros quod munere cantus
S (24).

XXVI

Ü de Luxuria.
V LVxuria nil est in toto turpius orbe,
S (24) — (26).

XXVII

Ü Extemp. de Amore.
V QVisquis amat, seruit, turpi dedit ora capistro,
S (26f.).

XXVIII

Ü in Laudem Ottonis, praelegentis Liuium, sub ficto nomine Calixti Argonii, Stonfesis, ad Lectorem.
V NObilem docto legit ore doctum
S (27).

XXIX

Ü in Laudem Hauerii, Institutiones praelecturi.
V POsse tam stricto pueros libello
S (27f.).

XXX

Ü in Libellum M. Hieronymi Anfangii,
V QVem tam conspicua institutione
S (28).

XXXI

Ü Iocosum Epitaphium, in Phialam Nobilis cuiusdam Ernbergii, casu fractam, quam nominabamus Philoxenum.
V PLangite, battiolae, phialae, calices, cyathique.
S (29).

XXXII

Ü M. Georgio Hauero, Plebano Ecclesiae D. Virginis, gratulatur.
V QVod tibi, quae uirtus meruit, fortuna fauenter
S (29f.).

XXXIII

Ü inclyto D. Carolo, ex Ampl. Lympurgiorum familia Baroni designato, Anglostadiensis Gymnasii Rectori, Gratulatorium carmen, sub persona Academiae.
V CAndida lux, felixque, dies, quam laetius alto
S (30f.).

XXXIV

Ü Antistitis cuiusdam Rotenburgensis Elogium.
V AH, adamanteo cur perstant robore leges
S (32).

XXXV

Ü Ad Carolum Lympurgium.
V ELoquar, an taceam, cum grandia corde uolutem?
S (32f.).

XXXVI

Ü Patruus Eckii, Plebanus Rotenburgensium defunctus, loquitur.
V QVis sim, quis fuerim, si quaeris, candide Lector,
S (34).

XXXVII

Ü Elegia, ad suum Ioannem Celnum.
V HEsiodum Musae quondam fecere Poetam.
S (35).

XXXVIII

Ü in Grammaticam Graecam Conradi Corudii, Phalaecium.
V QVisquis Grammaticae cupis libellum
S (36).

XXXIX

Ü in discessu Amatae, A CIↃ IↃ XIIX, secunda post Illuminationem, hora prima.
V STultus amor modico blanditur tempore, saepe
S (36f.).

XL

Ü in Procrastinatorem Confessionis, Protrept. Extemp.
V SI tua febrilis torreret pectora feruor,
S (37f.).

XLI

Ü Quae sint Poetarum Furiae, Lusus.
V NOscere si Furias infernaque monstra peroptas,
S (38f.).

XLII

Ü Plinius Musas increpat, quod temere Poetis ac Grammaticis serta nectant, qui sacraria Poeticae, ob Philosophiae ignorantiam, non penetrant.
V QVis furor, o, Musae, quae tanta licentia Phoebi,
S (39f.).

XLIII

Ü Hymnus Sapphicus, DEO Trino et Vni dicatus.
V SVmme tam pulchri Moderator orbis
S (40) — (42).

XLIV

Ü Hendecasyllabon, in Io. Eckii, Theosophorum Principis ac Praeceptoris, laudem, de Theologia Negatiua, ad Lectorem.
V NAtura stimulante, nosse VERUM
S (42) — (45).

XLV

Ü Ad Anglostadium, quod nil. nisi caules et cereuisiam, habeat.
V SVeuia dulcifluas Bacchi dum colligit uuas,
S (45f.).

XLVI

Ü Sapphicum, ad Anglostadium, in Patriam proficiscentis.
V PHoebus obliquum peragrauit orbem
S (47f.).

XLVII

Ü Sequitur Carmen Triumphaticum, D. Martino Luthero dedicatum, Cellisque in Saconia scriptum.
V VIue, uiue, mi LVTHERE,
S (48) — (50), vgl. D. 23.

D Verzeichnis der – bei unbewiesener Autorschaft – dem Rhegius zugeschriebenen Drucke

Nachfolgend sind die Drucke aufgeführt, die dem Rhegius im Laufe der Zeit aus diversen Gründen zwar zugeschrieben wurden, bei denen seine Autorschaft aber nicht evident bewiesen werden konnte. Weil sie den oben aufgestellten (s. S. 329) Kriterien nicht genügten, fanden sie auch keine Aufnahme in dieser Bibliographie.

Die Titelwiedergabe folgt jeweils der unter „Bg“ angegebenen Bibliographie bzw. Literatur oder Edition. Da die Erscheinungszeit bei einigen Drucken so sehr umstritten ist, erfolgt die Reihung der Drucke nach dem Alphabet von zuschreibenden Autoren.

1 Bossert, Kirchengeschichte, S. 279:

T Offenbarung der allerheim / lichisten heymlichkeit, der ytzigen Baals priester, / durch woͤlche die welt lange zyt geblendt / vn̄ das lyden Christi jhaͤmer / lich geschmecht worden / ist, genannt / Canon / oder die / Styll / mess. / Durch Doctor Philippum / Melhofer von Eriszkilch. / M. D. XXV. // 2. Timoth. 3. / Ir thorhait wirdt yederman offenbar werden.

Bg Schottenloher, Ulhart, 91a.

2 Clemen, Philadelphus Regius:

T Regius Philad. Von Luther=//ischenn wunderzaychen mit ange=/hencktem bericht, Wye mann / götlich vnd teuffelisch mir/ackel vor ainander er/kennen vnnd vr/taylen soll. / . . .

Bg Kuczyński, 2223.

3 Clemen, Symon Hessus, S. 581:

T Ain schöner dialogus / Cuntz vnnd der Fritz / Die brauchent wenig witz / Es gildt vmb sy ain klains / So seinds der sach schon ains / Sy redent gar on trauren / Vn̄ sind gut Luthrisch bauren /

Bg Kuczyński, 2230—2231.

4 Götze, Satiriker:

T KLAG UND ANTWORT VON LUTHERISCHEN UND BEBSTISCHEN PFAFFEN ÜBER DIE REFORMATION SO NEULICH ZU REGENSPURG DER PRIESTER HALBEN AUSZGANGEN IST IM JAR MDXXIIII.

Bg Schade, Satiren, 3. Bd., S. 136, VII.

5 Götze, Satiriker:
T EIN WEGSPRECH GEN REGENSPURG ZŮ INS CONCILIUM ZWISCHEN EINEM BISCHOF HŮRENWIRT UND KŮNZEN SEINEM KNECHT. Constitue super eum peccatorem et diabolus stet a dextris ejus. Fiant dies ejus pauci et episcopatum ejus accipiat alter. Psalmo 108.
Bg Schade, Satiren, 3. Bd., S. 179, VIII.

6 Götze, Satiriker:
T EIN GESPRECH ZWISCHEN EINEM EDELMAN MÜNCH UND CURTISAN.
Bg Schade, Satiren, 3. Bd., S. 101, V.

7 Götze, Satiriker:
T EIN UNDERRED DES BAPSTS UND SEINER CARDINELEN WIE IM ZU THUN SEI UND DAS WORT GOTTES UNDER ZU TRUCKEN EIN IEGLICHER SICH DARAUF ZU BEDENKEN.
Bg Schade, Satiren, 3. Bd., S. 74, IV.

8 Götze, Satiriker:
T Ayn freuntlich gesprech, zwyschen ainem / Barfusser Münch, auß der Prouyntz Oster=/reych, der Obseruantz, vnd ainē Löffel/macher, mit namen Hans Stösser / gar lustig zu leesen, vnnd ist / der recht grundt. /
Bg Kuczyński, 907.

9 Götze, Satiriker:
T Was nutzung von dem Allmusen / kompt, das man den Pfaffen, München, / vnd andern vnnottürfftigen / mittailet /
(Holzsclnitt)
Almüsen haiß ich
Wer mich kaufft der leß mich.
Bg Weller, 1313.

10 Köstlin/Kawerau, Luther, 2. Bd., S. 671, ad S. 398:
T Cur et quomodo Christianum Concilium debeat esse liberum. Item de coniuratione Papistarum. Quae in tenebris dixistis, in lumine audientur, et quod in aurem locuti estis in conclavibus, praedicabitur in tectis. Luc. 12.
Bg Walch, 16. Bd., Sp. 2109ff., 1244.

11 Kolde, Seehofer, S. 122:
T Adser / tiones arti=/cvlorvm Ar / sacij Seehofer, con=/tra Ingolstadien / ses Damna / tores. / Per Hvlderi / chum Stratum En=/gedinum. / M.D.XXIIII./
Bg Knaake, 3. Tl., 1023.

12 Roth, Augsburg, 1. Bd., S. 86:
T Chuntz von Oberndorff. Dialogus ader ein / gespreche, wieder Doctor Eckē/ Büchlein, das er tzu entschuldi/gung des Cōcilij zu Costnitz etc. / außgehē hat lassen . . .
Bg Kuczyński, 449.

13 Uhlhorn II, S. 33:
T Gnidius, M. Defensio Christianorum / de Cruce. id est; / Lutherano/rum. / Cum pia admonitione F. Thomae Murnar, lutheromastigis, / ordinis Minorum, quo sibi temperet a conuicijs et stultis / impugnationibus Martini Lutheri. / . . . Epistolae item aliquot. / etc.
Bg Kuczyński, 925.

14 Wittmann, Augsburger Reformatoren, S. 116:
T Ain hüpsch Gesprech biechlin, von ainem Pfaffen vñ / ainem Weber, die zusamen kom̄en seind auff der straß / waß sy fur red, frag, vnnd antwort, gegen ainander / gebraucht haben, des Euangeliums vnd anderer sachē / halben: / Vtz Rychsner Weber: 1524 /
Bg Kuczyński, 2243.

15 Wittmann, Augsburger Reformatoren, S. 116:
T Ain gesprech büchlin, von ainem Weber / vnd ainem Kramer über das Büchlin Doctoris / Mathie Kretz von der haimlichen Beycht, / so er zu Augspurg in vnnser frawen / Thum gepredigет hat: / im M:D:XXiiij: / Vtz Rychßner Weber: /
Bg Kuczyński, 2244.

16 Wittmann, Augsburger Reformatoren, S. 116:
T Ain schöne vnderweysung, / wie vnd wir in Christo alle gebrüder / vñ schwester seyen, dabey angezaigt / nicht allain die weltlichen, wie sy es / nennen, sonder auch die gaistlichen / zustraffen, wa sy anders in dē leybe / dessen haubt Christus ist wöllē sein / auff die geschrift gotes gegründt / vñ darauß gezogē, . . . / Vtz Rychßner Weber. /
Bg Kuczyński, 2246.

E Druckerverzeichnis (für die Erstdrucke)

F Verzeichnis der erfaßten Archive

(Die Handschriftenabteilungen diverser Bibliotheken werden nicht eigens aufgeführt, sie sind im anschließenden Bibliotheksverzeichnis inkludiert.)

1. Aachen DA	Bischöfliches Diözesanarchiv Aachen (BRD)
2. Aachen StA	Stadtarchiv Aachen (BRD)
3. Altdorf SA	Staatsarchiv Uri, Altdorf (Schweiz)
4. Altenburg SA	Historisches Staatsarchiv Altenburg (DDR)
5. Amberg SA	Staatsarchiv Amberg (BRD)
6. Amberg StA	Stadtarchiv Amberg (BRD)
7. Ansbach StA	Stadtarchiv Ansbach (BRD)
8. Aschaffenburg StA	Stadt- und Stiftsarchiv Aschaffenburg (BRD)
9. Augsburg DA	Diözesanarchiv Augsburg (BRD)
10. Augsburg ELA	Ev.-Luth. Dekanatsarchiv Augsburg (BRD)
11. Augsburg StA	Stadtarchiv Augsburg (BRD)
12. Aurich SA	Niedersächsisches Staatsarchiv Aurich (BRD)
13. Bamberg EA	Archiv des Erzbischöflichen Ordinariats Bamberg (BRD)
14. Bamberg SA	Staatsarchiv Bamberg (BRD)
15. Bautzen	Archivverwaltung des Domstiftes und des Bischöflichen Ordinariates Meißen, Bautzen (DDR)
16. Bellinzona	Archivio Cantonale Bellinzona (Schweiz)
17. Berlin BA	Archiv des Bistums Berlin (BRD)
18. Berlin Geh.SA	Geheimes Staatsarchiv, Preußischer Kulturbesitz Berlin (BRD)
19. Berlin LA	Landesarchiv Berlin (BRD)
20. Bern SA	Staatsarchiv des Kantons Bern Bern (Schweiz)
21. Bielefeld	Evangelische Kirche von Westfalen — Landeskirchliches Archiv Bielefeld (BRD)
22. Bielefeld StA	Stadtarchiv Bielefeld (BRD)
23. Bologna	Archivio di Stato Bologna (Italien)
24. Bonn StA	Stadtarchiv Bonn (BRD)
25. Bottrop StA	Stadtarchiv Bottrop (BRD)
26. Bozen	Archivio di Stato Bolzano (Bozen) (Italien)
27. Bratislava	Státny Archív Bratislava (Tschechoslowakei)
28. Bratislava StsA	Státny Slovenský Ustredný Archív Bratislava (Tchechoslowakei)
29. Braunschweig LKA	Evangelisch-lutherische Landeskirche —

	Landeskirchliches Archiv Braunschweig (BRD)
30. Braunschweig StA	Stadtarchiv und Stadtbibliothek Braunschweig (BRD)
31. Bregenz LA	Vorarlberger Landesarchiv Bregenz (Österreich)
32. Bremen SA	Staatsarchiv Bremen (BRD)
33. Brixen DA	Diözesanarchiv Brixen (Italien)
34. Bückeburg SA	Niedersächsisches Staatsarchiv Bückeburg (BRD)
35. Buxtehude StA	Stadtarchiv Buxtehude (BRD)
36. Celle StA	Archiv der Stadt Celle (BRD)
37. Château de Neuchâtel	Archives de l'état Neuchâtel, Château de Neuchâtel (Schweiz)
38. Chur SA	Staatsarchiv Graubünden Chur (Schweiz)
39. Chur StA	Stadtkanzlei Chur — Archiv Chur (Schweiz)
40. Coburg SA	Bayerisches Staatsarchiv Coburg (BRD)
41. Darmstadt	Archiv der Evangelischen Kirche in Hessen und Nassau Darmstadt (BRD)
42. Darmstadt SA	Hessisches Staatsarchiv Darmstadt (BRD)
43. Darmstadt StA	Stadtarchiv Darmstadt (BRD)
44. Detmold SA	Staatsarchiv Detmold (BRD)
45. Dillingen FA	Fürstlich und gräflich Fugger'sches Familien- und Stiftungs-Archiv Dillingen (BRD)
46. Dortmund StA	Stadtarchiv Dortmund (BRD)
47. Dresden LKA	Evangelisch-Lutherisches Landeskirchenamt Sachsen — Archiv Dresden (DDR)
48. Duisburg StA	Stadtarchiv Duisburg (BRD)
49. Düsseldorf HSA	Hauptstaatsarchiv Düsseldorf (BRD)
50. Düsseldorf StA	Stadtarchiv Düsseldorf (BRD)
51. Eichstätt DA	Diözesanarchiv Eichstätt (BRD)
52. Eisenach LKA	Landeskirchliches Archiv der Evangelisch-Lutherischen Kirche in Thüringen Eisenach (DDR)
53. Engelberg	Stiftsarchiv Engelberg (Schweiz)
54. Erfurt EM	Archiv und Bibliothek des Evangelischen Ministeriums Erfurt (DDR)
55. Erlangen StA	Stadtarchiv Erlangen (BRD)
56. Ettal	Archiv und Bibliothek der Abtei Ettal (BRD)
57. Flensburg StA	Stadtarchiv Flensburg (BRD)
58. Frankfurt StA	Stadtarchiv Frankfurt/Main (BRD)
59. Frauenchiemsee	Archiv der Abtei Irmengard Vorseminar Frauenchiemsee (BRD)
60. Frauenfeld SA	Staatsarchiv des Kanton Thurgau Frauenfeld (Schweiz)
61. Freiburg	Erzbischöfliches Archiv Freiburg i. Br. (BRD)
62. Freiburg GLA	Bad. Generallandesarchiv Freiburg i. Br. (BRD)

63. Freiburg StA	Stadtarchiv Freiburg i. Br. (BRD)
64. Freiburg Univ.A.	Archiv der Universität Freiburg i. Br. (BRD)
65. Fribourg SA	Archives Cantonales Fribourg — Staatsarchiv Fribourg (Schweiz)
66. Genf	Archives d'Etat Genf (Schweiz)
67. Görlitz EK	Evangelisches Konsistorium Görlitz (DDR)
68. Göttingen L	Staatliches Archivlager Göttingen (BRD)
69. Göttingen SA	Stadtarchiv Göttingen (BRD)
70. Goslar StA	Stadtarchiv Goslar (BRD)
71. Greifswald SA	Staatsarchiv Greifswald (DDR)
72. Habsthal	Benediktinerinnenabtei Halbsthal — Archiv (BRD)
73. Hagendorn/Cham	Cistercienserinnen-Abtei Frauenthal Hagendorn/Cham (Schweiz)
74. Hall StA	Stadtarchiv Hall in Tirol (Österreich)
75. Hamburg SA	Staatsarchiv Hamburg (BRD)
76. Hameln StA	Stadtarchiv Hameln (BRD)
77. Hannover	Kestner-Museum Hannover (BRD)
78. Hannover HSA	Niedersächsisches Hauptstaatsarchiv Hannover (BRD)
79. Hannover LKA	Evangelisch-Lutherische Landeskirche, Landeskirchenamt — Archiv Hannover (BRD)
80. Hannover StA	Stadtarchiv Hannover (BRD)
81. Heidelberg	Akademie der Wissenschaften — Melanchthon-Forschungsstelle Heidelberg (BRD)
82. Heilbronn StA	Stadtarchiv Heilbronn (BRD)
83. Hildesheim	Bischöfliches Generalvikariat — Bistumsarchiv Hildesheim (BRD)
84. Hildesheim StA	Stadtarchiv Hildesheim (BRD)
85. Ingolstadt StA	Stadtarchiv Ingolstadt (BRD)
86. Innsbruck AK	Archiv der Nordtiroler Kapuziner Innsbruck (Österreich)
87. Innsbruck LA	Tiroler Landesarchiv Innsbruck (Österreich)
88. Innsbruck StA	Stadtarchiv Innsbruck (Österreich)
89. Kaiserslautern StA	Stadtarchiv Kaiserslautern (BRD)
90. Karlsruhe GLA	Badisches Generallandesarchiv Karlsruhe (BRD)
91. Karlsruhe StA	Stadtarchiv Karlsruhe (BRD)
92. Kempten StA	Stadtarchiv Kempten (BRD)
93. Kiel LKA	Evangelisch-Lutherische Landeskirche Schleswig-Holsteins — Landeskirchenamt Archiv Kiel (BRD)
94. Kircheim unter Teck StA	Stadtarchiv Kirchheim unter Teck (BRD)
95. Klagenfurt LA	Landesarchiv Klagenfurt (Österreich)
96. Koblenz SA	Staatsarchiv Koblenz (BRD)

97. Köln EB	Historisches Archiv des Erzbistums Köln (BRD)
98. Köln HA	Historisches Archiv der Stadt Köln (BRD)
99. Konstanz StA	Stadtarchiv Konstanz (BRD)
100. Kopenhagen RA	Rigsarkivet Kopenhagen (Dänemark)
101. Kosice SA	Státny Archív Kosice (Tschechoslowakei)
102. Krefeld StA	Stadtarchiv Krefeld (BRD)
103. Landau i. d. Pf. StA	Stadtarchiv Landau i. d. Pf. (BRD)
104. Landshut	Cistercienserinnen-Abtei — Archiv — Landshut Seligenthal (BRD)
105. Landshut SA	Staatsarchiv Landshut (BRD)
106. Landshut StA	Stadtarchiv Landshut (BRD)
107. Langenargen StA	Stadtarchiv — Bürgermeisteramt Langenargen (BRD)
108. Lauingen StA	Stadtarchiv Lauingen (BRD)
109. Lausanne ACV	Archives Cantonales Vaudioses Lausanne (Schweiz)
110. Leipzig SA	Staatsarchiv Leipzig (DDR)
111. Limburg DA	Diözesanarchiv Limburg (BRD)
112. Lindau StA	Stadtarchiv Lindau (BRD)
113. Linz LA	Landesarchiv Linz (Österreich)
114. Lübeck StA	Stadtarchiv Lübeck (BRD)
115. Lüdenscheid StA	Stadtarchiv Lüdenscheid (BRD)
116. Lüneburg KB	Evangelisch-lutherisches Kirchenbuchamt Lüneburg (BRD)
117. Lüneburg StA	Stadtarchiv Lüneburg (BRD)
118. Ludwigsburg SA	Staatsarchiv Ludwigsburg (BRD)
119. Ludwigshafen StA	Stadtarchiv Ludwigshafen (BRD)
120. Luzern SA	Staatsarchiv Luzern (Schweiz)
121. Magdeburg	Evangelisches Konsistorium der Kirchenprovinz Sachsen Magdeburg (DDR)
122. Magdeburg SA	Staatsarchiv Magdeburg (DDR)
123. Mailand	Archivio di Stato Milano (Italien)
124. Mainz StA	Stadtarchiv Mainz (BRD)
125. Mannheim StA	Stadtarchiv Mannheim (BRD)
126. Marburg SA	Hessisches Staatsarchiv Marburg/Lahn (BRD)
127. Meiningen SA	Staatsarchiv Meiningen (DDR)
128. Memmingen StA	Stadtarchiv Memmingen (BRD)
129. Merseburg SA	Zentrales Staatsarchiv Merseburg (DDR)
130. Minden StA	Stadtarchiv Minden (BRD)
131. Mönchengladbach StA	Stadtarchiv Mönchengladbach (BRD)
132. München HSA	Bayerisches Hauptstaatsarchiv München (BRD)
133. München SA	Staatsarchiv München (BRD)
134. München StA	Stadtarchiv München (BRD)
135. München St. Bonifaz	Stiftsarchiv St. Bonifaz München (BRD)

136.	München Univ.A	Ludwig-Maximilians-Universität — Archiv München (BRD)
137.	Münster	Bistumsarchiv Münster (BRD)
138.	Münster SA	Staatsarchiv Münster (BRD)
139.	Münster StA	Stadtarchiv Münster (BRD)
140.	Neuburg/Donau ABA	Archiv und Bibliothek der Abtei Neuburg/Donau (BRD)
141.	Neuburg/Donau SA	Staatsarchiv Neuburg/Donau (BRD)
142.	Neuss StA	Stadtarchiv Neuss (BRD)
143.	Neustadt StA	Stadtarchiv Neustadt an der Weinstraße (BRD)
144.	Nürnberg LKA	Landeskirchliches Archiv Nürnberg (BRD)
145.	Nürnberg SA	Staatsarchiv Nürnberg (BRD)
146.	Nürnberg StA	Stadtarchiv Nürnberg (BRD)
147.	Oldenburg	Evangelisch-lutherischer Oberkirchenrat Oldenburg (BRD)
148.	Oranienbaum SA	Historisches Staatsarchiv Oranienbaum (DDR)
149.	Osnabrück SA	Niedersächsisches Staatsarchiv Osnabrück (BRD)
150.	Paris A	Direction des Archives de France Paris (Frankreich)
151.	Porrentruy	Archives de l'Ancien Eveché de Bale Porrentruy (Schweiz)
152.	Prag A	Archivní Správa Prag (Tschechoslowakei)
153.	Ravensburg StA	Stadtarchiv Ravensburg (BRD)
154.	Regensburg BZA	Bischöfliches Zentralarchiv Regensburg (BRD)
155.	Regensburg StA	Stadtarchiv Regensburg (BRD)
156.	Regensburg ZA	Fürst Thurn und Taxis — Zentralarchiv Regensburg (BRD)
157.	Remscheid StA	Stadtarchiv Remscheid (BRD)
158.	Reutlingen StA	Stadtarchiv Reutlingen (BRD)
159.	Rohr	Abtei der Benediktiner Rohr/Niederbayern (BRD)
160.	Rosenheim StA	Stadtarchiv Rosenheim (BRD)
161.	Rostock StA	Stadtarchiv Rostock (DDR)
162.	Rottenburg DA	Diözesanarchiv Rottenburg/Neckar (BRD)
163.	Rottweil StA	Stadtarchiv Rottweil (BRD)
164.	Saarbrücken LA	Landesarchiv Saarbrücken (BRD)
165.	Saarbrücken StA	Stadtarchiv Saarbrücken (BRD)
166.	Salzburg A	Archiv des Stiftes St. Peter Salzburg (Österreich)
167.	Salzburg EDA	Erzbischöfliches Diözesanarchiv Salzburg (Österreich)
168.	Salzburg LA	Landesarchiv Salzburg (Österreich)
169.	Sarnen SA	Staatsarchiv des Kanton Obwalden Sarnen (Schweiz)

170. Schaffhausen SA	Staatsarchiv Schaffhausen (Schweiz)
171. Schleswig LA	Landesarchiv Schleswig-Holstein, Schloß Gottorf Schleswig (BRD)
172. Schwäbisch Gmünd StA	Stadtarchiv Schwäbisch Gmünd (BRD)
173. Schwäbisch Hall StA	Stadtarchiv Schwäbisch Hall (BRD)
174. Schwaz A	Archiv des Franziskanerklosters Schwaz (Österreich)
175. Schweiglberg	Archiv der Benediktiner-Abtei Schweiglberg Vilshofen (BRD)
176. Schweinfurt StA	Stadtarchiv Schweinfurt (BRD)
177. Schwerin SA	Staatsarchiv Schwerin (DDR)
178. Schwyz SA	Staatsarchiv Schwyz (Schweiz)
179. Siegburg StA	Stadtarchiv Siegburg (BRD)
180. Siegen StA	Stadtarchiv Siegen (BRD)
181. Sigmaringen SA	Stadtarchiv Sigmaringen (BRD)
182. Singen StA	Stadtarchiv Singen (BRD)
183. Soest StA	Stadtarchiv Soest (BRD)
184. Solbad Hall StA	Stadtamt — Archiv — Solbad Hall (Österreich)
185. Solothurn SA	Staatsarchiv Solothurn (Schweiz)
186. Speyer DA	Diözesanarchiv Speyer (BRD)
187. Speyer SA	Staatsarchiv Speyer (BRD)
188. Speyer StA	Stadtarchiv Speyer (BRD)
189. St. Gallen	Stiftsarchiv St. Gallen (Schweiz)
190. St. Gallen SA	Staatsarchiv St. Gallen (Schweiz)
191. St. Ottilien	Archiv und Bibliothek der Erzabtei St. Ottilien (BRD)
192. Stade	Archiv der Ritterschaft des Herzogtums Bremen Stade (BRD)
193. Stade SA	Niedersächsisches Staatsarchiv Stade (BRD)
194. Stade StA	Stadtarchiv Stade (BRD)
195. Stans SA	Staatsarchiv und Kantonsbibliothek Nidwalden Stans (Schweiz)
196. Strasbourg A	Archives, Ville de Strasbourg (Frankreich)
197. Straubing	Archiv des Karmeliterklosters Straubing (BRD)
198. Stuttgart HSA	Hauptstaatsarchiv Stuttgart (BRD)
199. Stuttgart LKA	Evang. Oberkirchenrat, Landeskirchliches Archiv Stuttgart (BRD)
200. Stuttgart StA	Stadtarchiv Stuttgart (BRD)
201. Tettnang StA	Stadtarchiv Tettnang (BRD)
202. Trento	Archivio di Stato Trento (Italien)
203. Trier	Bistumsarchiv Trier (BRD)
204. Trier StA	Stadtarchiv Trier (BRD)
205. Triest	Archivio di Stato di Trieste (Italien)
206. Tübingen StA	Stadtarchiv Tübingen (BRD)
207. Tübingen Univ.A	Universitätsarchiv Tübingen (BRD)

208. Udine A	Archivio di Stato Udine (Italien)
209. Ulm StA	Stadtarchiv Ulm (BRD)
210. Vatican A	Archivio Segreto Vaticano Vatican
211. Völklingen StA	Stadtarchiv Völklingen (BRD)
212. Weimar SA	StaatsarchivWeimar (DDR)
213. Weissenburg StA	Stadtarchiv Weissenburg (BRD)
214. Wesel StA	Stadtarchiv Wesel (BRD)
215. Wien	Zentralarchiv des Deutschen Ordens Wien (Österreich)
216. Wien DA	Diözesanarchiv Wien (Österreich)
217. Wien SA	Österreichisches Staatsarchiv Wien (Österreich)
218. Wien Univ.A	Universitätsarchiv Wien (Österreich)
219. Wiesbaden HSA	Hessisches Hauptstaatsarchiv Wiesbaden (BRD)
220. Wolfenbüttel SA	Niedersächsisches Staatsarchiv Wolfenbüttel (BRD)
221. Würzburg DA	Diözesanarchiv Würzburg (BRD)
222. Würzburg SA	Staatsarchiv Würzburg (BRD)
223. Wuppertal StA	Stadtarchiv Wuppertal (BRD)
224. Zürich SA	Staatsarchiv Zürich (Schweinz)
225. Zürich StA	Stadtarchiv Zürich (Schweiz)
226. Zug SA	Staatsarchiv Zug (Schweiz)

G Verzeichnis der erfaßten Bibliotheken

1.	Aarau AK	Aargauische Kantonsbibliothek Aarau (Schweiz)
2.	Aberdeen UL	University Library King's College Aberdeen (Schottland)
3.	Admont	Stiftsbibliothek Admont (Österreich)
4.	Amsterdam UB	Universitätsbibliothek Amsterdam (Holland)
5.	Amsterdam VU	Bibliotheek der Vrije Universiteit Amsterdam (Holland)
6.	Aschaffenburg	Hof- und Stiftsbibliothek Aschaffenburg (BRD)
7.	Augsburg SSB	Staats- und Stadtbibliothek Augsburg (BRD)
8.	Avignon	Bibliothèque et Musées Avignon (Frankreich)
9.	Bamberg SB	Staatliche Bibliothek Bamberg (BRD)
10.	Basel UB	Universitätsbibliothek Basel (Schweiz)
11.	Berlin	Bibliothek der Kirchenkanzlei der Evangelischen Kirche der Union Berlin (BRD)
12.	Berlin DS	Deutsche Staatsbibliothek Berlin (DDR)
13.	Berlin KiHo	Bibliothek der Kirchlichen Hochschule Berlin (BRD)
14.	Berlin SBPrK	Staatsbibliothek Preußischer Kulturbesitz Berlin (BRD)
15.	Berlin UB	Bibliothek der Humboldt-Universität Berlin (DDR)
16.	Bern LB	Schweizerische Landesbibliothek Bern (Schweiz)
17.	Bern StB	Stadtbibliothek Bern (Schweiz)
18.	Besancon BM	Bibliothèque Municipale Besancon (Frankreich)
19.	Birmingham UL	University Library Birmingham (England)
20.	Bologna UB	Universitätsbibliothek Bologna (Italien)
21.	Bonn UB	Universitätsbibliothek Bonn (BRD)
22.	Brasov	Biblioteca Judeteana Brasov (Rumänien)
23.	Bratislava UB	Universitätsbibliothek Bratislava (Tschechoslowakei)
24.	Braunschweig	Bibliothek des Predigerseminars der Braunschweigischen evang.-luth. Landeskirche Braunschweig (BRD)
25.	Braunschweig StAE	Stadtarchiv und Stadtbibliothek Braunschweig (BRD)
26.	Bremen StB	Stadtbibliothek Bremen (BRD)

27. Bremen UB	Universitätsbibliothek Bremen (BRD)
28. Breslau UB	Uniwersytet Wrocławski — Biblioteka Uniwersytecka Wrocław (Breslau) (Polen)
29. Brünn	Klosterbibliothek der Kapuziner, von der UB Brno verwaltet (Tschechoslowakei)
30. Brünn UB	Universitätsbibliothek Brno (Tschechoslowakei)
31. Brüssel	Bibliothèque Royale de Belgique Brüssel (Belgien)
32. Budapest MTA	Magyar Tudomanyos Akademia Könyvtára Budapest (Ungarn)
33. Budapest OSK	Orszagos szechenyi könyvtar, National-bibliothek Budapest (Ungarn)
34. Budapest	Evangélikus Országos Könyvtár Budapest (Ungarn)
35. Bukarest	Academia republicii socialiste romania Bukarest (Rumänien)
36. Cambridge UL	University Library Cambridge (England)
37. Cambridge	Andover-Harvard Theological Library Cambridge, Mass. (USA)
38. Cambridge HU	The Houghton Library Harvard University Cambridge, Mass. (USA)
39. Chikago NL	The Newberry Library Chicago (USA)
40. Chikago UL	Univertity Library Chicago (USA)
41. Clausthal UB	Universitätsbibliothek Clausthal (BRD)
42. Coburg	Landesbibliothek Coburg (BRD)
43. Colmar	Direction des services d'archives du haut-rhin Colmar (Frankreich)
44. Danzig	Biblioteca Gdańska Polskiej Akademii Nauk Danzig (Polen)
45. Darmstadt HL	Hessische Landesbibliothek Darmstadt (BRD)
46. Dessau	Stadtbibliothek Dessau (DDR)
47. Dillingen	Studienbibliothek Dillingen (BRD)
48. Donaueschingen FFH	Fürstlich Fürstenbergische Hofbibliothek Donaueschingen (BRD)
49. Dortmund LB	Stadt- und Landesbibliothek Dortmund (BRD)
50. Dresden SL	Sächsische Landesbibliothek Dresden (DDR)
51. Dublin ML	Marsh Library Dublin (Irland)
52. Dublin TC	Trinity College Dublin (Irland)
53. Düsseldorf UB	Universitätsbibliothek Düsseldorf (BRD)
54. Eichstätt	Staats- und Seminarbibliothek Eichstätt (BRD)
55. Einsiedeln	Stiftsbibliothek Einsiedeln (Schweiz)
56. Eisenstadt	Burgenländische Landesbibliothek Eisenstadt (Österreich)
57. Erfurt	Wissenschaftliche Allgemeinbibliothek Erfurt (DDR)

58. Erlangen UB	Universitätsbibliothek Erlangen (BRD)
59. Florenz BNC	Biblioteca Nazionale Centrale Florenz (Italien)
60. Frankfurt SUB	Stadt- und Universitätsbibliothek Frankfurt/Main (BRD)
61. Freiburg UB	Universitätsbibliothek Freiburg i. Br. (BRD)
62. Freising	Dombibliothek Freising (BRD)
63. Fribourg BCU	Bibliothèque Cantonale et Universitaire Fribourg (Schweiz)
64. Fulda LB	Landesbibliothek Fulda (BRD)
65. Genf BPU	Bibliothèque Publique et Universitaire Genève (Schweiz)
66. Gent UB	Universitätsbibliothek Gent (Belgien)
67. Glasgow UL	University Library Glasgow (Schottland)
68. Görlitz	Oberlausitzische Bibliothek der Wissenschaften in Görlitz (DDR)
69. Göteborg	Universitätsbibliothek Göteborg (Schweden)
70. Göttingen UB	Universitätsbibliothek Göttingen (BRD)
71. Göttingen	Vereinigte Theol. Seminare Göttingen (BRD)
72. Gotha FB	Forschungsbibliothek, ehemalige Landesbibliothek Gotha, Schloß Friedenstein (DDR)
73. Graz UB	Universitätsbibliothek Graz (Österreich)
74. Greifswald UB	Universitätsbibliothek Greifswald (DDR)
75. Güssing	Bibliothek der PP. Franziskaner Güssing (Österreich)
76. Haguenau	Archives, Bibl. et Musèes de la Ville de Haguenau (Frankreich)
77. Halle ULB	Universitäts- und Landesbibliothek Halle/Saale (DDR)
78. Hamburg UB	Staats- und Universitätsbibliothek Hamburg (BRD)
79. Hannover NL	Niedersächsische Landesbibliothek Hannover (BRD)
80. Hannover StB	Stadtbüchereien Hannover (BRD)
81. Heidelberg UB	Universitätsbibliothek Heidelberg (BRD)
82. Helmstedt	Ehemalige Universitätsbibliothek Helmstedt (BRD)
83. Innsbruck	Bibliothek des Jesuitenkollegs Innsbruck (Österreich)
84. Innsbruck UB	Universitätsbibliothek Innsbruck (Österreich)
85. Isny	Kirchenbibliothek Isny (BRD)
86. Jena UB	Universitätsbibliothek Jena (DDR)
87. Karlsruhe BL	Badische Landesbibliothek Karlsruhe (BRD)
88. Karlsruhe	Evangelischer Oberkirchenrat — Archiv und Bibliothek Karlsruhe (BRD)
89. Klagenfurt	Bundesstaatliche Studienbibliothek Klagenfurt (Österreich)

90. Klosterneuburg	Stiftsbibliothek des Chorherrenstiftes Klosterneuburg (Österreich)
91. Köln EB	Erzbischöfliche Diözesanbibliothek Köln (BRD)
92. Köln	Evangelische Bibliothek Köln (BRD)
93. Köln UB	Universitätsbibliothek Köln (BRD)
94. Konstanz UB	Universitätsbibliothek Konstanz (BRD)
95. Kopenhagen KB	Kongelige Bibliothek Kopenhagen (Dänemark)
96. Kopenhagen RB	Rigsbibliotekarembedet, Office of the National Librarian Kopenhagen (Dänemark)
97. Kopenhagen UB	Universitätsbibliothek Kopenhagen (Dänemark)
98. Kornik BP	Biblioteka Pan w Korniku (Polen)
99. Krakau BJ	Biblioteka Universitetu Jagiellonskiego Krakau (Polen)
100. Krakau PAN	Biblioteka Polskiej Akademii Nauk Krakau (Polen)
101. Laibach	Narodna in Univerzitetna Knižnica Ljubljana (Jugoslawien)
102. Lambach	Bibliothek des Benediktinerstiftes Lambach (Österreich)
103. Lausanne BCV	Bibliothèque Cantonale et Universitaire du Canton de Vaud Lausanne (Schweiz)
104. Leiden UB	Bibliotheek der Rijksuniversiteit Leiden (Holland)
105. Leipzig UB	Universitätsbibliothek Leipzig (DDR)
106. Leipzig	Karl-Marx-Universität, Sektion Theologie, Wissenschaftsbereich Kirchengeschichte Leipzig (DDR)
107. Leningrad BAW	Bibliothek der Akademie der Wissenschaften Leningrad (UdSSR)
108. Leningrad Saltykov	M. E. Saltykov-Shchedrin State Public Library International Exchange Section Leningrad (UdSSR)
109. Lindau StB	Stadtbibliothek Lindau (BRD)
110. Linköpping	Stiftsbibliothek Linköping (Schweden)
111. Linz	Bundesstaatliche Studienbibliothek Linz (Österreich)
112. Liverpool UL	University Library Liverpool (England)
113. Loccum	Bibliothek des evangelischen Klosters Loccum (BRD)
114. London BM	Britisches Museum London (England)
115. Lüneburg	Ratsbücherei Lüneburg (BRD)
116. Lund UB	Universitätsbibliothek Lund (Schweden)
117. Luzern ZB	Zentralbibliothek Luzern (Schweiz)
118. Madrid BN	Biblioteca Nacional Madrid (Spanien)

119. Magdeburg StB	Stadt- und Bezirksbibliothek Magdeburg (DDR)
120. Mailand BN	Biblioteca Nazionale Milano (Italien)
121. Mainz	Bibliothek des Bischöflichen Priesterseminars Mainz (BRD)
122. Mainz StB	Stadtbibliothek Mainz (BRD)
123. Mainz UB	Universitätsbibliothek Mainz (BRD)
124. Marburg SBPrK	Staatsbibliothek, Preußischer Kulturbesitz Marburg/Lahn (BRD)
125. Marburg	Universität Marburg/Lahn, Theologische Seminare Marburg/Lahn (BRD)
126. Marburg UB	Universitätsbibliothek Marburg/Lahn (BRD)
127. Melk	Stiftsbibliothek Melk (Österreich)
128. Memmingen StB	Stadtbibliothek Memmingen (BRD)
129. Michigan UL	Ann Arbon University Library Michigan (USA)
130. Minneapolis	University of Minnesota, Twin Cities, Minneapolis (USA)
131. München	Evang.-Luth. Landeskirchenrat — Bibliothek München (BRD)
132. München BS	Bayerische Staatsbibliothek München (BRD)
133. München St. Anna	Bibliothek des Franziskanerklosters St. Anna München (BRD)
134. München St. Anton	Bibliothek des Klosters St. Anton München (BRD)
135. München UB	Universitätsbibliothek München (BRD)
136. Münster UB	Universitätsbibliothek Münster (BRD)
137. Neapel BN	Biblioteca Nazionale Vittorio Emanuele III Napoli (Italien)
138. Neuburg/Donau	Staatliche Bibliothek Neuburg/Donau (BRD)
139. New Haven	Yale University Library, New Haven, Connecticut (USA)
140. New York PL	Public Library New York (USA)
141. Nürnberg GNM	Germanische Nationalmuseum Nürnberg (BRD)
142. Nürnberg StB	Stadtbibliothek Nürnberg (BRD)
143. Olmütz	Státní Vedecká Knihovna Olomouc (Tschechoslowakei)
144. Oslo UB	Universitätsbibliothek Oslo (Norwegen)
145. Oxford BL	Bodleian Library Oxford (England)
146. Paris	Bibliothèque de l'arsenal Paris (Frankreich)
147. Paris Maz	Bibliothèque Mazarine Paris (Frankreich)
148. Paris BN	Bibliothèque Nationale Paris (Frankreich)
149. Paris UB	Université de Paris, Bibliothèque Sainte-Geneviève Paris (Frankreich)
150. Passau	Staatliche Bibliothek Passau (BRD)
151. Philadelphia	Philadelphia University Library Philadelphia (USA)

152. Philadelphia L	Lutheran Theological Seminary (Krauth Memorial Library) Philadelphia (USA)
153. Porto	Biblioteca Pública Municipal Porto (Portugal)
154. Prag Muz	Knihovna Národního Muzea v Praze Prag (Tschechoslowakei)
155. Prag Strahov	Památník Národního Písemnictvi na Strahově Prag (Tschechoslowakei)
156. Prag UK	Státni knihovna ČSR — Universitni knihovna Prag (Tschechoslowakei)
157. Prag	Československá akademie věd, Základní knihovna — Ústredi Vědeckých Informací Prag (Tschechoslowakei)
158. Regensburg	Staatliche Bibliothek Regensburg (BRD)
159. Regensburg UB	Universitätsbibliothek Regensburg (BRD)
160. Riga FB	Fundamentale biblioteka Riga (LSSR)
161. Riga SB	Staatsbibliothek der lettischen SSR Riga (LSSR)
162. Rostock UB	Universitätsbibliothek Rostock (DDR)
163. Rotterdam BG	Bibliotheek en Leeszaalen der Gemeente Rotterdam (Holland)
164. Salzburg	Bibliothek St. Peter Salzburg (Österreich)
165. Salzburg UB	Universitätsbibliothek Salzburg (Österreich)
166. Schleusingen	Bibliothek Schleusingen (DDR)
167. Schwaz	Bibliothek des Franziskanerklosters Schwaz (Österreich)
168. Seitenstetten	Stiftsbibliothek Seitenstetten (Österreich)
169. Sibiu	Muzeul Brukenthal Sibiu (Rumänien)
170. St. Florian	Bibliothek des Augustiner-Chorherrenstiftes St. Florian (Österreich)
171. St. Gallen StB	Stadtbibliothek Vadiana St. Gallen (Schweiz)
172. St. Lambrecht	Stiftsbibliothek St. Lambrecht (Österreich)
173. Stams	Bibliothek des Stiftes Stams (Österreich)
174. Stockholm KB	Kungliga Biblioteket i Stockholm (Schweden)
175. Strasbourg BNU	Bibliothèque Nationale et Universitaire de Strasbourg (Frankreich)
176. Strasbourg CW	Collegium Wilhelmitanum Strasbourg (Frankreich)
177. Strasbourg FP	Bibliothèque de la Faculté Protestante de Strasbourg (Frankreich)
178. Strasbourg	Bibliothèque de la Ville de Strasbourg (Frankreich)
179. Stuttgart WL	Württembergische Landesbibliothek Stuttgart (BRD)
180. Tartu	Wissenschaftliche Bibliothek der Universität Tartu (Estnische SSR)
181. Thorn KM	Ksiaznica Miezska in M. Kopernika Toruń (Polen)

182. Thorn UB	Universitätsbibliothek Thorn (Polen)
183. Trier StB	Stadtbibliothek und Stadtarchiv Trier (BRD)
184. Tübinger Ev. Stift	Evangelisches Stift — Bibliothek Tübingen (BRD)
185. Tübingen UB	Universitätsbibliothek Tübingen (BRD)
186. Tübingen Wilh.Stift	Bibliothek des Wilhelmstiftes (Kath.-theol. Konvikt) Tübingen (BRD)
187. Udine	Biblioteca Comunale „Vincenzo Joppi" Udine (Italien)
188. Ulm StB	Stadtbibliothek Ulm (BRD)
189. Uppsala UB	Universitätsbibliothek Uppsala (Schweden)
190. Utrecht UB	Universitätsbibliothek Utrecht (Holland)
191. Västeras	Stifts- och Landsbiblioteket Västeras (Schweden)
192. Växjö	Stifts- och Landsbiblioteket Växjö (Schweden)
193. Vatican	Biblioteca Apostolica Vaticana Rom
194. Venedig BN	Biblioteca Nazionale Marciana Venezia (Italien)
195. Vorau	Stiftsbibliothek Vorau (Österreich)
196. Warschau BN	Biblioteka Narodowa Warszawa Warschau (Polen)
197. Warschau UB	Universitätsbibliothek Warschau (Polen)
198. Weimar	Zentralbibliothek der deutschen Klassik Weimar (DDR)
199. Wien DB	Bibliothek des Dominikanerkonvents Wien (Österreich)
200. Wien EB	Bibliothek des Erzbischöflichen Ordinariates Wien (Österreich)
201. Wien NB	Nationalbibliothek Wien (Österreich)
202. Wien NLB	Niederösterreichische Landesbibliothek Wien (Österreich)
203. Wien SchB	Stiftsbibliothek Schotten Wien (Österreich)
204. Wilna	V. Kapsuko Universiteto — Mokslinė Biblioteka Vilnius (LSSR)
205. Wittenberg EP	Bibliothek des Evangelischen Prediger-seminars Wittenberg-Lutherstadt (DDR)
206. Wolfenbüttel HAB	Herzog August Bibliothek Wolfenbüttel (BRD)
207. Würzburg UB	Universitätsbibliothek Würzburg (BRD)
208. Zagreb BN	Biblioteka Nacionalna Zagreb (Jugoslawien)
209. Zeitz	Stiftsbibliothek Zeitz (DDR)
210. Zürich ZB	Zentralbibliothek Zürich (Schweiz)
211. Zug StB	Stadtbibliothek Zug (Schweiz)
212. Zwettl	Bibliothek des Stiftes Zwettl (Österreich)
213. Zwickau RB	Ratsschulbibliothek Zwickau (DDR)

Literaturverzeichnis

(Verwendete Primärliteratur — sofern nicht im II. Tl. bibliographiert — und Sekundärliteratur).

Aarts, Das Amt bei Martin Luther: Aarts Jan, Die Lehre Martin Luthers über das Amt in der Kirche. Eine genetisch-systematische Untersuchung seiner Schriften von 1512 bis 1525. Helsinki 1972 (Schriften der Luther-Agricola-Gesellschaft, A 15).

Adam, Decades duae: Adam Melchior, Decades duae continentes Vitas Theologorum exterorum principum, qui ecclesiam Christi superiori seculo propagarunt. Frankfurt 1618.

Adam, Vitae Germanorum: Adam Melchior, Vitae Germanorum Theologorum, qui superiori seculo ecclesiam Christi voce scriptisque propagarunt et propugnarunt. Frankfurt 1653.

Aland, Lutherlexikon: Aland Kurt (Hg.), Lutherlexikon. 3. Aufl., Göttingen 1974.

Allen: Allen P. S. (Hg.), Opus Epistolarum Des. Erasmi Roterodami. 11 Bde., Oxfort 1906—47.

Althaus, Gebetsliteratur: Althaus Paul d. Ä., Forschungen zur Evangelischen Gebetsliteratur. Gütersloh 1927.

Althaus, Theologie Luthers: Althaus Paul, Die Theologie Martin Luthers. 3. Aufl., Gütersloh 1972.

Amon, Cum rex gloriae: Amon Karl, Die Verteidigungsschrift des Abtes Engelbert von Admont für das österliche Canticum triumphale „Cum rex gloriae". In: Festschrift Franz Loidl zum 65. Geburtstag. Viktor Flieder (Hg.), 2. Bd., Wien 1970, S. 9—30.

Angerer, Brixen: Mairhofer Theodor (Hg.), Brixen und seine Umgebung in der Reformations-Periode 1520—1525 nach dem ungedruckten Bericht des Augenzeugen Angerer von Angersburg, der Rechte Doctor in Brixen. In: Zwölftes Programm des kaiserl. königl. Gymnasiums zu Brixen. Brixen 1862, S. 1—24.

Arbusow, Liturgie: Arbusow Leonid, Liturgie und Geschichtsschreibung im Mittelalter. Bonn 1951.

Aschbach, Wiener Universität: Aschbach Joseph, Geschichte der Wiener Universität im ersten Jahrhundert ihres Bestehens. 3 Bde., Wien 1865—1888; Reprint: Farnborogh 1967.

Asmussen, Das Amt der Bischöfe: Asmussen Hans, Das Amt der Bischöfe nach Augustana 28. In: Festgabe Joseph Lortz. Iserloh Erwin und Manns Peter (Hg.), 1. Bd., Baden-Baden 1957, S. 209—231.

Bäumer, Lehramt: Bäumer Remigius, Lehramt und Theologie in der Sicht katholischer Theologen des 16. Jahrhunderts. In: KLK, 36. H., 1976, S. 34—61.

Bäumer, Martin Luther: Bäumer Remigius, Martin Luther und der Papst. 2. Aufl., Münster 1970 (KLK, 30. H.).

Bagnatori, Cartas inéditas: Bagnatori Giuseppe, Cartas inéditas de Alfonso de Valdés sobre la Dieta de Augsburgo. In: Bulletin Hispanique, 57. Bd., 1955, S. 353—374.

Bahrdt, Geschichte: Bahrdt Waldemar, Geschichte der Reformation der Stadt Hannover. Hannover 1891.

Baier, Domkapitelprotokolle: Baier Hermann, Aus Konstanzer Domkapitelprotokollen 1487—1524. In: ZGO, 66. Bd., 1912, S. 197—233.

Baier, Konstanzer Subsidium: Baier Hermann, Das Subsidium caritativum für Bischof Hugo von Konstanz vom Jahre 1500. In: ZGO, 63. Bd., 1909, S. 83—91.

Baier, Vorreformationsgeschichtliche Forschungen: Baier Hermann, Vorreformationsgeschichtliche Forschungen aus der Diözese Konstanz. In: FDA, 41. Bd., 1913, S. 29—81.

Baltl, Maximilian I.: Baltl Andrea, Maximilian I. Beziehungen zu Wissenschaft und Kunst. Graz 1967, ungedr. Phil. Diss.

Barge, Karlstadt: Barge Hermann, Andreas Bodenstein von Karlstadt. 2 Bde., Leipzig 1905; Reprint: Nieuwkoop 1968.

Bauch, Johannes Rhagius: Bauch Gustav, Johannes Rhagius Aesticampianus in Krakau, seine erste Reise nach Italien und sein Aufenthalt in Mainz. In: Archiv für Litteraturgeschichte, 12. Bd., Leipzig 1884, S. 321—370.

Bauch, Die Vertreibung Aesticampianus': Bauch Gustav, Die Vertreibung des Johannes Rhagius Aesticampianus aus Leipzig. In: Archiv für Litteraturgeschichte, 13. Bd., Leipzig 1885, S. 1—33.

Baum, Capito und Butzer: Baum Johann Wilhelm, Capito und Butzer Straßburgs Reformatoren. Elberfeld 1860; Reprint: Nieuwkoop 1967.

Baur, Zwinglis Theologie: Baur August, Zwinglis Theologie. Ihr Werden und ihr System. 2 Bde., Halle 1885—1889.

Bayle, Historisch-kritisches Wörterbuch: Bayle Peter, Historisches und Critisches Wǒrterbuch, nach der neuesten Auflage von 1740 ins Deutsche ůbersetzt; Mit des berůhmten Freyherrn von Leibnitz, und Herrn Maturin Beissiere la Croze, auch verschiedenen andern Anmerkungen, sonderlich bey anstǒßigen Stellen wie auch einigen Zugaben versehen, von Johann Christoph Gottscheden. 4. Bd., Leipzig 1744.

Beck, Erbauungsliteratur: Beck Hermann, Die Erbauungsliteratur der evangelischen Kirche Deutschlands (1. Tl.) von Dr. M. Luther bis Martin Moller (Mehr nicht erschienen). Erlangen 1883.

Beer/Habitzky, Anerkennung der CA: Beer Theobald-Habitzky Meinolf, Katholische Anerkennung der Confessio Augustana? In: Cath(M), 30. Jg., 1976, S. 77—80 und IkZ, 5. Jg., 1976, S. 189—192.

Bensing, Thomas Müntzers Aufenthalt: Bensing Manfred, Thomas Müntzers Aufenthalt in Nordhausen 1522. In: Harz-Zeitschrift, 19. und 20. Jg., Goslar 1967/68, S. 36—62.

Benzing/Claus: Benzing Josef, Lutherbibliographie. Verzeichnis der gedruckten Schriften Martin Luthers bis zu dessen Tod. Bearb. unter Mitarb. v. Helmut Claus. Baden-Baden 1966. (BBAur, 10. 16. u. 19. Bd.).

Benzing, Buchdrucker: Benzing Josef, Die Buchdrucker des 16. und 17. Jahrhunderts im deutschen Sprachgebiet. Wiesbaden 1963. (Beiträge zum Buch- und Bibliothekswesen, 12. Bd.).

Berger, Sturmtruppen: Berger Arnold E., Die Sturmtruppen der Reformation, Flugschriften der Jahre 1520—1525. Leipzig 1931. (Deutsche Literatur, Reihe Reformation, 2. Bd.); Reprint: Darmstadt 1964.

Bertram, Das Evangelische Lüneburg: Bertram Johann Georg, Das Evangelische Lüneburg: Oder Reformations- und Kirchen-Historie/Der Alt-berühmten Stadt Lüneburg. Braunschweig 1719.

Bibliotheca: Bibliotheca Historico — Philologico — Theologica. Classis sextae fasciculus quintus. Bremen 1723.

Biehl, Das liturgische Gebet: Biehl Ludwig, Das liturgische Gebet für Kaiser und Reich. Ein Beitrag zur Geschichte des Verhältnisses von Kirche und Staat. Paderborn 1937 (Görres-Gesellschaft zur Pflege der Wissenschaft im katholischen Deutschland. Veröffentlichungen der Sektion für Rechts- und Staatswissenschaft, 75. H.).

Blanke, Brüder in Christo: Blanke Fritz, Brüder in Christo. Zürich 1955 (ZwingBü, 71. Bd.).

Blanke, Zwingli — Blarer: Blanke Fritz, Zwingli mit Ambrosius Blarer im Gespräch. In: Blarer Ambrosius, S. 81—86.

Blanke, Zwinglis „Fidei ratio": Blanke Fritz, Zwinglis „Fidei ratio" (1530) Entstehung und Bedeutung. In: ARG, 57. Bd., 1966, S. 96—102.

Blarer Ambrosius: Der Konstanzer Reformer Ambrosius Blarer 1492—1564 Gedenkschrift zu seinem 400. Todestag. Moeller Bernd (Hg.). Konstanz-Stuttgart 1964.

Blochwitz, Antirömische Flugschriften: Blochwitz Gottfried, Die antirömischen deutschen Flugschriften der frühen Reformationszeit (bis 1522) in ihrer religiös-sittlichen Eigenart. In: ARG, 37. Jg., 1930, S. 145—254.

Blume, Kirchenmusik: Blume Friedrich, Geschichte der evangelischen Kirchenmusik. 2. Aufl., Kassel-Berlin-Paris-London-New York 1965.

BM STC: Short-title catalogue of books printed in the German-speaking countries and German books printed in other countries from 1455 to 1600 now in the British Museum. London 1962.

Boehmer, Luthers erste Vorlesung: Boehmer Heinrich, Luthers erste Vorlesung. Leipzig 1924.

Bonorand, Vadians Freundeskreis: Bonorand Conradin, Aus Vadians Freundes- und Schülerkreis in Wien. St. Gallen 1965 (Vadian-Studien, 8. H.).

Borcherdt/Merz, Latomus: Borcherdt H. H. und Merz Georg (Hgg.), Martin Luther, Ausgewählte Werke, Ergänzungsreihe 6. Bd.: Wider den Löwener Theologen Latomus. 3. Aufl., München 1961.

Bornkamm, Bucer: Bornkamm Heinrich, Martin Bucers Bedeutung für die europäische Reformationsgeschichte. Gütersloh 1952 (SVRG, 58. Jg./2. H.).

Bornkamm, Der authentische Text der CA: Bornkamm Heinrich, Der authentische lateinische Text der Confessio Augustana (1530). In: SHAW. PH, Jg. 1956, 2. Abhandlung, S. 3—23.

Bossert, Kirchengeschichte: Bossert Gustav, Württembergische Kirchengeschichte. Calw 1893.

Brandes: Brandes Walter, Bibliographie der niedersächsischen Frühdrucke bis zum Jahre 1600. Baden-Baden 1960. (BBAur, 4. Bd.).

Brandi, Kaiser Karl V: Brandi Karl, Kaiser Karl V. Werden und Schicksal einer Persönlichkeit und eines Weltreiches. 1. Bd., 4. Aufl., München 1942.

Brandi, Reformation: Brandi Karl, Die deutsche Reformation. Leipzig 1927.

Braun, Bauernkrieg: Braun Friedrich, Drei Aktenstücke zur Geschichte des Bauernkrieges. In: BlbKG, 2. Jg., 1888/89, S. 157—160; 170—176; 185—192. 3. Jg., 1889/90, S. 9—16; 24—32.

Braun, Geschichte: Braun Placidus, Geschichte der Bischöfe von Augsburg. 4 Bde., Augsburg 1813/14.

Braun, Der Klerus von Konstanz: Braun Albert, Der Klerus des Bistums von Konstanz im Ausgang des Mittelalters. Münster i. W. 1938. (VRF, 14. Bd.).

Brecht, Zwingli: Brecht Martin, Hat Zwingli seinen Brief an Matthäus Alber über das Abendmahl abgesandt? In: ARG, 58. Jg., 1967, S. 100—102.

Brenz, Anecdota: Anecdota Brentiana. Ungedruckte Briefe und Bedenken von Johannes Brenz. Pressel Theodor (Hg.). Tübingen 1868.

Brieger, Zur Geschichte der CA: Brieger Theodor, Zur Geschichte des Augsburger Reichstages von 1530. In: Zur Feier des Reformationsfestes und des Übergangs des Rektorats. Leipzig 1903, S. 1—59.

Brieger, Die theologischen Promotionen: Brieger Theodor, Die theologischen Promotionen auf der Universität Leipzig 1428 bis 1539. In: Zur Feier des Reformationsfestes der Universität Leipzig. Leipzig 1890, S. V—XII und 1—79.

Brucker, Vita Gasseri: Brucker Jakob, De vita et scriptis Achillis Pirmini Gasseri Lindaviensis dissertatio. In: Amoenitates literariae, 10. Bd., Frankfurt-Leipzig 1729.

Brück, Geschichte der Handlungen: Brück Gregor, Geschichte der Handlungen in der Sache des heiligen Glaubens auf dem Reichstag zu Augsburg.Förstemann Karl Eduard (Hg.). Halle 1831 (Archiv für die Geschichte der kirchlichen Reformation, 1. Bd./1. H.).

Brunner, Alphabetischer Katalog: Brunner Klaus, Alphabetischer Katalog der v. Baldaufschen Bibliothek in Hall/Tirol. Innsbruck 1974, ungedr. Manuskript im Institut für Pastoraltheologie der Universität Innsbruck.

Brunner, Baldaufsche Bibliothek: Brunner Klaus, Baldaufsche Bibliothek in Hall. In: ZKTh, 94. Bd., 1972, S. 450.

BSLK: Die Bekenntnisschriften der evangelisch-lutherischen Kirche. Deutscher Evangelischer Kirchenausschuß (Hg.). 6. Aufl., Göttingen 1967.

Bucers Deutsche Schriften: Martin Bucers Deutsche Schriften. Stupperich Robert (Hg.). 1. Bd. ff., Gütersloh 1960ff.

Burgdorf, Johann Lange: Burgdorf Martin, Johann Lange der Reformator Erfurts. Kassel 1911.

Burger, Evangelisches Wesensarchiv: Burger Helene, Das evangelische Wesensarchiv in Augsburg, Übersicht der Bestände. Erlangen 1941. (EKGB, 22. Bd.).

Burger, Spiegel: Burger Thomas, Jakob Spiegel. Ein humanistischer Jurist des 16. Jahrhunderts. Augsburg 1973.

Burmeister, Gasser: Burmeister Karl Heinz, Achilles Birmin Gasser. 1505—1577. Arzt und Naturfoscher. Historiker und Humanist. 1. Bd. ff., Wiesbaden 1970.

Burmeister, Münsterbibliographie: Burmeister Karl Heinz, Sebastian Münster. Eine Bibliographie. Wiesbaden 1964.

Burmeister, Das Studium der Rechte: Burmeister Karl Heinz, Das Studium der Rechte im Zeitalter des Humanismus im deutschen Rechtsbereich. Wiesbaden 1974.

Bytemeister, Commentarius: Bytemeister Heinrich Johann, Commentarius Historicus de vita, scriptis et meritis supremorum praesulum in ducatu Lunaeburgensi. Celle 1726.

CA: Confessio Augustana.

Capelli: Capelli Adriano, Dizionario di Abbreviature latine ed italiane. 6. Aufl., Milano 1961.

Cardauns, Unionsbestrebungen: Cardauns Ludwig, Zur Geschichte der kirchlichen Unions- und Reformationsbestrebungen von 1538 bis 1542. Rom 1910.

Cassel, Geschichte der Stadt Celle: Cassel Clemens (Bearb.), Geschichte der Stadt Celle mit besonderer Berücksichtigung des Geistes- und Kulturlebens der Bewohner. 1. Bd., Celle 1930.

Christel, Augsburgische Kirchen-Historie: Christel Johann Martin M., Augsburgische Kirchen-Historie, ab origine civitatis usque ad Ann. 1628. Augsburg 1736.

Chronica ecclesiastica Augustana: Chronica ecclesiastica Augustana, verfaßt von (Scheller Augustin) 1749. Ms., aufbewahrt in der STB Augsburg.
Chytraeus, Historia: Chytraeus David, Historia der Augspurgischen Confession: Wie sie erstlich berathschlagt, verfasset und Keiser Carolo V. übergeben ist, sampt andern Religionshandlungen, so sich dabey auff dem Reichstag zu Augspurg anno 1530 zugetragen. Frankfurt 1576.
Clemen, Ein Brief des Urbanus Rhegius: Clemen Otto, Ein Brief des Urbanus Rhegius. In: ZHVNS, 1904, S. 371—374.
Clemen, Henricus Phoeniceus: Clemen Otto, Henricus Phoeniceus = Urbanus Rhegius. In: BBKG, 9. Bd., 1903, S. 72—81.
Clemen, Philadelphus Regius: Clemen Otto, Philadelphus Regius = Urbanus Rhegius? In: ZBKG, 8. Jg., 1933, S. 207—214.
Clemen, Symon Hessus: Clemen Otto, Das Pseudonym von Symon Hessus. In: ZfB, 17. Jg., 1900, S. 566—592.
Clemen, Zieglers Leichenrede: Clemen Otto, Des Hieronimus Ziegler Leichenrede für den Freisinger Kanonikus Georg Stenglin (1554). In: ZBKG, 19. Jg., 1950, S. 106—120.
Cochläus, Gutachten: Conditiones Philippi Augustae ad R. D. Cardinalem Campegium missae. Cum responsione D. I. Cochlaei ad easdem, Anno M.D.XXX. In: Coelestin, Historia comitiorum, 3. Tl., fol 20—23'. Diese Schrift erschien 1531 erstmals gedruckt. Vgl. Spahn, Cochläus, S. 354, Nr. 78.
Coelestin, Historia comitiorum: Coelestinus Georg, Historia comitiorum anno 1530 Augustae celebratorum, repurgatae doctrinae occasionem, praecipuas de religione deliberationes, consilia, postulata responsa, pacis ac concordiae media, pompas, epistolas & tàm Pontificiorum quàm Euangelicorum scripta pleraque complectens: Per annos iam multos, magnis sumptibus et periculis peregrinationibus collecta, et in quatuor tomos distributa. Frankfurt 1577.
Cohrs, Urbanus Rhegius: Cohrs Ferdinand, Urbanus Rhegius „Examen episcopi in ducatu Luneburgensi“, 1536 (?). In: Studien zur Reformationsgeschichte und zur praktischen Theologie. Gustav Kawerau an seinem 70. Geburtstage dargebracht. Leipzig 1917, S. 57—69.
Crecelius, Ungedrucktes Schreiben: Crecelius Wilhelm, Ungedrucktes Schreiben des Urbanus Rhegius (an Johann Lang, 14. Juli 1538). In: ZHVNS, 1873, S. 351—352.
Crome, Urbanus Rhegius: Crome Johanna, Urbanus Rhegius (1489—1541) zur 400jährigen Reformations-Jubelfeier. In: Niedersachsen, 23. Jg., Bremen 1917/18, S. 23f.
Crusius, Annalium Svevicorum: Crusius Martin, Annalium Svevicorum dodecas tertia, ab anno Christi 1213 usque ad 1594. annum perducta. Frankfurt 1596.
CT: Confessio Tetrapolitana.
Cura pastoralis I: Cura pastora=/lis pro ordinā//dorum tenta=//mine collecta// (HS: Zwei Engel halten links und rechts eine überdimensionale gotische Monstranz) 25 Bl. Basel, Nikolaus Lamparter, o. J.
Cura pastoralis II: Cura pa=//storalis.//Pro ordinan=//dorum tētamine.// 20 Bl. Wien, Johann Winterburger. o. J.
Cura pastoralis III: Cura Pastoralis // pro ordinandorum tentamine// Collecta// (HS: In einem Rechteck befinden sich verteilt auf die vier Ecken Medaillons, in denen die vier Evangelisten mit ihren Symbolen dargestellt sind. Im Schnittpunkt der Diagonalen befindet sich das Jesuskind sitzend auf einem Polster mit den Leidenswerkzeugen in den Händen.) 11 Bl. Nürnberg, Johann Weißenburger, 22. Mai 1512.

Cura pastoralis IV: Cura pastoralis Pro// ordinandorū ten=//tamine collecta// (HS: Vier Medaillons die Symbole der Evangelisten darstellend) 20 Bl. Nürnberg, Wolfgang Huber, 1512.

Cura pastoralis V: Nur im Satzspiegel geringfügig veränderter Nachdruck von Cura pastoralis III. Gedruckt: 18. April 1513.

Cura pastoralis VI: Cura pastoralis pro//ordinādorū//tēta=//mine collecta.// (Stich: Christus am Kreuz; darunter stehen Maria und Johannes) 17 Bl. Straßburg, s. typr., 1518.

Cyprian, Historia: Cyprian Ernst Salomon, Historia der Augsburgischen Confession. Gotha 1730.

Dacheux: Dacheux Ludwig, Die ältesten Schriften Geilers von Kaysersberg. Freiburg i. Br. 1882.

Damm, Bertram v. Damm: Damm Richard v., Bertram v. Damm, ein braunschweigischer Zeit= und Streitgenosse Luthers. In: ZGNKG, 18. Jg., 1913, S. 160—205.

Deschner, Das Kreuz mit der Kirche: Deschner Karlheinz, Das Kreuz mit der Kirche. Eine Sexualgeschichte des Christentums. Düsseldorf-Wien 1974.

Deutsch, Kilian Leib: Deutsch Josef, Kilian Leib Prior von Rebdorf. Ein Lebensbild aus dem Zeitalter der deutschen Reformation. Münster 1910 (RGST, 15./16. H.).

Diehl, Die Zeit der Scholastik: Diehl Adolf, Die Zeit der Scholastik. In: Geschichte des Schulwesens in Württemberg, S. 18—256.

Dobel, Memmingen: Dobel Friedrich, Memmingen im Reformationszeitalter nach handschriftlichen Quellen. 5 Tle., Augsburg 1877—1878, 1. Tl. 2. Aufl.

Döllinger, Reformation: Döllinger Ignaz, Die Reformation, ihre innere Entwicklung und ihre Wirkungen im Umfange des Lutherischen Bekenntnisses. 3 Bde., Regensburg 1848.

Drabek, Reisezeremoniell: Drabek Anna Maria, Reisen und Reisezeremoniell der römisch-deutschen Herrscher im Spätmittelalter. Wien 1964, ungedr. Phil. Diss.

Druffel, Über die Aufnahme der Bulle: Druffel August von, Über die Aufnahme der Bulle „Exsurge Domine" — Leo X. gegen Luther — von Seiten einiger Süddeutschen Bischöfe. In: SBAW. PPH, 10. Jg., 1880, S. 571—597.

Ebert, Geschichte: Ebert Adolf, Geschichte der christlich-lateinischen Literatur von ihren Anfängen bis zum Zeitalter Karls des Großen. Leipzig 1874. (Allgemeine Geschichte der Literatur des Mittelalters im Abendlande. 1. Bd.).

Eck, Articulos 404: Eck Johann, Sub Domini Jesu et Mariae patrocinio articulos 404. Ingolstadt 1530. Siehe: Gußmann, Ecks 404 Artikel.

Eck, Epistola: Eck Johann, Epistola Joh. Eccii sedis papistice nuncii. 3. Mai 1520 (Wittenberg 1520). Vgl. Wiedemann, Eck, XXX, S. 156; Metzler, 35.

Eck, Epithalamia: Eck, EPITHALAMIA Martini Lutheri Vuittenbergensis. Joannis Hessi Vratislauiensis. Urbani Regii ac id genus nuptiarum. Ingolstadt 1527. Vgl. Wiedemann, Eck, XLVIII, S. 556ff.; Metzler, 59.

Eck, Prima pars: Eck Johann, Prima pars operum Johan. Eckii contra Ludderum.
I. Epistola ad gloriosissi. Imp. Carolum V. August. a Deo coronatum.
II. De Primatu Petri lib. III.
III. De Poenitentia lib. III.
M.D.XXX. Cum grā priuilegij sub sequēti secūde parti adnexi. Augsburg 1530. Vgl. Wiedemann, Eck, LVI, S. 586; Metzler, 70 I, S. CXI; Schauerte, Bußlehre, S. 11f.

Eck, Replica: Eck Johann, Replica Joan. Eckii adversus scripta secunda Buceri apostatae super actis Ratisponae. Ingolstadt 1543. Vgl. Wiedemann, Eck, LXXX, S. 645f.; Metzler, 97 (2).

Eckert, Geschichte der Lateinschule: Eckert Ferdinand, Geschichte der Lateinschule Lindau. Festschrift zum Gedächtnis der Gründung der Lateinschule Lindau vor 400 Jahren 1528—1928. Lindau 1928 (Neujahrblätter des Museumsvereins Lindau-Bodensee, 8. Nr.).

Eder, Dietrichstein: Eder Karl, Landeshauptmann Siegmund von Dietrichstein (1480—1533). In: ZHVSt, 6. Sonderbd., 1962, S. 19—23.

Eder, Das Land ob der Enns: Eder Karl, Das Land ob der Enns vor der Glaubensspaltung. Linz 1933 (Studien zur Reformationsgeschichte Oberösterreichs, 1. Bd.).

Eder, Landeshauptmann Dietrichstein: Eder Karl, Der steirische Landeshauptmann Siegmund von Dietrichstein (1480—1533). Beiträge zu seiner Biographie. Neu hgg. von Helmut J. Mezler-Andelberg. 21. Bd. der Forschungen zur geschichtlichen Landeskunde der Steiermark. Graz 1963. (Enthält den Nachdruck von drei weiteren Artikeln Eders über Dietrichstein.)

Eells, Sacramental negotiations: Eells Hastings, Sacramental negotiations at the diet of Augsburg 1530. In: Princeton theological review, 23. Vol., 1925, S. 213—233.

Egger, Heilige Kapelle: Egger Franz, Die Heilige Kapelle in Hall. Festschrift. Innsbruck 1953.

Ehes, Kardinal Lorenzo Campeggio: Ehes Stephan, Kardinal Lorenzo Campeg(g)io auf dem Reichstage von Augsburg 1530.
In: RQ, 17. Bd., 1903, S. 383—406;
18. Bd., 1904, S. 358—384;
19. Bd., 1905, 2. Tl., S. 129—152;
20. Bd., 1906, 2. Tl., S. 54—80;
21. Bd., 1907, 2. Tl., S. 114—139.

Eiden/Müller: Eiden Ingrid und Müller Dietlind, Der Buchdrucker Alexander Weissenhorn in Augsburg 1528—1540. In: AfGB, 11. Bd., 1971, Sp. 527—592. (Zählung nach Spalten ab Bd. 3).

Ellinger, Italien: Ellinger Georg, Italien und der deutsche Humanismus in der neulateinischen Lyrik. Berlin-Leipzig 1929. (Geschichte der neulateinischen Literatur Deutschlands im sechzehnten Jahrhundert, 1. Bd.).

Ellinger, Müntzer: Ellinger Walter, Thomas Müntzer Leben und Werk. Göttingen 1975.

Enders, Briefwechsel: Enders Ludwig, Dr. Martin Luther's Briefwechsel. Bearbeitet und mit Erläuterungen versehen von Ernst Ludwig Enders. 1. Bd., Frankfurt/M. 1884, 2. Bd. ff., Calw und Stuttgart 1889ff.

Engelhardt, Nürnberg: Engelhardt Adolf, Die Reformation in Nürnberg. 3 Tle.
In: MVGSN, 33. Bd., 1936 = 1. Tl.
34. Bd., 1937 = 2. Tl.
36. Bd., 1939 = 3. Tl.

Engelhardt, Der Reichstag zu Augsburg 1530: Engelhardt Adolf, Der Reichstag zu Augsburg 1530 und die Reichsstadt Nürnberg. Nürnberg 1929.

Erasmus, Opera: Desiderii Erasmi Roterodami Opera omnia, edidit Johannes Clericus. 10 Bde., Leiden 1703—1706; Reprint: Hildesheim 1961—1962.

Eubel, Hierarchia Catholica: Eubel Conrad, Hierarchia Catholica medii et recentioris aevi. 3 Bde., 2. Aufl., Münster 1913—23.

Falk, Klerikales Proletariat: Falk F., An der Wende des 15. Jahrhundert. (Klerikales Proletariat.) In: HPBl, 112. Bd., 1893, S. 545—559.

Farner, Zwingli: Farner Oskar, Huldrych Zwingli. 4 Bde., Zürich 1943—1960.

Felmayer, Hölzl: Felmayer Johanna, Ritter Blasius Hölzl. In: Osttiroler Heimblätter, 32. Jg., 1964, Nr. 2 und 3.

Fendt, Beichte: Fendt Leonhard, Luthers Reformation der Beichte. In: Luther, 24. Jg., 1953, S. 121—137.

Festgabe Liliencron: Acht Lieder aus der Reformationszeit. Festgabe der Gesellschaft für deutsche Literatur für D. Dr. Rochus Freiherrn von Liliencron zum 8. Dezember 1910. Zum 90. Geburtstag Seiner Exzellenz des Wirklichen Geheimen Rates Herrn D. Dr. Rochus Freiherrn von Liliencron. Berlin 1910.

Fick, Dr. Urban Rhegius: Fick Hermann, Dr. Urbanus Rhegius' Disputation über die Wiederherstellung des Reiches Israel wider alle Chiliasten aller Zeiten. Hermannsburg 1860.

Ficker, Das Konstanzer Bekenntnis: Ficker Johannes, Das Konstanzer Bekenntnis für den Reichstag zu Augsburg 1530. In: Theologische Abhandlungen. Eine Festgabe zum 17. Mai 1902 für Heinrich Julius Holtzmann dargebracht. Tübingen-Leipzig 1902, S. 243—297.

Ficker, Die Konfutation: Ficker Johannes, Die Konfutation des Augsburgischen Bekenntnisses. Ihre erste Gestalt und ihre Geschichte. Leipzig 1891.

Fille, Zur Reformationsgeschichte Augsburgs: Fille Johann, Zur Reformationsgeschichte Augsburgs. In: JhVD, 8. Bd., 1895, S. 26—41.

Fischer, Beichte I: Fischer E., Zur Geschichte der evangelischen Beichte.
I. Die katholische Beichtparxis bei Beginn der Reformation und Luthers Stellung dazu in den Anfängen seiner Wirksamkeit. In: SGTK, 8. Bd./2. H., 1902, S. 1—216.

Fischer, Beichte II: Fischer E., Zur Geschichte der evangelischen Beichte.
II. Niedergang und Neubelebung des Beichtinstituts in Wittenberg in den Anfängen der Reformation. In: SGTK, 9. Bd./4. H., 1903, S. 1—241.

Fleischmann, Gasser: Fleischmann Josef, Achilles Pirminus Gasser. In: Lebensbilder aus dem Bayerischen Schwaben. Pölnitz Götz Freiherr von (Hg.), 6. Bd., München 1958, S. 259—291.

Fligge, Herzog Albrecht: Fligge Jörg Rainer, Herzog Albrecht von Preussen und der Osiandrismus 1522—1568. Bonn 1972, Phil. Diss.

Flugschriften der Bauernkriegszeit: Laufer Christel, Läsche Dietrich u. a. (Bearb.), Flugschriften der Bauernkriegszeit. Berlin 1975.

Förstemann, Urkundenbuch: Förstemann Karl Eduard, Urkundenbuch zu der Geschichte des Reichstages zu Augsburg im Jahre 1530. 2 Bde., Halle 1833—35; Reprint: Osnabrück 1966.

Franz: Franz Gunther, Huberinus — Rhegius — Holbein. Bibliographische und druckgeschichtliche Untersuchung der verbreitesten Trost- und Erbauungsschriften des 16. Jahrhunderts. Nieuwkoop 1973. (Bibliotheca humanistica et reformatorica, VII. Vol.).

Franz, Johannes Frosch: Franz Gunther, Johannes Frosch-Theologe und Musiker in einer Person? In: Mitteilungen und Neuerwerbungen der Universitätsbibliothek Tübingen, Theologische Abteilung, 1. Jg., 2. Nr. 1973, S. 20—23.

Franzen, Zölibat: Franzen August, Zölibat und Priesterehe in der Auseinandersetzung der Reformationszeit und der katholischen Reform des 16. Jahrhunderts. 3. Aufl., Münster, 1971 (KLK, 29. H.).

Frege, Berlin: Frege Ludwig, Berlin unter dem Einflusse der Reformation im sechzehnten Jahrhundert. Berlin 1839.

Freidl, Kaiser Maximilian I.: Freidl Josefa, Kaiser Maximilian I. und die Reichstage von 1511 bis 1518. Graz 1975, ungedr. Phil. Diss.

Freudenberger, Reformatorisches Schrifttum: Freudenberger Theobald, Zur Benützung reformatorischen Schrifttums in Trient. In: Bäumer Remigius (Hg.), Von Konstanz nach Trient. Festgabe für August Franzen. München-Paderborn-Wien 1972, S. 577—601.

Frensdorff, Die Chroniken der Stadt Augsburg: Frensdorff F., Einleitung in: Die Chroniken der deutschen Städte vom 14. bis in's 16. Jahrhundert. 4. Bd., (Augsburg 1. Bd.), Leipzig 1865.

Frick, Dr. Urbanus Rhegius: Frick Alex, Dr. Urbanus Rhegius. In: 1200 Jahre Langenargen Bodensee. Festschrift. Tettnang 1970, S. 89f.

Friedensburg, Ecks Denkschriften: Friedensburg Walter, Dr. Johann Ecks Denkschriften zur deutschen Kirchenreformation 1523. In: BBKG, 2. Bd., 1896, S. 159—196; 222—253.

Fuchtel, Der Frankfurter Anstand: Fuchtel Paul, Der Frankfurter Anstand vom Jahre 1539. In: ARG, 28. Jg., 1931, S. 145—206.

Gäbler, Zwingli: Gäbler Ulrich, Huldrych Zwingli im 20. Jahrhundert. Forschungsbericht und annotierte Bibliographie 1897—1972. Zürich 1975.

Gall, Alma Mater Rudolphina: Gall Franz, Alma Mater Rudolphina 1365—1965. 3. Aufl., Wien 1955.

Garber, Haller Heiltumbuch: Garber Josef, Das Haller Heiltumbuch mit den Unika-Holzschnitten Hans Burgkmairs des Älteren. In: Jahrbuch der kunsthistorischen Sammlungen des allerhöchsten Kaiserhauses. 32. Bd., Wien-Leipzig 1915, 2. Tl., S. I-CLXXVII.

Garin, Humanismus: Garin Eugenio, Der italienische Humanismus. Bern 1947.

Gasser, Annales: Gasser Achilles Pirmin, Annales de vetustate originis, amoenitate situs, splendore aedificiorum ac rebus gestis civium reipublicaeque Augsburgensis, multo sane labore, summa etiam fide perdiu collecti, et juxta seriem annorum nativitatis Jesu Christi, ad Romanorum imperatorum Francorumque regum tempora, nec non tam, ad politici, quam ecclesiastici ibidem magistratus fastos, accuratissimo ordine digesti. In: Scriptores rerum Germanicarum praecipue Saxonicarum. Mencken Bruchard Jo (Hg.), 1. Bd., Leipzig 1728, Sp. 1315—1954. Vgl. Burmeister, Gasser, 2. Bd., S. 59f., Nr. 47.

Geffcken, Urban Regius: Geffcken Johannes, Doctor Urban Regius, seine Wahl zum ersten Hamburgischen Superintendenten, und ein paar Briefe in dieser Angelegenheit. In: ZVHG, 2. Bd., 1847, S. 341—356.

Geiger, Briefwechsel: Geiger Ludwig, Johann Reuchlins Briefwechsel. Tübingen 1875.

Gerdes, Florilegium: Gerdes Daniel, Florilegium historico-criticum librorum rariorum. 2. Aufl., Groningen-Bremen 1763.

German: German Wilhelm, Geschichte der Buchdruckkunst in Schwäbisch Hall bis Ende des 17. Jahrhunderts. Straßburg 1916.

Geschichte des Schulwesens in Württemberg: Geschichte des humanistischen Schulwesens in Württemberg. Württembergische Kommission für Landesgeschichte (Hg.), 1. Bd., Stuttgart 1912.

Gesner, Bibliotheca universalis: Gesner Conrad, Bibliotheca universalis, sive catalogus omnium scriptorum locupletissimus, in tribus linguis, Latina, Graeca et Hebraica, extantium et non extantium, veterum et recentiorum in hunc usque diem, doctorum et indoctorum, publicatorum et in bibliothecis latentium. Zürich 1545.

Gesner/Lycosthenes, Elenchus: Elenchus scriptorum omnium, veterum scilicet ac recentiorum extantium et non extantium publicatorum atque hinc inde in Bibliothecis latitantium, qui ab exordio mundi usque ad nostra tempora in diversis linguis, artibus ac facultatibus claruerunt ac etiamnum hodie vivunt, ante annos aliquot a Conrado Gesnero editis, nunc vero in compendium redactus et auctus per Conradum Lycosthenem. Basel 1551.

Gesner/Lycosthenes/Simler, Epitome: Epitome bibliothecae Conradi Gesneri, conscripta primum a Conrado Lycosthene, nunc denuo recognita et locupletata per Josiam Simlerum. Zürich 1555.

Goebel, Augspurgische Confessions Predigen: Goebel Johann Konrad M., Der Ander Theil Der Augspurgischen Confessions Predigen. Augsburg 1634.

Goebel, Augustana fidei confessio: Goebel Johann Konrad, Augustana fidei Confessio: Augspurgische Glaubens Bekenntnuß. Frankfurt-Augsburg 1654.

Goedeke, Grundriß: Goedeke Karl, Grundriß zur Geschichte der deutschen Dichtung aus den Quellen. 2. Bd., 2. Aufl., Dresden 1886.

Göttingische Anzeigen: Göttingische Anzeigen von gelehrten Sachen unter der Aufsicht der Königl. Gesellschaft der Wissenschaften. Der 1. Bd. auf das Jahr 1778. Göttingen 1778.

Götz, Die Glaubensspaltung: Götz Johann Baptist, Die Glaubensspaltung im Gebiet der Markgrafschaft Ansbach-Kulmbach in den Jahren 1520—1535. Freiburg i. Br. 1907 (Erläuterungen und Ergänzungen zu Janssens Geschichte des deutschen Volkes. Pastor Ludwig [Hg.], V. Bd., 3. u. 4. H.).

Götze, Glossar: Götze Alfred, Frühneuhochdeutsches Glossar. 7. Aufl., Berlin 1967.

Götze, Satiriker: Götze Alfred, Urbanus Rhegius als Satiriker. In: ZDP, 37. Bd., 1905, S. 66—113.

Grabe, Vita Regii: Grabe Martin Silvester, Urbani Regii vita. In: Formulae quaedam cautè & citra scandalum loquendi de praecipuis Christianae doctrinae locis, pro junioribus Verbi Ministris. Urbano Rhegio Autore. Regensburg 1672.

Graff, Kirchenordnung: Graff Paul, Die Kirchenordnung des Urbanus Rhegius von 1536 und deren Bedeutung für die Entwicklung des kirchlichen und gottesdienstlichen Lebens der Altstadt Hannover. In: ZGNKG, 37. Jg., 1932, S. 171—197.

Greving, Johann Eck: Greving Joseph, Johann Eck als junger Gelehrter. Eine literar- und dogmengeschichtliche Untersuchung über seinen Chrysopassus praedestinationis aus dem Jahr 1514. Münster 1908 (RGST, 1. H.).

Greving, Zur Verkündigung: Greving Joseph, Zur Verkündigung der Bulle Exsurge Domine durch Dr. Johann Eck 1520. In: RGST, 21./22. H., 1912, S. 196—221.

Grisar, Luther: Grisar Hartmann, Luther. 3. Bde., 1. u. 2. Aufl., Freiburg i. Br. 1911—12.

Gröber, Die Reformation: Gröber Konrad, Die Reformation in Konstanz von ihrem Anfang bis zum Tode Hugos von Hohenlandenberg (1517—1532). In: FDA, 46. Bd., 1919, S. 120—322.

Gründtlicher Bericht: Gründtlicher vnd warhaffter Bericht. 1628. Ms. in Augsburg ELA.

Grundmann, Philipp von Hessen: Grundmann Herbert, Landgraf Philipp von Hessen auf dem Augsburger Reichstag 1530. In: SHKBA, 5. Schrift, 1958, S. 341—423 und: SVRG, 176. Bd., 1959. Zitiert wird nach: SHKBA.

Guden, Dissertatio: Guden Heinrich Philipp, Dissertatio saecularis de ERNESTO duce Brunsvigensi et Luneburgensi, principe sapiente, pio, forti, felici, Augustanae confessionis assertore et vindice. Göttingen 1730.

Gußmann, Ecks 404 Artikel: Gußmann Wilhelm, Quellen und Forschungen zur Geschichte des Augsburger Glaubensbekenntnisses. II. Bd., Kassel 1930.

Gußmann, Quellen und Forschungen: Gußmann Wilhelm, Quellen und Forschungen zur Geschichte des Augsburgischen Glaubensbekenntnisses. I/1—2 Bde., Leipzig-Berlin 1911.

Hablitzel, Urban Rhegius: Hablitzel Johann B., Urban Rhegius und seine Stellung zum Augsburger Domkapitel. In: Beilage zur Augsburger Postzeitung. 103. Nr., Augsburg 1903, S. 442—444.

Haemmerle, Die Canoniker: Haemmerle Albert, Die Canoniker des hohen Domstiftes zu Augsburg bis zur Saecularisation. Zürich 1935.

Hahn, Faber Stapulensis: Hahn Fritz, Faber Stapulensis und Luther. In: ZKG, 57. Jg., 1938, S. 356—432.

Haller Raitbuch: Das Raitbuch der Stadt Hall in Tirol. 10. Bd., Ms. in Hall StA.

Hamel, Der junge Luther: Hamel Adolf, Der junge Luther und Augustin. Gütersloh 1935.

Hamelmann, Opera: Hamelmann Hermann, Opera genealogico-historica, de Westphalia & Saxonia inferiori. In quibus non solum Res gestae Seculi XVI. Lemgoviae 1711.

Handbuch der Kirchengeschichte: Handbuch der Kirchengeschichte. Jedin Hubert (Hg.), 4. Bd., 2. Aufl., Freiburg-Basel-Wien 1975.

Hartfelder, Der humanistische Freundeskreis: Hartfelder Karl, Der humanistische Freundeskreis des Desiderius Erasmus in Konstanz. In: ZGO, 47. Bd., 1893, S. 1—33.

Hartmann, Brenz: Hartmann Julius, Johannes Brenz. Leben und ausgewählte Schriften. Elberfeld 1862 (LASLK, 6. Tl.).

Hartmann, Andertheil der Chronika: Hartmann Wolffgang (Hg.), Andertheil// Der Weitberůmpten Key//serlichen Freyen vnd des H. Reichsstatt//Augspurg in Schwaben/Chronica. Basel (Frankfurt) 1595. Vgl. Burmeister, Gasser, 2. Bd., S. 60, Nr. 48.

Hartmann, Chronika: Hartmann Wolffgang (Hg.), Dritter und letzter Theil// Der Weitbe=//rüempten Keyserlichen//Freyen vnnd des H. Reichsstatt Augs-//purg in Schwaben/Chronica. Basel (Frankfurt) 1596. Vgl. Burmeister, Gasser, 2. Bd., S. 60, Nr. 48.

Hase: Hase Martin von, Bibliographie der Erfurter Drucke von 1501—1550, 3. Aufl., Nieuwkoop 1968.

Haussleiter, Zum Briefwechsel Luthers: Haussleiter Johannes, Zum Briefwechsel Luthers mit Urban Rhegius. In: BBKG, 8. Bd., 1902, S. 183—191.

Hauswirth, Landgraf Philipp: Hauswirth René, Landgraf Philipp von Hessen und Zwingli. Tübingen 1968 (SKRG, 35. Bd.).

Havemann, Geschichte: Havemann Wilhelm, Geschichte der Lande Braunschweig und Lüneburg. 2. Bd., Göttingen 1855.

Hedio's Itinerarium: Hedio's Itinerarium. Erichsen A. (Hg.). In: ZKG, 4. Bd., 1881, S. 416—436.

Hefele, Über die Lage des Clerus: Hefele Karl Josef von, Über die Lage des Clerus, besonders der Pfarrgeistlichkeit im Mittelalter. In: ThQ Tübingen, 50. Jg., 1868, S. 86—118.

Heimbürger, Urbanus Rhegius: Heimbürger Heinrich Christian, Urbanus Rhegius. Hamburg und Gotha 1851.

Helbling, Fabri: Helbling Leo, Dr. Johann Fabri Generalvikar von Konstanz und Bischof von Wien 1478—1541. Beiträge zu seiner Lebensgeschichte. Münster 1941 (RGST, 67./68. H.).

Helbling, Fabri und die Reformation: Helbling Leo, Dr. Johann Fabri und die schweizerische Reformation. Fribourg/Schweiz 1933. (Auch als Beilage zum Jahresbericht der Stiftsschule Einsiedeln erschienen).

Hermelink, Matrikel Tübingen: Hermelink Heinrich, Die Matrikel der Universtät Tübingen. 1. Bd., Stuttgart 1906.

Hermelink, Die theologische Fakultät: Hermelink Hermann, Die theologische Fakultät in Tübingen vor der Reformation 1477—1534. Tübingen 1906.

Hess, Narrenzunft: Hess Günther, Deutsch-Lateinische Narrenzunft. Studien zum Verhältnis von Volkssprache und Latinität in der satirischen Literatur des 16. Jahrhunderts. München 1971.

Heumann, Documenta: Heumann Johannes, Documenta literaria varii argumenti in lucem prolata. Altorf 1758.

Hierzer, Priesterbild: Hierzer Alois, Das Priesterbild in spätmittelalterlichen Primizpredigten steirischer Handschriften. Eine vorreformationsgeschichtliche Studie. Graz 1964, ungedr. Theol. Diss.

Hirsch, Osiander: Hirsch Emanuel, Die Theologie des Andreas Osiander und ihre geschichtlichen Voraussetzungen. Göttingen 1919.

Hirsch, Urbanus Rhegius: Hirsch Rudolf, Urbanus Rhegius. The Author of an ars epistolaris? In: GutJb, 1969, S. 61—63.

Hochenegg, Ritter Florian Waldauf: Hochenegg Christof, Ritter Florian Waldauf und die religiöse Lage zu seiner Zeit. Innsbruck 1972, ungedr. Theol. Diplomarbeit.

Hörmann, Erinnerungen: Hörmann Leonhard, Erinnerungen an das ehemalige Frauenkloster Katharina in Augsburg.
In: ZHVS, 9. Jg., 1882, S. 357—390;
10. Jg., 1883, S. 301—344;
11. Jg., 1884, S. 1—10.

Höß, Georg Spalatin auf dem Reichstag zu Augsburg: Höß Irmgard, Georg Spalatin auf dem Reichstag zu Augsburg 1530 und seine Stellungnahme zur Frage des Widerstandsrechtes. In: ARG, 44. Jg., 1953, S. 64—86.

Hoffmann, Zur Entstehungsgeschichte der Augustana: Hoffmann Georg, Zur Entstehungsgeschichte der Augustana. Der „Unterricht der Visitatoren" als Vorlage des Bekenntnisses. In: ZSTh, 15. Jg., 1938, S. 419—490.

Hohenemser: Hohenemser Paul, Flugschriftensammlung Gustav Freytag. Frankfurt/M. 1925; Reprint: Nieuwkoop 1966.

Honecker, Abendmahlslehre: Honecker Martin, Die Abendmahlslehre des Syngramma Suevicum. In: BWKG, 65. Jg., 1965, S. 39—68.

Honée, Campeggio und der Laienkelch: Honée Eugène, Die Römische Kurie und der 22. Artikel der Confessio Augustana, Kardinal Lorenzo Campeggios Verhalten zur protestantischen Forderung des Laienkelches während des Augsburger Reichstages 1530. In: NAKG, 50. Bd., 1969/70, S. 140—196.

Honée, Der Laienkelch: Honée Eugène, Die theologische Diskussion über den Laienkelch auf dem Augsburger Reichstag 1530. In: NAKG, 53. Bd., 1972/73, S. 1—96.

Horawitz, Analekten: Horawitz Adalbert, Analecten zur Geschichte der Reformation und des Humanismus in Schwaben. In: SAWW.PH, 89. Bd., 1878, S. 95—186 (Sonderdruck, Wien 1878).

Horawitz/Hartfelder, Rhenanus' Briefwechsel: Horawitz Adalbert und Hartfelder Karl (Hg.), Briefwechsel des Beatus Rhenanus. Leipzig 1886; Reprint: Nieuwkoop 1966.

Horn, Die Disputationen: Horn Ewald, Die Disputationen und Promotionen an den Deutschen Universitäten vornehmlich seit dem 16. Jahrhundert. Leipzig 1893 (ZfB Beihefte, 11. Bd.).

Horn, Peutinger: Horn Christine Maria, Doctor Conrad Peutingers Beziehungen zu Kaiser Maximilian I. Graz 1977, ungedr. Phil. Diss.

Hottinger, Historiae ecclesiasticae: Hottinger Johann Heinrich, Historiae ecclesiasticae novi testamenti seculi XVI. 2. Tl., Zürich 1665.

Husung, Dichter: Husung M. J., Kaiserlich gekrönte Dichter. In: Zeitschrift für Bücherfreunde, 10. Jg. Neue Folge, 1918—19, S. 40—43.

Hutten, Opera: Ulrichi Hutteni, equitis Germani, opera quae reperiri potuerunt omnia. Edidit Eduardus Böcking. 5 Bde. und 2 Suppl. Bde., Leipzig 1859—1870.

Ickelschamer, Clag ettlicher brieder: Ickelschamer Valentin, Clag ettlicher brieder: an alle Christen: von der großen vngerechtigkeit vnd Tyrannay. (Augsburg 1525). Vgl. Schottenloher, Ulhart, S. 119, 107.

Immenkötter, Um die Einheit: Immenkötter Herbert, Um die Einheit im Glauben. Die Unionsverhandlungen des Augsburger Reichstages im August und September 1530. 2. Aufl., Münster 1975 (KLK, 33. Bd.).

Inhalt Bepstlicher Bull: Inhalt Bepstlicher Bull wider Martin ludder (!) auffs kürtzest getheuscht (!). Ingolstadt (1520). Vgl. Schottenloher, Druckauflagen, S. 208, 15.

Iserloh, Eucharistie: Iserloh Erwin, Die Eucharistie in der Darstellung des Johann Eck. Ein Beitrag zur Vortridentinischen Kontroverstheologie über das Meßopfer. Münster 1950 (RGST, 73./73. H.).

Iserloh, Luthers Stellung: Iserloh Erwin, Luthers Stellung in der theologischen Tradition. In: Wandlungen des Lutherbildes. Würzburg 1966 (SBKAB, 36. H.), S. 15—47.

Iserloh, Die protestantische Reformation: Iserloh Erwin, Die protestantische Reformation. In: Handbuch der Kirchengeschichte, S. 3—446.

Janssen, Geschichte des deutschen Volkes: Janssen Johannes, Geschichte des deutschen Volkes seit dem Ausgang des Mittelalters. 8 Bde., 17. und 18. Aufl. besorgt von Pastor Ludwig. Freiburg i. Br. 1897—1904.

Jedin, Konzil von Trient: Jedin Hubert, Geschichte des Konzils von Trient. I. Bd., 2. Aufl., Freiburg i. Br. 1951.

Jöcher, Lexikon: Jölcher Christian Gottlieb, Allgemeines Gelehrten-Lexikon. 4 Bd., Leipzig 1750—51.

Jöcher/Rotermund, Fortsetzung: Fortsetzung und Ergänzungen zu Jöcher Christian Gottlieb allgemeinen Gelehrten-Lexikon, angefangen von Adelung Johann Christoph, fortgesetzt von Rotermund Heinrich Wilhelm. 6 Bde., Leipzig-Bremen 1784—1819, 7. Bd. Günther Otto (Hg.). Leipzig 1897; Reprint: Hildesheim 1961.

Jonas, Briefwechsel: Der Briefwechsel des Justus Jonas. Kawerau Gustav (Bearb.), Historische Kommission der Provinz Sachsen (Hg.). 1. Hälfte, Halle 1884 (Geschichtsquellen der Provinz Sachsen und angrenzender Gebiete, 17. Bd.).

Jürgens, Geschichte der Stadt Lüneburg: Jürgens Otto, Geschichte der Stadt Lüneburg. Hannover 1891.

Jung, Geschichte der Reformation: Jung Andreas, Geschichte der Reformation der Kirche in Straßburg und der Ausbreitung derselben in den Gemeinden des Elsasses. 1. Bd., Straßburg-Leipzig 1830.

Kalkoff, Die Bulle „Exsurge“: Kalkoff Paul, Die Bulle „Exsurge“. Ihre Vollziehung durch die Bischöfe von Eichstädt, Augsburg, Regensburg und Wien. In: ZKG, 37. Bd., 1918, S. 89—174.

Kalkoff, Depeschen: Kalkoff Paul, Die Depeschen des Nuntius Aleander vom Wormser Reichstag 1521. 2. Aufl., Halle 1897.

Kalkoff, Luthers Prozeß: Kalkoff Paul, Zu Luthers römischen Prozeß. In: ZKG, 25. Bd., 1904, S. 90—147; 273—290; 399—459, 503—603.

Kantzenbach, Der junge Brenz: Kantzenbach Friedrich Wilhelm, Der junge

Brenz bis zu seiner Berufung nach Hall im Jahre 1522. In: ZBKG, 32. Bd., 1963, S. 53—73.

Kantzenbach, Johannes Brenz: Kantzenbach Friedrich Wilhelm, Johannes Brenz in markgräflichem Dienst auf dem Reichstag zu Augsburg. In: JHVMF, 82. Bd., 1964/65, S. 50—80.

Kantzenbach, Das Ringen um die Einheit: Kantzenbach Friedrich Wilhelm, Das Ringen um die Einheit der Kirche im Jahrhundert der Reformation. Stuttgart 1957.

Kantzenbach, Der Ruf nach einem Konzil: Kantzenbach Friedrich Wilhelm, Der Ruf nach einem Konzil im Jahrhundert der Reformation. In: SÖR, 5. Bd., 1968, S. 105—116.

Kapitelprotokoll: Protokoll des Augsburger Domkapitels. Ms. in München HSA: Hochstift Augsburg NA, Akten 5496; foliiert.

Kaufmann, Akademische Grade: Kaufmann Georg, Zur Geschichte der academischen Grade und Disputationen. In: ZfB, 11. Jg., 1894, S. 201—225.

Kaufmann, Universitäten: Kaufmann Georg, Die Geschichte der Deutschen Universitäten. 2 Bde., Stuttgart 1888—1896.

Kawerau, Agricola: Kawerau Gustav, Johann Agricola von Eisleben. Berlin 1881.

Kawerau, Luthers Doktorat: Kawerau Gustav, Eine Wette über Luthers Doktorat. In: SVRG, 100. Bd., 1910, S. 342—344.

Kawerau, Zur Reformationsgeschichte Augsburgs: Kawerau Gustav, Zur Reformationsgeschichte Augsburgs. Joachim Helm in Augsburg an Seb. Weiss in Zerbst. 1528. März 7. In: BBKG, 2. Bd., 1896, S. 131—132.

Kawerau, Verbrennung der Bannbulle: Kawerau Gustav, 3. Ein Lied auf die Verbrennung der Bannbulle. In: ARG, 6. Jg., 1909, S. 232f.

Kayser/Dehn: Kayser Werner und Dehn Claus, Bibliographie der Hamburger Drucke des 16. Jahrhunderts. Hamburg 1968. (Mitteilungen aus der Hamburger Staats- und Universitätsbibliothek, 6. Bd.).

Keim, Schwäbische Reformationsgeschichte: Keim Karl Theodor, Schwäbische Reformationsgeschichte bis zum Augsburger Reichstag. Tübingen 1855.

Keim, Die Stellung der schwäbischen Kirchen: Keim Karl Theodor, Die Stellung der schwäbischen Kirchen zur zwinglisch-lutherischen Spaltung vom kirchlichen und politischen Gesichtspunkte. In: ThJB(T), 13. Bd., 1854, S. 536—584 und 14. Bd., 1855, S. 169—411.

Keim, Wolfgang Rychard: Keim Karl Theodor, Wolfgang Rychard ‚der Ulmer Arzt, ein Bild aus der Reformationszeit. In: ThJb(T), 12. Bd., 1853, S. 307—373.

Keller, Denck: Keller Ludwig, Ein Apostel der Wiedertäufer. Leipzig 1882.

Kichler/Eggart, Langenargen: Kichler Johann B. und Eggart Hermann (der die 2. Aufl. besorgte), Die Geschichte von Langenargen und des Hauses Montfort. Friedrichshafen a. B. 1926.

Kienberger, Geschichte der Stadt Hall: Kienberger Georg, Beiträge zur Geschichte der Stadt Hall. In: SchlSchr, 106. Bd., 1953, S. 100—225.

Kießling, Bürgerliche Gesellschaft: Kießling Rolf, Bürgerliche Gesellschaft und Kirche im Spätmittelalter. Augsburg 1971. (Abhandlungen zur Geschichte der Stadt Augsburg. Schriftenreihe des Stadtarchivs Augsburg, 19. Bd.).

Kink, Universität Wien: Kink Rudolf, Geschichte der kaiserlichen Universität zu Wien. 2 Tle., Wien 1854.

Kirchner, Bauernkrieg: Kirchner Hubert, Der deutsche Bauernkrieg im Urteile der Freunde und Schüler Luthers. Greifswald 1968, ungedr. Habilitationsschrift.

Kittelson, Capito: Kittelson James Matthew, Wolfgang Capito, Humanist and Reformer. Michigan 1969, Phil. Diss.

Klaus, Veit Dietrich: Klaus Bernhard, Veit Dietrich, Leben und Werk. Nürnberg 1958 (EKGB, 32. Bd.).

Klein, Beichte: Klein Laurentius, Evangelisch-Lutherische Beichte 1961 (KKTS, 5. Bd.).

Kluckhohn, Urkundliche Beiträge: Kluckhohn August, Urkundliche Beiträge zur Geschichte der kirchlichen Zustände, insbesondere des sittlichen Lebens der katholischen Geistlichen in der Diözese Konstanz während des 16. Jahrhunderts. In: ZKG, 16. Bd., 1896, S. 590—625.

Knaake: Knaake Joachim Karl Friedrich, Bibliothek J. K. F. Knaake. 3 Tle., Leipzig 1906—07; Reprint: Nieuwkoop 1960.

Knapp, Doktor und Magister: Knapp Theodor, Doktor und Magister. In: Württembergische Vierteljahreshefte für Landesgeschichte. 34 Jg., 1928, S. 44—56.

Knod, Spiegel: Knod Gustav, Jacob Spiegel aus Schlettstadt. In: Beilage zum Programm des Realgymnasiums zu Schlettstadt. 1. Tl., Strassburg 1884, S. 3—59, 2. Tl., Strassburg 1886, S. 3—31.

Knoke, Katechismen: Knoke K., Die deutschen lutherischen Katechismen in den braunschweig-hannoverschen Landen während des sechzehnten Jahrhunderts. Braunschweig 1901 (ZGNKG, 6. Jg.).

Köhler, Brentiana VII: Köhler Walter, Brentiana und andere Reformatoria. VII. In: ARG, 16. Jg., 1919, S. 235—246.

Köhler, Zwingli und Luther: Köhler Walther, Zwingli und Luther. Ihr Streit über das Abendmahl nach seinen politischen und religiösen Beziehungen. 1. Bd., Leipzig 1924. 2. Bd., Gütersloh 1953 (QFRG, 6. und 7. Bd.).

Könneker, Literatur: Könneker Barbara, Die deutsche Literatur der Reformationszeit. München 1975.

Köstlin/Kawerau, Luther: Köstlin Julius-Kawerau Gustav, Martin Luther. Sein Leben und seine Schriften. 2 Bde., 5. Aufl., Berlin 1903.

Kolde, Althamer: Kolde Theodor, Andreas Althamer, der Humanist und Reformator. In: BBKG, 1. Bd., 1894, S. 1—25; 68—89; 97—127.

Kolde, Analecta: Kolde Theodor, Analecta Lutherana. Briefe und Aktenstücke zur Geschichte Luthers. Gotha 1883.

Kolde, Briefwechsel Luthers: Kolde Theodor, Zum Briefwechsel Luthers und Melanchthons mit Urban Rhegius. In: BBKG, 8. Bd., 1902, S. 114—130.

Kolde, Briefwechsel Rhegius: Kolde Theodor, Briefwechsel zwischen Urban Rhegius und Markgraf Georg von Brandenburg. In: BBKG, 2. Bd., 1896, S. 26—34.

Kolde, Caspar Sturm: Kolde Theodor, Der Reichsherold Caspar Sturm und seine literarische Tätigkeit. In: ARG, 4. Jg., 1906/07, S. 117—161.

Kolde, Chronologie: Kolde Theodor, Zur Chronologie Lutherscher Schriften im Abendmahlsstreit. In: ZKG, 11. Bd., 1890, S. 472—476.

Kolde, Loci communes: Kolde Theodor (Hg.), Die Loci communes Philipp Melanchthons in ihrer Urgestalt nach G. L. Plitt. 3. Aufl., Leipzig 1900.

Kolde, Die älteste Redaktion: Kolde Theodor, Die älteste Redaktion der Augsburger Konfession mit Melanchthons Einleitung zum erstenmal herausgegeben und geschichtlich gewürdigt. Gütersloh 1906.

Kolde, Seehofer: Kolde Theodor, Arsacius Seehofer und Argula von Grumbach. In: BBKG, 11. Bd., 1905, S. 49—77; 97—124; 149—188.

Kolde, Über einen römischen Unionsversuch: Kolde Theodor, Über einen römischen Reunionsversuch vom Jahre 1531. In: ZKG, 17. Bd., 1897, S. 258—269.

Kolodziej, Flugschriften: Kolodziej Ingeborg, Die Flugschriften aus den ersten Jahren der Reformation (1517—1525). Berlin 1956, Phil. Diss.

Konstantinidis, Der Dialog: Konstantinidis Chrysostomos, Der Dialog zwischen Orthodoxen und Lutheranern. In: ÖR, 25. Jg., 1976, S. 489—501.

Kordes, Agricola's Schriften: Kordes Berond M., M. Johann Agricola's aus Eisleben Schriften möglichst vollständig verzeichnet. Altona 1817; Reprint: Leipzig 1973.

Kranold, Urbanus Rhegius: Kranold Joh. Gottl. Kuno, Urbanus Rhegius. Ein Reformationsbild der vaterländischen Kirchengeschichte entnommen und gewidmet. In: Vierteljahresschrift für Theologie u. Kirche. 1. Bd., Göttingen 1845, S. 172—196.

Krause, Hessus: Krause Carl, Helius Eobanus Hessus. Sein Leben und seine Werke. 1. Bd., Gotha 1879.

Kraus, Itinerarium: Kraus Victor von, Itinerarium Maximiliani 1508—1518. In: AÖG, 87. Bd., 1899, S. 229—318.

Krebs, Investiturprotokolle: Krebs Manfred, Die Investiturprotokolle der Diözese Konstanz aus dem 15. Jahrhundert. In: FDA, 66.—74. Jg., 1939—1954.

Krebs, Protokolle: Krebs Manfred, Die Protokolle des Konstanzer Domkapitels 1487—1526. In: ZCO, 100.—107. Bd., 1952—1959. Ab 103. Bd., 1955, in den Beiheften.

Krumwiede, Vom reformatorischen Glauben Luthers zur Orthodoxie: Krumwiede, H. W., Vom reformatorischen Glauben Luthers zur Orthodoxie. Theologische Bemerkungen zu Bugenhagens Braunschweiger Kirchenordnung und zu Urbanus Rhegius' formulae quaedam caute et citra scandalum loquendi. In: JGNKG, 53. Jg., 1955, S. 33—48.

Kuczyński: Kuczyński Arnold, Thesaurus libellorum historiam reformationis illustrantium. Verzeichnis einer Sammlung von nahezu 3000 Flugschriften Luthers und seiner Zeitgenossen. Leipzig 1870—74; Reprint: Nieuwkoop 1969.

Küch, Politisches Archiv: Küch Friedrich (Hg.), Politisches Archiv des Landgrafen Philipp des Großmütigen von Hessen. Inventar der Bestände. 2 Bde., Leipzig 1904, 1910 (Publicationen aus den k. preußischen Staatsarchiven, 78. u. 85. Bd.).

Langenmantel, Chronik: Langenmantelsche Chronik betreff den Reichstag 1530. Roth Friedrich (Bearb.). In: Die Chroniken der deutschen Städte. 25. Bd., Leipzig 1896, Beilage V, S. 363—401.

Langenmantelsche Chronik: Langenmantelsche Chronik. Ms. in Augsburg StA: Chroniken Nr. 9. Vgl. Roth, in: Rem, Chronik, S. 361f.

Lauer, Die theologische Bildung: Lauer Hermann, Die theologische Bildung des Klerus in der Diözese Konstanz in der Zeit der Glaubenserneuerung. In: FDA, 47. Bd., 1919, S. 111—164.

Legge: Legge Theodor, Flug- und Streitschriften der Reformationszeit in Westphalen (1523—1583). Münster 1933 (RGST, 58./59. H.).

Le Glay, Correspondance: Le Glay Par M., Correspondance de L'Empereur Maximilian Ier et de Marguerite D'Autriche. 2. Bd., Paris 1839.

Leib, Annales: Kiliani Leib, Prioris Rebdorfensis Canon. Reg. S. Aug., Historiarum sui temporis ab anno 1524 usque ad annum 1548 Annales. Döllinger J. J. I. von (Hg.). In: Beiträge zur politischen, kirchlichen und Cultur-Geschichte der sechs letzten Jahrhunderte. 2. Bd., Regensburg 1863, S. 445—611.

Leib, Annales bis 1523: Chiliani Leibii, Prioris Rebdorfensis Canon. Reg. D. Aug., Historiarum sui temporis ab An. 1502 ad An. 1549, Annales. Aretin Johann Christoph von (Hg.). In: Beyträge zur Geschichte und Literatur. 7. Bd., München 1806, S. 535ff. und S. 621ff. 9. Bd., München 1807, S. 1011ff.

Lenz, Briefwechsel: Lenz Max, Briefwechsel Landgraf Philipp's des Großmüthigen von Hessen mit Bucer. 1. Tl., Leipzig 1880.

Leuze: Leuze Otto, Isnyer Reformations-Drucke. Verzeichnis der in der Bibliothek der ev. Nikolauskirche in Isny vorhandenen Drucke aus den Jahren 1518 bis 1529. Isny i. Allgäu 1924; Reprint: Niewkoop 1965.

(Liebe), Lebensbeschreibung: (Liebe Christian Siegismund), Lebens-Beschreibungen der vornehmsten Theologorum, sowohl Evangelischer als Påbstischer Seite, welche an. 1530. den Reichs-Tag zu Augspurg besucht und an denen wegen Ubergabe der Augspurgischen Confession angestellten Religions-Handlungen Theil genommen. Gotha 1730.

Liebenau, Montfort: Liebenau Theodor von, Die Stellung der Grafen von Montfort zur Reformation. In: DASchw., 21. Jg., 1903, S. 17—19.

Liebmann, Himmlischer Ablaßbrief: Liebmann Maximilian, Der Himmlische Ablaßbrief des Urbanus Rhegius. In: Bau Wilhelm (Hg.), Kirche und Staat in Idee und Geschichte des Abendlandes. Festschrift zum 70. Geburtstag von Ferdinand Maass S. J. Wien—München 1973, S. 192—212.

Lier, Der Augsburgische Humanistenkreis: Lier Hermann Arthur, Der Augsburgische Humanistenkreis mit besonderer Berücksichtigung Bernhard Adelmann's von Adelmannsfelden. In: ZHVS, 7. Jg., 1880, S. 68—108.

Liess, Einführung des Griechischen in Ingolstadt: Liess Albrecht, Die Einführung des Griechischen als Lehrfach an der Universität Ingolstadt. In: Liber ad magistrum. Festgabe für Dr. Johannes Spörl zu seinem 60. Geburtstag dargebracht. München 1964, S. 113—119.

Lippert, Nachricht: Lippert Johann Caspar, Nachricht von den ehemaligen gelehrten Gesellschaften in Baiern. München 1763 (Abhandlungen der kurf. Bayerischen Akademie der Wissenschaften histor. und philosoph. Inhalts, 1. Bd.) S. 3—38.

Loew, Die Geschichte des Studententums: Loew Petronella, Die Geschichte des Studententums an der Universität Ingolstadt im Zeitalter des Humanismus und der Reformation. (1472—1550). München 1941, ungedr. Phil. Diss.

Lohse, Privatbeichte: Lohse Bernhard, Die Privatbeichte bei Luther. In: KuD, 14. Jg., 1968, S. 207—228.

Lortz/Iserloh, Kleine Reformationsgeschichte: Lortz Joseph und Iserloh Erwin, Kleine Reformationsgeschichte. Freiburg—Basel—Wien 1969 (HerBü, 342/343. Bd.).

Loserth, Anabaptismus: Loserth Johann, Der Anabaptismus in Tirol. Wien 1892.

Luther, Druckerpraxis: Luther Johannes, Aus der Druckerpraxis der Reformationszeit. In: ZfB, 27. Jg., 1910, S. 237—264.

Luther Margret, Der Protestantismus: Luther Margret, Der Protestantismus in den Gerichten Thaur, Rettenberg, Freundsberg und Rottenburg im 16. Jahrhundert. Innsbruch 1951, ungedr. Phil. Diss.

Lutz, Peutinger: Lutz Heinrich, Conrad Peutinger. Augsburg (1958) (Abhandlungen zur Geschichte der Stadt Augsburg. Schriftenreihe des Stadtarchivs Augsburgs, 9. Bd.).

Marburger Religionsgespräch: Das Marburger Religionsgespräch 1529. May Gerhard (Hg.). Gütersloh 1970 (TKTG, 13. H.).

Maurer, Artikel 28 der CA: Maurer Wilhelm, Die Entstehung und erste Auswirkung von Artikel 28 der Confessio Augustana. In: Volk Gottes. Zum Kirchenverständnis der Katholischen, Evangelischen und Anglikanischen Theologie. Festgabe für Josef Höfer. Bäumer Remigius und Dolch Heimo (Hg.). Freiburg—Basel—Wien 1967, S. 361—394.

Maurer, Die geistliche Jurisdiktion der Bischöfe: Maurer, Wilhelm, Erwägungen und Verhandlungen über die geistliche Jurisdiktion der Bischöfe vor und während des Augsburger Reichstages von 1530. In: ZSRG. K, 55. Bd., 1969, S. 348—394.

Maurer, Komposition: Maurer Wilhelm, Zur Komposition der Loci Melanchthons von 1521. In: LuJ, 25. Jg., 1958, S. 146—180.

Maurer, Melanchthons Anteil: Maurer Wilhelm, Studien über Melanchthons Anteil an der Entstehung der Confessio Augustana. In: ARG, 51. Bd., 1960, S. 158—207.

Maurer, Zum geschichtlichen Verständnis: Maurer Wilhelm, Zum geschichtlichen Verständnis der Abendmahlsartikel in der Confessio Augustana. In: Festschrift für Gerhard Ritter zu seinem 60. Geburtstag. Tübingen 1960, S. 161—209.

Maurer, Historischer Kommentar: Maurer Wilhelm, Historischer Kommentar zur Confessio Augustana. 1. Bd. Einleitung und Ordnungsfragen. Gütersloh 1976.

Maury, Faber: Maury Bonet G., Faber oder Fabri, Jakob Stapulensis (Lefèvre d'Etaples). In: RE, 5. Bd., S. 714—717.

Mayer, Die Matrikel: Mayer Hermann, Die Matrikel der Universität Freiburg i. Br. von 1460—1656. 1. Bd., Leipzig 1907.

Mayer, Spengleriana: Mayer Moritz Maximilian, Spengleriana. Nürnberg 1830.

Mederer, Annales: Annales Ingolstadiensis Academiae. Pars I. ab anno 1472 ad annum 1572. Inchoarunt Valentinus Rotmarus et Johannes Engerdus. Emendavit, auxit, continuavit et codicem diplomaticum adiecit Joannes Nepomucenus Mederer. Ingolstadt 1782.

Meinhold, Der evangelische Christ: Meinhold Peter, Der evangelische Christ und das Konzil. Freiburg—Basel—Wien 1961 (HerBü, 98. Bd.).

Meinhold, Konzile: Meinhold Peter, Konzile der Kirche in evangelischer Sicht. Stuttgart 1962.

Mejer, Lufft: Mejer Wolfgang, Der Buchdrucker Hans Lufft zu Wittenberg. Leipzig 1923; Reprint: Nieuwkoop 1965.

Melanchthon, Epistolae: Melanchthon Philipp, Epistolae, iudicia, consilia, testimonia aliorumque ad eum epistolae, quae in Corpore Reformatorum desiderantur. Bindseil Henricus Ernestus (Hg.). Halle 1874; Reprint: Hildesheim—New York 1975.

Mentz, Handschriften: Mentz Georg, Handschriften der Reformationszeit. Bonn 1912.

Merker, Anonymer Reformationsdialog: Merker Paul, Der Verfasser des anonymen Reformationsdialogs „Eyn Wegsprech gen Regensburg zů/ynsz Concilium". In: Studien zur Literaturgeschichte, Albert Köster zum 7. November 1912 überreicht. Leipzig 1912, S. 18—50.

Messer, Franciscus Philelphus: Messer August, Franciscus Philelphus „de morali disciplina". In: Archiv für Geschichte der Philosophie, 9. Bd., Berlin 1896, S. 337—343.

Metzler: Metzler Johannes, Tres Orationes funebres in exequiis Joannis Eckii habitae. Accesserunt aliquot epitaphia in Eckii obitum scripta et catalogus lucubrationum eiusdem (1534). Nach den Originaldrucken mit bio-bibliographischer Einleitung, einer Untersuchung der Berichte über Ecks Tod und einem Verzeichnis seiner Schriften. Münster 1930. (CCath, 16. H.).

Meyer, Die Anfänge: Meyer Christian, Zur Geschichte der Wiedertäufer in Oberschwaben I. Die Anfänge des Wiedertäufertums in Augsburg. In: ZHVS, 1.Jg., 1874, S. 207—253.

Meyer, Luther und die Messe: Meyer Hans Bernhard, Luther und die Messe. Paderborn 1965. (KKTS, 11. Bd.).

Mezler-Andelberg, Dietrichstein: Mezler-Andelberg H., Siegmund von Dietrichstein. In: Österreich in Geschichte und Literatur, 7. Bd., 1963, S. 303—314.

Mirbt/Aland, Quellen zur Geschichte des Papsttums: Quellen zur Geschichte des Papsttums und des Römischen Katholizismus. Mirbt Carl 1.—5. Aufl. und Aland Kurt 6. Aufl. (Hg.), 1. Bd., Tübingen 1967.

Moeller, Augustana-Studien: Moeller Bernd, Augustana-Studien. In: ARG, 57. Jg., 1966, S. 76—95.

Moeller, Confessio Tetrapolitana: Moeller Bernd, Confessio Tetrapolitana und Anlagen zur Confessio Tetrapolitana. In: Bucers Deutsche Schriften, 3. Bd., 1969, S. 13—392.

Moeller, Konstanzer Reformationsdrucker: Moeller Bernd, Die Konstanzer Reformationsdrucker. In: AfGB, 2. Bd., 1960, S. 729—741.

Möller, Osiander: Möller W., Andreas Osiander. Leben und ausgewählte Schriften. Elberfeld 1870; Reprint: Nieuwkoop 1965.

Moltke, Dietrichstein: Moltke Konrad von, Siegmund von Dietrichstein. Göttingen 1970 (Veröffentlichungen des Max-Planck-Instituts für Geschichte, 29. Bd.).

Müller, Aleander: Müller Gerhard, Die drei Nuntiaturen Aleanders in Deutschland 1520/21, 1531/32, 1538/39. In: QFIAB, 39. Bd., 1959, S. 222—276.

Müller, Campeggio: Müller Gerhard, Kardinal Lorenzo Campeggio, die römische Kurie und der Augsburger Reichstag von 1530. In: NAKG, 52. Bd., 1972, S. 133—152.

Müller, Quellenschriften: Müller Johannes, Quellenschriften und Geschichte des deutschsprachlichen Unterrichtes bis zur Mitte des 16. Jahrhunderts. Gotha 1882.

Müller, Die römische Kurie: Müller Gerhard, Die römische Kurie und die Reformation 1523—1534. Heidelberg 1969 (QFRG, 38. Bd.).

Müller, Tetrapolitana: Müller Karl E. F., Tetrapolitana confessio. In: RE, 19. Bd., S. 559—564.

Müller, Um die Einheit der Kirche: Müller Gerhard, Um die Einheit der Kirche. Zu den Verhandlungen über den Laienkelch während des Augsburger Reichstages 1530. In: Reformata Reformanda. Festgabe für Hubert Jedin zum 17. Juni 1965. Münster 1965, S. 393—427. (RGST. S, I.).

Müller, Die Wittenberger Bewegung: Müller Nikolaus, Die Wittenberger Bewegung 1521 und 1522. 2. Aufl., Leipzig 1911.

Münster, Kosmographie: Münster Sebastian, Cosmographey das ist/Beschreibung aller Länder/Herrschaften vnd fürnemesten Stellen des gantzen Erdbodens/ sampt jhren Gelegenheiten/Eygenschafften/Religion/Gebräuchen/Geschichten vnd Handtierungen/.Basel 1588. Die Kosmographie ist unzählige Male erschienen, Burmeister zählt in seiner Münsterbibliographie nicht weniger als 39 auf. Ich verwende, wenn nichts anderes angegeben, die Auflage von 1588.

Mykonius, Geschichte der Reformation: Mykonius Friedrich, Geschichte der Reformation. Clemen Otto (Hg.). Leipzig (1915) (Voigtländer Quellenbücher, 58. Bd.).

Na: Deutsche Übersetzung einer frühen lateinischen Form der Augustana im Staatsarchiv Nürnberg. Vgl. BSLK, S. 34. Ediert: Kolde, Die älteste Redaktion.

Näf, Vadian: Näf Werner, Vadian und seine Stadt St. Gallen. 2 Bde., St. Gallen 1944—57.

Nagel, Die Stellung des Landgrafen: Nagel William Ernst, Die Stellung des

Landgrafen Philipp des Großmütigen in der Glaubensfrage auf dem Augsburger Reichstag. In: Forschungen zur Kirchengeschichte und zur christlichen Kunst. Festgabe für Johann Ficker. Leipzig 1931, S. 107—123.

Nagel, Luthers Anteil: Nagel William Ernst, Luthers Anteil an der Confessio Augustana. Gütersloh 1930 (Beiträge zur Förderung christlicher Theologie, 34. Bd., 1. H.).

NB I, 1. Bd.,: Nuntiaturberichte aus Deutschland 1533—1559 nebst ergänzenden Aktenstücken. I. Abteilung. 1. Bd. Nuntiaturen des Vergerio 1533—1536. Friedensburg Walter (Bearb.). Gotha 1892.

NB I, 1. EB; 2. EB: Nuntiaturberichte aus Deutschland nebst ergänzenden Aktenstücken, I. Abteilung 1533—1559, 1. Ergänzungsband 1530 bis 1531; 2. Ergänzungsband 1532. Müller Gerhard (Bearb.). Tübingen 1963—1969.

Neudecker, Urkunden: Neudecker Christian Gotthold (Hg.), Urkunden aus der Reformationszeit (die Jahre 1521—1567 umfassend, vorwiegend aus der politischen Korrespondenz Philipps von Hessen). Cassel 1836.

Niesel, Calvin wider Osiander: Niesel Wilhelm, Calvin wider Osianders Rechtfertigungslehre. In: ZKG, 46. Bd., 1928, S. 410—430.

Oediger, Bildung der Geistlichen: Oediger Friedrich Wilhelm, Über die Bildung der Geistlichen im späten Mittelalter. Leiden 1953 (Studien und Texte zur Geistesgeschichte des Mittelalters, 2. Bd.).

Oediger, Um die Klerusbildung: Oediger Friedrich Wilhelm, Um die Klerusbildung im Spätmittelalter. In: HJ, 50. Bd., 1930, S. 145—188.

Osiander, Beweisung: Osiander Andreas, Beweisung://Das ich nun vber//die dreißig jar/alweg einerley//Lehr/Von der Gerechtigkeit des Glaubens/. Königsberg 1552. Vgl. Seebaß, Osiander, Nr. 403.

Osiander, Epitomes: Osiander Lukas, Epitomes historiae ecclesiasticae, centuriae decimae sextae. 1. Bd., Tübingen 1602.

Osiander, Widerlegung: Osiander Andreas, Widerlegung:/der vngegrundten undienstlichen/Antwort Philippi Melanchtho=/nis. Königsberg 1552. Vgl. Seebaß, Osiander, Nr. 415.

Paetzold, Die Konfutation: Paetzold Alfred, Die Konfutation des Vierstädtebekenntnisses. Ihre Entstehung und ihr Original. Leipzig 1900.

Pantaleon, Heldenbuch: Pantaleon Heinrich, Der dritte und letste Theil Teutscher Nation Heldenbuch. Basel 1570.

Pantaleon, Prosopographiae: Pantaleon Heinrich, Prosopographiae herovm atque illvstrivm virorvm totivs Germaniae, pars tertia, eaque primaria. Basel 1566.

Panzer, Annalen: Panzer Georg Wolfgang, Annalen der älteren deutschen Literatur oder Anzeige und Beschreibung derjenigen Bücher, welche von Erfindung der Buchdruckerkunst bis 1526 in deutscher Sprache gedruckt worden sind. 2 Bde. und Zusatzband, Nürnberg und Leipzig 1788—1802; Reprint: Hildesheim 1961.

Panzer, Annales: Panzer Georg Wolfgang, Annales typographici ab anno MDI ad annum MDXXXVI continuati. 11 Vol., Nürnberg 1793—1801.

Pastor, Geschichte der Päpste: Pastor Ludwig von, Geschichte der Päpste seit dem Ausgang des Mittelalters. 16 Bde., Freiburg i. Br. 1885ff.

Pastor, Reunionsbestrebungen: Pastor Ludwig, Die kirchlichen Reunionsbestrebungen während der Regierung Karls V. Freiburg i. Br. 1879.

Paulus, Geschichte des Ablasses: Paulus Nikolaus, Geschichte des Ablasses im Mittelalter. 3 Bde., Paderborn 1922—23.

Paulus, Glaubenstreue: Paulus Nikolaus, Glaubenstreue der Lüneburger Klosterfrauen im 16. Jahrhundert. In: HPBl, 112. Bd., 1893, S. 625—649.

Paulus, Matthias Kretz: Paulus Nikolaus, Dr. Matthias Kretz. In: HPBl, 114. Bd., 1894, S. 1—19.

Paulus, Protestantismus und Toleranz: Paulus Nikolaus, Protestantismus und Toleranz im 16. Jahrhundert. Freiburg i. Br. 1911.

Paulus, Rhegius über Glaubenszwang: Paulus Nikolaus, Urban Rhegius über Glaubenszwang und Ketzerstrafen. In: HPBl, 109. Bd., 1892, S. 817—830.

Paulus, Sanson: Paulus Nikolaus, Der Ablaßprediger Bernhardin Sanson. In: Der Katholik. Zeitschrift für katholische Wissenschaft und kirchliches Leben. 20. Bd., 3. Folge, Mainz 1899, S. 434—458.

Paulus, Sneek und Getelen: Paulus Nikolaus, Cornelius von Sneek und Augustin von Getelen. In: ZKTh, 25. Jg., 1901, S. 401—419.

Pegg: Pegg Michael A., A catalogue of German reformation pamphlets (1516—1546) in libraries of Great Britain and Ireland. Baden-Baden 1973 (BBAur, 45. Bd.).

Pellikan, Chronikon: Pellikan Konrad, Das Chronikon. Riggenbach Bernhard (Hg.). Basel 1877.

Periander, Germania: Periander Aegid, Germania in qua doctissimorum virorum Elogia, et iudicia continentur, ex diuersissimorum nostri temporis Poetarum monumentis accuratè congesta: Quibus addita sunt in singulos authores et viros doctos eiusdem iudicia et encomia. Haec est, quasi specimen futuri operis. Frankfurt 1567.

Pfnür, Anerkennung der CA: Pfnür Vinzenz, Anerkennung der Confessio Augustana durch die katholische Kirche? In: IkZ, 4. Jg., 1975, S. 298—307 = CA I; 5. Jg., 1976, S. 374—381 = CA II; ebd., S. 477f. = CA III.

Pfnür, Einig in der Rechtfertigungslehre?: Pfnür Vinzenz, Einig in der Rechtfertigungslehre? Wiesbaden 1970 (VIEG, 60. Bd.).

Pölnitz, Die Matrikel: Pölnitz Götz Freiherr von, Die Matrikel der Ludwig-Maximilians-Universität Ingolstadt—Landshut—München. München 1937.

Pollet, Bucer: Pollet J. V., Martin Bucer études sur la correspondance. 2 Bde., Paris 1958—62.

Prantl, Geschichte: Prantl Carl, Geschichte der Ludwig-Maximilians-Universität in Ingolstadt, Landshut, München. 2. Bd., München 1872.

Randlinger, Vorlesungsankündigungen: Randlinger Stephan, Vorlesungsankündigungen von Ingolstädter Humanisten aus dem Anfang des 16. Jahrhunderts. In: Beiträge zur Geschichte der Renaissance und Reformation. Josef Schlecht zum sechzigsten Geburtstag. München 1917, S. 348—362.

Ranke, Deutsche Geschichte: Ranke Leopold von, Deutsche Geschichte im Zeitalter der Reformation. 6 Bde., Berlin 1839—47.

Rassow, Die politische Welt Karls V.: Rassow Peter, Die Politische Welt Karls V. 2. Aufl., München 1946.

Rauscher, Prädikaturen: Rauscher Julius, Die Prädikaturen in Württemberg vor der Reformation. Ein Beitrag zur Predigt- und Pfründengeschichte am Ausgang des Mittelalters. In: Württembergische Jahrbücher für Statistik und Landeskunde. Jg. 1908, Stuttgart 1909, S. II. 152 — II. 211.

Rechnungsbücher St. Anna: Rechnungsbücher des Karmeliterklosters St.-Anna in Augsburg. Ms. in Augsburg StA: Rechnungsbücher Hospitalarchiv. Ad. Tit. I. Thom. 19, Nr. 9a; unpaginiert und unfoliiert.

Regius Ernestus, Biographie: Biographie des Urbanus Rhegius verfaßt vom Sohn Ernestus. In: Werke, siehe: D. 143. (Diese Kurzbiographie findet sich im letzten Teil der Vorrede dieses Sammelbandes auf zwei unnum. Bl.).

Regius Ernestus, Vita: Vita Urbani Regii, authore Ernesto Regio filio. In: Opera, siehe: D. 142.

Rehtmeyer, Historiae ecclesiasticae: Rehtmeyer Philippus Julius, Historiae ecclesiasticae inclytae urbis Brunsvigae Pars III. Oder Der berühmten Stadt Braunschweig Kirchen-Historiae Dritter Theil. Braunschweig 1710.

Rein, Das Evangelische Ministerium: Rein Joseph Friedrich, Das gesamte Augspurgische Evangelische Ministerium in Bildern und Schriften, von den ersten Jahren der Reformation Lutheri, bis auff Anno 1748. 1. Tl., Augsburg 1749.

Rem, Chronik: „Cronica newer geschichten" von Wilhelm Rem 1512—1527. Roth Friedrich (Bearb.). In: Die Chroniken der deutschen Städte, 25. Bd., Leipzig 1896, S. 3—245.

Reu, Quellen, 1./2.; 2./2.: Reu Johann Michael (Hg.), Quellen zur Geschichte des kirchlichen Unterrichts in der evangelischen Kirche Deutschlands zwischen 1530 und 1600. 1. Tl.: Quellen zur Geschichte des Katechismusunterrichts. 3. Bd.: Ost-, Nord- und Westdeutsche Katechismen. 1. Abteilung: Historisch-bibliographische Einleitung, 2. Hälfte. Gütersloh 1935; 2. Abteilung: Texte, 2. Hälfte. Gütersloh 1920.

Reuter, Luthers und Melanchthons Stellung: Reuter Alfred, Luthers und Melanchthons Stellung zur jurisdictio episcoporum. In: Neue kirchliche Zeitschrift. 36. Jg., 1925, S. 549—575.

Rhegius' Lebensgeschichte: URBANI RHEGII Lebens Geschichte. Ms. entstanden etwa um 1750, anonym. Hannover LKA: Handschriftenband Z 104, fol. 140—313.

Richter: Richter Aemilius Ludwig, Die evangelischen Kirchenordnungen des 16. Jahrhunderts. Urkunden und Regesten zur Geschichte des Rechts und der Verfassung der Evangelischen Kirche in Deutschland. 2 Bde., Weimar 1846; Reprint: Nieuwkoop 1967.

Ricklefs, Celle als kirchlicher Mittelpunkt: Ricklefs Jürgen, Celle als kirchlicher Mittelpunkt des Lüneburger Landes. In: 660 Jahre Stadtkirche Celle. Celle 1968. S. 75ff.

Riegger, Amoenitates: Riegger Joseph Anton, Amoenitates literariae Friburgenses. 1. Fasz., Ulm 1775.

Rischar, Eck: Rischar Klaus, Johann Eck auf dem Reichstag zu Augsburg 1530. Münster 1968 (RGST, 97. H.).

Rischar, Professor Eck: Rischar Klaus, Professor Dr. Johannes Eck als akademischer Lehrer in Ingolstadt. In: ZBKG, 37. Jg., 1968, S. 193—212.

Ritter, Flugschriften: Ritter Susanne, Die kirchenkritische Tendenz in den deutschsprachigen Flugschriften der frühen Reformationszeit. Stuttgart 1970, Phil. Diss.

Röhrich, Matthäus Zell: Röhrich Timotheus Wilhelm, Matthäus Zell, der erste evangelische Pfarrer in Straßburg. In: Mittheilungen aus der Geschichte der evangelischen Kirche des Elsasses. 3. Bd., Straßburg—Paris 1855, S. 85—154.

Roepke, Die Protestanten in Bayern: Roepke Claus-Jürgen, Die Protestanten in Bayern. München 1972.

Rössler, Biographisches Wörterbuch: Rössler Hellmuth/Franz Günther/Hoppe Willy, Biographisches Wörterbuch zur deutschen Geschichte. München 1952.

Rogge, Strauß: Rogge Joachim, Der Beitrag des Predigers Jakob Strauß zur frühen Reformationsgeschichte. Berlin 1957.

Roos, Die Quellen: Roos Heinrich, Die Quellen der Bulle „Exsurge Domine" (15. 6. 1520). In: Theologie in Geschichte und Gegenwart. Michael Schmaus zum sechzigsten Geburtstag. Außer Johann und Volk Hermann (Hg.). München 1957, S. 909—926.

Rosmini, Filelfus: Rosmini Carlo de, Vita di Francesco Filelfo. 3 Bde., Milano 1808.

Rotermund, Erneuertes Andenken: Rotermund Heinrich Wilhelm, Erneuertes Andenken des Urban Regius, ersten evangelischen General-Superintendenten des Fürstenthums Celle und Reformators der sämmtlichen Braunschweig-Lüneburgischen und anderer angränzender Länder. In: Hannoversches Magazin. Vom Jahre 1819. Hannover 1820, Sp. 721—734, 737—752.

Rotermund, Lebensnachrichten: Rotermund Heinrich Wilhelm, Geschichte des auf dem Reichstage zu Augsburg im Jahre 1530 übergebenen Glaubensbekenntnisses der Protestanten, nebst den vornehmsten Lebensnachrichten aller auf dem Reichstage zu Augsburg gewesenen päpstlichen und evangelischen Gesinnten. Hannover 1829.

Roth, Augsburg: Roth Friedrich, Augsburgs Reformationsgeschichte, 1517—1555, 4 Bde., 1. Bd., 2. Aufl., München 1901—11; Reprint: 1. u. 2. Bd., München 1974.

Roth, Augsburg I: Roth Friedrich, Augsburg's Reformationsgeschichte 1517—1527. München 1881.

Roth, Höhepunkt und Niedergang: Roth Friedrich, Zur Geschichte der Wiedertäufer in Oberschwaben. III. Der Höhepunkt der wiedertäuferischen Bewegung in Augsburg und ihr Niedergang im Jahre 1528. In: ZHVS, 28. Jg., 1901, S. 1—154.

Roth, Langenmantel: Roth Friedrich, Zur Geschichte der Wiedertäufer in Oberschwaben. II. Zur Lebensgeschichte Eitelhans Langenmantels von Augsburg. In: ZHVS, 27. Jg., 1900, S. 1—45.

Roth, Michael Keller: Roth Friedrich, Zur Lebensgeschichte des Meisters Michael Keller, Prädikanten in Augsburg. In: BBKG, 5. Bd., 1899, S. 149—163.

Roth, Privatbeichte: Roth Erich, Die Privatbeichte und Schlüsselgewalt in der Theologie der Reformatoren. Gütersloh 1952.

Rothert, Drei Predigten: Rothert Hugo, Drei Predigten aus dem Jahrhundert der Reformation. In: Jahrbuch des Evang. Vereins für westfälische Kirchengeschichte. 27. Jg., Gütersloh 1926, S. 5—31.

Rothert, Schrift gegen die Wiedertäufer: Rothert Hermann, Eine Schrift gegen die Wiedertäufer. In: Mitteilungen des Vereins für Geschichte und Landeskunde von Osnabrück. 64. Bd., 1950, S. 87—97.

Rublack, Konstanz: Rublack Hans-Christoph, Die Einführung der Reformation in Konstanz von den Anfängen bis zum Abschluß 1531. Karlsruhe 1971 (QFRG, 40. Bd.).

Rudolphi, Froschauer: Rudolphi Camillo E., Die Buchdrucker-Familie Froschauer in Zürich 1521—1595. Verzeichnis der aus ihrer Offizin hervorgegangenen Druckwerke. Zürich 1869; Reprint: Nieuwkoop 1963.

Ruf, Mitteilungen: Ruf S., Kleine historische Mitteilungen. In: Archiv für Geschichte und Alterthumskunde Tirols. 2. Jg., Innsbruck 1865, S. 203—208.

Ruf, Strauss und Regius: Ruf S., Doctor Jacob Strauss und Doctor Urban Regius. In: Archiv für Geschichte und Alterthumskunde Tirols. 2. Jg., 1865, S. 67—81.

Rupperich, Deutsche Literatur: Rupperich Hans, Die Deutsche Literatur vom späten Mittelalter bis zum Barock. 2. Bd., München 1973. (Geschichter der Deutschen Literatur. Von de Boor Helmut und Newald Richard (Hg.), IV./ 2. Bd.).

Sanuto, I diarii: Sanuto Marino, I diarii. 53. Bd., Venedig 1899.

Schaar, Urbanus Rhegius: Schaar Walter, Urbanus Rhegius. In: 660 Jahre Stadtkirche Celle. Celle 1968, S. 68—74.

Schade, Satiren: Schade Oskar, Satiren und Pasquille aus der Reformationszeit. 3 Bde., Hannover 1865—68.

Schauerte, Bußlehre: Schauerte Heinrich, Die Bußlehre des Johannes Eck. Münster 1919. (RGST, 38./39. H.).

Scheel, Luther: Scheel Otto, Martin Luther. Vom Katholizismus zur Reformation. 1. Bd., 3. Aufl., Tübingen 1921; 2. Bd., 3. u. 4. Aufl., Tübingen 1930.

Scheible, Reform—Reformation—Revolution: Scheible Heinz, Reform, Reformation, Revolution. Grundsätze zur Beurteilung der Flugschriften. In: ARG, 65. Jg., 1974, S. 108—134.

Schelhorn, Amoenitates: Schelhorn Johann Georg, Amoenitates literariae, quibus variae observationes, scripta item quaedam anecdota et rariora Opuscula exhibentur. VI. Tom., Frankfurt-Leipzig 1727.

Schelhorn, De religionis evangelicae ortu: Schelhorn Johann Georg, De religionis evangelicae in provincia Salisburgensi ortu progressu et fatis commentatio historico ecclesiastica. Leipzig 1732.

Schelhorn, Ergötzlichkeiten: Schelhorn Johann Georg, Ergötzlichkeiten aus der Kirchenhistorie und Literatur. 2. Bd., Ulm—Leipzig 1763.

Schelhorn, Historische Nachricht: Schelhorn Johann Georg, Historische Nachricht vom Ursprunge, Fortgang und Schicksale der Evangelischen Religion in den Salzburgischen Landen, Darinnen die Kirchen-Geschichte seit der Reformation erlåutert wird. Leipzig 1732.

Schelhorn, Memmingen: Schelhorn Johann Georg, Kurtze Reformations-Historie der Kayserlichen Freyen Reichs-Stadt Memmingen aus bewährten Urkunden und andern glaubwürdigen Nachrichten verfasset und bey Veranlassung des andern Jubel-Festes der Augspurgischen Confession an das Licht gestellt. Memmingen 1730.

Schieß, Briefwechsel Blaurer: Briefwechsel der Brüder Ambrosius und Thomas Blaurer 1509—1548. Badische Historische Kommission (Hg.), Schieß Traugott (Bearb.), 3 Bde., Freiburg i. Br. 1908—1912.

Schiess, Flugschriften Vadians: Schiess Traugott, Hat Vadian deutsche Flugschriften verfaßt? In: MVG, 38. Bd., 1932, S. 181—215.

Schiller, Die St.-Anna-Kirche: Schiller Wilhelm, Die St.-Anna-Kirche in Augsburg. Augsburg 1938.

Schilling, Langenargen: Schilling Albert, Langenargen. Seine Geschichte und seine Beherrscher, insbesondere der Grafen von Montfort. Ursendorf 1870.

Schirrmacher, Briefe und Akten: Schirrmacher Friedrich Wilhelm, Briefe und Acten zu der Geschichte des Religionsgespräches zu Marburg 1529 und des Reichstages zu Augsburg 1530. Nach der Handschrift des Johann Aurifaber nebst den Berichten der Gesandten Frankfurt a. M. und den Regesten zur Geschichte dieses Reichstages. Gotha 1876; Reprint: Amsterdam 1968.

Schlecht, Eck: Schlecht Joseph, Dr. Johann Ecks Anfänge. In: HJ, 36. Bd., 1915, S. 1—36.

Schlecht, Lob- und Spottgedichte: Schlecht Joseph, Lob- und Spottgedichte Ingolstädter Humanisten. In: HJ, 41. Bd., 1921, S. 215—246.

Schlecht, Ein abenteuerlicher Reunionsversuch: Schlecht Joseph, Ein abenteuerlicher Reunionsversuch (des päpstlichen Unterhändlers Rafael Palazzolo). In: RQ, 7. Bd., 1893, S. 33—385.

Schlichthaber, Andenken: Schlichthaber Anton Gottfried, Der Evangelisch-Lutherisch-Mindischen Kirchen-Geschichte erster Teil welcher fasset das segenreiche Andencken Urbani Regii. 2. Aufl., Minden 1753.

Schlichthaber, Biographia: Schlichthaber Anton Gottfried, D. Urbani Regii biographia. 2. Aufl., Bückeburg 1747.

Schmauch, Christoph von Stadion: Schmauch Hans Peter, Christoph von Stadion (1478—1543), Bischof von Augsburg (1517—1543), und seine Stellung zur Reformationszeit. München 1965; ungedr. Phil. Diss.

Schodl, Kaiser Maximilian I.: Schodl Barbara, Kaiser Maximilian I., die Erbländer, das Reich und Europa im Jahre 1510. Graz 1975, ungedr. Phil. Diss.

Schomaker, Chronik: Die Lüneburger Chronik des Propstes Jakob Schomaker. Meyer Theodor (Hg.). Lüneburg 1904.

Schornbaum, Kirchenvisitation: Schornbaum Karl, Aktenstücke zur ersten Brandenburgischen Kirchenvisitation 1528. München 1928 (EKGB, 10. Bd.).

Schornbaum, Markgraf Georg von Brandenburg: Schornbaum Karl, Zur Politik des Markgrafen Georg von Brandenburg vom Beginne seiner selbständigen Regierung bis zum Nürnberger Anstand 1528—1532. München 1906.

Schornbaum, Zur Geschichte des Reichstages von Augsburg 1530: Schornbaum Karl, Zur Geschichte des Reichstages von Augsburg im Jahre 1530. In: ZKG, 26. Bd., 1905, S. 142—149.

Schott, Beiträge: Schott Eberhard, Beiträge zu der Geschichte des Carmeliterklosters und der Kirche zu St. Anna in Augsburg. In: ZHVS, 9. Jg. 1882, S. 221—284.

Schottenloher, Bibliographie: Schottenloher Karl, Bibliographie zur deutschen Geschichte im Zeitalter der Glaubensspaltung 1517—1585. 7 Bde., Stuttgart 1956—1966.

Schottenloher, Druckauflagen: Schottenloher Karl, Die Druckauflagen der päpstlichen Lutherbulle „Exsurge Domine". In: Zeitschrift für Bücherfreunde, Neue Folge, 9. Jg., Leipzig 1918, S. 197—208.

Schottenloher, Kaiserliche Dichterkrönungen: Schottenloher Karl, Kaiserliche Dichterkrönungen im Heiligen Römischen Reiche Deutscher Nation. In: Papsttum und Kaisertum. Paul Kehr zum 65. Geburtstag dargebracht. Brackmann Albert (Hg.). München 1926, S. 648—673.

Schottenloher, Kaiserliche Herolde: Schottenloher Karl, Kaiserliche Herolde des 16. Jahrhunderts als öffentliche Berichterstatter. In: HJ, 49. Bd., 1929, S. 460—471.

Schottenloher, Landshut: Schottenloher Karl, Die Landshuter Buchdrucker des 16. Jahrhunderts. Mit einem Anhang: Die Apianusdruckerei in Ingolstadt. Mainz 1930. (Veröffentlichung der Gutenberg-Gesellschaft, 21. Bd.); Reprint: Nieuwkoop 1967.

Schottenloher, Lutz: Schottenloher Karl, Magister Andreas Lutz in Ingolstadt, der Drucker der Bulle „Exsurge Domine" 1519—1524. In: ZfB, 32. Bd., 1915, S. 249—266.

Schottenloher, Ulhart: Schottenloher Karl, Philipp Ulhart, ein Augsburger Winkeldrucker und Helfershelfer der „Schwärmer" und „Wiedertäufer" (1523—1529). München-Freising 1921. (Historische Forschungen und Quellen, 4. Bd.); Reprint: Nieuwkoop 1967.

Schottenloher, Widmungsvorrede: Schottenloher Karl, Die Widmungsvorrede im Buch des 16. Jahrhunderts. Münster 1953 (RGST, 76./77. Bd.).

Schottenloher, Zeittafel: Schottenloher Karl, Zeittafel zur deutschen Geschichte des sechzehnten Jahrhunderts. Leipzig 1939.

Schottenloher, Erasmus: Schottenloher Otto, Erasmus im Ringen um die humanistische Bildungsreform. Münster 1933 (RGST, 61. H.).

Schreiber, Universität Freiburg i. Br.: Schreiber Heinrich, Geschichte der Albert-Ludwigs-Universität zu Freiburg im Breisgau. 2 Bde., Freiburg i. Br. 1857—1859.

Schröder, Die Augsburger Weihbischöfe: Schröder Alfred, Die Augsburger Weihbischöfe. I. Im Mittelalter. In: AGHA, 5. Bd., 1917, S. 411—441; 443ff.

Schröder, Die Verkündigung der Bulle: Schröder Alfred, Die Verkündigung der Bulle „Exurge Domine" durch Bischof Christoph von Augsburg 1520. In: JhVD, 9. Jg., 1896, S. 144—172.

Schröder, Fuggers Patronatsrecht: Schröder Alfred, Die Erwerbung des Patronatsrechtes auf die Pfarrei St. Moritz durch Jak. Fugger 1511—1518. In: DASchw, 9. Jg., 1892, Nr. 9, S. 33—35; Nr. 10, S. 37—39; Nr. 11, S. 41—43.

Schubert, Bekenntnisbildung: Schubert Hans von, Bekenntnisbildung und Religionspolitik 1529/30 (1524—1534). Gotha 1910.

Schubert, Die Reformation in Augsburg: Schubert Friedrich Hermann, Die Reformation in Augsburg. In: Augusta 955 bis 1955. München 1955, S. 283—300.

Schulte, Die römischen Verhandlungen: Schulte Aloys, Die römischen Verhandlungen über Luther. 1520. Aus den Atti Consistoriali 1517—23. In: QFIAB, 6. Bd., 1904, S. 32—52; 174—176.

Schwartz, Soest: Schwartz Hubertus, Geschichte der Reformation in Soest. Soest 1932.

Schwertner, Abkürzungsverzeichnis: Schwertner Siegfried, Internationales Abkürzungsverzeichnis für Theologie und Grenzgebiete. Berlin—New York 1974.

Schweyger, Stadtchronik von Hall: Schönherr David (Hg.), Franz Schweyger's Chronik der Stadt Hall 1303—1572. Innsbruck 1867 (Tirolische Geschichtsquellen, 1. Bd.).

Seckendorf, Commentarius: Seckendorf Veit Ludwig, Commentarius historicus et apologeticus de Lutheranismo, sive de Reformatione religionis ductu D. Martini Lutheri in magna Germaniae parte aliisque regionibus, & speciatim in Saxonia recepta & stabilita. 3 Bde., Frankfurt—Leipzig 1692.

Seckendorf, Luthertum: Seckendorf Veit Ludwig von, Ausführliche Historie des Luthertums, und der heilsamen Reformation, welche der theure Martin Luther binnen dreyssig Jahren glücklich ausgeführet. Leipzig 1714.

Seebaß, Osiander: Seebaß Gottfried, Das reformatorische Werk des Andreas Osiander. Nürnberg 1967.

Sehling: Sehling Emil, Die evangelische Kirchenordnungen des XVI. Jahrhunderts. Bde. I—V, Leipzig 1902—13. Bde. VI—VIII, XI—XIII. Institut für evangelisches Kirchenrecht der Evangelischen Kirchen in Deutschland (Hg.). Tübingen 1955ff.

Seifert, Die Universität Ingolstadt: Seifert Arno (Bearb.), Die Universität Ingolstadt im 15. und 16. Jahrhundert. Texte und Regesten. Berlin 1973 (Ludovico Maximilianea Universität Ingolstadt—Landshut—München. Forschungen und Quellen. Spörl Johannes und Boehm Laetitia [Hg.], Quellen, 1. Bd.)

Seifert, Statuten: Seifert Arno, Statuten- und Verfassungsgeschichte der Universität Ingolstadt (1472—1586). Berlin 1971 (Ludovico Maximilianea Universität Ingolstadt—Landshut—München. Forschungen und Quellen. Spörl Johannes und Boehm Laetitia [Hg.], Forschungen, 1. Bd.)

Seigel, Spital und Stadt: Seigel Rudolf, Spital und Stadt in Altwürttemberg. Tübingen 1966 (Veröffentlichungen des Stadtarchivs Tübingen, 3. Bd.).

Seitz I: Seitz Otto, Die theologische Entwicklung des Urbanus Rhegius, speziell sein Verhältnis zu Luther und zu Zwingli, in den Jahren 1521—1523. Gotha 1898, Theol. Diss.

Seitz II: Seitz Otto, Die Stellung des Urbanus Rhegius im Abendmahlsstreite. In: ZKG, 19. Bd., 1899, S. 293—328.

Seitz III: Seitz Otto, Die Theologie des Urbanus Rhegius, speziell sein Verhältnis zu Luther und zu Zwingli. Ein Beitrag zur Geschichte des Abendmahlsstreites im Reformationszeitalter. Gotha 1898.

Selneccerus, Oratio historica de initiis: Selneccerus Nicolaus, Oratio historica de initiis, causis et progressu confessionis Augustanae et de vita ac laboribus D. D. Martini Lutheri. Jena 1592.

Selnecker, Leben und Wandel Luthers: Selnecker Nicolaus, Historica Oratio. Vom Leben und Wandel des Ehrwirdigen Herrn, und thewren Mannes Gottes, D. Martini Lutheri. (Leipzig) 1576.

Semler, Die Bibliothek Spiegels: Semler Alfons, Die Bibliothek des Humanisten Jakob Spiegel. In: ZGO, 71. Bd., 1917, S. 84—97.

Sender, Chronik: Die Chronik von Clemens Sender von den ältesten Zeiten der Stadt bis zum Jahre 1536. Roth Friedrich (Bearb.). In: Die Chroniken der deutschen Städte, 23. Bd., Leipzig 1894, S. 1—404.

Sender, Historica relatio: Sender Clemens, Historica relatio de ortu et progressu haeresum in Germania, praesertim vero Augustae Vindelicorum. Ingolstadt 1654.

Serpilius, Epitaphia: Serpilius Georg, Epitaphia, oder Ehren-Gedåchtnůsse unterschiedlicher Theologorum, b. d. die in Schwaben gebohren worden. Regensburg 1707.

Simmet, Augsburg: Simmet Ludwig, Augsburg und der Reichstag des Jahres 1530. 4 Tle., Augsburg 1882—1887 (Programm der k. Kreis-Realschule Augsburg 1881—1887).

Simon, Frosch: Simon Matthias, Johannes Frosch. In: Lebensbilder aus dem Bayerischen Schwaben. 2. Bd., München 1953, S. 181—196.

Simon, Wie kam Osiander nach Nürnberg?: Simon Matthias, Wie kam Osiander nach Nürnberg? In: ZBKG, 36. Bd., 1967, S. 1—12.

Sinnacher, Beyträge zur Geschichte: Sinnacher Franz Anton, Beyträge zur Geschichte der bischöflichen Kirche Säben und Brixen in Tirol. 9 Bde., Brixen 1821—1837.

Sleidanus, De Statu religionis: Sleidanus Johannes, De Statu religionis et reipublicae Carolo quinto Caesare Commentariorum libri XXVI. (Straßburg 1555). Dieses Werk erlebte sehr viele Auflagen; wenn nicht anders erwähnt, wird diese Auflage verwendet.

Sommerlath, Absolution: Sommerlath Ernst, Der sakramentale Charakter der Absolution nach Luthers Schrift „Von den Schlüsseln" (1530). In: Die Leibhaftigkeit des Wortes. Theologische und seelsorgliche Studien und Beiträge als Festgabe für Adolf Köberle zum sechzigsten Geburtstag. Michael Otto und Mann Ulrich (Hg.). Hamburg 1958, S. 210—232.

Spal: Spalatins Abschrift der deutschen Konfession im Staatsarchiv Weimar. Vgl. BSLK, S. 33. Ediert: Förstemann, Urkundenbuch, 1. Bd., S. 312—354.

Spalatin, Annales: Spalatin Georg, Annales Reformationis oder Jahr-Bücher von der Reformation Lutheri. Cyprian Ernst Salomon (Hg.). Leipzig 1718.

Spalatin, Chronicon: Spalatin Georg, Chronicon sive annales a m. Augusto anni 1513 usque ad finem fere anni 1526. In: Scriptores rerum Germanicarum praecipue Saxonicarum. Mencken Jo. Burchard (Hg.), 2. Bd., Leipzig 1728, Sp. 589—664.

Srbik/Lhotsky, Maximilian I.: Srbik Robert Ritter von, Maximilian I. und Gregor Reisch. Lhotsky Alphons (Hg.). In: AÖG, 122. Bd./2. H., 1961, S. 3—112.

Staehelin, Oekolampad: Staehelin Ernst, Das theologische Lebenswerk Johannes Oekolampads. Leipzig 1939 (QFRG, 21. Bd.).

Staehelin, Oekolampad/Briefe und Akten: Staehelin Ernst, Briefe und Akten zum Leben Oekolampads. 2 Bde., Leipzig 1927 und 1934 (QFRG, 10. u. 19. Bd.).

Stälin, Aufenthaltsorte: Stälin Christoph Friedrich, Aufenthaltsorte K. Maximilians I. seit seiner Alleinherrschaft 1493 bis zu seinem Tode 1519. In: Forschungen zur Deutschen Geschichte, 1. Bd., Göttingen 1862, S. 347—383.

Staerkle, Bildungsgeschichte: Staerkle Paul, Beiträge zur spätmittelalterlichen Bildungsgeschichte St. Gallens. St. Gallen 1939 (MVG, 40. Bd.).

Stalla: Stalla Gerhard, Bibliographie der Ingolstädter Drucker des 16. Jahrhunderts. Baden-Baden 1971. (BBAur, 34. Bd.).

Staub, Fabri: Staub Ignaz, Dr. Johann Fabri Generalvikar von Konstanz (1518—1523), bis zum offenen Kampf gegen M. Luther (August 1522). Einsiedeln 1911.

Steinlein, Luthers Doktorat: Steinlein Hermann, Luthers Doktorat. Zum 400jährigen Jubiläum desselben (18. und 19. Oktober 1912). Leipzig 1912.

Steinmetz, Urbanus Rhegius: Steinmetz Rudolf, Die Generalsuperintendenten von Lüneburg — Celle — 1. Urbanus Rhegius. 1531 bis 1542. In: ZGNKG, 20. Jg., 1915, S. 6—22.

Stengel, Commentarius: Stengel Karl, Rerum Augustan. Vindel. Commentarius. Ab urbe condita, ad nostra usque tempora. 2. Bd., Ingolstadt 1647.

Stetten, Geschichte Augsburgs: Stetten Paul von, Geschichte Der Heil. Rōm. Reichs Freyen Stadt Augsburg/Aus Bewåhrten Jahr-Bůchern und Tuchtigen Urkunden gezogen/Und an das Licht gegeben. Frankfurt—Leipzig 1743.

Stierle, Capito: Stierle Beate, Capito als Humanist. Heidelberg 1974 (QFRG, 42. Bd.).

Stintzing, Zasius: Stintzing Roderich, Ulrich Zasius, Ein Beitrag zur Geschichte der Rechtswissenschaft im Zeitalter der Reformation. Basel 1857; Reprint: Darmstadt 1961.

Strasser, Kaiser Maximilian I.: Strasser Wilfriede, Kaiser Maximilian I. die Erbländer, das Reich und Europa im Jahre 1511. Graz 1973, ungedr. Phil. Diss.

Strauss, Aventinus: Strauss Gerald, Historian in an age of crisis. The life and work of Johannes Aventinus 1477—1543. Cambridge, Massachusetts 1963.

Strobel, Eine der ältesten evangelischen Copulationsformeln: Strobel Georg Theodor, Eine der ältesten evangelischen Copulationsformeln vom Jahre 1525. In: Neue Beyträge zur Litteratur besonders des sechzehnten Jahrhunderts. 1. Bd., Nürnberg 1790, S. 181—191.

Studer, Hugo von der Hohen-Landenberg: Studer Julius, Hugo von der Hohen-Landenberg der Konstanzer Bischof zur Reformationszeit. In: SThZ, 31. Bd., 1914, S. 13—26; 110—125.

Studer, Urbanus Rhegius: Studer Julius, Urbanus Rhegius und die päpstliche Bulle gegen Luther. In: SThZ, 32. Bd., 1915, S. 31—40; 134—141.

Stupperich, Die Frau in der Publizistik: Stupperich Robert, Die Frau in der Publizistik der Reformation. In: AKuG, 37. Bd., 1955, S. 204—233.

Stupperich, Kirche und Synode: Stupperich Robert, Kirche und Synode bei Melanchthon. In: Beiträge zur historischen Theologie. Gedenkschrift für Werner Elert. Berlin 1955, S. 199—210.

Stupperich, Kirchliche Einigungsbestrebungen: Stupperich Robert, Kirchliche Einigungsbestrebungen im Zeitalter der Reformation und der Orthodoxie. In: Um die evangelische Einheit. Beiträge zum Unionsproblem. Herbert Karl (Hg.). Herborn 1967, S. 34—66.

Stupperich, Melanchthon: Stupperich Robert, Melanchthon. Berlin 1960 (Sammlung Göschen, 1190 Bd.).

Stupperich, Reformation: Stupperich Robert, Die Reformation in Deutschland. München—Darmstadt 1972 (dtv, 3202. Bd.).

Stupperich, Die Schriften Bernhard Rothmanns: Stupperich Robert (Bearb.), Die Schriften Bernhard Rothmanns. In: Die Schriften der Münsterischen Täufer und ihrer Gegner. 1. Tl., Münster 1970 (Veröffentlichungen der Historischen Kommission Westfalens, 32. Bd.).

Stupperich, Urbanus Rhegius: Stupperich Robert, Urbanus Rhegius und die vier Brennpunkte der Reformation in Westfalen. In: Westfalen, 45. Bd., 1967, S. 22—34.

Stupperich, Urbanus Rhegius II: Stupperich Robert, Urbanus Rhegius. In: Reformatorische Verkündigung und Lebensordnung. Bremen 1963 (KlProt, 3. Bd.), S. 233f.

Sturm, Wie die Kaiserliche Maiestät in Augsburg eingeritten: Sturm Caspar, Wie die Rô. Kai. Maie. von Inßpruck aus zů angesetzten Reychstag zu Augspurg eingeritten. Augsburg 1530. Vgl. BM STC, S. 840.

Tecklenburg, Luthers Konzilsidee: Tecklenburg Johns Christa, Luthers Konzilsidee in ihrer historischen Bedingtheit und ihrem reformatorischen Neuansatz. Berlin 1966.

Tentzel, Historischer Bericht: Tentzel Wilhelm Ernst, Historischer Bericht vom Anfang und ersten Fortgang der Reformation Lutheri, zur Erläuterung des Hn. v. Seckendorff Historie des Luthertums mit großem Fleiß erstattet, und nunmehro nebst einer besonderen Vorrede, auch nützlichen noch niehmals publicirten Urkunden mitgetheilet von Ernst Salomon Cyprian. 2 Tle., Leipzig 1718.

Tetleben, Protokoll: Tetleben Valentin von, Protokoll des Augsburger Reichstages 1530. Grundmann Herbert (Hg.). Göttingen 1958 (SHKBA, 4. Schrift).

Tettnang: Beschreibung des Oberamts Tettnang. K. Statistisches Landesamt (Hg.). 2. Aufl., Stuttgart 1915.

Theatrum: Theatrum virtutis et honoris sive sylloge promotionum academicarum academiae Basiliensis. 1. Bd., Ms. in Basel UB: Mscr. 011[a].

Thieme, Zasius: Thieme Hans, Zasius und Freiburg. In: Aus der Geschichte der Rechts- und Staatswissenschaften zu Freiburg, 1. Bd., Freiburg i. Br. 1957 (BFWUG, 15. Bd.), S. 9—22.

Thurnhofer, Bernhard Adelmann: Thurnhofer Franz Xaver, Bernhard Adelmann von Adelmannsfelden, Humanist und Luthers Freund (1457—1523). Freiburg i. Br. 1900.

Thurot, De L'Organisation: Thurot Francois — Charles — Eugène, De L'Organisation de L'enseignement dans L'Université De Paris au Moyen âge. Paris 1850.

Tiepolo, Depeschen: Die Depeschen des venezianischen Gesandten Nicolò Tiepolo über die Religionsfrage aus dem Augsburger Reichstag 1530. Walter Johannes von (Hg.). Berlin 1928 (AGWG. PH, 23. Bd.).

Tomek, Fabri: Tomek Ernst, Fabri Johannes. In: LThK, 3. Bd., Sp. 934f.

Tschackert, Antonius Corvinus: Tschackert Paul, Briefwechsel des Antonius Corvinus, gesammelt und herausgegeben. Hannover—Leipzig 1900. (Quellen und Darstellungen zur Geschichte Niedersachsens, 4. Bd.).

Tschackert, Urbanus Rhegius: Tschackert Paul, Urban Rhegius an die Stadt Hannover. In: ZGNKG, 17. Bd., 1912, S. 221—222.

Turmair SW: Johannes Turmair's genannt Aventinus sämtliche Werke. Königliche Akademie der Wissenschaften (Hg.), 1. Bd., München 1881.

Ubbelohde, Urbanus Rhegius: Ubbelohde Karl, Urbanus Rhegius' Schul- und

Kirchenordnung der Stadt Lüneburg vom 9. Juni 1531. In: ZGNKG, 1. Jg. 1896, S. 45—93.

Uckeley, Formulae quaedam: Uckeley Alfred, Wie man fürsichtiglich und ohne Ärgernis reden soll von den fürnemsten Artikeln christlicher Lehre (Formulae quaedam caute et citra scandalum loquendi). Nach der deutschen Ausgabe von 1536 nebst der Predigtanweisung Herzog Ernst des Bekenners von 1529. Leipzig 1908. (QGP, 6. Bd.).

Uhland, Täufertum: Uhland Friedwart, Täufertum und Obrigkeit in Augsburg im 16. Jahrhundert. Tübingen 1972, Phil. Diss.

Uhlhorn I: Uhlhorn Gerhard, Urbanus Rhegius im Abendmahlsstreite. In: JDTh, 5. Bd., 1860, S. 3—45.

Uhlhorn II: Uhlhorn Gerhard, Urbanus Rhegius. Leben und ausgewählte Schriften. Elberfeld 1861 (LASLK, 7. Bd.); Reprint: Nieuwkoop 1968.

Uhlhorn III: Uhlhorn Gerhard, Urbanus Rhegius. In: Real-Encyklopädie für protestantische Theologie und Kirche. 13. Bd., Leipzig 1884, S. 147—155.

Uhlhorn/Tschackert, Rhegius: Uhlhorn Gerhard/Tschackert Paul, Rhegius Urbanus. In: RE, 16. Bd., S. 734—741.

Uhsen, Leben der Berühmtesten Kirchen-Lehrer: Uhsen Erdmann M., Leben der Berühmtesten Kirchen-Lehrer und Scribenten Des XVI. und XVII. Jahr-Hunderts nach Christi Geburth. Leipzig 1710.

Unschuldige Nachrichten: Unschuldige Nachrichten oder Sammlung von alten und neuen theologischen Sachen. 2. Aufl., Leipzig 1708.

Usteri, Initia: Usteri Martin Johann, Initia Zwinglii Beiträge zur Geschichte der Studien und der Geistesentwicklung Zwinglis in der Zeit vor Beginn der reformatorischen Thätigkeit. In: ThStKr, 58. Jg., 1885, S. 607—672 und 59. Jg., 1886, S. 95—159.

Vander Haeghen: Vander Haeghen Ferdinand, Bibliotheca Erasmiana. Gent 1893; Reprint: Nieuwkoop 1972.

Vadian, Epitome: Watt (Vadian) Joachim von, Epitome. — Diarium. Götzinger Ernst (Hg.). St. Gallen 1879 (Joachim von Watt [Vadian], Deutsche Schriften, 3. Bd.).

Vadianische Briefsammlung: Die Vadianische Briefsammlung der Stadtbibliothek St. Gallen. 7 Bde., St. Gallen 1890—1913. In: MGV, Bd. 24 = 1, 1890, S. 77—270; Bd. 25 = 2, 1894, S. 191—483; Bd. 27 = 3, 1897, 313 S.; Bd. 28 = 4, 1902, 274 S.; Bd. 29 = 5, 1905, 748 S.; Bd. 30 = 6, 1908, 955 S.; Bd. 30a = 7, 1913, 314 S.

Vasella, Klerusbildung: Vasella Oskar, Über das Problem der Klerusbildung im 16. Jahrhundert. In: MIÖG, 58. Bd., 1950, S. 441—456.

Vasella, Reform und Reformation: Vasella Oskar, Reform und Reformation in der Schweiz. 2. Aufl., Münster 1965 (KLK, 16. H.).

Veiel, Urbani Regii memoria: Veiel Elias und Roth Johann Paul, Urbani Regii memoria et merita in ecclesiam dei. Ulm 1683.

Veith, Bibliotheca: Veith Franz Anton, Bibliotheca Augustana, complectens notitias varias de vita et scriptis eruditorum, quos Augusta Vindel. orbi litterario vel dedit vel aluit. 8 Bde., Augsburg 1786—1796.

Verdroß-Droßberg, Waldauf: Verdroß-Droßberg, Florian Waldauf von Waldenstein. Festschrift zur 450-Jahr-Feier der Haller Stubengesellschaft. Innsbruck 1958 (SchlSchr, 184. Bd.).

Verpoortenns, Commentatio: Verpoortenns Albert Meno, Commentatio historica de Martino Bucero eiusque de Coena Domini sententia. Accessit Buceri ad Urbanum Regium Epistola. Koburg 1709.

Virck, Melanchthon's politische Stellung: Virck Hans, Melanchthon's politische Stellung auf dem Reichstag zu Augsburg 1530. In: ZKG, 9. Bd., 1888, S. 67—104; 293—340.

Virck, Politische Correspondenz: Virck Hans (Bearb.), Politische Correspondenz der Stadt Strassburg im Zeitalter der Reformation. 1. Bd., Straßburg 1882; 2. Bd., 1887.

Virnich, Johannes Eck: Virnich Therese (Hg.), Johannes Eck, Disputatio Viennae Pannoniae habita (1517). Münster 1923 (CCath, 6. Bd.).

Vischer, Universität Basel: Vischer Wilhelm, Geschichte der Universität Basel von der Gründung 1460 bis zur Reformation 1529. Basel 1860.

Vögeli, Reformation in Konstanz: Vögeli Jörg, Schriften zur Reformation in Konstanz 1519—1538. Halbbde. I, II/1 und II/2. (Fortlaufende Paginierung). Tübingen—Basel 1972—73 (SKRG, Bde. 39—41).

Vogt, Catalogus: Vogt Johann, Catalogus historico-criticus librorum rariorum. 4. Aufl., Hamburg 1753.

Vogt, Correspondenz: Vogt Wilhelm, Die Correspondenz des schwäbischen Bundeshauptmanns Ulrich Artzt von Augsburg a. d. J. 1524 und 1525. In: ZHVS, 6. Jg., 1879, S. 281—400; 7. Jg., 1880, S. 233—372; 9. Jg., 1882, S. 1—62; 10. Jg., 1883, S. 1—300.

Vogt, Johann Schilling: Vogt Wilhelm, Johann Schilling der Barfüsser-Mönch und der Aufstand in Augsburg im Jahre 1524. In: ZHVS, 6. Jg., 1879, S. 1—88.

Vogt, Urbanus Rhegius: Vogt Wilhelm, Zur Biographie des Urbanus Rhegius. In: BlbKG, 1. Jg., 1887/88, S. 168—172.

(Vogt), Urbanus Rhegius: (Vogt Wilhelm), Urbanus Rhegius. In: Blätter aus der Augsburger Reformationsgeschichte. Augsburg 1888.

Volz, Luthers Thesenanschlag: Volz Hans, Martin Luthers Thesenanschlag und dessen Vorgeschichte. Weimar 1959.

Volz, Unbekannter Brief: Volz Hans, Ein unbekannter Brief des Urbans (!) Rhegius aus dem Jahre 1537. In: JGNKG, 65. Jg., S. 270f.

Wackernagel, Geschichte Basels: Wackernagel Rudolf, Geschichte der Stadt Basel. 3 Bde., Basel 1907—1924.

Wackernagel, Kirchenlied: Wackernagel Philipp, Das deutsche Kirchenlied von der ältesten Zeit bis zu Anfang des XVII. Jahrhunderts. 5 Bde., Leipzig 1864—77.

Wackernagel, Matrikel Basel: Wackernagel Hans Georg, Die Matrikel der Universität Basel. 1. Bd., Basel 1951.

Wagemann, Rhegius: Wagemann, Rhegius. In: ADB, 28. Bd., Leipzig 1889, S. 374—378.

Walch: Dr. Martin Luthers sämtliche Schriften. Walch Johann Georg (Hg.). 23 Bde., 2. Aufl., St. Louis/Missouri 1880—1910.

Walchner, Botzheim: Walchner Karl, Johann von Botzheim, Domherr zu Constanz, und seine Freunde. Schaffhausen 1836.

Waldner, Strauss: Waldner Franz, Dr. Jakob Strauss in Hall und seine Predigt vom grünen Donnerstag (17. April) 1522. In: Zeitschrift des Ferdinandeums für Tirol und Vorarlberg, 3. Folge, 26. H., Innsbruck 1882, S. 3—53.

Walther, Tractatus: Walther Georg Christoph, Tractatus Juridico-Politicus de Statu, Juribus et Privilegiis Doctorum. Nürnberg 1641.

Walter, Der Reichstag zu Augsburg: Walter Johannes von, Der Reichstag zu Augsburg 1530. In: LuJ, 12. Bd., 1930, S. 1—90.

Wappler, Theologische Fakultät Wien: Wappler Anton, Geschichte der theologischen Fakultät der k. k. Universität zu Wien. Wien 1884.

Weber, Reformation: Weber Hans Emil, Reformation, Orthodoxie und Rationalismus. Gütersloh 1937 (Beiträge zur Förderung christlicher Theologie, 2. Reihe, 35. Bd.).

Weis, Diarium: Weis Adam, Diarium, über das, was sich bey seiner Anwesenheit auf dem Reichs-Tag zu Augsburg, anno 1530 zugetragen. In: Georgii Jacobi Friderici, Uffenheimische Neben-Stunden. 7. Stück, Schwabach 1743, S. 673—744.

Weismann, der Predigtgottesdienst: Weismann Eberhard, Dr Predigtgottesdienst und die verwandten Formen. In: Leit., 3. Bd., 1956, S. 1—97.

Weller: Weller Emil, Repertorium typographicum. Die deutsche Literatur im ersten Viertel des sechzehnten Jahrhunderts, nebst 2 Supplementbände. Nördlingen 1864—1885; Reprint: Hildesheim 1961.

Westphal, Briefsammlung: Briefsammlung des Hamburgischen Superintendenten Joachim Westphal aus den Jahren 1530 bis 1575. Sillem C. H. W. (Bearb.). Bürgermeister Kellinghusens Stiftung (Hg.). 1. Abt.: 1530—1558; 2. Abt.: 1559—1575. Hamburg 1903.

Wiechmann-Kadow, Zwist Rostock: Wiechmann-Kadow, Der Zwist der evang. Prediger zu Rostock im Jahre 1531 und Johann Bugenhagen's Gutachten darüber. In: Jahrbücher des Vereins für Mecklenburgische Geschichte und Alterthumskunde. 24. Jg., 1859, S. 141—155.

Wiedemann, Augsburger Pfarrerbuch: Wiedemann Hans, Augsburger Pfarrerbuch. Die evangelischen Geistlichen der Reichsstadt Augsburg 1524—1806. Nürnberg 1962.

Wiedemann, Eck: Wiedemann Theodor, Dr. Johann Eck, Professor der Theologie an der Universität Ingolstadt. Regensburg 1865.

Wiedemann, Turmair: Wiedemann Theodor, Johann Turmair, genannt Aventinus, Geschichtsschreiber des bayerischen Volkes. Nach seinem Leben und seinen Schriften dargestellt. Freising 1858.

Wilisch: Wilisch Christian Gotthold, Arcana Bibliotheca Annaebergensis. Leipzig 1730.

Willburger, Konstanzer Bischöfe: Willburger August, Die Konstanzer Bischöfe Hugo von Landenberg, Balthasar Merklin, Johann von Lupfen (1496—1537) und die Glaubensspaltung. Münster 1917 (RST, 34.—35. H.).

Winterberg, Die Schüler von Ulrich Zasius I: Winterberg Hans, Die Schüler von Ulrich Zasius. Stuttgart 1961.

Winterberg, Die Schüler von Ulrich Zasius II: Winterberg Hans, Die Schüler von Ulrich Zasius. In: Schau-ins-Land. 79. Jahresheft, Freiburg i. Br. 1961, S. 42—53.

Wittmann, Augsburger Reformatoren: Wittmann Patricius, Augsburger „Reformatoren". Historisch-kritischer Beitrag zur Geschichte der „Reformation". Stuttgart 1884 (Beilage zu: DASchw, 1. Bd.).

Wolf, Quellenkunde: Wolf Gustav, Quellenkunde der deutschen Reformationsgeschichte. 3 Bde., Gotha 1915—1923; Reprint: Nieuwkoop 1965.

Wolfart, Geschichte Lindaus: Wolfart K. (Hg.), Geschichte der Stadt Lindau am Bodensee. 2 Bde., Lindau 1909.

Wormser Reichstag: Der Reichstag zu Worms von 1521. Reichspolitik und Luthersache. Reuter Fritz (Hg.). Worms 1971.

Wrede, Die Einführung: Wrede Adolf, Die Einführung der Reformation im Lüneburgischen durch Herzog Ernst den Bekenner. Göttingen 1887.

Wrede, Rhegius zu Hall: Wrede Adolf, Urbanus Rhegius zu Hall im Inntal. In: ZHVNS, 1904, S. 100f.

Zapf, Bischof Stadion: Zapf Georg Wilhelm, Christoph von Stadion, Bischof von Augsburg. Zürich 1799.

Zapf: Zapf Georg Wilhelm, Augsburgs Buchdruckergeschichte nebst den Jahrbüchern derselben. Vom Jahre 1501 bis auf das Jahr 1530. 2. Tl., Augsburg 1791.

Zincgref, Apophthegmata: Zincgref Julius Wilhelm, Deutsche Apophthegmata das ist der Teutschen Scharffsinnige kluge Sprüche. Amsterdam 1653.

Zoepfl, Das Bistum Augsburg: Zoepfl Friedrich, Das Bistum Augsburg und seine Bischöfe im Reformationsjahrhundert. München—Augsburg 1969. (Geschichte des Bistums Augsburg und seiner Bischöfe, 2. Bd.).

Zoepfl, Funde: Zoepfl Friedrich, Kleine reformationsgeschichtliche Funde. In: ThQ Tübingen, 125. Jg., 1944, S. 87—90.

Zorn, Wormser Chronik: Zorn Friedrich, Wormser Chronik mit den Zusätzen Franz Bertholds von Flersheim. Arnold Wilhelm (Hg.). Stuttgart 1857 (Bibliothek des Litterarischen Vereins in Stuttgart, 43. Bd.).

Zorn, Augsburg: Zorn Wolfgang, Augsburg. Geschichte einer deutschen Stadt. Augsburg 1955.

Personenregister

(Nicht eigens ausgewiesen wird der Name Urbanus Rhegius [Regius], wohl aber Rieger bzw. Kunig Urbanus)

Die zuletzt erschienenen Bände der RST. Einen ausführlichen Prospekt über die Reihe erhalten Sie direkt vom Verlag Aschendorff D 44 Münster, Postfach 1124

Reformationsgeschichtliche Studien und Texte

101 Johann Rasser (ca. 1535—1594) und die Gegenreformation im Oberelsaß. Von Jürgen Bücking. 1970, XII und 121 Seiten, kart. 20,– DM.

102 Frankreich und die deutschen Protestanten. Die Bemühungen um eine religiöse Konkordie und die französische Bündnispolitik in den Jahren 1534/35. Von Karl Josef Seidel. 1970, VI und 191 Seiten, kart. 38,– DM.

103 Die Aufzeichnungen des Hildesheimer Dechanten Johan Oldecop (1493–1574). Reformation und katholische Kirche im Spiegel von Chroniken des 16. Jahrhunderts. Von Günter Scholz. 1972, XVI und 104 Seiten, kart. 22,– DM.

104 Die Protokolle des Geistlichen Rates in Münster (1601–1612). Von Herbert Immenkötter. 1973, XV und 452 Seiten, kart. 90,– DM.

105 Die Congregatio Germanica und die katholische Reform in Deutschland nach dem Tridentinum. Von Josef Krasenbrink. 1973, XVI und 288 Seiten, kart. 64,– DM.

106 Frankreich und die Wiedereröffnung des Konzils von Trient 1559–1562. Von Wolfgang P. Fischer. Mit einem Geleitwort von Hubert Jedin. 1973, X und 358 Seiten, kart. 75,– DM.

107 Die Konfessionspolitik des Pfalzgrafen Philipp Wilhelm von Neuburg in Jülich-Berg von 1647 – 1679. Von Klaus Jaitner. 1973, VI und 330 Seiten, kart. 75,– DM.

108 Erasmus von Rotterdam und die Einleitungsschriften zum Neuen Testament. Formale Strukturen und theologischer Sinn. Von Gerhard B. Winkler. 1974, XII 254 Seiten, kart. 60,– DM.

109 Die Theologie der Rechtfertigung im „Enchiridion“ (1538) des Johannes Gropper. Sein kritischer Dialog mit Philipp Melanchthon. Von Reinhard Braunisch. 1974, VIII und 458 Seiten, kart. 108,– DM.

110 Obrigkeitliche Konfessionsänderung in Kondominaten. Eine Fallstudie über ihre Bedeutungen und Methoden am Beispiel der baden-badischen Religionspolitik unter der Regierung Markgraf Wilhelms (1622–1677). Von Hans-Joachim Köhler. 1975, X und 240 Seiten, 3 Falttafeln, kart. 62,– DM.

111 Luthers Briefe und Gutachten an weltliche Obrigkeiten zur Durchführung der Reformation. Von Karl Trüdinger. 1975, VIII und 156 Seiten, kart. 40,– DM.

112 Die Reformationsdiskussionen in der Hansestadt Hamburg 1522–1528. Zur Struktur und Problematik der Religionsgespräche. Von Otto Scheib. 1976, XII und 266 Seiten, kart. 74,– DM.

113 Der priesterliche Dienst nach Johannes Gropper (1503–1559). Der Beitrag eines deutschen Theologen zur Erneuerung des Priesterbildes im Rahmen eines vortridentinischen Reformkonzeptes für die kirchliche Praxis. Von Johannes Meier. 1977, VIII und 374 Seiten, kart. 88,– DM.

114 Martin Luthers Vorstellung von der Reichsverfassung. Von Wolfgang Günter. 1976, VI und 212 Seiten, kart. 48,– DM.

115 Weltlicher Staat und Kirchenreform. Die Seminarpolitik Bayerns im 16. Jahrhundert. Von Arno Seifert. 1978, VIII und 332 Seiten, kart. 82,– DM.

116 Katholische Kontroverstheologen und Reformer des 16. Jahrhunderts. Ein Werkverzeichnis. Herausgegeben von Wilbirgis Klaiber mit einer Einführung von Remigius Bäumer. – 1978, XXVI und 334 Seiten, kart. 36,– DM.

Aschendorff